le Guide du r[...]

Directeur de collection et auteur
Philippe GLOAGUEN

Cofondateurs
Philippe GLOAGUEN et Michel DUVAL

Rédacteur en chef
Pierre JOSSE

Rédacteurs en chef adjoints
Amanda KERAVEL et Benoît LUCCHINI

Directrice de la coordination
Florence CHARMETANT

Directrice administrative
Bénédicte GLOAGUEN

Direction éditoriale
Catherine JULHE

Rédaction
**Olivier PAGE, Véronique de CHARDON,
Isabelle AL SUBAIHI, Anne-Caroline DUMAS,
Carole BORDES, André PONCELET,
Marie BURIN des ROZIERS, Thierry BROUARD,
Géraldine LEMAUF-BEAUVOIS,
Anne POINSOT, Mathilde de BOISGROLLIER,
Alain PALLIER, Gavin's CLEMENTE-RUÏZ
et Fiona DEBRABANDER**

THAÏLANDE

2010

hachette

Avis aux hôteliers et aux restaurateurs

Les enquêteurs du *Guide du routard* travaillent dans le plus strict anonymat. Aucune réduction, aucun avantage quelconque, aucune rétribution n'est jamais demandée en contrepartie. Face aux aigrefins, la loi autorise les hôteliers et restaurateurs à porter plainte.

Hors-d'œuvre

Le *Guide du routard*, ce n'est pas comme le bon vin, il vieillit mal. On ne veut pas pousser à la consommation, mais évitez de partir avec une édition ancienne. Les modifications sont souvent importantes.

routard.com dépasse 2 millions de visiteurs uniques par mois !

● *routard.com* ● Sur notre site, tout pour préparer votre périple. Des fiches pratiques sur plus de 200 destinations, de nombreuses informations et des services : photos, cartes, météo, dossiers, agenda, itinéraires, billets d'avion, réservation d'hôtels, location de voitures, visas... Et aussi un vaste forum pour échanger ses bons plans, partager ses photos, définir son passeport routard ou trouver son compagnon de voyage. Sans oublier *routard mag,* ses reportages, ses carnets de route et ses infos pour bien voyager. La boîte à outils indispensable du routard.

Petits restos des grands chefs

Ce qui est bon n'est pas forcément cher ! Partout en France, nous avons dégoté de bonnes petites tables de grands chefs aux prix aussi raisonnables que la cuisine est fameuse. Évidemment, tous les grands chefs n'ont pas été retenus : certains font payer cher leur nom pour une petite table qu'ils ne fréquentent guère. Au total, 510 adresses réactualisées, dont une centaine de nouveautés, retenues pour la qualité et la créativité de la cuisine, sans pour autant ruiner votre portefeuille. À proximité des restaurants sélectionnés, 510 hôtels de charme sont indiqués pour prolonger la fête.

Nos meilleurs campings en France

Se réveiller au milieu des prés, dormir au bord de l'eau ou dans une hutte, voici nos 1 800 meilleures adresses en pleine nature. Du camping à la ferme aux équipements les plus sophistiqués, nous avons sélectionné les plus beaux emplacements : mer, montagne, campagne ou lac. Sans oublier les balades à proximité, les jeux pour enfants... Des centaines de réductions pour nos lecteurs.

Avis aux lecteurs

Les réductions accordées à nos lecteurs ne sont jamais demandées par nos rédacteurs afin de préserver leur indépendance. Les hôteliers et restaurateurs sont sollicités par une société de mailing, totalement indépendante de la rédaction, qui reste donc libre de ses choix. De même pour les autocollants et plaques émaillées.

Pour que votre pub voyage autant que nos lecteurs,
contactez nos régies publicitaires :
● *fbrunel@hachette-livre.fr* ●
● *veronique@routard.com* ●

Le contenu des annonces publicitaires insérées dans ce guide n'engage en rien la responsabilité de l'éditeur.

Mille excuses, on ne peut plus répondre individuellement aux centaines de CV reçus chaque année.

www. seal21. com / Thailand
www. traveller 2000. com

TABLE DES MATIÈRES

COMMENT Y ALLER ?

QUITTER LE PAYS

THAÏLANDE UTILE

HOMMES, CULTURE ET ENVIRONNEMENT

BANGKOK ET SES ENVIRONS

AU SUD-EST DE BANGKOK

À L'OUEST DE BANGKOK

AU NORD DE BANGKOK

LA PLAINE CENTRALE

CHIANG MAI ET SA RÉGION

À L'OUEST DE CHIANG MAI : LA PROVINCE DE MAE HONG SON

CHIANG RAI ET LE TRIANGLE D'OR

LA RÉGION DU TRIANGLE D'OR

LE NORD-EST

LES PARCS DE LA PROVINCE DE LOEI

DE CHIANG KHAN À NONG KHAI, LE LONG DU MÉKONG

UDON THANI, KHON KAEN ET ENVIRONS

DE NONG KHAI AU THAT PHANOM

DE MUKDAHAN À KHONG CHIAM

LA RÉGION DE KHAO YAI

SUR LA ROUTE DES CITADELLES KHMÈRES, DE PHIMAI AU PREAH VIHARN

LE SUD : ITINÉRAIRE BANGKOK-HAT YAI

DE HUA HIN À SURAT THANI

À L'EST : LES ÎLES ENTRE KO SAMUI ET KO TAO

À L'OUEST : DE PHUKET À HAT YAI

NOS NOUVEAUTÉS

BRUXELLES (novembre 2009)

Imaginez à moins de 1h30 en train de Paris, une destination parmi les plus surprenantes d'Europe. Loin de son austère réputation de capitale d'une Europe bureaucratique, elle a fait de la multiculturalité son image de marque : on y trouve 120 nationalités parlant 170 langues différentes. Cette Babel moderne est le prototype du village-monde du XXIe siècle où il fait bon vivre. Désormais, culture, humour, cosmopolitisme et gastronomie, sont ses atouts les plus séduisants. Venez découvrir les façades de la Grand-Place, de l'Art nouveau et des créateurs de la B.D. Découvrez l'œuvre de Magritte au Mont des Arts. Sortez du périmètre d'arrosage du Manneken-Pis pour chiner dans le quartier des Marolles. Puis descendez une des innombrables bières que proposent les estaminets chaleureux, avant d'entamer une casserole de moules charnues, accompagnées de frites croustillantes. Et n'oubliez pas de rapporter des chocolats !

TOURISME DURABLE (paru)

Mais que signifie cette nouvelle notion ? Quels sont les acteurs qui agissent en faveur du tourisme durable ? Où peut-on le pratiquer ? Avec ce guide, nous souhaitons mieux comprendre les enjeux de ce nouveau type de tourisme. Modestement, à notre échelle, nous voulons contribuer à vulgariser un sujet qui ne doit pas rester l'apanage de quelques spécialistes. Et pour vous prouver que tourisme durable peut rimer avec confort, charme et plaisir, vous y trouverez une sélection d'adresses en France et à l'étranger, respectueuses de cette tendance.

LES GUIDES DU ROUTARD
2010-2011

(dates de parution sur **routard.com**)

France

Nationaux

- Nos meilleures chambres d'hôtes en France
- Nos meilleurs campings en France
- Nos meilleurs hôtels et restos en France
- Petits restos des grands chefs
- Tables à la ferme et boutiques du terroir

Régions françaises

- Alpes
- Alsace (Vosges)
- Ardèche, Drôme
- Auvergne
- **Berry (mai 2010)**
- Bordelais, Landes, Lot-et-Garonne
- Bourgogne
- Bretagne Nord
- Bretagne Sud
- **Champagne, Ardennes (mai 2010)**
- Châteaux de la Loire
- Corse
- Côte d'Azur
- **Dordogne-Périgord (décembre 2009)**
- Franche-Comté
- Guadeloupe, Saint-Martin, Saint-Barth
- Languedoc-Roussillon
- Limousin
- Lorraine
- Lot, Aveyron, Tarn
- Martinique
- Nord-Pas-de-Calais

- Normandie
- Pays basque (France, Espagne), Béarn
- Pays de la Loire
- Picardie
- Poitou-Charentes
- Provence
- Pyrénées, Gascogne et Pays toulousain
- Réunion
- **La Route des impressionnistes en Normandie (avril 2010)**

Villes françaises

- Lyon
- Marseille
- Nice
- Strasbourg

Paris

- Environs de Paris
- Junior à Paris et ses environs
- Paris
- Paris balades
- Paris la nuit
- Paris, ouvert le dimanche
- Paris à vélo
- Paris zen
- Restos et bistrots de Paris
- Le Routard des amoureux à Paris
- Week-ends autour de Paris

Europe

Pays européens

- Allemagne
- Andalousie
- Angleterre, Pays de Galles
- Autriche
- Baléares
- Belgique
- Catalogne (+ Valence et Andorre)
- Crète
- Croatie
- Danemark, Suède
- Écosse
- Espagne du Nord-Ouest (Galice, Asturies, Cantabrie)
- Finlande
- Grèce continentale
- Hongrie, République tchèque, Slovaquie

- Îles grecques et Athènes
- Irlande
- Islande
- Italie du Nord
- Italie du Sud
- Lacs italiens
- Madrid, Castille (Aragon et Estrémadure)
- Malte
- Norvège
- Pologne et capitales baltes
- Portugal
- Roumanie, Bulgarie
- Sicile
- Suisse
- Toscane, Ombrie

LES GUIDES DU ROUTARD
2010-2011 *(suite)*

(dates de parution sur **routard.com**)

Villes européennes

- Amsterdam et ses environs
- Barcelone
- Berlin
- **Bruxelles (novembre 2009)**
- Florence
- Lisbonne

- Londres
- Moscou, Saint-Pétersbourg
- Prague
- Rome
- Venise

Amériques

- Argentine
- Brésil
- Californie
- Canada Ouest et Ontario
- Chili et île de Pâques
- Équateur et les îles Galápagos
- États-Unis côte Est
- Floride

- Guatemala, Yucatán et Chiapas
- Louisiane et les villes du Sud
- Mexique
- New York
- Parcs nationaux de l'Ouest américain et Las Vegas
- Pérou, Bolivie
- Québec et Provinces maritimes

Asie

- Bali, Lombok
- Birmanie (Myanmar)
- Cambodge, Laos
- Chine (Sud, Pékin, Yunnan)
- Inde du Nord
- Inde du Sud
- Istanbul
- Jordanie, Syrie

- Malaisie, Singapour
- Népal, Tibet
- Sri Lanka (Ceylan)
- Thaïlande
- Tokyo, Kyoto et environs
- Turquie
- Vietnam

Afrique

- Afrique de l'Ouest
- Afrique du Sud
- Égypte
- Kenya, Tanzanie et Zanzibar

- Maroc
- Marrakech
- Sénégal, Gambie
- Tunisie

Îles Caraïbes et océan Indien

- Cuba
- Île Maurice, Rodrigues
- Madagascar

- République dominicaine (Saint-Domingue)

Guides de conversation

- Allemand
- Anglais
- Arabe du Maghreb
- Arabe du Proche-Orient
- Chinois
- Croate

- Espagnol
- Grec
- Italien
- Japonais
- Portugais
- Russe

Et aussi...

- Le Guide de l'humanitaire
- Tourisme durable

- G'palémo

NOS NOUVEAUTÉS

PÉRIGORD (décembre 2009)

Il faut bien tout un guide pour raconter la beauté de ces paysages piquetés de châteaux forts. La pierre blonde éclate au soleil couchant et les vins généreux donnent une troisième dimension à la découverte de cette contrée. Où la nature a, de tout temps, donné à manger, à voir et à boire. On va en quête d'un mode de vie, fondé sur des choses simples. La visite de sublimes villages, de demeures merveilleuses ou la descente d'une rivière nous permettent de parcourir le fil de l'histoire jusqu'à la préhistoire. Nos ancêtres devaient déjà grogner de plaisir, au petit matin de l'humanité, en sortant de leur grotte. En ouvrant ses volets sur la beauté naturelle d'un site, sur la courbe d'une colline, sur la majesté d'une falaise ou l'élégance d'un village, l'*homo-turisticus* prend aujourd'hui le même plaisir. Et quand, le soir venu, épuisé par tant d'émotions, l'on s'assoit à la table d'une ferme-auberge, en dégustant un foie gras fondant, en savourant un tendre magret, on se dit que l'homme préhistorique avait bien raison.

BERRY (mai 2010)

Tous les chemins mènent au Berry, le centre de la France. On y pénètre aussi au cœur de l'histoire. Les sens en éveil, on aborde ce mystérieux pays qui réunit le Cher, l'Indre et une partie de la Sologne, dans un paysage rural alternant sombres forêts, douces collines, vignobles prospères et cours d'eau... Un univers propice aux baguenaudes dans des sites naturels comme le parc de la Brenne, ces marais baptisés « pays des mille étangs », d'une richesse écologique fantastique. On remonte l'histoire sur les traces de Talleyrand, au prestigieux château de Valençay, qui n'a pas à pâlir de son vin blanc, et peut s'enorgueillir de son fromage de chèvre. En se promenant dans les petites rues bordées de maisons médiévales de Bourges, on pense également à ces alchimistes qui y jouaient, il y a quelques siècles, les apprentis sorciers. La pierre philosophale serait d'ailleurs cachée, selon une légende, au cœur même du Berry ! Mais la richesse du pays de George Sand et de Jacques Cœur ne repose pas uniquement sur cette atmosphère ésotérique ! Le charme des vastes étendues céréalières de la Champagne berrichonne et les verts bocages de la vallée de Germigny enchantent le visiteur à la recherche de calme et de douceur de vivre.

Nous tenons à remercier tout particulièrement Loup-Maëlle Besançon, Thierry Bessou, Gérard Bouchu, Grégory Dalex, Fabrice Doumergue, Cédric Fischer, Carole Fouque, Michelle Georget, David Giason, Claude Hervé-Bazin, Lucien Jedwab, Emmanuel Juste, Fabrice de Lestang, Pierre Mitrano, Jean-Sébastien Petitdemange, Thomas Rivallain, Claudio Tombari et Solange Vivier pour leur collaboration régulière.

Et pour cette nouvelle collection, nous remercions aussi :

David Alon
Jean-Jacques Bordier-Chêne
Michèle Boucher
Nathalie Capiez
Raymond Chabaud
Alain Chaplais
François Chauvin
Cécile Chavent
Stéphanie Condis
Agnès Debiage
Nathalie Delos
Jérôme Denoix
Solenne Deschamps
Tovi et Ahmet Diler
Florence Douret
Céline Druon
Nicolas Dubost
Clélie Dudon
Sophie Duval
Alain Fisch
Aurélie Gaillot
Adrien et Clément Gloaguen
Stéphane Gourmelen
Claudine de Gubernatis
Xavier Haudiquet

Bernard Hilaire
Sébastien Jauffret
François et Sylvie Jouffa
Dimitri Lefèvre
Jacques Lemoine
Sacha Lenormand
Valérie Loth
Julie Marest-Cornillon
Romain Meynier
Éric Milet
Jacques Muller
Caroline Ollion
Nicolas Pallier
Martine Partrat
Odile Paugam et Didier Jehanno
Émilie Pollet
Xavier Ramon
Dominique Roland et Stéphanie Déro
Corinne Russo
Prakit Saiporn
Jean-Luc et Antigone Schilling
Julien Vitry
Céline Vo
Fabian Zegowitz

Direction : Nathalie Pujo
Contrôle de gestion : Joséphine Veyres, Héloïse Morel d'Arleux et Aurélie Knafo
Secrétariat : Catherine Maîtrepierre
Direction éditoriale : Catherine Julhe
Édition : Matthieu Devaux, Géraldine Péron, Jean Tiffon, Olga Krokhina, Gia-Quy Tran, Vanessa Di Domenico, Julie Dupré, Christine de Geyer et Gaëlle Leguéné
Préparation-lecture : Véronique Rauzy
Cartographie : Frédéric Clémençon et Aurélie Huot
Fabrication : Nathalie Lautout et Audrey Detournay
Relations presse France : COM'PROD, Fred Papet. ☎ 01-56-43-36-38.
● *info@comprod.fr* ●
Direction marketing : Dominique Nouvel, Lydie Firmin et Claire Bourdillon
Responsable des partenariats : André Magniez
Édition des partenariats : Juliette de Lavaur et Mélanie Radepont
Informatique éditoriale : Lionel Barth
Couverture : Seenk
Relations presse : Martine Levens (Belgique) et Maureen Browne (Suisse)
Régie publicitaire : Florence Brunel

LES QUESTIONS QU'ON SE POSE LE PLUS SOUVENT

➤ **La Thaïlande est-elle un pays cher ?**

Non, c'est même un pays où le rapport entre la qualité de ce qu'on vous propose et le prix demandé reste exceptionnel, que ce soit pour l'hébergement, la nourriture ou les excursions. En revanche, certaines stations balnéaires et les îles du sud du pays sont devenues assez onéreuses.

➤ **Quelle est la meilleure période pour y aller ?**

De novembre à février, quand les températures sont agréables et pas encore insupportables. De mars à août, le thermomètre grimpe rapidement et il fait très chaud. Évitez la saison des pluies, en septembre et octobre principalement.

➤ **Quel est le décalage horaire ?**

Compter 5h d'avance sur Paris en été ; 6h en hiver. Quand il est midi à Paris, il est 17h (été) ou 18h (hiver) à Bangkok.

➤ **Un visa est-il nécessaire ?**

Non, si vous restez moins de 30 jours sur place. Au-delà, il faudra impérativement vous en procurer un.

➤ **Y a-t-il des problèmes de sécurité ?**

Pas plus mais pas moins que dans tout pays hautement touristique. Une vigilance naturelle est de rigueur, surtout dans le Nord, à la frontière birmane et à la pointe sud, à la frontière malaise.

➤ **Quels sont les secteurs les plus culturels ?**

Bangkok, la plaine centrale et le Nord. On y trouve les plus beaux temples, les minorités ethniques, et toute la spiritualité du pays. Le Sud attire surtout pour ses plages.

➤ **Peut-on emmener les enfants en Thaïlande ?**

Oui, sans souci. Il n'y a pas de problème sanitaire particulier, la Thaïlande dispose de bons hôpitaux, et venir en famille vous ouvre de nombreuses portes tant les Thaïs adorent les enfants.

➤ **Dans quelle région les plages sont-elles les plus belles ?**

Dans les îles du Sud. Petit palmarès : Ko Tao et Ko Phi Phi pour les amateurs de plongée, Ko Samui pour sa douceur de vivre, Ko Tarutao ou Ko Bulon Lae pour jouer les Robinson.

➤ **Y a-t-il de bons spots de plongée ?**

La Thaïlande regorge de très beaux spots, comme autour de Ko Phi Phi, Ko Tao, ou encore Ko Lipe. Quant aux îles Similan et Surin, elles figurent parmi les plus beaux spots du monde.

➤ **Quel est le meilleur moyen de transport ?**

Le bus offre pas mal de liberté, les liaisons entre les villes sont assez nombreuses et pas chères. La location de voitures est possible (routes bien goudronnées), même sur certaines îles comme Ko Samui ou Ko Lanta. Attention, conduite à gauche. Pour les motos, prudence et casque de rigueur, les bécanes – et les routes – ne sont pas toujours en bon état. En voiture ou à moto, toujours bien vérifier l'assurance.

➤ **Est-il nécessaire de parler l'anglais ?**

Il est préférable de connaître quelques mots d'anglais, mais on se fait facilement comprendre, quel que soit le langage utilisé (mimes, dessins... !).

➤ **Est-il vrai qu'il y a de la prostitution partout ?**

Non. Il y a certes beaucoup de prostitution, mais elle est cantonnée à certaines villes et certains quartiers. Il suffit d'éviter ces coins pour ne pas rencontrer ce phénomène.

LES COUPS DE CŒUR DU ROUTARD

- Grimper au sommet de la tour Baiyoke à Bangkok et admirer l'étendue de la ville.

- Passer tout le dimanche dans les travées du Chatuchak Market, le marché le plus intéressant de Bangkok (après le marché aux fleurs de Pak Klong...).

- Se faire photographier devant les pieds immenses du bouddha couché du Wat Pho de Bangkok : 45 m de long, 15 m de haut !

- S'offrir un massage au Wat Pho de Bangkok, avec les apprentis masseurs qui se font les mains sur votre dos !

- Remonter la Chao Phraya, le fleuve de Bangkok, sur un bateau longue-queue, et se perdre dans les *khlong,* les canaux de la cité, parmi les familles qui vivent dans ces maisons sur pilotis.

- Se promener à Lopburi au milieu des singes, maîtres des lieux.

- Admirer le lever du soleil sur le parc historique de Sukhothai.

- Prendre un cours de cuisine thaïe à Chiang Mai pour apprécier les saveurs sucrées-salées (et épater les copains en rentrant !).

- Descendre (ou remonter) la rivière Kok depuis Thaton, en regardant les éléphants se laver les dents.

- Admirer Angkor (par beau temps) depuis le Prasat Khao Preah Viharn, forteresse magique sur la route des citadelles khmères.

- Se prendre pour James Bond dans la baie de Phang Nga...

- ... et pour Leonardo di Caprio, dans le film *La Plage,* à Ko Phi Phi au milieu d'une eau translucide.

- Manger un *tom yam kung,* soupe de crevettes parfumée à la citronnelle et plat traditionnel thaï (avec une petite mangue et son riz gluant chaud en dessert). Miam !

- Se déhancher sauvagement lors d'une *Full Moon Party* sur une des plages de Ko Pha Ngan.

- Tutoyer les poissons en plongée au large de Ko Tao, dans les jardins de coraux.

- Se délecter de la première gorgée bien fraîche de *Singha Beer,* la bière nationale.

- Contempler les différentes postures de Bouddha dans les temples.

- Goûter à des grillons grillés (si vous avez perdu un pari !).

COMMENT Y ALLER ?

LES COMPAGNIES RÉGULIÈRES

VOLS SANS ESCALE

▲ AIR FRANCE

Rens et résas au ☎ *36-54 (0,34 €/mn – tlj 6h30-22h), sur* ● *airfrance.fr* ●*, dans les agences Air France et dans ttes les agences de voyages. Fermées dim.*
– Bangkok : Vorawat Building (20ᵉ étage), 849 Silom Rd. ☎ *02-635-11-91. Fax : 02-635-12-14.*
➤ Une fréquence/j. au départ de Paris vers Bangkok.
Air France propose une gamme de tarifs accessibles à tous : du *Tempo 1* (le plus souple) au *Tempo 5* (le moins cher) selon les destinations. Pour les moins de 25 ans, Air France offre des tarifs très attractifs *Tempo Jeunes*, ainsi qu'une carte de fidélité *(Flying Blue Jeune)* gratuite et valable sur l'ensemble des compagnies membres de *Skyteam*. Cette carte permet de cumuler des *miles*.
Tous les mercredis dès 0h, sur ● *airfrance.fr* ● , Air France propose les tarifs « Coup de cœur », une sélection de destinations en France pour des départs de dernière minute.
Sur Internet, possibilité de consulter les meilleurs tarifs du moment, rubrique « Offres spéciales », « Promotions ».

▲ THAI AIRWAYS INTERNATIONAL

– Paris : Tour Opus 12, 77, esplanade du Général-de-Gaulle, 92914 La Défense Cedex. ☎ *01-55-68-80-00.* ● *thaiairways.fr* ● Ⓜ *La Défense.*
– Nice : 8, av. Félix-Faure, 06000. ☎ *04-93-13-80-80. Fax : 04-93-13-43-43.*
➤ La compagnie assure 7 vols/sem sur Bangkok sans escale au départ de Roissy 1. Depuis Bangkok, Thai Airways dessert 11 villes en Thaïlande.
Un *pass* « Amazing Thailand » de 3 coupons est disponible pour 209 € (69 € le coupon supplémentaire, avec un maximum de 8 coupons, mais prix soumis aux variations saisonnières). Réservation et achat possibles avant le départ.

▲ XL AIRWAYS

☎ *0892-23-13-00 (0,34 €/mn).* ● *xlairways.fr* ●
➤ Vol hebdomadaire vers Phuket au départ de Paris.

VOLS AVEC ESCALE

▲ CATHAY PACIFIC

– Neuilly-sur-Seine : 8, rue de l'Hôtel-de-Ville, 92200. ☎ *01-41-43-75-75 ou 0820-560-560.* ● *cathaypacific.fr* ●
➤ Plusieurs vols directs/sem Paris-Hong Kong et au-delà, entre 6 et 7 vols/j. en correspondance sur Bangkok et sur Phuket (vol direct Hong Kong-Phuket opéré en *codeshare* par sa filiale Dragonair). Possibilité de combiner sans frais la ville d'arrivée et de départ. Exemple : arrivée Bangkok, retour Phuket (sans repasser par Bangkok) ou vice versa.

– *Stopover* possible sans supplément à Hong Kong, à l'aller ou au retour permettant de combiner un séjour en Thaïlande et une visite de Hong Kong pour le prix d'un seul billet d'avion. Au départ des régions, la compagnie propose des préacheminements TGV sur Roissy-CDG de 11 villes en France, ainsi que des possibilités de tarifs négociés au départ de Nice, Toulouse et Lyon via Londres et de Bordeaux, Marseille, Nice et Toulouse via Paris.

▲ ETIHAD AIRWAYS

☎ *01-47-42-20-00 (prix d'un appel normal).* ● *etihadairways.com* ●
➤ Au départ du terminal 2A de Roissy-CDG, Etihad Airways dessert Bangkok (via Abu Dhabi) avec 10 fréquences/sem. En *codeshare* avec Bangkok Airways, Etihad propose également des vols vers les îles de Phuket et de Ko Samui.

▲ KLM

☎ *0892-702-608 (0,34 €/mn).* ● *klm.fr* ●
➤ La Thaïlande est reliée quotidiennement, via Amsterdam-Schiphol, à Bordeaux, Lyon, Marseille, Nice, Paris et Toulouse.

▲ LUFTHANSA

– *Boulogne-Billancourt : 122, av. du Général-Leclerc, 92514 Cedex. Infos et résas :*
☎ *0892-231-690 (0,34 €/mn).* ● *lufthansa.com* ●
➤ Lufthansa dessert Bangkok 28 fois/sem : 7 vols Lufthansa/sem via Francfort et 21 vols/sem en partage de code avec Thai Airways International via Francfort et Munich. Ces vols sont en parfaite correspondance au départ de Paris, Bordeaux, Lyon, Marseille, Nice, Strasbourg, Toulouse et Bâle-Mulhouse. Depuis Bangkok, correspondances vers Chiang Mai, Chiang Rai, Hat Yai, Nakhon Si Thammart, Phuket et Surat Thani en partenariat avec Thai Airways International.

▲ MALAYSIA AIRLINES

– *Paris : 1, rue de la Pépinière, 75008.* ☎ *0892-35-08-10 (0,34 €/mn).* ● *malaysiaair lines.com* ● Ⓜ *Saint-Lazare.*
➤ Malaysia Airlines dessert Bangkok (via Kuala Lumpur) au départ de Roissy-CDG. Départ tlj.
La compagnie dessert également Phuket via Kuala Lumpur et Ko Samui via Kuala Lumpur/Bangkok et Phuket.

▲ SINGAPORE AIRLINES

– *Paris : 43, rue Boissière, 75116.* ☎ *0821-230-380 (0,12 €/mn).* ● *singaporeair.fr* ●
➤ Propose 1 vol/j. Paris-Singapour sans escale avec le nouvel Airbus A380, plus de 4 correspondances/j. vers Bangkok et plus de 4 correspondances/j. vers Phuket et 1 vol/j. vers Chiang Mai.

LES ORGANISMES DE VOYAGES

– Ne pas croire que les vols à tarif réduit sont tous au même prix pour une même destination à une même époque : loin de là. On a déjà vu, dans un même avion partagé par deux organismes, des passagers qui avaient payé 40 % plus cher que les autres. De plus, une agence bon marché ne l'est pas forcément toute l'année (elle peut n'être compétitive qu'à certaines dates bien précises). Donc, contactez tous les organismes et jugez vous-même.
– Les organismes cités sont classés par ordre alphabétique, pour éviter les jalousies et les grincements de dents.

EN FRANCE

▲ ASIA

● *asia.fr* ●

– *Paris : Asia, 1, rue Dante, 75005.* ☎ *01-44-41-50-10.* Ⓜ *Maubert-Mutualité. Lun-ven 9h-18h30 ; sam 10h-13h, 14h-17h.*

– *Lyon : 46, rue du Président-Herriot (entrée 10, rue Saint-Viguier), 69002.* ☎ *04-78-38-30-40. Lun-ven 9h30-12h30, 13h30-18h30 ; sam 10h-13h, 14h-17h.*

– *Marseille : 424, rue Paradis, 13008.* ☎ *04-91-16-72-32. Lun-ven 9h-12h30, 14h-18h30 ; sam 9h30-12h30.*

– *Nice : 23, rue de la Buffa, 06000.* ☎ *04-93-82-41-41. Lun-ven 9h-12h30, 14h-18h30 ; sam 10h-12h.*

– *Toulouse : 5, rue Croix-Baragnon, 31000 Toulouse.* ☎ *05-61-14-51-50. Lun-ven 9h30-18h30 ; sam 10h30-13h, 14h-17h.*

Asia propose des voyages personnalisés en individuel ou en petits groupes, de la Jordanie à la Nouvelle-Zélande en passant par l'Ouzbékistan, l'Inde, la Mongolie, la Chine, l'Asie du Sud-Est et l'Australie. Dans chaque pays, Asia construit avec passion un voyage à la carte ou sur mesure selon ses envies, ses contraintes et son budget. Asia, c'est le respect du patrimoine culturel et l'esprit des lieux avec ses produits « maison » en Thaïlande : jonques « Mekhala », petits hôtels flottants construits à l'ancienne selon les plans des barges traditionnelles reliant Bangkok à Ayuthaya ; « Lisu Lodge », hébergement dans des maisons traditionnelles dans le décor typique d'un village lisu ; « Kum Lanna », maison lanna traditionnelle au cœur d'une petite vallée luxuriante. Asia a sélectionné des sites paradisiaques et de luxueux spas de l'océan Indien à la mer de Chine, pour des séjours au bord de plages idylliques. Également des spas luxueux bien-être. Asia c'est aussi Air Asia : une expertise dans le choix des vols de l'Asie Mineure au Pacifique aux meilleures conditions.

▲ ASIE AUTREMENT (L')

Rens et résas : ☎ *01-48-73-34-79.* ● *asie-autrement.com* ●

L'Asie Autrement ne dispose pas de catalogue de circuits préétablis. Des spécialistes bâtissent, avec vous, votre voyage individuel. Que vous disposiez déjà de vos vols internationaux ou non, quels que soient vos centres d'intérêt et les motivations qui vous incitent à voyager dans ce pays, l'équipe de L'Asie Autrement construit pour vous le voyage qui vous ressemble. L'Asie Autrement s'attache à développer un tourisme équitable pour les partenaires locaux et soutient financièrement des actions visant à améliorer les conditions de vie des populations sur place.

▲ BEST TOURS

Résas en agences de voyages, au ☎ *0892-232-262 (0,33 €/mn) ou sur* ● *best-tours.fr* ●

Caractéristique principale de ce tour-opérateur, ses circuits comportent un vaste choix d'excursions auxquelles le voyageur peut choisir ou non de participer. Les voyageurs bénéficient ainsi d'un séjour qui comprend, en plus des vols internationaux et domestiques, les transferts entre les différentes étapes et l'hébergement dans une hôtellerie majoritairement 5 étoiles. Best Tours applique cette même philosophie sur une trentaine de destinations parmi lesquelles la Thaïlande, l'Indonésie, le Vietnam, l'Inde et la Chine. Pas de vols secs.

▲ BOURSE DES VOLS/BOURSE DES VOYAGES

● *bdv.fr* ● *ou par téléphone au* ☎ *01-42-61-66-61, lun-sam 8h-20h.*

Agence de voyages en ligne, bdv.fr propose une vaste sélection de vols secs, séjours et circuits à réserver en ligne ou par téléphone. Pour bénéficier des meilleurs

tarifs aériens, même à la dernière minute, le service de Bourse des Vols référence en temps réel un large panel de vols réguliers, charters et dégriffés au départ de Paris et de nombreuses villes de province à destination du monde entier.

▲ CLUBAVENTURE
☎ *0826-88-20-80 (0,15 €/mn).* ● *clubaventure.fr* ●
– *Paris : 18, rue Séguier, 75006.* Ⓜ *Saint-Michel ou Odéon. Mar-sam 10h-19h.*
– *Lyon : 2, rue Vaubecour, 69002.* Ⓜ *Bellecour ou Ampère. Lun-sam 10h30-13h, 14h-18h30.*
Spécialiste du voyage d'aventure depuis près de 30 ans, Clubaventure privilégie la randonnée en petits groupes, en famille ou entre amis pour parcourir le monde hors des sentiers battus. Le site ● *clubaventure.fr* ● offre 1 000 voyages dans 90 pays différents, à pied, en pirogue ou à dos de chameau. Ces voyages sont encadrés par des guides locaux et professionnels.

▲ COMPAGNIE DES INDES & DE L'EXTRÊME-ORIENT
● *compagniesdumonde.com* ●
– *Paris : 5, av. de l'Opéra, 75001.* ☎ *0892-234-432 (0,34 €/mn).* Ⓜ *Palais-Royal-Musée-du-Louvre ou Pyramides. Lun-ven 9h-19h ; sam 10h-19h.*
Dans le cadre de l'ouverture de son *concept store,* Compagnie des Indes & de l'Extrême-Orient vous propose dans sa brochure toutes les formules de voyages sur mesure en Thaïlande. Tous ces voyages individuels se font en voiture privée avec chauffeur et guide. C'est la spécificité de ce voyagiste, avec son espace tourné vers le « Beau » qui est pour lui la meilleure façon de respecter et de découvrir le monde. C'est pourquoi la Compagnie est aussi spécialisée dans les séjours ou les circuits tournés vers l'art contemporain, l'archéologie, les sites religieux et bien sûr la nature. Dans son *concept store,* vous trouverez une galerie d'art contemporain exposant des artistes asiatiques de grande qualité, et un salon de café avec des variétés en provenance directe de plantations situées uniquement sur ces destinations.
Compagnie des Indes & de l'Extrême-Orient, comme Compagnie des États-Unis & du Canada, Compagnie de l'Amérique latine & des Caraïbes, Compagnie de l'Afrique australe & de l'océan Indien et Compagnie des plages, fait partie du groupe Compagnies du Monde.
Une envie de croisière, consultez le site le plus complet :
● *mondeetcroisières.com* ●

▲ COMPTOIRS DU MONDE (LES)
– *Paris : 22, rue Saint-Paul, 75004.* ☎ *01-44-54-84-54.* ● *comptoirsdumonde.fr* ●
Ⓜ *Saint-Paul ou Pont-Marie. Lun-ven 10h-19h ; sam 11h-18h.*
C'est en plein cœur du Marais, dans un décor chaleureux, que l'équipe des Comptoirs du Monde traitera personnellement tous vos désirs d'évasion : vols à prix réduits mais aussi circuits et prestations à la carte pour tous les budgets sur toute l'Asie, le Proche-Orient, les Amériques, les Antilles, Madagascar et maintenant l'Italie. Vous pouvez aussi réserver par téléphone et régler par carte de paiement, sans vous déplacer.

▲ FLEUVES DU MONDE
– *Paris : 28, bd de la Bastille, 75012.* ☎ *01-44-32-12-85.* ● *fleuves-du-monde. com* ● Ⓜ *Bastille. Lun-ven 9h-18h30 ; sam 9h-18h.*
Fleuves du Monde défend l'élément naturel du voyage. Appréhender l'histoire d'un pays, pénétrer le cœur d'une civilisation, toucher l'intimité d'une culture et savourer le silence de la nature constituent l'objet de ces voyages au fil de l'eau. « Voguer »

HEUREUSEMENT, ON NE VOUS PROPOSE PAS QUE LE TRAIN.

SINGAPOUR, TOUTE L'ASIE ET LE RESTE DU MONDE.

Voyages-sncf.com

Voyages-sncf.com, première agence de voyage sur Internet avec plus de 600 destinations dans le monde, vous propose ses meilleurs prix sur les billets d'avion et de train, les chambres d'hôtel, les séjours et la location de voiture. Accessible 24h/24, 7j/7.

ou « explorer » sont les deux thèmes de Fleuves du Monde. Le premier savoure l'exotisme et le confort d'une embarcation traditionnelle, pour aborder les coutumes de lointaines destinations. Le second éveille l'esprit et l'œil en touchant des cultures à peine déflorées, rencontrées en felouques, pirogues, sampans ou canots.

▲ JEUNESSE ET RECONSTRUCTION

– *Paris : 10, rue de Trévise, 75009.* ☎ *01-47-70-15-88.* ● *volontariat.org* ● Ⓜ *Cadet ou Grands-Boulevards. Lun-ven 9h-13h, 14h-18h.*
Jeunesse et Reconstruction propose des activités dont le but est l'échange culturel dans le cadre d'un engagement volontaire. Chaque année, des centaines de jeunes bénévoles âgés de 17 à 30 ans participent à des chantiers internationaux en France ou à l'étranger (Europe, Asie, Afrique et Amérique), s'engagent dans le programme de volontariat à long terme (6 mois ou 1 an), s'inscrivent à des cours de langue en immersion au Costa Rica, Guatemala et Maroc, à des stages de danse traditionnelle, percussions, poterie, art culinaire, artisanat africain.
Dans le cadre des chantiers internationaux, les volontaires se retrouvent autour d'un projet d'intérêt collectif (1 à 4 semaines) et participent à la restauration du patrimoine bâti, à la protection de l'environnement, à l'organisation logistique d'un festival ou à l'animation et l'aide à la vie quotidienne auprès d'enfants ou de personnes handicapées.

▲ LASTMINUTE.COM

Leurs offres sont accessibles au ☎ *04-66-92-30-29 et sur* ● *lastminute.com* ●
Lastminute.com propose une vaste palette de voyages et de loisirs : billets d'avion, séjours sur mesure ou clés en main, week-ends, hôtels, locations en France, location de voitures, spectacles, restaurants... pour penser ses vacances selon ses envies et ses disponibilités. Les prix sont TFC (tous frais compris), le tarif affiché est celui payé à la fin. Si vous trouvez moins cher, lastminute.com rembourse le double de la différence grâce au contrat Zen.

▲ NOSTAL'ASIE

– *Paris : 19, rue Damesme, 75013.* ☎ *01-43-13-29-29.* ● *ann.fr* ● Ⓜ *Tolbiac. Sur rdv. Permanence : lun-ven 10h-13h, 15h-18h.*
Parce qu'il n'est pas toujours aisé de partir seul, Nostal'Asie propose des voyages sur mesure, notamment en Thaïlande, des lieux les plus connus jusqu'aux contrées les plus reculées, en individuel ou en groupe déjà constitué. Deux formules au choix : *Les Estampes* avec billets d'avion, logements, transferts entre les étapes, ou *Les Aquarelles* avec en plus un guide et une voiture privée à chaque étape. Les itinéraires ne sont que suggérés, ils sont modifiables à souhait sur ces formules à la carte. La patronne est asiatique, donc elle sait ce qu'elle vend !

▲ NOUVELLES FRONTIÈRES

Rens et résas dans tte la France : ☎ *0825-000-825 (0,15 €/mn).* ● *nouvelles-frontie res.fr* ●
Les brochures Nouvelles Frontières sont disponibles gratuitement dans les 300 agences du réseau, par téléphone et sur Internet. Plus de 40 ans d'existence, 1 million de clients par an, 250 destinations, 2 chaînes d'hôtels-clubs *Paladien* et *Koudou* et une compagnie aérienne, Corsairfly. Pas étonnant que Nouvelles Frontières soit devenu une référence incontournable, notamment en matière de tarifs. Le fait de réduire au maximum les intermédiaires permet d'offrir des prix super serrés. Un choix illimité de formules vous est proposé : des vols sur la compagnie aérienne de Nouvelles Frontières au départ de Paris et de province, en classe Horizon ou Grand Large, et sur toutes les compagnies aériennes régulières, avec une

gamme de tarifs selon votre budget. Sont également proposés toutes sortes de circuits, aventure ou organisés ; des séjours en hôtels, en hôtels-clubs et en résidences ; des week-ends, des formules à la carte (vol, nuits d'hôtel, excursions, location de voitures...), des séjours neige, des croisières, des séjours thématiques, plongée, thalasso.

Avant le départ, des réunions d'information sont organisées. Intéressant : des brochures thématiques (plongée, aventure, rando, trek, sport et nouvelles rencontres).

▲ OBJECTIF ASIE

– *Lyon : 11, rue Gentil, 69002.* ☎ *04-72-00-88-89.* ● *objectif-asie.com* ●
Spécialiste de l'Asie sur mesure depuis plus de 23 ans, Objectif Asie vous fera découvrir le meilleur d'une Thaïlande aussi séduisante que fascinante. Confiez-leur votre projet au royaume de Siam... Les conseillers expérimentés de ce tour-opérateur original construiront avec vous votre itinéraire idéal en famille ou entre amis, avec un guide francophone privé. Activités originales et hébergements typiques ou de luxe, tout est à la carte. Brochure sur demande par téléphone ou Internet.

▲ ORIENTS

– *Paris : 27, rue des Boulangers, 75005.* ☎ *01-40-51-10-40.* ● *orients.com* ●
Ⓜ *Cardinal-Lemoine. Lun-ven 10h-19h ; sam 10h-13h, 14h-18h.*
Agence spécialisée dans les voyages culturels sur les routes de la Soie, d'Istanbul à Pékin en passant également par la Thaïlande, Orients propose un séjour « Du Siam à l'Isan », couvrant les principaux sites culturels au nord de Bangkok. Cette agence peut, bien sûr, vous préparer votre voyage sur mesure et offre une bonne sélection de vols secs.

▲ PROMOVACANCES.COM

☎ *0899-654-850 (1,35 € l'appel puis 0,34 €/mn).* ● *promovacances.com* ●
– *Et dans 10 agences situées à Paris (Bonne-Nouvelle, Chaussée-d'Antin, Voltaire, Forum des Halles...) et à Lyon.*
N° 1 français de la vente de séjours sur Internet, Promovacances a fait voyager plus de 2 millions de clients en 10 ans. Le site propose plus de 10 000 voyages actualisés chaque jour sur 300 destinations : séjours, circuits, week-ends, thalasso, plongée, golf, voyages de noce, locations, vols secs... L'ambition du voyagiste : prouver chaque jour que le petit prix est compatible avec des vacances de qualité. Grâce aux avis de clients publiés sur le site et aux visites virtuelles des hôtels, vous réservez vos vacances en toute tranquillité.

▲ LES ROUTES DE L'ASIE

– *Paris : 7, rue d'Argenteuil, 75001.* ☎ *01-42-60-46-46.* ● *laroutedesindes.com* ●
Ⓜ *Palais-Royal ou Pyramides. Lun-jeu 10h-19h ; ven 10h-18h.*
Les Routes de l'Asie s'adressent aux voyageurs indépendants et proposent des voyages individuels organisés, sur mesure, à travers l'Asie du Sud-Est et l'Extrême-Orient, adaptés au goût et au budget de chaque voyageur. Les itinéraires sont construits par des spécialistes après un entretien approfondi. La librairie offre un large choix de guides, de cartes et de littérature consacrée à l'Asie du Sud-Est et à l'Extrême-Orient. Des expositions sont régulièrement organisées dans la galerie-photo et des écrivains sont invités à venir signer leurs ouvrages.

▲ TROPICALEMENT VÔTRE

– *Paris : 43, rue Basfroi, 75011.* ☎ *01-43-70-99-55.* ● *tropicalement-votre.com* ●
Ⓜ *Voltaire. Lun-ven 9h-19h ; sam 9h-18h.*
– *Lyon : 96, rue Pierre-Corneille, 69003.* ☎ *04-72-32-26-89.*

NOUVEAUTÉ

CHAMPAGNE, ARDENNES (mai 2010)

Un monde sans champagne serait un monde triste et la France sans la Champagne serait amputée d'une région magique. Les rois de France n'étaient-ils pas couronnés naguère à Reims ? Preuve que le centre de gravité historique de notre pays se trouve bel et bien par là-bas. En route ! Regardez ces champs immenses, ces prairies et ces collines moutonnant à l'infini, ces vignobles et ces puissantes terres fertiles. Paysages abritant aussi la mémoire et les vestiges des deux guerres mondiales. Voici la Marne aux couleurs claires de la craie. Plus au sud, l'Aube verdoyante aux rivières glougloutantes, et Troyes, une des plus vieilles villes d'Europe au patrimoine si bien préservé. Au sud-est, la Haute-Marne, plus boisée. C'est notre Gaule chevelue en quelque sorte, couverte de forêts profondes, habitées par les cerfs, les fées et les lutins. C'est aussi le refuge du général de Gaulle (Colombey-les-Deux-Églises). Quant aux Ardennes, c'est la sainte Trinité de la nature : l'eau, la roche et le bois. Des forêts, des landes, des tourbières en veux-tu en voilà, paradis des randonneurs. Des villes au riche patrimoine historique, une mémoire ouvrière intacte, de grandes variétés des traditions... Ardennes authentiques, sauvages, surprenantes ! Pas étonnant donc qu'y naquit le petit Arthur, l'un des plus grands poètes.

Spécialiste des îles, Tropicalement Vôtre vous propose de découvrir Phuket et Ko Samui. Séjours en hôtels de charme ou de luxe, circuits découvertes, séjours bien-être ou voyages de noces, l'agence propose des séjours sur mesure et des circuits personnalisés dans un esprit d'authenticité. Tarifs compétitifs.

▲ VOYAGES-SNCF.COM

Voyages-sncf.com, acteur majeur du tourisme français qui recense neuf millions de visiteurs par mois, propose d'acheter en ligne des billets de train, d'avion, des chambres d'hôtel, des locations de voitures, de vacances et des séjours clés en main ou Alacarte®, ainsi que des spectacles, des excursions et des musées. Un large choix et des prix avantageux sont offerts toute l'année, pour tous types de voyages dans le monde entier : SNCF, 180 compagnies aériennes, 84 000 hôtels référencés et les principaux loueurs de voitures.

Leur site • voyages-sncf.com • permet d'accéder tous les jours, 24h/24, à plusieurs services : envoi gratuit des billets à domicile, Alerte Résa pour être informé de l'ouverture des réservations et profiter du plus grand choix, calendrier des meilleurs prix (TTC), mais aussi des offres de dernière minute et des promotions... Pratique : • voyages-sncf.mobi •, le site mobile pour réserver, s'informer et profiter des bons plans n'importe où et à n'importe quel moment.

Et grâce à l'Écocomparateur, en exclusivité sur • voyages-sncf.com •, possibilité de comparer le prix, le temps de trajet et l'indice de pollution pour un même trajet en train, en avion ou en voiture.

▲ VOYAGEURS EN ASIE DU SUD-EST

☎ 0892-23-81-81 (0,34 €/mn). • vdm.com •
– Paris : La Cité des Voyageurs, 55, rue Sainte-Anne, 75002. ☎ 0892-23-56-56 (0,34 €/mn). Ⓜ Opéra ou Pyramides. Lun-sam 9h30-19h.
– Également des agences à Bordeaux, Caen, Grenoble, Lille, Lyon, Marseille, Montpellier, Nantes, Nice, Rennes, Rouen, Strasbourg et Toulouse.

Le grand spécialiste du voyage en individuel sur mesure. Pour partir à la découverte de plus de 150 pays, des experts pays, de près de 30 nationalités et grands spécialistes de leurs destinations, guident à travers une collection de 30 brochures (dont 6 thématiques) comme autant de trames d'itinéraires destinées à être adaptés à ses besoins et ses envies pour élaborer étape après étape son propre voyage en individuel.

Dans chacune des Cités des Voyageurs, tout appelle au voyage : librairies spécialisées, boutiques d'accessoires de voyage, expositions-ventes d'artisanat ou encore cocktails-conférences. Toute l'actualité de VDM et des devis en temps réel à consulter sur leur site internet.

Voyageurs du Monde est membre de l'association ATR (Agir pour un tourisme responsable) et a obtenu en 2008 sa certification Tourisme responsable AFAQ AFNOR.

EN BELGIQUE

▲ CONNECTIONS

Rens et résas : ☎ 070-233-313. • connections.be • Lun-ven 9h-19h, sam 10h-17h.

Spécialiste du voyage pour les étudiants, les jeunes et les independent travellers. Le voyageur peut y trouver informations et conseils, aide et assistance dans 27 points de vente en Belgique.

Connections propose une gamme complète de produits : des tarifs aériens spécialement négociés pour sa clientèle (licence IATA), une très large offre de « last

minutes », toutes les possibilités d'arrangement terrestre (hébergement, location de voitures, *self-drive tours,* vacances sportives, expéditions) ; de nombreux services aux voyageurs comme l'assurance voyage « Protections » et une *newsletter* pleine d'idées voyages.

▲ CONTINENTS INSOLITES
– *Bruxelles : rue César-Franck, 44 A, 1050.* ☎ *02-218-24-84.* ● *continentsinsolites. com* ● *Lun-ven 10h-18h ; sam 10h-13h.*
Continents Insolites, organisateur de voyages lointains sans intermédiaire, propose une gamme étendue de formules de voyages détaillées dans leur guide annuel gratuit sur demande.
– *Voyages découverte taillés sur mesure :* à partir de deux personnes. Un grand choix d'hébergements soigneusement sélectionnés : du petit hôtel simple à l'établissement luxueux et de charme.
– *Circuits découverte en minigroupes :* de la grande expédition au circuit accessible à tous. Des circuits à dates fixes dans plus de 60 pays en petits groupes francophones de 7 à 12 personnes. Avant chaque départ, une réunion est organisée. Voyages encadrés par des guides francophones, spécialistes des régions visitées.

▲ GLOBE-TROTTERS
– *Bruxelles : rue Victor-Hugo, 179 (coin av. E.-Plasky), 1030.* ☎ *02-732-90-70.* ● *globe-trotters.be* ● *Lun-ven 9h30-13h30, 15h-18h, sam 10h-13h.*
En travaillant avec des prestataires exclusifs, cette agence permet de composer chaque voyage selon ses critères : de l'auberge de jeunesse au lodge de luxe isolé, du *B & B* à l'hôtel de charme, de l'autotour au circuit accompagné, d'une descente de fleuve en pirogue à un circuit à vélo... Motoneige, héliski, multi-activités estivales ou hivernales, équitation... Spécialiste du Québec, du Canada, des États-Unis, Globe Trotters propose aussi des formules dans le Sud-Est asiatique. Assurances voyages. Cartes d'auberges de jeunesse (IYHF). Location de voitures, motorhomes et motos.

▲ NOUVELLES FRONTIÈRES
– *Bruxelles (siège) : bd Lemonnier, 2, 1000.* ☎ *02-547-44-44.* ● *nouvelles-frontie res.be* ●
– *Également d'autres agences à Bruxelles, Charleroi, Liège, Mons, Namur, Waterloo, Wavre et au Luxembourg.*
Voir texte dans la partie « En France ».

▲ VOYAGEURS DU MONDE
– *Bruxelles : chaussée de Charleroi, 23, 1060.* ☎ *0900-44-500 (0,45 €/mn).* ● *vdm. com* ●
Voir texte dans la partie « En France ».

EN SUISSE

▲ L'ÈRE DU VOYAGE
– *Nyon : Grand-Rue, 21, CH-1260.* ☎ *022-365-15-65.* ● *ereduvoyage.ch* ●
Agence fondée par quatre professionnelles qui ont la passion du voyage. Elles pourront vous conseiller et vous faire part de leur expérience en Asie, Afrique australe et Moyen-Orient. Des itinéraires originaux, testés par l'équipe de l'agence : voyages sur mesure pour découvrir un pays en toute liberté en voiture privée avec ou sans chauffeur, guide local et logements de charme ; petites escapades pour un weekend prolongé et voyages en famille.

▲ HORIZONS NOUVEAUX

– *Verbier : centre de l'Étoile, CP 196, 1936.* ☎ *027-771-71-71.* ●*horizonsnouveaux. com* ●

Horizons Nouveaux est le tour-opérateur suisse spécialisé dans les régions qui vont de l'Asie centrale à l'Asie du Sud en passant par les pays himalayens, tels que le Kirghizistan, le Tadjikistan, la Mongolie, l'Inde, le Sri Lanka, le Népal, le Tibet, la Birmanie, le Cambodge, le Laos, Java ou encore Bali. Nicolas Jaques et Paul Kennes, qui voyagent dans ces régions depuis plus de 20 ans, organisent principalement des voyages à la carte, des voyages culturels à thème, des trekkings souvent inédits et les expéditions. Photographes et auteurs de nombreux reportages sur ces destinations, ils pourront vous renseigner sur tous les aspects du pays et vous aider à préparer votre voyage dans les meilleures conditions.

▲ JERRYCAN

– *Genève : rue Sautter, 11, 1205.* ☎ *022-346-92-82.* ● *jerrycan-travel.ch* ●

Tour-opérateur de la Suisse francophone spécialisé dans l'Afrique, l'Asie et l'Amérique latine. Trois belles brochures proposent des circuits individuels et sur mesure. L'équipe connaît bien son sujet et peut construire un voyage à la carte.

En Amérique latine, Jerrycan propose des voyages privés à partir de deux personnes en Bolivie, au Pérou, en Équateur, au Chili, en Argentine, au Guatemala, au Costa Rica, au Brésil et au Mexique. En Asie, Jerrycan propose le Cambodge, la Chine, l'Inde, l'Indonésie, le Laos, la Malaisie, le Myanmar (Birmanie), le Népal, les Philippines, la Thaïlande, le Tibet, le Vietnam et l'Asie centrale. En Afrique, Jerrycan propose des safaris en petits groupes en Afrique du Sud notamment. Voyages privés et à la carte possibles dans ces pays, ainsi qu'au Kenya et en Tanzanie. Séjours balnéaires au Kenya et à Zanzibar.

▲ STA TRAVEL

● *statravel.ch* ●
– *Fribourg : rue de Lausanne, 24, 1701.* ☎ *058-450-49-80.*
– *Genève : rue de Rive, 10, 1204.* ☎ *058-450-48-00.*
– *Genève : rue Vignier, 3, 1205.* ☎ *058-450-48-30.*
– *Lausanne : bd de Grancy, 20, 1006.* ☎ *058-450-48-50.*
– *Lausanne : à l'université, Anthropole, 1015.* ☎ *058-450-49-20.*

Agences spécialisées notamment dans les voyages pour jeunes et étudiants. Gros avantage en cas de problème : 150 bureaux STA et plus de 700 agents du même groupe répartis dans le monde entier sont là pour donner un coup de main *(Travel Help)*.

STA propose des voyages très avantageux : vols secs *(Blue Ticket)*, hôtels, écoles de langues, *work & travel,* circuits d'aventure, voitures de location, etc. Délivre la carte internationale d'étudiant et la carte Jeune.

STA est membre du fonds de garantie de la branche suisse du voyage ; les montants versés par les clients pour les voyages forfaitaires sont assurés.

▲ TUI – NOUVELLES FRONTIÈRES

– *Genève : rue Chantepoulet, 25, 1201.* ☎ *022-716-15-70.*
– *Lausanne : Grand Chêne, 4, 1002.* ☎ *021-321-41-11.*
Voir texte dans la partie « En France ».

AU QUÉBEC

▲ EXOTIK TOURS

Rens sur ● *exotiktours.com* ● *ou auprès de votre agence de voyages.*

La Méditerranée, l'Europe, l'Asie et les grands voyages : Exotik Tours offre une importante programmation en été comme en hiver. Ses circuits estivaux se partagent notamment entre la France, l'Autriche, la Grèce, la Turquie, l'Italie, la Croatie, le Maroc, la Tunisie, la République tchèque, la Russie, la Thaïlande, le Vietnam, la Chine... Dans la rubrique « Grands voyages », le voyagiste suggère des périples en petits groupes ou en individuel. Au choix : l'Amérique du Sud (Brésil, Pérou, Argentine, Chili, Équateur, îles Galápagos), le Pacifique sud (Australie et Nouvelle-Zélande), l'Afrique (Afrique du Sud, Kenya, Tanzanie), l'Inde et le Népal. L'hiver, des séjours sont proposés dans le Bassin méditerranéen et en Asie (Thaïlande et Bali). Durant cette saison, on peut également opter pour des combinés plage + circuit. Le voyagiste a par ailleurs créé une nouvelle division : Carte Postale Tours (circuits en autocar au Canada et aux États-Unis). Exotik Tours est membre du groupe Intair, comme Intair Vacances.

▲ RÊVATOURS

● *revatours.com* ●

Ce voyagiste, membre du groupe Transat A.T. Inc., propose quelque 25 destinations à la carte ou en circuits organisés. De l'Inde à la Thaïlande en passant par le Vietnam, la Chine, Bali, l'Europe centrale, la Russie, des croisières sur les plus beaux fleuves d'Europe, la Grèce, la Turquie, l'Italie, la Croatie, le Maroc, l'Espagne, le Portugal, la Tunisie ou l'Égypte et l'Amérique du Sud, le client peut soumettre son itinéraire à Rêvatours qui se charge de lui concocter son voyage. Parmi ses points forts : la Grèce avec un bon choix d'hôtels, de croisières et d'excursions, les *Fugues Musicales* en Europe, la Tunisie et l'Asie. Nouveau : deux programmes en Scandinavie, l'Italie en circuit, Israël pouvant être combiné avec l'égypte et la Grèce et aussi la Dalmatie.

▲ TOURS CHANTECLERC

● *tourschanteclerc.com* ●

Tours Chanteclerc est un tour-opérateur qui publie différentes brochures de voyages : Europe, Amérique du Nord, Amérique du Sud, Asie et Pacifique sud, Afrique et le Bassin méditerranéen en circuits ou en séjours. Il se présente comme l'une des « références sur l'Europe » avec deux brochures : groupes (circuits guidés en français) et individuels. « Mosaïque Europe » s'adresse aux voyageurs indépendants qui réservent un billet d'avion, un hébergement (dans toute l'Europe), des excursions ou une location de voiture. Aussi spécialiste de Paris, le grossiste offre une vaste sélection d'hôtels et d'appartements dans la Ville Lumière.

▲ VACANCES AIR CANADA

● *vacancesaircanada.com* ●

Vacances Air Canada propose des forfaits loisirs (golf, croisières et excursions diverses) flexibles vers les destinations les plus populaires des Antilles, de l'Amérique centrale et du Sud, de l'Asie et des États-Unis. Vaste sélection de forfaits incluant vol aller-retour, hébergement. Également des forfaits vol + hôtel et vol + voiture.

▲ VOYAGES CAMPUS/TRAVEL CUTS

● *voyagescampus.com* ●

Voyages Campus/Travel Cuts est un réseau national d'agences de voyages spécialisées pour les étudiants et les voyageurs qui disposent de petits budgets. Le réseau existe depuis 40 ans et compte plus de 50 agences, dont 6 au Québec. Voyages Campus propose des produits exclusifs comme l'assurance Bon voyage, le programme de Vacances-Travail (SWAP), la carte d'étudiant internationale (ISIC) et plus. Ils peuvent vous aider à planifier votre séjour autant à l'étranger qu'au Canada, et même au Québec.

QUITTER LE PAYS

PAR VOIE AÉRIENNE

Bangkok est la porte d'entrée principale du pays et la porte de sortie aussi ! Mais on peut quitter le pays depuis d'autres aéroports, par exemple celui de Hat Yai (vols directs pour Kuala Lumpur et Singapour).

PAR VOIE TERRESTRE

Attention, certains postes-frontières peuvent ouvrir et fermer comme des fleurs ou voir leurs horaires d'ouverture être modifiés sans préavis. À vérifier auprès des ambassades concernées à Bangkok ou des antennes de province. Tout dépassement de visa est facturé 500 Bts/pers (10 €) et par jour.

➤ *Pour la Birmanie :* frontière et autorisation journalière à *Mae Sai* et *Mae Sot.* Possibilité de passage à *Ranong* également (à la pointe sud du pays).

➤ *Pour le Laos :* se reporter à la partie « Le Nord-Est ». Quatre postes-frontières permettent aux étrangers de passer au Laos : *Nong Khai, Nakhon Phatom, Mukda-han* et *Chong Mek.* Attention, si vous repassez la frontière lao-thaïe pour revenir en Thaïlande, le visa n'est plus que de 14 jours. Sinon, vous paierez un dépassement de visa...

➤ *Pour le Cambodge : Aranyaprathet-Poipet* est le poste-frontière le plus usité, tandis que *Had Lek* (via Trat) permet d'arriver par le sud du pays (Sihanoukville). Tous deux sont desservis par des bus directs depuis Bangkok. Dans la région de Surin, à *Chong Chom,* existe aussi un poste-frontière « aventure » à seulement 150 km d'Angkor (pas de bus, juste taxi privé hors de prix). Mieux vaut vérifier d'abord s'il est ouvert ! Poste également à Ban Pakard (Pailin), mais le visa coûte plus cher.

➤ *Pour la Malaisie :* en train depuis Bangkok, ou en utilisant l'un des nombreux bus et minibus depuis Hat Yai. Postes-frontières à *Padang Besar, Sadao, Betong* et *Sungai Kolok.* Passage très simple et sans formalités. Voir notre chapitre « Le Sud : itinéraire Bangkok-Hat Yai ».

PAR VOIE MARITIME

Pas vraiment le bon plan...

THAÏLANDE UTILE

Pour la carte générale de la Thaïlande, se reporter au cahier couleur.

Il y a plusieurs Thaïlande. Tout d'abord, Bangkok, plus de 10 millions d'habitants, mégapole hyperactive et monstre urbain où l'on se perd avec plaisir. Puis le Sud, ses îles, ses plages et ses rocs jaillis de la mer, sa cuisine plus épicée, sa mentalité un peu différente. Enfin, le Nord, Thaïlande profonde, originelle avec ses anciens royaumes fondateurs, son rythme de vie détendu, ses milliers de temples bouddhistes, sa terre fertile... Trois Thaïlande donc, physiquement et culturellement différentes.

Cependant, d'un bout à l'autre du pays – 2 000 km du nord au sud – se retrouvent les qualités nationales : une forte identité d'abord, le Siam n'ayant jamais été colonisé et ayant développé des arts, une culture et même un alphabet propres. Un sens aigu des conventions sociales et de la politesse, et aussi beaucoup de pudeur, de calme et de dignité. Une forte religiosité et, conjointement, une quasi-vénération pour la famille royale, élue de Dieu. Enfin, pas mal d'humour, car on est philosophe, et un solide appétit, de tout, de plaisirs surtout – Thaïlandais épicuriens, l'air de rien toujours prêts à faire la fête, à bien manger et bien boire.

Malheureusement, l'esprit mercantile et l'afflux touristique ont pu dénaturer par endroits le caractère aimable des Thaïlandais. Et puis, vu qu'une partie de ces touristes ne vient ici que pour la galipette, on voit mal pourquoi les Thaïlandais se forceraient à être toujours agréables. Du coup : bandes côtières saccagées, transformation des sites privilégiés en ghettos à touristes, hausse des prix, rentabilité prenant le pas sur le service, etc.

Cela dit, *Muang Thai* (étymologiquement, « le pays des hommes libres ») reste l'un des derniers pays au monde à réunir tant d'ingrédients de qualité pour réussir la recette des vacances idéales : bungalows de bois sur plages somnolentes, vastes rizières et collines couvertes de jungle, traditions vivaces, businessmen speedés et tribus ancestrales, cuisine raffinée et variée à des prix (encore) dérisoires. Ajoutez quelques ingrédients personnels : un brin de tolérance, un zeste d'ouverture d'esprit, un nuage de curiosité, une pincée d'abnégation, et on ne voit pas comment vous pourriez rater votre séjour.

ABC DE LA THAÏLANDE

- *Population :* environ 65 millions d'habitants.
- *Éléphants sauvages :* environ 1 500 Elephas maximus.
- *Superficie :* 513 120 km^2 (à peine plus petit que la France).
- *Capitale :* Bangkok (plus de 10 millions d'habitants).
- *Langues :* le thaï (langue officielle), le chinois et l'anglais.
- *Monnaie :* le baht (Bts). 1 € = 47 Bts.

THAÏLANDE UTILE

- *Religions :* bouddhisme (94 %), islam (5 %), christianisme (environ 1 %), animisme et hindouisme.
- *Nature du régime :* monarchie constitutionnelle à tendance autoritaire.
- *Chef de l'État :* le roi Bhumibol Adulyadej (couronné en 1950 !), également connu sous le nom de Râma IX.
- *Premier ministre :* Abhisit Vejjajiva (depuis décembre 2008).

AVANT LE DÉPART

Adresses utiles

En France

🗊 *Office national de tourisme de Thaïlande :* 90, av. des Champs-Élysées, 75008 Paris. ☎ 01-53-53-47-00. • tourismethaifr.com • Ⓜ George-V. Lun-ven 9h30-12h30, 13h30-17h30. Au 6e étage. Distribue ou envoie gratuitement de la documentation. Accueil aimable.

■ *Consulat royal de Thaïlande :* 8, rue Cargo-Rhin-Fidelity, 13002 Marseille. ☎ 04-91-21-61-05. Infos : ☎ 0836-702-023 (1,35 €/mn). Lun-mer et ven 8h30-11h30. On obtient le visa tourisme avec 2 photos, même pour les enfants, une demande de visa à remplir sur place et un passeport en cours de validité. Prix du visa : 30 €. Paiement en espèces.

■ *Consulat royal de Thaïlande :* 40, rue du Plat, 69002 Lyon. ☎ 04-78-37-16-58. • thailande.consulatlyon@wanadoo.fr • Ⓜ Bellecour. Lun, mar et ven 9h-11h. Pour obtenir un visa par correspondance, envoyez une enveloppe timbrée ou un e-mail ; un formulaire vous sera alors adressé.

■ *Ambassade royale de Thaïlande :* 8, rue Greuze, 75016 Paris. ☎ 01-56-26-50-50. Fax : 01-56-26-04-45.

Ⓜ Trocadéro. Lun-ven 9h30-12h. On obtient le visa en 2 jours ouvrables, sauf en période de fête thaïlandaise où c'est un peu plus long. Pas de visa par correspondance.

■ *Musée Guimet :* 6, pl. d'Iéna, 75016 Paris. ☎ 01-56-52-53-00. • guimet.fr • Ⓜ Iéna ou Trocadéro. Tlj sf mar 10h-18h. Entrée gratuite (mais ça pourrait changer, se renseigner). Au rez-de-chaussée, quelques pièces thaïlandaises, bien mises en valeur. Pour vous initier à l'art du Sud-Est asiatique et aux styles propres au royaume de Siam.

■ *Musée du Quai Branly :* 206 et 218, rue de l'Université, ou côté Seine, 75007 Paris. ☎ 01-56-61-71-72. • quaibranly.fr • Ⓜ Alma-Marceau ou Bir-Hakeim ; RER C : Pont-de-l'Alma. Mar-mer 11h-19h, jeu-sam 11h-21h, dim 11h-19h. Fermé certains j. fériés. Entrée : 8,50 € ; plusieurs autres formules tarifaires. Voilà l'occasion d'un aller-retour possible sur le continent du Sud-Est asiatique, à la rencontre de certains savoir-faire thaïlandais, comme tout ce qui a trait au théâtre d'ombres, ou aux textiles ikatés.

En Belgique

■ *Ambassade de Thaïlande :* sq. du Val-de-la-Cambre, 2, Bruxelles 1050. ☎ 02-640-68-10. • thaibxl@thaiembassy.be • thaiembassy.be • Permanence

téléphonique 9h30-12h30, 14h-17h. Ouv au public lun-ven 10h-12h, 14h-15h. Délai minimum pour les visas : 2 j. ouvrables. Coût : 30 € (tourisme, 1 entrée). Le passeport doit être valable au moins 6 mois à partir du jour d'entrée en Thaïlande.
■ *Consulat royal de Thaïlande : Frans*

Van Hombeeckplein, 10, Anvers (Berchem) 2600. ☎ 04-95-22-99-00. ● royal thaiconsulateantwerp@skynet.be ● Lun-ven 8h45-12h30 et 13h30-16h (15h ven).
– À Liège : rue Côte-d'Or, 274B, 4000. ☎ 04-229-70-11. Lun-ven 10h-12h.

En Suisse

■ *Ambassade de Thaïlande : Kirchstrasse 56, 3097 Liebefered (Berne). ☎ 031-970-30-30 à 34. ● thai.bern@bluewin.ch ● Section consulaire, pour demandes de visas : ☎ 031-970-34-14 et 15. Fax : 031-970-30-35. Ouv et permanence téléphonique lun-ven 9h-12h et 14h-17h. Obtention des visas uniquement le matin. Prévoir 40 Fs.*
■ *Consulat royal de Thaïlande : 75, rue de Lyon, 1203 Genève. Pour la correspondance : CP 154, 1211 Genève 13. ☎ 022-311-07-23. Fax : 022-345-12-08. ● info@thaiconsulate. ch ● consulat-thailande.ch ● Tlj 9h15-11h45 ; mer sur rdv. Délai d'obtention*

des visas : 3 jours. Il faut 1 formulaire de demande de visa, 2 photos, l'attestation de l'agence du paiement du billet d'avion (aller-retour), un passeport valable 6 mois à partir de la date de sortie et 40 Fs en espèces pour un visa tourisme valable pour une entrée.
– À Zurich : Löwenstrasse 3, 8001. ☎ 043-344-70-00. Fax : 043-344-70-01. ● thai-consulate.ch ● Lun-ven 9h30-11h30.
– À Bâle : Aeschenvorstadt 71 Postfach, 4010 Basel. ☎ 061-206-45-65. Fax : 061-206-45-46. ● info@thaikonsulat.ch ● thaikonsulat.ch ● Lun-ven 9h-11h30.

Au Canada

■ *Ambassade du royaume de Thaïlande : 180 Island Park, Ottawa (Ontario) K1Y 0A2. ☎ (613) 722-4444. Possibilité de télécharger le formulaire de demande de visa sur ● thaiott@magma.ca ● Lun-ven 9h30-12h30, 13h30-15h.*
■ *Consulat général royal de Thaïlande : 1501 MacGill College Ave-*

nue, bureau 2240, 22e étage, Montréal (Québec) H3A 3M8. ☎ (514) 878-4466 (message très détaillé). ● info@thai conmtl.com ● Mar et jeu 10h-12h30. Prix du visa pour les séjours de plus de 30 jours (tourisme) : de 40 $Ca (1 entrée) à 80 $Ca (2 entrées) en espèces ou par mandat postal ; délai minimum d'obtention : 1 semaine.

Formalités

– Pensez à scanner passeport, visa, carte de paiement, billet d'avion et vouchers d'hôtel. Ensuite, adressez-les-vous par mail, en pièces jointes. En cas de perte ou de vol, rien de plus facile pour les récupérer dans un cybercafé. Les démarches administratives seront bien plus rapides. Merci tonton Routard !
– Selon la loi d'immigration en vigueur (datée du 25 novembre 2008), *les visiteurs européens entrant en Thaïlande pour un motif touristique sont dispensés de visa pour tout séjour inférieur à 30 jours à l'arrivée par la voie aérienne* (avec

un vol aller-retour confirmé) et seulement 15 jours par la voie terrestre. Les visiteurs doivent être en possession d'un passeport en cours de validité valable au moins six mois après la date de retour.

En revanche, pour les séjours de plus de 30 jours, le visa est obligatoire.

■ *Action-Visas.com* : 10-12, rue du Moulin-des-Prés, 75013 Paris. ☎ 01-45-88-56-70. Fax : 01-45-88-59-84. ● *action-visas.com* ● Ⓜ *Place-d'Italie.* Lun-ven 9h30-12h, 13h30-18h30 ; sam 9h30-13h. Prix du service pour nos lecteurs : 14 € (soit une réduc de 13 à 21 € selon destination), tarif unique par personne quelle que soit la destination, en plus des frais consulaires (et des frais d'expédition si besoin). Il suffit de fournir la copie de la page du guide avec la demande de visa. Cette agence sérieuse s'occupe d'obtenir votre visa pour toutes destinations. Délais rapides, traitement immédiat du dossier dès réception (aucune attente) et service fiable. Pour la province, demandez le visa par correspondance quelle que soit la destination. Possibilité d'imprimer les formulaires sur leur site et de suivre l'évolution de votre dossier en ligne. Par ailleurs, Action-Visas prélève 1 € de sa marge commerciale pour financer un projet humanitaire qui peut être suivi en direct sur leur site internet.

■ *Home Visas* : 55, av. Édouard-Vaillant, 92100 Boulogne-Billancourt. ☎ 01-46-21-80-40. Fax : 01-46-21-01-15. ● *homevisas.com* ● *Lun-ven 9h-13h30, 14h30-18h30.* Sam 9h30-12h30. Prix du service : 26 € en délai normal et 58 € en urgent, de 1 à 4 pas-

seports, quelle que soit la destination, en plus des frais consulaires (et des frais d'expédition si besoin). Pour nos lecteurs, avec copie de cette page du guide, tarif unique de 15 €/pers, au lieu de 26 €, dès le premier visa (quelle que soit l'urgence). Possibilité d'imprimer les formulaires sur Internet. Intéressant quand on est plusieurs.

■ *Visas Express* : 54, rue de l'Ouest, BP 48, 75661 Paris Cedex 14. ☎ 01-44-10-72-72. ● *visas-express.fr* ● Ⓜ *Pernety ou Gaîté.* Lun-ven 9h-12h30 (9h30 accueil téléphonique), 14h-18h. Sam 10h-12h30. Prix du service : de 27 à 40 € selon la destination, mais dégressif en fonction du nombre de passeports (par exemple, en zone B, 27 € pour un seul passeport et 19 € au total pour 8 passeports supplémentaires). À cela il faut ajouter les frais consulaires (et les frais d'expédition si besoin). Remise de 5 % sur le prix du service pour nos lecteurs. Intéressant lorsque l'on est plusieurs. Se charge de l'obtention de votre visa pour un grand nombre de destinations. Devis, téléchargement des formulaires, tarifs détaillés et suivi des dossiers sur leur site. On y trouve par ailleurs toutes les coordonnées et horaires des consulats, ce qui permet aux voyageurs d'obtenir leur visa par eux-mêmes s'ils le souhaitent.

– Quelle que soit la durée du séjour, le visiteur doit être muni d'un ***passeport*** impérativement valable au moins 6 mois à partir de la date d'entrée en Thaïlande. De plus en plus de pays d'Asie du Sud-Est l'exigent.

Si vous comptez rester en Thaïlande pendant plus de 30 jours consécutifs : demandez un visa avant votre départ, car vous pouvez vous voir refouler par les compagnies aériennes. ***Un visa d'une entrée*** vaut 30 € (40 Fs pour nos amis suisses). Il est utilisable pendant 3 mois après son émission. Le visa touristique est valable ensuite 60 jours sur place, renouvelable éventuellement pour 30 jours auprès du Bureau de l'immigration à Bangkok (voir plus loin) ou ailleurs dans le pays ● *immigration.go.th* ● pour la liste des bureaux ou ● *http://discoverytrade.free.fr/immigrationfr.htm* ● (en français). Il vous en coûtera 1 900 Bts (38 €). N'oubliez pas 2 photos récentes non scannées et identiques, l'attestation aérienne A/R ou une copie du billet électronique. *Pour un visa deux entrées* (pour 2 séjours de 60 jours), compter 60 €. Le 2e séjour est renouvelable à un poste-frontière et pas à l'ambassade, plus pratique !

Sans cette double entrée, on vous redonne un visa de 30 jours.

Mêmes formalités pour nos amis canadiens, suisses et belges.

Transports

Ne pas oublier votre permis de conduire international même si vous ne pensez conduire qu'une moto. Contrôles très fréquents, amende de 300 Bts (6 €). Disponible en préfecture ou sous-préfecture gratuitement sur présentation de votre permis national, d'une pièce d'identité, de 2 photographies récentes et d'un justificatif de domicile. Valable 3 ans.

Assurances voyages

■ *Routard Assurance* (c/o AVI International) : 28, rue de Mogador, 75009 Paris. ☎ 01-44-63-51-00. ● avi-international. com ● Ⓜ *Trinité-d'Estienne-d'Orves*. Depuis 1995, *Routard Assurance*, en collaboration avec *AVI International*, spécialiste de l'assurance voyage, propose aux routards un tarif à la semaine qui inclut une assurance bagages de 2 000 € et appareils photo de 300 €. Pour les séjours longs (2 mois à 1 an), il existe le *Plan Marco Polo*. Depuis peu, également un nouveau contrat pour les seniors, en courts et longs séjours. *Routard Assurance* est aussi disponible en version « light » (durée adaptée aux week-ends et courts séjours en Europe). Vous trouverez un bulletin de souscription dans les dernières pages de chaque guide.

■ *AVA* : 25, rue de Maubeuge, 75009 Paris. ☎ 01-53-20-44-20. ● ava.fr ● Ⓜ *Cadet*. Un autre courtier fiable pour ceux qui souhaitent s'assurer en cas de décès-invalidité-accident lors d'un voyage à l'étranger, mais surtout pour bénéficier d'une assistance rapatriement, perte de bagages et annulation. Attention, franchises pour leurs contrats d'assurance voyage.

■ *Pixel Assur* : 18, rue des Plantes, 78600 Maisons-Laffitte. ☎ 01-39-62-28-63. ● pixel-assur.com ● RER A : Maisons-Laffitte. Assurance de matériel photo et vidéo tous risques dans le monde entier. Devis basé sur le prix d'achat de votre matériel. Avantage : garantie à l'année.

Avoir un passeport européen, ça peut être utile !

L'Union européenne a organisé une assistance consulaire mutuelle pour les ressortissants de l'UE en cas de problème en voyage.

Vous pouvez y faire appel lorsque la France (c'est rare) ou la Belgique (c'est plus fréquent) ne disposent pas d'une représentation dans le pays où vous vous trouvez. Concrètement, elle vous permet de demander assistance à l'ambassade ou au consulat (pas à un consulat honoraire) de n'importe quel État membre de l'UE. Leurs services vous indiqueront s'ils peuvent directement vous aider ou vous préciseront ce qu'il faut faire.

Leur assistance est, bien entendu, limitée aux situations d'urgence : décès, accidents ayant entraîné des blessures ou des lésions, maladie grave, rapatriement pour raison médicale, arrestation ou détention. En cas de perte ou de vol de votre passeport, ils pourront également vous procurer un document provisoire de voyage.

Cette entraide consulaire entre les 27 États membres de l'UE ne peut, bien entendu, vous garantir un accueil dans votre langue. En général, une langue européenne courante sera pratiquée.

Quelques remarques

– Pour l'entrée en Thaïlande, vous pouvez choisir n'importe quel moyen de transport, avec ou sans visa.
– Pensez à vérifier la date limite inscrite sur votre passeport car il ne s'agit pas toujours de 30 jours pile, parfois moins. Et ne vous amusez pas à la dépasser lors d'un séjour en Thaïlande ! Amende de 200 Bts (4 €) par jour supplémentaire dépassant la date de limite du visa *(overstay)*, à payer en sortant du pays. Un bon tuyau : si votre visa arrive à expiration et que vous vous trouvez près de la frontière malaise, n'hésitez pas à faire l'aller-retour, on vous donnera un nouveau visa de 30 jours (gratuitement, bien sûr).
– Pour vous présenter à la douane, préférez une tenue correcte (épaules et jambes couvertes) plutôt que votre bermuda râpé et votre débardeur échancré sur poitrail velu !

Vaccinations

Aucune vaccination n'est obligatoire pour les voyageurs en provenance d'Europe. Sont très fortement conseillés :
– être à jour pour les vaccinations « universelles », encore plus utiles là-bas. Diphtérie, tétanos, polio (Revaxis®), ou mieux encore avec la coqueluche (Repevax®) : un rappel tous les 10 ans.
– Hépatite B : immunité d'autant plus longue que la primovaccination a été faite tôt dans la vie (avant 20 ans, probable immunité à vie).
– Hépatite A (Havrix 1440® ou Avaxim®) : absolument indispensable. Après la première injection (protectrice 15 jours plus tard, à quasiment 100 %), une seconde faite 6 à 18 mois plus tard entraîne probablement une immunité à vie.
– Typhoïde (Typhim Vi®) : indispensable, sauf peut-être pour un très court séjour dans la capitale ; immunité 3 ans. NB : vaccin combiné hépatite A + typhoïde : Tyavax®.
– Séjours longs ou ruraux : vaccin préventif rage. Attention : 3 injections nécessaires (J0, J7, J28). NB : peut être fait par tout médecin.
– Séjours ruraux de plus d'un mois, en particulier en période de mousson : vaccin contre l'encéphalite japonaise (Ixiaro®) : 2 injections (J0, J28), en centre de vaccinations internationales ou en pharmacie sur prescription.
– Pour les *centres de vaccinations* partout en France, consulter le site internet :
● *http://www.routard.com/guide_voyage_page/66/les_vaccinations.htm* ●

Carte internationale d'étudiant (carte ISIC)

Elle prouve le statut d'étudiant dans le monde entier et permet de bénéficier de tous les avantages, services, réductions étudiants du monde, soit plus de 37 000 avantages, dont plus de 8 000 en France, concernant les transports, les hébergements, la culture, les loisirs... c'est la clé de la mobilité étudiante !

La carte ISIC donne aussi accès à des avantages exclusifs sur le voyage (billets d'avion spéciaux, assurances de voyage, carte de téléphone internationale, cartes SIM, location de voitures, navette aéroport...).

Pour plus d'informations sur la carte ISIC et pour la commander en ligne, rendez-vous sur les sites internet propres à chaque pays.

Pour l'obtenir en France

Pour localiser un point de vente proche de chez vous : ● *isic.fr* ● ou ☎ 01-40-49-01-01.

Se présenter au point de vente avec :
– une preuve du statut d'étudiant (carte d'étudiant, certificat de scolarité...) ;
– une photo d'identité ;
– 12 €, ou 13 € par correspondance incluant les frais d'envoi des documents d'information sur la carte.
émission immédiate.

En Belgique

Elle coûte 9 € et s'obtient sur présentation de la carte d'identité, de la carte d'étudiant et d'une photo auprès de :
■ *Connections :* rens au ☎ 070-23-33-13. ● *isic.be* ●

En Suisse

Dans toutes les agences STA Travel *(☎ 058-450-40-00),* sur présentation de la carte d'étudiant, d'une photo et de 20 Fs. Commande de la carte en ligne : ● *isic.ch* ● ou ● *statravel.ch* ●

Au Canada

La carte coûte 16 $Ca. Elle est disponible dans les agences *TravelCuts/Voyages Campus*, mais aussi dans les bureaux d'associations étudiants. Pour plus d'infos : ● *voyagescampus.com* ●

Carte d'adhésion internationale aux auberges de jeunesse (carte FUAJ)

Cette carte, valable dans plus de 80 pays, vous ouvre les portes des 4 200 auberges de jeunesse du réseau Hostelling International réparties dans le monde entier. Les périodes d'ouverture varient selon les pays et les AJ. À noter, la carte est souvent obligatoire pour séjourner en auberge de jeunesse, donc nous vous conseillons de vous la procurer avant votre départ. En effet, adhérer en France vous reviendra moins cher qu'a l'étranger.

Pour tout renseignement et réservation en France

Sur place

■ *Fédération unie des auberges de jeunesse (FUAJ) :* 27, rue Pajol, 75018 Paris. ☎ 01-44-89-87-27. ● fuaj. org ● Ⓜ Marx-Dormoy ou La Chapelle. Horaires d'ouv disponibles sur le site internet.

– Montant de l'adhésion : 11 € pour les moins de 26 ans et 16 € pour les plus de 26 ans (tarifs 2009).
– Munissez-vous de votre pièce d'identité lors de l'inscription. Pour les mineurs, une autorisation des parents leur permettant de séjourner seul(e) en auberge de jeunesse est nécessaire (une photocopie de la carte d'identité du parent qui autorise le mineur est obligatoire).
– Adhésion possible également dans toutes les auberges de jeunesse, points d'information et de réservation FUAJ en France.

Par correspondance

Envoyer une photocopie recto verso d'une pièce d'identité et un chèque à l'ordre de « FUAJ » correspondant au montant de l'adhésion. Ajouter 2 € de plus pour les frais d'envoi. Vous recevrez votre carte sous 15 jours.

– La FUAJ propose également une **carte d'adhésion « Famille »,** valable pour un ou deux adultes ayant un ou plusieurs enfants âgés de moins de 14 ans. Fournir une copie du livret de famille. Elle coûte 23 € (tarif 2009). Une seule carte est délivrée pour toute la famille, mais les parents peuvent s'en servir lorsqu'ils voyagent seuls. Seuls les enfants de moins de 14 ans peuvent figurer sur cette carte. Les plus de 14 ans devront acquérir une carte individuelle.
– La carte donne également droit à des réductions sur les transports, les musées et les attractions touristiques de plus de 80 pays, mais ces avantages varient d'un pays à l'autre, ce qui n'empêche pas de la présenter à chaque occasion. Liste de ces réductions disponible sur ● *hihostels.com* ● et les réductions en France sur ● *fuaj.org* ●

En Belgique

La carte d'adhésion est obligatoire. Son prix varie selon l'âge : entre 3 et 15 ans, 3 € ; entre 16 et 25 ans, 9 € ; après 25 ans, 15 €.

Renseignements et inscriptions

– À Bruxelles : **LAJ,** rue de la Sablonnière, 28, 1000. ☎ 02-219-56-76. ● *laj. be* ●
– À Anvers : **Vlaamse Jeugdherberg-** **centrale (VJH),** *Van Stralenstraat 40, B 2060 Antwerpen.* ☎ 03-232-72-18. ● *vjh.be* ●

– Votre carte de membre vous permet d'obtenir de 3 à 20 € de réduction sur votre première nuit dans les réseaux LAJ, VJH et CAJL (Luxembourg), ainsi que des réductions auprès de nombreux partenaires en Belgique.

En Suisse (SJH)

Le prix de la carte dépend de l'âge : 22 Fs pour les moins de 18 ans, 33 Fs pour les adultes et 44 Fs pour une famille avec des enfants de moins de 18 ans.

Renseignements et inscriptions

■ *Schweizer Jugendherbergen* **(SJH) :** *service des membres, Schaff-* *hauserstr. 14, 8042 Zurich.* ☎ *01-360-14-14.* ● *youthhostel.ch* ●

Au Canada

Elle coûte 35 $Ca pour une durée de 16 à 28 mois et 175 $Ca pour une carte valable à vie. Gratuit pour les enfants de moins de 18 ans qui accompagnent leurs parents.

Renseignements et inscriptions

■ *Auberges de jeunesse du Saint-Laurent/Saint Laurent Youth Hostels :*
– *À Montréal : 3514, av. Lacombe, Montréal (Québec) H3T 1M1. ☎ (514) 731-10-15. N° gratuit (au Canada) : ☎ 1-866-754-10-15.*

– *À Québec : 94, bd René-Lévesque Ouest, Québec (Québec) G1R 2A4. ☎ (418) 522-2552.*
■ *Canadian Hostelling Association :* 205, Catherine Street, bureau 400, Ottawa (Ontario) K2P 1C3. ☎ (613) 237-78-84. ● hihostels.ca ●

ARGENT, BANQUES, CHANGE

Monnaie, distributeurs de billets (ATM) et change

– L'unité monétaire de la Thaïlande est le *baht* (Bts dans ce guide) – บาท.
– *Taux de change en 2009 :* 1 euro = environ 47 Bts. En gros, 100 Bts font un poil plus que 2 €, 3,45 Fs et 3,20 $Can.
– Il n'y a pas de marché noir et le *change* des euros s'effectue partout sans problème, ni commission, que ce soit dans les bureaux de change ou les banques. Dans les endroits touristiques, ces dernières ont souvent un comptoir de change donnant sur la rue, qui reste ouvert plus tard que la banque elle-même (jusqu'à 20h, parfois 22h), tous les jours y compris le week-end. Ailleurs, les bureaux de change des banques ont les horaires classiques des banques : du lundi au vendredi de 8h30 à 15h30, fermées le week-end. Pas de remarque particulière non plus concernant les *traveller's cheques*, si ce n'est qu'une petite commission est perçue (sur chaque chèque, mieux vaut donc emporter de grosses coupures).
– Pas de souci pour *retirer de l'argent* aux distributeurs automatiques dans les grandes villes du royaume, vous aurez une commission de 150 Bts (3 €) à chaque retrait, en plus de la commission de votre banque. Faites gaffe, ça peut vite faire monter la note !
– Faites en sorte de toujours avoir un peu de petite monnaie sur vous (petite course en *tuk-tuk,* pourboire...) ; votre interlocuteur n'en aura pas toujours.

Cartes de paiement

Quelle que soit la carte que vous possédez, chaque banque gère elle-même le processus d'opposition et le numéro de téléphone correspondant ! Avant de partir, notez donc bien le numéro d'opposition propre à votre banque (il figure souvent au dos des tickets de retrait, sur votre contrat, ou à côté des distributeurs de billets), ainsi que le numéro à seize chiffres de votre carte. Bien entendu, conservez ces informations en lieu sûr et séparément de votre carte. Par ailleurs, l'assistance médicale se limite aux 90 premiers jours du voyage.
– *Carte MasterCard :* assistance médicale incluse ; numéro d'urgence : ☎ (00-33) 1-45-16-65-65. ● mastercardfrance.com ● *En cas de perte ou de vol, composez le numéro communiqué par votre banque ou à défaut le numéro général :* ☎ (00-33) 8-92-69-92-92 *pour faire opposition ; numéro également valable pour les autres cartes de paiement émises par le* Crédit agricole *et le* Crédit mutuel.

*– Pour la carte **American Express,** téléphoner en cas de pépin au ☎ (00-33) 1-47-77-72-00, numéro accessible tlj 24h/24.* ● *americanexpress.fr* ●
*– **Carte bleue Visa internationale** : assistance médicale et véhicule incluse ; numéro d'urgence (Europ Assistance) : ☎ (00-33) 1-41-85-88-81. Pour faire opposition, contactez le numéro communiqué par votre banque, à défaut si vous êtes en France faites le ☎ 0892-705-705.* ● *carte-bleue.fr* ●
*– Pour toutes les cartes émises par **La Banque postale,** composez le ☎ 0825-809-803 (0,15 €/mn) depuis la France métropolitaine ou les DOM, et depuis les DOM ou l'étranger le ☎ (00-33) 5-55-42-51-96.*
*– Également un numéro d'appel valable **quelle que soit votre carte de paiement** : ☎ 0892-705-705 (serveur vocal à 0,34 €/mn). Ne fonctionne ni en PCV ni depuis l'étranger.*
Petite mesure de précaution : si vous retirez de l'argent dans un distributeur, utilisez de préférence les distributeurs attenant à une agence bancaire. En cas de pépin avec votre carte (carte avalée, erreurs de numéro...), vous aurez un interlocuteur dans l'agence, pendant les heures ouvrables du moins.

Besoin urgent d'argent liquide

En cas de besoin urgent d'argent liquide (perte ou vol de billets, chèques de voyage, carte de paiement), vous pouvez être dépanné en quelques minutes grâce au système *Western Union Money Transfer.* Pour cela, demandez à quelqu'un de vous déposer de l'argent en euros dans l'un des bureaux *Western Union* ; les correspondants en France de *Western Union* sont *La Banque postale (fermée sam ap-m, n'oubliez pas !* ☎ 0825-00-98-98) et *Travelex* en collaboration avec la *Société financière de paiement (SFDP,* ☎ 0825-825-842). L'argent vous est transféré en moins d'un quart d'heure en Thaïlande. La commission, assez élevée, est payée par l'expéditeur. Possibilité d'effectuer un transfert en ligne 24h/24 par carte de paiement (*Visa* ou *MasterCard* émise en France). Pour connaître tous les bureaux en Thaïlande : ● *westernunion.com* ●
Ce sont surtout les *Banks of Ayudhaya* et les postes qui assurent ce service. Téléphone (en PCV, *reverse charge call* en anglais) depuis la Thaïlande vers la France : ☎ 001-999-33-1000.

ACHATS

L'artisanat

L'artisanat thaïlandais est de bon goût, sauf dans quelques domaines.
*– **Conseils** :* attention aux imitations de certains produits. Ce sont des contrefaçons de marques françaises, italiennes ou américaines très renommées, de qualité souvent médiocre, dont l'importation en France exposerait leur détenteur à des poursuites judiciaires et à des amendes douanières sévères, quel que soit le nombre d'articles rapportés. Et attention, les douanes ne rigolent plus vraiment avec ça. Se faire piquer au retour coûte bonbon.
Si vous réglez le montant de vos achats avec une carte de paiement, ne la perdez pas des yeux et n'oubliez pas de récupérer le double du ticket de la carte de paiement. De manière générale, évitez de régler par carte de paiement pour les petits achats. Le liquide donne des marges de marchandage bien plus grandes que l'argent plastique.

– **Les cotonnades :** tissées ou imprimées, dans des motifs contemporains ou traditionnels, elles sont à des prix très intéressants. Possibilité pour les routardes de se faire tailler, à des prix avantageux, une robe dans l'un des nombreux petits ateliers de quartier. Et, en règle générale, les vêtements ne sont pas chers. Ne vous encombrez pas à l'aller !

– **Les pierres précieuses :** Bangkok est devenue le centre mondial de la taille des pierres précieuses, surtout pour les saphirs et les rubis. Évidemment, beaucoup de pierres synthétiques en balade. Quelques conseils : évitez les bijouteries qui vendent à la fois pierres précieuses, bibelots, souvenirs et gadgets divers. Les belles pierres ne s'achètent que chez les spécialistes. Généralement, les bijouteries des grands hôtels sont dignes de confiance (ces hôtels ont une réputation à préserver). De plus, le 5 décembre (anniversaire du roi), une réduction de 25 % est accordée. Ne pénétrez **jamais** dans une boutique avec un guide d'agence de voyages. Il est automatiquement commissionné.

– **L'argent :** il est travaillé suivant des dessins traditionnels et décoré en « repoussé », une technique qui permet de présenter en relief les motifs symboliques ou mythologiques. Le *nielle,* lui, est obtenu avec de l'argent incrusté d'un autre alliage et souvent doré. Tout cet artisanat remonte au temps du roi Narai, d'Ayutthaya (1656-1688), et on peut en voir de beaux exemples au Musée national. Attention, beaucoup d'objets en argent ressemblent à de l'alu. C'est de l'argent à 20 % qui ne vaut pratiquement rien. Il faut demander du « sterling ».

– **Les bijoux en or :** ils sont moins chers qu'en France, mais vous n'aimerez pas forcément leur style vieillot. De plus, à moins d'être fin connaisseur, vous risquez de vous faire avoir (même s'il y a un poinçon, cela peut être du cuivre ou de l'or à 14 carats). Vous pouvez apporter votre flacon d'acide pour faire un test... Les bracelets de jade et d'onyx sont souvent bon marché.

– On trouve aussi de beaux *laques* (spécialité du Nord).

– **Le bronze :** matériau utilisé depuis des siècles dans l'artisanat thaï. Possibilité d'acheter, dans toutes les tailles et toutes les tonalités, les cloches et clochettes de temple en cuivre et bronze, et en forme de feuilles d'arbre de la Bodhi *(Ficus religiosa).*

– **La poterie :** on assiste au renouveau d'un art ancien, le *céladon,* notamment à Chiang Mai. Le céladon est fabriqué selon un procédé compliqué avec une terre qu'on ne trouve que dans certaines régions, et cuite à haute température. Il se distingue par un délicat craquelé d'un exquis vert jade.

– Citons encore les *frottis de temple* : avec un papier de riz et à l'aide de charbon de bois, de poudre d'or ou de peinture à l'huile, ces « frottis » ont été effectués sur les bas-reliefs des principaux temples de Bangkok.

– **Les poupées thaïes :** elles sont surtout faites en soie, très colorées, et figurent les personnages de la danse classique thaïe et les membres des tribus montagnardes.

– **Les masques du Khon :** ils servent au théâtre populaire dramatique et peuvent s'acheter. Représentant les héros du *Râmakien,* version thaïe du *Rāmāyana* : démons, singes et autres, ils peuvent servir d'éléments décoratifs magnifiques.

– **Les objets en teck :** provenant des jungles épaisses du Nord, le teck est utilisé pour la fabrication de quantité d'objets, des plateaux, de la vaisselle, des statuettes aux plus beaux meubles. Voir « Environnement » dans « Hommes, culture et environnement » quant aux problèmes de déforestation.

– **La vannerie de rotin et le mobilier de bambou :** ils sont très beaux, raffinés et pas chers, mais très souvent encombrants. On hésite à les rapporter. Les touristes se rabattent sur les **chapeaux chinois pointus** (en paille) et les **ombrelles de papier** (surtout à Chiang Mai).

– **Les reproductions de tableaux célèbres :** c'est la grande mode depuis quelques années. Passés maîtres dans l'art de reproduire, les Thaïlandais se sont dit que, puisqu'ils pouvaient copier des vêtements et des voitures, pourquoi pas des chefs-d'œuvre de la peinture. Et c'est devenu ici un marché comme un autre.

> **« MIROIR, DIS-MOI... »**
> *Le truc vraiment marrant est de se faire tirer le portrait en photo, puis de confier celle-ci à un atelier qui vous la reproduira en peinture. Tous les jours, vous pouvez venir voir l'avancement de votre toile. Amusant et pas si cher.*

– **Conseils :** si vous voulez envoyer des objets en France par la mer, comptez 3 mois de voyage. Pour les expéditions, préférez la poste officielle (en recommandé) aux marchands qui vous proposent de s'en occuper. Voir la rubrique « Poste ».

Le marchandage

C'est la tradition. Le prix de certains articles sera à diviser par deux. Pour d'autres, et c'est le cas le plus général, vous n'obtiendrez que 5 ou 10 %, 20 % au mieux. En tout cas, il faut toujours essayer ! Avoir cependant à l'esprit que certains petits artisans ont une marge très faible. En tenir compte. Même dans les boutiques chic où les objets sont étiquetés, n'hésitez pas à marchander (imaginez la même chose en France !).

En général, on vous accordera un rabais. Et la concurrence marche à fond. Visitez toujours plusieurs boutiques pour comparer les rabais proposés. Enfin, n'oubliez pas le principe de vente dans ces pays-là : vendre beaucoup, même avec des petites marges. L'affluence de touristes américains dans les îles du Sud sabote un peu la sympathique cérémonie du marchandage.

Même si le marchand reste ferme sur les prix, il sourira ou rira toujours. Un truc : riez encore plus que lui. Un Européen hilare, ça déconcerte.

La TVA

Il est possible de demander, en partant, le remboursement de la TVA (*VAT* en anglais) sur les achats – d'une valeur minimum de 5 000 Bts (100 €) – que vous aurez effectués dans les grands magasins ou les boutiques ayant pignon sur rue. Pour cela, faire remplir le formulaire de remboursement le jour de l'achat, chaque formulaire devant représenter une valeur de plus de 2 000 Bts (40 €). N'hésitez pas à insister auprès des employés des boutiques, qui ont l'habitude de ce type de formalité. Ainsi, le jour du départ, à l'aéroport, avant l'enregistrement, vous présenterez formulaires et articles en question au guichet spécial des douaniers qui se feront un plaisir de vous rendre votre argent.

BUDGET

Bonne nouvelle pour le routard sans le sou, la Thaïlande reste un pays très bon marché, où l'on peut encore manger, se loger (dans les petits hôtels) et se déplacer (en bus) à partir de 500 Bts (10 €) par jour environ ! Bien sûr, il y a aussi de quoi dépenser son argent, par exemple en prenant l'avion ou en dormant dans des palaces 5 étoiles... Voici, pour vous aider à préparer votre budget, différentes catégories de prix pour les principaux postes de dépense.

Hébergement

Pour une même catégorie d'hébergement, les tarifs vont quasiment du simple pour le Nord au double dans les stations balnéaires les plus cotées du Sud (Phuket, par exemple). Bangkok est également plus chère que le Nord, mais on y trouve toujours nombre d'adresses bon marché. Aux variations géographiques s'ajoutent les variations saisonnières. Il n'est pas rare qu'une même prestation soit facturée 50 % en plus pendant la haute saison et carrément le double quand les établissements appliquent le tarif *peak season* (« pleine saison ») du 15 décembre au 15 janvier. Ces sautes de prix annuelles sont bien plus fortes dans le Sud que dans le Nord, où elles sont parfois négligeables. Et puis, dans les îles, un même établissement peut proposer des prestations qui vont de « Bon marché » à « Plus chic » ! En tenant compte de ces éléments, nous avons établi des échelles de prix, qui sont à chaque fois reprécisées dans le texte. Ces tarifs valent pour ***deux personnes*** dans une même chambre et sont exprimés en bahts. À noter que certains hôtels disposent de chambres simples, évidemment moins chères que les doubles, ou proposent une réduction aux voyageurs en solo.

➢ Échelle pour le Nord :
– ***Bon marché :*** entre 150 et 300 Bts (3 et 6 €).
– ***Prix moyens :*** entre 300 et 600 Bts (6 et 12 €).
– ***Un peu plus chic :*** de 600 à 1 000 Bts (12 à 20 €).
– ***Plus chic :*** de 1 000 à 2 000 Bts (20 à 40 €).
– ***Encore plus chic :*** au-delà de 2 000 Bts (40 €).
➢ Pour le Sud et autour de Bangkok, il faut parfois doubler les tarifs des hébergements :
– ***Bon marché :*** moins de 500 Bts (10 €).
– ***Prix moyens :*** de 500 à 1 000 Bts (10 à 20 €).
– ***Un peu plus chic :*** de 1 000 à 1 500 Bts (20 à 30 €).
– ***Plus chic :*** de 1 500 à 3 000 Bts (30 à 60 €).
– ***Beaucoup plus chic :*** plus de 3 000 Bts (60 €).

Restauration

Même remarque que pour l'hébergement. Ici, les prix indiqués sont ceux d'un repas complet, avec la boisson.
– Les gargotes ou petits restos populaires ***bon marché,*** à moins de 100 Bts (2 €) par personne.
– Les restaurants à ***prix moyens,*** mais pas chers pour nous non plus, puisqu'on peut s'en tirer pour 100 à 300 Bts (2 à 6 €).
– Puis les adresses ***plus chic,*** plus rares, où l'on débourse 300 Bts (6 €) et plus. Elles sont surtout destinées à une clientèle touristique et/ou gastronomique.

Musées, temples et sites

Les prix d'entrée des musées, sites et autres temples sont en général assez, voire très raisonnables. Sauf pour les parcs nationaux, qui ont vu récemment leur droit d'accès doubler... pour les *farangs* (étrangers), passant ainsi de 200 à 400 Bts (8 €) ! À ce tarif, il y a fort à parier que nombre de petits routards iront voir ailleurs... Certains musées privés pratiquent aussi un droit d'entrée élevé, pouvant atteindre 300 Bts (6 €), mais en général, on le redit, le coût est modeste et ne devrait pas trop grever votre budget.

CIGARETTE

Il est interdit de fumer en Thaïlande dans tous les lieux publics (gare, aéroport, restos, pubs, etc.). Parfois même en terrasse ! Amende pour le fumeur : 2 000 Bts (40 €).

CLIMAT

Il fait chaud en toute saison, partout. Le climat est tropical, c'est-à-dire à deux saisons. La saison des pluies s'étend de juin à octobre : rien à voir avec la mousson indienne. Le temps reste ensoleillé avec parfois de gros orages imprévisibles et brefs. Les pluies sont plus abondantes dans le Nord, où l'air est également plus frais. La saison sèche devient torride de mars à mai (de façon presque insupportable), mais il fait froid la nuit, surtout en montagne (trekking). Dans le Sud (Phuket, Hat Yai), saison sèche et saison des pluies sont moins marquées : il peut pleuvoir un peu n'importe quand, alors qu'à Ko Samui la mousson a lieu entre octobre et décembre. De toute façon, ça ne dure jamais bien longtemps.
Un conseil : mieux vaut éviter septembre et octobre pour découvrir la Thaïlande, les typhons pouvant sévir à cette époque.

DANGERS ET ENQUIQUINEMENTS

Voici la liste des pépins qui ne vous arriveront jamais une fois que vous aurez lu ces lignes ! De plus, un petit tour par les « Conseils aux voyageurs » du ministère des Affaires étrangères peut lever quelques inquiétudes : ● *diplomatie.gouv.fr* ●

Vol et brigandage

Le vol et le brigandage ne sont pas des problèmes particuliers à la Thaïlande, en tout cas pas plus – mais pas moins – que dans tout autre pays où le tourisme est important.
Cela dit, les pickpockets et les agresseurs potentiels existent. Ainsi, il convient, pour ne pas se faire plumer, de rester vigilant et de ne pas baisser la garde dans les situations les plus décontractées. Un truc assez répandu : le vol « à la tire ». Les malfrats agissent seuls ou à plusieurs. Il est judicieux d'avoir au moins la moitié de son argent en chèques de voyage et de ne prendre sur soi que ce dont on a besoin. Certains hôtels possèdent des coffres et l'on vous remet un reçu de ce que vous y avez déposé. Évidemment, ne laissez rien de valeur dans un bungalow de bambou tressé, fermé par un simple cadenas. Conservez toujours votre passeport sur vous, tout en laissant des photocopies dans un sac à votre *guesthouse* ou votre hôtel, ou en l'ayant au préalable scanné et envoyé sur votre adresse e-mail, consultable à distance.
– Dans les transports en commun et notamment les bus, il arrive que des bagages disparaissent lors des arrêts intermédiaires. Rien de plus facile en effet, au milieu de la nuit, que de faire descendre quelques sacs en plus. Ne laissez en soute que ce que vous ne pouvez prendre à bord, et veillez à ne rien placer de valeur dans ces bagages-là.

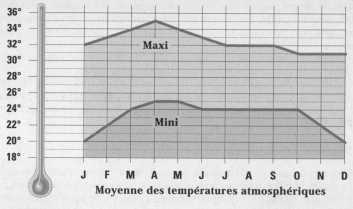

Moyenne des températures atmosphériques

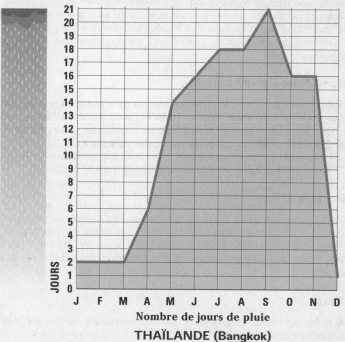

Nombre de jours de pluie

THAÏLANDE (Bangkok)

THAÏLANDE UTILE

– Deux mots sur les « bars à filles » : les plus naïfs s'y font plumer sans s'en rendre compte en payant de larges tournées et se font piquer argent et papiers une fois qu'ils sont bien éméchés. On ne les plaint pas vraiment.

– Évitez aussi, aux alentours de Bangkok, les propositions de balades dans les *khlong* pour voir les marchés flottants à un prix super alléchant. On risque de vous dépouiller *manu militari*.

– On ne compte plus non plus les arnaques du genre « Ce temple est fermé, venez voir celui-ci » proféré par un type en costard-cravate ou un gentil monsieur qui souhaite vous faire visiter la ville uniquement pour son plaisir... Une fois encore, refusez !

– Quand vous payez avec une carte de paiement, conservez bien les carbones et évitez de régler de petites factures dans des endroits peu sûrs.

– CONSEIL PRIMORDIAL : CONSERVEZ TOUJOURS VOTRE CARTE DE PAIE-MENT AVEC VOUS. Ne la laissez pas dans le coffre à l'hôtel quand vous partez en trek. Trop de lecteurs se retrouvent en France avec d'énormes découverts bancaires...

Pierres précieuses

Face au nombre toujours croissant de nos lecteurs victimes d'escroqueries, on ne saurait que trop recommander la prudence... Le scénario est le suivant : un conducteur de *tuk-tuk* – ตุ๊ก ตุ๊ก ou un simple passant sympathise avec vous et vous mène très patiemment dans une boutique qui, ce jour-là (comme par hasard !), fait de très grosses réductions. Facile de se laisser embobiner : faux témoignages d'autres touristes et certificats d'authenticité (encore plus faux !) leur servent de preuves. Là encore, le marchand ne compte ni les thés ni les heures... et le tour est joué !

Assistance aux touristes

Des centres d'assistance aux touristes existent dans toutes les grandes villes et dans les lieux touristiques. Nous en donnons les coordonnées dans la rubrique « Adresses utiles » des villes concernées. La majorité des postes *Tourist Police* sont plutôt efficaces. En cas de pépin, n'hésitez donc pas à aller les voir.

– Si vous avez un problème, composez le ☎ 11-55, numéro de la *Tourist Police*. Ce 11-55 est un peu l'équivalent du 17 pour Police-Secours en France.

Drogue

On ne va pas vous faire la morale, mais il faut savoir qu'essayer une drogue, même douce, peut coûter très cher en Thaïlande. Les sanctions sont terribles, et une bonne vingtaine de Français sont actuellement sous les verrous pour ne pas avoir tenu compte des lois thaïes en vigueur, et ce souvent pour de longues peines (20 à 30 ans).

Serpents

Attention aux morsures de serpents. Sans tomber dans la parano, quelques cas surviennent chaque année.

Tuk-tuk

Au niveau des transports individuels, méfiez-vous des chauffeurs de taxis, *tuk-tuk* ou *samlor* qui prétendent que l'hébergement dans lequel vous voulez vous rendre a fermé ou n'a plus de chambre dispo ce soir-là ; tout ça histoire de vous emmener chez l'hôtelier voisin (peut-être dans le *Guide du routard* d'ailleurs...) qui lui offrira une commission pour ses bons services...

DÉCALAGE HORAIRE

Compter 5h d'avance sur Paris en été, 6h en hiver. Quand il est midi à Paris, il est 17h (été) ou 18h (hiver) à Bangkok.

Enfin, n'oubliez pas que le temps, en Thaïlande, est régi par le *calendrier bouddhique.* Ajoutez donc 543 années à votre bon vieux calendrier grégorien. Ce n'est qu'une question d'habitude, mais sachez qu'en 2010 les Thaïlandais sont passés à l'an 2553 !

ÉLECTRICITÉ

Du 220 V avec des prises dites « américaines ». Se procurer un adaptateur (on en trouve sur place ; vous pouvez aussi en acheter avant le départ chez votre quincaillier). Toutefois, dans les hôtels de standing international, les prises sont adaptées aux appareils européens.

HÉBERGEMENT

Aucun problème pour trouver à se loger. Il y a de tout, à tous les prix et partout : à Bangkok des *guesthouses* en dur, à Chiang Mai des maisons en teck au milieu d'un jardin et, dans les îles, des bungalows en bambou ou en dur devant la plage. Il existe toujours plusieurs niveaux de confort : avec ventilo ou air conditionné ; et avec ou sans douche (chaude ou froide) et toilettes. En règle générale, pas de problème de propreté. Beaucoup d'endroits sont sommaires et pas chers, mais le balai est toujours passé. Par précaution, si vous vous arrêtez uniquement dans les hôtels les moins chers, prévoyez un sac à viande. Les draps sont en principe toujours propres, mais au cas où... vous serez bien content d'avoir le vôtre.

Dans les chambres doubles, ceux qui voyagent en solo paieront parfois le même prix qu'un couple.

Attention, pensez toujours à regarder si la période de votre voyage va coïncider avec une grande fête type Nouvel An chinois, Loy Kratong par exemple, pendant la pleine lune de novembre (lire la rubrique « Fêtes et jours fériés »). Les chambres sont alors réservées longtemps à l'avance et les prix parfois plus élevés.

Les auberges de jeunesse

– Il n'y a pas de limite d'âge pour séjourner en AJ. Il faut simplement être adhérent.

– La FUAJ offre à ses adhérents la possibilité de réserver en ligne grâce à son système de réservation international ● hihostels.com ● jusqu'à 12 mois à l'avance, dans plus de 1 200 auberges de jeunesse situées en France et à l'étranger (le réseau Hostelling International couvre plus de 80 pays). Gros avantage, les AJ étant souvent complètes, votre lit est réservé à la date souhaitée. Et si vous prévoyez un séjour itinérant, vous pouvez réserver plusieurs auberges en une fois.

L'intérêt, c'est que tout cela se passe avant le départ et en français et en euros donc sans frais de change ! Vous versez simplement un acompte de 5 % et des frais de réservation (environ 1,60 € selon le cours du jour (non remboursables).

Vous recevrez en échange un reçu de réservation que vous présenterez à l'AJ une fois sur place. Ce service permet aussi d'annuler et d'être remboursé selon le délai d'annulation, qui varie d'une AJ à l'autre. Le système de réservation international accessible sur le site ● hihostels.com ● permet d'obtenir toutes les informations utiles sur les auberges reliées au système, de vérifier les disponibilités, de réserver et de payer en ligne, de visiter virtuellement une auberge et bien d'autres astuces !

Les parcs nationaux

Le pays compte plus de 100 parcs nationaux dont la plupart offrent des possibilités d'hébergement. Un must pour les amoureux de nature et de calme. On peut planter sa propre tente *(autour de 100 Bts/pers, soit 2 €)*, en louer une *(à partir de 150 Bts, soit 3 €, pour 2 pers avec matelas et sac de couchage)* ou résider dans un bunga-low. Ces derniers sont de confort et de taille très variables. Certains possèdent 4 lits ou plus, ce qui permet de partager le prix avec ses amis ou d'autres routards de passage *(prévoir env 400 Bts/pers, soit 8 €)*. Il existe aussi des bungalows pour 2 personnes, plus chers bien sûr. Certains parcs imposent de réserver à l'avance. Dans d'autres, il est possible de tenter sa chance sur place. Essayez quand même d'appeler avant votre arrivée. Sachez que tout peut être complet pendant les périodes de congés scolaires.

Pour réserver à l'avance, deux possibilités :

■ Auprès du siège, ***Wildlife and Park Conservation Department :*** 61 Pha-holyothin Rd, Chatuchak, Bangkok, 10900. ☎ 02-562-07-60. À env 3 km au nord de Chatuchak. Lun-ven 8h30-16h30. *Prendre le métro (descendre à la station Phaholyothin), puis un bus.*
– Ou en passant par le site ● *dnp.go.th/parkreserve* ●

Bon tuyau : le site ● *guidetothailand.com/maps-thailand* ● (cliquer ensuite sur National Park), interactif, avec numéro de téléphone et descriptif de chaque parc.

ITINÉRAIRES

Bangkok et ses environs

Temples et gratte-ciel. Excursions vers la rivière Kwaï et les îles de l'Orient. Compter une bonne dizaine de jours.

Les anciens royaumes du centre

Ayutthaya (2 jours), conseillé pour ses collections de bouddhas sublimissimes, ***Lopburi*** et ***Kamphaeng Phet*** en route (pas nécessaire d'y dormir), ***Phitsanulok (1 nuit),*** pour son *Night Bazaar* et ***Sukhothai (2 jours).***

Chiang Mai et Chiang Rai

Le pays du million de rizières : randos, minorités ethniques et culture du Lanna. ***Chiang Mai (5/6 jours),*** histoire de profiter nonchalamment de la ville (massages, balades à dos d'éléphant, cours de cuisine thaïe, etc.) et de faire des treks chez les ethnies montagnardes. Extension et boucle au sud-est et sud-ouest de Chiang Mai : ***Lampang (1 jour),*** grimpette jusqu'au ***Doi Inthanon*** (à moto), ***Mae Sariang (1 jour), Mae Hong Son (1 ou 2 jours),*** avec possibilité de treks (rajouter alors 2 ou 3 jours) et ***Pai*** pour finir dans une ambiance baba. De là, direction Thaton (pas nécessaire d'y dormir) pour descendre la rivière Kok et rejoindre ***Chiang Rai*** puis découverte du fameux ***Triangle d'Or.*** La Birmanie ! Le Laos ! sur la rive en face, à

Sop Ruak (1 jour depuis Chiang Rai), pour dire « J'y étais » ! Ascension jusqu'au Doi Tung via *Mae Salong (1 jour).* Belles balades alentour dans les champs de plantation de thé.

Le Nord-Est

Vestiges khmers, Mékong, cuisine et sourires de l'Isan. Compter 12 jours au pas de course pour découvrir cette Thaïlande au goût de Cambodge et de Laos. *Loei (2 jours)* pour le *parc de Phu Kradung (2 jours),* un des plus beaux parcs naturels. *Chiang Khan (2 jours) :* balades, grottes, rapides, traversée du Mékong et la nature, toujours ! *Nong Khai (2 jours)* et le parc de Phu Phra Bat. Dans les terres, *Udon Thani (1 jour)* et *Khon Kaen (2 jours),* pour l'artisanat et les vestiges des dinosaures thaïs. *Ubon Ratchathani (1 jour),* mais surtout *Khong Chiam (3 jours)* avec le *parc national de Pha Taem.* Enfin, plein sud, la route des citadelles khmères *(Nakhon Ratchasima – 1 jour, Phimai – 2 jours, Muang Tham – 2 jours, Surin – 1 jour et Prasat Khao Preah Viharn – 1 jour).*

Le Sud-Ouest

Sables blancs, mer d'émeraude, falaises et jungles de la côte d'Andaman. *Phuket (4/5 jours), Khao Sok (2 jours)* pour dormir dans les arbres, *Ko Phi Phi* pour la plongée ou *Krabi (4 jours), Ko Lanta (3 jours)* pour un mélange parfait entre calme et animation ; enfin, le parc maritime de *Ko Tarutao* et ses îles sauvages et reposantes *(4/5 jours).*

Le Sud-Est

Détente et fiesta dans les îles. *Ko Samui (4 jours),* plages et farniente ; *Ko Pha Ngan (3 jours),* plages, farniente et grosses fiestas ; *Ko Tao (2 jours)* pour la plongée.

LANGUE

La langue thaïe est, à l'origine, proche du chinois, puisque l'ethnie est originaire du sud de la Chine. Ensuite, elle s'est enrichie de mots et de tournures khmers, puis de sanskrit et de pali (langues de l'Inde). La langue nationale thaïe enseignée dans les écoles est une synthèse des dialectes du centre du pays. En effet, les quatre principales régions ont chacune leur dialecte, à peu près aussi différents entre eux que le portugais, l'espagnol, l'italien et le français. En plus, il y a le *rachasap,* vocabulaire spécial employé en présence des souverains, proche du langage encore pratiqué au Cambodge.

L'alphabet est composé de 44 consonnes et de 11 voyelles, plus 4 signes écrits d'intonation, et s'écrit de gauche à droite. Ça ressemble à des spaghettis assez harmonieux. La grammaire du thaï populaire est rudimentaire : pas de genre, pas d'article, pas de pluriel, pas de conjugaison. Un mot peut aussi bien servir de nom, de verbe, d'adjectif ou d'adverbe.

La langue des touristes est l'anglais, à l'exclusion de toute autre. À peu près pratiquée à Bangkok et dans les hôtels de Phuket, de Pattaya ou de Chiang Mai. Ailleurs, vous retrouverez les joies du mime et des petits dessins.

Quelques règles de prononciation

Les cinq tons en thaï sont le ton neutre (a court), bas (à), tombant (â), haut (á) et montant (a). Les lettres *p, t, k* suivies d'un « h » sont aspirées, et *ph* se prononce comme « p » dans « premier ». La dernière syllabe de chaque mot se prononce plus fort que le reste. Le *u* se dit « ou », le *aï* se prononce « ail », *j* se prononce « dj », et les *r* se roulent comme en Bourgogne !

LE BON TON

Les mots changent de sens en fonction du ton employé. Il y en a cinq et ils sont les fondements du « parler » thaï. Un même mot pourra donc avoir cinq significations différentes pour une même écriture. On pourrait citer le célèbre « Mai mai mai mai mai ? », qui signifie à peu de chose près « Le bois vert ne brûle pas, n'est-ce pas ? ». Ou le mot « khao » (colline) qui peut aussi bien vouloir dire « nouvelles », « riz », « entrée », voire « genoux » !

Quelques expressions et mots courants

Le vocabulaire ci-dessous est donné avec une transcription phonétique qui est évidemment très imparfaite. Pour vous faciliter la vie, on a traduit en lettres thaïes une sélection de mots ou expressions utiles. Du coup, au lieu de vous escrimer à baragouiner dans la langue du pays, vous n'aurez qu'à brandir votre guide préféré. Allez, bon courage !

Salutations et politesse

Bonjour, bonsoir, au revoir (dit par une femme)	*sawat di kha* – สวัสดี
Bonjour, bonsoir, au revoir (dit par un homme)	*sawat di khrap* – สวัสดีกับ
S'il vous plaît	*karuna* – กรุณา
Merci (dit par un homme)	*kop khun khrap* – ขอบคุณครับ
Merci (dit par une femme)	*kop khun kha* – ขอบคุณค่ะ
Pardon	*kho thot* – ขอโทษ
Oui	*tchaï* – ใช่
Non	*may tchaï* – ไม่ใช่
Monsieur, madame	*khun* – คุณ (aussi pronoms « tu » et « vous »)
Comment allez-vous ?	*(khun) sabai ïdi ru ?* – (คุณ) สบาย ดีหรือ
Très bien	*sabaïdi khrap* (ou *kha*) – สบายดี ครับ (ค่ะ)
Je ne vous comprends pas	*may khao ja ï* – ไม่เข้าใจ
Parlez lentement, s'il vous plaît	*phut cha cha* – กรุณาพูดช้าๆ
Je ne parle pas le thaï	*phut thaï mïa pen* – พูดไทยไม่เป็น

Questions, verbes et mots usuels

Combien ? (prix)	*rakha thao-raï ?* – ราคาเท่าไหร่
Quoi ?	*araï ?* – อะไร
Comment ?	*yang raï ?* – อย่างไร
Pourquoi ?	*thammaï ?* – ทำไม
Quand ?	*mua ra-ï ?* – เมื่อไหร่
Où ?	*thi naï ?* – ที่ไหน
À quelle heure ?	*wèla naï ?* – เวลาไหน
Je veux	*tchan tong kan* – ฉันต้องการ
Je ne veux pas	*tchan maï tong kan* – ฉันไม่ต้องการ

Changer	*plian* – เปลี่ยน
Acheter	*su* – ซื้อ
Vendre	*khaï* – ขาย
Aller	*paï* – ไป
Venir	*ma* – มา
Donnez-moi	*kho* – ขอ
Dormir	*non lap* – นอนหลับ
Manger	*kin* – กิน
Ouvert	*peut* – เปิด
Fermé	*pit* – ปิด
Assez	*pho lêo* – พอแล้ว
Plus	*mak kwa* – มากกว่า
Moins	*noï kwa* – น้อยกว่า
C'est cher	*phèng mak* – แพงมาก
C'est joli	*suay di* – สวยดี
Beaucoup	*maak* – มาก
Mauvais, mal	*maï di* – ไม่ดี
Doucement	*cha-cha* – ช้าๆ
Amusant, rigolo	*sanuk* – สนุก
Bouddha	*phra* – พระ
Bonze	*phrasong* – พระสงฆ์
Tailleur	*ráan tát sûa* – ร้านตัดเสื้อ
Médecin	*phêêt* – แพทย์

Dans le temps

Aujourd'hui	*wan nii* – วันนี้
Demain	*phrûng nii* – พรุ่งนี้
Hier	*mûea wann nii* – เมื่อวานนี้
Matin	*tonn tchao* – ตอนเช้า
Après-midi	*tonn baï* – ตอนบ่าย
Soir	*tonn kam* – ตอนค่ำ
À midi	*thiang* – เที่ยง
Avant	*konn nii* – ก่อนนี้
Après	*lang* – หลัง

Dans l'espace

Où allez-vous ?	*khun kamlang tjà païnaï ?* – คุณกำลังจะไปไหน
Droite	*kwa* – ขวา
Gauche	*saï* – ซ้าย
Tournez à droite	*lio kwa* – เลี้ยวขวา
Tournez à gauche	*lio saï* – เลี้ยวซ้าย
Conduisez tout droit	*khap rôt trong paï* – ขับรถตรงไป
Prenez un *tuk-tuk*	*nâng tùk tùk paï* – นั่งตุ๊กๆไป
Combien dois-je payer ?	*khâa rot thâu raï ?* – ค่ารถเท่าไร
Plus lentement	*cháa cháa noï* – ช้าๆหน่อย
Où est l'arrêt d'autobus ?	*pâï rôt mé yùu thi naï ?* – ป้ายรถเมล์อยู่ที่ไหน
Gare	*sathani rot faï* – สถานีรถไฟ
Gare des bus	*sathani rot mé* – สถานีรถเมล์
Cyclo-pousse	*samlor* – สามล้อ
Plage	*thalé* – ทะเล
Poste de police	*sathani tamrouat* – สถานีตำรวจ
Hôpital	*rong phayaabaan* – โรงพยาบาล

| Ambassade de France | *sàthaanthuut faràngsèt* – สถานทูตฝรั่งเศส |
| Bureau de poste | *praïsanii* – ไปรษณีย์ |

À l'hôtel

Hôtel	*rong raem* – โรงแรม
Chambre	*hong* – ห้อง
Douche	*hong abnam* – ห้องอาบน้ำ
Téléphone	*thorasap* – โทรศัพท์
Eau chaude	*náam ron* – น้ำร้อน
Couvertures	*phâa hom* – ผ้าห่ม
Serviettes	*phâa chét tua* – ผ้าเช็ดตัว
Combien pour la nuit ?	*khun là thao raï ?* – คืนละเท่าไร

Au restaurant

Restaurant	*ran a han* – ร้านอาหาร
Eau (carafe)	*nam plao* – น้ำเปล่า
Eau (bouteille)	*nam kwat* – น้ำขวด
Pain	*khanom pang* – ขนมปัง
Boire	*dum* – ดื่ม
Riz	*khao* – ข้าว (avec « r » suggéré entre le « k » et le « h »)
Riz sauté	*khao phat* – ข้าวผัด
Nouilles	*kuay tio* – ก๋วยเตี๋ยว
Nouilles sautées	*kuay tio phat* – ก๋วยเตี๋ยวผัด
Œuf	*khaï* – ไข่
Poisson	*pla* – ปลา
Viande	*neua* – เนื้อ
Soupe chinoise	*feu* (mais se dit plutôt *soup*) – ซุป
Avez-vous le menu anglais ?	*mi meynuu pèn phaasaa angkrit maï ?* – มีเมนูเป็นภาษาอังกฤษไหม
Qu'est-ce que vous avez de bon ?	*mi araïiaroïbâang ?* – มีอะไรอร่อยบ้าง
Pas épicé	*ao maï phèt* – เอาไม่เผ็ด
Pas trop épicé	*phèt nit noï* – เผ็ดนิดหน่อย
Faites le mien bien épicé	*ao phèt phèt* – เอาเผ็ดๆ
Thé	*nam chaa* – น้ำชา
Café	*kaafè* – กาแฟ
Thé chinois	*chaa yèn* – ชาเย็น
Whisky thaï	*mè khong* – แม่โขง

Les chiffres

Un	*neung* – หนึ่ง
Deux	*song* – สอง
Trois	*sam* – สาม
Quatre	*si* – สี่
Cinq	*ha* – ห้า
Six	*hok* – หก
Sept	*tjet* – เจ็ด
Huit	*pèt* – แปด
Neuf	*kao* – เก้า
Dix	*sip* – สิบ
Vingt	*yi sipp* – ยี่สิบ
Trente	*sam sipp* – สามสิบ
Quarante	*si sipp* – สี่สิบ
Cent	*roï* – ร้อย

Deux cents	*song roï* – สองร้อย
Mille	*neung phan* – หนึ่งพัน
1 baht	*rian báat* – เหรียญบาท
5 Bts	*rian hâa báat* – เหรียญห้าบาท
10 Bts	*baï sip* – ใบสิบ
20 Bts	*baï yi sip* – ใบยี่สิบ
50 Bts	*baï háa sip* – ใบห้าสิบ
100 Bts	*baï roï* – ใบร้อย
500 Bts	*baï hâa roï* – ใบห้าร้อย
1 000 Bts	*baï phan* – ใบพัน

Lieux

Baie	*ao* – อ่าว
Village	*ban* – บ้าน
Ville	*chiang* – เชียง
Étranger de race blanche	*farang* – ฝรั่ง
Colline	*khao* – เขา
Canal	*khlong* – คลอง
Île	*ko* – เกาะ
Montagne	*phu* – ภู
Édifice religieux caractéristique du style khmer	*prasat* – ปราสาท
Ruelle	*soi* – ซอย
Port, embarcadère	*tha* – ท่า

LIVRES DE ROUTE

– *La Sagesse du Bouddha,* de Jean Boisselier (Gallimard, coll. « Découvertes », n° 194, 1993, 192 p.). La vie de Bouddha, né en 560 av. J.-C., avec des textes fondateurs. Parfait pour s'initier.

– *Louis XIV et le Siam,* de Dirk Van der Cruysse (Fayard, 1991, 588 p.). Le récit haut en couleur de l'ambassade envoyée en 1660 par le Roi-Soleil à la cour de Phra Naraï dans l'espoir de convertir les Siamois au catholicisme. La mission fera politiquement naufrage lorsque les officiers français se mettront dans l'idée d'imposer une protection militaire au royaume. Du même auteur chez Fayard, la biographie de *L'abbé de Choisy, androgyne et mandarin* (1995, 494 p.).

– *Les Cafards,* de Joe Nesbo (Gallimard, coll. « Folio policier », n° 418, 2003). Au cœur de Bangkok, l'inspecteur norvégien Harry Hole est dépêché par ses supérieurs pour enquêter sur le meurtre mystérieux d'un ambassadeur. Entre cauchemar et réalité, la part sombre de la sulfureuse « cité des anges » se dévoile à mesure que son enquête l'amène à côtoyer les tréfonds de l'humanité.

– *Bangkok 8,* de John Burdett (10-18, coll. « Domaine étranger », n° 3789, 2003). Sonchaï Jettleeheep a la particularité d'être à la fois bonze et inspecteur de police. S'inspirant de la mystique bouddhiste, ses aventures nous plongent dans la vie quotidienne des quartiers les plus malfamés de la capitale thaïe.

– *Paradis Blues,* roman de John Ralston Saul (Rivages-Poche, n° 338, 2001, 400 p.). Bangkok de nos jours et le Triangle d'or. Transaction commerciale louche de l'autre côté du Mékong, au Laos.

– *Le Faucon du Siam,* d'Axel Aylwen (LGF, coll. « Le Livre de Poche », n°s 14452, 14674 et 14895). En 3 tomes. L'incroyable histoire du Grec Phaulkon, au XVIIe s, premier courtisan et ministre du roi Narai. Pour se plonger dans l'histoire du pays.

– *Le Bouddha derrière la palissade,* roman de Cees Nooteboom (Actes Sud, coll. « Terres d'aventure », 1992, 58 p.). Étrange : un voyageur occidental nous fait part de ses impressions lors d'un séjour à Bangkok. Un ami thaï lui fait voir, derrière une palissade, un bouddha en plastique pourtant placé sur un autel et vénéré à l'instar des bouddhas en or traditionnels. « Comment réconcilier les images ? » se demande alors le voyageur...

– *Comme un collégien,* polar de John Le Carré (Le Seuil, coll. « Points », n° 922, 2001, 676 p.). L'Asie du Sud-Est est le dernier champ de bataille du Cirque, le service secret anglais dirigé par George Smiley qui tente de reconstituer ses réseaux laminés par un espion soviétique.

– *La Plage,* roman d'Alex Garland (LGF, coll. « Le Livre de Poche », n° 14641, 1999, 480 p.). À la recherche de LA plage, éden mystérieux, où Richard et ses potes se déchirent et s'entretuent. Esprit baba mais pas cool.

– *Venin,* roman de Saneh Sangsuk (Le Seuil, coll. « Points », n° 1319, 2005, 74 p.). Une Thaïlande mystérieuse, hantée par le divin. Nature, sorcellerie, on est loin des plages dorées du Sud thaïlandais. Du même auteur, *Une histoire vieille comme la pluie* (Le Seuil, coll. « Cadre vert », 2004, 228 p.), toujours habité par ces légendes et cette terre thaïlandaise énigmatique.

– *Plateforme,* roman de Michel Houellebecq (J'ai Lu, n° 6345, 2005, 350 p.). Une vision désespérée et triste à mourir de la Thaïlande, qu'on ne partage absolument pas. Avec des femmes thaïes offertes aux portefeuilles d'Occidentaux en mal d'amour. Des héros sans aucun état d'âme. En prime, un portrait du *Guide du routard* pas piqué des vers... Mais nous acceptons toutes les opinions !

– *Le Siam,* de Michel Jacq-Hergoualc'h (Belles Lettres, coll. « Guide des Civilisations », 2004, 256 p.). Une collection très ludique mais très sérieuse pour découvrir les civilisations du Siam et ses anciennes capitales, Ayutthaya et Sukhothai.

MUSÉES ET SITES

Gardez en tête que les musées sont pour la plupart fermés le lundi et le mardi. Mieux vaut le savoir quand on veut être sûr de pouvoir visiter le musée qui nous tient à cœur.

Les monuments et les sites sont en revanche ouverts tous les jours, souvent de 8h à 16h, voire jusqu'à 18h.

PHOTOS

Vous trouverez tout le matériel désiré à Bangkok et dans les villes touristiques. Les pellicules papier (il en reste !) et le développement sont moins chers qu'en Europe. Pour le numérique, les boutiques photo offrent les mêmes services que chez nous (scans, tirage depuis CD, etc.), là encore à moindres frais. Si vous voyagez un certain temps, on vous conseille de glisser des sachets de silicate, qui absorbent l'humidité, dans la valise-photo.

POSTE

Les bureaux de poste sont généralement ouverts du lundi au vendredi de 8h30 à 16h30 et le samedi de 9h à 12h. Certains le sont aussi le dimanche matin. Personnel efficace et organisation parfaite. Compter bien une semaine avant que votre carte n'arrive (durée soumise aux variations saisonnières !). Tous les bureaux de poste disposent d'un service d'envoi de paquets par surface ou par voie aérienne. Par mer, délai de 3 mois. Dans les grandes villes, on peut acheter la boîte, et une balance permet de peser son paquet. Vraiment bien et très sûr. Pour les cartes postales vers l'Europe, compter 15 Bts (0,30 €).

Notons aussi la multiplication de postes privées, dans les mégapoles surtout, proposant un service postal, téléphonique et un *E-mail Service.* Horaires sensiblement différents le plus souvent (ouverture plus tardive).

POURBOIRE

On ne laisse – normalement – pas de pourboire, bien que dans les grands hôtels et les lieux extrêmement touristiques les Thaïs se soient aisément habitués à cette gratification importée.

SANTÉ

Précautions

– Au moment des grosses chaleurs, se méfier des problèmes de déshydratation, responsables de bien des maux. À côté des moustiques qui transmettent la dengue, notamment, se méfier aussi des nombreux serpents venimeux dans les campagnes et de multiples bestioles sympathiques dans la mer : poissons-pierres, serpents pélagiques, oursins, méduses, physalies... Autre type de danger : éviter de se trouver mêlé aux émeutes et attentats terroristes au sud du pays (à la frontière malaise).

– Les *parasites intestinaux* fréquents (amibes, giaria, anguillules, ankylostomes...) : éviter les contacts avec les eaux douces, les boues, etc.

– Le *virus de l'hépatite A* (transmis par l'alimentation) est omniprésent ; la vaccination des voyageurs est heureusement de plus en plus pratiquée : efficacité 100 % et probable immunisation à vie après un seul rappel.

– *Forte pollution atmosphérique* à Bangkok et Chiang Mai : asthmatiques, insuffisants respiratoires ou cardiaques, attention !

– La *leptospirose* est en augmentation en Thaïlande : maladie souvent grave transmise par contact avec des eaux douces polluées par des déjections de rats. Attention pendant les treks ou les randonnées sauvages.

Le paludisme

Dans tous les livres et brochures, on trouve la mention « Paludisme +++ multirésistant ». Cela est vrai, mais :

– ce paludisme n'est présent que dans des zones très limitées, forestières et frontalières ; la très grande majorité du pays, composée de plaines et de rizières, en est totalement indemne ;

– dans les zones impaludées, il n'y a risque de transmission que la nuit ;

– il n'y a pas de paludisme dans les grandes villes.

Prenons pour exemple un circuit touristique habituel : Bangkok, Phuket (par avion), Chiang Mai, Chiang Rai avec une visite diurne de la zone frontalière du Nord : il n'y a aucune possibilité de transmission du paludisme. Pourtant, nombre de touristes mal informés partent régulièrement bourrés d'antipaludiques majeurs dont les effets secondaires gâcheront le voyage d'une partie d'entre eux.

Ce n'est qu'au cas où un séjour comprendrait des nuitées dans les villages des zones frontalières qu'un traitement antipaludique s'imposerait : ce serait alors soit de la Malarone® (1 comprimé par jour la veille de l'arrivée dans la zone et 7 jours après la sortie de la zone), soit de la doxycycline (Doxypalu®, 1 comprimé par jour en commençant la veille de l'arrivée en zone impaludée, à poursuivre pendant toute la durée du séjour et pendant les 4 semaines qui suivent le retour). Tous les autres antipaludiques sont insuffisants pour ces zones de multirésistance. Le seul inconvénient : il ne faut absolument pas s'exposer au soleil. La doxycycline peut entraîner une photosensibilisation de la peau. Gare aux coups de soleil, aux douleurs, voire à une dépigmentation à vie ! Protégez-vous bien.

La dengue

Une épidémie de dengue peut survenir à tout moment en Thaïlande, comme dans tout pays de l'Asie du Sud-Est, en particulier lors de la mousson. Transmise par les piqûres de moustiques, la dengue est une forte fièvre d'origine virale, un peu comme une très grosse grippe, parfois très grave (1 à 2 % de décès). On ne dispose pas de traitement spécifique à l'heure actuelle. La seule prévention consiste à se protéger des moustiques, la nuit et surtout le jour. La dengue est présente depuis de nombreuses années en Thaïlande. Si on en entend parler de plus en plus, c'est parce qu'elle s'est propagée largement dans la zone inter et subtropicale et sur une bonne partie de la planète.

Les antimoustiques

Les moustiques étant partout très nombreux en Thaïlande, il faut toujours utiliser des répulsifs antimoustiques *(repellents)*. La plupart – pour ne pas dire la quasi-totalité – des répulsifs antimoustiques/arthropodes vendus en grande surface ou en pharmacie sont insuffisamment efficaces. Cependant, il existe depuis peu une gamme, complète et performante, conforme aux recommandations du ministère français de la Santé : *Insect Ecran*.

L'encéphalite japonaise

L'encéphalite japonaise sévit en permanence mais surtout par épidémies en période de mousson. C'est une maladie grave (un tiers de décès, un tiers de séquelles neurologiques). Il existe depuis avril 2009 un vaccin, Ixiaro®, (enfin) bien toléré, recommandé aux expatriés, voyageurs fréquents et touristes se rendant en période de mousson dans les pays situés au-dessous d'une ligne reliant le Bangladesh et le sud sibérien, jusqu'au Queensland au sud. Deux injections (jour 0 et jour 28) ; disponible en centres de vaccinations internationales et en pharmacie (sur prescription).

Vaccinations

Voir plus haut « Avant le départ ».

Le sida et les MST

La Thaïlande est un pays très touché par le sida. Sans oublier l'hépatite B, porteuse de AgHBs (contagieux), dont souffre 5 % de la population thaïe. La vie sexuelle plutôt libre et active des Thaïlandais a favorisé l'avancée massive et foudroyante de la maladie. Le temps de comprendre et de réagir, et ce sont un million de personnes qui ont été contaminées. Quant aux prostituées, avancer un chiffre serait vain, car ça évolue vite et l'état des lieux ne peut pas être fait, mais on ne doit pas se tromper de beaucoup en disant qu'une sur deux (une sur trois si l'on est optimiste) est contaminée. L'usage systématique des préservatifs est donc vital.

La large (mais tardive) prise de conscience du gouvernement a été « récompensée », mais la contamination continue, même si aujourd'hui seules de très rares prostituées n'exigent pas le préservatif.

À emporter avec soi

Moustiquaire imprégnée d'insecticide (si l'on doit dormir dans des endroits sans air conditionné), répulsifs antimoustiques, insecticides, crèmes de protection solaire, ainsi que différents produits et matériels utiles au voyageur.

Les produits et matériels utiles aux voyageurs, assez difficiles à trouver, peuvent être achetés par correspondance sur le site ● *sante-voyages.com* ● Infos complètes toutes destinations, boutique web, paiement sécurisé, expéditions Colissimo Expert ou Chronopost. ☎ *01-45-86-41-91 (lun-ven 14-19h)*.

■ *Dépôt-vente : AccesProVisas, 26, rue de Wattignies, 75012 Paris.* ☎ *01-* | *43-40-11-34.* ● *accespro-visas.fr* ● Ⓜ *Dugommier ou Daumesnil.*

Assurance santé

Les soins médicaux sont de qualité acceptable, de loin les meilleurs de la péninsule. Pour autant, il peut s'avérer judicieux de prévoir une assurance-santé avant le départ.

■ *AVI International (Routard Assurance) : 28, rue de Mogador, 75009 Paris.* ☎ *01-44-63-51-00. Fax : 01-42-80-41-57,* ● *avi-international.com* ● | Vous assure (entre autres) une prise en charge totale en cas d'hospitalisation ou de rapatriement sanitaire.

SITES INTERNET

Infos pratiques

● *routard.com* ● Tout pour préparer votre périple. Des fiches pratiques sur plus de 200 destinations, de nombreuses informations et des services : photos, cartes, météo, dossiers, agenda, itinéraires, billets d'avion, réservation d'hôtels, location de voitures, visas... Et aussi un espace communautaire pour échanger ses bons plans, partager ses photos, définir son passeport routard ou trouver son compagnon de voyage. Sans oublier *routard mag,* ses reportages, ses carnets de route et ses infos pour bien voyager. La boîte à outils indispensable du routard.

● *sawadee.com* ● Excellent site en anglais pour toutes les infos pratiques (bus, trains, avions, cartes, etc.), mais aussi calendrier des fêtes et festivals, sites à visiter et webcams pour voir s'il fait beau !

● *tourismethaifr.com* ● Le site officiel de l'office national de tourisme de Thaïlande à Paris. En français, donc. Intéressant et assez beau visuellement. Liens avec d'autres sites et possibilité de visiter virtuellement des palais avec photos panoramiques interactives : le Wat Phra Kaeo et le Grand Palais comme si vous y étiez !

● *users.skynet.be/abottu/* ● De belles photos prises par Alain Bottu, déclinées en visites illustrées des sites, cartes postales électroniques... Mais aussi les événements à fêter, des recettes, des infos pratiques...

● *gavroche-thailande.com* ● Magazine français sur le Siam. Très pratique.

● *easy-thai.com* ● Moteur de recherche et répertoire de sites internet sur la Thaïlande : rubriques diverses telles que « Institutions et politique », « Société », « Sports et loisirs »... Attention cependant à faire le tri (nombreux sites commerciaux, sites de « X »...).

Culture

● *eurasie.net* ● Le webzine de la culture asiatique (en français). Un important portail offrant des infos tous azimuts. Une vraie mine d'or.

● *franco-thai.com* ● Site (en français) de l'Association franco-thaïe de Paris. Très complet. Nouvelles, petites vidéos, forum de discussion, lexique avec prononciation en direct des mots, histoire de se familiariser avec la langue avant le départ, etc.

Médias

● *bangkokpost.net* ● *nationmultimedia.com* ● Deux des principaux journaux thaïs en ligne. En anglais.

● *onlinenewspapers.com/thailand.htm* ● Journaux thaïs en ligne (en anglais, quelques-uns en allemand).

● *comfm.fr* ● Radio et télévision du monde en direct. À vous de vous faufiler pour dénicher la Thaïlande.

Sports

● *oceanicworldwide.com* ● Site extraordinaire sur la plongée en anglais, conçu par un instructeur passionné, également photographe sous-marin. Bourré d'humour, ultra-complet et magnifique graphiquement parlant, avec de superbes photos et fonds d'écran (libres de droits, sympa !) ; ce site a d'ailleurs obtenu le Net d'or 2000. Un autre site aussi tout en anglais : ● *thaidiver.net* ● avec description des sites de plongée.

● *chiangmaiswing.com* ● Un site énumérant les greens thaïs. En français.

TÉLÉPHONE – TÉLÉCOMS

Téléphone et fax

Les Thaïlandais sont passés maîtres dans l'art de la communication. Ils ont tous les derniers gadgets qui sortent en matière de téléphonie.

Tuyau : le plus pratique et économique consiste à équiper un portable d'une carte SIM achetée en Thaïlande (voir plus loin).

Les indicatifs

– *Thaïlande* ➛ *Thaïlande* : toujours composer le numéro complet avec l'indicatif régional.

– *Thaïlande* ➛ *France* : composer le 001 + 33 + le n° du correspondant, sans le 0 de la numérotation à 10 chiffres. Dans certains cas, il est possible de composer le 007, 008 ou 009 pour les tarifs réduits (voir ci-dessous).

– *France* ➛ *Thaïlande* : composer le 00 + 66 (indicatif du pays) + indicatif de la ville (sans le 0) + le n° du correspondant. De gratuit à plus de 1 €/mn.

THAÏLANDE UTILE

Appels locaux

Il y a des cabines téléphoniques publiques un peu partout. Elles fonctionnent avec des cartes et parfois encore avec des pièces. Plusieurs opérateurs se disputent le marché. À l'usage, il s'avère que les cabines TOT sont les plus répandues. On trouve les cartes prépayées TOT (50 ou 100 Bts, soit 1 ou 2 €), dans de nombreux magasins dont les omniprésentes supérettes *7/Eleven,* ouvertes 24h/24.

Appels internationaux : les différentes possibilités

– *Centre Internet :* la plupart disposent de téléphones (voire de cabines) permettant d'appeler à l'étranger à des tarifs assez bas : 10-15 Bts/mn (0,20 à 0,30 €) pour la France. Petite précision : la qualité de ces systèmes « call back » ou « Internet Phone » n'est pas toujours au rendez-vous (ne pas hésiter à en essayer plusieurs).
– *Cartes prépayées :* la plus connue s'appelle *Lenso.* Disponible en dénomination de 200 Bts (ou plus) dans les *7/Eleven,* elle fonctionne normalement exclusivement à partir de téléphones ou cabines dédiées (de couleur orange, souvent installées devant ces mêmes *7/Eleven*). Pour la France, compter 22 Bts/mn (0,44 €) en composant le 001, et à peine 7 Bts/mn (0,14 €) si vous faites le 001-809 (qualité moins bonne). D'autres marques de cartes « Internet Phone » disponibles dans ces mêmes échoppes ou dans certains hôtels permettent d'appeler à des tarifs très intéressants. Bien lire leurs modes d'emploi pour savoir avec quels types de téléphones elles fonctionnent (téléphone fixe, portable ou cabines publiques, parfois les 3 sont possibles).
– *Les CAT Centers :* solution de dernier ressort, si l'on se trouve dans une ville non touristique et qu'on ne dispose pas d'autres moyens. Souvent excentrés, ces centres téléphoniques ouvrent aux horaires de bureau (8h30-16h30, fermés le weekend). On peut généralement y appeler à des tarifs similaires aux « Internet Phone ».
– *Les préfixes « économiques » :* si vous appelez d'une ligne fixe ou d'un portable thaï (ou désimlocké) avec une puce thaïe, vous pouvez toujours opter pour une communication de moindre qualité mais à prix réduit en composant le 008 (TOT) ou le 009 (CAT), à la place des 001 (CAT) ou 007 (TOT).

Téléphones portables

Le pays est désormais bien couvert, même si les connexions peuvent encore être difficiles dans les montagnes du Nord, à la frontière avec la Birmanie et sur certaines îles perdues.

Il est très intéressant d'acheter une carte SIM en Thaïlande. On obtient ainsi un numéro local pour une somme modique. Prévoir 50-200 Bts (1-4 €) selon les offres et promotions ! Il suffira ensuite d'acheter des cartes-recharges en vente dans les *7/Eleven* et d'innombrables échoppes et kiosques. Pas compliqué, instructions disponibles en anglais.

Plusieurs opérateurs existent, dont : *True, One-Two-Call-AIS* et *DTAC.* Se faire conseiller dans l'un des nombreux magasins spécialisés. On trouve également deux bureaux *DTAC* et *AIS* à l'arrivée à l'aéroport de Bangkok, où l'on vous expliquera tout et l'où on pourra même vous louer un téléphone, si besoin. Compter autour de 5 Bts/mn (0,10 €) pour les coups de fil nationaux.

– *Équiper son portable d'une carte SIM thaïe :* comme chacun le sait, nombre d'abonnements entraînent le blocage du téléphone au profit des seules cartes SIM de l'opérateur contracté. En Thaïlande, de multiples boutiques proposent de débloquer les téléphones (à Bangkok, aller par exemple au *Mabookrong*). Prudence cependant : il vaut mieux se renseigner préalablement auprès de son opérateur en

France afin d'éviter tout souci technique ou contractuel. Finalement, en cas de téléphone bloqué, le plus malin consiste à emmener un bon vieux portable délaissé pour le consacrer à cet usage. Pour l'international, il suffira d'utiliser un des préfixes économiques pour obtenir un tarif très intéressant (environ 7 Bts/mn). Exemple pour la France : 009 + 33 + le numéro du correspondant sans le 0. La réception d'appels internationaux ne donne normalement lieu à aucun frais. Qui dit mieux ? !

– Pour bénéficier de l'option « Monde » à partir de votre téléphone portable habituel, n'oubliez pas de joindre le Service clients de votre opérateur AVANT votre départ. Sachez que cette option « roaming » revient cher et que c'est vous qui payez quand on vous appelle, au tarif d'une communication internationale. Boum !

Urgence : en cas de perte ou de vol de votre téléphone portable

Suspendre aussitôt sa ligne permet d'éviter de douloureuses surprises au retour du voyage ! Voici les numéros des trois opérateurs français, accessibles depuis la France et l'étranger :

– ***SFR :*** depuis la France : ☎ 1023 ; depuis l'étranger : ☎ + 33-6-1000-1900.

– ***Bouygues Télécom :*** depuis la France comme depuis l'étranger : ☎ 0-800-29-1000 (remplacer le « 0 » initial par « + 33 » depuis l'étranger).

– ***Orange :*** depuis la France comme depuis l'étranger : ☎ + 33-6-07-62-64-64.

Vous pouvez aussi demander la suspension depuis le site internet de votre opérateur.

Internet

On trouve des endroits où surfer sur le Net un peu partout (ouverts pour la plupart tous les jours du matin jusqu'au soir), même dans les petites îles. Les prix tournent souvent autour de 30 Bts de l'heure (0,60 €). Sauf dans les îles du Sud, où ils grimpent à hauteur de 1 à 2 Bts la minute (0,02 à 0,04 €). C'est souvent de ces mêmes endroits qu'on peut appeler l'international à petits prix (voir ci-dessus).

TOILETTES

On trouve encore des toilettes « à la turque » dans de nombreux établissements thaïlandais, les hébergements bon marché ou les petits restos. Précisons que la plupart du temps, dans ce genre de lieux, il n'y a pas de papier-toilette... Les établissements d'un standing supérieur ont, quant à eux, des sanitaires semblables aux nôtres.

TRANSPORTS

La Thaïlande est un pays où les déplacements sont faciles et pas chers. Incroyable, le nombre d'agences qu'on trouve partout dans le pays : elles proposent de tout. N'importe quel boui-boui pourra, dans certains cas, vous vendre un billet d'avion ou de train. Sur le plan des transports, la notion de service joue ici à plein, tout comme la concurrence. Mais attention aux arnaques !

Trains

Ils sont d'une ponctualité étonnante mais très lents (en général, 50 km/h en moyenne pour les express) et un peu plus chers que les bus. Il y a souvent un wagon-restaurant ou, au moins, un vendeur ambulant de boissons et snacks. En

VILLES	DISTANCE	TEMPS EN TRAIN	TEMPS EN AVION
Ayutthaya	86	1 h 20	
Bangsaen	106		
Chanthaburi	319		
Chiang Mai	700	14 h	1 h
Chiang Rai	823		
Chumphon	460	9 h	
Had Yai	996	19 h	1 h 15
Hua Hin	230	4 h	
Kanchanaburi	126	2 h 30	
Khon Kaen	445	8 h 30	1 h
Lampang	604	11 h 30	
Lamphun	667	13 h 30	
Nakhon Pathom	56	1 h 40	
Nakhon Phanom	735		
Nakhon Ratchasima	256	5 h	
Nakhon Si Thammarat	832	16 h 45	
Nan	745		
Pattaya	140		
Petchburi	125	4 h	
Phitsanulok	498	7 h	40 mn
Phuket	922		1 h 10
Rayong	208		
Songkhla	1 024		
Sukhothai	466		
Trat	387		
Ubon Ratchathani	647	10 h 30	1 h 35
Udon Thani	562	10 h 30	1 h 35
Yala	1 142	20 h	

THAÏLANDE UTILE

N.B. : *des distorsions peuvent intervenir, selon les sources, dans l'évaluation des kilométrages (traduction des miles en kilomètres pas toujours rigoureuse). De même, les temps de trajet en train ou en avion sont donnés à titre indicatif, des variations existant selon le nombre d'arrêts ou d'escales.*

outre, à chaque gare vous trouverez une foule de vendeurs d'ananas, cacahuètes, poulet sauté, petits gâteaux, etc.

Il existe trois catégories de places : la 3e classe, qu'on vous déconseille (bondée et inconfortable) ; la 2e classe, ventilée ou climatisée mais toujours confortable ; et enfin la 1re classe, chère, toujours climatisée et vraiment très chicos ! Attention aux divers suppléments pour les rapides, express, spécial express, les voitures avec AC et les couchettes. Les 1re et 2e classes couchettes, impeccables avec draps propres et couverture de temps à autre, sont à essayer au moins une fois ; notez que les couchettes supérieures sont moins chères que celles du bas (moins larges aussi).

Consultez le site ● *railway.co.th* ● ou procurez-vous le dépliant général des horaires et tarifs à la gare centrale de Bangkok (Râma IV Rd) – สถานีรถไฟหัวลำโพง (ถนนพระราม๔) : rédigé en anglais et très pratique.

Pour les longs trajets (Bangkok-Chiang Mai, par exemple), on préfère le train, plus agréable que le bus.

Bus

Ils se rendent partout où vous voulez aller, et notamment là où le train ne va pas. Les bus sont un peu plus rapides que les trains et moins chers. Chauffeurs pas toujours très expérimentés, mais les accidents sont rares. Pour les longues distances, on préfère le train (voir au-dessus).

Il existe grosso modo trois sortes de bus.

– *Les bus gouvernementaux avec ou sans air conditionné* (AC ou non AC) *:* on les prend généralement à un *Bus Terminal* où s'effectuent tous les départs. Les bus non AC desservent toutes les villes et les villages dans les environs d'une grande ville, ils se rapprochent de l'omnibus. Très fréquents et pratiques pour les petites destinations les chauffeurs ont malheureusement la fâcheuse habitude d'appuyer un peu fort sur le champignon. De plus, ces bus souvent bondés ne circulent que pendant la journée. Pour les longs trajets, préférer ceux équipés d'AC. Les bus gouvernementaux sont moins chers que les bus privés, mais le confort est moindre (pas de boissons).

– *Les bus privés climatisés :* on en trouve dans toutes les villes où le tourisme existe. Ils sont confortables, rapides, ponctuels et plus chers que les autres. Ils effectuent en général de longues étapes et circulent principalement de nuit. On y sert à boire et, sur certains trajets, le prix inclut un bon pour manger dans le resto où le bus fait halte. Souvent pourvus d'une TV, ils sont parfois bruyants ! Refusez par précaution toute nourriture que vous offre un autre passager... On ne sait jamais ! Il existe également de nombreux services de minibus privés. Mais ils ne sont pas forcément plus confortables qu'un gros bus Pullman l'où on peut allonger ses jambes.

– *Les bus VIP :* il s'agit de bus climatisés de luxe, dont le faible nombre de sièges permet une inclinaison maximale. Rapides et plus chers, mais on arrive frais et dispo. Petite laine conseillée pour la nuit. Vérifiez bien que figure sur votre billet la mention « VIP » et ne vous fiez pas aux photos de bus qu'on vous fera miroiter : certains se sont retrouvés dans un bus miteux, pensant faire un trajet confortablement lovés dans leur siège...

Songthaew

L'un des moyens de locomotion les plus caractéristiques, mais aussi des plus pratique. Ce sont des taxis collectifs au parcours fixe, souvent des pick-up réaménagés, avec à l'arrière du véhicule deux planches en bois en guise de sièges. On s'y entasse pour pas cher. Pas très confortable non plus. En général, on demande l'arrêt grâce à une sonnette. Sympa pour les petits trajets (visiter les proches environs d'une ville, par exemple) ; pour les plus longs, ça peut devenir fatigant...

Tuk-tuk

« Tuk-tuk » criera le chauffeur. Vous l'entendrez partout ! Un *tuk-tuk* est un bon moyen de transport dans les villes, sorte de triporteur aménagé à partir d'une moto, avec une banquette sous un auvent métallique. Certains sont de vraies œuvres d'art. Attention, négocier TOUS les prix ! Et ne vous fiez pas au chauffeur qui indiquera que l'hôtel ou le resto demandé sont fermés, il aura naturellement une autre adresse à vous proposer, où il aura bien entendu une commission... Coup classique ! Certains se prennent aussi pour Fangio au volant, n'hésitez pas à leur dire « *cháa cháa noï* – ช้าๆหน่อย », « moins vite, moins vite ! ».

Taxi

Les taxis traditionnels existent aussi. Climatisés souvent ! En revanche, dites bien « *Meter, please* », pour qu'ils enclenchent le compteur... Ils oublient souvent.

Avion

Depuis Bangkok, un grand nombre de vols domestiques (dont toutes les liaisons *low-cost,* à l'exception de celles affrétées par *Air Asia*) utilisent l'ancien aéroport de Don Muang, remis en service suite aux problèmes rencontrés par celui de Suvarnabhumi. Il est donc impératif de bien se faire confirmer l'aéroport concerné. Prix et évolutions : voir les sites des compagnies.

Les compagnies régulières

■ *Thai Airways :* des bureaux ou représentants un peu partout dans le pays *(voir sous chaque section).* ● *thaiairways. com* ● A multiplié ses liaisons depuis quelques années. Plusieurs vols journaliers pour Chiang Mai, Mae Hong Son, Chiang Rai, Phitsanulok, Khon Khaen, Ubon Ratchathani, Phuket, Hat Yai, Krabi, Trang, Surat Thani.
– À Paris : Tour Opus 12, 77, esplanade du Général-de-Gaulle, 92914 La Défense Cedex. ☎ 01-55-68-80-70. ● *thaiairways.fr* ● Ⓜ *La Défense.* En haute saison, il est conseillé de faire ses réservations à Paris avant de partir. Leur bureau parisien communique toutes les fréquences et horaires des vols. Il est maintenant inutile de confirmer un vol sur la *Thai.*
■ *Bangkok Airways :* 99 Mu, 14 Vibhavadirangsit Rd, Chom Phon, Chatuchak, Bangkok 10900. ☎ 02-265-55-55. ● *bang kokair.com* ● Dessert principalement Ko Samui depuis Bangkok (au moins 20 vols/j. !), Phuket (2 vols/j.), Krabi et Sukhothai. D'autres liaisons vers Phnom Penh, Fukuoka, Hiroshima, ou encore Ho Chi Minh. Un peu chère, car elle exerce un monopole sur Ko Samui, Sukhothai et Trat (Ko Chang).

Les compagnies low-cost

Depuis quelque temps, les compagnies *low-cost* proposant des vols à bas prix se multiplient en Thaïlande. C'est la grosse bagarre avec les compagnies régulières. À la régularité des prix et des horaires de ces dernières, ainsi qu'aux garanties d'un service complet à bord, s'opposent les prestations minimums, les tarifs (et souvent horaires) fluctuants des *low-cost.* Le consommateur est gagnant, car les options se multiplient et les prix déjà peu élevés à l'origine sont encore tirés vers le bas. Attention tout de même, poids des bagages limité à 15 kg par personne pour certaines compagnies comme *Air Asia* ! En cas de dépassement, ça douille. Bien se renseigner au moment de la réservation.

On trouve leurs bureaux directement dans les aéroports, parfois aussi dans les centres commerciaux. Réticentes au début, les agences de voyages du pays commencent aussi à les vendre... N'oublions pas Internet, devenu un mode de réservation très pratique. Vols entre Bangkok et Chiang Mai mais aussi Krabi, Hat Yai, Udon Thani, Ranong, Buriram ainsi que quelques liaisons interprovinciales.

– *Arrivée à Bangkok (Don Muang) :*
■ *Nok Air :* ☎ *1318 (call center) ou 02-900-99-55.* ● *nokair.com* ● Filiale de *Thai Airways,* ce qui est un gage de fiabilité. Dessert toutes les contrées touristiques.
– *Arrivée à Bangkok (Suvarnabhumi) :*
■ *Thai Air Asia :* ☎ *02-515-99-99 (call* center). ● *airasia.com* ● Représentant local de la célèbre compagnie *Air Asia,* précurseur en la matière. Propose les tarifs les moins chers si réservés longtemps à l'avance via Internet. Pas le cas pour les « dernières minutes ». Attention, dépassement bagages (pas plus de 15 kg) hors de prix.

Auto-stop

Très peu pratiqué, autant par les Thaïs que par les touristes. Le bus et le train sont bien plus rapides.

Voitures

– **Ne pas oublier son permis de conduire international** (voir « Formalités. Avant le départ »).
– La Thaïlande est un pays facile pour le voyageur désireux de circuler en voiture. Comme aux États-Unis ou en Europe, il est possible de louer une voiture et de la conduire seul. On peut également louer des voitures avec chauffeur. Sur les grands axes, les panneaux routiers sont indiqués en thaïlandais et en anglais. Quand on circule sur les petites routes, il est conseillé de se munir d'une bonne carte détaillée et d'un petit lexique franco-thaïlandais pour demander sa route en cas de problème. Mais attention ! Les Thaïs aiment rendre service et, même s'ils ne connaissent pas votre destination, ils vous guideront quand même ! Donc fiez-vous à votre sens de l'orientation avant tout ! Et puis, un volant dans les mains, ils ont une conduite hussarde, à l'opposé de leur habituelle délicatesse !
– *Quelques infos pratiques :*
Limitations de vitesse : 60 km/h en ville, 90 km/h sur route et voie rapide et 110 km/h sur autoroute. En général, fort peu respectées.
Alcoolémie : 0,5 g/l.
Conduite à gauche de la chaussée, volant à droite par conséquent, on s'habitue vite, d'autant plus que les boîtes de vitesses sont majoritairement automatiques.
Ne roulez pas la nuit, les camions vont vite et ne sont pas très respectueux des voitures.
Ne soyez pas surpris de voir une voiture doubler... en même temps que vous. Les dépassements hasardeux en côte et avant un virage masqué ne sont pas rares. Prudence de rigueur !
Interdiction absolue de téléphoner au volant : 1 000 Bts (20 €) d'amende.

– Les principales agences de location sont représentées à Bangkok et dans les grandes villes de Thaïlande. Parmi celles-ci, **Hertz** (☎ 0825-861-861 ; 0,15 €/mn), **Avis** (☎ 0820-050-505 ; 0,12 €/mn) et **Budget** (☎ 0825-003-564 ; 0,15 €/mn). Il existe aussi des petites agences locales qui offrent des tarifs moins élevés pour des véhicules de même qualité.

■ *Auto Escape :* ☎ 0820-150-300 (0,12 €/mn). ● autoescape.com ● Vous trouverez également les services d'*Auto Escape* sur ● routard.com ● L'agence *Auto Escape* réserve auprès des loueurs de véhicules de gros volumes d'affaires, ce qui garantit des tarifs très compétitifs. Il est recommandé de réserver à l'avance. *Auto Escape* offre 50 % de remise sur l'option d'assurance « zéro franchise » (soit 2,50 € par jour au lieu de 5 €) pour les lecteurs du *Guide du routard.*

■ *BSP Auto :* ☎ 01-43-46-20-74 (tlj). ● bsp-auto.com ● Les prix proposés sont attractifs et comprennent le kilométrage illimité et les assurances. *BSP Auto* vous propose exclusivement les grandes compagnies de location sur place, vous assurant un très bon niveau de services. Le plus : vous ne payez votre location que 5 jours avant le départ.

– *Formalités et pièces requises :* l'âge minimum est de 21 ans. Le permis de conduire international est parfois demandé, ainsi que le passeport et une carte internationale de paiement (nécessaire pour la facturation).

– *Location de voitures sans chauffeur :* possible, chez les petits loueurs locaux, à partir de 800 Bts (16 €) par jour, pour une petite voiture japonaise. Chez les loueurs internationaux, compter plutôt 1 200 Bts (environ 25 €), avec l'assurance LDW et la TVA. Les frais d'essence ne sont évidemment pas inclus. Bien sûr, pour une voiture plus confortable, il faut compter plus (un 4x4 par exemple, avec *Budget,* revient à 3 000 Bts, soit 60 €, par jour). Attention aux mesures de sécurité draconiennes en ce qui concerne le port de la ceinture et surtout la conduite en état d'ébriété. La police thaïe s'est équipée il y a peu d'éthylotests et, en cas de contrôle positif, on risque des pénalités allant de 10 000 Bts (200 €) jusqu'à la prison ferme.

– *Location de voitures avec chauffeur :* comptez à peu près 800 Bts (16 €) en plus, davantage si vous voulez que l'essence soit incluse.

– *Les stations-service :* très nombreuses, très modernes (autant qu'en Europe) et faciles d'usage. Elles acceptent les cartes de paiement.

Moto

Certaines régions se prêtent admirablement bien à ce moyen de transport. Chiang Mai, Chiang Rai ou l'île de Phuket en sont quelques exemples. Dans les montagnes du Nord, c'est le pied : autonomie, choix du circuit... Les îles du Sud aussi sont bien agréables à parcourir à moto. En revanche, il serait suicidaire d'enfourcher un deux-roues à Bangkok.

Si la moto constitue un bon compromis prix-indépendance, il faut préciser qu'en Thaïlande il n'y a pas de Sécurité sociale. De même, il n'y avait pas d'assurance jusqu'à récemment. Si on vous en propose une, lisez attentivement le contrat et faites bien préciser ce qui est ou n'est pas à votre charge ! Quand il n'y a pas d'assurance (la plupart du temps), cela signifie que si vous êtes en tort, il vous faut payer l'hôpital pour vous et les passagers de l'autre véhicule... De plus, l'assurance couvre rarement votre véhicule. Bref, la moto, c'est super, mais prudence ! D'autant que les risques de gamelles sont multiples (chiens errants, piétons, conduite selon la loi du plus fort...).

Louer aussi de préférence des motos neuves, afin d'éviter toute galère mécanique. Avant de payer, essayez-la, testez le freinage et inspectez son aspect (éraflures, accidents antérieurs...). Enfin, ayez votre permis international sur vous car c'est théoriquement obligatoire ; il peut y avoir des contrôles et donc des amendes...
Attention : les loueurs réclament et conservent votre passeport jusqu'à votre retour. C'est l'usage. Gardez bien évidemment une photocopie avec vous. Avant de partir, faites constater les éraflures ou autres défauts existants afin d'éviter d'avoir à les réparer si le loueur est malhonnête (rare). Par ailleurs, il n'y a souvent dans le réservoir que le strict nécessaire pour se rendre... à la pompe ! Calculez votre coup pour ne pas rendre la bécane avec le plein !

VTT

Très pratique dans les îles, car nombreuses sont celles dont le réseau routier n'est pas complètement, voire pas du tout goudronné. Quelques propriétaires de bungalows en proposent. Les prix pratiqués sont relativement élevés comparativement à la moto, car la concurrence est moins rude.

URGENCES

Si vous avez un problème, composez le ☎ 11-55, numéro de la *Tourist Police*. Ce 11-55 est un peu l'équivalent du 17 pour Police-Secours en France. Autrement, police : ☎ 110 ; pompiers : ☎ 199 ; ambulance : ☎ 191.
Pour les urgences médicales, Bangkok regroupe les meilleurs hôpitaux de l'Asie du Sud-Est.

■ *Bangkok International Hospital* (plan couleur II, F6) : 2 Soi Soonvijai 7, New Petchaburi Rd. ☎ 02-310-31-01 / 02 ou 02-310-34-56. En cas d'urgence, des traducteurs sont mis à votre disposition. Un des hôpitaux les plus compétents de la ville.

HOMMES, CULTURE ET ENVIRONNEMENT

BOISSONS

– À moins d'y mettre du *Micropur*® ou des pastilles d'hydroclonazone (en vente sur place), on ne vous conseille pas trop de boire l'**eau du robinet,** même si elle est dite potable dans certaines parties du pays. De toute façon, on trouve de l'eau en bouteille (plate ou pétillante) très facilement.

– Le **thé** est universel, mais c'est soit du *Lipton* (un peu malheureux, ça), soit un pâle succédané pas très ragoûtant. Quant au **café,** il est convenable dans certains hôtels, le matin. Dans les lieux touristiques, on trouve aussi de plus en plus de débits de boissons à l'occidentale qui proposent cafés américains, *cappuccini* et autres *mochaccini.*

– Il faut tester le whisky local : le **mekong** – แม่โขง, au gentil goût d'éthanol, auquel on ajoute du *Sprite.* Ça ne vaut pas l'armagnac, autant vous le dire tout de suite ! On peut amener sa propre bouteille pour la boire au resto, mais on gagne peu sur le prix.

– Vous pouvez boire les **jus de fruits frais** (on n'en trouve pas partout), sains et délicieux. Les prudents préciseront qu'ils ne veulent pas de glaçons dedans. Goûtez absolument au *Vitamilk* – ไวตามิลค์, lait à base de soja, sucre, etc. Délicieux !

– **Les shakes** sont des jus frais mixés avec de la glace pilée : attention, qui dit glace pilée dit risque d'amibes ! En revanche, les glaçons de forme cylindrique sont fabriqués avec de l'eau purifiée.

– **La bière thaïe,** *Singha Beer* – เบียร์สิงห์, est bonne et pas bien chère. Idem pour la *Leo Beer* ou la *Chang Beer.* Ces blondes légères sont servies soit en canette, soit en bouteille. Réclamez-la bien fraîche : « *yen-yen* ».

– Signalons encore un vin pétillant sucré à base de riz fermenté du nom de **sato,** l'équivalent du saké japonais, mais avec des bulles !

Sachez aussi que la consommation d'alcool (bière comprise) est interdite les jours d'élections et même dans la soirée qui précède et qu'en principe dans tout le pays il n'en est pas servi avant 11h et de 14h à 17h dans les restaurants. Dans le Sud, les restaurants musulmans n'en servent pas.

CUISINE

Aiguisez vos papilles, ami routard, et laissez-vous envahir par ces nouvelles senteurs, ces parfums inconnus, cette richesse enivrante de la cuisine thaïlandaise. Restaurants de luxe de Bangkok ou stands ambulants sur les trottoirs de Chiang Mai, plats élaborés ou simple riz frit... l'art culinaire est souvent sublimé et l'on est rarement déçu. De plus, les restos servent à toute heure de la journée. En revanche, ne pas arriver après 22h. La plupart du temps les restos proposent un menu en thaï et en anglais (souvent approximatif). La base de la cuisine thaïe est le riz. On le fait frire et on l'accommode de mille manières (avec poisson, bœuf, porc, crabe, crevettes). La plupart des plats sont plus ou moins épicés. Un peu ou alors, beaucoup. Donc, un conseil : apprenez le terme *maï phèt* – ไม่เผ็ด, qui signifie « peu épicé ».

Certains restos vous servent la sauce au piment à part, dans une petite soucoupe. Dans les lieux touristiques, les restaurateurs évitent de mettre le feu à leurs plats, car ils connaissent les goûts de la clientèle occidentale. Outre le riz frit, goûtez aux nouilles frites (*phat thai* – ผัดไทย), absolument délicieuses. Vous aurez aussi l'occasion de manger, notamment dans les restos chinois, des plats de légumes locaux frits ou cuits dans des sauces à la viande. Divin ! Ce qui donne sa saveur à la cuisine thaïe, outre la fraîcheur des pro-

À L'OMBRE DES FRUITS ET LÉGUMES EN FLEURS

La cuisine royale thaïe est née à la cour d'Ayutthaya, où les femmes apprirent à combiner délicatesse des mets et raffinement de la présentation. L'art de la table agrémenté d'une découpe des fruits et légumes en motifs floraux finement ciselés s'est perpétué jusqu'à nos jours. On peut en apprécier toute la richesse décorative dans les restaurants haut de gamme, qui présentent des plats agencés en de somptueuses et harmonieuses compositions flattant autant l'œil que le palais (royal ou pas).

duits, ce sont les épices et les herbes : coriandre, curry, menthe, citronnelle, piment, safran blanc et gingembre. Elles apportent un goût inimitable et mystérieux, assez relevé pour le goût occidental mais très appréciable lorsqu'on prend la peine de s'y intéresser. Les sauces de poisson, de moules et d'huîtres, ainsi que celle de soja sont couramment utilisées pour relever les plats. Un régal !

Si riz et nouilles frits constituent la base de l'art culinaire thaïlandais, de plus en plus de restos de Bangkok et de Chiang Mai se mettent à redécouvrir une cuisine ancienne et raffinée à laquelle ils ajoutent le savoir-faire d'aujourd'hui. Les résultats sont éloquents (voir *Houn Soontaree* – เรือนสุนทรีย์, à Chiang Mai). La cuisine actuelle a subi les influences chinoise et indonésienne, tout en conservant sa personnalité. Les desserts sont peu prisés. Les seuls qui existent sont très chimiques et sucrés. Noter tout de même (comment faire autrement ?) les carrés de gélatine fluo contenant un fruit. Les flans à la noix de coco sont plus recommandables.

La richesse des fruits met l'eau à la bouche : ananas, papaye, mangue, noix de coco, ramboutan, pomelo (sorte de pamplemousse), mangoustan, *rose apple*, pastèque, *jack fruit* (jacquier) et le célèbre durian, cher et particulièrement malodorant (au point que sa consommation est souvent interdite dans de nombreux endroits, notamment des hôtels).

Nous vous proposons ici quelques plats classiques, histoire de vous repérer dans la carte.

Les « frits » *(fried)*

– *Khao phat* – ข้าวผัด : riz frit, avec poulet, crabe ou crevettes.
– *Phat phak bung* – ผัดผักบุ้ง : assortiment de légumes frits.
– *Nua phat nam man hoï* – เนื้อผัดน้ำมันหอย : bœuf frit à la sauce d'huîtres aux oignons.
– *Thot man pla* – ทอดมันปลา : beignets de poisson frits.
– *Mi krop* – หมี่กรอบ : nouilles craquantes accommodées avec de la viande, des crevettes ou autres.

Les soupes

– *Kaeng chut* – แกงจืด : soupe de légumes avec crevettes ou porc.
– *Tom yam* – ต้มยำ : mélange aigre-doux accompagné de morceaux de porc, poulet ou poisson.

– *Tom yam kung* – ต้มยำกุ้ง : soupe de crevettes parfumée à la citronnelle.

– *Khao tom pla* – ข้าวต้มปลา : soupe à la sauce de poisson.

Les nouilles *(noodles)*

– *Phat thay* – ผัดไทย : nouilles sautées accompagnées de viande ou fruits de mer, soja cru ou cuit, cacahuètes pilées, noix de cajou, *tofu,* crevettes séchées ou encore la traditionnelle sauce de poisson.

– *Kuai tio haeng* – ก๋วยเตี๋ยวแห้ง : nouilles agrémentées de viande et de légumes émincés, le tout épicé.

– *Kuai tio phat siu* – ก๋วยเตี๋ยวผัดซีอิ๊ว : nouilles frites avec sauce chinoise, viande, légumes et œufs.

– *Ba mi krob rat na kung* – บะหมี่กรอบราดหน้ากุ้ง : nouilles jaunes craquantes avec crevettes.

– *Suki yaki* – สุกี้ยากี้ : pâtes sèches avec des fruits de mer et de la viande, préparées avec une sauce assez indescriptible.

Les autres plats

– *Laab* – ลาบ : viande de porc hachée avec des épices. Se mange cru (*laab isan*, pas très conseillé pour les Occidentaux) ou cuit (*laab kua*).

– *Kam pu thot* – ก้ามปูทอด : crabes frits.

– *Kaï yang* – ไก่ย่าง : poulet grillé.

– *Hu chalam sai pu* – หูฉลามใส่ปู : aileron de requin avec crabe.

– *Keng pla nam khao* – แกงปลาน้ำขาว : pomfret (sorte de poisson) cuit au court-bouillon, servi avec une sauce blanche.

– *Kaï phat phrik* – ไก่ผัดพริก : poulet grillé pimenté.

INTERDIT DE TRANSPORTS

Le durian, sorte de ballon de rugby agrémenté de piquants triangulaires, est très prisé par les Thaïs. Il est hors de prix pour un budget thaïlandais et son achat représente un véritable « investissement » pour le chef de famille. Son odeur alléchante vous rappellera celle d'un vieux container à ordures et son goût celui de l'échalote pourrie... À tel point qu'à partir d'un certain degré de maturation, il est interdit de séjour dans la plupart des lieux publics (transports en commun, cinémas, hôtels). Des panneaux d'interdiction lui sont même consacrés : « Durian is not allowed ! ». Et pourtant ça se mange !

– *Lap* – ลาบ : viande hachée avec du citron et des échalotes saisie avec des piments.

– *Pla prio wan* – ปลาเปรี้ยวหวาน : poisson à l'aigre-doux.

– *Ho mok pla chonne* – ห่อหมกปลาช่อน : poisson à la pâte de curry cuit à l'étouffée dans une feuille de bananier.

– *Sticky rice with sweet mango* : du riz collant nappé de lait de coco et accompagné de fines lamelles de mangue ; on en trouve parfois dans les restos, mais le plus souvent sur les marchés.

DROITS DE L'HOMME

Il y avait les chemises « jaunes » (promonarchistes), les « rouges » (favorables à l'ex-Premier ministre Thaksin Shinawatra), et il y a désormais les « bleues » (militants progouvernementaux)... Comprendre la politique thaïlandaise est aussi complexe que d'assimiler les subtilités du bouddhisme Theravāda. À ceci prêt que là où le bouddhisme fait – la plupart du temps – dans la sérénité, les groupes qui s'entredéchirent pour la politique font, eux, parfois preuve d'explosions de violence inouïes. Cela a encore été le cas en avril 2009, où les différents camps se sont à nouveau affrontés dans les rues, provoquant une réponse musclée des forces de l'ordre. Bilan (officiel) : deux morts et plus d'une centaine de blessés, l'État d'urgence instauré temporairement, et un sommet de l'ASEAN – initialement prévu à Pattaya –, purement et simplement annulé. Mais en temps de « paix », ce sont surtout les problèmes liés aux violences interreligieuses dans le sud du pays – à l'origine de 3 500 morts depuis 2004 – qui inquiètent les défenseurs des Droits de l'homme. Des exactions commises en toute impunité par les forces de l'ordre continuent en outre d'y être perpétrées au nom de la « lutte antiterroriste ». La liberté d'expression est fortement limitée en Thaïlande par une loi de lèse-majesté (interdiction de critiquer la famille royale), qui pourrait prêter à sourire si elle n'était pas quotidiennement appliquée et, surtout, largement instrumentalisée. Nombre de journalistes en font en effet les frais chaque année, et certains correspondants étrangers sont toujours sous la menace de poursuites pour ce motif. Selon la FIDH, cette loi serait en outre largement utilisée par l'actuel gouvernement, à l'encontre d'opposants politiques et de membres de la société civile. Les ONG se préoccupent enfin du sort des centaines de milliers de réfugiés (Hmongs, Karens, Shans...) qui s'entassent dans des camps de réfugiés aux frontières du pays (Birmanie, Laos). Les immigrés illégaux venus pour des raisons économiques sont par ailleurs victimes de graves discriminations dans le pays.

Pour en savoir plus, n'hésitez pas à contacter :

■ **Fédération internationale des Droits de l'homme (FIDH) :** 17, passage de la Main-d'Or, 75011 Paris. ☎ 01-43-55-25-18. Fax : 01-43-55-18-80. ● fidh.org ● Ⓜ Ledru-Rollin.

■ **Amnesty International** (section française) : 76, bd de la Villette, 75949 Paris Cedex 19. ☎ 01-53-38-65-65. Fax : 01-53-38-55-00. ● amnesty.fr ● Ⓜ Belleville ou Colonel-Fabien.

N'oublions pas qu'en France aussi les organisations de défense des Droits de l'homme continuent de se battre contre les discriminations, le racisme et en faveur de l'intégration des plus démunis.

ÉCONOMIE

Les fondements de l'économie thaïlandaise sont l'agriculture (1er exportateur mondial de riz, importante production maraîchère et fruitière dans le Centre et le Nord), l'extraction minière et l'industrie mécanique (pas de grandes marques nationales, mais d'importants ateliers automobiles installés dans le pays : Toyota, General Motors). Malgré quelques gisements de gaz, le pays reste dépendant pour son énergie.

Après le krach boursier de 1997, on peut dire que la Thaïlande a bien remonté la pente. Le taux de croissance tournait autour de 5-6 % l'an entre 2002 et 2004. Certes, le salaire mensuel moyen tourne autour de 450 €, et le taux de chômage avoisine 1,5 % de la population active. En septembre 2006, le coup d'État de la junte militaire a freiné les nombreux investissements étrangers et les projets lancés par Thaksin Shinawatra. L'ancien Premier ministre, homme d'affaires populaire pour les uns, populiste haïssable pour les autres, avait lancé de nombreux programmes d'investissements publics. Il avait également multiplié les accords économiques avec les pays voisins, faisant de la Thaïlande un acteur économique essentiel de la région.

Histoire de diversifier ses partenariats, il avait ouvert des négociations (difficiles !) sur des accords de libre-échange avec les USA et reçu le président Chirac en février 2006, avec à la clé l'achat d'avions et de matériel high-tech. Le Japon et la Chine restent néanmoins les principaux partenaires économiques de la Thaïlande. Le renversement de Thaksin Shinawatra en septembre 2006 a stoppé cette vague prospère, tout comme l'augmentation du prix du pétrole, l'inflation... D'autant plus que le Premier ministre intérimaire, Surayud Chulamont, nommé alors sur proposition du général putschiste Sonthi Boonyaratglin, a souhaité rompre avec la politique de son prédécesseur et appliquer les principes d'autosuffisance préconisés par le roi. Patatras ! La crise politique se poursuit en décembre 2008, entraînant un blocage de l'aéroport international de Bangkok par les opposants royalistes au Premier ministre Somchai Wongsawat, finalement destitué. Le taux de croissance était retombé selon les estimations à 1 % fin 2008. L'agriculture (riz, tapioca, noix de coca, soja, maïs) représente 11 % du PIB, contre environ 45 et 43 % respectivement à l'industrie (textile, tabac, informatique, etc.) et aux services. Le tourisme bat toujours son plein.

ENVIRONNEMENT

De même qu'on avait rasé les mangroves (des forêts de palétuviers qui poussent au bord de marigots et qui sont essentielles à la stabilité des bandes côtières) pour raisons financières, on a depuis plus de 80 ans surexploité et détruit les dernières grandes forêts primitives de l'Asie du Sud-Est. Ainsi, la Thaïlande a perdu presque tout son teck. Et va maintenant le chercher chez les voisins moins riches. L'équilibre ne sera jamais rétabli, malgré la création de parcs nationaux. Que dire aussi de ces stations balnéaires qui, à coups de rejets de déchets, sont en train de perdre leurs principaux atouts (vie marine, coraux notamment) ? N'oublions pas Bangkok, ville engorgée par les voitures et donc par la pollution, qui souffre aussi du pompage frénétique des nappes phréatiques. En somme, les écologistes ont du pain sur la planche ! Belle initiative en 2007 : le gouverneur de la province de Bangkok demande d'éteindre les lumières inutiles pendant 15 mn à 19h chaque jour ! La ville à elle seule dégage 20 % du CO_2 du pays. Geste pas négligeable donc...

Et puis il y a le problème des îles : Phuket est déjà saccagée, inutile de revenir sur son cas. Mais c'est vrai qu'il y a de quoi s'inquiéter de l'avenir d'une île comme Ko Phi Phi. Des centaines de palmiers rasés pour faire place à des bungalows, des problèmes de surpopulation et surtout d'évacuation des eaux usées. Le surpeuplement touristique en haute saison provoque des va-et-vient incessants de bateaux « longues-queues » qui polluent et favorisent la destruction de la faune, précisément en asphyxiant poissons et organismes marins. Ainsi, les eaux aux abords du port sont devenues irrémédiablement troubles. Un surdéveloppement qui touche Ko Samui, Ko Chang et Ko Samet, en mer de Siam, galvanisées lorsque le tsunami avait mis à genoux les stations de la mer d'Adaman, et qui ne cessent depuis de s'étouffer sous leurs propres rejets et pollutions.

L'éléphant : le plus aimé de tous

L'éléphant est l'animal thaïlandais par excellence, respecté et aimé plus que tout autre. Pensez, ces pachydermes ont même droit à la retraite et à la Sécurité sociale (à Lampang – près de Chiang Mai – un hôpital leur est spécialement destiné, et il est admis qu'ils ne travaillent plus à partir de 60 ans afin de se reposer tranquillement jusqu'à la fin de leurs jours). S'ils sont beaucoup moins nombreux aujourd'hui, on en compte tout de même encore près de 4 000 dans le pays. Mais la mécanisation du travail agricole (l'éléphant servait surtout au transport du teck, or le teck, surexploité, a presque disparu du pays) et le coût exorbitant de son entretien ont porté un rude coup à l'animal sacré. Le tourisme est ainsi devenu le premier gagne-bananes de ces grands animaux si sages, qui avalent entre 150 et 200 kg de nourriture quotidienne ! En même temps, quand on pèse 2,5 à 3,5 tonnes.... D'autres infos étonnantes : la gestation d'une femelle est de 22 mois ; sans transition : avec sa seule trompe, l'éléphant peut transporter jusqu'à 800 kg... et cueillir une fleur ou ramasser une cacahuète ; toujours grâce à cette même trompe – un vrai radar –, il peut détecter un point d'eau jusqu'à 9 km.

PACHYDERME QUE ÇA !

Dans la famille des pachydermes, le plus aimé est l'éléphant blanc : animal sacré du bouddhisme, symbole de paix et de prospérité. La légende prétend qu'il aurait fécondé la mère de Bouddha qui enfanta ainsi le grand Sage... En Thaïlande, l'histoire de cet animal d'exception a toujours été liée à la nation. Jadis insignes du drapeau siamois, les éléphants blancs sont traditionnellement la propriété du roi, qui renforce ainsi sa position de demi-dieu. Le simple fait d'attraper un tel mammifère et de l'offrir au roi provoque des liesses populaires... Il n'en reste plus beaucoup aujourd'hui.

FÊTES ET JOURS FÉRIÉS

La plupart des fêtes ont lieu en fonction du calendrier lunaire, leurs dates varient donc. Comme les travailleurs thaïlandais n'ont pas de congés payés, les jours fériés sont très attendus et respectés.

– *Nouvel An* (31 décembre-1er janvier) : jours fériés. À Bangkok, grosse foule et bousculade sur l'immense place de Sanam Luang (en face du Wat Phra Keoh). À Chiang Mai, les hôtels sont archicombles. Bien réserver sa place de train une semaine à l'avance. Une partie des musées sont alors fermés, ainsi que certains commerces.

– *Nouvel An chinois* (fin janvier-début février) : fête de famille. Il ne se passe rien, sinon que tous les magasins sont fermés pendant quatre jours et que les bus, trains et hôtels sont bondés.

– *Magha Puja* (fin février) : fête bouddhique. Les gens vont dans les temples. Processions aux chandelles.

– *Les combats de cerfs-volants* (mars-avril) : à Bangkok, tous les après-midi à 16h30 sur Sanam Luang. Le jeu consiste à faire tomber les cerfs-volants. Le tout dépend du vent, et attention aux fils électriques !

– *Le jour des Chakri* (6 avril) : fête de la dynastie actuelle. Cérémonies au temple du bouddha d'Émeraude à Bangkok.

– *Songkran* (13 ou 15 avril) : Nouvel An bouddhique. Le jour le plus chaud en Thaïlande. Du coup, les gens s'aspergent d'eau mutuellement. Très pratiqué à Chiang Mai et à Phra Pradaeng, dans la banlieue de Bangkok.

– *Le jour du Couronnement* (5 mai) : jour férié.

– *La cérémonie du Labour* (mi-mai) : cérémonie hindoue qui marque le début du repiquage du riz.

– *Visakha Puja* (mai) : anniversaire de la naissance de Bouddha. Dans tous les temples, processions aux chandelles. Une des plus belles fêtes de Thaïlande.

– *Khao Pansa* (juillet) : magnifique festival des Bougies (surtout à Ubon Ratchathani, dans le Nord-Est).

– **Tak Bat Dok Mai** (fin juillet) : grande fête à Saraburi, à 136 km de Bangkok, à l'autel de l'Empreinte du pied. On dit que c'est le pied de Bouddha.

– **L'anniversaire de la reine Sirikit** (12 août) : jour férié et jour de la fête des Mères.

– **Ok Pansa** (octobre) : fin du carême et début de la *saison des kathins,* période au cours de laquelle les gens offrent aux moines bouddhistes leurs nouvelles robes. Processions en musique.

– **Loy Krathong** (novembre) : la plus belle fête de Thaïlande. Elle a lieu la nuit de la pleine lune. Il s'agit d'honorer Mae Kongkha, déesse de l'Eau, d'implorer sa clémence à l'égard des récoltes à venir et de s'excuser de polluer les cours d'eau. Les participants manifestent leur respect en laissant dériver des *flower boats (krathong)* avec bougies et bâtons d'encens, et lâchent des lanternes de papier

> **QUI NE TENTE RIEN N'A RIEN !**
> *La lanterne de la chance (krathong), est une lanterne en papier avec une ossature métallique et un papier imbibé d'alcool au milieu, en usage depuis des siècles dans toute l'Asie du Sud-Est. Dans le nord de la Thaïlande, on en lâche notamment à l'occasion de Loy Krathong (mais pas seulement), afin que le ciel envoie la pluie, et on en profite pour formuler d'autres vœux.*

(lire encadré). Les gens fabriquent ces *krathong*, minuscules bateaux de feuilles de bananier avec une bougie allumée et de l'encens, qu'ils déposent sur les rivières et les *khlong* pour honorer les esprits des eaux. À voir particulièrement à Bangkok sur la Chao Phraya, du côté de Memorial Bridge, à Chiang Mai sur la rivière Ping, et à Sukhothai (festival son et lumière, danses).

– **Le rassemblement des éléphants** (début novembre) : existe depuis 1955, organisé par le TAT (office de tourisme de Thaïlande) à Surin (dans le Nord-Est). Des centaines d'éléphants en représentation. C'est bien le seul moment où l'on peut voir autant d'éléphants en Thaïlande !

– **L'anniversaire du roi** (5 décembre) : fête nationale ; encore un peu plus de photos du roi, déjà partout. Illuminations, villes pavoisées. À Bangkok, la zone comprise entre le Chittlâdâ Palace, l'Assemblée nationale et le Grand Palais est le théâtre d'une multitude de manifestations : films en plein air, danses, concerts… À contrario, beaucoup de sites fermés ; pas de musique dans les bars, etc.

D'ailleurs, si vous voyez beaucoup de gens habillés en jaune, un lundi, ne soyez pas surpris, rien que de très normal. C'est tout simplement une façon de célébrer le roi, né ce jour-là. Attention, en revanche, si vous prenez l'avion pour la Chine le même jour avec votre joli T-shirt jaune… là-bas, c'est davantage considéré comme une couleur un peu olé olé…

– **Noël :** bien que Noël ne signifie rien en Thaïlande, bon nombre de supermarchés (ainsi que les palmiers) sont enguirlandés comme chez nous. Il devient même possible de réveillonner dans certains établissements tenus par des Européens.

GÉOGRAPHIE

Avec ses 513 120 km², la Thaïlande est à peine plus petite que la France pour une population approchant les 65 millions d'habitants. Sa silhouette est pour le moins curieuse : une sorte de grosse masse un peu informe au nord et une longue bande étroite qui part loin vers le sud. Voilà le résultat des guerres au cours de l'histoire. Remarquez, tous les pays en sont au même point.

Grosso modo, la Thaïlande, frontalière de quatre pays (Cambodge, Laos, Myanmar [ex-Birmanie] et Malaisie) et ouverte sur deux mers (Chine et Andaman), peut se diviser en quatre régions :

– **le Nord :** montagneux, couvert de jungle et des derniers rares bois de tecks, et creusé de profondes vallées où le riz pousse la tête au soleil, les pieds dans l'eau. Dans ces contrées vivent d'incroyables tribus, visitées de plus en plus par d'autres peuplades qu'on rassemble sous le terme générique de « touristes ». Le plus haut sommet culmine à 2 590 m.

– **Le Nord-Est :** le coin le moins fréquenté par les voyageurs. Fini les montagnes arrosées, bonjour les plateaux arides ! C'est une région dure mais passionnante.

– **Le Centre :** large bassin fertile, arrosé de manière idéale. C'est l'équivalent de la Beauce, chez nous. Rivières nombreuses, sol riche, climat propice à la culture, c'est là le creuset de la civilisation thaïlandaise.

– **Le Sud :** cette région qui s'étire au sud cultive l'hévéa, dont on extrait le caout-chouc. Mais pour le touriste, le Sud c'est avant tout les eaux turquoise, les plages et le farniente. On ne va pas le contredire. Les superbes îles de la mer d'Andaman et du golfe de Thaïlande sont devenues le rendez-vous des vacanciers.

HISTOIRE

Un des berceaux de l'*Homo sapiens*

L'histoire des Thaïs remonte certainement à plus de 4 000 ans. Les premiers vrais agriculteurs, et même les premiers hommes à travailler le métal, furent thaïs ! Ces Thaïs de la toute première heure ont proliféré à travers tout le Sud-Est asiatique, jusqu'au sud de la Chine. Dès les IIe et IIIe s av. J.-C., des moines bouddhistes venus des Indes ont migré vers un pays appelé *Suvarnabhumi* (« la Terre d'or »). Ce territoire s'étendait vraisemblablement de la Birmanie, traversant le centre de la Thaïlande actuelle, jusqu'à l'est du Cambodge.

Les âges farouches : la période de Dvâravatî

Une pépinière agitée et changeante de cités-États fut désignée sous le nom de *Dvâravatî* (du sanskrit : « lieux ayant des portes »), durant une période qui s'étira du VIe au XIe s, voire jusqu'au XIIe s de notre ère. Probablement érigées par le peuple môn – des descendants d'immigrants indiens métissés avec les Thaïs originels –, ces cités n'ont livré que peu de leurs secrets. Les Chinois connaissaient cette région sous le nom de *T'o-Lo-Po-Ti*, à travers les voyages du moine Xuan Zang. Il en reste quelques magnifiques œuvres d'art, notamment des représentations de Bouddha, des bustes en terre cuite, quelques bas-reliefs en stuc dans des temples ou des grottes, mais malheureusement peu d'éléments d'architecture sont demeurés intacts. La culture de Dvâravatî a décliné rapidement à partir du XIe s sous la pous-sée des conquérants khmers.

Le Moyen Âge : l'apogée de l'influence khmère

Entre les XIe et XIIIe s, l'influence khmère est dominante dans l'art, la religion et le langage. Beaucoup de monuments de cette période, situés à Kanchanaburi, Lopburi et dans d'autres sites du Nord-Est, peuvent être comparés à l'architecture d'Angkor.

C'est aussi à ce moment que les premières peuplades thaïes, qui avaient émigré vers la Chine dans la préhistoire, repartirent dans le sens inverse, de la province du

Yunnan vers la Thaïlande. Ces Thaïs furent appelés par les Khmers des « Syams »,
ce qui signifie « basanés », référence faite à la couleur de leur peau.

Un rameau de cette même souche fondera le royaume de Lan Xang (le Laos, « pays
du Million d'éléphants ») en 1353.

La Renaissance et le premier royaume : Sukhothai

Plusieurs principautés thaïes de la vallée du Mékong s'unirent aux XIIIᵉ et XIVᵉ s
pour livrer combat aux Môns, et leur prirent Haripunchai pour fonder Lan Na. Ils
s'attaquèrent ensuite aux Khmers et récupérèrent toute la région de Sukhothai. Et
c'est ainsi qu'en 1238 fut proclamé le premier royaume et État organisé thaï. Cette
période vit aussi la naissance et l'épanouissement de la culture, de la politique et
de la religion thaïes à proprement parler. *Sukhothai* veut dire « l'aube de la félicité »,
et les Thaïs d'aujourd'hui considèrent cette période comme un âge d'or. La prospérité était telle que les sujets étaient dispensés d'impôts ! Un des rois, Ram
Khamheng, a permis la mise en place d'un système d'écriture, base du thaï
moderne, mais à sa mort le royaume éclata en plusieurs États, cependant qu'une
nouvelle capitale attendait dans les coulisses...

Ayutthaya... capitale d'un million d'habitants !

Paris n'était qu'un village à l'époque, en comparaison de la puissance et de la
richesse d'Ayutthaya. Cette capitale fut fondée en 1350 par le roi Ramadhipati Iᵉʳ.
Bien que les Khmers fussent l'ennemi « héréditaire » et que les batailles fissent
rage, la cour d'Ayutthaya adopta leur langage et leurs coutumes. L'un des résultats
fut que les rois thaïs devinrent des monarques absolus avec le titre de « roi-dieu ».
La capitale khmère Angkor tomba en 1431 et pendant quatre siècles, les Thaïs,
pourtant si souriants, furent craints et redoutés dans toute l'Asie du Sud-Est. C'est
en 1498 que Vasco de Gama et ses vaisseaux portugais, ayant contourné le cap de
Bonne-Espérance, ouvrirent une nouvelle route commerciale et inaugurèrent l'ère
de l'expansion européenne en Asie. La première ambassade portugaise fut établie
à Ayutthaya en 1511, suivie par celle des Hollandais en 1605, des Anglais en 1612,
des Danois en 1621 et des Français en 1662.

Le royaume de Siam et Louis XIV : regards vers le soleil couchant...

La représentation de la France a
mal débuté au royaume de Siam,
sous les traits... d'un Grec, Constantine Phaulkon. Aventurier sans
scrupule, il avait réussi grâce à un
certain culot et à une « tchatche »
imparable à infiltrer la Cour et se
vit nommé Premier ministre. La
description de Phaulkon par Maurice Garçon est tout à fait élo-

> **LA MAUVAISE RÉPUTATION**
>
> *Le mot* farang, *en thaïlandais moderne,
> signifie « étranger », et c'est une abré-
> viation de* farangset, *qui a pour origine
> le mot « français ». Ne gonflez pas le
> torse, si ce mot* farang *resta dans le
> vocabulaire, ce n'est pas pour honorer
> la France, mais plutôt comme le mau-
> vais souvenir du sieur Phaulkon...*

quente : « Levantin d'origine, devenu anglais et converti à la religion anglicane par
commodité, catholique sous la direction d'un jésuite, portugais par politique, siamois par accident, marié à une Japonaise par hasard, Constantine Phaulkon devint
français de cœur par nécessité et résolut de faire du Siam, qui l'avait imprudem-
ment accueilli, une colonie pour Louis XIV. »

C'est donc grâce à Phaulkon qu'un autre personnage haut en couleur, et de mœurs discutables, fit son apparition au Siam : François Timoléon, abbé de Choisy. Ce prélat extravagant envoyé par le Roi-Soleil aimait, entre autres, se déguiser en femme. Nous, on n'est pas contre, mais on peut s'interroger sur son dévouement religieux. Le roi Naraï, sous l'influence de ces deux personnages, dont l'un dirigeait le royaume quasiment à sa place, accepta (un peu à contrecœur, il est vrai) de laisser stationner des garnisons françaises au Siam. Exaspérés par l'insolence de Phaulkon, les dignitaires siamois approuvèrent le coup d'État qui, en 1688, marqua la fin de cette première ouverture vers l'Europe. Le roi Naraï perdit son trône, Phaulkon, sa vie, et tous les étrangers – Français en tête – furent chassés du Siam.

La chute d'Ayutthaya

Durant tout le XVIIIᵉ s, les principautés du Siam se livrèrent des guerres sans merci. Les Birmans en profitèrent pour envahir le pays et anéantir la splendide capitale Ayutthaya, après deux ans d'un siège commencé en 1769 dont les ruines témoignent toujours. Malgré la mise à sac de l'ancienne cité, les Birmans ne réussirent pas à s'implanter au Siam. Le général thaï Phya Taksin (un autre Taksin !) érigea une nouvelle capitale, Thonburi, en face de la future Bangkok sur les bords de la rivière Mae Nam Chao Phraya, et se fit proclamer roi. Il ne régna pas longtemps : mégalomane et fanatique religieux (il se prétendait presque l'égal de Bouddha !), il fut assassiné (sagement ?) par ses ministres. En 1782, un autre général, Phya Chakri, monta sur le trône sous le nom de Râma Iᵉʳ, et fonda la capitale actuelle, Bangkok. Les souverains de la dynastie Chakri, encore au pouvoir aujourd'hui, portent tous le nom de Râma.

Les prémices de la modernité

C'est en 1851, avec l'avènement du roi Mongkut qui régna sous le nom de Râma IV, que les graines de la Thaïlande moderne furent semées. Homme instruit, raffiné et courtois, il vouait à l'Occident une admiration qui l'amena non seulement à entretenir une correspondance soutenue avec le président des États-Unis de l'époque, James Buchanan – il lui avait même offert des éléphants pour améliorer les transports américains ! –, mais aussi à signer des traités avec, entre autres, la Grande-Bretagne.

Une fois au pouvoir, il s'entoura de nombreux conseillers occidentaux. Aurait-on pu imaginer une telle ouverture en France ? Malgré toutes ces influences occidentales, Mongkut, tout comme ses successeurs, conserva son goût des traditions thaïlandaises. Il fut un polygame convaincu, reconnaissant 82 enfants de 35 femmes différentes ! Il s'attacha les services d'une gouvernante anglaise, Anne Leonowens, dont les *Mémoires* ont inspiré trois films. Le premier, *Anna and the King of Siam*, date de 1946 ; le plus célèbre, bien que fantaisiste sur le plan historique, fut sans conteste *The King and I* (« Le Roi et moi »), qui révéla Yul Brynner en 1956. Plus récemment, on a pu apprécier la prestation de la belle Jodie Foster sous les traits de ladite gouvernante dans *Anna et le Roi*. Un seul hic : le tournage a eu lieu en Malaisie !

Un roi révolutionnaire...

État tampon à l'époque entre la Birmanie britannique et l'Indochine française, la Thaïlande échappa à la colonisation grâce à une diplomatie habile. Fin politicien, l'héritier de Mongkut, le roi Chulalongkorn Râma V (1868-1910), fit contre mauvaise fortune bon cœur et céda plus de 100 000 km^2 (y compris tout le Laos) à ces pillards de Français et d'Anglais. Ce trait de génie préserva l'indépendance du Siam jusqu'à nos jours.

Le roi Chulalongkorn poussa si loin l'introduction des institutions et des mécanismes modernes que son propre fils le traita de révolutionnaire ! En 1873, à son couronnement, il interdit à ses sujets de se prosterner devant lui.

> **TOUCHÉ COULÉ**
>
> *Une des raisons qui ont dû influencer le roi Chulalongkorn d'alléger l'étiquette fut la mort tragique d'une de ses femmes, noyée sous les regards imperturbables de ses serviteurs... car il leur était interdit de la toucher ! La raison d'être de ce genre de mesures draconiennes trouve son origine dans la volonté de protéger les membres de la famille royale des assassinats ; mais ne valait-il pas mieux être touché que coulé ?*

Exit le Siam

En 1932, un coup d'État fait passer le Siam d'une monarchie absolue à un régime monarchique constitutionnel de façade. Le roi Râma VII est en exil à Londres, et c'est un prince de 10 ans, Ananda, qui monte sur le trône flanqué d'un conseil de régence. Un des conspirateurs militaires nommé *Phibun* émerge du lot et devient Premier ministre en 1938 en organisant la mainmise de l'armée sur les rouages du pouvoir. Le pays prend définitivement le nom de *Prathet Thaï* (« pays des Thaïs »), ou Thaïlande. Cette appellation à coloration nationaliste implique une unité de tous les peuples de langue thaï incluant les *Lao* du Laos, les *Shan* de Birmanie, mais à l'exclusion des Chinois dont l'influence économique est contestée. Les fascismes européens servent de modèle à la promulgation de toute une série de lois discriminatoires. Durant la Seconde Guerre mondiale, plus exactement en 1940, profitant de l'affaiblissement de la France en Europe, la Thaïlande attaque l'Indochine française et annexe quelques provinces. Après les événements de Pearl Harbour, la Thaïlande signe un traité d'amitié avec l'Empire nippon dont les troupes utilisent le territoire comme base pour attaquer la Birmanie. La Thaïlande déclare même la guerre à la Grande-Bretagne et aux USA. Les troupes thaïes combattent les nationalistes chinois jusqu'au Yunnan. Une partie de la population s'organise en mouvement de résistance (cf. l'épisode du pont de la rivière Kwai).

Après les revers du Japon, Phibun est contraint de démissionner. À la fin de la guerre, les Alliés veulent le juger pour crimes de guerre et collaboration avec l'ennemi. Mais l'opinion publique qui lui est favorable provoque l'arrêt des poursuites. Les territoires annexés sont restitués aux empires coloniaux français et britannique. Phibun redevient Premier ministre en 1948 et se refait une virginité en engageant des troupes aux côtés des alliés de l'ONU en Corée en 1950. La Thaïlande devient un allié fidèle des USA dans le contexte de la guerre froide en adhérant au traité de l'Organisation du traité de l'Asie du Sud-Est (OTASE). En 1957, Phibun est renversé par un maréchal et contraint à l'exil. De 1958 à 1973, les juntes militaires financées par les Américains tiennent le pays dans une main de fer. La Thaïlande participe activement à la guerre du Vietnam où elle envoie des troupes (ainsi qu'au Laos) et des bases aériennes concédées aux Américains, décollent les B52 qui bombardent le Nord-Vietnam.

La monarchie aujourd'hui

Au cours des années suivantes se succèdent coups d'État et contre-coups d'État où les militaires disputent le pouvoir aux civils. Il est vrai que la domination des communistes dans les pays limitrophes en 1975 (Vietnam, Laos, Cambodge) a renforcé l'ancrage à droite des forces vives de la Thaïlande. L'année 1976 est celle d'une répression féroce des étudiants de gauche et des syndicalistes par des forces paramilitaires. L'actuel roi Bhumibol (né en 1927 et sur le trône depuis 1951) règne sous le nom de Râma IX et est le chef de l'État et des armées, mais c'est le gouvernement qui exerce le pouvoir. Pouvoir convoité par diverses factions au sein de l'armée et de la police avec des généraux, plus ou moins corrompus, alternant au gré des besoins du moment, populisme, nationalisme, élections truquées, etc.

Royauté et crises à répétition

Depuis 1983, la Thaïlande a entrepris une transition vers la démocratie (malgré une interruption en 1991-1992) avec comme pilier une monarchie seule capable de légitimer le pouvoir, d'où un culte exacerbé de la personnalité royale un peu excessif en comparaison des monarchies européennes. Les seuls garants d'une certaine stabilité sont donc le roi, mais aussi le bouddhisme et son éthique (pas forcément son clergé) et la société civile. Par ses rares interventions pour dénoncer la violence et ses initiatives sur le plan social et culturel, Bhumibol a forcé le respect de la population qui le lui rend bien. Il s'est érigé en arbitre écouté des nombreuses crises politiques comme celle qui frappe le pays en juillet 1997 à la suite de difficultés d'ordre économique. En novembre, le Parti démocrate, mené par Chuan Leekpai, se retrouve à la tête du gouvernement. Mais ce changement n'arrange rien : chômage, dévaluation, on s'inquiète très sérieusement... le FMI vient à la rescousse. Licenciements massifs, baisse des salaires (de 20 à 30 % dans la plupart des entreprises), expulsion de travailleurs immigrés, exode de Bangkok vers les campagnes, où tout au moins l'on mange... Dur, dur !

Élu une première fois en 2001, le Premier ministre Thaksin Shinawatra rétablit la situation. Il est sur tous les fronts : politique, économique et social. « Une entreprise, c'est un pays. Un pays, c'est une entreprise », telle est sa devise. Profitant de sa bonne gestion du tsunami et des résultats économiques encourageants malgré un contexte défavorable, il est réélu début février 2005 avec une majorité encore renforcée. Un scrutin toutefois entaché d'une foule d'irrégularités. *Thai Rak Thai* (« les Thaïs aiment les Thaïs »), le parti fondé et instrumentalisé par Thaksin, est de loin la formation la plus riche du pays. Ceci permet d'avaler les petits partis concurrents en garantissant des postes et, évidemment, de bien se placer dans la course aux enveloppes. Stupéfaction en avril 2006. Après avoir réclamé des élections législatives anticipées, et s'être déclaré dans un premier temps vainqueur malgré 20 % de bulletins blancs, Thaksin doit reconnaître sa défaite. Coup de théâtre un mois plus tard : Thaksin reprend les rênes du pouvoir, en attendant la fin des célébrations commémorant les 60 ans de règne du roi, afin de contrer la reprise des attaques et des prises d'otages dans le Sud musulman (province de Narathiwat) au cœur d'un pays majoritairement bouddhiste. Les paysans du Nord l'adorent ; dans le Sud, il est à l'origine d'exécutions sommaires, de trafiquants de drogue notamment.

Nouveau renversement le 19 septembre 2006 : coup d'État, le général Sonthi Boonyaratkalin prend la tête du pouvoir, adoubé par le roi, sans effusion de sang. Thaksin est renversé, les médias contrôlés. À sa place, c'est un général à la retraite réputé intègre, Surayud Chulamont, qui est nommé Premier ministre par intérim, avec pour mission de restaurer la démocratie et de proposer un nouveau traitement à la crise séparatiste qui ensanglante les régions du Sud. C'est pire que *Dallas* ! *Bis repetita* : fin 2008, le Premier ministre Somchai Wongsawat (proche de

Thaksin Shinawatra) est destitué après un blocage de l'aéroport principal de Bangkok par les opposants royalistes (1 600 Français bloqués !), semant la panique à travers tout le pays, à l'heure où la saison touristique commence... Le Parlement désigne enfin le leader du Parti démocrate, Abhisit Vejjajiva, pour prendre la tête du gouvernement. Mais la situation est-elle pour autant résolue ? La Thaïlande n'a-t-elle pas connu 18 putschs depuis l'instauration de la monarchie constitutionnelle en 1922, soit un coup d'État tous les 5 ans ! Suite des aventures plus loin à la rubrique « Les faits marquants en 2008-2009 ».

Tsunami

Le 26 décembre 2004, une secousse tellurique de 9,3 sur l'échelle de Richter a entraîné une succession de vagues dévastatrices au sud-ouest de la Thaïlande et en Asie du Sud-Est. Environ 5 400 morts uniquement sur le sol thaï, 3 000 disparus, des chiffres effrayants. Mais aujourd'hui, si quelques poches sont encore peu déblayées (Khao Lak notamment), les plages sont toutes nettoyées, les bâtiments reconstruits, et le tourisme a repris de plus belle. La vie suit son cours.

Les faits marquants en 2008-2009

Tirs nourris, escarmouches, morts et blessés parmi les militaires autour du temple Preah Vihear (au nord-est de la Thaïlande), entre les forces militaires cambodgiennes et thaïes. Si le temple dépend du Cambodge sur le papier, la Thaïlande contrôle la majorité des moyens d'accès. Cette dernière est accusée d'avoir repoussé des boat people birmans à la mer. Vêtus de « chemises rouges » (leur surnom), les partisans de Thaksin, l'ancien Premier ministre très médiatique et riche magnat, propriétaire du club de foot londonien de Manchester City, réclament le

DU VIAGRA COMME INCITATIF ÉLECTORAL

Selon une information publiée à Bangkok par le quotidien The Nation, *la petite pilule bleue servirait à convaincre des électeurs indécis. En raison des sanctions encourues pour l'achat de votes, certains candidats auraient mis au point une tactique discrète de distribution de comprimés plutôt que d'argent liquide. Des boîtes de comprimés seraient remises en douce aux dirigeants communautaires locaux à des fins de distribution aux électeurs âgés pour, peut-être, remédier aux défaillances dans l'isoloir. Ils feraient mieux de distribuer des lunettes !*

retour de leur leader, bloquent Bangkok et s'opposent aux « chemises jaunes » (proches du roi). Dix ans de prison pour l'ingénieur Suwicha Thakhor. Son crime ? Avoir publié des photos retouchées du roi et de membres de la famille. Un million de contrefaçons ont été détruites, estimées à environ 35 millions d'euros, histoire de redorer le blason de la Thaïlande, notamment auprès des États étrangers. Inauguration de la ligne de chemin de fer Nong Khai-Thanalang (Laos), visant à faciliter les échanges de marchandises.

MÉDIAS

Les crises politiques à répétition ont eu un impact négatif sur la sécurité des journalistes. Certaines télévisions ont ouvertement pris parti en faveur des « chemises rouges » ou des « chemises jaunes » qui dictent depuis la rue l'agenda politique du royaume. Pourtant, les médias ont défendu leur liberté de ton. La presse écrite, en thaï et en anglais, est assez indépendante.

Programmes en français sur TV5MONDE

TV5MONDE est reçu dans le pays par câble, satellite et sur Internet. Retrouvez sur votre télévision : films, fictions, divertissements, documentaires – qui témoignent de la diversité de la production audiovisuelle en langue française – et informations internationales.

De nombreux services pratiques pour les voyageurs sont proposés sur le site ● *tv5monde.com* ● et sa déclinaison mobile ● *m.tv5monde.com* ●

Pensez à demander à votre hôtel sur quel canal vous pouvez recevoir TV5MONDE et n'hésitez pas à faire vos remarques sur ● *tv5monde.com/contact* ●

Radio

Le pays compte plus de 500 radios. La majorité d'entre elles sont locales et diffusent beaucoup de musique, mais relativement peu d'information. *Trinity Radio* (FM 97) diffuse les programmes d'information en thaï de la *BBC,* et *Smile Radio* (FM 107) reprend les nouvelles de *CNN Asia.* Les auditeurs raffolent des talk-shows. À vous d'apprendre le thaï...

L'armée thaïe, qui contrôle plus de 120 radios et 2 chaînes de télévision dans le pays, n'est pas prête à abandonner ce secteur stratégique même si, d'après la Constitution de 1997, l'audiovisuel devrait être entièrement libéralisé et les fréquences redistribuées.

Vous pouvez retrouver *Radio France Internationale* et la plupart des FM françaises sur ● *rfi.fr* ●

Télévision

Les six chaînes nationales de télévision sont des concessions de l'État. Mais c'est sans compter avec les nombreuses télévisions régionales et surtout le câble et le satellite.

Les critiques contre les autorités sont rares sur les chaînes hertziennes, mais sur le câble, certaines chaînes s'engagent clairement en faveur des chemises jaunes ou des chemises rouges. D'autres journalistes réussissent à maintenir une couverture plus indépendante.

L'accès aux grandes chaînes d'information, *BBC* ou *CNN,* est très facile grâce au câble. *MCM* ou la chaîne francophone *TV5* sont présentes dans certains bouquets de câble ou de satellite.

Journaux

La lecture des deux principaux quotidiens anglophones, *The Nation* et *Bangkok Post,* ne pourra que vous convaincre de la qualité des journalistes thaïs, de leur liberté de ton par rapport aux pays voisins. Une bonne manière de savoir ce qui se passe dans le pays, la région et le monde. Certains titres de la presse en thaï sont également de bon niveau, notamment *Matichon, Khaosod Daily* et *Thai Rath.* C'est sans compter les nombreux tabloïds populaires qui misent sur le sensationnalisme. Les grands titres de la presse étrangère sont facilement disponibles dans les kiosques des grandes villes. Pour la presse française, passez à l'Alliance française de Bangkok, sur Sathorn Road, qui dispose d'une médiathèque bien fournie. À l'aéroport et dans certains grands hôtels, on trouve également *Le Monde, Libération, Le Point* et... *Point de vue-Images du monde* !

Liberté de la presse

Entourée de pays très répressifs, la Thaïlande a longtemps été considérée comme un « phare » de la liberté de la presse en Asie du Sud-Est. Mais sa lumière a fortement décliné sous les gouvernements successifs de Thaksin Shinawatra, intolérant à la critique, et du général Surayud Chulamont, mais également à cause des attaques menées par les militants politiques.

Le Premier ministre Abhisit Vejjajiva du Parti démocrate s'est pour l'instant montré bienveillant pour la liberté des médias. Mais son gouvernement a renforcé la censure et la répression sur toutes les questions liées au roi et à la monarchie. En effet, la Thaïlande est l'un des pays les plus répressifs au monde pour les crimes de lèse-majesté. Il est interdit de critiquer le roi et sa famille.

De milliers de sites internet qui abordent cette question sont censurés. Des dizaines de Thaïs et d'étrangers sont la cible de plaintes pour le crime de lèse-majesté. Ainsi, un Australien a passé plusieurs semaines en prison pour avoir simplement mentionné le prince héritier dans un livre. Un internaute thaï a été condamné à dix ans de prison pour avoir publié sur le Web une photo retouchée du roi.

Ce texte a été réalisé en collaboration avec *Reporters sans frontières.* Pour plus d'informations sur les atteintes aux libertés de la presse, n'hésitez pas à contacter :

■ *Reporters sans frontières :* 47, *rue Vivienne, 75002 Paris.* ☎ 01-44-83-84- | 84. ● *rsf.org* ● Ⓜ *Grands-Boulevards ou Bourse.*

PATRIMOINE CULTUREL

Les grandes écoles artistiques

La découverte de sites préhistoriques à Ban Chiang, au nord-est, laisse à penser que la Thaïlande fut le berceau d'une civilisation vieille de 5 000 ans. Le peuplement qui se fit par vagues successives, Môns, Khmers, Thaïs, apporta des influences religieuses et culturelles qui ont façonné son évolution.

– *Période de Dvâravatî (VIᵉ-XIᵉ s) :* les Môns, qui vivaient dans le sud-est de Myanmar, dans le centre et dans le nord-est de la Thaïlande, ont développé un État aux structures politiques mal connues, avec des cités construites suivant un plan ovale, ceinturées de douves. Les sculptures principalement bouddhiques, rarement hindouistes, ont subi trois sources d'influence : Ceylan (Vᵉ-VIᵉ s), art pala (Srîvijaya ; VIIIᵉ-Xᵉ s) et art khmer à la fin. Ces influences créèrent une image particulière de Bouddha, qui cessa d'être la copie d'un style indien, pour devenir le premier style d'art bouddhique original.

Bouddha, en pierre ou en bronze, se tient le plus souvent debout, les deux mains faisant le geste d'argumentation, ou assis à l'européenne, les pieds posés sur un socle en forme de lotus. Son visage est large, ses arcades sourcilières jointives et galbées, son nez épaté et ses lèvres charnues.

– *Période de Srîvijaya (VIIIᵉ-XIIIᵉ s) :* l'histoire de cet empire reste encore très obscure. Il se développa entre le VIIIᵉ et le XIIIᵉ s dans la partie péninsulaire de la Thaïlande. Certaines des statues sont d'une grande perfection, comme celle du torse d'Avalokiteçvara, du Musée national de Bangkok. Les formes des statues sont épanouies et parées de bijoux.

– *Khmers ou école de Lopburi (XIᵉ-XIIIᵉ s) :* l'influence khmère fut très grande et, jusqu'à l'aube du XIXᵉ s, les provinces du Nord-Est ont continué à jouer (davantage que le Cambodge) le rôle d'un véritable conservatoire des traditions artistiques et iconographiques angkoriennes. Les grands temples (Prasat Hin Phimai, Phanom

● *Époque de Dvâravatî (VIᵉ-XIᵉ siècle)*

Bouddha possède des traits accusés, un visage large et carré, un nez aplati et des lèvres épaisses. Ses yeux sont dirigés vers le bas, donnant un regard à la fois intérieur et bienveillant pour le fidèle qui prie à ses pieds. On le trouve au centre de la Thaïlande et dans le sud de la Birmanie. Représentation dans les musées de Nakhon Pathon, Ratchaburi, Khon Kaen et Lamphun.

● *École de Lopburi (XIᵉ-XIIIᵉ siècle)*

Il s'agit de l'image même du bouddha khmer. Son visage est carré, ses sourcils rectilignes, sa bouche large. Un bandeau démarque le front des cheveux et une protubérance en coiffe le sommet, symbole de l'Illumination. On le retrouve dans tout le centre et le nord-est de la Thaïlande. Le bouddha protégé par un capuchon à sept têtes est aussi l'une des innovations du culte khmer du roi-dieu (Devaraja).

● *Époque du royaume du Lan Na (XIᵉ-XVIIᵉ siècle)*

Région de Chiang Saen et Chiang Mai. Le Bouddha de cette époque est caractéristique. On le reconnaît aisément avec son corps opulent, son visage rond, ses petits yeux et sa petite bouche. Il porte de grandes boucles sur le sommet du crâne, couronnées d'un bouton de lotus. Les statues sont généralement en cristal ou en pierre semi-précieuse.

● *Période d'U-Thong (XIIᵉ-XVᵉ siècle)*

Au centre de la Thaïlande, l'influence khmère de cette époque est très forte. Les représentations de Bouddha se font sur le même modèle. La seule originalité se trouve dans le fin soulignement des yeux et de la bouche, qui peuvent faire penser à une fine moustache.

● **Période de Sukhothai (XIIIᵉ-XVᵉ siècle)**

Époque où l'image de Bouddha est la plus caractéristique de l'art thaïlandais. Les statues deviennent plus élancées, l'ovale du visage parfait, le nez long et aquilin, les sourcils arqués, les paupières lourdes et la chevelure pleine de fines bouclettes. Le crâne est surmonté d'une longue flamme *(ushnîsha)*, symbole de force spirituelle. L'autre innovation de cette période est celle du bouddha marchant, première représentation de Bouddha en mouvement.

● **Période d'Ayutthaya (1350-1767)**

Durant la période d'Ayutthaya, au centre de la Thaïlande, les statues de Bouddha reprennent les influences des diverses écoles. On retrouve les courbes de l'école de Sukhothai, les yeux de l'époque dvâravatî, les parures des dieux khmers avec la reprise du culte du roi-dieu. Les statues de Bouddha sont alors parées de bijoux et deviennent colossales.

LES VISAGES DE BOUDDHA

● *Bhumisparsa ou « Geste de la prise de la terre à témoin »*

Position assise, la main droite touche le sol, tandis que la gauche repose sur les jambes, paume tournée vers le ciel. Ce geste représente l'Éveil de Bouddha. Il tient une très grande place dans l'imagerie thaïlandaise, car il est le symbole de la victoire sur Mâra (la mort, le démon, le grand dieu des Désirs). Mâra tenta d'interrompre la méditation de Bouddha, en lui présentant toutes les distractions possibles. Bouddha, en réponse, toucha la terre, faisant appel à la nature pour témoigner de sa résolution. Ce geste apparaît pour les Thaïlandais comme l'illustration du plus grand des miracles et représente le sommet de la vie de Bouddha.

● *Dhyana ou « Attitude de méditation »*

Les deux mains reposent l'une sur l'autre, paumes vers le ciel, la main droite sur la main gauche. Les jambes sont pliées en tailleur, dans la position du lotus.

● *Vitarka ou « Geste de l'argumentation »*

Position debout ou assise, le bras droit est levé, main à demi ouverte pour que le pouce et l'index se joignent et forment un cercle (la roue, symbole de l'enseignement). Peut être fait de la main droite ou gauche.

● *Dharmachakra*

Les deux mains sont levées, paumes face à face, pouce et index se joignant pour former un cercle. Geste de tourner la roue de Dharma, qui rappelle le premier sermon de l'enseignement de Bouddha.

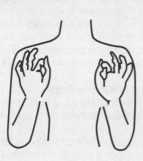

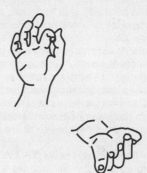

● *Varada ou « Geste du don »*

Assis ou debout, main droite ouverte et offerte, bras allongés, ce geste est celui du don, de la charité, des faveurs répandues.

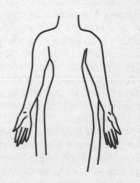

● *Abhaya ou « Apaisant les querelles »*

Position debout ou en marche, une ou deux mains levées, paume en avant. C'est le geste de l'absence de crainte et de l'apaisement.

LES GESTES DE BOUDDHA

Rung, Phanom Wan, Muang Tham) furent construits en fonction à la fois de croyances hindouistes et du bouddhisme mahâyâna. Les temples khmers étaient bâtis selon les critères symboliques de la cosmologie hindouiste. Les douves et bassins représentaient l'océan, les enceintes des montagnes, et la tour sanctuaire *(prasat)* le mont Meru, axe du monde et séjour des dieux. Le *prasat* servait à abriter la divinité principale, dieu hindouiste, puis Bouddha au XIIe s. De petits *prasat* ceinturaient la tour principale et servaient à abriter l'épouse et le véhicule du dieu. À côté s'ajoutaient des constructions secondaires destinées aux objets du culte. Une grande enceinte fermée par des portes ceinturait le tout. À l'intérieur, une seconde enceinte, construite en bois, contenait les habitations des prêtres, musiciens, danseuses... Le temple, construit au centre de la ville, devait se trouver près du palais du roi, mandataire des dieux sur terre.

Quant aux statues, les caractéristiques des bouddhas (principalement en grès) sont un visage carré, des sourcils rectilignes, une bouche large, un bandeau qui démarque le front des cheveux et une protubérance au sommet du crâne, symbole de l'Illumination.

– *Royaume du Lan Na (XIe-XVIIe s) :* principalement influencé par la Birmanie, le royaume du Lan Na, avec ses temples aux toits à étages, ses porches élaborés soutenus par des *nâgas* (serpents), ses *chedîs* octogonaux à la partie supérieure en forme de cloche recouverte de cuivre et d'une fine flèche dorée, et ses statues délicates, a développé des styles artistiques propres. On décompose cette période en deux : le style de Chiang Saen (XIe-XIIIe s), qui montre un bouddha au corps robuste et au visage rond, suivi par le style appelé Chiang Saen tardif ou Chiang Mai, qui révèle un bouddha plus élancé, avec un visage ovale. Les statues sont pour la plupart en pierre semi-précieuse, tel le bouddha d'Émeraude.

– *École d'U-Thong (XIIe-XVe s) :* ce petit royaume fut fortement influencé par les styles khmers, de Sukhothai et de Ceylan. Seule sa sculpture fut originale avec de fines lignes qui soulignent les lèvres et les yeux du Bouddha, ajoutant le tracé d'une fine moustache.

– *Période de Sukhothai (XIIIe-XVe s) :* c'est avec l'école de Sukhothai que débute l'art proprement thaïlandais. Il semblerait que ce soit le fait d'avoir adopté le bouddhisme theravâda (à la fin de l'Empire khmer, qui pratiquait le bouddhisme mahâyâna) qui engendra une forme d'art originale, dont le but était d'affirmer l'identité culturelle du nouveau royaume. Le bouddha de Sukhothai est l'une des images les plus caractéristiques de l'art thaïlandais (visage d'un ovale parfait, long nez aquilin, sourcils arqués, paupières lourdes, chevelure en bouclettes...). Il fit son apparition au XIIIe s. Les mains et toutes les proportions du corps deviennent plus stylisées, et le crâne est surmonté d'une longue flamme *(ushnîsha),* symbole de la force spirituelle. La seconde image typique est celle du bouddha marchant, dont la grâce et la délicatesse rendent parfaitement la description du Bouddha des textes palis. Quant à l'architecture, elle juxtapose des formes diverses, tours-sanctuaires khmères, stûpas effilés cinghalais, toitures incurvées chinoises, structures cubiques môns, retenant aussi du royaume disparu de Dvâravatî ses constructions en brique, ses niches en stuc et ses figures de terre cuite. Selon les Thaïlandais d'aujourd'hui, c'est la flèche en bouton de lotus qui représente l'apport le plus original des constructeurs de Sukhothai.

– *Période d'Ayutthaya (1350-1767) :* en 1350, un prince d'U-Thong fonde Ayutthaya, qui devient la capitale du royaume jusqu'en 1767 (date à laquelle les Birmans la détruisent). L'art à cette période juxtapose les influences les plus diverses. Mais la principale est l'influence khmère, qui prendra toute son ampleur avec la reprise, par les souverains, du *devaraja* (roi-dieu), le roi devenant objet de vénération. Le *prasat* khmer (tour-sanctuaire) devient le *prang* avec une forme en épi de maïs. Le royaume se porte bien et la splendeur ainsi que la dimension des temples sont le témoignage de la puissance royale. Les statues de Bouddha se parent de bijoux et deviennent colossales.

– *D'Ayutthaya à Bangkok :* en 1767, les Birmans détruisent Ayutthaya, et Râma Ier fonde en 1782 une nouvelle capitale, Bangkok. Le style architectural de la nouvelle capitale est, pour la majeure partie, l'héritage de l'ancien royaume. Temples et palais entourés par des jardins d'influence chinoise (une grosse communauté de Chinois vit à Bangkok) sont construits avec des matériaux plus légers. Les temples possèdent d'élégantes toitures recourbées, juxtaposées en gradins et recouvertes de tuiles vernies (influence chinoise). Des peintures murales et des panneaux de laque en garnissent l'intérieur.

Le *wat* Phra Kaeo (Bangkok), temple du bouddha en pierre précieuse, est l'exemple type de ce style d'architecture. Il est constitué par un sanctuaire rectangulaire. Ses toits concaves accusent une pente prononcée et sont couverts de tuiles de couleurs vives (influence chinoise). Le *bot* (salle de réunion) peut comprendre d'une à trois nefs. La statue de Bouddha se dresse sur le mur face à l'entrée. Au nordouest s'élève un *chedî* en forme de cloche, sur lequel se dresse une flèche formée d'anneaux concentriques et décroissants, dérivé du stûpa cinghalais. Au nord se dresse un *mondop* de structure carrée, avec de hautes colonnes qui soutiennent de petits étages décroissants, le tout surmonté d'une flèche et d'une profusion de décorations multicolores. Au nord-est, enfin, a été érigé un temple où sont conservées les statues des rois ; c'est un *prasat* hérité des Khmers, surmonté de toits superposés et fermé d'un petit *prang*.

La sculpture en Thaïlande

Presque jusqu'à nos jours, l'inspiration de la sculpture en Thaïlande est demeurée, pour l'essentiel, religieuse. Qu'il s'agisse de Bouddha, principale source d'inspiration, d'animaux réels ou mythiques, de décors... tout a sa place et son rôle dans la cosmogonie.

– *Les yakshas :* des génies de la nature, mystérieux et parfois malfaisants, qui ont été « récupérés » par le bouddhisme. Ils sont devenus les protecteurs de la Loi bouddhique. On les retrouve sous leur aspect terrifiant dans les enceintes des temples, parés comme d'antiques guerriers, les vêtements incrustés d'or, d'émail et de verre coloré.

– *Représentations de Bouddha :* sous les différentes influences (môn, khmère, lan na...), un art local semble s'être forgé. En effet, dès le VIIe s, l'art dvâravatî présente la structure d'un art bouddhique. Les différents apports qui viendront s'y greffer par la suite n'étoufferont jamais cette originalité ni cette continuité, qui sont les traits essentiels de l'imagerie bouddhique thaïlandaise. Ces « innovations » doivent tout de même respecter une iconographie stricte, venant du sud de l'Inde.

L'apparence de Bouddha est déterminée par les *lakshana* (marques et signes) qui définissent « l'Homme Éminent ». Il en existe 32 principales, complétées par 80 secondaires. Manifestées dès la naissance, les *lakshana* sont le résultat des différents mérites acquis au cours des existences antérieures. On ne trouve la totalité de ces « marques » que chez l'être appelé à devenir un souverain, maître de l'univers, ou, s'il renonce au monde, un bouddha.

Parmi les 32 marques principales, certaines ne concernent que des qualités psychiques intraduisibles (voix du lion, finesse du goût...). D'autres, au contraire, inspirées de préoccupations magico-religieuses, sont des signes qui dotent Bouddha d'une apparence hors du commun (une tête à protubérance, la rotondité d'un banian...).

– *Gestes et attitudes :* Bouddha peut être figuré dans quatre attitudes : assis, debout, marchant et couché (c'est dans ces positions qu'il est apparu à Srâvastî). Les statues en attitude de marche sont la grande innovation de l'école de Sukho-thai (XIIIᵉ-XVᵉ s) et restent parmi les réalisations les plus originales de la sculpture thaïlandaise.

Les gestes n'ont pas en Thaïlande la même signification précise qu'en Inde où la conception mahāyāna (du Grand Véhicule) donne à chaque *mudrâ* (geste des mains et des doigts auquel on attribue une signification magique et mystique) la marque d'un *jina* (vainqueur), moyen qui permet de différencier les bouddhas qui, par essence, sont tous semblables. Vous suivez toujours ?

Dans le bouddhisme theravāda, et spécialement dans l'iconographie thaïlandaise, le terme de *mudrâ* n'est pas employé. En effet, les *mudrâ* ne suffisent pas à représenter l'ensemble des plus grands miracles du Bienheureux. Mais nous garderons cette appellation par souci de simplification.

PERSONNAGES

– *Le roi Bhumibol :* né en 1927, couronné en 1950. On le voit partout ! Très inventif, il a fait breveter son invention pour lutter contre la sécheresse : créer des nuages de différentes températures avec des avions. Ingénieux, non ? Le roi est très (trop diront certains) respecté en Thaïlande, sa famille aussi d'ailleurs, et son anniversaire (le 5 décembre) est l'occasion de grandes festivités, notamment à Bangkok. Les 80 ans du roi ont été célébrés en grande pompe en décembre 2007.

– *Bundit Ungrangsee :* un chef d'orchestre honoré par Lorin Maazel lui-même, qui fit ses classes au New York Philharmonic Orchestra, jonglant entre les musiques traditionnelles thaïes et les classiques occidentaux. Du grand art ! Pour plus d'infos ● bunditmusic.com ●

– *Saneh Sangsuk :* écrivain publié au Seuil en France, considéré comme le « Joyce thaï »... rien que ça ! *Venin* ou *Une histoire vieille comme la pluie* vous feront découvrir une Thaïlande loin des clichés sur papier glacé du Sud thaï.

– *Attadech Lowapharp :* né en 1971 à Bangkok, voici le jeune designer qui monte, qui monte. Il travaille la céramique et la porcelaine, mais est surtout reconnu pour ses vases-racines, longs, très longs.

– *Râma :* personnage mythique du théâtre épique thaïlandais (le *Ramakien*). Il représente le roi idéal, proche de Vishnou. C'est aussi un dieu tout-puissant capable de vaincre tous les démons.

TIRÉ PAR LES CHEVEUX

Hu Sengla, né en 1924 et disparu en 2001, a été recensé par le Guinness des records comme « l'homme ayant les plus longs cheveux du monde ». Imaginez un peu, une tignasse de 5,79 m ! Paix à son âme. Elle a été coupée et donnée à son village en guise de protection. Le plus rassurant dans cette affaire, c'est que son frère Yi prend désormais sa place, avec plus de 5 m à son actif.

– *Bamrung Kayotha :* j'ai une moustache bien fournie, je suis chef de file des paysans thaïs, je boycotte les champs d'OGM près de la frontière birmane ; qui suis-je ? Mais le José Bové thaïlandais, pardi !

– *Tony Jaa :* la star du *muay thay* (art martial) au cinéma, né à Surin en 1976, vu dans *Ong Bak I et II* et *L'Honneur du dragon*.

– *Paradorn Srichapan :* la star du tennis thaï, qui s'invite régulièrement sur les tournois du Grand Chelem avec un certain succès.

– *Apichatpong Weerasethakul :* cinéaste dit « expérimental », né en 1970 dans le nord-ouest de la Thaïlande, à Khon Khaen. Il s'inspire des surréalistes et apprécie le travail de Marcel Duchamp. Auteur de deux longs métrages, présentés à Cannes, il obtient le prix du Jury en 2004 pour *Tropical Malady,* relatant l'histoire homosexuelle d'un soldat et de son amant, sur un ton à la fois réaliste et onirique. En 2008, il fait partie du collectif de réalisateurs chargés de livrer leur *état du monde.*

PROSTITUTION

Le phénomène de la prostitution est révélateur de la façon discriminatoire dont les femmes sont traitées en Thaïlande. La main-d'œuvre bon marché est féminine, sous-payée par rapport aux hommes. L'accès à l'éducation est plus rare pour une fille que pour un garçon. La violence domestique constitue également un problème important pour ces femmes qui ne sont guère protégées par la loi. Un homme marié n'est pratiquement jamais poursuivi par la justice en cas de viol conjugal car, dans ce domaine, les lois font défaut et le risque encouru par le violeur est minime.

Autre élément pour comprendre la complexité du problème : le rapport à la sexualité, au corps en général, est vécu ici très différemment. On est à mille lieues du plaisir coupable et de nos tabous judéo-chrétiens, et la chose, comme on dit, est abordée beaucoup plus simplement. Le rapport à l'argent aussi est différent, plus direct. Et il n'est pas rare que l'homme, si la femme est indisposée, aille voir une prostituée. Il ne le criera pas sur les toits, mais il n'éprouvera en revanche aucune culpabilité.

Pour ces raisons, la prostitution choque beaucoup moins qu'en Occident, et n'est ni scandaleuse ni vraiment vécue comme honteuse.

Beaucoup de filles, plutôt que de s'échiner à repiquer des plants dans les rizières, choisissent, avec l'assentiment des parents, d'aller vivre de leurs charmes quelques années à Bangkok, afin de nourrir leur famille. Leur nom en thaï est *phouyng ha kin,* qui signifie littéralement « celles qui cherchent à manger ». Bien souvent aussi, elles sont tout simplement « vendues » pour devenir... serveuses, et se retrouvent vite à faire des passes, contraintes et forcées.

Développement mercantile et apparition du sida

Les années 1970 et 1980 caractérisées par le laisser-faire constitue la période d'explosion de la prostitution, avec notamment les Américains engagés dans la guerre du Vietnam, basés à Pattaya, et tous les timbrés du monde qui venaient libérer leur libido sur de jeunes corps dociles. Cela a poussé à bout la logique du sordide. L'Asie du Sud-Est est devenue la principale et la plus importante victime de ce fléau. Les capitaux en provenance d'Occident, les organisations criminelles ainsi que la corruption généralisée des gouvernements ont permis la création d'une véritable industrie du sexe.

S'est créée ensuite une industrie du « loisir sexuel », avec ses réseaux et ses zones de recrutement – l'arrière-pays et les campagnes – ses quartiers, ses cités, ses supermarchés du sexe, ses agences de promotion... En Thaïlande, on dénombrait plus de 2 millions de femmes et 800 000 enfants qui se prostituaient. « Se prostituent » est en fait inexact : si ce commerce est organisé comme n'importe quel business, l'esclavage au profit d'un proxénète ou d'une société commerciale est à cent lieues de la libre vente de sa force de travail.

Le réveil, sous l'égide de nombreuses associations internationales, a été long à venir, mais, finalement, même les autorités thaïlandaises ont commencé à se sentir concernées, moins pour des questions évidentes de morale qu'à cause de la dégradation de l'image du pays à l'étranger. Il s'agissait dès lors d'un problème de santé publique et d'économie, car sur le plan touristique, la Thaïlande était montrée du doigt et le pays boudé. Par ailleurs, le sida ayant fait les ravages, les rangs des prostituées se sont alors vite éclaircis. Aussi les choses ont-elles changé depuis quelques années et le dernier pointage, réalisé par l'armée américaine, ne donnait plus que 100 000 prostituées. Même si les chiffres manquent de précision, on a assisté ces dernières années à une baisse considérable, due d'abord au sida, catastrophique en Thaïlande (environ 1 million de séropositifs).

Le fléau de la pédophilie

Puis il y a eu le scandale de la pédophilie. Un scandale énorme, international, et qui ternissait considérablement l'image du pays. Car la prostitution, c'est une chose ; mais trouver dans n'importe quel bordel, ou presque, des gamin(e)s, de 10 ou 12 ans, vendu(e)s aux pédophiles venus du monde entier en quête d'objets sexuels « vierges », donc non contaminés, c'est une tout autre affaire. Disons tout de suite qu'en Thaïlande ce commerce ignoble a considérablement reculé depuis. Car, face au scandale et à la colère des Thaïlandais eux-mêmes, le gouvernement a pris des mesures énergiques : répression judiciaire, fermeture de bordels, contrôle des « employées » et vote par le parlement du *Child Prostitution and Prevent Act.* Rappelons aussi, avec la *TAT (Tourism Authority of Thailand),* qui condamne l'exploitation sexuelle des enfants, que les « clients » sont passibles de 4 à 20 ans de prison si les prostituées ont entre 13 et 15 ans, et de prison à perpétuité si l'enfant a moins de 13 ans. Pour aider la *TAT* dans son combat et pour toutes infos : ● tat@cs.ait.ac.th ● De son côté, l'UNICEF entreprend de nombreuses actions de lutte contre la pédophilie, relayée par la justice française, qui travaille en étroite collaboration avec les juridictions d'autres pays. Depuis 1994, la France s'est dotée de lois permettant de condamner pour abus sexuel des personnes qui se croyaient déchargées de toute responsabilité puisqu'elles étaient sur un sol étranger. On a ainsi vu se tenir récemment deux procès jugeant, en France, des actes innommables commis par des Français sur le sol thaïlandais. Une autre loi, adoptée en 1998 par le Congrès mondial sur l'exploitation sexuelle des enfants, est encore plus sévère. Désormais, tout abus sexuel exercé à l'étranger sur un mineur de moins de 15 ans est passible d'une peine de 10 ans de prison et d'une amende s'élevant à plusieurs centaines de milliers d'euros. Les associations peuvent désormais se porter partie civile. C'est dans ce cadre que l'UNICEF a pu mener ses campagnes de lutte en aidant des victimes thaïlandaises à venir témoigner en France. C'est là une grande avancée juridique pour combattre les abus sexuels. Les amateurs de tourisme sexuel, n'ignorant pas la fin de leur impunité, regardent désormais à deux fois avec qui ils finissent la soirée.

Psychologie et ambiguïté du tourisme sexuel

Lorsqu'on parcourt les zones où la prostitution est très présente, on est frappé bien souvent par le spectacle de ces couples apparemment mal assortis de jeunes filles thaïes se promenant main dans la main avec leur « amoureux » du moment de 30, 40 et même 50 ans plus âgés qu'elles. Loin de vouloir ici donner des leçons de morale (tant qu'il n'y a là que rapports consentis entre individus majeurs) à certains de nos lecteurs qui ne voient dans cette prostitution (comme Michel Houellebecq dans *Plateforme)* qu'un « rapport Nord-Sud marchand idéal entre sexualité et pouvoir d'achat ». La théorie sur le tourisme sexuel, qui considère que seules les femmes asiatiques savent donner du plaisir, voire de l'amour, car « ignorantes des tabous imposés par les religions monothéistes » est un vrai leurre qui se heurte à la réalité des observations que l'on peut faire sur place.

RELIGIONS ET CROYANCES

Environ 94 % de la population est bouddhiste, 5 % musulmane, surtout dans le sud du pays, 1 % chrétienne et 0,5 % animiste.

> **Pour les visages et les gestes de Bouddha,**
> **se reporter aux dessins de la rubrique « Patrimoine culturel ».**

La vie de Bouddha

Le prince Siddhārta Gautama (dit le Sage, l'Éveillé, le Bouddha) naquit au Népal au VIe s av. J.-C. Il mena une vie d'ascète et fut d'abord bodhisattva, c'est-à-dire futur bouddha. Il tint tête à Mara, le démon, assis quatre jours sous un figuier, les jambes croisées dans la fameuse position que nous connaissons. Il atteignit ainsi l'Éveil et réussit à se libérer de toute souffrance. Dès lors, il parcourut le continent asiatique, proclamant la loi du Karma, loi universelle selon laquelle toute action, bonne ou mauvaise, est punie ou récompensée dans la réincarnation de l'âme.

LOTUS ET BOUCHE COUSUE

Le lotus est emblématique de Bouddha, souvent représenté assis sur une fleur de lotus. C'est la seule plante aquatique dont la fleur, superbe, s'élève avec légèreté au-dessus de l'eau (contrairement au nénuphar par exemple) grâce à sa longue tige. Elle puise sa substance vitale dans la boue – qui représente les souffrances et les désirs – pour ensuite s'épanouir au-dessus de l'eau, comme l'âme doit pouvoir se détacher de ses préoccupations terrestres. Un symbole d'accomplissement et de pureté, dû également au fait que graine (la cause) et fleur (l'effet) apparaissent simultanément.

Le bouddhisme s'inscrit dans un mouvement de réaction au brahmanisme. Il ne tient aucun compte du système des castes ni des rites et s'appuie sur une démarche strictement individuelle, une voie de libération.

La doctrine

La pensée de Bouddha vise à libérer de la douleur (cf. son premier sermon à Bénarès, « À l'origine de la douleur universelle est la soif d'exister »).
Les quatre nobles vérités éclairent bien la « mécanique bouddhique » :
– l'attachement conduit à la souffrance ;
– l'origine de l'attachement est dans les passions ;
– pour se libérer de la souffrance, il faut maîtriser les passions ;
– pour maîtriser les passions, il faut suivre une discipline.
Pas facile tout ça, mais le Bouddha a été assez précis sur la façon d'accéder au nirvana : le bouddhiste doit parcourir successivement les huit nobles entraînements présentés dans l'Octuple Noble Sentier, seule façon d'éviter de se voir renaître en rat ou en grenouille.

Pour ceux qui voudraient essayer, nous vous donnons les clés du nirvana : la compréhension juste, la pensée, la parole, l'action, le moyen d'existence, l'effort, l'attention et la concentration.

Attention, le nirvana n'est pas notre paradis, mais plutôt le bonheur, le moment où l'esprit de l'homme se purifie des passions et la fin du cycle des renaissances (Samsāra). En bref, le bouddhisme est une voie du bonheur spirituel, et ça se voit !

Les bouddhismes Theravāda et Mahāyāna

La doctrine du Bouddha n'existant pas sous forme écrite, les textes sacrés devaient être appris par cœur à la suite des récits faits par Ananda, le cousin du Bouddha, lors du premier concile bouddhique. Ces textes psalmodiés et chantés en commun ne furent codifiés que vers l'an 100 de notre ère par les moines de Ceylan. Ce canon bouddhique est la base du bouddhisme Theravāda.

Le bouddhisme Theravāda ou « Petit Véhicule » (du Sud)

Confiné d'abord dans l'île de Ceylan où il est né, il s'est ensuite répandu en Birmanie (en 1044), puis en Thaïlande et au Cambodge. C'est la doctrine la plus ancienne. Les adeptes utilisent le pali comme langue sacrée (on dit que c'était la langue de Gautama, le prince Siddhārta) et suivent un enseignement légèrement différent des paroles de Bouddha. Le Theravāda, omniprésent au Myanmar, ne reconnaît aucun dieu créateur. C'est une doctrine non théiste qui ne nécessite pas la présence d'intermédiaire entre l'homme et son salut ; donc point de prêtre ni de brahmane. L'homme peut parvenir seul à l'état de nirvana. Pour cela, il n'a pas à transformer son environnement. La libération du désir, cause de toutes ses souffrances, s'obtiendra par des actes individuels, la discipline (mais non l'ascétisme, jugé inutile et dangereux !) et la contemplation.

De plus, le fidèle ne pense pas que le bouddhisme Theravāda puisse expliquer tous les mystères de la nature. Ce genre de fatalisme (autre nom de la sagesse ?) profite bien aux militaires au pouvoir à Yangon qui usent et abusent de la crédulité du petit peuple.

Pour un adepte de cette voie Theravāda, le repli dans la contemplation et l'abstinence demeure la voie royale de la Libération.

Le bouddhisme Mahāyāna ou « Grand Véhicule » (du Nord)

La deuxième branche du bouddhisme représente un courant de pensée qui s'est propagé en Chine, au Tibet, en Mongolie, en Corée et au Japon, sans oublier le Vietnam et l'Indonésie (le temple de Borobudur en est un bon exemple). Les pratiquants utilisent le sanscrit comme langue sacrée. Au contraire du Theravāda, le bouddhisme Mahāyāna cherche à transformer le monde non par l'abstention mais par l'action. Le détachement, le sourire ne sont plus de mise, l'action et la compassion priment. Pour les adeptes du Mahāyāna, il faut aider son prochain à parvenir à la délivrance afin de suivre les paroles du Bouddha : « Délivré, délivre. Arrivé sur l'autre rive, fais-y parvenir les autres. » C'est le bodhisattva, qui, parvenu aux dernières étapes de la sagesse, renonce à « s'éteindre » dans le nirvana pour aider les autres à parvenir à la délivrance. Cette vision du rôle du bodhisattva est absente dans le Theravāda.

Bhumisparsa ou « geste de la prise à témoin de la terre »

Position assise du lotus, la main droite touche le sol, tandis que la gauche repose sur les jambes, paume tournée vers le ciel. Ce geste représente l'Éveil de Bouddha. Appelé aussi *mudrâ maraisijaya* (« victoire sur Mara »).

Dhyana ou « attitude de méditation »
Les deux mains reposent l'une sur l'autre, paumes vers le ciel, la main droite sur la main gauche. Les jambes sont pliées en tailleur, dans la position du lotus.

Vitarka et dharmachakra ou « geste de tourner la roue »
Position debout ou assise, le bras droit est levé, main à demi ouverte pour que le pouce et l'index se joignent et forment un cercle (la roue, symbole de l'enseignement). Fait avec une seule main, ce geste s'appelle Vitarka ; fait des deux mains, il se nomme Dharmachakra (voir illustration plus haut). Ce geste de tourner la roue de Dharma rappelle le premier sermon de l'enseignement de Bouddha.

Varada ou « geste du don »
Assis ou debout, main droite ouverte et offerte, bras allongés, ce geste est celui du don, de la charité, des faveurs répandues.

Abhaya ou « apaisant les querelles »
Position debout ou en marche, une ou deux mains levées, paume en avant. C'est le geste de l'absence de crainte et de l'apaisement.

Le bouddhisme thaïlandais

Proportionnellement, il doit y avoir plus de temples en Thaïlande que d'églises à Rome. C'est dire comme le bouddhisme est présent dans la vie quotidienne des Thaïlandais.

Les temples sont des lieux ouverts et conviviaux, où l'on vient pour tout un tas de raisons (mariages, funérailles, prières...). Les moines, surtout dans les villages, interviennent dans les affaires courantes et sont sollicités pour donner leur avis, un peu comme les curés en Occident, il n'y a pas si longtemps. Outre les images de Bouddha, très vénérées, les Thaïlandais ont aménagé leur bouddhisme en y incluant une foule de démons et d'esprits.

Pour un Occidental, le bouddhisme thaï apparaît comme une religion tolérante, plutôt cool et souriante, très imbriquée dans la vie des gens.

Les Thaïlandais, bouddhistes à 94 %, doivent mener, au moins une fois au cours de leur existence et pour une période variable, une vie de moine en revêtant la robe safran. Certains travaillent bénévolement à la construction ou à la réfection des temples. Tous apportent aux statues de Bouddha de nombreuses offrandes (fleurs, cierges...) et subviennent aux besoins quotidiens des moines.

Les nonnes

Le monastère des nonnes bouddhistes ressemble à celui des hommes, sauf que les bâtiments communautaires comme la *sala* et le *bot* y sont généralement plus petits. Le public n'y est pas admis.

En Thaïlande, les nonnes sont entièrement vêtues de blanc. Elles ne sont que des novices, des « mèchis », le resteront toute leur vie et ne jouiront jamais du prestige des bonzes. La faute en revient à Bouddha, qui ne voulait pas fonder d'ordre féminin, malgré les demandes incessantes des femmes. Il finit tout de même par céder aux instances de sa tante, mais édicta huit règles très sévères et les plaça sous la dépendance totale des bonzes. Comme elles ne doivent pas sortir du monastère pour quêter, ce sont les bonzes qui partagent avec elles la nourriture qui leur a été donnée. C'est la raison pour laquelle les monastères des femmes sont toujours jumelés avec ceux des hommes.

Le temple bouddhique

Le temple bouddhique thaïlandais, le *wat,* regroupe un ensemble de bâtiments religieux, souvent d'époques et/ou de styles variés. Centre de la vie socioculturelle, le *wat* remplit de nombreuses fonctions : lieu de culte, d'enseignement, de réunion, d'échanges...

Le bot

Sanctuaire principal du *wat,* le *bot,* ou *ubosot,* est une salle de plan rectangulaire à nef unique avec des bas-côtés. Consacrée à la psalmodie des textes sacrés et aux ordinations monastiques, elle est délimitée par huit bornes *(bais simâs),* plus ou moins hautes et ouvragées selon l'importance du *wat,* que personne ne doit dépasser lors d'une cérémonie. Considéré comme sacré, ce périmètre est soustrait à toute juridiction laïque.

Le vihara

Grande salle où moines et fidèles se rassemblent pour écouter les sermons. Elle renferme des représentations de Bouddha ainsi que les objets sacrés du temple. La salle est rectangulaire, avec des toits en pente sur plusieurs niveaux, aux extrémités décorées de *chofa* (« pointe du toit »).

Le sala

C'est l'un des premiers bâtiments que l'on rencontre en arrivant dans un monastère : sorte de grand hall dans lequel les bonzes se réunissent, matin et soir, pour la psalmodie des textes sacrés. Les fidèles y circulent pour leur propre méditation, pour assister aux offices, ou encore pour y écouter des sermons. Mais on peut aussi y prendre ses repas, parler et même y dormir ! Au fond trône une grande statue de Bouddha, entourée par de plus petites qui sont des donations de fidèles. Aux extrémités, il y a parfois de drôles de « décorations », différentes selon les donateurs et le message que veut faire passer le supérieur du temple. C'est ainsi que l'on peut y trouver, dans des cages en verre, un authentique squelette humain ou un bocal avec un fœtus d'enfant mort-né. Assez macabres, les Thaïs aiment à rappeler que « tout est éphémère, tout est souffrance » !

Les autres bâtiments

Le *bot,* le *vihara* et le *sala* forment, avec le réfectoire des moines, les bâtiments communautaires principaux. Les bonzes vivent autour, dans de petites huttes appelées *kutis,* ou dans des bâtiments quand la place vient à manquer. C'est là qu'ils passent le plus clair de leur temps à méditer, recevoir des visiteurs, se reposer... Ils sont entièrement libres de leur temps et personne ne contrôle ce qu'ils font.

– D'autres bâtiments composent un temple, dont le *chedî,* une tour-reliquaire contenant des reliques de Bouddha, d'un saint homme, ou d'un personnage royal. Le *chedî* est souvent à l'origine de la construction d'un *wat.* Sa forme de dôme, ou de cloche, est surmontée d'un empilement de parasols.

On peut aussi trouver un clocher qui sert à rythmer la journée des moines, des *ho trai* (ou bibliothèques) et un crématorium.

Petit glossaire pour circuler dans un temple

– *Wat :* nom du monastère bouddhique regroupant les divers édifices religieux.
– *Bot ou ubosot :* salle de réunion des moines dans le monastère (le *wat*), réservée aux seuls religieux et où se pratiquent les ordinations.

– *Vihara ou vihan :* de tradition indienne, cette salle abrite des images de Bouddha et sert de salle d'assemblée pour les fidèles.

– *Phra chedî ou chedî :* sorte de monument funéraire, désigne tous les édifices contenant des reliques. Définit plus spécialement le stûpa.

– *Stûpa :* dôme contenant des reliques bouddhiques ou servant d'objet de culte. Devenu très tôt le monument par excellence du bouddhisme, il est chargé d'un symbolisme très élaboré. Il s'agit soit d'un édifice contenant des reliques de Bouddha, soit d'un monument commémoratif. Il se compose d'un dôme surmonté d'un empilement de parasols.

– *Mondop :* prononciation thaïe du *mandala,* en sanskrit, qui est la salle de réunion des fidèles.

– *Prang :* terme utilisé pour désigner un sanctuaire carré, élevé avec de très hauts soubassements et une toiture importante. Le *prang* rappelle le *prasat* khmer (style d'Angkor Vat), mais en étant encore plus élevé. Il est caractéristique de l'architecture des périodes d'Ayutthaya et de Bangkok.

– *Prasat :* tour-sanctuaire.

– *Dvârapâla :* le gardien de la porte. Le gardien à droite de la porte a une expression bienveillante, tandis que celui de gauche a une expression terrible. À la fin de la période d'Ayutthaya, tous prennent l'apparence de *yaksha* au masque terrifiant.

– *Chofas :* ce sont les ornements qui sont aux extrémités des pignons sur les toitures à double pente. Ils représentent le plus souvent des serpents *nâga,* ou des oiseaux comme les *hamsas.*

Rites et superstitions

Les nâga

Les *nâga* (serpents) sont issus des anciennes croyances khmères. Ils servaient de décorations sur les ponts enjambant les douves. Le *nâga* permet de mettre en évidence le lien existant entre le monde des humains et celui des dieux, entre le ciel et la terre. Il est aussi, dans la tradition bouddhique, l'animal qui protégea Bouddha des intempéries, durant sa première longue méditation transcendantale, en se dressant au-dessus de lui, par-derrière, sa large tête de cobra faisant office de pébroque (ce *nâga* bouddhique est alors souvent représenté à sept têtes, ça protège mieux). Le serpent relie donc le sacré à l'homme : le ciel à la terre, l'esprit au prophète.

Le culte du roi-dieu

Héritage khmer, le culte du roi-dieu *(deveraja)* est encore présent. Le *prasat,* la toursanctuaire, perçu comme le centre de l'univers, devait abriter les dieux. Les *prasats* servent maintenant à abriter les statues des rois, comme celui du Wat Phra Keo de Bangkok.

Libérer un oiseau

Dans le bouddhisme, une des vertus principales est le respect de la vie sous toutes ses formes. Ce qui peut conduire à des excès, voire des aberrations. Un des actes de piété est de rendre la liberté à des êtres captifs. Il faut donc capturer oiseaux ou poissons dans le seul but de les vendre à la sortie des temples et des monastères. N'encouragez pas ces conduites en achetant la liberté de ces animaux, nés le plus souvent en captivité et qui, s'ils ne retrouvent pas le chemin de leur prison, meurent. D'autant qu'en libérer un, c'est en emprisonner un autre (eh oui, pour le remplacer). Ne marchons pas dans cette combine !

Les porte-bonheur

Dans toutes les pagodes de ville, on assiste à une pratique divinatoire qui n'a pourtant rien de spécifiquement bouddhique. Qu'en penserait Bouddha ? Il la rangerait sûrement au rang des superstitions, mais c'est sans doute la superstition la plus populaire de tout le bouddhisme.

Après avoir prié devant Bouddha, il est possible de connaître son avenir grâce à la méthode des « bâtonnets ». Une vingtaine de bâtonnets sont disposés dans une boîte ronde, ouverte. Il faut la prendre dans ses mains et la secouer jusqu'à ce que l'un des bâtonnets tombe. Ce bâtonnet porte des inscriptions sibyllines que le bonze interprète, contre une offrande bien sûr !

Donnez une petite pièce à une icône représentant un dieu, et vous serez aspergé d'eau bénite. Si l'on veut rester sec, il est possible d'acheter toutes sortes d'amulettes aux bonzes, touffes de fils jaune et bleu portant bonheur, petits bracelets en bois, images du Bouddha... destinés à une population toujours fascinée par ce qui a trait à la magie.

Enfin, dans de nombreux temples, de beaux gongs peuvent être frappés, du poing s'il n'y a pas de frappe-gong à disposition, pour former un vœu. C'est joli et ça marche (si, si !).

Les compositions florales

Tout dans la vie des Thaïlandais est prétexte à une offrande (promenade en famille, accueil d'un visiteur...). L'offrande la plus prisée est la fleur, petite image terrestre de Bouddha. Les trois offrandes les plus courantes sont :

– *les malai :* ce sont les colliers de fleurs, confectionnés de boutons de jasmin, de roses, de pâquerettes africaines ou d'orchidées. Leur fonction est principalement religieuse ; ce sont les offrandes des temples et lieux de pèlerinage. Mais, suspendus au rétroviseur des voitures, *tuk-tuk*, « longues-queues » ou tout autre moyen de transport, ces gris-gris odorants et éphémères sont un gage de bonne route, de chance.

– *Les bai-sri :* compositions pyramidales, constituées principalement de feuilles de bananier très soigneusement pliées. C'est le gage que l'on offre aux nouveau-nés, aux jeunes mariés, pour l'obtention d'un premier poste... comme promesse de bonheur et de réussite. Si l'on ajoute du riz, un œuf dur et des fruits en son centre, on obtient un *bai-sri chan*.

– *Les jad pan :* ce sont de gros boutons de lotus, formés par des fleurs de couleur, offerts lors des mariages. La forme du bouton de lotus représente le signe de la pureté, de la beauté, mais aussi de leur caractère éphémère.

Les maisons aux Esprits

À côté de la plupart des immeubles – anciens et nouveaux – se dresse une sorte de petite pagode colorée, posée sur un pilier. Cette demeure miniature abrite l'esprit de la maison, le *phra phum*. En effet, lorsque la construction d'un bâtiment quelconque est envisagée en Thaïlande, la première chose à faire est de trouver, dans le jardin, une place favorable à l'édification de la maisonnette où pourront se réfugier les esprits *(phi)* un moment délogés. La sélection de l'emplacement et l'aménagement de cette « maison d'esprits » sont du ressort exclusif d'une personne initiée : on ne place pas n'importe où une demeure réservée aux *phi* (surtout pas en un endroit qui risquerait de se trouver ombragé par l'immeuble), et un jour de bon augure doit être choisi pour la cérémonie d'installation des âmes dans leurs appartements.

On y dépose un bouquet de fleurs, quelques bâtonnets d'encens et plusieurs bougies. Lorsqu'un étranger est invité, il doit tout d'abord demander la permission d'entrer, faute de quoi il risquerait de très mal dormir. S'il ne respecte pas cette coutume, les esprits viendront au cours de la nuit s'installer sur sa poitrine, ce qui engendre toujours, c'est bien connu, d'horribles cauchemars. Et le matin, il convient de les saluer avant de nourrir l'espoir de passer une bonne journée, de leur présenter l'une ou l'autre offrande si l'on aspire à voir quelque souhait exaucé.

Par ailleurs, le propriétaire qui s'enrichit et décide d'embellir et de moderniser son habitation sait que l'oubli de parer en conséquence la maison des esprits risque de lui jouer de très mauvais tours.

SAVOIR-VIVRE ET COUTUMES

Un certain savoir-vivre est utile. Concernant les coutumes, il y en a quelques-unes à respecter et qui ne sont vraiment pas contraignantes. Voici quelques principes :

– *Retirer ses chaussures :* chez la plupart des particuliers, dans certaines *guesthouses,* boutiques et certains lieux ouverts à la visite (en tout cas les temples et parfois les musées). Bref, le mieux est d'opter pour des tongs ou assimilés, si vous ne voulez pas passer votre temps à faire et défaire vos lacets.

– *Interdiction de fumer* dans les lieux publics (halls d'hôtels, restos, bars). Ces mêmes lieux ferment aussi désormais à 1h du matin (sauf autorisation spéciale), dernier carat et pas une minute de plus... On ne plaisante pas. Et puis c'est la loi !

– *Le roi et la famille royale :* ils sont très respectés. Si l'hymne national retentit en pleine rue (c'est parfois le cas dans les villes à 8h et/ou à 18h), si le portrait royal apparaît au cinéma avant le film, il faut se lever. C'est simple, il suffit de faire comme tout le monde. Gardez-vous surtout de critiquer ouvertement la monarchie thaïe, car toute insulte publique à l'encontre du roi est passible de prison. On évitera aussi (autant que faire se peut) de marcher sur une pièce de monnaie (ou un billet) portant le royal profil.

– *Dans les temples bouddhiques :* il faut enlever ses chaussures et, lorsqu'on s'assied, s'arranger pour ne pas mettre ses pieds face à Bouddha : c'est sacrilège. Ensuite, il faut s'y présenter en tenue décente. En règle générale, si une femme veut offrir quelque chose à un moine, elle doit d'abord le donner à un homme qui le lui remettra. Toutes les images ou sculptures de Bouddha, petites ou grandes, même abîmées ou en ruine, sont des objets sacrés.

– *Dans les bus :* n'occupez pas les sièges à l'avant des bus. Ils sont généralement réservés aux moines, tenus d'éviter tout contact physique avec les femmes.

– *Se saluer poliment :* en général, les Thaïlandais ne se serrent pas la main. Le salut traditionnel est le *wai,* c'est-à-dire les deux mains jointes, comme pour prier... encore que son utilisation, soumise à des règles bien précises, soit hasardeuse. Très souvent, le *wai* traduit l'expression d'une inégalité. C'est toujours à l'inférieur (ou au plus jeune) que revient l'initiative du geste, et la réponse se limite souvent à un léger sourire. Pas d'impair, ne « waiez » jamais un enfant, ni même une femme de chambre, vous les verriez gênés. En somme, utilisez de préférence votre sourire, c'est facile et – les Thaïs en sont la preuve – ça rend beau.

Attendez-vous à être appelé plutôt par votre prénom. C'est l'usage ici, généralement précédé de *khun* (M., Mme ou Mlle).

– *Au restaurant :* on ne partage pas l'addition. La règle est simple : celui qui invite paie pour toute la table. Si aucune invitation n'a été faite, c'est au supérieur de se dévouer (aucune exception cette fois, l'égalité n'existe pas en Thaïlande !). À table, on mange habituellement avec fourchette (à gauche) et cuillère (à droite). Il n'y a jamais de couteau, et les baguettes sont réservées aux restos chinois.

– *Les gestes du corps :* on ne doit jamais toucher la tête de quelqu'un, car c'est le siège de son âme, et ce geste peut être considéré comme du mépris envers cette personne. Le pied étant la partie la moins noble du corps, il faut éviter de montrer quelqu'un du pied, ou de l'enjamber s'il est au sol, c'est très irrespectueux. En public, abstenez-vous donc de croiser les jambes, vous éviterez les malentendus.

– *Les gestes impudiques :* ceux et celles qui ont une libido exaltée remarqueront que le geste le plus licencieux des amoureux en Thaïlande est de se tenir par la main ! Même si les Thaïlandais occidentalisent leurs comportements à vue d'œil, le Code pénal punit sévèrement tous les sacrilèges : la sanction 206, par exemple, prévoit un maximum de trois mois de prison ou une amende pour tout geste ou attitude visant à insulter la religion... Comme dans le reste de l'Asie où la pudeur en public est plus forte qu'en Europe, il convient d'adopter une attitude réservée. Il n'est pas facile de considérer qu'un geste « normal » chez nous puisse être source d'offense pour le pays hôte. Nul doute que la légère baisse de l'accueil des Thaïs envers les Occidentaux trouve son explication en partie dans ce manque de retenue des touristes. Il ne s'agit pas de pudibonderie, mais de simple respect.

– *Dans les boutiques,* on ne tient pas la porte quand on rentre ou quand on sort.

– *Ne pas s'énerver et toujours sauver « la face » :* par ailleurs, montrer des signes d'énervement, de perte de sang-froid, hausser le ton sont des attitudes considérées comme déplacées, voire dégradantes pour celui qui les arbore. Elles indiquent un signe de faiblesse. Le Thaï, face à ce type de comportement, peut perdre lui aussi son flegme, notamment si vous le mettez en cause. Dans une société où la dernière des hontes est de *perdre la face* en public, il se sentira menacé (surtout si des témoins assistent à la scène).

– *Garder le sourire :* le sourire légendaire des Thaïs est utilisé à toutes les sauces. À côté de la bienvenue ou de l'amusement (et Dieu sait si la vie est *sanouk* – rigolote – en Thaïlande), il fait aussi office d'excuse ou d'esquive ; ça évite ainsi dans de nombreuses situations d'avoir à s'expliquer et éventuellement d'en venir à des mots ou des gestes que l'on pourrait regretter plus tard.

– *Respecter l'environnement :* il vous faudra également être vigilant dans les rues, où le respect du cadre environnant est pris particulièrement au sérieux. Pour tout crachat ou papier négligemment abandonné par terre, vous pourrez vous voir infliger une amende de 100 €. Ainsi, les fumeurs apprendront-ils à rouler leur mégot entre leurs doigts pour l'éteindre, et jeter ensuite le filtre dans une poubelle.

Les massages : une vieille tradition

Venue d'Inde et de Chine, la tradition des massages a toujours été plus ou moins liée à la philosophie bouddhique qu'elle met en pratique à travers les quatre états de l'esprit divin enseignés par « l'Illuminé » (la bonté, la compassion, la joie de vivre et la sérénité). Cela explique pourquoi, dans le passé, une salle était réservée à cet effet dans chaque temple.

Mais au-delà de cet aspect spirituel, le massage est une pratique très répandue en Thaïlande : la mère apprend aux filles, qui massent le père, qui les masse à son tour, et l'on se masse entre soi le plus naturellement du monde. C'est un acte quotidien, familial, de réconfort et de convivialité. Et il y a bien sûr des écoles (notamment la fameuse école du *Wat Pho* – วัดโพธิ์ à Bangkok par exemple), où sont enseignés les trois principaux types de massage : massage traditionnel complet (tout le corps travaillé pendant 2h), massage aux herbes et massage du pied. Ce dernier a d'ailleurs pris une ampleur incroyable. On ne voit plus que ça. Tout le monde le propose. Certains ne sont que des peloteurs d'orteils améliorés, mais ça ne peut pas faire de mal.

Puis il y a les massages sexuels pratiqués dans des salons aux vitres fumées (souvent appelés *parlours*), où les masseuses sont effectivement expertes en sexe, bien plus qu'en massage. Mais le client y perd vite la tête et le porte-monnaie. Toutefois, il faut savoir que la limite n'est pas aussi nette : dans certains salons traditionnels, des femmes peuvent parfois proposer des massages moins classiques, sans toutefois le faire systématiquement ni sur commande. Elles cherchent simplement à arrondir leurs fins de mois, même si la prostitution n'est pas leur métier.

Cela dit, la plupart des massages proposés dans certaines *guesthouses* (et habituellement pratiqués par de vieux Chinois) ou au bord des plages du Sud sont tout à fait sages et de qualité. Il ne faut pas, en tout cas, quitter la Thaïlande sans avoir essayé le massage traditionnel complet, où pressions, tensions et torsions vous réveilleraient un mort – et, c'est vrai, on revit !

SITES INSCRITS AU PATRIMOINE MONDIAL DE L'UNESCO

Organisation
des Nations Unies
pour l'éducation,
la science et la culture

En coopération avec
le centre du patrimoine mondial de l'UNESCO

Pour figurer sur la liste du Patrimoine mondial, les sites doivent avoir une valeur universelle exceptionnelle et satisfaire à au moins un des dix critères de sélection. La protection, la gestion, l'authenticité et l'intégrité des biens sont également des considérations importantes.

Le patrimoine est l'héritage du passé dont nous profitons aujourd'hui et que nous transmettons aux générations à venir. Nos patrimoines culturel et naturel sont deux sources irremplaçables de vie et d'inspiration. Ces sites appartiennent à tous les peuples du monde, sans tenir compte du territoire sur lequel ils sont situés. Pour plus d'informations : ● *http://whc.unesco.org* ●

Les sites traités dans ce guide

– Ville historique de *Sukhothai* et *villes historiques associées* (1991). Tout simplement le premier royaume de Siam, aux XIIIe et XIVe s. Un ensemble architectural extraordinaire, dont des représentations et des statues de Bouddha sublimes.

– Ville historique d'*Ayutthaya* (1991). Dans la logique des choses, le deuxième royaume du Siam... Pillée par les Birmans au XVIIIe s avant leur installation à Bangkok, la cité recèle encore de sublimes tours-reliquaires et autres bouddhas.

– *Site archéologique de Ban Chiang* (1992), où les fouilles et travaux ont confirmé l'existence à cet endroit, dans le nord-est de la Thaïlande, d'une civilisation florissante autour de 3 000 ans av. J.-C. (voire plus), arrivée à l'âge du bronze.

– Et au niveau naturel, signalons le *complexe forestier de Dong Phayayen-Khao Yai.*

SPORTS ET LOISIRS

La boxe thaïlandaise – *Muay Thai*

La violence, escamotée dans les rapports excessivement polis du quotidien, s'exprime à fond dans ce sport national. Le combat est impitoyable : on se sert non seulement des poings, mais aussi des genoux, des coudes et des pieds.

Le spectacle est également dans la salle. Si vous avez le temps, il faut assister à un match de boxe thaïe dans l'un des deux amphithéâtres de Bangkok, à Lumphini – ลุมพินี, Râma IV Avenue – ถนนพระรามที่, ou à Ratchadamnoen – ราชดำเนิน, sur Ratchadamnoen Nok – ราชดำเนินนอก. À Chiang Mai également, bons combats

> **TU POINTES OU TU TIRES ?**
>
> La petong, c'est la version thaïe de notre pétanque, peuchère ! On compte plus de 2 millions de joueurs à travers tout le royaume. Alors n'oubliez pas votre cochonnet ! Le grand plaisir des Thaïs, c'est d'affirmer qu'ils nous battent à plate couture. Relevez le défi !

professionnels. Expérience inoubliable ! Les Thaïs, le *mekong* ou la bière aidant, se laissent parfois aller à des attitudes rarement visibles dans la rue. Ouvrez donc vos yeux d'ethnologue ! La boxe thaïe, c'est aussi un sport d'argent, de parieurs. De fortes sommes sont misées sur l'une des têtes présentes sur le ring.

Avant le combat proprement dit, observez la curieuse gestuelle de chaque protagoniste, à cheval entre le yoga et l'expression corporelle. Ce rituel personnalisé constitue en fait une prière, une sorte d'incantation, exécutée (parfois) sur des musiques populaires. La délicatesse de ces premiers gestes contraste d'autant avec la violence des coups que les adversaires échangent ensuite durant le combat.

La plongée sous-marine

La Thaïlande compte quelque 2 614 km de côtes bordées de plages, avec, au large, de petites îles paradisiaques clairsemées. L'appel y est irrésistible ! En fonction des saisons, deux zones se prêtent particulièrement à l'exercice de la plongée sous-marine avec bouteilles : la *mer d'Andaman* (côte ouest), de novembre à mai, et le *golfe de Thaïlande* (côte est), de juin à octobre. La visibilité sous-marine est variable et dépend de la température de l'eau (autour de 28 °C), mais aussi du plancton en suspension qui attire périodiquement raies mantas gracieuses et requins-baleines débonnaires. Respectez absolument cet environnement délicat. N'apportez pas de nourriture aux poissons, ne prélevez rien, et attention où vous mettez vos palmes !

Jetez-vous à l'eau !

Pourquoi ne pas profiter de votre escapade dans ces régions où la mer est souvent calme, chaude, accueillante, et les fonds riches et colorés, pour vous initier à la plongée sous-marine ? Quel bonheur de virevolter librement au-dessus d'un nid de poissons-clowns... Les poissons sont les animaux les plus chatoyants de notre planète ! Certes, un type de corail brûle, quelques rares poissons piquent, on parle (trop) des requins... Mais la crainte des non-plongeurs est disproportionnée par rapport aux dangers réels de ce milieu. Les plus peureux s'essaieront au **snorkelling,** une plongée avec masque, palmes et tuba, au bord de l'eau. Et **attention aux coups de soleil dans le dos** : prévoyez votre crème *waterproof* !

Pour faire vos premières bulles, pas besoin d'être sportif ni bon nageur. Il suffit d'avoir au moins 8 ans et d'être en bonne santé. Sachez que l'usage de certains médicaments est incompatible avec la plongée. De même, nos routardes enceintes s'abstiendront formellement de toute incursion sous-marine. Enfin, vérifiez l'état de vos dents : il est toujours désagréable de se retrouver avec un plombage qui saute pendant les vacances sous l'effet de la pression sous-marine. Sauf pour le baptême, un certificat médical vous est normalement demandé, et c'est dans votre intérêt. L'initiation des enfants requiert un encadrement qualifié dans un environnement adapté (petit fond, sans courant, matériel spécial).

Non, la plongée ne fait pas mal aux oreilles ; il suffit de souffler gentiment en se bouchant le nez. Il ne faut pas forcer dans cet étrange « détendeur » que l'on met dans la bouche, au contraire. Et le fait d'avoir une expiration active est décontractant puisque c'est la base de toute relaxation. Être dans l'eau modifie l'état de conscience car les paramètres du temps et de l'espace sont changés : on se sent (à juste titre) ailleurs. En contrepartie de cet émerveillement, suivez impérativement les règles de sécurité, expliquées au fur et à mesure. En vacances, c'est le moment ou jamais de vous jeter à l'eau… Attention : pensez à respecter un intervalle de 12 à 24h avant de prendre l'avion, afin de ne pas modifier le déroulement de la désaturation.

C'est la première fois ?

Alors l'histoire commence par un baptême ; une petite demi-heure pendant laquelle le moniteur s'occupe de vous et vous tient la main. Laissez-vous aller au plaisir ! Vous ne devriez pas descendre au-delà de 5 m. Nos lecteurs sensibles au mal de mer se laisseront glisser doucement dans l'eau, sans stress ni angoisse, depuis le rivage. Pour votre confort, sachez que la combinaison doit être la plus ajustée possible afin d'éviter les poches d'eau qui vous refroidissent. Puis l'aventure se poursuit par un apprentissage progressif…

Les centres de plongée

En Thaïlande, les clubs sont tous affiliés aux organismes internationaux mondialement reconnus : *PADI (Professional Association of Diving Instructors),* ou *CMAS (Confédération mondiale des activités subaquatiques).* L'encadrement est assuré par des instructeurs certifiés – véritables professionnels de la mer – qui maîtrisent le cadre des plongées et connaissent tous les spots sur « le bout des palmes » (écoutez attentivement les briefings !).

Un bon centre de plongée est un centre qui respecte toutes les règles de sécurité, sans négliger le plaisir. Méfiez-vous d'un club qui vous embarque sans aucune question préalable sur votre niveau ; il n'est pas « sympa », il est dangereux. Regardez si le centre est bien entretenu (rouille, propreté…), si le matériel de sécurité obligatoire (oxygène, trousse de secours, radio…) est à bord, s'il n'y a pas trop de plongeurs par moniteur (6 maximum), et si vous n'avez pas trop à porter l'équipement. Les diplômes des instructeurs doivent être affichés. N'hésitez pas à vous renseigner car vous payez pour plonger. En échange, vous devez obtenir les meilleures prestations… Enfin, à vous de voir si vous préférez un club genre « usine bien huilée » ou une petite structure souple.

Les centres proposent généralement des prestations à la journée *(day trips),* comprenant deux plongées et un casse-croûte selon l'endroit où vous passez vos vacances. La destination plongée la plus chère est incontestablement Phuket, suivie de Ko Phi Phi et de Ko Chang. Les fauchés iront « se rincer l'œil » à Ko Lanta ou à Ko Tao, vraiment plus abordables. Vous accéderez aux spots les plus proches en pirogue à moteur (*taxi-boat,* 6 personnes maximum), tandis que les bateaux de plongée classiques (15 personnes) vous mèneront un peu plus loin. Vous pourrez aussi prendre une vedette rapide (*speed-boat,* 6 personnes maximum) pour gagner des sites plus lointains, ou embarquer sur un bateau de croisière (*dive-safari,* de 4 à 10 jours) à destination des spots les plus sauvages.

Formation et brevets

Partout dans le monde, les centres de plongée délivrent des enseignements aux standards *PADI* ou *CMAS* dont les degrés sont presque équivalents. Les routards-plongeurs pourront suivre et enchaîner aisément, au gré de leurs pérégrinations. L'apprentissage débute ainsi par le brevet d'*Open Water Diver (PADI)*, ou *1 étoile (CMAS)*, dont l'ambition est de rendre autonome – jusqu'à 20 m de fond – un plongeur au sein d'une palanquée. Compter de 8 000 à 12 000 Bts (160-240 €), pour 4 jours de formation ; puis on enchaîne avec l'*Advanced Open Water Diver (PADI)*, ou *2 étoiles (CMAS)*, de 7 000 à 11 000 Bts (140-220 €), en 2 jours, qui permet de pousser à 30 m de fond (40 m pour le *CMAS*) et d'être autonome, accompagné d'un binôme (le *buddy*) de même niveau ; on passe ensuite le *Rescue Diver (PADI)*, ou *3 étoiles (CMAS)* de 8 000 à 10 000 Bts (160-200 €), sur 2 jours également. Enfin, le diplôme de *Divemaster (PADI)* ou *4 étoiles (CMAS)* prépare les futurs instructeurs à l'encadrement. Compter alors de 20 000 à 30 000 Bts (400-600 €) pour les 3 semaines de formation.

Attention, suite à l'augmentation du prix du carburant et des affiliations *PADI,* une augmentation de 10 % minimum est envisagée.

Chaque brevet apporte une autonomie supplémentaire ; et l'on conseille d'étaler leur passage dans le temps, afin de pouvoir acquérir l'expérience indispensable. On peut d'ailleurs déplorer qu'aucune règle n'existe en la matière : certains clubs font ainsi entrer des sous dans la caisse en autorisant des passages de degrés en enfilade ! C'est à vous d'être raisonnable. Tous les centres délivrent un carnet de plongée, ou *log-book,* qui retracera votre expérience et réveillera vos bons souvenirs une fois les vacances terminées. Gardez-le soigneusement et pensez toujours à emporter ce précieux « passeport » en voyage.

Reconnaissance internationale

Les centres *PADI* étant les plus répandus en Thaïlande, nos routards-plongeurs déjà brevetés tâcheront d'obtenir une équivalence internationale de leurs brevets, auprès des organismes *CMAS, NAUI* ou *SSI.* Sinon, ils devront se mettre à l'eau pour une plongée-test avec un instructeur ; en piscine ou sur un site souvent sans intérêt. Si près de tant de merveilles, ce serait dommage de gâcher une plongée, non ? Dans tous les cas, sachez que pour votre première plongée en Thaïlande, le chef de palanquée vous demandera quelques petits exercices du style vidage de masque, interprétation de signes, récupération de détendeur, utilisation d'une source d'air de secours, stabilisation, etc., histoire de se remettre dans le bain...

Tour-opérateurs spécialisés dans la plongée

■ **Ultramarina :** 37, rue Saint-Léonard, BP 33221, 44032 Nantes Cedex 1. ☎ 0825-02-98-02 (0,15 €/mn). ● ultramarina.com ●
– Paris : 29, rue de Clichy, 75009. Même n° de téléphone. Organise les voyages individuels.
■ **Force 4 :** même adresse que Ultramarina (sociétés associées) à Paris.

☎ 01-53-68-90-79. ● force4plongee.com ● Organise les voyages pour les groupes.
■ **Aeromaiine :** 22, rue Royer-Collard, 75005 Paris. ☎ 01-43-29-30-22. ● aeromarine.fr ● RER B : Luxembourg.
■ **Key Largo :** 82, rue Balard, 75015 Paris. ☎ 01-45-54-47-47. ● keylargo.to ● Ⓜ Javel, Balard ou Lourmel.

Le golf

C'est la nouvelle mode en Thaïlande. On compte de plus en plus d'*aficionados* au royaume de Siam. Les greens poussent comme des champignons, notamment dans les environs de Bangkok, mais aussi à Hua Hin, Chiang Mai et Phuket. Sites à consulter : ● golfasian.com ● chiangmaiswing.com ●

UNITAID

UNITAID a été créé pour lutter contre le VIH/sida, le paludisme et la tuberculose, principales maladies meurtrières dans les pays en développement. Le financement d'UNITAID provient principalement d'une contribution de solidarité sur les billets d'avion. UNITAID intervient en facilitant l'accès aux médicaments et aux diagnostics, en en baissant les prix, dans les pays en développement. En France, la taxe est de 1 € (ce qui correspond à deux enfants traités pour le paludisme) en classe économique. En moins de trois ans, UNITAID a perçu près de 900 millions de dollars, dont 70 % proviennent de la taxe sur les billets d'avion. Les financements d'UNITAID ont permis à près de 200 000 enfants atteints du VIH/sida de bénéficier d'un traitement et de délivrer plus de 11 millions de traitements. Moins de 5 % des fonds sont utilisés pour le fonctionnement du programme, 95 % sont utilisés directement pour les médicaments et les tests. Pour en savoir plus : ● *unitaid.eu* ●

HOMMES, CULTURE ET ENVIRONNEMENT

BANGKOK ET SES ENVIRONS

Pour les plans de Bangkok, se reporter au cahier couleur.

BANGKOK (KRUNG THEP) – กรุงเทพฯ

10 millions d'hab.

IND. TÉL. : 02

Deux chiffres qui parlent : l'agglomération regroupe 10 % de la population du pays et 90 % des voitures immatriculées dans le royaume. Résultat : Bangkok est perçue au premier abord comme une ville-champignon exténuante où la circulation est chaotique et la pollution préoccupante. Notons aussi que cette ville bâtie sur des terres cernées de canaux s'est affaissée de 2 m en 10 ans. Les habitants y voient une manifestation des esprits qui se vengent ! Malgré ces problèmes qui s'aggravent, quelques endroits tranquilles subsistent au cœur de ce tumulte urbain. Après la frénésie d'immeubles toujours

KRUNG THEP, ÇA SUFFIRA !

Les Thaïs utilisent plus couramment Krung Thep, « cité des anges », que le mot Bangkok. Le nom complet de la ville est le plus long du monde : Krung Thep Maha Nakhorn Amon Rattanakosin Mhindrayttthaya Mahadilokrop Noparatana Rajdhani Buriram Udon Rajnivet Mahasatan Amorn Pimarn Avatarn Satit... Ce qui signifie : « grande cité des anges, autel suprême des joyaux divins, forteresse invincible, vaste et sublime royaume, capitale royale et sans pareille des neuf nobles joyaux, demeure magnanime du monarque », etc. Pas de panique, Krung Thep suffira !

plus hauts, les responsables politiques s'efforcent de réguler la circulation urbaine, mais sans se préoccuper d'une quelconque esthétique urbanistique. La ville s'est équipée d'un vaste réseau d'autoroutes urbaines suspendues au-dessus des immeubles, ainsi que d'un métro aérien – le *Skytrain* – qui est relié au réseau souterrain. Que du béton massif qui défigure le paysage ! D'ici 2010, trois nouvelles lignes sont en prévision.

Malgré ces aspects démotivants, Bangkok est une étape pratiquement obligatoire, qui recèle quelques pépites : des temples superbes, un musée de premier plan, des quartiers grouillant de vie, des marchés couverts, des coins bucoliques à découvrir en barque, des centres commerciaux modernes où l'on peut faire de bonnes affaires, des restaurants pour tous les goûts et une vie nocturne animée. Tout cela compense la chaleur, la poussière et le bruit de la journée.

UN PEU D'HISTOIRE

En 1782, la dynastie des Chakri est fondée par le roi Râma Ier qui transfère sa capitale de Thonburi à Bangkok, de l'autre côté de la rivière *Chao Phraya*. En fait, Bangkok existait déjà depuis pas mal de temps comme village de pêcheurs et les marchands européens y faisaient escale avant de rejoindre la capitale précédente, *Ayutthaya.* L'émergence de Bangkok se produit au XVIIIe s, lors des invasions du royaume de Siam par les Birmans qui avaient conquis *Chiang Mai* et détruit *Ayutthaya.* Les Thaïlandais ont ensuite chassé les envahisseurs et ont transféré leur capitale à Thonburi en 1767.

Le désir de Râma Ier était de voir la rivière couler au milieu de sa ville, pour pouvoir, en cas de nouvelle attaque birmane, être protégé par une barrière naturelle et disposer d'un moyen de fuite rapide. Le site choisi est une île enserrée dans une boucle de la rivière et fermée à l'est par des canaux. L'île est appelée *Rattanakosin* (« demeure du bouddha d'émeraude »), qui accueille un des premiers temples ainsi que la résidence royale, le tout cerné d'une muraille crénelée. À cette époque, comme dans l'antique cité d'*Ayutthaya* la lacustre, les déplacements se font par voies d'eau et canaux (les fameux *khlong*). Aujourd'hui encore, c'est en parcourant cette voie royale et aquatique que l'on peut le mieux ressentir l'histoire de Bangkok. Les premières rues ne sont tracées que dans la deuxième moitié du XIXe s et le tramway circule en 1883. Au début du XXe s, Bangkok compte 100 000 habitants. En un siècle, ce nombre a été multiplié par cent !

TOPOGRAPHIE

Plus de 10 millions d'habitants donc : Bangkok est une ville immense ! Les distances sont gigantesques et les temps de parcours élevés. Embouteillages aux heures de pointe comme aux heures normales, difficile de voir la différence. La partie la plus intéressante de la ville est située aux abords de la **rivière Chao Phraya,** où l'on trouve le Musée national, le Grand Palais, les temples... Par chance, c'est là que se situe le quartier des petits hôtels bon marché, le tout relié par un système de bateaux bien organisé.

Chinatown est en plein centre. Au sud de Râma IV Road s'étendent Surawong et Silom Roads, qui aboutissent sur Thanon Charoen Krung (New Road). Tout ce quartier concentre une partie de l'animation de la ville. Sukhumvit est aussi un axe important : hôtels, *shopping centers* et beaucoup de restos...

La partie ouest de la rivière, **Thonburi,** construite bien avant Bangkok, conserve la plupart de ses canaux (qui ont tous été couverts à l'est). L'exploration de ces *khlong* en barque est recommandée. C'est l'ancien Bangkok, au visage rural.

Conseil : à Bangkok, les adresses comportent souvent le nom de la rue, suivi d'un numéro de *soi.* Le *soi* est une petite rue perpendiculaire à une grande artère. Il faut donc se repérer par rapport à cette dernière, puis chercher le bon *soi.* Comme chez nous, *soi* pairs et *soi* impairs se partagent les deux côtés de la chaussée.

UNE VILLE EN SURSIS ?

Aux côtés de Canton, New York, Calcutta, Shanghai, Bombay, Tokyo et Hong Kong, Bangkok figure sur la liste peu enviable des villes les plus exposées aux conséquences d'un changement climatique et d'une montée des eaux. Un rapport de l'OCDE révèle que le réchauffement de notre planète couplé à l'urbanisation extensive pourraient entraîner un triplement du nombre de personnes exposées aux inondations côtières d'ici 2070 : 150 millions, contre 40 millions actuellement. L'impact financier décuplerait d'ici là, passant de 3 000 milliards de dollars à 35 000 milliards. Dans leurs estimations de l'impact de la fonte des calottes glaciaires, les chercheurs se sont fondés sur une élévation moyenne du niveau des mers de 0,5 m.

La moitié de la population exposée à des inondations provoquées par des marées de tempête et les vents violents est concentrée dans seulement dix grandes villes dont Bangkok, hélas, fait partie.

Arrivée à l'aéroport

✈ *Aéroport international Suvarnabhumi* – ท่าอากาศยานสุวรรณภูมิ *(hors plan couleur I par D1) : à 35 km à l'est de la ville. ● bangkokairportonline.com ● Infos générales par opérateur :* ☎ *132-00-00. Départs :* ☎ *132-93-24. Arrivées :* ☎ *132-93-28. Pour tt autre rens :*

☎ *132-38-88*. Un aéroport flambant neuf, dont les fondations sur marais asséchés poseraient quelques problèmes... On trouve des bureaux de change et des distributeurs de billets à foison.

– Niveau 1 : taxis publics et parkings.
– Niveau 2 : hall des arrivées internationales et domestiques ; consigne ouverte tous les jours 24h/24. Prix : 100 Bts/j. (2 €) et par bagage, tarifs dégressifs. Service limousine 800-1 000 Bts (8-10 €) pour gagner Sukhumvit ou Khao San. Office de tourisme (TAT). Stands AIS et DTAC pour la location de portables et achats de cartes SIM (voir « Téléphone et télécoms » dans « Thaïlande utile »). **Attention !** Même si les prix semblent attractifs, évitez tous les rabatteurs dans le hall des arrivées, vous risquez de payer 4 à 5 fois les prix normaux ! Filez droit dehors !
– Niveau 3 : restos, dispensaire médical *(lun-ven 5h-20h ; sam et dim 24h/24)* et pharmacie.
– Niveau 4 : départs (à gauche, les vols domestiques, à droite, les vols internationaux) ; bureaux *Thai Airways* (☎ *132-00-40*), *Bangkok Airways* (☎ *132-00-41*), *PB Air* (☎ *132-00-41*), *Air Asia* (☎ *132-00-45*), *Nok Air* (☎ *132-00-45*).
➢ *Rejoindre le centre-ville de Bangkok :* en voiture, compter 1h-1h30 selon le trafic. L'aéroport sera bientôt connecté par voie ferrée à la gare centrale ; une station est en construction avant Prachin Buri sur la ligne d'Aranyaprathet. Le trajet durera environ 2h et le coût en 3ᵉ classe sera inférieur à 50 Bts (1 €).

Pour les vols *low-cost*

✈ *Les vols* low-cost *et intérieurs se font depuis l'ancien aéroport de Don Muang (à 24 km au nord de la ville et à 50 km de l'aéroport international ;* ☎ *535-12-77 et 535-11-92)*. Renseignez-vous bien avant le départ ou l'arrivée. Principales compagnies *low-cost* : *PB Air* ou *Air Asia* (voir coordonnées plus haut). Le bus public n° 554 permet d'y arriver depuis l'aéroport international. En minibus privé, compter 300 Bts (30 €). Attention, pas de consignes à bagages.

Moyens de gagner la ville

Avant que le *Airport Link* ne soit mis en service fin 2009 *(plan couleur II, E6)* voici les moyens les plus efficaces.

Airport Bus Express

Il s'agit de 4 lignes de bus climatisés avec espace à bagages, assez économiques (environ 150 Bts, soit 3 €) et très pratiques, opérant de 5h à minuit. Renseignements au niveau 1, porte 8, « Airport Bus Counter ». Passages toutes les 30 mn. En fonction du trafic, compter 2 bonnes heures de trajet. Le *bus AE1* (*A* pour *Airport*) se rend dans le quartier de Silom. Si vous allez vers Khao San Road, grimpez dans le *bus AE2* et descendez au terminus. La zone Sukhumvit et l'*Eastern Bus Terminal* sont desservis par le *bus AE3.* Pour vous rendre à la gare centrale de Hua Lamphong (terminus), prenez le *bus AE4.*

Public bus

De très loin le moyen le moins cher (autour de 35 Bts, soit 0,70 € !). Un peu plus cher si vous optez pour l'option « van » (40-50 Bts, soit 0,80-1 €), plus confortable. Gagner le *Public Transportation Center* gratuitement depuis les niveaux 2 ou 4 aux portes 3, 6 et 9 (grands panneaux totémiques) en 10 mn. 24h/24. Durée du trajet pour le centre-ville : 2h30 ; beaucoup plus s'il pleut.
Si vous allez vers Khao San Road, prenez le *n° 553* et descendez à *Democracy Monument.* Le bus *n° 552* conduit à la station de *Skytrain On Nut* (au sud-est de Sukhumvit Road ; hôtels « plus chic ») et à l'*Eastern Bus Terminal.* Le bus *n° 551* passe à proximité du *Northern Bus Terminal* et du Victory Monument. Pour gagner le Southern Bus Terminal, prenez le bus *n° 556.* Attention : les bus publics sont vraiment bondés le matin avant 10h et le soir jusqu'à 20h. Les autochtones voient d'un œil moyennement accueillant la flopée de routards avec sac à dos qui envahissent l'espace.

Comptoir des taxis

Au niveau 1. Le montant de la course est fixé au départ, comptez 250-350 Bts (5-7 €), en fonction de la distance ; ajoutez à cela 50 Bts (1 €) pour le chauffeur et si vous décidez d'emprunter l'autoroute urbaine, ce qui évite pas mal d'embouteillages, le péage est à votre charge, 20-50 Bts (0,40-1 €). Essayez de vous grouper : les taxis acceptent 4 passagers, à condition de ne pas avoir de paquetages trop encombrants. Comptez alors une bonne heure de trajet. Sachez que les vrais taxis ont tous des plaques jaunes.

Thai Limousine Service

Au niveau 2. ☎ 08-1652-44-44. Très cher : 700-2 400 Bts (14-48 €). Berlines grand luxe, climatisées, qui vous déposeront devant l'hôtel de votre choix. À éviter, sauf si vous êtes surchargé de bagages.

Adresses utiles

Informations touristiques

🛈 *TAT (Tourism Authority of Thailand – ท.ท.ท.การท่องเที่ยวแห่งประเทศไทย ; plan couleur I, B2) :* 4 Thanon Ratchadamnoen Nok. ☎ 16-72 (8h-20h). • *tourismthailand.org* • *Central, à côté de l'une des 2 grandes salles de boxe. Tlj 8h30-16h30.* Nombreux prospectus utiles et brochures intéressantes, dont *Eating in Bangkok.* Pensez aussi à leur demander les nos de bus pour les monuments que vous voulez visiter ainsi que tous les horaires de trains et bus pour toutes les directions. Possède aussi la liste des hôtels, services de santé, compagnies aériennes... Accueil tout à fait correct.
🛈 *BTD (Bangkok Tourist Division ; plan couleur I et III, A2) :* 17/1 Phra Athit Rd. ☎ 225-76-12. Fax : 225-76-16. • *bangkoktourist.com* • *À 5 mn du Musée national. Tlj 9h-19h.* Pas très utile. Organise des tours à vélo dans le quartier de Thonburi, des sorties en bateau et des visites de la ville.
– *Également sur Thanon Chakrapongse, à proximité de Khao San Rd (plan couleur III, A2) :* ☎ 225-76-12. *Lun-sam 9h-17h.* Cartes de la ville,

horaires de train et de bus affichés. Un peu plus utile, quoique...

■ *Police touristique* – ตำรวจท่องเที่ยว *(plan couleur II, F7)* : *2170 Bangkok Tower Building, New Petchaburi Rd.*

☎ *11-55 ou 308-09-34.* Un interprète français peut vous aider dans vos démarches administratives en cas de vol, agression, etc. Tout ce qu'on ne vous souhaite pas !

Agendas culturels et sites pratiques

Les francophones ont leur magazine pour le Sud-Est asiatique : *Gavroche.* Disponible à l'Alliance française (entre autres). Plein d'infos et de tuyaux pour vivre à l'heure de Bangkok. On vous signale aussi que Nancy Chandler publie son *Map of Bangkok,* drôle et plein de bons conseils, tout comme ses *Map of Chinatown, Map of Suan Luam Market* et *Map of Chatuchak Market.* Disponibles dans toutes les librairies et les magasins de souvenirs. Également quelques magazines gratuits, comme *BK Magazine.* Offre pas mal d'infos concernant les nouvelles tendances gastronomiques, les coins pour sortir, les concerts, etc. Enfin, un petit guide pas mal, *Bangkok 101* (payant), disponible dans les librairies.

● *thaiwaysmagazine.com* ● Des plans détaillés, des infos, des tuyaux.
● *thailandemuseum.com* ● Quelques infos sur les musées.

Représentations diplomatiques

D'une manière générale, pour toute demande de visa, munissez-vous de votre passeport, d'une copie de ce dernier, de 2 photos d'identité et d'un peu de patience. Toutes les coordonnées sur ● *mfa.go.th* ●

■ *Ambassade de France* – สถานทูตฝรั่งเศส *(plan couleur I, C4, 1)* : *35 Soi Rong Phasi Kao* – อยู่โรงภาษีเก่า, *36 Charoen Krung* – ถนนเจริญกรุง. ☎ *657-51-00. Fax : 657-51-11.* ● *amba france-th.org* ● *Lun-ven 8h30-17h30 (16h30 ven). Au-delà de ces horaires, un répondeur communique le n° de téléphone de l'agent de permanence. Également une section consulaire, sur le même site.* ☎ *657-51-51. Fax : 657-51-55. Ouv au public 8h30-12h.* En cas d'urgence, la nuit ou les jours fériés, on vous communique le n° de l'agent de permanence. La section consulaire peut, en cas de difficultés financières, vous indiquer la meilleure solution pour que des proches vous fassent parvenir de l'argent, et vous conseiller en cas de problème.

■ *Ambassade de Belgique* – สถานทูตเบลเยี่ยม *(plan couleur I, D4, 3)* : *Sathorn City Tower* – ตึกสาธรซิตี้, *17ᵉ étage, 175 South Sathorn Rd* – ถนนสาธรใต้. ☎ *679-54-54.* ● *http://diplomatie.be/bangkok* ● *Lun-ven 8h-12h.*

■ *Ambassade de Suisse* – สถานทูตสวิส *(plan couleur I, D3, 4)* : *35 Wireless Rd.* ☎ *253-01-56 ou 60.* ● *http:// swissembassy.or.th* ● *Lun-ven 9h-11h30.*

■ *Ambassade du Canada* – สถานทูตแคนาดา *(plan couleur I, D4)* : *Abdulrahim Place Building, 15ᵉ étage, 990 Râma IV Rd.* ☎ *636-05-40.* ● *http:// international.gc.ca/bangkok* ● *Lun-jeu 7h30-16h15 ; ven 7h30-13h.*

■ *Ambassade du Myanmar (ex-Birmanie)* – สถานทูตพม่า *(plan couleur I, C4)* : *132 Sathorn Nua Rd* – ถนนสาธรเหนือ. ☎ *234-47-89.* ● *mebkk@asianet.co.th* ● *En face de l'hôpital Saint-Louis. Lun-ven 8h30-12h, 13h-15h.* Coût du visa : 810 Bts (16,20 €). Validité : 30 jours. Délivré sous 2 jours.

■ *Ambassade du Laos* – สถานทูตลาว *(hors plan couleur II, par F5)* : *Pracha-Uthit Rd, 520-502/1-3 Soi Sahakarnpramoon. Pour s'y rendre, mieux vaut prendre un taxi (300 Bts, soit 6 €).* ☎ *536-36-42 et 539-73-41.* ● *http://bkklao embassy.com* ● *Lun-ven 8h-12h, 13h-*

16h. Coût du visa : 1 650 Bts (33 €). Validité : 1 mois. Si vous demandez le visa à un poste frontière, la validité du visa laotien n'est que de 15 jours (coût : 30 €). Dans ce cas, il est renouvelable à Vientiane, la capitale du Laos, pour 15 autres jours.

■ *Ambassade du Cambodge* – สถานทูตกัมพูชา *(hors plan couleur II, F5)* : 518/4 Pracha Uthit Rd (Soi Ram-kamhaeng 39). Pour s'y rendre, mieux vaut prendre un taxi (300 Bts, soit 6 €). ☎ *957-58-51. Lun-ven 9h-12h.* Coût : 1 100 Bts (22 €). Fait en 30 mn. Validité : 1 mois. Mais vous pouvez l'obtenir à Phnom Penh ou à Siem Reap sans problème.

■ *Ambassade du Vietnam* – สถานทูตเวียดนาม *(plan couleur I, D3)* : 83 Witthayu Rd – ถ. วิทยุ. ☎ *251-58-36 ou 251-72-02.* ● *vnemb.th@mofa.gov. vn* ● *Lun-ven 8h30-11h30, 13h30-16h30.* Coût du visa : 2 700 Bts (54 €). Validité : 1 mois. Délivré en 2 jours. Le visa est moins cher dans les boutiques de Khao San qu'à l'ambassade !

■ *Ambassade d'Indonésie* – สถานทูต

คอินโคนีเชีย *(plan couleur I, D2)* : 600-602 Petchaburi Rd – ถนนเพชรบุรี. ☎ *252-31-35.* ● *kbri-bangkok.com* ● *Lun-ven 8h-12h et 13h-16h.* Compter 3 jours d'attente pour l'obtention du visa. Coût : 950 Bts (19 €). Validité : 1 mois. On peut se le procurer sur place également.

■ *Ambassade de Malaisie* – สถานทูตมาเลเชีย *(plan couleur I, D4)* : dans le coin de l'Alliance française, 33-35 Sathorn Tai Rd. ☎ *679-21-90.* ● *mal bangkok@kln.gov.my* ● *Lun-jeu 8h15-12h, 12h45-16h ; ven 8h15-11h30, 14h-16h.*

■ *Ambassade de l'Inde* – สถานทูตอินเดีย *(plan couleur II, F7)* : 46 Soi Pra-sanmitr – ซอยประสานมิตร, 23 Sukhumvit Rd. ☎ *258-03-00.* ● *http://embas syofindia-bangkok.org* ● *Lun-ven 8h30-13h, 13h30-17h.* Coût du visa : 2 100 Bts (42 €). Une semaine d'attente.

■ *Ambassade de Singapour* – สถานทูตสิงคโปร์ *(plan couleur I, C4)* : 129 South Sathorn Rd. ☎ *286-21-11.* ● *in gemb@pacific.net.th* ● *Lun-ven 9h-12h, 13h-17h.*

Services

✉ *General Post Office* – ไปรษณีย์กลาง *(GPO ; plan couleur I, C4)* : Charoen Krung Rd (ou New Rd) ; près de l'ambassade de France. ☎ *234-95-30. Lun-ven 8h-20h ; w-e et j. fériés 8h-13h.* Possibilité d'envoyer des paquets vers l'Europe. Très bien organisé. On vous fournit les boîtes (pas cher) et le ruban adhésif. Prix élevé par avion et vraiment modique par mer. Une solution pour éviter la surcharge de bagages en avion.

✉ *Banglampoo Post Office* – ที่ทำการไปรษณีย์บางลำพู *(plan couleur III, B2)* : un autre bureau de poste, situé à proximité de Khao San Rd. ☎ *282-24-81. Lun-ven 8h30-17h ; sam 9h-12h. Fermé dim.* Bien pratique si on loge dans le coin...

■ *Téléphone : dans l'immeuble à gauche en sortant de la General Post Office. Possibilité d'appeler l'international tlj

7h-10h.* Vente de cartes de téléphone pour appeler sur place. De nombreuses cabines disséminées partout en ville. Service Internet cher. Autrement, procurez-vous les cartes *Lenso* dans les boutiques *7/Eleven* (300 ou 500 Bts, 6 à 10 €), pratiques, utilisables dans les cabines jaunes devant les boutiques susdites. D'autres cartes (TOT, True), utilisables dans les autres cabines.

◎ *Internet :* les kiosques et petites boutiques proposant des accès Internet ne cessent de s'ouvrir dans tout Bangkok. Grosse concentration dans Khao San Road, notamment.

■ *Service de l'Immigration* – สำนักงานตรวจคนเข้าเมือง *(plan couleur I, D4, 6)* : à 10 mn de marche de South Sathorn Rd. New Building Immigration Bureau, 507 Soi Suanphlu – ซอยสวนพลู. ☎ *287-31-01.* ● *http://bangkok.immigra*

BANGKOK

tion.go.th ● *Lun-ven 8h30-16h30 ; sam 8h30-12h.* Y aller plutôt le matin. Pour vos démarches d'extension de visa. Compter 1 900 Bts (38 €) pour un renouvellement de 30 jours. Venir avec les photocopies du passeport et de votre formulaire d'entrée (téléchargeable sur le site internet) dans le royaume et 2 photos. Et prévoyez du temps pour faire la queue !

Culture

■ *Alliance française* – สมาคมฝรั่งเศส *(plan couleur I, D4, 2)* : 29 Sathorn Tai Rd – ถนนสาธรใต้. ☎ 670-42-00. Fax : 670-42-71. ● alliance-francaise.or.th ● *Lun-sam 8h-18h15.* On y rencontre des Thaïlandais parlant le français et des Français qui y apprennent le thaï. Cours trimestriels ou particuliers. Films en français le samedi à 17h15. On y trouve aussi *Gavroche,* le magazine des Français de Bangkok, et une cafet' (voir « Où manger ? Vers Si Iou Road et Patpong ») pour grignoter quelques pâtisseries.

■ *Carnets d'Asie :* dans l'enceinte de l'Alliance française. Même adresse, voir ci-dessus. ☎ 670-42-80. Plus de 60 m^2 et 6 000 ouvrages pour un concentré de culture française et des ouvrages sur l'Asie du Sud-est, la Thaïlande et Bangkok en particulier. Idéal avant d'aller grignoter un bout, un bouquin en main au *Café 1912* voisin.

■ *Librairie du Siam (plan couleur I, D2)* : 645/42-43 Petchaburi Rd. ☎ 251-02-25 ou 252-02-99. Fax : 255-42-22. Des livres de collection, des originaux, d'autres introuvables en France : tout ce que vous rêviez de découvrir sur l'Asie (surtout du Sud-Est), rangé par pays. Bel espace de lecture. Un havre de paix à deux pas de l'agitation des grands centres commerciaux. Accueil en français.

■ *Aporia Books (plan couleur III, B2)* : 131 Thanon Tanao (à gauche en sortant de Khao San Rd). ☎ 629-21-29. Bon choix de livres et guides de voyage, majoritairement en anglais, romans en français au fond de la boutique.

Compagnies aériennes

■ *Air France – KLM* – สายการบินแอร์ฟรานซ์ *(plan couleur I, C4, 7)* : Vorawat Building (20e étage), 849 Silom Rd – ถนนสีลม. ☎ 635-11-99 (Air France) ou 635-23-00 (KLM). Fax : 635-11-89. *Lun-ven 8h30-17h.*

■ *Thai Airways International* – สายการบินไทย *(plan couleur I, B2, 8)* : 6 Thanon Lan Luang – ถนนหลานหลวง. Légèrement en retrait, le bâtiment n'est pas directement visible. Résa : ☎ 280-00-60 ou 628-20-00. Fax : 280-07-35.

■ *Bangkok Airways* – สายการบินบางกอกแอร์เวย์ *(hors plan couleur I par D1)* : 99 Moo, 14 Viphavadee Rangsit Rd. ☎ 265-56-78. Vols quotidiens pour Ko Samui, Phuket, Sukhothai et Chiang Mai.

■ *Air Asia :* slt par téléphone, ☎ 515-99-99. ● airasia.com ●

■ *Air Canada* – สายการบินคานเนเดียน *(plan couleur I, D3)* : 130-132 Sindhorn Building, Tour 3, Witthayu Rd. ☎ 253-02-60.

■ *Swiss Airlines* – สายการบินสวิส *(plan couleur I, D4)* : Abdulrahim Place Building (21e étage), 990 Râma IV Rd. ☎ 636-21-60.

■ *Lufthansa* – สายการบินลุ๊ฟทันซ่า *(plan couleur II, E7)* : Q House Asoke Building (18e étage), 66 Soi 21, Sukhumvit Rd. ☎ 264-24-00. *Lun-ven 8h30-12h, 13h-17h.*

■ *Alitalia* – สายการบินอิตาเลีย *(plan couleur I, C4)* : SPP Tower 3 (15e étage), 88 Silom Rd. ☎ 634-18-00.

■ *Emirates* – สายการบินเอมิเรทส์ *(plan couleur II, F7)* : BB Building (2e étage), 54 Soi 21, Sukhumvit Rd. ☎ 664-10-40.

■ *Gulf Air* – สายการบินกัลฟ์แอร์ *(plan couleur I, D3)* : Maneeya Center Buil-

ding (12ᵉ étage), 518/5 Phloen Chit Rd.
☎ 254-79-31.
■ _**Air India** – สายการบินแอร์อินเดีย
(plan couleur II, E7) : 1 Pacific Building
(18ᵉ étage), Sukhumvit Rd, entre les Soi
4 et 6._ ☎ 653-22-88.
■ _**Malaysia Airlines** – สายการบินมา_

เลเซีย _(plan couleur I, D3) : Phloen Chit
Tower (20ᵉ étage), 898 Phloen Chit Rd._
☎ 263-05-65.
■ _**Singapore Airlines** – สายการบินสิ
งคโปร์ (plan couleur I, D4) : Silom
Center (12ᵉ étage), 2 Silom Rd._ ☎ 353-
60-00.

Santé

■ _**Bangkok International Hospital**
(plan couleur II, F6) : 2 Soi Soonvijai 7,
New Petchaburi Rd._ ☎ 310-31-01 ou
02. En cas d'urgence, des traducteurs
sont mis à votre disposition. Un des
hôpitaux les plus compétents de la ville.

Banques

À Bangkok, on peut se procurer des _bahts_ très facilement, avec de l'argent liquide,
des chèques de voyage et toutes les cartes de paiement possibles. Les banques
ouvrent généralement du lundi au vendredi de 8h30 à 15h30. En cas de fermeture,
il suffit de s'adresser aux kiosques de change qui pullulent dans tous les coins
touristiques (au moins une dizaine rien que sur Khao San Road). La plupart d'entre
eux ferment entre 20h et 22h. ATM 24h/24 à l'extérieur ; les banques en sont pratiquement toutes équipées (attention, commission bancaire élevée).

■ _**Bureaux de change :** à la gare, à
l'aéroport. Nombreux kiosques sur
Sukhumvit, Silom, Khao San Rd... et
puis dans les grands hôtels. Mais à n'utiliser qu'en dernier recours car le taux de_
change est extrêmement défavorable.
■ _**Perte et vol :** reportez-vous à la rubrique « Argent, banques, change » dans
« Thaïlande utile » en début de guide._

Agences de voyages

Certaines agences de Khao San Road ou près de la gare centrale ont vraiment
mauvaise réputation, des lecteurs nous ont signalé des entourloupes ; prudence
de mise. Quoi qu'il arrive, occupez-vous personnellement de l'obtention de vos
visas (voir plus haut). Voici les agences les plus compétentes :

■ _**Compagnie générale du Siam** (plan
couleur I, D2) : 645/42-43 Petchaburi
Rd._ ☎ 251-02-25 ou 252-02-99. Fax :
255-42-22. ● _cgsiam@cgsiam.com ●
À 10 mn de marche de la station Ratcha-
thewi, face à l'ambassade d'Indonésie.
Entrée au niveau du 645/17, en arrière-
cour. Voyage à la carte, du sur mesure.
Accueil souriant dans un français parfait. Jetez un œil à la charmante Librairie du Siam au rez-de-chaussée._
■ _**July Travel** – บริษัทจูไลแทรเวล (plan
couleur II, E7) : 20/15-17 Sukhumvit Rd,
Soi 4._ ☎ 656-76-79 et 85. Fax : 656-76-
75. ● _julytravel.co.th ● Le correspondant de Nouvelles Frontières. Ils organi-_
sent des circuits pour groupes et en
individuel. Accueil agréable.
■ _**East West Siam** – บริษัทอีสเวสท์
สยาม (plan couleur I, D3) : 183 Regent
House (15ᵉ étage), Ratchadamri Rd._
☎ 651-91-01. Fax : 651-97-66. ● _east-
west.com ●_ Propose des croisières très
cadrées sur le Chao Phraya et le
Mékong. Demander les prix incluant les
transits et les nuits supplémentaires.
Achat de billets pour le Myanmar (ex-
Birmanie), la Malaisie, Hong Kong...
Bonne qualité des prestations. Accueil
en français.
■ _**Turismo Asia** – บริษัททูริสโมไทย
(plan couleur I, D2) : 511 Soi 6, Sri Ayut-_

thaya Rd. ☎ 245-15-51. Fax : 246-39-93. ● turismoasia.com ● Le correspondant de *Voyageurs en Asie du Sud-Est*, de *Maison de l'Indochine* et de bien d'autres encore... Réputée compétente et sérieuse, cette agence propose des séjours à la carte et des circuits classiques, en individuel ou en groupe. Toutes les gammes de prix.

Les transports à Bangkok

L'efficacité thaïlandaise en matière de transports en commun se retrouve à Bangkok. La ville est immense et il est pratiquement impossible de se déplacer à pied. Le plus important est de se munir d'une carte détaillée de la ville pour connaître les itinéraires des bus et métros, ou préciser sa destination aux chauffeurs de taxis, *tuk-tuk* et motos-taxis.

– **Les taxis :** il en existe 2 sortes : le *taxi-meter* et le *taxi* tout court. Préférer le premier qui possède un compteur qui fonctionne. Si, si ! Fini les interminables négociations ! Certains refusent toujours de se plier à la règle pour vous déposer dans une boutique où ils touchent une commission supérieure au prix de la course, même si vous n'achetez rien ! Surtout ne pas céder et toujours bien demander *by meter.* Prise en charge de 35 Bts (0,70 €) incluant les deux premiers kilomètres, puis le compteur grimpe lentement. Le taxi s'avère beaucoup plus économique que le *tuk-tuk,* à condition que votre chauffeur ne se prenne pas pour un guide touristique et ne vous promène. Soyez ferme.

– **Les tuk-tuk :** c'est le grand truc à Bangkok. Sorte de scooter à trois roues décoré soigneusement, avec banquette à l'arrière. De véritables bolides pilotés par des jeunes intrépides qui manipulent leur engin avec dextérité, ce qui n'empêche nullement les fesses de se serrer et les frissons d'envahir la nuque ! Le prix d'une course varie selon la distance et surtout selon votre talent de négociateur ! Par exemple, entre Khao San et Patpong, compter environ 80 Bts (1,60 €). Attention, les chauffeurs essaient d'abuser les étrangers ! Ils prétendent souvent que tel ou tel monument est fermé, ou que le trafic est trop intense... pour vous entraîner dans des magasins où ils perçoivent des commissions. Refusez ! Et n'hésitez pas à casser les prix de 50 % au moins. Sachez aussi que votre conducteur de *tuk-tuk* ne comprend que quelques mots d'anglais ; lui indiquer le nom d'un grand hôtel proche de la destination (voir sur votre carte), et le faire répéter, sinon il vous baladera gentiment avant de vous déposer où bon lui semble en vous disant que c'est là ! Gare au *tuk-tuk* qui rend toc-toc. Enfin, s'il se prend un peu trop pour l'as du guidon, hurlez : « *chéa-chéa !* » (ça signifie « doucement ! »). On le répète : ça revient souvent moins cher en taxi !

– **Les motos-taxis :** pour gagner du temps dans les embouteillages (monstrueux à Bangkok aux heures de pointe). Vraiment moins chères que les taxis. Mais ce sont de vrais fous du guidon. À éviter.

– **Les bus :** devant la flambée des prix des *tuk-tuk,* ça vaut vraiment la peine d'envisager cette solution... Ils fonctionnent jusqu'à 22h en général. Le réseau est dense et les lignes sont étendues, le tout pour un prix dérisoire (les fauchés apprécieront !). Beaucoup de touristes paniquent à l'idée de prendre le bus. Il n'y a pas de raison ! Attention simplement à la spécialité du coin : la découpe des sacs au rasoir. Il existe deux sortes de bus : avec air conditionné *(AC)* et sans air conditionné *(non AC)*. Les bus AC sont un peu moins bondés aux heures de pointe que les autres, mais ils sont plus chers. Pas bien difficile de se diriger avec une carte indiquant tous les parcours. Mais d'une manière générale, bien se faire confirmer par le conducteur ou les passagers la destination souhaitée (en thaï). Si vous êtes à Bangkok pour 2 ou 3 semaines, ça vaut le coup. Mais pour 3 ou 4 jours, on déconseille carrément, car la perte de temps est un vrai inconvénient.

– **Les bateaux :** un moyen de transport bien pratique pour rallier certains coins de la ville et qui échappe aux embouteillages. Il en existe plusieurs sortes :

➢ *Chao Phraya River Express :* il s'agit de grosses embarcations qui montent et descendent la voie d'eau qui sert d'artère principale à la ville. Un peu comme le Grand Canal à Venise en somme, mais en plus large. Elles desservent les deux rives, en zigzaguant de l'une à l'autre. Pratique, pas cher et rapide. Fonctionnent de 6h à 19h environ. Tarifs en fonction de la distance parcourue de 90 à 270 Bts (1,80 à 5,40 €). Beaucoup de monde aux heures de pointe. Les principaux embarcadères fonctionnent comme des minigares, avec toilettes et boutiques.

Tous les noms des arrêts commencent par Tha (Tha Oriental, Tha Chang...). Un truc pour vous repérer : les bateaux sans drapeau desservent tous les embarcadères, comme des omnibus, leur parcours est donc plus lent ; ceux avec drapeau jaune ou orange ne desservent que quelques arrêts seulement. Bien examiner le plan. Le bateau s'arrête tout près de nombreux sites, comme le Wat Arun et le Grand Palais. Indiquez votre destination au vendeur de tickets, car le conducteur ne respecte pas systématiquement tous les arrêts. Aux embarcadères, certains pontons sont réservés aux bateaux privés qui transportent les groupes de touristes. Suivez les flux des locaux et n'hésitez pas à interroger vos voisins à l'aide du plan.

➢ *Chao Phraya Tourist Boat :* quasi les mêmes vedettes que le *River Express,* mais qui s'arrêtent aux points les plus touristiques de la ville (*Rachawongse Pier* pour Chinatown, *Tha Chang* pour le Grand Palais et le Wat Prah Kaeo, *Banglampoo Pier* pour Khao San Road, etc.). Embarcations nickel, commentaires (en anglais) à bord, miniguide et petite bouteille d'eau offerts. Comme sur la Seine ! Forfait fluvial par personne à la journée de 100 Bts (2 €) avec circulation illimitée toute la journée de 9h à 15h. Achat dans les *BTS Tourist Info* ou au *Central Pier,* près de l'*Oriental Hotel* (Ⓜ (Skytrain) *Saphan Taksin).*

Reste qu'il s'agit d'un moyen de transport un peu cher. Parfait pour les routards pressés et avides de vite découvrir les points forts de la « cité des anges » ! Les autres prendront le *River Express,* meilleur marché. Organise aussi des sorties à la journée à Ayutthaya et des croisières-repas un peu folkloriques en soirée.

➢ *Ferries :* ces bateaux ressemblent un peu aux *River Express* mais se contentent de traverser la rivière d'une rive à l'autre. On achète son ticket (pour une somme symbolique) à un guichet avant d'embarquer (il y a souvent un tourniquet, pour ne pas confondre avec les autres embarcadères). Attention, des particuliers trompent les touristes pour faire prendre leur bateau plutôt que ceux des lignes régulières. Évidemment, c'est bien plus cher ! Les arrêts sont les mêmes que ceux des Chao Phraya River Express, ou juste à côté. Ils font constamment l'aller-retour.

➢ *Long-tail boats* (les bateaux « longue-queue ») : appelés ainsi à cause de la tige extrêmement longue qui relie le moteur à l'hélice. Ce sont des taxis privés au moteur souvent énorme, que les pilotes conduisent avec une étonnante habileté. À utiliser si vous désirez explorer les *khlong* (petits canaux) qui sillonnent Thonburi pour explorer une toute autre Bangkok.

Ne vous laissez pas impressionner par les types qui vous montrent des super albums de photos pour vous emmener sur les *khlong.* Allez plutôt négocier directement sur les bateaux, sans passer par les rabatteurs.

Pour les promenades sur les *khlong,* consultez la rubrique « À voir. À faire ».

– **Le Skytrain :** ● *bts.co.th* ● *Ouv 6h-minuit.* Les billets à l'unité coûtent de 15 à 40 Bts (0,30-0,80 €) et s'achètent directement aux automates. La carte pour la journée coûte 120 Bts (2,40 €) ; attention, sa validité expire à minuit le jour de l'achat.

Les cartes 10 voyages coûtent 250 Bts (5 €) ; d'autres forfaits proposent 20 et 30 voyages à 340 et 600 Bts (6,80 et 12 €) mais ne sont valables que pour une seule personne et pour une durée d'un mois ; réducs. Rapide, pratique et simple d'usage. C'est aussi un bon moyen de découvrir la mégapole d'en haut en survolant les embouteillages. Ce métro aérien flambant neuf compte pour le moment une vingtaine de stations sur 2 lignes. Les guichets ne servent qu'à faire de la monnaie et à acheter les cartes de voyage. La première ligne débute à proximité du Northern Bus Terminal (Mo Chit), frôle Victory Monument et Siam Square, avant de dévaler Sukhumvit Road en passant par l'Eastern Bus Terminal ; terminus près du Soi 77 (On Nut). Plus courte, la seconde commence au National Stadium, chevauche l'autre ligne (correspondance des deux à Siam) jusqu'au carrefour de Siam Square, puis tourne brusquement sur Ratchadamri Road avant d'enchaîner sur Silom et de bifurquer sur Sathorn ; terminus au King Taksi Bridge, près du fleuve (Saphan Taksin). On dit même qu'un jour le *Skytrain* atteindra l'aéroport, mais pour l'instant ce n'est pas encore le cas et ça traîne ! Par contre, l'*Airport Link* permettra de joindre la gare de Makkassan *(plan couleur II, E6)* à l'aéroport normalement fin 2009.
– *Le métro souterrain* *(voir le cahier couleur) :* ● *bangkokmetro.co.th* ● *Prix en fonction de la destination, de 14 à 40 Bts (0,30-0,80 €). Forfaits : 1 j. 120 Bts (2,40 €), 3 j. 300 Bts (6 €) et 1 mois 800 Bts (16 €).* Bien moins cher que le *Skytrain.* Les billets cumulés avec le réseau aérien n'existent pas, dommage. Il relie le nord-est au sud-est et compte 18 stations. Il sera achevé vers 2010. Les stations les plus intéressantes : *Hua Lamphong* (la gare centrale de Bangkok), *Silom* (quartier commercial et correspondance avec le *Skytrain*), *Lumphini,* près du Suan Luam Night Market et des matchs de boxe, *Sukhumvit* (correspondance), l'une des plus grosses artères commerciales, avec quelques adresses pour dormir et pour sortir. *Petchaburi* et *Chatuchak* pour le marché du week-end (lire « À voir. À faire » plus loin) et le Northern Bus Terminal.

Où dormir ?

IMPORTANT : très peu de chauffeurs de *tuk-tuk* lisent notre alphabet. Donc, dès que vous arrivez dans un hôtel, demandez la carte de visite avec l'adresse en thaï et gardez-la à portée de main, elle vous servira souvent.

Dans les quartiers chinois, indien et près des temples – ย่านจีนและย่านอินเดีย ใกล้ๆ วัด *(plan couleur I)*

Bon marché (moins de 250 Bts – 5 €)

Le long de Chakraphet Road – ถนนจักรเพชร et dans les ruelles parallèles, à proximité de l'intersection avec le Soi Wanit 1 (Sampeng Lane) – ซอยสำเพ็ง, des quantités de *guesthouses* tenues par des Indiens, des Népalais ou des Pakistanais, et destinées aux hommes d'affaires de la péninsule. On se croirait parfois à Bombay, dépaysement garanti. En revanche, côté chambres, rien à voir avec les standards européens. Entretien négligé, pièces sombres et exiguës. Certaines *guesthouses* proposent néanmoins des chambres avec AC.

Prix moyens (de 400 à 720 Bts – 8 à 14,40 €)

🏠 *238 Guesthouse* – 238 เกสท์เฮ้าท์ *(plan couleur I, B3, 51) :* 238 Phahurat Rd. ☎ 623-92-87. ● *238guesthouse@ east-thai.com* ● *Dans le quartier indien* et des joailliers (de pacotille). Pas de petit déj. Internet payant. Un escalier en fer forgé vous conduit vers des chambres carrelées correctement tenues, claires et spacieuses. Enfin, demandez à voir quand même, y a quelques surprises parfois ! Quelques chambres avec clim'et sanitaires (attention, pas de papier toilettes dans certains cas). Super accueil du fils du patron.

🏠 **River View Guesthouse** – ริเวอร์ วิวเกสท์เฮ้าส์ (plan couleur I, B3, 52) : 768 Soi Panurangsi – ซอยภาณุรังษ์, Songwat Rd. ☎ 234-54-29. ● river view_bkk@hotmail.com ● Accès très pittoresque par des ruelles où sont installés grand nombre de ferrailleurs. Accessible aussi par le fleuve Chao Phraya, arrêt Tha Harbour Dept. Résa conseillée. Petit déj en sus. Ensemble sans charme particulier. Une des très rares guesthouses proposant des chambres avec vue sur le fleuve, mais seuls les 3 derniers étages bénéficient du panorama (les chambres les plus chic, et les plus chères aussi !). Une situation privilégiée qui se paie : et, par Bouddha, les prix sont loin d'être justifiés ! C'est juste propre... Chambres très inégales, avec ou sans douche, AC ou ventilo. L'aimable patronne affiche souvent complet. Resto panoramique au 8e étage, avec vue plongeante sur la vie du fleuve.

🏠 **New Empire Hotel** – นิวเอ็มไพร์โฮ เต็ล (plan couleur I, B3, 53) : 572 Yaowarat Rd – ถนนเยาวราช (près du temple Nat Traimitr). ☎ 234-69-90. ● newempire hotel.com ● Un brin à l'écart de l'agitation, hôtel classique, confortable et relativement bien tenu. Les chambres sont équipées en série d'AC et de salles d'eau. Vous aurez le choix entre les anciennes et celles dites « rénovées »... qui ont déjà bien vécu ! On vous conseille de choisir parmi celles des derniers étages, pour voir briller tous les feux de la « cité des anges », une fois la nuit venue. Accueil comme le hall : un peu froid.

De prix moyens à un peu plus chic (de 900 à 1 200 Bts – 18 à 24 €)

🏠 **China Town Hotel** – ไชน่าทาวน์โฮ เต็ล (plan couleur I, B3, 54) : 526 Yaowarat Rd. ☎ 225-02-03. ● chinatownho tel.co.th ● Petit déj inclus. Internet payant. Hôtel classique et agréable, en plein cœur de Chinatown. Chambres coquettes, avec salle de bains, TV et AC. Un peu vieillot, mais l'ensemble est particulièrement bien entretenu par un personnel cordial. Idéal pour ceux qui veulent profiter de la vie nocturne exceptionnelle et pittoresque du quartier (nombreux marchés, cantoches...).

🏠 **White Orchid Hotel** – ไวท์ออร์คิดโอ ยเต็ล (plan couleur I, B3, 55) : 409-421 Yaowarat Rd. ☎ 226-00-26. ● whi teorchidhotel@yahoo.com ● En plein cœur de Chinatown. Chambres standard offrant tout le confort d'un hôtel de semi-luxe (TV, AC et salle de bains individuelle). Les mini-standard, moins chères, n'ont pas de fenêtre. Bien vérifier la présence d'eau chaude dans votre chambre. Salle de prière au 11e étage, où se rassemble la communauté musulmane chinoise. Accueil un peu industriel.

De plus chic à beaucoup plus chic (de 2 800 à 4 700 Bts – 56 à 94 €)

🏠 **Arun Residence** (plan couleur I, A3, 44) : 36-38 Soi Pratu Nokyung, sur Maharat Rd. ☎ 221-91-58. ● arunresi dence.com ● Sur la berge, face au Wat Arun et derrière le Wat Pho. À deux pas de l'embarcadère Tha Tien. L'adresse de charme qu'on attendait. Tout près des temples (parfait pour y être les premiers aux aurores), une *boutique-hôtel* dans une ancienne demeure chinoise traditionnelle. Tout a été restauré, mais ouf ! les parquets grincent encore. Joli hall où vrouvroutent les ventilos, dans une atmosphère coloniale et rétro. Une poignée de chambres, avec ou sans mezzanine, TV, lecteur DVD, objets chinés. Coup de cœur pour la suite (parfaite aussi pour les familles). Toutes ont vue sur le Wat Arun... le soir, on se prendrait presque pour un descendant de la famille royale en son palais. Hélas, les chambres ont des cloisons un peu fines parfois. Excellent resto sur pilotis. Bar également.

Dans Khao San Road – ถนนข้าวสาร *(quartier de Banglampoo –* ย่านบางลำพู *; plan couleur III)*

Depuis l'aéroport, prendre l'Airport Bus AE2 ou le *public bus* n° 553 jusqu'au terminus. Ou bien descendre du bateau à Tha Banglampoo. Le coin cosmopolite de Bangkok. La Khao San Road est depuis plusieurs décennies le rendez-vous de tous les routards, et certains semblent ne jamais en être repartis. La rue est bruyante le soir, chaque *guesthouse* rivalisant avec la sono de sa voisine, mais il y règne une chouette ambiance. Remisez vos envies d'emplettes, car tout le faux chic et le vrai toc s'échangent ici au prix le plus fort de la « cité des anges ». Quelques arnaques nous ont déjà été signalées concernant la vente de billets d'avion dans les nombreuses agences de la rue : surbooking, annulation ou pire encore... Pour éviter toute déconvenue, une règle d'or : n'achetez vos billets que dans des agences ouvertes depuis plusieurs années... ou ailleurs dans la ville (voir plus haut « Agences de voyages » dans « Adresses utiles »).

Très bon marché (autour de 250 Bts – 5 €)

🏠 **V.S. Guesthouse** – วี.เอส.เกสท์เฮ้าส์ *(plan couleur III, B2, 21)* **:** sur Khao San Rd, dans la 1re ruelle à droite en venant de Thanon Tanao. ☎ 281-20-78. Dans une vieille maison chinoise ; confort et tenue rudimentaires. Chambres minuscules avec ventilo ; sanitaires sur le palier. Dortoirs pour 6 personnes vraiment pas chers. Accueil et ambiance sympathiques. Nombreuses petites cantoches aux alentours.

De bon marché à un peu plus chic (de 300 à 1 500 Bts – 6 à 30 €)

🏠 **Shambara Hostel** *(plan couleur III, B2, 36)* **:** 138 Khao San Rd. ☎ 282-79-68. ● shambarabangkok.com ● Dans la 1re ruelle à droite en arrivant de Thanon Tanao, tt au fond. Résa conseillée. Une bonne adresse qui se la joue boutique-hôtel. Pimpante maisonnette abritée derrière un muret de brique. Les chambres sont sobres (AC ou ventilo) mais très bien tenues. Douches communes, froides et toniques. Terrasse ombragée où boire son café et manger les toasts inclus avec la nuitée. L'accueil est à l'image du lieu, souriant et sympathique.

🏠 **Au Thong** – อู่ทอง *(plan couleur III, A2, 29)* **:** 78 Rambutri Rd. ☎ 629-21-72. ● au_thong@hotmail.com ● Une maison bleue cachée au fond d'une impasse. À l'étage d'un bar (bruyant donc, mais vous n'êtes pas venu pour méditer ?), quelques chambres sommaires, moyennement tenues. Sanitaires et douches indépendants, avec vue sur les cuisines. Repaire de *back-packers* aguerris mais pas blasés. Pour le petit déj, rendez-vous au *Tuptim Restaurant* juste à côté (voir « Où manger ? ») !

🛏 **Orchid House** – ออร์คิดเฮ้าส์ *(plan couleur III, B2, 24)* : 323/2-3 Rambutri Rd. ☎ 280-26-91 ou 92. ● the_orchid2003@yahoo.com ● À deux pas de Khao San Rd. Chambres équipées de sanitaires. Bon rapport qualité-prix pour celles équipées de ventilos et qui donnent sur l'arrière-cour. Les chambres avec AC n'ont pas de fenêtre. Supplément pour celles avec balcons. Accueil tiède et propreté limite quand même.

🛏 **Marco Polo Hostel** – มาร์โคโปโลโฮสเทล *(plan couleur III, B2, 25)* : 108 Soi Rambutri – ถนนรามบุตรี, Khao San Rd. ☎ 281-17-15. Dans un passage qui relie Khao San Rd à Rambutri Rd. Ne pas confondre avec la *Marco Polo Guesthouse*. Chambres minuscules, lits riquiqui ; quant aux fenêtres, il n'y en a pas. Propreté... ne parlons pas de sujets qui fâchent ! De vraies cellules de moine (avec clim' et salles de bains quand même), et puis vous profiterez gratuitement des litanies musicales du pub juste en dessous. Attention aux vols dans les chambres. Pas cher.

🛏 **Wild Orchid Villa** – ไวด์ออร์คิดวิลล่า *(plan couleur III, A1-2, 31)* : 8 Soi Chana Song Khram, juste en face de la New Siam Guesthouse. ☎ 629-43-78. ● wild_orchid_villa@hotmail.com ● Établissement aux couleurs fraîches et pimpantes. Hall très chaleureux, décoré de dragons volants et autres bouddhas. Chambres bien tenues. Prix variant du simple au double en fonction du confort. AC ou ventilo, salles de bains sur le palier (rutilantes de propreté) ou privées, chambres avec vue ou aveugles... Accueil à l'emporte-pièce. Consignes à bagages. Billard. Bon resto.

🛏 **Four Sons Place** *(plan couleur III, A2, 20)* : 1, 3 et 5 Trok Mayom. ☎ 282-15-99. ● fs-hotel.com ● Pas de folie de déco dans cette adresse presque au calme. Des chambres tout confort (literie un peu molle toutefois), avec salles de bains, eau chaude, AC et TV. C'est clair, carrelé et propre. Des chambres triples avantageuses entre potes ou en famille. Internet. Accueil gentil.

🛏 **New Siam Guesthouse** – นิวสยามเกสท์เฮ้าส์ *(plan couleur III, A1, 28)* : 21 Soi Chana Song Khram – อยุธยชนะสงคราม, perpendiculaire à Phra Athit Rd. ☎ 282-45-54. ● newsiamguesthouse.com ● Réduc possible hors saison. Internet. Il s'agit d'un petit immeuble de 5 étages, avec un effort de déco pas désagréable. Propre et frais, même pour les moins chères (sans douche). Celles avec eau chaude, salle de bains, AC et armoires fortes (prévoir un cadenas) sont plus chères, forcément, mais le tout reste d'un bon rapport qualité-prix. Draps nickel. Accueil dynamique. À signaler : la consigne ouverte à tous, y compris aux non-résidents. Petit resto.

🛏 **D & D Inn** – ดีแอนด์คีอินน์ *(plan couleur III, A2, 27)* : 68-70 Khao San Rd – ถนนข้าวสาร. ☎ 629-05-26/8. ● khaosanby.com ● La célèbre auberge de Khao San s'est refait une beauté en agrandissant sur l'arrière. Et c'est plutôt réussi ! Hall d'accueil ouvert sur un joli jardin où des éléphants coquins batifolent au milieu de petits bassins. Avec des fleurs, des vraies ! Resto pas désagréable. Chambres très inégales : ne vous laissez pas faire, demandez à en voir plusieurs. Ensemble bien tenu et confortable, AC, eau chaude, TV... Et une vraie piscine sur le toit. En revanche, caution de 500 Bts (10 €) pour la clé.

🛏 **Sawasdee Khaosan Inn** – สวัสดีข้าวสารอินน์ *(plan couleur III, A2, 33)* : 18 Thanon Chakrapongse Rd. ☎ 629-47-98. ● sawasdee-hotels.com ● Petit déj inclus. À quelques encablures de Khao San Rd. Chambres propres, claires, toutes carrelées mais sans grand charme. TV, AC et salle de bains. Bruyant en façade. Bon accueil.

Plus chic (plus de 2 000 Bts – 40 €)

🏠 *Buddy Lodge* – บัดดีลอดจ์ *(plan couleur III, B2, 32)* : 265 Khao San Rd. ☎ 629-44-77. ● *buddylodge.com* ● *Petit déj inclus. Discounts réguliers* pour négocier. Hôtel plein de charme. Chambres alliant confort moderne (TV, minibar, AC, coffre-fort) et élégance orientale (bois de rose, parquets sombres, meubles asiatiques). Attention, tous les balcons n'ont pas de vue. Piscine sur le toit et bronzette sous le ciel de Bangkok, un rêve en plein cœur de Khao San. Salle de fitness. Accueil courtois.

🏠 *Baan Chantra* *(plan couleur I, B1, 26)* : 120 Thanon Samsen Rd. ☎ 628-69-88. ● *baanchantra.com* ● *Petit déj inclus. Réduc à partir de 3 nuits.* À deux pas de Khao San, une adresse de poche pleine de charme, dans une vieille maison retapée, avec parquets et escaliers bien cirés. Grands lits confortables pour rêver aux douceurs du Siam. Artisanat local dans tous les coins et recoins. Déco soignée. On aime bien les chambres avec leur terrasse en alcôve. Calme. Bon accueil. Internet.

Dans le quartier de Thewet – ย่านเทเวศร์ *(plan couleur I, B1)*

Au nord de la bruyante Khao San Road par la Th. Samsen (15 mn à pied), à deux pas du fleuve et de la Bibliothèque nationale, notre quartier préféré à Bangkok. Il y fait bon vivre. Le soir, on joue au volley entre deux véhicules, on tape la discut' avec les autres routards. Les chambres d'hôtes y sont calmes, bon marché et parfois pleines de charme. Accessible par le *Chao Phraya River Express* (arrêt Tha Thewet) où des marchands vendent des sacs de pain pour nourrir les poissons qui s'agglutinent au débarcadère. Pour s'y rendre en bus, prendre les nos 3, 7, 11, 80 et 91.

Bon marché (de 200 à 500 Bts – 4 à 10 €)

🏠 *Tavee Guesthouse* – ทวีเกสท์เฮ้าส์ *(plan couleur I, B1, 34)* : 83 Th. Sri Ayutthaya Rd, Soi 14. ☎ 280-14-47. Une bien belle maison en bois, à l'intérieur soigné (retirez vos chaussures !), donnant sur une terrasse ombragée où quelques poissons rouges font la ronde. Les chambres sont irréprochables et joliment décorées, mais les cloisons sont extrafines et ne montent pas jusqu'au plafond... Sanitaires privés ou sur le palier (il y en a peu, c'est donc la queue le matin), ventilo ou AC et eau chaude pour tout le monde. Propreté immaculée. Accueil très cordial et bons petits plats maison.

🏠 *Bangkok International Youth Hostel* – บ้านพักเยาวชนกรุงเทพฯ *(plan couleur I, B1, 35)* : 25/2 Th. Phitsanulok Rd – ถนนพิษณุโลก. ☎ 281-03-61. ● *tyha. org* ● *Carte de membre exigée (FUAJ). Intéressant d'acheter la carte à partir de* 3 *nuits. Accès Internet.* Sa façade porte une multitude de petits drapeaux... Normal, c'est le rendez-vous de la jeunesse internationale ! Dortoirs corrects (8 lits) et très bon marché (fermés 11h-17h). Chambres doubles assez confortables (ventilo et sanitaires) mais un peu plus chères, avec lits superposés ou lits 2 places. Resto-salon sympa.

🏠 *Taewez* – บ้านพักเทเวศร์ *(plan couleur I, B1, 34)* : 23/12 Th. Sri Ayutthaya Rd – ถ.ศรีอยุธยา. ☎ 280-88-56. ● *taewez.com* ● Au bout d'une allée pavée. Une grande maison en teck agrandie et transformée en auberge. Chambres impersonnelles mais confortables et propres, à choix multiples (salle de bains, AC ou ventilo, *twin* ou grand lit). Sofas et petit salon pour refaire le monde. Accueil avenant. Quelques ordinateurs pour se connecter à Internet. Petit resto pour le petit déj.

De bon marché à prix moyens (de 300 à 900 Bts – 6 à 18 €)

🛏 *Shanti Lodge* – บ้านพักสันติลอดจ์ *(plan couleur I, B1, 34) : 37 Th. Sri Ayutthaya Rd* – ถนนศรีอยุธยา, *Soi 16.* ☎ 281-24-97 ou 628-76-26. • *shanti. com* • *Résa conseillée car on se bouscule à la porte.* Une adresse qu'on aime beaucoup. Délicieuse maison en teck, savamment décorée de quelques meubles patinés et d'objets insolites et très colorés. Jolies chambres avec ventilo ou AC. Douches communes où poussent des orchidées. L'ensemble est bien tenu. Éviter les chambres borgnes, préférer celles à l'étage. La n° 303, parfaite pour les familles, dispose d'une belle vue. Dortoir à prix très abordable. Petit resto de spécialités végétariennes. Attention, très bruyant. Boutique de fringues. Laverie.

Plus chic (plus de 2 000 Bts – 40 €)

🛏 *Phranakorn Norlen (plan couleur I, B1, 30) : Th. Thewet, Soi 1.* ☎ 628-81-88. • *phranakorn-norlen.com* • *Petit déj bio inclus.* Un îlot de verdure, avec son jardin, sa fontaine qui glougloute et la vie de quartier, qu'on partage avec plaisir (notamment pour aller laver son linge !). Une adresse à la fois simple et sophistiquée. Toute l'équipe a rénové cet hôtel avec des objets de récup'. C'est délicieusement charmant et chaleureux. On adore les salles de bains et leur forêt de tuyaux tarabiscotés, jusqu'aux boîtes aux lettres des chambres qui cachent des compteurs d'eau ! Interdit aux fumeurs. Pas de téléphone non plus. Le calme, quoi ! Seule concession à la modernité : des lecteurs CD dans les chambres avec une musique appropriée à chacune, histoire de se lever du bon pied, frais et serein. Accueil aux petits soins.

Dans le quartier Sukhumvit – ย่านสุขุมวิทและสยามสแควร์ (plan couleur II)

Sukhumvit est une grande artère à l'est de la ville, dans le prolongement de Râma I. Là aussi, grosse concentration d'hôtels, réservés à la clientèle chic, genre voyages organisés, notamment autour des Soi 4, 8 et 11. Si vous y choisissez un hôtel, sachez seulement que vous perdrez pas mal de temps dans les embouteillages pour rejoindre le quartier historique ; même si Sukhumvit Road est desservie par le métro aérien qui vous rapproche un peu du centre... Pour atteindre nos adresses, s'arrêter aux stations Nana ou Asok. Autrement, arrêt Sukhumvit de la ligne souterraine de métro (depuis le nord-est). Depuis l'aéroport, prendre l'Airport Bus AE3.

Prix moyens (autour de 700 Bts – 14 €)

🛏 *Suk 11 Hostel* – สุข 11 โฮสเต็ล *(plan couleur II, E7, 37) : 1/13 Sukhumvit, Soi 11. D'où le nom !* ☎ 253-59-27. • *suk11.com* • *Petit déj sympa pas cher. Résa conseillée. Internet.* Dans un renfoncement, un chouette décor, l'adresse la plus marrante du quartier. Les couloirs ont des airs de sous-bois... Ahou, ahou, ahouuu... Un soir sans lune... Au rez-de-chaussée, vous pouvez écouter vos CD et vous préparer un thé. Avec ou sans salle d'eau, les chambres sont d'un confort modeste et n'ont pas de caractère délirant particulier. Douche commune avec vue sur les buildings. Terrasse vraiment géniale pour flemmarder. Accueil sympa. Quelques adresses pour boire un verre ou manger dans le coin (voir plus loin). Et un spa sur le trottoir d'en face pour se détendre.

🏠 *Hostelling International Sukhumvit (hors plan couleur II, par F8) :* 23 Sukhumvit, Soi 38. ☎ 391-93-38. ● *sukhumvit@tyha.org* ● *Bus n° 501, 508 ou 511. Internet.* Une des branches des auberges de jeunesse de Bangkok, plu-

tôt réussie, un peu plus chère, mais au cœur de l'animation de ce quartier d'affaires, avec des chambres joliment décorées, fraîches et pimpantes. Toutes sont climatisées, les dortoirs sont séparés mais aussi mixtes (moins chers !). Cuisine, petit déj possible (payant), laverie.

De prix moyens à un peu plus chic (de 700 à 1 400 Bts – 14 à 28 €)

🏠 *Nana City Inn* – นานาซิตี้อินน์ *(plan couleur II, E7, 38) :* 23/164 Nana City Sukhumvit, Soi 4. ☎ 253-44-68 et 9. ● *nanacityinn@hotmail.com* ● *À 300 m de l'entrée du soi.* Moderne et de taille modeste, donc pas trop usine à touristes. On y trouve des chambres confortables et parfaitement équipées (moquette, douche-salle de bains, AC, TV). Déco agréable (lampes, dessus-de-lit...). Attention aux chambres avec la clim' toute proche. Accueil discret mais sympa.

🏠 *Stable Lodge* – สเตเบิลลอดจ์ *(plan couleur II, E7, 39) :* 39 Sukhumvit, Soi 8. ☎ 653-00-17. ● *stablelodge.com* ● *Petit déj en sus.* Hôtel moderne construit autour d'une courette arborée. Les

chambres sont spacieuses et bien tenues. Chouette piscine pour barboter. Celles avec vue sur le bassin sont beaucoup plus chères. Accueil très cordial. Le soir, propose des buffets-barbecues, trop chers à notre goût.

🏠 *PS Guesthouse (plan couleur II, E7, 22) :* 26/1 Sukhumvit, Soi 8. ☎ 255-23-09. ● *psguesthouse@hotmail.com* ● *Accueil au 1er étage. Presque en face du Stable Lodge.* Une adresse presque intime (ne manquez pas le panneau !), avec ministudios (TV, avec ou sans kitchenette, frigo, bouilloire) dans des chambres assez vastes et simples. C'est propre, fleuri et d'un bon rapport accueil-qualité-prix. Une rénovation est même annoncée pour 2010.

Plus chic (à partir de 2 400 Bts – 48 €)

🏠 *Regency Park Hotel* – โรงแรมรีเจน ซี่ปาร์ค *(plan couleur II, F8, 43) :* 12/3 Sukhumvit Rd, Soi 22 – ถ.สุขุมวิ ทซอย. ☎ 259-74-20. ● *res@regency park.net* ● L'un des meilleurs rapports qualité-prix dans le luxe, et ce depuis

plusieurs années. Tout le confort des grands hôtels à des prix plutôt corrects : TV, coffre-fort individuel, petite piscine, sauna et club de gym, le tout organisé autour de 2 beaux patios fleuris. Accueil cordial.

Dans le quartier de Siam Square
(plan couleur I, C-D2-3)

La meilleure solution pour se rendre dans ce quartier très commerçant reste le métro aérien, arrêts National Stadium ou Phaya Thai.

De bon marché à prix moyens (de 500 à 1 000 Bts – 10 à 20 €)

🏠 *The Bed & Breakfast* – เดอะเบดแอ นด์เบรคฟัสท์เกสท์เฮ้าส์ *(plan couleur I,* C2, 46) : 36/42-43 Soi Kasemsan I, Râma I Rd. ☎ 215-30-04. Petit déj

inclus. Une pension très propre et toute carrelée d'un blanc immaculé. Les chambres sont petites et sobres mais offrent l'AC et les sanitaires complets. Gentillesse de la patronne. Sans souci.
🛏 *White Lodge* – ไวท์ลอดจ์เกสท์เฮ้าส์ *(plan couleur I, C2, 47)* : 36/8 Soi

Kasemsan I, Râma I Rd – ถ.พระราม 1 ซ.เกษมสันต์ 1. ☎ 216-88-67. Une poignée de belles chambres rénovées et agréables – avec sanitaires complets et clim'. Propre et sans bavure. Très bon rapport qualité-prix, accueil souriant en prime.

De prix moyens à un peu plus chic (de 900 à 1 500 Bts – 18 à 30 €)

🛏 *Reno Hotel* – เรโนโฮเต็ล *(plan couleur I, C2, 48)* : 40 Soi Kasemsan I – ซอยเกษมสันต์ 1, Râma I Rd – ถนนพระราม 1 *(petit soi perpendiculaire à Râma I Rd).* ☎ 215-00-26. • renohotel@clickta. com • *Petit déj inclus. Tarifs dégressifs. À l'ouest de Siam Square et à deux pas de la maison de Jim Thompson. Inter-*

net payant. Hall design et sympa, assez trompeur... Chambres claires et plutôt confortables (salle de bains et AC de série), mais pas aussi joliment décorées et sales. Demandez à en voir plusieurs car certaines méritent une bonne rénovation. Piscine.

De chic à beaucoup plus chic (de 2 500 à 6 000 Bts – 50 à 120 €)

🛏 *Baiyoke Sky Hotel* – โรงแรมใบหยกสกาย *(plan couleur I, D2, 150)* : 222 Rajprarop Rd, Rajthevee. ☎ 656-30-00. • baiyokehotel.com • *Petit déj en sus.* Ne pas confondre avec sa voisine, la tour Baiyoke n° 1. Hôtel haut de gamme sans grand charme dans le

gratte-ciel le plus haut de Bangkok. Chambres doubles tout confort. Attention, les prix grimpent en fonction de l'altitude. La vue, surtout la nuit, est à couper le souffle. Un peu trop touristique. Voir aussi « À voir. À faire ».

Dans le quartier de Silom Road et jusqu'à la gare du Hua Lamphong – ย่านถนนสีลม ถึง หัว ลำโพ *(plan couleur I)*

Au sud de Bangkok, Silom Road est une très longue avenue qui part de Charoen Krung et se termine à l'intersection de Râma IV Road, en face du Lumphini Park. Pour vous y rendre depuis l'aéroport, prendre l'Airport Bus AE1. En bus publics (climatisés), prendre les n°s 502, 504, 505 et 514. Les stations du métro aérien les plus proches : Sala Daeng et Chong Nonsi. Également le métro souterrain avec... Silom Station et Hua Lamphong (pratique pour rejoindre le quartier de Sukhumvit).

De bon marché à prix moyens (de 500 à 1 000 Bts – 10 à 20 €)

🛏 *The Train Inn (plan couleur I, C3, 40)* : Th. Rong Muang, juste à gauche derrière la gare en sortant, à 10 m. ☎ 215-30-55. 📱 081-819-55-44. • thetraininn.

com • Derrière une façade bigarrée, une quarantaine de chambres colorées à la déco simple mais délicate. 3 types de chambres : avec ou sans salle de bains, toutes avec AC, TV câblée et accès ADSL, certaines avec lits superposés. Pour les moins chères, toilettes rutilantes de propreté et salles de bains avec savon qui sent bon sur le palier. Ambiance zen. Pas de petit déj, mais *coffee shop* au rez-de-chaussée. Internet gratuit à l'accueil, fort courtois.

🏠 *Your Place Guesthouse (plan couleur I, C3, 45)* : 336/17 Soi Chalongkrung, Râma IV Rd. ☎ 639-80-34. 📱 081-874-49-45. ● *http://yourplaceguesthouse.com* ● *Petit déj inclus. Internet payant.* Il règne une bonne ambiance communautaire dans cette *guesthouse* un peu en retrait. Des chambres pour tous les goûts et toutes les bourses. Certaines aveugles, mais avec de jolies moustiquaires pour se prendre pour des princes et des princesses, d'autres avec des lits superposés, avec ou sans salle de bains, AC ou ventilo. Propre. TV câblée pour les plus chères. Plein de services (visa, laverie, etc). 2 terrasses, dont une sur les toits, pour se siffler une bière tranquille en papotant avec d'autres routards d'un soir.

De prix moyens à un peu plus chic (de 900 à 1 500 Bts – 18 à 30 €)

🏠 *New Trocadero Hotel* – โรงแรมนิวโทรคาเดโร *(plan couleur I, C4, 49)* : 343 Surawong Rd – ถ.สุริวงศ์. ☎ 234-89-20. ● *newpeninsulagroup.com* ● *Non loin du coin avec Charoen Krung, près de la rivière.* Bien situé, cet hôtel semi-luxe n'est plus tout jeune, mais il dispose de chambres assez spacieuses et confortables (baignoire, AC, TV). Les moins chères donnant sur l'arrière de l'hôtel sont plus silencieuses et celles en façade ont vue sur l'autoroute. Piscine de taille respectable, un peu glauque car entourée d'immeubles.

De chic à beaucoup plus chic (de 2 500 à 6 000 Bts – 50 à 120 €)

🏠 *Tarntawan Place Hotel* – ทานตะวันเพลสโฮเต็ล *(plan couleur I, C4, 50)* : 119/5-10 Surawong Rd – ถนนสุริวงศ์. ☎ 238-26-20. ● *tarntawan.com* ● *À deux pas de Patpong.* Hôtel moderne au fond d'une impasse calme. Propose des chambres tout à fait confortables, assez vastes et décorées avec beaucoup de goût, à des prix aisément négociables (en fonction de la saison, de la durée du séjour, de votre sourire, du taux de remplissage ou de l'âge du capitaine). Une bonne adresse.

Spécial folies

🏠 *The Sukhothai (plan couleur I, D4, 41)* : 13/3 South Sathorn Rd. ☎ 344-88-88. ● *sukhothaihotel.com* ● *Nuit à partir de 140 € le w-e* Retreat. *Autrement, 240 € la double. Profitez des packages sur Internet ; réducs fréquentes.* Disons-le tout net : voici le plus bel hôtel de Bangkok. Tout le charme de l'Asie et de la Thaïlande semble contenu en ces murs. Raffinement des décors, élégance des matières (teck, soie, etc.), service impeccable... de quoi passer un moment divin. Les toits des différents bâtiments rappellent l'architecture des vieilles demeures siamoises. Les fleurs de lotus se languissent négligeamment dans les bassins des jardins... Chambres tout confort, naturellement, calmes, aménagées avec soin (on aime beaucoup les salles de bains). Lits amples. Piscine, restos, salle de fitness et spa pour votre confort. Ne boudons pas notre bonheur !

🛏 **The Metropolitan** (plan couleur I, D4, **42**) : 27 South Sathorn Rd. ☎ 625-33-33. • metropolitan.como.bz • Juste derrière l'Alliance française. Double à partir de 180 € ; profitez des packages sur Internet. Un autre hôtel de charme, où

le blanc domine, à la déco résolument épurée et minimaliste. Le mobilier est ultra-design, les lignes droites et la luminosité extrême. C'est vaste et beau. Chambres avec TV, lecteur CD et DVD, clim' et salles de bains cosy. Restos, piscine, bar, salles de fitness et spa.

Où manger ?

Bangkok dispose d'un éventail très large de restaurants qui proposent une cuisine très variée. Des dizaines de petites cantines ambulantes qui éclosent à la tombée du jour, mais aussi de vrais rendez-vous culinaires ou des adresses originales. Les restos de rue sont en général excellents et parfaitement recommandables, mais impossible pour nous de vous donner des noms précis dans la catégorie « Très bon marché ». Fiez-vous à ceux où vous verrez beaucoup de Thaïlandais attablés, vous vous régalerez à tous les coups en faisant de substantielles économies par rapport aux restos plus classiques. Seule difficulté : que commander ? Jetez un coup d'œil aux assiettes de vos voisins et faites confiance à votre instinct. Si vous apercevez des petits bouts de piments (rouges), faites comprendre que vous n'en voulez pas. À Bangkok, on n'est jamais à plus de 100 m d'un endroit où manger, et cela (presque) 24h/24.

Pour découvrir les derniers restos ouverts en ville, un site très complet en anglais : • bangkok.com/restaurants •

Dans les quartiers chinois, indien et près des temples – ย่านจีนและย่านอินเดีย (plan couleur I, B3)

Très bon marché

|●| De part et d'autre de Yaowarat Road – ถนนเยาวราช, des ruelles s'enfoncent et proposent des dizaines de **gargotes chinoises** toutes plus appétissantes les unes que les autres. Au programme, crabe et homard grillés, poisson... La plupart des restos ont 2 tables, 3 chai-

ses, et la cuisine délicieuse est vraiment comme là-bas ! Le soir venu, atmosphère bigarrée avec lumières, néons, fumée et la foule évidemment... Et pour la musique d'ambiance : symphonie pour klaxon et moteur !

Bon marché (moins de 200 Bts – 4 €)

|●| **Royal India Restaurant** – ภัตตาคารรอยัลอินเดีย (plan couleur I, B3, **112**) : 392/1 Chakraphet Rd. ☎ 221-65-65. Légèrement en retrait de Chakraphet Rd, dans la ruelle qui fait face à la pagode chinoise. Tlj 10h-22h. Résa conseillée. Ouvert depuis 1970, ce minuscule resto à la déco compassée est devenu une institution. Et pour cause ! Il propose une vraie cuisine

indienne du Pendjab. Large choix de galettes (chapati, roti, naan et autres paratha), savoureux curry, tandoori, biryani et thali végétariens... Salle assez sombre, seulement une dizaine de tables et une trentaine de chaises. Clientèle d'habitués et quelques routards égarés mais contents d'être là.

|●| **Texas Suki Yaki & Noodle** – ภัตตาคารเท็กซัสสุกี้ยากี้ (plan couleur I, B3,

114) : 17/1 Phadung Dao Rd – ถนนผดุ
งดาว. ☎ 222-06-49. Tlj 11h-23h. Resto
genre cafétéria, très fréquenté par les
familles. Un repas ludique, les enfants
adorent. Vous choisissez vos garnitu-
res : calamars, bœuf, nouilles, etc. Et

vous faites votre tambouille directement dans le chauffe-plat traditionnel.
Service agréable. Pourquoi *Texas,* au
fait ? Personne ne le sait, mais tout le
monde pourra vous l'indiquer dans ce
quartier trépidant de Chinatown.

De prix moyens à plus chic
(de 150 à 500 Bts – 3 à 10 €)

|O| *Hua Seng Hong* – *(plan couleur I,
B3, 94) :* 371 Thanon Yaowarat. ☎ 222-
06-35. Sur une artère aux néons criards
au cœur de Chinatown, une enseigne
pas très voyante pour un resto canto-
nais réputé pour sa qualité. Plats à tous
les prix, tout dépend des ingrédients.
Depuis les soupes de nouilles économiques jusqu'aux potages nids d'hirondelle dispendieux en passant par les
king prawns au poids et les crabes far-
cis. Toute la gamme des légumes sautés bien croquants et assortiment complet de raviolis vapeur. Ambiance
bourdonnante du ballet des serveuses
et conversations animées autour des
tables familiales. Service bourru et bon
enfant tout à la fois.
|O| *The Deck* *(plan couleur I, A3, 44) :*
36-38 Soi Pratu Nokyung, sur Maharat

Rd. ☎ 221-91-58. *Sur la berge, face au
Wat Arun et derrière le Wat Pho. À deux
pas de l'embarcadère Tha Tien.* Une
adresse toute mignonne, cachée au
fond d'un *soi.* Déjà, on est saisi par la
vue, depuis cette terrasse (le fameux
« deck ») qui devise avec le Wat Arun.
Le soir, tout s'illumine, les bateaux
accompagnent le flux et le reflux de la
Chao Phraya, l'ambiance est tamisée,
on se laisse bercer. Au menu, une cuisine internationale, très inspirée par
l'Hexagone (la chef y a fait ses classes),
avec, entre autres, de jolis plats
d'agneau qui partagent la carte avec les
spécialités thaïes. Le tout est bien
mené, le service décontracté et la clientèle bon chic bon genre (Nicolas Cage
et nombre de personnalités thaïes se
sont déjà laissés tenter).

Plus chic (de 500 à 3 000 Bts – 10 à 60 €)

|O| *China Town Scala Shark-Fins Res-
taurant* – ภัตตาคารหูฉลามไชน่าทาวน์
สกาล่า *(plan couleur I, B3, 115) :* 483-
5 Yaowarat Rd, Corner Chalermburi.
☎ 221-17-13. Face au *Chinatown
Hotel,* ce resto, avec sa cuisine en
vitrine, attire depuis près d'un demi-

siècle les riches hommes d'affaires chinois en quête des plus prestigieux mets
de l'empire du Milieu : nids d'hirondelle, *abalone,* cuisse d'oie et estomac
de poisson. Les prix varient en fonction
de la quantité que vous aurez dans votre
bol. Assez cher.

Sur Khao San Road – ถนนข้า วสาร *(plan couleur III)*

Bon marché (moins de 150 Bts – 3 €)

|O| Dans le Soi Rambutri et à l'angle de
Rambutri Road et Thanon Chakrapongse, plein de petites *cantoches de
rue* – มุมถนนรามบุตรีและถนนจักรพงษ์
เต็มไปด้วยร้านค้าเล็กๆ et de stands où

l'on choisit dans les gamelles en mon-
trant du doigt ses pâtes, sauces et
autres condiments. C'est très typique et
on adore. Vraiment pas cher.
|O| *O ! Happy (plan couleur III, A1, 80) :*

45 Soi Chanasongkhram. ☎ 629-14-112. Tlj 9h-1h. Quelques tables abritées, d'autres nappées sous les arbres. Cuisine thaïe roborative, pas mauvaise du tout, avec tous les classiques du genre, dont une variété impressionnante de nouilles. Bonnes bières, jus de fruits frais. TV en fond sonore, service nonchalant comme il faut.

I●I **Pannee Restaurant** – ร้านอาหารพรรณี (plan couleur III, B2, **81**) : 150 Soi Rambutri Chana Song Khram. ☎ 282-55-76. Voici un gentil resto tenu par une patronne avenante. Quelques plantes grimpantes courent au-dessus de la terrasse mignonnette... Côté cuisine, bel assortiment de petits plats thaïs, simples et copieux, servis avec le sourire. Les plus en fonds opteront pour les fruits de mer. Toujours plein, mais bon turnover.

I●I **Tuptim Restaurant** – ร้านอาหารทับทิม (plan couleur III, A2, **82**) : 82 Rambutri Rd. ☎ 629-15-35. Derrière un rideau végétal (décidément, c'est à la mode dans le quartier !). Terrasse cosy, fauteuils en rotin, pour déguster une cuisine thaïe sans prétention mais généreuse, comme les nouilles au poulet, parfaitement réussies. Petit déj copieux. On aime bien.

Prix moyens (de 150 à 300 Bts – 3 à 6 €)

I●I **Tom Yum Kung** – ร้านต้มยำกุ้ง (plan couleur III, A2, **84**) : 9 Trok Mayom. ☎ 629-18-18. Entrée sur Khao San Rd, près de la Gulliver's Tavern, dans un petit renfoncement. Tlj 15h-2h. Ambiance coloniale relax, très fréquenté le soir. Au choix : tables en plein air ou dîner sous les ventilos nonchalants de la belle maison siamoise. Plats thaïs savoureux et spécialités de fruits de mer. Quelques snacks asiatiques et salades. Intéressante carte de cocktails.

Dans le quartier de Thewet – ย่านเทเวศร์ (plan couleur I, B1)

Très bon marché

Le soir, quelques cantines ambulantes ouvrent à deux pas des *guesthouses*.

Prix moyens (autour de 300 Bts – 6 €)

I●I **Kaloang** – ร้านอาหารกาหลวง (plan couleur I, B1, **85**) : 2 Sri Ayutthaya Rd – ถ.ศรีอยุธยา. ☎ 282-75-81. Au bout d'un soi, à deux pas des guesthouses bon marché (voir « Où dormir ? ») et au bord de l'eau. Très populaire, sans chichis, et certainement l'un de nos restos préférés à Bangkok. On dîne dehors sur un gigantesque ponton de bois qui surplombe le fleuve (en période de crue, tout est fermé). Cuisine excellente. Demandez le *lap mu* (salade-émincé de porc) ou *lap khun* (salade-émincé de fruits de mer). De quoi faire fondre un bonze de plaisir ! Desserts à base de durian : goût proche de l'échalote ou du fromage bien fait. À tester au moins une fois !

I●I **In Love** – ร้านอาหาร อินเลิฟ (plan couleur I, B1, **86**) : 2/1 Krung Kasem Rd. ☎ 281-29-00. À droite en sortant de l'embarcadère de Thewet. Tlj 11h-minuit. Moins traditionnel, plus touristique, mais cuisine thaïlandaise de qualité dans un mélange de décor high-tech et de nappes à carreaux. Spécialités de poisson. Large terrasse avec vue imprenable sur le pont à haubans Râma VIII.

Sur et autour de Sukhumvit Road – ถนนสุขุมวิทและ รอบๆ *(plan couleur II)*

Très bon marché

À l'ouest de Sukhumvit Road, avant le croisement avec Chalem Mahanakhon (côté des *soi* impairs). Quelques cantines de rue et leurs tables sur un terre-plein. Certaines proposent même des menus en anglais. Pas cher, bon et convivial.

Bon marché (moins de 150 Bts – 3 €)

|●| *Food Court de l'Emporium* – ศูนย์อาหารเอ็มโพเรียม *(plan couleur II, F8, 87)* : sur Sukhumvit Rd, entre les Soi 22 et 24. ☎ 664-80-00. Au 5ᵉ étage du grand centre commercial. Ne pas confondre avec la quinzaine de restos et snacks juste à côté. Suivre les panneaux « Food Court ». Tlj 10h-22h. Après avoir fureté du côté des boutiques de luxe hors de prix (mazette, des originaux !), cette halte au sommet vous ravira. On vous fournit une carte magnétique à l'entrée, que vous créditez au fur et à mesure de vos achats et vous payez en sortant. Un choix énorme de plats dont on connaît enfin les noms et des spécialités des quatre coins de l'Asie. Pour quelques bahts à peine, nouilles et viandes, en sauce ou grillées, et bons desserts (goûter au *taro,* proche de la châtaigne, miam !).

|●| *Yong Lee Restaurant* – ร้านอาหา รยงลี *(plan couleur II, E7, 88)* : 213 Sukhumvit Rd, à l'angle du Soi 15. Dernier service à 19h15. Troquet chinois encore dans son jus avec les marmites qui crépitent dès le petit jour. Niveau prix, c'est assez simple : tout est à 130 Bts (2,60 €). Crabe au curry (super !), crevettes, poisson et plein d'autres plats, notamment le canard laqué et le bœuf à la tomate (très bon), servis par un patron que l'on a déjà vu dans *Le Lotus bleu* ! Arrivez tôt, car c'est vite plein.

De prix moyens à un peu plus chic (de 300 à 800 Bts – 6 à 16 €)

|●| *Moghul Room* – ภัตตาคารโมกุลรูม *(plan couleur II, E7, 91)* : 1/16 Sukhumvit Rd, Soi 11 (dans un renfoncement à gauche, matérialisé par une enseigne vert et doré). ☎ 253-44-65. CB acceptées. Un des meilleurs restos indiens de la ville et l'un des plus anciens. Cadre assez kitsch, accueillant et un brin intime. Préférer la mezzanine et ses tables basses. Cuisine du nord de l'Inde. Tous les *tikkas, raïtas* et *koftas* sont là ! Spécialités de *tandooris.* On a bien aimé le *kashmiri pullau* (riz safrané aux raisins et aux noisettes) ou le *mursh qorma* (poulet à la crème de coco et aux noix de cajou). Service irréprochable.

|●| *Eleven Gallery* – ร้านอาหารอีเลเวน กาลเลอรี่ *(plan couleur II, E7, 92)* : 1/34 Sukhumvit Rd, Soi 11 (dans un renfoncement sur la gauche). ☎ 651-26-72. Une charmante dînette pour un tête-à-tête raffiné. En bord de rue, un tout petit resto plein de charme avec quelques tables basses. Le service est plein de délicates attentions. Le riz est servi sous des cloches en feuilles de bananier et, comble du chic, les plats sont présentés dans des gamelles de chantier en tôle émaillée. Délicieux curry de tofu à la noix de coco. Toutefois, portions un peu chiches pour le prix.

|●| *Vientiane Kitchen (hors plan couleur II par F8)* : 8 Sukhumvit, Soi 36. ☎ 258-61-71. Tlj midi et soir. Un resto inspiré de la cuisine du royaume au « Million d'éléphants », sous une

grande paillote, avec un service prévenant. Quelques tables pour manger en tailleur. Et l'occasion de goûter à la *Lao Beer*. Ça change un peu de la *Singha* ! Plats typiques à base de grillades, de curry, de salades et d'omelettes, dont une aux œufs de fourmis (le caviar blanc). Fruits de mer au poids (600 Bts le kilo, soit 12 €). Le soir, musique traditionnelle. Une bonne petite adresse un peu excentrée.

|●| Cabbages and Condoms – ร้านอา หารแคบเบจ แอนด์คอนดอม *(plan couleur II, E7, 90) : 10 Sukhumvit Rd, Soi 12 (à 200 m sur la droite à l'intérieur du soi).*

☎ 229-46-10. *Tlj 11h-22h.* « Choux et capotes », tel est le nom de ce resto didactique. Fondé en 1974, à l'origine comme soutien au planning familial. Aujourd'hui, les fonds récoltés sont utilisés pour la promotion d'associations de développement et de prévention, notamment du virus du sida. Cadre charmant. Jolis plats (poulet cuit dans des feuilles de pandanus, nouilles thaïes aux crevettes, etc.) à prix corrects et copieux. Magasin de souvenirs à la sortie (les lampes décorées en capotes !) et distribution gratuite de préservatifs.

Plus chic (de 800 à 1 500 Bts – 16 à 30 €)

|●| Lemon Grass – ร้านอาหารเลมอนก ราส *(plan couleur II, F8, 96) : 5/1 Sukhumvit Rd, Soi 24.* ☎ 258-86-37. *Tlj 11h-14h, 18h-23h. Résa conseillée ou arriver tôt car ce resto est très connu. CB acceptées.* Un succès qui ne se dément pas avec les années : décor raffiné de boiseries travaillées, tableaux, plantes, lumières tamisées dans une suite de petites salles en enfilade, sur fond de musique thaïe traditionnelle. Quelques tables joliment dressées dans le jardin. Bonnes crevettes marinées dans du lait de coco avec du citron ou la spécialité maison : le *Lemon Grass chicken...*

|●| Oam Thong Restaurant – ร้า นอาหารออมทอง *(plan couleur II, F7, 89) : 7/4-5 Sukhumvit Rd, Soi 33 (après le Novotel Lotus en arrivant dans le soi, enseigne quasiment invisible ; ne pas confondre avec le Ton Thong).* ☎ 662-28-04. *Tlj 11h-23h.* Un des restos spécialistes des plats de la mer. Cadre élégant juste ce qu'il faut. Le crabe est à l'honneur, sous toutes ses formes. Également quelques poissons en sauce ou

crustacés frits. Bref, des préparations simples, efficaces et copieuses. Service dynamique.

|●| Seafood Market and Restaurant – ภัตตาคาร ซี ฟู้ดมาร์เก็ต *(plan couleur II, F8, 95) : 89 Sukhumvit Rd, Soi 24, à 500 m sur la gauche.* ☎ 661-12-52. « Si ça nage, nous l'avons » : tel est le slogan de cette adresse assez originale... Dans une ambiance de supermarché un peu kitsch, prenez un caddie pour commencer et faites vos courses. Crevettes, langoustes, cigales de mer, calamars et poissons exotiques de toutes sortes. Attention, ça douille (prix au poids). Bien se faire préciser les prix. N'oubliez pas de prendre quelques légumes, très chers eux aussi, et de passer aux rayons vin et bière. Puis, direction les caisses enregistreuses. Attention, une seconde addition vous attend à la fin du repas, celle de la cuisson. Salle de resto géante. Clim' virulente. Prévoir une petite laine ou aller sur la terrasse. Service à l'emporte-pièce.

Très chic (autour de 1 500 Bts – 30 €)

|●| Le Banyan – ร้านอาหารเลอบันหยัน *(plan couleur II, E7, 97) : 59 Sukhumvit Rd, Soi 8.* ☎ 253-55-56. *Ouv le soir slt. Fermé dim. CB acceptées.* Établi depuis

18 ans dans le cadre feutré d'une belle maison jaune en bois au fond d'un jardin exotique, ce resto français très cosy vous donnera l'occasion de manger

gastronomique sans y laisser une somme astronomique ! Du grand art assurément, pour une cuisine digne d'un resto étoilé. Entre autres au menu, millefeuilles de Saint-Jacques et spécialités de foie gras. Belle carte de vins qui fait malheureusement grimper la note. Service très pro. Un petit plaisir à s'offrir en fin de voyage en évitant d'y aller en tongs et short... tenue correcte plus qu'exigée.

Dans le coin et autour de Siam Square – ในเขตพื้นที่ ละรอบๆ สยามสแควร์ *(plan couleur I, C-D2-3)*

Le quartier de Siam Square est composé d'un ensemble de centres commerciaux et de dizaines de restos en tout genre. Prix généralement élevés, mais nous vous en avons déniché quelques-uns pas mal du tout.

Très bon marché (moins de 100 Bts – 2 €)

I●I Tout le long du Soi Kasemsan – ซอยเกษมสันต์ *(plan couleur I, C2-3),* de nombreux **stands et échoppes de rues** où se retrouvent fans de Jim Thompson (voir plus loin sa maison) et écoliers en goguette. Bon *satays* et soupes de nouilles riches et copieuses pour une poignée de baths. Goûter aussi à la délicieuse salade de papaye.

Bon marché (de 100 à 300 Bts – 2 à 6 €)

I●I *Food Court du Siam Paragon (plan couleur I, D3, 154) : sur Rāma I Rd, face à l'arrêt Siam du Skytrain, au rez-de-chaussée d'un des plus grands centres commerciaux de Bangkok. Tlj 10h-22h.* Sorte de Babel gastronomique où l'on peut aussi bien manger asiatique que français, néo-zélandais, allemand, indien, américain. Vous prenez votre carte magnétique créditée à l'entrée et vous récupérez l'argent restant à la sortie. Jeune clientèle pépiante et familles.

Prix moyens (autour de 350 Bts – 7 €)

I●I *Once Upon A Time* – ร้านอาหารวั นล้ะพอนฉะไทม์ *(plan couleur I, D2, 99) : 32 Petchaburi Rd, Soi 17. ☎ 252-86-29. Tlj 11h-23h. CB acceptées.* Une vieille maison de style, tout en bois, dans un jardin tropical planté de grands manguiers. En plein centre de Bangkok et pourtant au calme. Certainement l'une des meilleures cuisines thaïes traditionnelles. Le mobilier patiné par les ans, la collection de portraits anciens (marotte du maître des lieux, le Français Pierre Delalande), l'éclairage tamisé et les costumes des serveurs donnent l'impression de revivre au début du XXe s.

I●I *T. Pochana (plan couleur I, D2, 83) :* *646/10 Petchaburi Rd. ☎ 252-19-84.* Un des meilleurs restos de fruits de mer de Bangkok. Attention, prix au poids (1 200 Bts le kilo, soit 24 €). Passons sur la déco métallisée assez froide, malgré les grandes tables rondes, concentrons-nous sur l'assiette. On choisit ses poissons dans les viviers et les étals au fond de la salle. Compter 600 Bts (12 €) pour un crabe au curry *(fried crab with Garie powder).* À la carte, autrement, pétoncles sautées *(fried baby clams),* soupe de coquilles Saint-Jacques à la sauce rouge *(sheel meat),* boulettes de crabe *(oy cho).* Tout est bon, préparé et grillé à la minute.

I●I Pourquoi ne pas aller jeter un coup

d'œil au énième **Hard Rock Café** – ฮา
ร์ดร็อคคาเฟ่ *(plan couleur I, D3, 100),
situé au cœur de Siam Square. En
entrant par Thanon Phaya Thai, en face
du* Maboonkhlong Shopping Center
(MBK), *dans le 3ᵉ renfoncement à
droite. Tj 11h-1h. Pas évident à trouver,
mais tout le monde connaît. Cher pour
ce que c'est.*

Vers Silom Road et Patpong – ถนนสีลมและพัฒน์พงษ์ (plan couleur I, B-C-D4)

Bon marché (moins de 200 Bts – 4 €)

|●| **Cantines de rue** *(plan couleur I,
D4) :* au coin de Silom et Convent Rds
– ร้านค้าเล็กๆมุมถนนสีลมและคอนแ
วนต์. Plats thaïs sur le pouce frais et
savoureux, cuisinés dans une multitude
de petits stands et servis sur des tables
improvisées. À l'heure du déjeuner, tous
les employés du quartier s'y précipitent ; et en soirée, de nombreux noctambules viennent là pour recharger
leurs batteries. Rencontres authentiques. Vraiment pas cher.

|●| **Food Center du Suan Luam Night
Bazaar** – ศูนย์อาหารสวนหลวง ง
ไนท์บาซาร์ *(plan couleur I, D4, 116) : au
bout de Witthayu Rd. Tlj 16h-2h.* En
plein cœur du marché de nuit. Bienvenue au Monopoly du restaurant. Achetez des coupons puis choisissez sur les
stands : saucisses de Chiang Mai, poulet ou porc grillés, *fried noodles,* fruits et
autres jus de fruits délicieux. Des centaines de places assises, face à une
scène où des groupes folkloriques ou
de rock thaï se produisent chaque soir.
Boissons très chères. Plus pour
l'ambiance fête foraine que pour la gastronomie et la musique.

|●| **Café 1912** – สมาคมฝรั่งเศส *(plan
couleur I, D4, 2) :* 29 Sathorn Tai Rd –
ถนนสาธรใต้. ☎ 670-42-00. Au sein de
l'Alliance française. Ouv tte la journée
mais bien pour le déj. Adresse un peu
chic, dans un bel espace lumineux pour
une cuisine locale vraiment pas chère.
Assistez à la préparation des nouilles et
de la salade de papaye par les apprentis marmitons : un vrai savoir-faire. De
temps à autre, cuisine française. Quelques pâtisseries et même des galettes
bretonnes pour le goûter !

|●| **Ngwanlee Lungsuam** *(plan cou-
leur I, D3, 101) :* 101/25-26 Soi Lang
Suan, Ploenchit Rd. ☎ 251-83-66. Tlj,
midi et soir. Un lieu typique et populaire
qui fait de la résistance aux grands bull-
dings du coin, en face de *Lumphini
Park.* On ne peut pas faire plus typique.
C'est ici que les expats amènent leurs
copains pour découvrir la *vraie* cuisine
thaïe. On pointe du doigt dans les
assiettes des voisins ou sur le menu
(attention, on ne parle pas l'anglais ici,
encore moins le français !). Spécialités
de fruits de mer (crabe farci exquis).
Grande terrasse isolée de la rue ou salle
patinée par les ans. Châtaignes grillées.
Service jovial.

Prix moyens (moins de 350 Bts – 7 €)

|●| **Mango Tree** – เดอะแมงโกทรี *(plan
couleur I, C4, 104) :* 37 Soi Tantawan,
Surawong Rd. ☎ 236-16-81. Venir tôt
ou réserver. Dans une ruelle calme. Une
de nos meilleures adresses. Cadre soigné dans une vénérable maison siamoise, exotique et chic, au pied d'un
magnifique manguier où jouent souvent des musiciens. Charmante terrasse verdoyante pour se régaler d'une
excellente cuisine thaïe à des prix tout à
fait corrects. À l'intérieur, salle intime et
chaleureuse. Carte longue comme le
bras. Dilemme ! On aimerait tout goûter : salades copieuses, soupes raffinées, nouilles délicates ; au dessert, le

mango with sticky rice est une petite merveille.

l●l *Ban Chiang* – ร้านอาหารบ้านเชียง (plan couleur I, C4, **106**) : 14 Srivieng Rd – ถนนศรีเวียง (dans une ruelle parallèle à Sathorn et Silom Rds). ☎ 236-70-45. Tlj midi et soir. Au cœur du quartier des antiquaires, dans une maison de charme délicieusement patinée par le temps, on sert une exquise cuisine thaïe authentique ; en vedette, un *roast duck curry* mémorable. Choix de vins satisfaisant pour les amateurs. Pour la petite histoire, *Ban Chiang* est le nom d'une civilisation préhistorique qui occupa le sol thaïlandais et dont le patron possédait une collection de poteries. Excellent accueil.

l●l *Harmonique* – ร้านอาหารฮาร์โมนิค (plan couleur I, C4, **107**) : 22 Charoen Krung, Soi 34. ☎ 237-81-75. Lun-sam 11h-22h. À deux pas de l'ambassade de France, chercher le grand portique rouge et doré sur Charoen Krung ; c'est à droite au fond du soi. Dans une maison thaïe décorée avec goût, pleine de chinoiseries. Tonnelle agréable. À la carte, fruits de mer (très bon curry de crabe) et plats thaïs bien ficelés, comme le poulet au sésame ou au lait de coco. Service aimable.

l●l *Aoi* – อ๋อย (plan couleur I, C-D4, **105**) : 132/10-11 Silom Rd, Soi 6. ☎ 235-23-21. Chercher l'enseigne tte blanche sur la gauche. Prononcer « A-O-I ». Tlj midi et soir. Le rendez-vous des businessmen. Cadre fait de bois, de pierre et d'alcôves en étage pour ce temple de la gastronomie japonaise. Les *sobas* et *udons* (d'énormes spaghettis préparés aux petits légumes) sont bien cuisinés et amplement suffisants pour une première approche. Variété de poissons crus ou marinés, pour les amateurs (très cher). En guise de desserts : flan à la mangue, purée de haricots rouges aux fruits... De quoi se faire hara-kiri !

l●l *Himali Cha Cha One* – ภัตตาคาร มาลัยชาช่า (plan couleur I, C4, **103**) : 1229/11 Charoen Krung, Soi 47/1 ; entre Silom Rd et Surawong. ☎ 235-14-78. Tlj midi et soir, jusqu'à 22h30. Resto indien de bonne tenue quoique l'éclairage soit un peu faible (on ne voit pas toujours dans son assiette !). Plats d'Inde du Nord. *Vegetable kofta, curries, kormas* et *tandoori,* toujours réussis et à prix doux. Nos papilles se souviennent encore du *tandoori* à la menthe (très épicé) et du *curry kashmiri* (plus doux). Carte de plats végétariens, comme il se doit pour un Indien. Service diligent. D'autres adresses en ville.

Plus chic (de 400 à 1 000 Bts – 8 à 20 €)

l●l Pour le déjeuner, tenter le buffet-lunch des grands hôtels. On vous recommande particulièrement le *Sala Rim Nam* – ภัตตาคารศาลาริมน้ำ (plan couleur I, B4, **109**), resto du très prestigieux *Oriental Hotel* – โรงแรมโอเรียนเต็ล. De l'autre côté de la rivière Chao Phraya. Une navette gratuite effectue régulièrement l'aller-retour de l'hôtel au resto. Résa souhaitable : ☎ 236-04-00. Tlj 12h-14h. À midi, compter 700 Bts (14 €). Le soir (19h-22h), dîner-spectacle env 2 000 Bts (40 €). Nourriture de qualité et à volonté. Rien que ça ! Un cadre magique, très luxueux (faites un effort pour la tenue). Cuisine

enchanteresse... hyper variée et copieuse... Prix à l'avenant, bien sûr. Propose également des cours de cuisine, excessivement onéreux.

l●l *Le Mistral* (plan couleur I, C4, **108**) : au *Sofitel Silom,* 188 Silom Rd. Au 2e étage. Tlj buffet à volonté 600 Bts (12 €) le midi et 700 Bts (14 €) le soir. Nostalgie du pays ? Envie de vous faire un petit festin pour pas trop cher ? Le buffet du *Mistral* propose des petits plats français et méditerranéens, exquis et généreux. Déco assez classe et service stylé. Belle vue. Buffet de desserts extra !

l●l *Le Bouchon* – ร้านอาหารเลอบูชง

(plan couleur I, D4, 111) : 37/17 Patpong II Rd. ☎ 234-91-09. 📱 081-845-02-91. *Un Lyonnais – vous l'aviez deviné ! – venu concurrencer notre bonne vieille capitale. Atmosphère étonnamment chaleureuse et intime, à quelques mètres du brouhaha de Patpong. En guise de menu, un grand tableau noir où sont inscrites quelques spécialités françaises traditionnelles. De la soupe aux lentilles au magret de canard à l'orange, en passant par le feuilleté de fruits de mer à la crème... Cuisine délicate et soignée pour une addition un peu salée à notre goût. Service souriant. Petit bar en face,* Le French Kiss, *pour poursuivre sur votre lancée nostalgique et finir le repas en beauté !*

🍽 **Bussaracum** – อาหารไทย *(plan couleur I, C4, 93) : Sethiwan Tower, 139 Soi Pan, Silom Rd.* ☎ 266-63-12. Tlj 11h-14h et 17h-22h30. *Menus d'assortiments divers pour 4 pers 500-900 Bts (5 à 9 €) selon les quantités. Adresse élégante des beaux quartiers (près de l'ambassade de Birmanie) dans une vaste salle qui ressemble plus à un hall de banque qu'à un resto. Cuisine thaïe très soignée servie dans une vaisselle précieuse. Légumes découpés avec art dans la grande tradition de la cuisine royale. Produits de la mer essentiellement. Musique traditionnelle, service feutré. Idéal pour un dîner d'affaires, si vous êtes là pour ça ! Prix en rapport avec le standing. Le Premier ministre canadien et le roi de Suède y ont dîné.*

Où boire un verre ? Où sortir ?

La loi en vigueur n'autorise pas les bars et discothèques à ouvrir au-delà de 1h du matin. Les oiseaux de nuit en seront pour leurs frais... Voici tout de même quelques adresses pour terminer la soirée en beauté.

Bars de rue et bars de nuit

Dans les quartiers indien, chinois et vers les temples

🍸 **Amorosa** *(plan couleur I, A3, 44) : 36-38 Soi Pratu Nokyung, sur Maharat Rd.* ☎ 221-91-58. *Sur la berge, face au Wat Arun et derrière le Wat Pho. À deux pas de l'embarcadère Tha Tien. Au 4e étage de l'Arun Residence. Vue plongeante et superbe sur la Chao Phraya et le Wat Arun. Pour un dernier verre en amoureux...*

Dans le quartier de Khao San

🍸 **The Station** *(plan couleur III, A2, 162) : bar de rue sur Thanon Chakrapongse, dans la... station-service. Le soir, le vieux combi Volkswagen à papa est recyclé en bar itinérant. Ambiance bon enfant, pour siroter tranquillement un cocktail en se faisant faire un petit massage des pieds ou des mains.*

🍸♪ **Molly Bar** *(plan couleur III, B2, 167) : 108 Rambutri Rd.* ☎ 629-40-74. *Un bar-terrasse, un peu à l'ombre, avec ses chaises en bois et ses concerts en fin d'après-midi.*

Dans le quartier de Sukhumvit

🍸 **Charlie's Bar** – ชาลีส์ บาร์ *(plan couleur II, E7, 161) : Sukhumvit, Soi 11. Fermeture à 0h30. Minuscule bar de rue dans un renfoncement à gauche. C'est* un étonnant bric-à-brac végétal, une jungle de bois séchés sur un bout de trottoir. Les quelques tables sont fréquentées le soir par les expats anglo-saxons. Chez *Charlie*, c'est bière ou whisky.

▼ ♫ Q Bar – คิวบาร์ *(plan couleur II, E7, 160)* : sur Sukhumvit, tt au bout du Soi 11, dans un renfoncement à gauche. ☎ 252-32-74. *Tlj 20h-1h. Entrée payante, avec 2 consos.* Le bar-boîte qui pulse à fond. Techno, house, jungle & trip-hop. Terrasse intime pour les amoureux. Bonne ambiance. Très fréquenté par les expats. Un peu cher.

▼ ♫ The Bed Supperclub – เดอะ เบด ซัปเปอร์คลับ *(plan couleur II, E7, 160)* : sur Sukhumvit, Soi 11 toujours, avt le Q Bar. ☎ 651-35-37. Un de ces clubs futuristes assez originaux. Dans une capsule de métal, suspendue aux pylônes en béton. On peut dîner assis ou couché mais boire ou danser bien debout ! Écrans vidéo, jeux de lumière et DJ à la pointe pour *mix* tendance. *Crazy baby !*

Dans le quartier de Silom

▼ ♪ Sur Sarasin Rd – ถนนสารสิน *(plan couleur I, D3)* : le long du parc Lumphini, une rangée de **bars** furieusement en forme égaieront vos soirées. Musique live, ambiance décontractée et bon esprit. Très sympa.

Discothèques

Dans le quartier de Sukhumvit

▼ ♫ Narcissus – นา ซีส ซัส *(plan couleur II, F7, 165)* : 112 Sukhumvit Rd, Soi 23. ☎ 258-48-05. *Droit d'entrée : 300-500 Bts (6-10 €), avec 1 ou 2 consos.* La disco la plus frimeuse de Bangkok. Plein de *golden boys*, de dragueurs argentés ayant gagné au loto. Cadre de colonnades à la romaine, un peu kitsch. Tenue *fashion & clean* exigée.

Dans le quartier de Siam Square

▼ ♪ ♫ Concept CM2 – คอนเซ็ปต์ ซีเอ็ม 2 *(plan couleur I, D3, 164)* : au rez-de-chaussée de l'hôtel *Novotel*, Siam Sq., Soi 6. ☎ 255-68-88. *Ouv tlj à partir de 22h.* Niveau sonore totalement délirant. Très R'n'B. Inutile d'essayer de rentrer en tongs ! Fréquenté par la jeunesse dorée et les expatriés. Divers karaokés et 2 boîtes.

Dans le quartier de Silom

▼ ♫ ♪ Lucifer Disco TK – ลูซีแฟร์ *(plan couleur I, D4, 163)* : 76/1-3 Patpong, Soi 1. ☎ 234-69-02. *Ouv tlj à 22h. Entrée : 150 Bts (3 €), 1re boisson incluse.* Au cœur de la rue chaude, envahie la nuit par les éventaires des marchands. Un escalier très pentu mène à l'étage. Stalactites pendues au plafond, déco style « Fantômes, Dracula et Halloween », serveurs portant des chapeaux de sorcière pointus, musique techno à fond, comme d'habitude. Malgré tout, l'ambiance n'a rien d'infernal ou de malsain. *Lucifer* reste un sage bonzillon de la nuit.

Bars, cabaret et spectacles
Dans le quartier de Siam Square

🍸 🎵 ∞ **Calypso Cabaret** – คาลิปโช่ คาบาเร่ *(plan couleur I, C2, 166) : dans l'Asia Hotel, 296 Phaya Thai Rd.* ☎ 653-39-60 *(9h-18h) et* 216-89-37 *(18h-22h). Show ts les soirs à 20h15 et 21h45. Durée : 1h20. Entrée : 1 000 Bts (20 €) avec 1 conso.* Il s'agit d'un spectacle réalisé par une joyeuse bande de travestis qui dansent et chantent en play-back sur des airs du monde entier. Décidément, la Thaïlande est vraiment le pays de la contrefaçon ! Spectacle soft et bon enfant.

Dans le quartier de Silom

🍸 🎵 🎶 **Radio City** – เรดิโอซิ ตี *(plan couleur I, D4, 163) : dans Patpong I, juste en dessous du* Lucifer. On a bien aimé l'ambiance survoltée de ce bar très clean, où des orchestres vraiment talentueux reprennent les tubes occidentaux du moment. Ambiance cabaret également, avec spectacles de sosies (Elvis, Marilyn, etc.) mais rien avant 22h. Quelques verres aidant, les jeunes spectateurs – Thaïs et touristes – poussent tables et chaises et se laissent vite gagner par les démons de la danse. Une bonne soirée, et plein de rencontres sur le vif.

∞ **Spectacles de marionnettes** *(Joe Louis Puppet Theatre ; plan couleur I, D4, 116) : au* Suan Luam Night Market *(Skytrain : Lumphini).* ☎ 252-96-83. ● *thaipuppet.com* ● *Tlj à 19h30. Compter 900 Bts (18 €).* Pour se fondre dans l'imaginaire du Rāmāyana, la grande épopée hindouiste. Tout l'art de la marionnette asiatique comme on l'aime, pendant 1h, au cours d'un show primé partout dans le monde. À voir ne serait-ce que pour la beauté des marionnettes, de vraies œuvres d'art. Le show change tous les 6 mois.

– Attention ! Attrape-touristes ! **Les « go-go bars » de Patpong :** lire attentivement la rubrique « Prostitution » dans « Hommes, culture et environnement » !... Patpong I et Patpong II sont deux ruelles composées essentiellement de bars à *go-go girls.* Les filles dansent en maillot sur la piste. Bien demander le prix de la bière avant d'entrer.

Si l'on pense que se priver d'une balade nocturne dans les ruelles de Patpong revient à ne pas monter jusqu'au 3e étage de la tour Eiffel, en revanche, on peut considérer qu'aller plus loin avec une des filles (surtout sans capote) reviendrait à se jeter du haut de cette même tour Eiffel. Par ailleurs, oubliez les offres alléchantes des « pussy shows », arnaques et attrape-touristes en tous genres. Plus d'un routard a failli y perdre ses ailes.

– Pour les **spectacles de danses traditionnelles** et la **boxe thaïe,** voir plus loin.

À voir. À faire

Attention : les rabatteurs (surtout les chauffeurs de *tuk-tuk* !) vous indiqueront soit que les temples sont fermés (comme par hasard !), soit qu'ils sont réservés uniquement aux Thaïs et vous proposeront des tours en attendant, ou vous emmèneront voir des boutiques où ils ont des commissions. Donc, refusez poliment et suivez votre chemin. Idem avec les marchands de pierres précieuses : tout est souvent très faux ! Voir notre rubrique « Dangers et enquiquinements » dans « Thaïlande utile » plus haut.

Dans les quartiers chinois, indien et près des temples – ย่านจีนและย่านอินเดีย ใกล้ๆ วัด *(plan couleur I)*

✘✘✘ ⫙ ***Wat Phra Kaeo et le Grand Palais** –* วัดพระแก้วและพระบรมมหาราชวัง *(plan couleur I, A2, 130) :* Sanam Chai Rd. ☎ 222-00-94. ● *palaces.thai.net ●* Desservi par les bus nᵒˢ 1, 3, 6, 9, 15, 19, 25, 30, 44, 47, 53, 60, 82, 91 ; et par le bateau : arrêt « Tha Chang ». Tlj 8h30-16h. Entrée : 350 Bts (7 €) ; ticket jumelé avec la visite du Vimanmek Palace Museum (voir plus loin), valable 30 j. après achat. Audioguides en français : 200 Bts (4 €) ; visites guidées en anglais à 450 Bts (9 €) jusqu'à 5 pers, à 10h, 10h30, 13h30 et 14h. Tenue correcte exigée (pantalon et épaules couvertes, tongs interdites, chaussures fermées requises), mais si vous n'avez pas l'équipement adéquat, on vous le prêtera contre une caution. Conseillé d'y aller assez tôt afin d'éviter la chaleur et les hordes de touristes asiatiques singeant littéralement les poses des statues pour une jolie photo-souvenir ! Commencer la visite par le Wat Phra Kaeo puis le Grand Palais : les gardes sont inflexibles si vous faites l'inverse ! Boutique bien fournie, où une partie des bénéfices est reversée aux artisans thaïs.

Le palais fut construit en 1867 par Râma IV pour célébrer le 100ᵉ anniversaire de la dynastie Chakri, puis Râma V y apporta sa touche personnelle. À l'intérieur de l'enceinte (219 ha), on trouve le palais lui-même, des dépendances, ainsi qu'un ensemble de temples dont le Wat Phra Kaeo, le temple bouddhique le plus fameux de la Thaïlande, édifié pour accueillir le *bouddha d'Émeraude* (en fait, c'est du jade). Cet ensemble de temples entourant le *wat* principal fut construit à la fin du XVIIIᵉ s. C'est l'un des plus cohérents du pays sur le plan architectural, même si ça n'en a pas l'air.

LES AMULETTES SIAMOISES

Aux abords des temples, sur Thanon Maharat, on ne peut manquer les étals, à même le sol, où sont penchés les Thaïs en train d'examiner minutieusement de petites figurines. Ces pendentifs d'argile, à l'effigie du Bouddha ou d'une autre figure religieuse populaire, sont censés protéger du mauvais sort et conjurer les dangers, à condition d'avoir été bénis par un bonze. Les plus appréciés et les plus chers sont ceux qui favorisent la séduction ou l'élimination d'un rival et surtout ceux permettant de gagner à la loterie. Il n'est pas interdit d'en porter plusieurs en même temps. On ne sait jamais !

La visite

Ça y est ! vous y êtes, vous avez passé la porte de la Glorieuse Victoire. Après avoir acheté vos tickets et avant l'entrée dans l'enceinte du temple, sur la droite, musée de la Monnaie, des Médailles et Trésor royal : le *Royal Thai Decorations and Coin Pavilion*. Si monnaies et médailles ne présentent pas un intérêt formidable, en revanche, la collection de vêtements, sceptres, épées, bijoux et vaisselle de la famille royale est tout simplement prodigieuse.

On accède ensuite aux temples. Devant cet ensemble aux couleurs vives, on hésite entre trouver cela somptueux ou carrément kitsch : façades chargées, recouvertes de verre, de bouts de miroir, de morceaux de faïences multicolores et agrémentées de petites sculptures. Ce qu'on aime particulièrement, en revanche, ce sont les toits superposés, colorés comme des tapis en cascade. Éblouissants stûpas dorés au soleil et colonnes constellées de miroirs. On ne va pas vous faire l'historique de chaque temple, ce serait fastidieux. Voici quand même une sélection des plus remarquable : commençons par l'édifice principal, le *Wat Phra Kaeo*, qui abrite la fameuse statuette du bouddha d'Émeraude. C'est en fait la chapelle royale du

Grand Palais, édifiée par Râma Ier. Elle rappelle par son style les chapelles des royaumes de Sukhothai et d'Ayutthaya. Le toit combine les styles thaï et cambodgien (époque où les deux pays étaient unis). On y entre par l'arrière.

L'histoire du bouddha d'Émeraude fait partie des célèbres légendes de l'Orient. Des chercheurs pensent que cette statue serait originaire du nord du pays, d'autres croient plutôt qu'elle provient du sud de l'Inde ou du Sri Lanka... Au XVe s, on découvre à Chiang Rai une statuette de Bouddha couverte de stuc. Le stuc laisse alors apparaître une statue de jade (et non d'émeraude !), resplendissante. Elle fait un séjour à Lampang, puis le roi de Chiang Mai décide de récupérer l'objet vénéré. Un siècle plus tard, la statue est au Laos, ayant suivi les princes dans leur conquête. Après plusieurs voyages encore, Râma Ier, à la fin du XVIIIe s, récupère la statuette en prenant la ville de Vientiane (Laos), puis la rapporte en Thaïlande. On lui érige un temple définitif : le *Wat Phra Kaeo,* achevé en 1784. Depuis, la statue n'a plus bougé.

Le bouddha est placé au sommet d'un piédestal et protégé par une sorte de baldaquin à neuf niveaux, symbole de la royauté universelle et de la continuité de la dynastie Chakri. En réalité, on ne voit pas vraiment bien la statue, car elle est placée à 11 m de haut et ne mesure que 66 cm ! Le bouddha s'y trouve dans une position de méditation, assis, les jambes repliées. Petite, oui, mais coquette ! Elle possède trois tenues que le roi lui-même change à chaque saison : une robe bleue à paillettes et deux en or. Celles qu'elle ne porte pas pour l'instant sont conservées dans le pavillon des Médailles et des Décorations.

Remarquer aussi l'autel sur lequel le bouddha est dressé. Il est en bois recouvert d'or. Noter les panneaux de la porte incrustés de nacre, réalisés dans le style d'Ayutthaya. Sur les murs, fresques retraçant la vie de Bouddha. Les trois mondes sont évoqués : celui du désir, celui de la forme et celui de l'absence de forme. Figures hautement allégoriques, dont la signification nous échappe bien souvent. Apprécier aussi les offrandes, souvent somptueuses.

Attention : photos interdites et évitez de pointer du pied la statue, insulte suprême.

Tout autour du *Wat Phra Kaeo,* on trouve une multitude d'autres édifices. Bien sûr, vous ne manquerez pas ce magnifique *chedî* doré qui cache le sternum de Bouddha, ces statues de monstres, gardiens des portes des temples et, autour de certains *chedî,* ces démons à tête de singe qui supportent les structures, parés de costumes de mosaïques multicolores, et le *Panthéon royal* (juste derrière le *chedî* doré), ruisselant d'or et de faïence bleue, datant de la fin du XIXe s et abritant des statues représentant les dirigeants de la dynastie actuelle grandeur nature ! Ouvert uniquement le 6 avril, jour de célébration de la montée sur le trône de l'actuelle dynastie.

Sur tout le pourtour, sous les arcades du *Ramakien,* immense fresque de 178 panneaux retraçant la version thaïe du *Râmâyana,* un des récits épiques fondamentaux de l'hindouisme. Partir de la gauche de la porte principale pour « lire » l'épopée qui relate (pour résumer) la naissance et l'éducation du prince Râma (septième avatar de Vishnou), la conquête de Sîtâ et son union avec elle puis l'exil de Râma, l'enlèvement de Sîtâ, sa délivrance et le retour de Râma sur le trône. On y voit à plusieurs reprises Hanuman, le chef de l'armée des singes. À côté de la bibliothèque, on trouve une maquette reproduisant le site *d'Angkor Vat,* un des plus beaux ensembles de temples au monde, situé au Cambodge, qui faisait autrefois partie de la Thaïlande. Râma IV avait conçu le projet de déplacer Angkor Vat mais il fut contraint d'y renoncer devant l'ampleur de la tâche. Outre les temples, on peut visiter certaines pièces du *Grand Palais,* ancienne résidence royale *(fermé w-e et j. fériés).* Chaque roi y étant allé de sa petite construction, ça fait un peu fouillis. On peut aussi visiter le petit *musée (8h30-16h)* : le rez-de-chaussée est assez pauvret, mais l'étage se révèle plus riche. Enfin, sachez que le roi n'habite plus ici, ces salles ne servent que pour les grandes occasions.

🍸 Entre les deux temples, on ira prendre un verre dans une ancienne échoppe chinoise : **Rub-Ar-Roon Café** *(plan couleur I, A3, 168)*, 310-312 Maharat Rd. ☎ 622-23-12. *Tlj 8h-18h. Juste derrière* le *Wat Pho et l'arrêt de l'embarcadère Tha Thien.* Parfait pour se désaltérer à l'ombre, assis dans un joli café réaménagé. Quelques sandwichs et plats traditionnels pas chers également.

🏃🏃🏃 🚶 **Wat Pho** – วัดโพธิ์ *(plan couleur I, A3, 131)* : ☎ 223-03-69. ● watpho. com ● *À env 10 mn à pied du Wat Phra Kaeo (accessible par les mêmes bus) ; de ce dernier, prendre Saman Chai Rd vers le sud, la 1re rue à droite. Sinon, arrêt bateau : Tha Tien. Tlj 8h-17h. Entrée : 50 Bts (1 €). Visites en anglais slt.*
Un de nos préférés. Bel ensemble de temples dont le principal abrite le célèbre bouddha couché. Édifié par Râma Ier au XVIIIe s, c'est le plus ancien et le plus grand temple de Bangkok, mais certainement aussi le plus beau car situé dans un espace aménagé avec des coins de verdure et de repos. De plus, contrairement au Grand Palais, le Wat Pho est bien vivant. On y trouve des moines évidemment, mais aussi une école de massage, des diseurs de bonne aventure, un ashram de méditation, un petit café... Ce fut un centre d'éducation important au XVIIIe s, mais son origine est antérieure. Voici les éléments les plus importants.
– *Le temple du Bouddha couché :* à l'entrée, noter les 2 grands personnages de pierre, coiffés d'un chapeau haut de forme et tenant de longs bâtons ! Ce sont des caricatures de *farang.* À l'intérieur du temple, un gigantesque **bouddha couché,** de 45 m de long et de 15 m de haut, très à l'étroit dans son petit temple. Récemment, on l'a recouvert d'une nouvelle feuille d'or. Noter son sourire narquois, la délicatesse des cheveux et ses pieds joliment incrustés de nacre, qui illustrent les qualités de Bouddha. La position couchée est celle précédant l'atteinte du nirvana, point de libération du cycle des réincarnations.
– Dans l'enceinte, quatre grands *chedî* recouverts de céramiques très décorées. Leurs formes et couleurs sont toutes différentes. Ils représentent les premiers rois de la dynastie Chakri. On les trouve vraiment superbes avec leurs flèches hautes et fines. De chaque côté, des statuettes dans des positions rigolotes, pleines d'inspiration ou de totale béatitude.
– Autour du temple, 2 galeries abritent *394 bouddhas assis.*
– Au fond de l'enceinte (côté droit par rapport à l'entrée sud), **centre de massage traditionnel.** *Compter 220-480 Bts, soit 4,40-9,60 €. Tlj 8h-18h.* Ce sont des étudiants qui se font la main sur votre dos ou vos pieds. Séances de 30 mn à 1h, avec ou sans herbes. Hélas, c'est un peu devenu l'usine (on vous donne même un ticket comme à la Sécu !). Dans l'enceinte, buvette et toilettes.

🏃🏃 **Wat Mahathat** – วัดมหาธาตุ *(temple de la Grande Relique ; plan couleur I, A2, 132)* : entrée sur Thanon Na Phra That, parallèle au grand parc de Sanam Luang. ☎ 221-59-99. *Tlj 8h-17h. Entrée gratuite.* À quelques mètres des grands temples, un temple secret et loin des foules, à peine perturbé par le chant des oiseaux et des bonzes en prière. En revanche, le dimanche, c'est l'affluence pour l'impressionnante prière collective du matin. Dans l'enceinte centrale, belle collection de bouddhas en méditation, souriants et facétieux, gardant sagement les reliques de Bouddha (non visibles, dans le *chedî*) et les tombes des défunts. Centre de méditation (horaires changeants, à vérifier sur place), ouvert aux non-initiés. Université pour apprentis bonzes, ravis de vous éclairer sur l'état du nirvana.

🎎 **Wat Arun** – วัดอรุณ *(temple de l'Aube ; plan couleur I, A3, 133) : de l'autre côté de la rivière de Chao Phraya, à Thonburi* – ฝั่งธนบุรี. ☎ 891-11-49. *Prendre les navettes qui traversent le fleuve ttes les 10 mn au Tha Thien si vous venez du Wat Pho, ou au Tha Chang si vous venez du Wat Phra Kaeo. Contrairement à ce que l'on pourra vous dire, il est inutile de louer un bateau pour traverser. Taxe (illégale ?) de 20 Bts (0,40 €) perçue au débarcadère si vous arrivez avec un* long-tail boat. *Ouv 7h30-17h30 ; préférez le mat car parfois ferme plus tôt. Entrée : 50 Bts (1 €).*

Un des symboles emblématiques de Bangkok. On retrouve sa silhouette sur certaines pièces de monnaie. Ce « temple de l'Aube » a été conçu pour être le premier à recevoir la lumière du matin, d'où son nom qui provient d'*Aruna,* déesse de l'Aurore en Inde. À moins que ce ne soit à cause de la 1re visite de Râma Ier aux aurores... Il fut terminé au XIXe s par Râma II et Râma III, dans Thonburi, cette partie de la ville autrefois capitale du pays. Le *prang* principal, haut de 114 m, est extraordinaire, totalement recouvert de morceaux de porcelaine et accuse un style khmer assez marqué, représentant le mont Meru, la maison des Dieux pour les Khmers, avec de délicieuses *apsara* (danseuses divines) sculptées à la base. Accès interdit jusqu'au sommet de la tour principale, mais on peut grimper par un escalier raide jusqu'au 2e étage où la vue est déjà superbe... Juste à côté, la chapelle *(prah viharn)* est recouverte d'une céramique fleurie et champêtre. Belle porte au motif floral sculpté et gravé.

🎎 **Wat Sekhet** – วัดสระเกษ *(temple de la Montagne d'Or* – วัดภูเขาทอง *; plan couleur I, B2, 135) :* Chakkaphatdi Rd ou Boriphat Rd – ถ.จักรพัฒน์หรือถนนบริพั ฒน์. *Assez proche de l'office de tourisme, dans le quartier des menuisiers. Desservi par les bus nos 8, 15, 37, 38, 47 et 49. Tlj 7h30-17h30. Entrée : 10 Bts (0,20 €).* Ce temple commencé par Râma III et fini par Râma V se trouve perché sur une colline artificielle et ne ressemble à aucun autre. Il présente peu d'intérêt mais offre une vue unique à 80 m de hauteur, avec... 320 marches.

🎎 **Wat Suthat** – วัดสุทัศน์ *(temple de la Balançoire géante ; plan couleur I, B2, 137) : entrée par Bamrung Muang Thanon (face à la Balançoire). Desservi par les bus nos 10, 19, 35 et 42. Tlj 9h-17h. Entrée : 20 Bts (0,40 €).* Construit par Râma Ier et achevé par Râma III. Fresques de grande qualité. On vient ici également pour le gigantesque portique de la Balançoire placé juste à l'entrée. Elle servait de balancier à de jeunes brahmanes dont l'objectif était de décrocher avec les dents des sacs pleins d'argent suspendus à 25 m au-dessus du sol. On ne voit pas bien le côté religieux de l'affaire...

🎎 Les mordus des temples pourront encore rendre visite au **Wat Rajabophit** – วั ดราชบพิตร *(plan couleur I, B2, 138)* et au **Wat Ratchanadaram** – วัดราชนัดดาราม *(plan couleur I, B2, 139),* entouré d'un marché aux amulettes.

🎎🎎 **The National Museum** *(le Musée national* – พิพิธภัณฑสถานแห่งชาติพระนคร *; plan couleur I, A2, 140) :* Na Phra That Rd – ถนนหน้าพระธาตุ. ☎ 224-13-96. ● thailandmuseum.com ● *Desservi par les bus nos 1, 3, 6, 8, 9, 15, 19, 25, 30, 42, 44, 47, 53 et 60. Mer-dim 9h-16h. Fermé j. fériés. Entrée : 40 Bts (0,80 €). Visite guidée en français gratuite mer et jeu à 9h30.* Un superbe musée à ne pas manquer. Petit resto sympa ; boutique.

Cet ensemble est composé de plusieurs édifices (se munir d'un plan à l'entrée) abritant les chefs-d'œuvre de l'art thaïlandais, ainsi que des anciens pavillons ou temples placés ici dans un but de conservation. Ce musée prépare admirablement bien à la visite ultérieure des temples. Tout l'art thaïlandais y est résumé ; de vraies merveilles...

Avant de débuter la visite, sachez que toutes les *salles du groupe N* réunissent l'art thaï de différentes périodes : objets et sculptures d'époque du Lan Na (XIIIe s), dont la capitale était Chiang Mai ; art de Sukhothai (nombreux bouddhas), d'Ayutthaya (influencé par l'art môn et khmer), ainsi que de Bangkok (création du XIXe s). Les *salles du groupe S* abritent l'art de Lopburi, Dvâravatî et Srivijaya.

Voici donc les salles qui nous ont semblé les plus intéressantes.

– *Salles 1 et 2 :* elles retracent la préhistoire et l'histoire du pays (situées dans l'édifice d'entrée), des origines préhistoriques aux royaumes de Siam.

– *Salle 3 :* c'est en fait la *chapelle Buddhaisawan,* construite à la fin du XVIIIe s dans le style de Bangkok pour abriter un bouddha en bronze doré du XVe s. Extérieur assez banal, mais panneaux peints superbes à l'intérieur. Ils décrivent la vie de Bouddha dans un style très allégorique, de sa naissance à sa mort. Plafond à poutres décorées. Panneaux de bois relatant la vie de Râma, héros national. Notre Astérix à nous, quoi !

– *Salle 6 :* série d'exceptionnels palanquins royaux dont un en ivoire. Haut palanquin en bois sculpté de la fin du XVIIIe s.

– *Salle 7 :* jolie collection de masques, figurines de théâtre et têtes de marionnettes. Jeux d'échecs en ivoire.

– *Salle 8 B :* présentation de superbes défenses d'éléphants sculptées et des boîtes incrustées de nacre.

Passage par une cour calme avec bassin où batifolent quelques poissons.

– *Salle 10 :* la galerie du parfait petit tonton flingueur ! Armes de toutes sortes, parfois très raffinées. Éléphant équipé pour le combat.

– *Salle 11 :* emblèmes royaux et collection de bouddhas en or (déchaussez-vous !).

– *Salle 14 B :* tissus et costumes traditionnels et militaires à travers les siècles. Soies chinoises ou cambodgiennes, brocarts indiens. La plupart proviennent des armoires de la famille royale.

– *Salle 15 :* surprenante collection d'instruments de musique de toute l'Asie.

– *Salle 17 :* étonnants chariots funéraires royaux construits sous le règne de Râma Ier pour les crémations royales. Un des chariots est encore utilisé. Il pèse 20 t et est tiré par plusieurs centaines d'hommes.

– *Salle 22 :* c'est une vieille maison de teck qu'il faut absolument visiter. Ancien appartement privé d'une princesse. Toutes les planches sont chevillées et non clouées. Superbe de simplicité et de raffinement. Beau lit à baldaquin.

– En sortant, sur la gauche, le *Théâtre national,* en rénovation. Pas mal de spectacles de danse.

¶¶ 乂 *Le Musée national des Barges royales* – พิพิธภัณฑ์สถานแห่ง ชาติเรือพ ระราชพิธี *(plan couleur I, A1-2, 143) :* ancrées sur le khlong Bangkok Noi, près de la gare de Thonburi. ☎ 424-11-04. Tlj 9h-17h, sf j. fériés. Entrée : 30 Bts (0,60 €), 100 Bts (2 €) pour les photos, le double pour les vidéos. Pour y aller, le plus simple : prendre le Chao Phraya Tourist Boat, qui s'arrête juste en face. Autre moyen, moins cher : s'arrêter au ponton du Phra Pinklao Bridge avec le River Express, prendre ensuite à gauche sous le pont, passer la Wat Dusitaram School, puis prendre tt de suite à gauche. Au fond du Soi Wat Dusitaram, à gauche, puis suivre les pancartes « Royal Barges ». Par de petits pontons de béton ou de bois, au milieu d'un dédale de maisons sur pilotis (en profiter pour regarder vivre la population locale), on aboutit au khlong où se dresse le hangar aux barges.

Vaste hangar sur l'eau où sont présentées huit incroyables barges décorées et sculptées qui servaient, jusqu'à une date récente, à transporter le roi pour offrir aux bonzes leur nouvelle robe lors de la saison des *Kathins*. La plus ancienne barge mesure 43 m de long et ne comptait pas moins de 64 rameurs. Proues admirables, somptueusement ciselées, représentant des héros légendaires thaïs. Il faut imaginer les belles avec leurs ombrelles, les musiciens...

🏃🏃🏃 🏃 *Chinatown* – ย่านเยาวราช *(plan couleur I, B3)* : quartier situé entre Yaowarat et Charoen Krung, 2 rues parallèles. On peut y aller en bateau. Descendre à Tha Ratchawong ou à Memorial Bridge (Tha Saphan Phut). Difficile à décrire, c'est avant tout une atmosphère : petits restos, stands de toutes sortes et mamies chinoises donnent le ton au quartier. Beaucoup de commerces, bien sûr, bijoux et tissus notamment, et puis d'innombrables petites gargotes de rue, fumantes et animées. À voir surtout quand la nuit tombe, lorsque les néons concurrencent les vieilles lanternes chinoises.

– *Yaowarat* (nombreuses boutiques d'or et d'apothicaires) est une artère large et peu chaleureuse ; mais partez donc explorer les ruelles minuscules qui s'infiltrent de part et d'autre. Les deux venelles les plus hautes en couleur restent sans conteste *Sampeng Lane* (*Soi Wanit I* sur le plan), parallèle à Yaowarat, et surtout sa transversale *Itsaranuphap*. Des centaines de petites échoppes d'où émanent parfois des odeurs terrifiantes et débordant d'un fatras d'objets, de vêtements, de vieilleries en tout genre. Fouinez et vous trouverez des coins intéressants, ici le verbe « chiner » prend tout son sens.

– Plus vers l'est, visitez aussi *Phadung Dao* et les ruelles avoisinantes. D'un côté, le *Soi Texas* (la ruelle qui s'engage face à *Chinatown Hotel*) avec ses salons de coiffure où l'on se propose, pour une poignée de bahts, de s'occuper de votre barbe ou de vos petons. De l'autre côté, un enchevêtrement de venelles résidentielles où l'on rencontre des familles chinoises souriantes et détendues. Dans les nombreuses gargotes, l'ambiance est à la fête et on surprend de vieux Chinois, un verre de whisky ou de bière à la main, chantant à pleine voix les derniers tubes de Canton, en regardant les petits derniers improviser un volley sur le trottoir entre deux arbres. Du coup, l'image qu'on s'était faite du Chinois cinq minutes plus tôt est balayée. À l'intérieur du quadrilatère formé par Charoen Krung, Chakkrawat, Yaowarat et Boriphat se trouve *Nakhom Kasem*, « le marché aux voleurs », où étaient vendues autrefois les marchandises chapardées. Plus connu aujourd'hui pour ses appareils photo d'occase et ses confiseries pas mauvaises du tout. À voir encore, le *temple Leng Noi Yee*, à l'angle de Charoen Krung et de Mangkon Rd. Atmosphère assez géniale, genre *Tintin et le Lotus bleu*.

– Tous les ans, début février, le *Nouvel An chinois* enflamme Chinatown lors d'une fête démesurée, nourrie de petits concerts et d'innombrables cantoches, installées dans les rues fermées à la circulation pour l'occasion. Un bon bain de foule à tenter si vous êtes dans le coin. De même, la mi-année du calendrier chinois est fêtée dans la rue...

🏃🏃 🏃 *Le quartier indien, le marché de Pahurat* – ย่านอินเดีย,ตลาดพาหุรัด *(plan couleur I, B3)* : à l'extrémité ouest de Chinatown, de part et d'autre de Chakraphet, Pahurat et Tri Phet Rds. L'atmosphère devient plus indienne et pakistanaise. Ça change ! Un marché aux étoffes bigarrées, plein d'épices odorantes, de *bindis* (bijoux indiens), de passementeries et autres saris. Atmosphère trépidante, un bon aperçu de la culture indienne.

🏃 🏃 *Les marchés flottants* – ตลาดน้ำ : Bangkok en possède plusieurs. *Wat Sai Floating Market* – ตลาดน้ำวัดสาย, *et*, à 80 km au sud-ouest de Bangkok, le *Damnoen Saduak Market* – ตลาดน้ำดำเนินสะดวก, à *Ratchaburi* – จังหวัดราชบุรี. Plus grand-chose ne flotte. Un vrai piège à touristes. En revanche, on aime bien *Taling Cham Market,* uniquement le week-end, pas encore trop fréquenté ! C'est du

côté de Thonburi, en face du *Taling Chan District Office* (demandez à un taxi).
À programmer avec une balade dans les *khlong*.

🎒🎒🎒 🚶 *Balade sur les* khlong – นั่งเรือชมคลอง *:* à faire absolument. C'est un
tout autre visage de Bangkok qu'on vous propose de découvrir. Les *khlong,* ces
canaux qui sillonnent la partie ouest de Bangkok, permettent de s'infiltrer dans une
vie locale insoupçonnée. Loin des gratte-ciel et de la circulation, un labyrinthe aquatique composé, au milieu des massifs de bambous, de bouquets de bananiers, de
centaines de maisons en bois sur pilotis, de vieilles baraques bringuebalantes au
toit de tôle, de temples modestes, de coquettes villas protégées par de hautes
grilles, de tourbillons de fleurs flottantes, de petits commerces sur l'eau, etc., le
tout enfoui dans une végétation exubérante de flamboyants et de cocotiers. Les
enfants barbotent dans l'eau limoneuse, les chiens baillent sur les pontons, les
poulets picorent, le linge sèche, les habitants jouent aux cartes... autant de scènes
de vie pittoresques saisies au fil de l'eau. Vous remarquerez aussi les accessoires
fragiles de la modernité avec le réseau de tuyaux aériens qui amènent l'eau potable, les poteaux de fils électriques et la collecte des ordures ménagères en barge
plutôt folklorique. On ose à peine imaginer les dégâts que peuvent provoquer les
typhons dans cet univers de bric et de broc. Entre la rivière et les *khlong,* des écluses régulent le niveau de l'eau. L'attente aux écluses peut parfois atteindre
20-25 mn. Profitez-en pour lire les excellentes intros de votre guide préféré. Si vous
achevez votre promenade par le khlong Bangkok et que vous comptez visiter le
Wat Arun, faites-vous débarquer à la dernière écluse avant la rivière, à la hauteur du
Wat Molilokarayam, le Wat Arun est tout près sur la gauche, vous gagnerez facilement un quart d'heure.

Trois options :
– La plus classique, ce sont les tours organisés : *au* Boat Tour Center *de River City,
à l'embarcadère Tha Sri Phraya, au pied du* Royal Orchid Sheraton. ☎ *541-55-99.*
● chaophrayacruise.com ● *Ou au* Central Pier, *situé au terminus de la ligne du métro
aérien Saphan Thaksin.* ☎ *02-623-60-01.* Un peu trop touristique à notre goût.
– Plus typique mais un peu plus cher : *aux principaux embarcadères, comme Tha
Sri Phraya, dirigez-vous vers le guichet estampillé « Bangkok Tourist Boat ». Les
tarifs sont fixes : 1 000 Bts/h (20 €)/bateau pour 6 pers max, avec balade dans
Thonburi et le Wat Arun ; 1 200 Bts (24 €)/bateau pour 1h30 avec le musée des
Barges royales en sus, un marché flottant (quelques barques !), etc. ; prévoir
1 500 Bts (30 €) avec une ferme à orchidées en plus.* On vous propose aussi une
ferme aux serpents (inutile). Choisir en fait le parcours qu'on veut faire sur un plan et
négocier. Les entrées des musées et temples ne sont pas comprises dans le prix.
– Troisième solution : se grouper (au moins 10 personnes) et négocier avec le pilote
d'un *long-tail boat* un circuit de 1h (ou plus long, ce qui est mieux encore car cela
permet d'aller plus loin dans la banlieue de Bangkok) à travers les *khlong.* On choisit de s'arrêter où l'on veut (regarder sur les plans disponibles aux embarcadères).
Marchander un prix forfaitaire par personne pour la prestation et non à l'heure et
prévoir les arrêts, s'il y en a, avec le pilote. Négocier fermement et comparer avec
les prix fixes (voir ci-dessus). Éviter de les prendre aux *piers* principaux, près des
sites touristiques, et les prix diminueront comme par magie. À vous, le khlong Mon
et ses orchidées, le khlong Bang Noi et le khlong Bang Yai, le khlong Om jusqu'à
Nonthaburi (au nord) avec ses belles maisons en teck.

🎒🎒 🚶 *Descente (ou remontée) de la rivière Chao Phraya : se reporter à la rubrique « Transports ». Rens au* Central Pier, *situé au terminus de la ligne du métro
aérien Saphan Thaksin.* ☎ *02-623-60-01.* Très nombreux quais *(tha)* d'où, pour

quelques bahts, on peut emprunter le bateau-bus local. Ne pas oublier que le *Chao Phraya River Express* ou le *Chao Phraya Tourist Boat* (un peu plus cher) sont d'excellents moyens de rallier le quartier de l'*Oriental Hotel* et l'ambassade de France, le Wat Arun, le Wat Pho et le Grand Palais. Et de remonter un peu plus au nord vers Banglampoo (pour Khao San Road) et Thewet, pour son marché aux fleurs, en admirant le pont à haubans Râma VIII et les marchands de pain qui nourrissent des poissons énormes et affamés au bord du débarcadère. Sachez aussi qu'un *Bangkok River Tour* est organisé chaque jour avec descente de la rivière et visite des principaux sites touristiques au bord de l'eau. Guide en anglais. Un peu cher mais idéal pour découvrir la ville rapidement.

¶ *Le marché aux amulettes* – ตลาดเครื่องรางของขลังสนามหลวง *(plan couleur I, B2)* : Maha Chai Rd – ถนนมหาชัย. *Ce petit marché jouxte le Wat Ratchanadaram et se situe non loin des grands temples. Accès par l'intérieur du marché.* Quelques dizaines de petites boutiques concentrées sur une poignée de mètres carrés constituent le royaume des bondieuseries, ou plutôt des « bouddhaseries ». C'est ici que bonzes et bonzesses viennent faire leurs emplettes pour leurs temples. Quelques guinguettes avec vue sur la rivière Chao Phraya proposent de bons plats locaux.

Dans le quartier de Thewet – ย่านเท วศร์
(plan couleur I, B1)

¶¶ *Wat Benjamabohitr* – วัดเบญจมบพิตร *(temple de Marbre ; plan couleur I, B1, 134)* : à l'angle de Sri Ayutthaya Rd et de Râma V Rd – มุมถนนศรีอยุธยาและถนนพ ระราม. ☎ 628-79-47. *Desservi par les bus nᵒˢ 5, 16, 23 et 99. Tlj 8h-18h. Entrée : 20 Bts (0,40 €).*
Juste en face du palais royal actuel, un charmant temple de marbre qui date du tout début du XXᵉ s. Le visiter plutôt le matin, au moment des chants des moines dans la chapelle. Tout le marbre vient de Carrare, et la céramique des toits de Chine. Deux beaux lions au sexe bien dessiné gardent la porte en teck sculpté.
À l'intérieur du bâtiment principal, remarquable décoration d'or et de laque. Sur l'autel, énorme bouddha qui abrite sous lui les cendres de Râma V, mort en 1910. Agréable jardin traversé par un mini-*khlong*.

¶¶ ☃ *Vimanmek Palace Museum* – พิพิธภัณฑ์วิมานเมฆ *(plan couleur I, B1, 141)* : Ratchawithi Rd – ถนนราชวิถี. ☎ 628-00-00. ● palaces.thai.net ● *Au nord-ouest, près du zoo. Desservi par les bus nᵒˢ 12, 18, 28,108 et 110. Tlj 9h-16h. Visites guidées en anglais ttes les 15 mn. Entrée : 100 Bts (2 €). Attention, le ticket jumelé acheté à l'entrée du Grand Palais inclut aussi la visite du* Vimanmek Palace Museum *; en revanche, le ticket acheté ici n'inclut pas le Grand Palais. Conclusion : visiter d'abord le Grand Palais. Ici plus encore qu'ailleurs, une tenue correcte est exigée. Photos interdites.*
Au fond d'un espace gazonné au bord de l'eau, on découvre une des plus merveilleuses maisons qui soient, considérée comme la plus grande demeure en teck du monde. Cette superbe résidence fut construite selon les désirs de Râma V à la fin du XIXᵉ s sur une île au bord du golfe du Siam. Elle fut ensuite déplacée en 1901 à l'endroit actuel. Le roi y résida de temps à autre au 3ᵉ étage, laissant les deux autres niveaux occupés par les membres de la famille royale. Les rois qui lui succédèrent y vinrent finalement assez peu, et la maison fut fermée pendant près d'un demi-siècle avant qu'une restauration en profondeur ne soit décidée. En tout cas,

voilà qui est fait, pour notre plus grand plaisir. Toute la décoration intérieure a été reconstituée telle qu'elle était lors du règne de Râma V.

Trente et une pièces, antichambres et vérandas disposées sur trois niveaux : il y en a de toutes les tailles, de toutes les formes, de tous les styles. Les pièces possèdent des vitrines d'objets d'art, des cadeaux offerts à la famille, des souvenirs personnels et du mobilier de toute beauté...

Dans le quartier de Siam Square

¶¶ ¶¶ La maison de Jim Thompson – บ้านจิมทอมป์สัน *(plan couleur I, C2,* **144***) : Soi 2 Kasemsan* – ซอยเกษมสันติ, *Râma I Rd* – ถนนพระราม 1, *tt près du* National Stadium. ☎ *216-73-68.* ● *jimthompsonhouse.com* ● Ⓜ *(Skytrain) National Stadium. Bus nᵒˢ 11, 15, 47, 48, 73, 113, 204 et 508. Tlj 9h-17h. Entrée : 100 Bts (2 €) ; réduc. Certains se contentent de jeter un rapide coup d'œil sans attendre la visite guidée en français. Ils ont tort. Voici peut-être, dans un magnifique jardin luxuriant, les dernières vraies maisons thaïes en teck qui subsistent à Bangkok. En fait, elles ont été démontées dans leur région d'origine et reconstruites en pleine ville. Maisons en trapèze, sur pilotis, adossées à un* khlong, *qui servait de voie d'approvisionnement des soieries.*

Jim Thompson (rien à voir avec l'auteur de polars) était un architecte qui fut agent de l'OSS (ancêtre de la CIA) en mission dans le Sud-Est asiatique au moment de la capitulation du Japon. Séduit par le pays, il revint en 1946 s'installer à Bangkok. Il relança l'industrie de la soie, moribonde dans ce pays, en créant la Thaï Silk Company, la fit connaître à New York, fit fortune et se fit construire cet ensemble de maisons traditionnelles avant de disparaître mystérieusement. À travers une succession de pièces et de salons décorés dans le plus pur style thaï, on découvre une collection

L'ÉTRANGE DISPARITION DE L'EX-ESPION QUI AIMAIT LA SOIE

En 1967, Jim Thomson se rend dans les monts Cameron en Malaisie. Lors d'une promenade solitaire, il disparaît à tout jamais. Son corps ne fut jamais retrouvé. Son passé d'ex-espion en pleine guerre du Vietnam et l'assassinat de sa sœur la même année alimentèrent les hypothèses les plus folles. L'explication la plus probable se trouve tout simplement dans une mort accidentelle : un camion malais l'aurait renversé et son corps aurait été enterré aussitôt pour escamoter le drame, ou alors un tigre affamé de passage... allez savoir !

d'objets d'art de toute beauté : vaisselle, sculptures, porcelaine Benjarong (à cinq couleurs), panneaux de tissus peints et, bien sûr, de magnifiques bouddhas, provenant de toute l'Asie. Un vrai émerveillement ; on s'y installerait volontiers ! Jardin touffu apaisant. Boutique pour faire des emplettes et très bon resto avec produits de la ferme, pour reprendre des forces. Essayez les extraordinaires *smoothies* composés de jus de citron, jus de lychee et feuilles de menthe.

¶¶ ¶¶ Suan Pakkard Palace – วังสวนผักกาด *(plan couleur I, D2,* **145***) : 352 Sri Ayutthaya Rd* – ถนนศรีอยุธยา *(non loin de l'angle avec Phaya Thai Rd).* ☎ *245-49-34.* ● *suanpakkad.com* ● *Desservi par les bus nᵒˢ 34, 36, 39 et 140, et par le Skytrain (station Phaya Thai). Tlj 9h-16h. Entrée : 100 Bts (2 €), avec un éventail offert !* Ancien « jardin planté de choux » qui cache un bel ensemble de huit maisons thaïes traditionnelles, véritable bouffée d'oxygène dans ce quartier dévoré par les édifices prétentieux. Ancienne demeure d'un prince, petit-fils de Râma V. Dans le pavillon du fond, de splendides peintures murales à base d'or et de laque noire représentent la vie de Bouddha. Ailleurs, de belles pièces, masques de théâtre, poteries et une jolie collection d'instruments de musique agrémentent la visite. Accueil exécrable.

🎭🎭 🔪 *Siam Ocean World (plan couleur I, D3, 154) :* 991 Râma I Rd, au rez-de-chaussée du centre commercial Siam Paragon. ☎ 687-20-00. Ⓜ • *siamocean world.co.th* • Ⓜ (Skytrain) Siam. Tlj 10h-20h. Entrée : 850 Bts (17 €). Un aquarium gigantesque, assez bien pourvu : méduses phosphorescentes, anguilles, pingouins, raies et autres bébêtes du même genre. On vient surtout pour l'immense tunnel de verre, et faire risette aux énormes requins qui passent négligemment au-dessus de nos têtes. Le must : descendre dans la fosse aux requins et aller les nourrir... assez cher tout de même (renseignements à l'accueil).

🎭🎭🎭 🔪 *La tour Baiyoke II* – ตึกใบหยก 2 *(plan couleur I, D2, 150) :* 222 Rajprarop Rd, Rajthevee. Bus n°s 13, 14, 17, 38, 62, 72 et 73. On y accède par l'av. Petchaburi et les rues commerçantes et encombrées qui traversent le quartier des magasins de textiles et de vêtements, en gros l'équivalent du quartier du Sentier à Paris.

En fait, il y a deux tours, très proches l'une de l'autre : la tour *Baiyoke I* et la tour *Baiyoke II.* Celle-ci est la plus futuriste et la plus haute de Thaïlande (309 m contre 321 m pour la tour Eiffel). Elle ressemble à un grand stylo coiffé d'une sorte de rotonde. De là-haut, petit musée et vue panoramique sur la capitale, à découvrir la nuit. Fondations à près de 65 m sous terre (équivalent en taille d'un immeuble de 22 étages) pour s'assurer de la stabilité de la tour.

La visite

Accès payant. Soit vous montez pour la vue (200 Bts, soit 4 €), avec une conso comprise dans le prix, soit vous optez pour un billet cumulé à 740 Bts (14,80 €), qui couvre l'ascenseur plus le resto-buffet au 78e étage. Avec ce même billet, vous pouvez accéder librement à la terrasse d'observation au sommet de la tour.

– Aux 76e et 78e étages : le **Bangkok Observation & Restaurant** (11h-15h, 17h30-22h30). ☎ 656-35-00 ou 98. Cuisine de qualité et, bien que ce soit un peu cher, ça vaut quand même la peine d'y venir à la nuit tombée. Ça fonctionne sur le mode du buffet à volonté. Petits plats thaïlandais et internationaux, sushis... La vue superbe sur Bangkok la nuit et la saveur des plats servis en font un endroit exceptionnel pour un dîner en tête à tête.

– Au 77e étage : ouv 10h30-22h. Terrasse d'observation (à l'intérieur).

– Au 79e étage : resto chinois, repas non compris dans le prix du billet.

– Au 82e étage : un autre resto (le *Crystal Grill*), même nourriture qu'aux 76e et 78e, mais moins cher, boissons non comprises.

– Au 84e étage : ouv 10h30-22h. Terrasse d'observation.

– Voir aussi le *Baiyoke Sky Hotel* plus haut, dans le quartier de Silom Road et jusqu'à la gare de Hua Lamphong.

Au nord du quartier de Siam

🎭🎭🎭 *Chatuchak Park* – สวนจตุจักร *(hors plan couleur I par D1, 151) :* sur Phahon Yothin Rd (route de l'aéroport international), pas très loin du Northern Bus Terminal. Desservi rapidement par Ⓜ (Skytrain) Mo Chit, Kamphang Phet (métro) ou par les bus n°s 3, 29, 34, 39 et 44 entre autres. Sam-dim 7h-18h. Pas trop de touristes sam mat. On y trouve à peu près tout : vêtements thaïs typiques, matériel de cuisine, alimentation, animaux, tissus, outils, cotonnades, artisanat, etc. De délicates orchidées et des bonsaïs à des prix déments. Visite et marchandage obligatoires. Ne manquez pas le *Sunday Market.* Quelques boutiques d'antiquités. Nombreux éventaires, des restos, comme le **Toh Plue** *(près des sections 17 et 19, au nord-ouest du marché, avec sa petite terrasse ; ☎ 536-44-59 ; ouv mer-dim).* Plats thaïs et chinois bon marché dans une ambiance *drive-in.* Nourriture correcte mais standard.

Dans le quartier de Silom

🏃 🏃 **Le parc Lumphini** – สวนลุมพินี *(plan couleur I, D3-4)* : *Râma IV Rd.* Un endroit agréable pour s'éloigner du tumulte de la ville, bien qu'on y perçoive encore le brouhaha des automobiles. Composé de deux plans d'eau où l'on peut louer des barques et des embarcations à pédales, une activité appréciée des ados locaux, qui se livrent à d'intrépides batailles navales ! Le matin à l'aube, des centaines de vieux Chinois viennent y pratiquer l'art du tai-chi. Autre génération, autre style : les jeunes *bodybuilders* ont maintenant leur aire de musculation... Et en fin de journée, cours de gym collective vers 18h ! Le parc est très fréquenté le dimanche, idéal pour faire des rencontres. Nombreux cerfs-volants à la saison chaude.

Matchs de boxe, *Thai Boxing* – มวยไทย

– *Se renseigner sur les jours et heures des matchs au* **Lumphini Boxing Stadium** – สนามมวยลุมพินี *(plan couleur I, D4), Râma IV Rd, au croisement de Wireless Rd.* ☎ *251-43-03.* ● *muaythai.co.th* ● *En général, mar et ven à 18h30 ; sam à 17h et 20h30. Et au* **Ratchadamnoen Stadium** – สนามมวยราชดำเนิน, *sur Ratchadamnoen Nok Rd, près du TAT.* ☎ *281-42-05. Normalement lun, mer, jeu et sam à 18h30. Compter 1 000-2 000 Bts (20-40 €) pour une place.* Les plus mauvaises places (donc les moins chères) sont souvent réservées aux touristes. Nous vous déconseillons d'acheter vos billets à des revendeurs à la sauvette. Quoi de plus simple que de les acheter directement au guichet ! Des spécialistes nous ont affirmé que les meilleurs combats étaient ceux du jeudi soir à *Ratchadamnoen.*

Le grand spectacle de Thaïlande, où presque tous les coups sont permis, sauf les morsures. Le combat commence par une bizarre danse rituelle au ralenti, destinée à montrer son savoir-faire et à s'attirer les faveurs des esprits. Un orchestre accompagne les boxeurs et joue pendant tout le combat, augmentant d'intensité avec les coups. Les spectateurs parient de grosses sommes : ambiance délirante. Les mécontents jettent souvent des bouteilles vers l'arbitre, et tous les coups portés (surtout les coups de genou) sont accompagnés d'un « di ! » du public, qui en gros veut dire « bats-toi ! ».

Achats

Bangkok possède des dizaines de *shopping centers,* tous plus attractifs les uns que les autres. Par ailleurs, dans certains secteurs, plusieurs rues voient leurs trottoirs se couvrir de stands le soir. On y trouve de tout et surtout du faux. Incroyable comme ce pays est devenu celui de la contrefaçon : polos, montres, sacs, cassettes, CD, DVD, chemises, lunettes, bijoux... Heureusement, les soies sont bien authentiques.

🏃 Pour les amateurs de *marchés,* à l'autre bout de la ville, le **Thewet Flower Market** – ตลาดดอกไม้เทเวทร์ *(plan couleur I, B1, 148),* où l'on trouve plan-

tes, fleurs tropicales et orchidées. Mais le plus beau, ça reste quand même le 🏃🏃🏃 **Pak Khlong Market** – ปากคลอง ๆตลาด *(plan couleur I, A3, 149). Bus* n^{os} *2, 5, 6, 7, 8, 9 et 10.* Marché monumental aux fruits, légumes et fleurs essentiellement. Fleurs de lotus, orchidées, jasmin, les odeurs et les couleurs se mélangent avec bonheur. De jour comme de nuit, c'est somptueux. Possibilité de relier ces 2 marchés en prenant le *River Express,* du *Saphan Phut Ferry Pier* au *Thewet Ferry Pier...* Pas cher, rapide et agréable. L'occasion d'amusantes balades à la découverte du visage authentique de Bangkok. De *Pak Khlong Market,* remonter au nord vers le marché indien 🏹🏹 *Pahura Market* – ตลาดพาหุรัด (voir plus haut). Riche en étoffes et en bijoux.

🏵 *La soie :* relancée par Jim Thompson, l'industrie de la soie est aujourd'hui florissante. Tissée à la main, avec des motifs splendides et des tons très vifs et colorés, la soie thaïlandaise est considérée comme l'une des plus belles du monde. Faites donc un détour par la boutique *Jim Thompson* – ร้านจิม ทอมป์สัน *(9 Surawong Rd ; plan couleur I, D4, 152 ; ☎ 632-81-00 ; tlj 9h-21h).* Il y a beaucoup de choix, de la simple pièce de tissu aux chemises, en passant par les cravates, robes, foulards, etc. C'est beau, c'est cher, mais bien moins qu'en Europe. D'autres boutiques à travers Bangkok. Les fans iront au *stock (153 Sukhumvit, Soi 93 ; hors plan couleur II par F8).* Quelques réductions sur d'anciennes collections.

🏵 *Tailleurs :* le grand truc, pour vous, monsieur, c'est de vous faire tailler un costard sur mesure, et pour vous, madame, un beau tailleur (découpez les photos des modèles dans vos magazines préférés). Des centaines d'adresses pour cela. Voici une adresse de très bonne qualité : *A. Song Tailor* – เอสอง เทลเลอร์ *(plan couleur I, C4, 153),* 8 Trok Chartered Bank Lane – หน้า โรงแรม โอเรียลเต็ล. ☎ 235-27-53. CB acceptées. Toute petite boutique ne payant pas de mine dans le quartier de l'ambassade de France, avec ses nombreuses versions du *Routard* en toutes langues dans la vitrine. Jolies coupes,

beaux tissus, magnifiques cachemires, bon rapport qualité-prix et extrême gentillesse. Compter 3 essayages minimum pour un trois-pièces. Très peu de choix de tissus pour les femmes. Cela dit, si vous devez aller à Chiang Mai, patientez pour faire confectionner vos fringues, c'est beaucoup moins onéreux là-bas.

🏵 *Sukhumvit Road* – ถนนสุขุมวิท *(plan couleur II, E7) : au début de la rue, entre les Soi 5 et 20, des stands ambulants vendant ttes les grandes marques... contrefaites, jusqu'en fin d'ap-m.* C'est vilain de copier et désormais, ça peut coûter cher ! Savoir par ailleurs que les montres se détraquent vite et que les étoffes passent rapidement au rayon des chiffons à chaussures. Un tas de souvenirs en tout genre.

🏵 *Chatuchak Park* – ตลาดนัดจตุจักร *(W-e Market ; hors plan couleur I par D1, 151) :* un marché super où l'on trouve de tout (se reporter à la rubrique « À voir. À faire. Au nord »).

🏵 *Yaowarat Road* – ถนนเยาวราช *(plan couleur I, B3) : dans le quartier chinois.* Toute la rue est bordée de bijoutiers. Essentiellement de l'or. Dans les petites rues adjacentes, échoppes de toutes sortes où l'on trouve des herbes, des potions genre poudre de perlimpinpin aux odeurs bizarres. Plus loin, le *Nakhom Kasem* (le « marché aux voleurs »). Porcelaines chinoises et thaïlandaises, et quantité d'objets inutiles.

🏵 *Pratunam :* au pied de la tour Baiyoke (voir plus haut). C'est l'équivalent de notre quartier du Sentier à Paris. On y vend de la fripe, du tissu, pour tous les goûts, de toutes les couleurs, à tous les prix.

🏵 🏹 *Suan Luam Night Bazaar (plan couleur I, D4, 116) :* en plein centre, près de Lumphini. Ⓜ *Lumphini. À partir de 18h. Gratuit.* Un de nos marchés préférés, à ciel ouvert, doublé d'une fête foraine, d'un théâtre de marionnettes (voir « Où boire un verre ? Où sortir ? » plus haut), d'un *beer garden* et de nombreux restos typiques ou non (voir « Où manger ? »). Au choix ! Les travées sont larges et aérées, c'est plus cool qu'à Patpong et la qualité des produits n'est pas mauvaise du tout. On trouve de tout, de la déco, des fringues, des objets design, des souvenirs pour mamie et plein d'objets divers et variés. Pour vous y retrouver :

– zone A : vêtements et objets classés par provenance (Sukhothai, Ayutthaya, etc.) ;

– zone B : produits chinois ;

– zone C : restos chinois, céramiques et théâtre de marionnettes.

☸ **Patpong Night Bazaar** – พัฒน์พงษ์ ไนท์บาร์ซาร์ *(plan couleur I, D4) :* Patpong I Road n'est pas seulement un grand marché à viande ! Le soir, les rues sont envahies de stands qui vendent de tout et au prix le plus fort. Babioles, CD, DVD, montres, T-shirts... Ne vous fiez pas aux marques, tout est archifaux, bien sûr !

☸ **Khao San Road** – ถนนข้าวสาร *(plan couleur III, A-B2) :* possède aussi son lot de stands divers. Tous les soirs, on y trouve pas mal de bijoux fantaisie

et de contrefaçons très chères. À Khao San Road, pour 100 Bts (2 €), t'as plus rien !

☸ **Les shopping centers** *(ouv généralement jusqu'à 22h)* proposent des articles intéressants. On peut y acheter des tas de choses (lingerie, produits de beauté, tissus, grandes marques – authentiques ! –, etc.). On peut même obtenir une retouche sur un vêtement en moins d'une demi-heure. En voici quelques-uns : *Siam Square,* le plus important – ศูนย์การค้าสยามสแควร์ *(plan couleur I, D3, 154), Charn Issara Tower* – ตึกชาญอิสสระ, 942 Râma I Road, *Emporium* sur Sukhumvit Road, pour son élégance et sa beauté, *Siam Paragon,* avec toutes les marques de mode et un aquarium en sous-sol, et le petit dernier, *Zen,* juste à côté. Souvent, les *shopping centers* proposent des *food court* pour manger un bout sans se ruiner (voir « Où manger ? » plus haut).

☸ Et tous les mois, la *Thai Craft Fair* permet de découvrir l'artisanat thaï. Adresse sur le site ● *thaicraftfair.org* ● (change régulièrement).

QUITTER BANGKOK

En avion

✈ Pour les infos concernant l'**aéroport,** voir en début de chapitre « Arrivée à l'aéroport ». Les taxes d'aéroport sont, en principe, incluses dans le prix du billet.

➤ Nombreux vols intérieurs chaque jour pour *Chiang Mai, Chiang Rai, Phuket, Ko Samui, Krabi, Surat Thani, Trang, Hat Yai.*

Quasiment aucun problème pour visiter le reste de l'Asie en avion au départ de Bangkok, sauf en cas de tensions passagères entre les pays qui ferment leurs frontières. Bangkok est une des plates-formes de cette région. Quelques exemples de prix et de trajets aller-retour :

– **pour le Laos :** 6 800 Bts (136 €) pour *Luang Prabang* ;

– **pour le Cambodge :** 11 000 Bts (220 €) pour *Siem Reap,* 8 800 Bts (176 €) pour *Phnom Penh* ;

– **pour le Vietnam :** 9 900 Bts (198 €) pour *Hanoi* ou *Hô Chi Minh-Ville* ;

– **pour la Birmanie :** 7 000 Bts (140 €) pour *Rangoon* ;

– **pour la Malaisie :** 9 300 Bts (186 €) pour *Kuala Lumpur* ou *Penang.*

Bien se renseigner sur les visas avant votre départ, si vous ne l'avez pas demandé dans votre pays d'origine. Sachez aussi que la majorité des pays d'Asie du Sud-Est exigent que votre passeport soit valable plus de 6 mois après votre date d'entrée dans le pays. Le consulat français à Bangkok ne pourra en aucun cas vous en refaire un !

Pour les billets internationaux achetés dans les agences de Khao San Road, faire attention. Là encore, on ne veut pas crier à l'arnaque systématique, mais ça arrive : surbooking, vols inexistants, *stand-by*... Les billets les moins chers ne sont pas forcément les meilleurs. De plus, aucun recours n'est possible vu que les agences changent de nom et de personnel en un clin d'œil. Chinez et renseignez-vous auprès d'autres routards.

Pour aller à l'aéroport

➤ **En Airport Bus Express :** avant de gagner l'aéroport, ces 4 lignes de bus climatisés sillonnent la ville avec des arrêts devant les grands magasins, sites notoires et hôtels chic. Autant de points de repère utiles qui vous permettront de sauter dans le bon bus en temps voulu. Passage toutes les 30 mn. Pour le détail des lignes, voir « Arrivée à l'aéroport » plus haut : c'est la même chose en sens inverse.

➤ **En public bus :** ils circulent 24h/24 et sont reconnaissables à leur plaque bleue. Pour les précisions sur les trajets et tarifs, se reporter à la rubrique « Arrivée à l'aéroport ». Les mêmes bus, mais dans l'autre sens ! On peut aussi en attraper plusieurs par jour depuis la gare routière de l'Est (Eastern Bus Terminal, voir plus bas).

➤ **En taxi :** nettement plus cher évidemment. Compter environ 400 Bts (8 €). Raisonnable pourtant, d'autant que les chauffeurs de *taxi-meter* acceptent plus facilement de mettre leur compteur dans le sens ville-aéroport que dans l'autre sens. Permet de gagner environ 45 mn sur le bus.

En train

Il existe 3 classes dans le train. Deux grandes gares à Bangkok :

🚆 **Gare de Hua Lamphong** – สถานีรถไฟหัวลำโพง (*plan couleur I, C3*), d'où partent les trains vers le Nord, le Nord-Est et certains trains vers le Sud. *Rens :* ☎ *16-90. Point infos à l'extérieur de la gare, juste avt l'entrée. Assez efficace.* D'une manière générale, réservez dès que vous pouvez. Les billets peuvent être achetés 2 mois à l'avance en gare. Horaires fluctuants à vérifier au bureau d'infos, situé face à vous, dans le grand hall des départs, un peu à droite des guichets. Assez sympa. Consigne à bagages à gauche de l'entrée *(tlj 4h-23h).* Plusieurs bureaux de change *(ouv 10h-19h)* ; le plus avantageux est sur le balcon de gauche. Distributeur automatique d'argent. *Food Court (ouv 6h-21h45 ; bon marche).* Attention, pas mal de rabatteurs qui vont faire acheter les billets dans des agences voisines qui n'ont rien à voir avec les guichetiers de la gare !

🚆 **Gare de Thonburi** – สถานีรถไฟธนบุรี (*plan couleur I, A2),* d'où partent des trains pour Nakhon Pathom, Kanchanaburi et Nam Tok. Tous les dimanches, la gare organise un aller-retour pour visiter Nakhon Pathom (7 trains/j. ; 1h10 de trajet), Kanchanaburi (2/j. ; 2h30) et Nam Tok (petites chutes d'eau ; 2/j. ; 4h30). Départ à 6h20, retour à 22h30.

➤ **Pour Chiang Mai :** 2 trains de jour et 4 de nuit. Compter entre 270 et 1 300 Bts (5,40-26 €). Préférer les trains de nuit, ça évite de perdre une journée et le trajet paraît moins long (de 12 à 15h). Éviter le *Rapid* (!), quasiment le plus long. Le meilleur train est l'*Express Special*. Pensez à réserver vos couchettes bien à l'avance, car c'est souvent complet, en vous assurant que le train en propose (ce n'est pas toujours le cas). Les couchettes du haut sont moins chères que celles du bas car les rideaux n'obstruent pas totalement la lumière des néons qui restent allumés toute la nuit. Prévoir un masque de voyage ! De plus, elles sont moins larges et n'ont pas de fenêtres. Un service de restauration est assuré dans les 1re et 2e classes. Un tuyau : si vous voyagez de nuit, préférez les couchettes avec ventilo. Presque tous ces trains s'arrêtent à *Ayutthaya* et *Phitsanulok.*

➢ *Vers le Nord-Est :* 1 départ/j. pour Khon Kaen, Udon Thani et Nongkhaï ; 10 pour Surin et 7 pour Ubon Ratchathani.

➢ *Vers le Sud :* une dizaine de départs quotidiens pour Hua Hin, Prachuab Khiri Khan, Chumphon et Surat Thani ; 5 départs/j. pour Hat Yai ; 2 pour Sungai Kolok (à la frontière de la Malaisie) et 1 à destination de Butterworth (Malaisie), très long, presque 24h. Attention, la veille des pleines lunes, les trains (de nuit) sont pris d'assaut pour les *full moon parties* sur les plages du Sud. Pensez à réserver, surtout si vous souhaitez une couchette.

➢ *Vers la Malaisie (et en poussant un peu, jusqu'à Singapour) :* possibilité de descendre en train jusqu'à Singapour, mais il faut changer au moins 2 fois : à Butterworth et à Kuala Lumpur. Pour ces destinations, réservez vos places assez longtemps à l'avance. Si vous passez par une petite agence, n'achetez que la section de billet jusqu'à Butterworth, ça évite les embrouilles. Ne pas prévoir de correspondances trop justes, il y a souvent du retard. Entre Kuala Lumpur et Singapour, il est intéressant de prendre un train de nuit.

En bus gouvernemental

– **Attention :** on ne le répétera jamais assez, n'acceptez pas de boisson ou de nourriture à bord durant le trajet. Chaque année, des lecteurs nous informent de sacs et objets volés pendant les longs trajets nocturnes en bus où le sommeil est lourd, lourd...

– Pour réserver vos billets d'avance ● *thaiticketmaster.com* ●

– Il existe 2 sortes de bus. Les bus avec air conditionné (AC) et les bus sans air conditionné (non AC). Pour les longues distances, on conseille vivement les bus AC. Ils sont moins chers que les compagnies privées mais pas énormément. Il existe 3 terminaux de bus gouvernementaux selon votre destination.

🚌 *Northern Bus Terminal (appelé aussi Mochit)* – สถานีขนส่งสายงแนือ *(hors plan couleur I par D1) :* derrière Chatuchak Park. ☎ 936-28-42. Desservi par de nombreux bus urbains, et principalement les n°s 39 et 59 à partir de Democracy Monument. Ou Ⓜ (Skytrain) Mo Chit et station du métro souterrain Chatuchak.

➢ *Départs des bus (AC et non AC) vers le Nord et le Nord-Est :* départs quotidiens et réguliers pour Chiang Mai (10-11h de trajet), Ayutthaya (1h30), Lopburi (env 2h), Phitsanulok (5h30), Sukhothai (7h30), Chiang Rai (11-12h), Surin, Ubon Ratchathani (10h), Aranyaprathet (frontière avec le Cambodge ; 4h30)...

🚌 *Southern Bus Terminal* – สถานี ขนส่ งรถปรับอากาศสายใต้ *(hors plan couleur I par A1) :* Boromratchonnani Rd à Thonburi (dans le prolonge- ment de Phra Pin Klao Sai Taymai Rd, à 4 km). ☎ 435-11-99 ou 435-12-00 (infos). Desservi par le bus n° 30 de Khao San Rd.

➢ *Départs des bus (AC et non AC) pour le Sud :* Hua Hin (3h de route), Prachuab Khiri Khan (4h), Bang Saphan (6h), Chumphon (7h), Surat Thani (10h), Ko Samui (13-14h), Phuket (14h), Phang Nga (13h), Krabi (12h), Trang (12h), Hat Yai (13h)... C'est également d'ici que partent les bus pour Nakhon Pathom, Kanchanaburi (2h) et Damnoen Saduak (marché flottant à 2h de route).

🚌 **Eastern Bus Terminal** – สถานี ขนส่งสายคะวันออก *(Ekkamai ; hors plan couleur II par F8) : Sukhumvit Rd, près du Soi 42.* ☎ 391-25-04 ou 391- 80-97 *(infos).* Ⓜ *(Skytrain) Ekkamai. Desservi aussi par le bus n° 2 à partir de* Democracy Monument.

➤ *Départs des bus (AC et non AC) vers l'Est :* Pattaya (2h30 de trajet), Rayong (3h30), Chanthaburi (3h30), Ban Phe (Ko Samet ; 3h30), Trat (Ko Chang ; 5h), aéroport (ttes les heures 6h-19h)...

En bus privé

Plusieurs agences se trouvent sur Khao San Road, sur Sukhumvit Road et dans le quartier des grands hôtels. Bien sûr, les prix sont plus élevés que ceux des bus gouvernementaux, mais le service est impeccable : oreiller, boisson, nourriture... Plus cher lorsqu'on passe par une agence, mais que de temps gagné ! Éviter les minibus : à priori plus confortables, mais peu de place pour les jambes.

Les bus sont généralement assez luxueux, voire très luxueux. Pour les longues distances, prendre les bus de nuit. Avant d'acheter un billet, consulter plusieurs agences.

– **Attention :** refusez toute nourriture ou boisson au cours du voyage : pas mal de routards se sont retrouvés en slip kangourou-chaussettes sur le bord de la route le lendemain matin !

Autre chose : pour Chiang Mai, certaines agences proposent, en plus du ticket de bus à prix écrasé, une nuit gratuite à l'arrivée dans l'hôtel avec lequel ils sont de connivence. C'est très gentil : sachez simplement que c'est dans l'unique intention de vous pousser à vous inscrire à un trek organisé par l'agence de l'hôtel. En cas de refus, on a hâte que vous quittiez l'hôtel. Parfois même, si vous ne signez pas tout de suite, on vous jette dehors !

Encore une autre arnaque : tous les bus privés partant de Khao San Road s'arrêtent à une dizaine de kilomètres de Chiang Mai, généralement sur un parking quelconque où siègent des hordes de rabatteurs prêts à vous sauter sur le poil. Et comme, de toute façon, vous n'aurez pas d'autre possibilité pour arriver dans le centre de Chiang Mai que de prendre un pick-up de rabattage, méfiance...

On signale aussi qu'il y a de plus en plus d'accidents. Les chauffeurs roulent vite et sont astreints à des horaires serrés. Pour Chiang Mai ou d'autres longs trajets, nous, on préfère le train, même si c'est bien plus cher comparé aux prix d'appel que pratiquent les compagnies de bus. À vous de voir.

AU SUD-EST DE BANGKOK

ANCIENT CITY, MUSÉE ERAWAN ET CROCODILE FARM – เมือง โบราณ, พิพิธภัณฑ์ช้าง เอราวัณ และฟาร์มจระเข้

➤ *Pour s'y rendre :* à 30 km au sud-est de Bangkok, sur l'ancienne route de Pattaya. En face du bureau *Mercedes* sur Democracy Monument, prendre le bus n° 11 jusqu'à Paknam (le terminus), puis un minibus qui s'arrête à Muang Boran (nom thaï de Ancient City). Pour le retour, on fait pareil, après avoir traversé l'autoroute à pied. Enfin, dernières solutions, louer un taxi à plusieurs ou, peut-être plus économique encore, faire une excursion.

🏃 Sur la route, ne manquez pas l'INCROYABLE *Erawan Elephant Museum* – พิพิธภัณฑ์ช้างเอราวัณ : *tlj 8h-18h. En taxi (plus simple et bizarrement plus économique que le bus), compter 100-150 Bts (2-3 €). Entrée : 150 Bts (3 €).* Ce gigantesque éléphant à trois têtes mesure, depuis la base jusqu'au sommet, pas moins de 43,60 m, soit l'équivalent d'un immeuble de 14 étages ! Et encore, le dieu Indra, qui chevauche normalement sa monture Erawan, n'a pas été ajouté à l'édifice. Quand on sait que le projet d'origine devait avoir la taille d'un bâtiment de 70 étages, on se dit que cet édifice est finalement modeste ! C'est monsieur Lek (le bâtisseur de *Muang Borang*) qui a eu l'idée de bâtir ce géant, mais c'est son fils qui l'a mis en œuvre. L'abdomen d'Erawan abrite un temple dédié à Bouddha. Dans ce lieu de recueillement, vous pourrez contempler six bouddhas dont le plus ancien date du VIIIe s. La fresque symbolisant le système solaire, d'un esprit très moderne, est due à Jacob Schwarzkopf. On accède au ventre de l'éléphant par un escalier grandiose à double révolution meringué, intégralement recouvert d'une mosaïque de bols et de cuillères en céramique. Un remarquable travail de « marqueterie ». Enfin une pièce montée que l'on peut escalader...
Les soubassements de l'édifice abritent un musée présentant la collection de monsieur Lek. Sculptures, jades, mobilier et *benjarong* – de magnifiques pots couverts de porcelaine. La technique a été importée de Chine pour la cour royale à l'époque d'Ayutthaya. Dans le pavillon extérieur, vous pourrez observer les sculpteurs au travail. Chacun des quatre piliers principaux représente une religion : hindouisme, judaïsme, christianisme et islam.

🏃🏃🏃 *Ancient City (Muang Boran)* – เมืองโบราณ : ☎ 323-92-53. ● *ancientcity. com* ● *Accessible de* Democracy Monument *par le bus n° 511 puis 36. Bus n° 25 aussi, de* Sukhumvit, *puis Paknam. Tlj 8h-17h. Entrée : 300 Bts (6 €). Compter 3 ou 4h de visite pour cette excursion souvent ignorée par les voyageurs. Loc de vélos.* Il s'agit d'une « folie » du concessionnaire Mercedes pour la Thaïlande. Milliardaire nostalgique et cultivé, celui-ci y a laissé la quasi-totalité de sa fortune. Sur plusieurs dizaines d'hectares, il a reconstitué 110 grands monuments (à taille réelle ou au tiers) de ce que l'on appelait le Siam. Le travail est superbe. Un endroit « zen », à visiter de préférence au début du voyage pour se donner une idée de l'architecture du pays.
– Quelques monuments exceptionnels : le *Khao Phra Wihan* (n° 72 sur le plan donné à l'entrée), magnifique temple khmer bâti sur une gigantesque colline artificielle gagnée par la jungle.
– L'empreinte des pieds de Bouddha (n° 33 sur le plan) à Saraburi. L'un des endroits les plus sacrés de Thaïlande. L'empreinte est dans une pagode, creusée dans une pierre.
– Autre chef-d'œuvre, le *Sanphet Prasat* (n° 27 sur le plan). Ce palais d'Ayutthaya, entièrement détruit par les Birmans, a été reconstruit selon des documents d'époque, au tiers de sa taille originale. Sachez que dans le vrai temple, le roi reçut la visite du chevalier de Choisy, envoyé de Louis XIV...
🍽 Possibilité d'y déjeuner pas cher.

🏃 🏃 *Crocodile Farm* – ฟาร์มจระเข้ : *à 3 km d'Ancient City.* ☎ 703-48-91. *Tlj 7h-18h. Bus n° 531 de* Democracy Monument. *À éviter le w-e car archibondé. Entrée : 300 Bts (6 €) ; assez cher pour l'intérêt que ça représente, sf si vous avez des enfants.* Un véritable parc d'attractions avec shows d'éléphants et de croco-

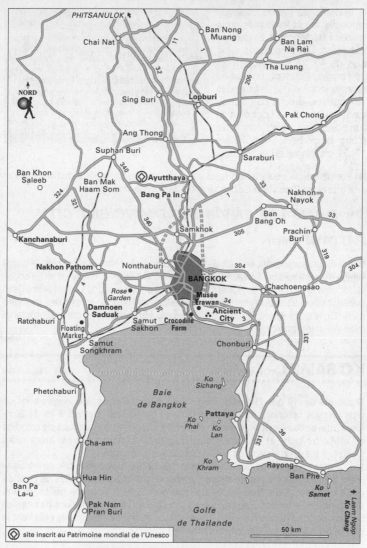

PHITSANULOK

Chai Nat

Ban Nong Muang

Ban Lam Na Rai

Tha Luang

Sing Buri

Lopburi

Pak Chong

Ang Thong

Saraburi

Suphan Buri

Ban Khon Saleeb

Ban Mak Haam Som

Ayutthaya

Bang Pa In

Nakhon Nayok

Kanchanaburi

Samkhok

Ban Bang Oh

Prachin Buri

Nakhon Pathom

Nonthaburi

BANGKOK

Chachoengsao

Rose Garden

Musée Erawan

Damnoen Saduak

Samut Sakhon

Crocodile Farm

Ancient City

Ratchaburi

Floating Market

Samut Songkhram

Chonburi

Phetchaburi

Ko Sichang

Baie de Bangkok

Pattaya

Ko Phai

Ko Lan

Cha-am

Ko Khram

Rayong

Ban Phe

Hua Hin

Ko Samet

Ban Pa La-u

Pak Nam Pran Buri

Golfe de Thaïlande

↑ *Laem Ngop Ko Chang*

NORD

50 km

⊚ site inscrit au Patrimoine mondial de l'Unesco

AU SUD-EST DE BANGKOK

LES ENVIRONS DE BANGKOK

diles (en alternance toutes les demi-heures, 9h-16h) et, bien sûr, boutiques de souvenirs – notamment en peau de croco... – et restaurants.

Au total, 60 000 crocodiles et 9 espèces. Les plus impressionnants sont les *saltwater crocodiles,* car ils peuvent atteindre 5 m ! Ils sont capables de survivre plusieurs mois sans manger. Quand ils s'enfoncent dans l'eau, des membranes empêchent l'eau de pénétrer dans les oreilles et la gorge. La chaleur extérieure est nécessaire pour accélérer les fonctions de leur organisme. Mais trop de chaleur tue le système de reproduction du crocodile. Seuls les éclairs ou le tonnerre déclenchent à nouveau leur libido. Dilemme quand il fait plus de 40 °C pendant 6 mois de l'année. Pourtant, une étude récente indique que le bruit des hélicoptères (proche de celui du tonnerre) les inciterait de nouveau à copuler. Pas tous les jours facile d'être crocodile... De 16h30 à 17h30, c'est le repas des bébêtes.

> **FILLE OU GARÇON ?**
>
> *Les crocodiles ont, avec les tortues, une particularité surprenante. Quand les femelles pondent leurs œufs, elles les enterrent dans le sable à une profondeur variable. Plus l'œuf est enfoncé, plus sa température est basse. C'est cette différence de chaleur qui détermine le sexe des petits (et non les chromosomes). Donc, tout dépend de la profondeur d'enfouissement dans le sable !*

|●| Possibilité de boulotter un bout de croco au **Hard Croc Café.** Le *burger* est abordable, toutefois le steak est cher et la portion chiche.

➤ DANS LES ENVIRONS D'ANCIENT CITY

PATTAYA – พัทยา

🎋 À 145 km au sud-est et à 2h de bus de Bangkok. Pattaya n'est plus le gentil village de pêcheurs qu'il était. Autant prévenir les lecteurs, c'est avant toute chose la Sodome et Gomorrhe de l'Orient : Pattaya est au sexe ce que Lourdes est à l'eau bénite. Nulle part ailleurs, on ne trouve un aussi fort taux de prostituées au mètre carré. On le dit tout net : Pattaya, on n'aime pas ! Et ce n'est pas par pudibonderie, mais vraiment, trop c'est trop.

KO SAMET – เกาะเสม็ด

IND. TÉL. : 038

D'aucuns diront que l'île était bien mieux avant. Certes, les plages sont de plus en plus colonisées par des structures balnéaires. Certes, à 2h de Bangkok, elle accueille pour le week-end et les vacances des vagues de citadins en mal d'oxygène et de flots. Pour se loger, la concurrence est alors rude. Certes, il y a un vrai problème écologique (voir encadré).
Mais cette île garde de sérieux attraits : de petite taille, on la découvre aisément à pied. Ses plages de sable blanc sont parmi les plus jolies de l'est du golfe de Siam. On y trouve des hébergements pour tous les goûts, et une ambiance bon enfant y règne. Le soir, restos et bars y installent des tables basses sur les nattes à même le sable : des milliers de lampions éclairent la plage, ça devient carrément romantique !

Arriver – Quitter

Les bateaux pour Ko Samet partent tous du port de **Ban Phe.** Trois embarcadères occupent le front de mer (les minibus arrivent à celui du centre). Environ 200 m plus loin, on trouve la gare routière. Bien résister aux nuées de rabatteurs très très insistants ! Arrivé sur l'île, on acquitte la taxe de 200 Bts (4 €) pour le parc national.

➢ **Bangkok :** bus AC depuis l'*Eastern Bus Terminal* (Ekkamai, voir « Quitter Bangkok ») ttes les heures 5h-19h, ainsi qu'à 20h30. Trajet : 3h30, 170 Bts (3,40 €).

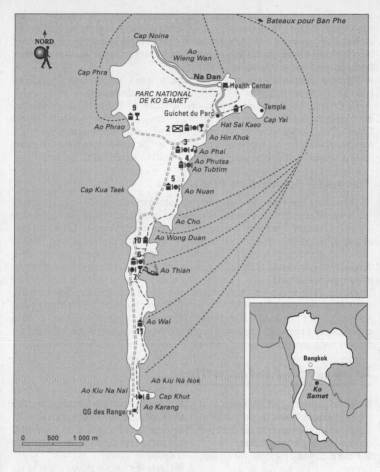

KO SAMET

■ **Adresses utiles**

✉ **2** Post Office
7 Diver's Club

🏠 🍽 🍷 🎵 **Où dormir ?**
Où manger ? Où sortir ?

1 Skyhigh Inn
2 Naga Bungalows, Jep's
Bungalows
3 Ao Phai Hut, Bamboo
Restaurant, Silver Sand,
Samed Villa

4 Tubtim Resort, Pudsa
Bungalows
5 Nuan Kitchen
6 Candle Light Resort,
Keang Talea Restaurant,
Sang Thian Beach Resort
7 Apache
8 Nimmanoradee Restaurant
9 Ao Prao, Vimarn, Lima Coco,
Buzz
10 Vongduern Villa
11 Samet Ville Resort

Minibus depuis Khao San et d'autres quartiers touristiques (billets vendus par les agences 50 % plus cher que ceux du bus public). Même en logeant loin d'Ekkamai, on ne va pas plus vite, car il faut rassembler les passagers avec parfois transfert d'un véhicule à l'autre jusqu'à ce que le plein se fasse. Depuis Ban Phe, mêmes fréquences de bus et 2 minibus/j. à 10h et 14h.

➤ *Pattaya :* dans les 2 sens, 3 minibus/j. directs (10h-17h env). Trajet : 2h, 220 Bts (4,40 €). Sinon, des *songthaews* transitant par la gare de Rayong.

➤ *Ko Chang :* combinaison scabreuse de taxi collectif, bus public (avec changement probable à Chantaburi) et re-*songthaew* de Trat au port de départ vers Ko Chang. Tout cela peut prendre des plombes. Alors autant recourir cette fois-ci aux minibus d'agences, qui permettent de se laisser trimballer sans souci. Départ à 9h30 (hte saison) et 12h (tte l'année). Trajet : 3h30 et 300 Bts (6 €).

Traversée depuis Ban Phe – บ้านเพ

➤ *Slow-boat Ban Phe – Na Dan :* ttes les heures env 8h-18h (7h-17h au retour). Traversée 40 mn, 50 Bts (1 €). À Ban Phe, rien ne sert de courir d'un ponton à l'autre (il y en a 3), autant suivre le mouvement général en sortant du bus. Seules les premières et dernières embarcations respectent grosso modo les horaires. Pour le reste, l'appareillage a lieu selon l'humeur du capitaine. Ne pas acheter un billet aller-retour : même prix et ça oblige à revenir avec la même compagnie (pas toujours le premier à partir).

➤ *Autres liaisons :* vers les autres baies, peu de liaisons régulières. Par exemple, vers Ao Tian avec **Sang Tian Boat** à 11h (retour à 13h) ; trajet : 1h, 70 Bts (1,40 €). Vers Ao Phrao, 11h et 15h (retour 10h) ; trajet : 1h, bateaux privés affrétés par les hôtels occupant cette plage. Se renseigner auprès de la pension où l'on voudrait échouer. Sinon, il reste les bateaux-taxis (à partir de 1 200 Bts, soit 24 €, l'embarcation).

Adresses et infos utiles

■ *Health Center –* ศูนย์สุขภาพอยู่ระหว่างหน้าด่านและทางเข้าด้านตะวันออกของสวนสนุก *: à gauche sur la route entre le port et l'entrée du parc.*
■ *Police Station :* à côté du Health Center.
✉ *Post Office :* plage d'Ao Hin Khok, géré par Naga Bungalows *(plan, 2)*. Tlj 8h30-21h30.
@ *Internet et téléphone internationaux :* une foultitude de cafés Internet. Prévoir 2 Bts/mn (0,04 €) pour Internet et 20 Bts/mn (0,40 €) pour les appels.

■ *Change :* pas de banque, mais des DAB, attachés à des épiceries 24h/24. Un face au débarcadère, un autre avt le guichet du parc, ou encore sur la plage d'Ao Wong Duan.
■ *Laverie :* on en trouve dans ts les hameaux de l'île, ouvertes jusqu'à pas d'heure.
■ *Location de motos :* les loueurs foisonnent. Attention à la qualité des véhicules (pneus et freins). Compter 400 Bts/j. (8 €) avec assez d'essence pour une journée de balade.

Circuler dans l'île

À l'exception d'Ao Phrao, toutes les plages se trouvent sur la côte est. Vu la petite taille de l'île (7,5 km sur 3 km dans sa plus grande largeur), elle se parcourt facilement à pied. Si vous êtes très chargé, empruntez les taxis-camionnettes. Les tarifs affichés vont de 20 à 80 Bts par personne (0,40-1,60 €). Attention, faute de trafic régulier hors arrivée et départ de bateaux ainsi que toute la journée vers la pointe sud, il faut souvent chartériser le véhicule pour un prix équivalent à celui de 10 places (pas donné). N'hésitez pas à tenter le stop (moyennant pourboire) quand passe un pick-up appartenant à un hôtel. Possibilité de louer des motos (voir ci-dessus). Les pistes carrossables, non bitumées, peuvent être délicates (notamment au sud) pour les novices, car rocailleuses sous une épaisse couche de poussière. Sans compter les taxis, reconnaissables à leur couleur verte et à leur faculté à parcourir les pistes étroites à une vitesse excessive. Accidents très fréquents.

Où dormir ? Où manger ? Où sortir ?

Les bungalows pour routards sont plus nombreux au centre-est de l'île. En descendant vers le sud, les prix ont tendance à augmenter jusqu'à leur absolu. Ao Phrao, seule plage occidentale, est également devenue une réserve pour ceux qui sont à l'aise niveau porte-monnaie. Comme partout, le rêve et la tranquillité, ça se paie ! Côté restos, on mange un peu quand on veut, mais pas de libations après 22h. Prévoir une lampe de poche pour les sorties nocturnes.
Nous démarrons la visite en partant de la pointe nord-est.

PLAGE DE HAT SAI KAEO – ชาดหาดของหาดทรายแก้ว

La première en venant du port ; prendre l'allée pavée qui file derrière la guitoune aux tickets. Favorite des groupes de vacanciers, ses abords ont été arrangés en une promenade desservant une rangée continue de pensions et de restos sans grand intérêt. La qualité du sable reste cependant magnifique (d'où son nom signifiant « plage de diamant »).

Plus chic (de 1 500 à 3 000 Bts – 30 à 60 €)

🛏 *Skyhigh Inn* – สกาณ์ไฮน์ อินน์ *(plan, 1) : à l'est de la plage (à gauche en regardant la mer).* ☎ 644-325. • *skyhighinn. com* • *Accès par le front de mer.* Entourée d'hôtels un peu luxe, voilà une petite adresse familiale qui profite d'un secteur de plage pas trop congestionné. On pourrait parler de motel pour ces 2 petits bâtiments bleu et blanc de plain-pied avec des chambres simples au coude à coude. Grande terrasse devant, séparée du sable par une simple barrière en bois. On paie quand même cette belle situation.

PLAGE D'AO HIN KHOK – หาดอ่าวหินคก

Séparée de Hat Sai Kaeo par une saillie rocheuse surmontée d'une statue de sirène bien kitsch. Plage superbe et assez longue, facilement accessible à pied depuis le port. Surplombée par les restos des pensions du coin, elle n'est pas trop envahie par les parasols. Les hébergements s'étagent tous de l'autre côté de la piste, sur le relief côtier. Deux conséquences : pas de belle vue sur la mer et l'obligation de s'éloigner de la piste pour ceux qui ont le sommeil léger.

De bon marché à prix moyens (moins de 1 000 Bts – 20 €)

🛏 🍴 *Naga Bungalows* – นาคาบังกาโล *(plan, 2) : 1ᵉʳ village de bungalows en venant du nord.* ☎ 644-035. *Prix plan-* cher pour ceux de style vieille école en bois et tresses de bambou, sans sanitaires, dont l'intérieur est beaucoup mieux que ne le laisse présager l'extérieur. Plus confortables, des pavillons en pierre et béton avec salle de bains, sol carrelé, mais sans charme particulier ni clim'. Bonne tenue générale malgré le caractère sommaire. Petit déj bonnard avec petits pains et gâteaux frais. Le bar dominant la plage jouit d'une bonne réputation. Les fêtes données environ 2 fois par mois attirent beaucoup de monde et donc pas mal de bruit. Multiples services : Internet, agence de voyages, sans oublier une école de boxe thaïe et le bureau de poste de l'île. Bonne ambiance sac à dos.

De prix moyens à plus chic (de 500 à 2 000 Bts – 10 à 40 €)

🛏 |●| *Jep's Bungalows* – เจบส์บังกาโล *(plan, 2)* : à deux pas du précédent, vers le sud.* ☎ *644-112.* ● *jepbungalow. com* ● Géré par une équipe en polo qui ne déparerait pas dans une bonne série B des mers du Sud. Accueil tendance agitation à la bourse de Bangkok. Bungalows, chalets bichambres ou maisons multichambres. Confort et équipement allant du « pas de salle de bains – ventilé » au luxe « eau chaude, clim' et petit déj compris ». Un petit coup de frais serait le bienvenu. Le resto côté mer serait le meilleur de Samet. On confirme : c'est bon et bien servi. Et le *green curry* fait venir les larmes aux yeux *(very spicy !).*

PLAGE D'AO PHAI – หาดอ่าว วไผ่

Une autre plage très populaire, séparée de la précédente par un petit cap rocheux. Toujours sympathique, malgré la guerre perdue d'avance qu'y mène le clan des serviettes contre l'armada des chaises longues. Un minivillage s'est développé au niveau du coude de la piste, synchro avec l'agrandissement des pensions familiales.

Prix moyens (de 500 à 1 000 Bts – 10 à 20 €)

🛏 *Ao Phai Hut* – อ่าวไผ่ฮัท *(plan, 3)* : 1ʳᵉ adresse, au niveau du petit cap.* ☎ *644-075.* Séparé de la mer par la piste, l'établissement grimpe assez haut sur la colline, plantée d'arbres et agrémentée d'un peu de verdure. Prix plancher, à seulement 1 mn à pied de la mer (côte rocheuse ici). Partout, salle de bains et terrasse. Bungalows petits et ventilés ou grands et climatisés, c'est rudimentaire et pas tout neuf mais suffisamment entretenu. Accueil sans étincelles.

|●| *Bamboo Restaurant* – ครัวแบมบู *(plan, 3)* : sur la plage, entre le resto du Sea Breeze *et le complexe du* Silver Sand. 🖃 *086-665-31-89.* Une petite paillote-cuisine (2 tables à l'intérieur pour les jours de pluie) surveillant jalousement une file de tables et chaises en *bamboo* aux pieds enfoncés dans le sable. Plats meilleur marché qu'ailleurs, qu'on se contente de riz sauté ou de fruits de mer et poissons. Mais pas de quoi nourrir un tigre. Accueil et service sympas et désinvoltes, prodigués depuis des lustres par la même famille.

Plus chic (de 1 500 à 3 000 Bts – 30 à 60 €)

🛏 |●| ♫ *Silver Sand* – ซิลเวอร์ แซนด์ *(plan, 3)* : fait sa starlette en plein milieu de la plage.* ☎ *644-300.* ● *silversandre sort.com* ● Lieu un peu patchwork ne convenant pas si l'on recherche l'isolement. Bungalows ou baraques de plusieurs types, jolies petites salles de bains, TV et coffre. Certains donnent sur un bras d'eau un peu fétide. Accueil un tantinet indolent. Restauration honnête en terrasse, bien ombragée. Excellent café et des crêpes à ne pas rater. Héberge aussi le seul bar-disco de l'île digne de ce nom. Toujours plus ou moins animé ; l'ambiance culmine lors des *half moon parties*.

🛏 ▮●▮ *Samed Villa* – เสม็ดวิลล่า *(plan,* 3*) : sur les rochers de l'extrémité sud de la baie. Accès par la plage (dépasser* Silver Sand*).* ☎ 644-094. ● *samedvilla. com* ● Au calme, bien en retrait de la piste. De vastes chambres (jumelables deux à deux pour les familles), dans des villas en dur. Efficacement équipées, décorées et entretenues, elles peuplent un écrin de verdure. La plupart des terrasses donnent vers la mer. Très bon accueil. Cuisine honorable, copieuse, un poil plus chère que chez les voisins.

PLAGES D'AO PHUTSA ET D'AO TUBTIM – ชายหาดถ่าวพ ุทราและถ่า วทับทิม

Longer la mer depuis Ao Phai, franchir le passage rocailleux (Ao Phutsa), et voici Ao Tubtim, parfait croissant de sable doré, souligné d'une flore généreuse. Peut-être le meilleur coin de l'île.

De prix moyens à un peu plus chic (de 500 à 1 500 Bts – 10 à 30 €)

🛏 *Pudsa Bungalows* – ถ่าวพุทธา บังกาโล *(plan, 4) :* Ao Phutsa. ☎ 644-030. Les premiers (et très recherchés) bungalows flanquent le sentier venant d'Ao Phai, alignés face à la mer derrière une petite barrière de bois. La bonne affaire côté budget, car juste plus chers que les autres. Partout, salle de bains et ventilo. Visiter, l'état général est variable.

🛏 ▮●▮ *Tubtim Resort* – ทับทิมรีสอร์ท *(plan, 4) : à l'extrémité sud de la plage.*

☎ 644-025. ● *tubtimresort.com* ● Bien à l'ombre, dans un jardin luxuriant. Quelque 70 bungalows en bois ou maçonnerie, dont une vingtaine climatisés. Plutôt bien tenus et correctement équipés (même les moins chers). Agréable resto de plage avec coin barbecue et tout plein de tables sur le sable. Cuisine savoureuse dont le tofu frit aux noix de cajou qui vaut… son pesant de cacahuètes ! L'ensemble donne sur une partie de plage, tendance *gay-friendly*.

PLAGE D'AO NUAN – ถ่าวนวล

Suivre le chemin côtier et ouvrir l'œil afin de découvrir, lovée dans une adorable crique bordée de rochers, cette minuscule plage qu'il serait dommage de manquer ! Notre *outsider* dans le tiercé gagnant.

Prix moyens (de 500 à 1 000 Bts – 10 à 20 €)

🛏 ▮●▮ *Nuan Kitchen* – นวลคิทเช่น *(plan, 5) :* pas de téléphone, tenter directement sa chance. Une poignée de bungalows en bois avec terrasse et moustiquaire. Certains simples mais avec salle de bains. D'autres rudimentaires (salle de bains commune et matelas sur plate-forme). Le tout posé sur des escarpements, à l'ombre d'une végétation exubérante. Bien tenu. Excellente cuisine à prix doux, que l'on peut déguster dans un superbe jardin aux belles essences odorantes. Situation calme, exceptionnelle pour Ko Samet.

PLAGES D'AO CHO ET D'AO WONG DUAN –
ชช โมษ โฮ่ษ ว่ชฐฉธมษ โฮ่ษ วงฌโฮฯชายหาคของอ่าวโชวและอ่าววงเดือน

Ao Cho, assez étendue, manque de charme : elle est trop fréquentée à notre goût. Ao Wong Duan accueille un écosystème touristique complet : laverie, distributeur de billets, supérette, multitude de restos. Elle est très populaire (cohue assurée le week-end) et conviendra à ceux que l'animation n'effraie pas.

Un peu plus chic (de 1 000 à 1 500 Bts – 20 à 30 €)

🛏 *Vongduern Villa* – วงเดือน วิลล่า *(plan, 10) :* ☎ 644-260. ● *vongduernvilla.com* ● *À l'extrémité sud de la plage de Wong Duan.* Ribambelle de maisonnettes en bois blanc qui essaiment sur la colline à l'abri d'arbres côtiers. Et la plage est à deux enjambées. Un endroit bien tenu avec accueil souriant et confort respectable.

PLAGE D'AO THIAN ET CAP DE LUNG DAM – อ่าวเทียนแ ละแหลมลุงคำ

Ao Thian (au nord) puis le cap de Lung Dam (pointe sud) dessinent une portion de côte sympa pour ceux qui veulent s'isoler des masses. L'ambiance reste paisible, parfois plus maritime que balnéaire malgré un front de mer bordé d'une ligne ininterrompue de bungalows. Plusieurs affleurements rocheux isolent des miniplages.

De prix moyens à un peu plus chic (de 500 à 1 500 Bts – 10 à 30 €)

🛏 ◉ *Candle Light Resort* – แคนเดิลไ ลท์รีสอร์ท *(plan, 6) : au milieu de l'anse d'Ao Thian.* 📱 *087-149-61-39.* Longue rangée de bungalows regardant la mer. Choix entre du dur climatisé et carrelé ou du bois ventilé (plus chaleureux, très demandés). Tous confortables et avec salle de bains. Petite plage aménagée et calée entre les rochers avec un resto mistoulinet (tout mignon, quoi !). Accueil top.

Plus chic (de 1 500 à 3 000 Bts – 30 à 60 €)

🛏 *Sang Thian Beach Resort* – แส่งเท ยนบีชรีสอร์ท *(plan, 6) : pile sur le cap nord.* ☎ 644-255. Un ensemble de constructions aux murs de lattes vernies, qui s'agrippent à la pente. Très ramassé. Confort et équipement complet (clim', eau chaude, TV) militent cependant en faveur de cette adresse, notamment pour les chambres avec vue sur la mer.

◉ *Keang Talea Restaurant* – ร้านถา หารแกงทะเล *(plan, 6) : Ao Thian, entre les resorts Sang Thian et Candle Light. Un petit resto familial et bon marché. Terrasse couverte. Des simples riz sautés aux poissons grillés et fruits de mer, en passant par les currys, tout a plus de goût que chez nombre de voisins.

◉ 🍷 *Apache* – อาปาเช่ *(plan, 7) : à l'extrémité sud, avt la pointe.* Un drôle d'établissement qu'on retient pour son agréable terrasse émaillée de petites huttes ouvertes avec tables basses où déguster en tailleur des plats vraiment pas dispendieux. Parfait pour les apa- ches du coin. S'y trouve aussi l'école de plongée *Diver's Club* (voir « À faire »).

PLAGE D'AO WAI – ชายหาดของอ่าวไหว้

Jolie plage de sable bordée de palétutu, palétuviers roses... L'endroit est parfait pour la bronzette.

D'un peu plus chic à plus chic (de 1 000 à 3 000 Bts – 20 à 60 €)

🛏 *Samet Ville Resort* – เสม็ดวิลรีสอร์ท *(plan, 11) :* sur Ao Wai. 📞 663-865-16-81. ● *sametvilleresort.com* ● *Au sud de la plage. Petit déj inclus.* Une trentaine de maisonnettes confortables, voire coquettes, avec sanitaires. 2 chambres se partagent même un bateau échoué sur le sable (très charmant). Belle plage, bonne situation et des prix pas si élevés. Sur place, resto cher pour un service minimal.

PLAGE D'AO KIU NA NOK

À un petit kilomètre plus au sud, cette plage est carrément paradisiaque : sable blanc ultrafin et courbure langoureuse. Ko Samet étant ici aussi mince qu'un trait de calligraphie, le soleil se couche à quelques centaines de mètres de là, de l'autre côté de la piste. Ces mensurations n'ont pas échappé au plus gros opérateur de l'île, *Samed Resorts* qui, après avoir colonisé Ao Phrao (voir ci-dessous), a bâti ici le *Paradee,* un « 5-étoiles » naturellement paradisiaque à des prix... infernaux !

PLAGE D'AO KARANG

Les derniers ondoiements de sable avant la pointe sud. La baignade dans la crique n'est pas des plus aisée (peu de fond et galets) mais on y fait quelques découvertes agréables, munis de masque et tuba.

Prix moyens (de 100 à 300 Bts – 2 à 6 €)

|●| *Nimmanoradee Restaurant* – ร้านอาหารนิมมานนฤดี *(plan, 8) :* sur Ao Karang. De quoi se requinquer avant ou après le chemin côtier. Les tables ont les quatre pieds enfoncés dans le sable, à l'abri d'arbres bienfaiteurs, face à la mer et la belle côte sud-est de l'île. Le personnel est indolent, et les prix jouent sur l'éloignement pour une nourriture thaïe classique. Mais la beauté du site fait oublier ces contingences bien matérielles.

PLAGE D'AO PHRAO – หาดอ่าวพร้าว

Baie parfaite entourée du plus bel écrin de verdure de l'île, la seule vraie plage de la côte ouest est célèbre pour LE coucher de soleil de Ko Samet. À 1,5 km d'Ao Phai, on s'y rend facilement par la piste. Ao Phrao, autrefois chic mais décontractée, s'est livrée tout entière aux *resorts* de grand luxe. Morale de l'histoire, il est plus malin (et gratuit) de s'y rendre pour une partie de farniente-baignade que d'y résider.

De plus chic à beaucoup plus chic (à partir de 2 500 Bts – 50 €)

🛏 *Lima Coco* – ลิมา โคโค (*plan, 9*) : ☎ (02) 938-18-11 (*à Bangkok*). ● limaco co.com ● Le plus abordable des 3 *resorts* de cette plage. Hôtel somme toute bien intégré au site avec des chambres nickel à la hauteur de sa caté-gorie. Le top, c'est le transfert (compris) en bateau spécial depuis Ban Phe (embarcadère de Chokrisada) et le débarquement rocambolesque sur la plage. Resto cher.

🛏 *Ao Prao* – อ่าวพร้าวรีสอร์ท (*plan, 9*) : 4 étoiles ; et le *Vimarn* – วิมานรีสอร์ท : 5 étoiles, rien en dessous de 6 500 Bts

(130 €). *Tous 2 gérés par* Samed Resorts. ● samedresorts.com ● Parfois des promos sur Internet qui les rendent plus accessibles.

🍸 *Buzz* (*plan, 9*) : attenant au Lima Coco. Lieu ultramoderne très plaisant pour boire un verre chic. En terrasse, large banquette en cercle moelleuse à souhait. Dedans, décor dépouillé et un fascinant mur aux couleurs fluos fluc-tuantes. Musique apaisante et service très attentif. Fait aussi resto (chérot, mais bonne cuisine).

À faire à Ko Samet

Pas grand-chose et c'est tant mieux !

➤ *Rando le long de la côte :* jusqu'à 6 km de promenade, sans risque de se per-dre, sur le sentier côtier plutôt mignon d'Ao Phai jusqu'à Ao Karang. Pour rejoindre le cap sud formé de rochers pelés, il faut passer par le QG des *rangers.* Quelques mini-grimpettes à pinces dans les rochers à crabes, mais aucune difficulté. Empor-ter une torche, toujours utile si l'on s'est attardé (pas d'éclairage entre les plages). La piste des crêtes, au centre de l'île, est fastidieuse et sans intérêt.

– *Location de planches à voile, canoës, ski nautique :* sur les plages les plus populaires, d'Hat Sai Kaew à Ao Phai ainsi qu'à Ao Wong Duan.

➤ *Sorties en mer :* organisées par la plupart des hôtels, ou repérer les panneaux sur la plage. Tour de l'île, *snorkelling,* pêche (et même de nuit, aux calamars !), excur-sions vers les îles environnantes (Ko Thala, Ko Kudee, Ko Plateen, Ko Kham).

🤿 *Plongée :* Samet offre un faible potentiel en matière de coraux et de faune marine. Le manque de respect de la nature y a tué la tortue aux œufs d'or. Toutefois, tous les grands *resorts* de Samet proposent des cours de plongée. Si vous y tenez, vous pouvez aussi pousser jusqu'à la plage d'Ao Thian (voir *Apache*) où Phiraphat Boonphetch dirige l'école **Diver's Club** (*plan, 7* ; ☎ 638-26 ; ● b_thanaporn@ya hoo.com ●). Engagé pour la protection des fonds, il défend et connaît les milles marins environnants comme sa poche.

KO CHANG – เกาะช้าง   IND. TÉL. : 039

Ko Chang, deuxième île de Thaïlande après Phuket par sa taille, donne son nom au parc national maritime qui englobe un archipel d'une cinquantaine d'îles. L'île éponyme, surnommée ainsi à cause de sa forme en derrière d'élé-phant *(chang),* est encore aux trois quarts couverte d'une des plus belles et denses forêts pluviales du pays. Culminant à 745 m au sommet du Khao Jom Prasat, ses hautes montagnes dominent majestueusement les flots.

Ça, c'est la théorie. Car en pratique les autorités thaïes versent ici, comme ailleurs dans le pays, du côté de l'argent facile ! En un mot, on déclare une zone « parc national » (ça plaît aux touristes) et on y laisse se multiplier de façon irréfléchie des activités destructrices pour l'environnement. Et puis, alors que le pays a démontré son savoir-faire en matière d'élégance, bien des hôtels sont ici moches et déplacés. Le pont aérien vers l'île, via le tout proche aéroport de Trat sur le continent, garantit quant à lui un accès plus facile, plus de tourisme de masse, plus de constructions, plus de revenus : le cercle vertueux est respecté !

Bon, positivons maintenant ! On va aller à la pêche aux trésors en péril, s'enivrer de virages et de montagnes russes spectaculaires, dénicher les derniers villages authentiques et les petites adresses charmantes tenues par des gens sympas faisant du business sans massacrer leur terroir, sur fond de superbes couchers de soleil. Car Ko Chang a une beauté propre, un cœur vert qui bat très fort et des rivages qui incitent au farniente, à la baignade, au *snorkelling,* à la plongée ou aux randonnées.

UN ÉLÉPHANT, ÇA TROMPE ÉNORMÉMENT

À propos de Chang, savez-vous comment mesurer la surface d'un pachyderme ? Des scientifiques se sont penchés sur la question, et ça se résume en une formule à la portée de tous : $S = (H \times 6{,}807 + C \times 7{,}703) - 8{,}245$. Où H est la hauteur au garot du proboscidien et C son tour de pied. On espère qu'ils ne se trompent pas. Pour le vérifier, à vos mètres et gare aux ruades !

LE PALUDISME, PRENDRE OU NE PAS PRENDRE UN TRAITEMENT PRÉVENTIF ?

Secret de polichinelle, les antipaludéens ne sont pas d'une efficacité complète et souvent lourds à digérer pour l'organisme. Or, si le paludisme survit à Ko Chang, il semble bien que, depuis des lustres, il ne concerne plus qu'une poignée d'autochtones vivant dans la jungle et dans des conditions précaires. Le centre antimalarien de l'île conseille les mesures préventives (voir la rubrique « Santé » dans « Thaïlande utile » en début du guide) plutôt que la prise de médicaments. Pour les voyageurs n'ayant pas prévu une exploration de la jungle en pleine saison des pluies... à bon entendeur, salut !

Arriver – Quitter

En bus et minibus

🚌 Tous les bus depuis la capitale (Ekkamai et Mo Chit) transitent par l'aéroport de Bangkok à l'aller comme au retour.

➤ *Bus depuis Ekkamai (Bangkok) :* 320 km. Trajet : 5h. 3 bus/j. avec AC vers et depuis les ferries de Laem Ngop (Ao Tham Ma Chad). Départ en début de matinée, retour en début d'ap-m. Sinon, bus avec AC ttes les 1h30 env d'Ekkamai à Trat, 6h-23h30. Compter 200 Bts (4 €). Et 2 bus/j. sans AC un peu plus lents (matinaux depuis Bangkok, début d'ap-m dans l'autre sens). Compter 120 Bts (2,40 €).

➢ *Bus depuis Mo Chit (Bangkok) :* 320 km. Trajet : 4h30. 5 bus/j. directs vers et depuis Laem Ngop, 7h30-23h. Sinon, bus avec AC ttes les 1h30 à 2h de Mo Chit à Trat, 6h-23h, env 200 Bts (4 €).

➢ *Depuis Trat :* 20 km. Trajet : 30 mn. Service continu de *songthaews.* Compter 50-180 Bts (1-3,60 €) selon nombre de passagers.

➢ *Minibus AC + bateau :* formules au départ de votre hôtel. Vendues en agence (dans les quartiers touristiques de Bangkok ou sur Ko Chang). Trajet : 5h30 env, traversée comprise. Compter 350 Bts (7 €).

➢ *Ko Samet :* compliqué en bus, avec plusieurs changements, même si c'est 2 fois moins cher. Autant réserver une place en minibus (1 ou 2 départs/j.) auprès de son hôtel ou d'une petite agence. Trajet : 3h, plus les traversées pour 300 Bts (6 €).

➢ *Cambodge :* une flottille de minibus fait la navette dans les deux sens entre Trat et le poste-frontière de Had Lek (ouv 7h-21h). Départ ttes les 45 mn, 6h-18h. Prévoir 1h30 de route. Partir très tôt de Trat, sinon il faut passer la nuit sur l'île de Ko Kong (Cambodge), avant de pouvoir continuer vers Sihanoukville à bord d'un ferry bruyant et secouant, ou d'un taxi collectif. Attention, côté khmer, préférer les taxis collectifs aux motos-taxis (arnaques fréquentes). Les agences et pensions de Ko Chang vendent des formules tout compris (ferry, minibus et pension) jusqu'à Sihanoukville, Siem Reap ou Phnom Penh. Là aussi, petites embrouilles rapportées : véhicules non conformes aux promesses, retards volontaires. Bien se faire préciser tous les détails au moment de la réservation.

Bateaux pour Ko Chang

⚓ Trois quais en tout :

➢ *Ao Tam Ma Chad (15 km à l'ouest de Laem Ngop) :* ferries mixtes véhicules et piétons. Ttes les 45 mn, 6h30-19h, traversée 30 à 40 mn et 100 Bts (2 €). C'est par là que transite la majorité des transports de/vers Bangkok et aussi les navettes de/vers l'aéroport de Trat.

➢ *Center Point (entre le précédent et Laem Ngop) :* ferries mixtes véhicules et piétons. Ttes les heures, 6h-19h, traversée 40 à 50 mn et 120 Bts (2,40 €).

➢ *Laem Ngop :* croquignolets bateaux de pêche faisant la navette vers Ko Chang env ttes les heures, 6h-18h, traversée 1h à une écaille de poisson près. 60 Bts (1,20 €).

Également 1 bateau/j. vers Ko Maak, vers 15h, trajet 3h, 300 Bts (6 €). Et, en saison, 3 *speed-boats/*j. à 10h30, 13h30 et 16h (retour de Ko Maak à 8h, 10h30 et 13h). Trajet 1h, 450 Bts (9 €).

En avion (et minibus)

✈ *Aéroport de Trat :* 15 km au nord des quais d'Ao Tam Ma Chad. ☎ 525-777. Géré par *Bangkok Airways.*

➢ *Bangkok :* 2 vols/j. (1 le mat, 1 l'ap-m) dans les 2 sens. Trajet : 40 mn.

➢ Entre l'île et l'aéroport, des navettes de minibus sont affrétées par l'aéroport de Trat. Prévoir 300-480 Bts (6-9,60 €) selon la plage d'arrivée, ferry compris.

Adresses et infos utiles

– « *Ko Chang* » : ● *whitesandsthailand. com* ● Magazine gratuit disponible un peu partout. Bien fait et très utile. Horai- res des transports, plans, listings des restos et des hôtels (réservations possibles). Couvre également Trat et les

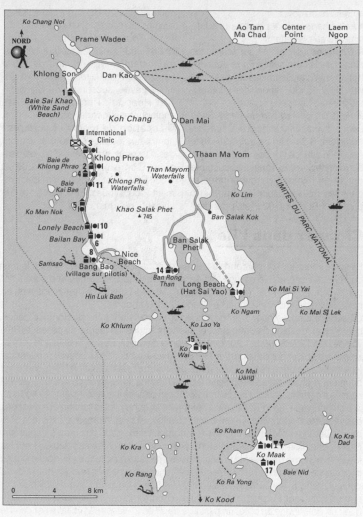

KO CHANG

AU SUD-EST DE BANGKOK

autres îles du coin.

● *koh-chang.com* ● propose une info similaire au précédent.

■ *Banques :* présentes sur toutes les plages de la côte ouest. Forte concentration à White Sand Beach. *Ouv lun-ven 8h30-15h30.* Sinon, des distributeurs 24h/24 un peu partout.

■ *Post Office :* au sud de White Sand Beach (sur la route principale). Lun-ven 10h-12h, 13h-18h ; sam 10h-13h. Assure le service *Western Union.*

@ *Internet, téléphone :* accessible dans une myriade de cybercafés et dans les petites pensions. Internet à partir de 1 Bts/mn (0,02 €) et appel inter-national dès 20 Bts/mn (0,40 €). Dans les grands *resorts,* c'est plus cher...

■ *Ko Chang International Clinic :* ☎ 081-863-36-09 (24h/24). ● *bangkok trathospital.com* ● *Au sud de White Sand Beach ; sur la route principale.* Clinique privée, succursale du Bangkok-Trat Hospital. Personnel soignant anglophone et germanophone.

■ *Location de motos et voitures :* nombreux loueurs sur toutes les plages. On peut aussi passer par sa pension. Compter à partir de 200 et 1 000 Bts/j. (4 et 20 €), pour respectivement 2 ou 4 roues. Et voir nos avertissements plus loin.

Circuler dans l'île

La seule route de l'île parcourt le périmètre côtier sans toutefois en faire le tour complet. Au sud-est, le voyage finit au village de Bau Salak Phet, une piste filant par ailleurs vers Hat Sai Yao (Long Beach). Au sud-ouest, cul-de-sac (payant) au niveau du grand guignolesque *Ko Chang Grand Lagoona.*
Un service de *songthaews* (fréquents le jour) circule entre les pontons de débarquement et le village de Bang Bao, desservant toutes les plages au passage. Prévoir de 60 à 120 Bts/pers (1,20-2,40 €) selon la distance. Le soir, la desserte est très irrégulière en dehors de la portion Hat Sai Khao-Kaibae. Il faut souvent chartériser (cher) ! Une solution est de louer moto ou voiture, mais attention ! Si la route est bitumée, le ruban assez étroit se tord dans tous les sens, avec des pentes vertigineuses à certains endroits, et se transforme en patinoire quand il pleut. Au sud-est, la piste menant à Long Beach est à réserver aux bons pilotes tant qu'elle n'est pas complètement asphaltée. Quant à la circulation, elle est infernale sur toute la côte ouest. Quelques règles de conduite : automobilistes, gaffe aux motos et piétons. Motos, attention aux autos et piétons. Piétons, méfiez-vous des deux... Pour les fadas téméraires qui louent un deux-roues : pensez au casque (ça donne bonne conscience à défaut de bien protéger), ne franchissez pas les rampes très raides à deux et, surtout, testez la bécane pour éviter pneus lisses et freins déficients.
– *Avertissement :* le permis de conduire à Ko Chang est particulièrement technique : un démarrage en côte, un passage de 3e en 2e vitesse et l'affaire est dans le sac. Rigolo ? pas vraiment. Car les automobilistes sont ici aussi agressifs un volant dans les mains qu'ils sont d'un naturel doux dans la vie courante. Alors l'île compte son lot quotidien d'accidents : voiture contre mob. Avec en moyenne un touriste sur le carreau chaque jour en période estivale. Vous voilà prévenu.

➤ *LA CÔTE OUEST*

99 % des bungalows sont installés sur la côte ouest, où se trouvent toutes les plages à l'exception d'une (Long Beach). Attention ! Gare aux courants traîtres en mer, notamment pendant la mousson, lorsque la baignade peut devenir vraiment dangereuse.

WHITE SAND BEACH – หาดทรายขาว

La plus longue et originellement la plus belle plage de l'île, *Hat Sai Kaew,* est aujourd'hui devenue la véritable capitale de Ko Chang. La route principale y concentre boutiques, banques, agences de voyages, restos, dans un tohu-bohu incessant de véhicules. Cette « plage de sable blanc » est bordée par des *resortscorons* qui proposent des bungalows ou maisonnettes clonés. Seul l'extrême nord n'est pas formaté. Là où la falaise vient plonger directement dans la mer, une poignée de pensions-bars furieusement alternatives et multicolores offrent refuge à des spécimens bien allumés. À notre avis, pas besoin de poser son sac sur White Sand, il y a mieux et moins cher ailleurs. Rien n'empêche de venir y piquer une tête ou d'y « monter » quand on ressent un besoin d'animation, notamment nocturne. Au cas où (problèmes de transport, séjour express), on vous indique une bonne adresse.

Où dormir ? Où manger ?

De bon marché à prix moyens (de 300 à 700 Bts – 6 à 14 €)

🛏 *Independent Bo* – อินเดเพ็นเด้นท์ โบว์ *(plan, 1) : au nord de la plage. Pas de tél. Accès public à la plage au niveau du 7/Eleven puis remonter le rivage sur 300 m à droite.* Imbroglio improbable de cahutes multicolores accrochées à la pente au-dessus des flots. Une chatte n'y trouverait pas ses petits. Et pourtant l'adresse a un charme fou, décorée avec totems et sans tabous. La seule constante du lieu en est la propreté. Car chaque chambre est personnalisée jusqu'aux sanitaires (parfois rustiques) avec douche écossaise (eau froide). Faut dire qu'ici c'est Bo, Scottish de son état, qui porte le kilt. Elle explique avec gentillesse, mais clairement, les règles de cette quasi-colonie de vacances post-baba cool.

LAEM CHAICHET CAPE ET KHLONG PHRAO BEACH – แหลมไชยเชญ และหาดคลองพร้าว

Notre coin préféré pour ses kilomètres de sable blanc et ses quelques ensembles de bungalows tout confort perdus dans les cocoteraies. Au nord, repéré par une agglutination de restos et commerces, le cap de Laem Chai Chet est aujourd'hui saturé de chalets. Au-delà de l'embouchure du Khlong Phu (cf. « Cascades » dans la rubrique « À voir »), traversable à pied (et en maillot !) depuis la plage à marée basse, la partie sud de Khlong Phrao reste la plus séduisante, même si la bande de sable s'y réduit parfois comme peau de chagrin.

Où dormir ? Où manger ?

Prix moyens (de 500 à 800 Bts – 10 à 16 €)

🛏 ⏺ *KP Hut* – เคพีฮัท *(plan, 2) : Khlong Phrao sud, à env 2 km de Chaichet.* ☎ *084-099-51-00. Accès par une longue piste de gravillons (embranche-* ment indiqué). 4 traits sur un plan, des murs en bois et bambou, des toits de paille, un bon lit, ça fait des bungalows rudimentaires (salles de bains communes). Espacez-les bien, au sol (les plus petits), sur pilotis (les moyens) ou échasses (les plus grands), dans une cocoteraie sympa, et ça fait des heureux (vous). Le grand resto-paillote délivre une intéressante et modique cuisine routarde thaïe, décrite dans un menu instructif. Plein d'autres bungalows du même genre dans le coin, comme *Tiger Hut* ☎ 089-83-31-503. ● maipenlai-tige rhut.com ●) Moins chers mais plus petits et resserrés.

De prix moyens à beaucoup plus chic (de 700 à 3 000 Bts – 14 à 60 €)

🏠 |●| *Coconut Beach Bungalows* – โคโคนัทบีชบังกะโล (*plan, 3*) : Laem Chaichet. ☎ 551-272. ● webseiten.thai. li/coconut ● *Sans petit déj pour les premiers prix.* En bord de mer, cette adresse pionnière n'a cessé de se développer. Propose aujourd'hui une très large gamme d'hébergements, allant du simple bungalow ventilé avec eau froide (seul rapport qualité-prix à la hauteur) à la villa pseudo-balinaise en bord de piscine, sans oublier des chambres en section hôtelière. Cocotiers, bougainvillées et pelouses ragaillardissent un ensemble jamais transcendant. On nous a hélas signalé des vols dans les coffres privés près de la réception.

|●| 🏠 *Ko Chang Tropicana Resort* – เกาะช้างโทรปิกาน่า รีสอร์ท (*plan, 4*) : à l'extrémité sud de Khlong Phrao.

☎ 557-122. ● kohchangtropicana.net ● *Accès par l'hôtel, resto tt au bout du bout du jardin.* Peut-être le meilleur restaurant de l'île qui a tout pour lui. Sa situation face à une belle plage terminée par un téton couvert de forêt. Son personnel affable qui mène un service remarquable de délicatesse. Sa gastronomie sans fausse note avec des plats présentés de façon inventive. Et même des desserts à la hauteur. Et puis le chic du lieu n'a pas à effrayer votre porte-monnaie : les prix demeurent raisonnables. Côté hôtel, les prestations sont également très belles, des chambres décorées avec goût au jardin tropical ponctué de plans d'eau ou à la piscine. Un hébergement à envisager surtout par agence ou via Internet (sinon c'est 50 % plus cher).

KAI BAE BEACH – หาดไก่แบ้

Au nord et au centre de la baie on trouve plutôt des hôtels qui jouent du chic. C'est au sud, sur une plage sablonneuse, qu'on trouve d'agréables « bungalowteraies », sous une cocoteraie convenablement engazonnée. Quant aux abords de la route, on y voit fleurir des bars « clapiers », restos de toutes nationalités (sauf rares exceptions siamoises). Moche le jour et chaud la nuit.

Où dormir ?

De bon marché à prix moyens (de 300 à 900 Bts – 6 à 18 €)

🏠 *Porn's Bungalows* – พร บังกาโล (*plan, 5*) : au sud de la plage. ☎ 089-099-87-57. ● pornsbungalows-kohchang. com ● *Accès par la plage, après* Villa Kai Beach (*à plat*) *ou par la route (ça* grimpe sec pour redescendre aussi sec !). Accueillant groupe de bungalows vraiment pas chers, paumés au bout de cette jolie baie. Pas le grand luxe, attention. Certains sont même assez rustiques mais clean (eau froide et moustiquaire à l'affiche). Ceux qui traîneront leurs tongs jusqu'ici apprécieront l'aspect communautaire cool

qui s'articule autour d'une grande paillote-resto avec mezzanine et poufs. Drapeaux partout : routards de tous pays...

De prix moyens à plus chic (de 500 à 2 000 Bts – 10 à 40 €)

🛏 *Kae Beach Grand Villa* – ไก่ บีช แกรน วิลล่า et *Mam Kai Bae* – ม่าม ไก่ แบ้ *(plan, 5) : au sud de Kai Bae.* ☎ 081-940-94-20. Des établissements jumeaux offrant des prestations assez similaires. Constellation de bungalows de bois

ventilés avoisinant des maçonnés climatisés, le tout surplombé par un bâtiment laid (même proprio) qui offre des chambres sans charme mais avec une vue splendide. Un bon coin calme et sympa où se poser.

Où manger ?

🍽 *O2 Restaurant* – ร้านอาหารอ็อกซิเจน *(plan, 11) : au bord de la route principale, face au 7/Eleven.* ☎ 081-922-84-87. Bol d'oxygène sur la route agitée, voici un p'tit resto tout mignon. Toit de paille et 2 petites salles en mezzanine où se percheront les plus chats d'entre vous. Déco simple mais bien étudiée. Les plats, bon marché, sont tout simplement bons. On a aimé le *Phad Jey O2* (légumes sautés au gingembre et tofu) et le *massam curry (made in India).* Musique latino, jazzy, world, etc. Agréa-

ble accueil fort convivial de Aiy, la proprio, originaire de Bangkok, dont le copain Alexis tient le club de plongée attenant.

🍽 *KB Kitchen* – เค บี คิทเช่น *(plan, 5) : resto du* KB Resort. ☎ 557-125. Ne pas hésiter à traverser l'hôtel pour aboutir à cette agréable terrasse ouvrant sur le large et 4 ravissants îlots. Les yeux s'y régalent, les papilles aussi. Cuisine thaïe traditionnelle à bon compte. N'oubliez pas le maillot : la plage est à vos pieds !

LONELY BEACH – โลนลิบีช ET BAILAN BAY – หาดใบลาน

Au sud de Kai Bae, la route joue aux montagnes russes avant de plonger sur *Lonely Beach*. Très bout du monde il y a quelques années (d'où son nom), cette jolie baie a été dévorée par les hôtels des gros bonnets de l'île, dont certains immeubles n'obtiendront pas le premier prix d'architecture ! Autant venir ici pour la trempette et poursuivre vers le sud en direction de Bailan Bay, à travers reliefs côtiers accidentés et superbes jungles. Peu ou pas de plages, mais un rivage pittoresque de galets ponctué de mangroves.

J'AI CONNU UNE MARSEILLAISE QUI JOUAIT DU BINIOU À TRAT...

Ben oui, la Marseillaise a retenti à Trat et sur les îles du coin. C'était en 1904, du temps de l'empire, quand la France avait posé ses godillots dans la région. Mais le coq gaulois s'efface vite face au dragon siamois, et le 23 mars 1906 scelle le retour pacifique de la région dans le royaume de Râma V. Une date encore célébrée ici comme « jour de l'indépendance ». La cordiale entente explosera le 17 janvier 1941 où flottes française et siamoise s'affronteront dans la fameuse bataille de Ko Chang.

Où dormir ? Où manger ?

Prix moyens (de 500 à 700 Bts – 10 à 14 €)

🛏 I●I *Siam Hut* – สยามฮัทฬ์ *(plan, 10)* : au nord de Lonely Beach. ☎ 558-084. Vaste terrain plat (rare dans ce secteur de l'île) accueillant de petites cabanes ventilées avec eau froide pour les moins chères, ou climatisées avec eau chaude (face à la mer) pour les autres. Évitez celles proches de la route. Agréable ambiance de plage, jeune, décontractée, voire festive, où l'on tâte souvent du ballon rond entre les bungalows. Plein d'activités, dont une antenne d'*Eco Divers* (voir plus loin « Plongée sous-marine »). Et restauration sur place.

🛏 I●I *Bailan Bay Resort* – ใบลาน เบย์ รีสอร์ท *(plan, 6)* : ☎ 558-022. ● bailan bayresort.com ● Accès par la butte qui annonce Bailan Bay. Accueil dans un adorable petit café-resto qui surplombe les flots et offre un joli point de vue. La partie hébergement, située en contrebas sur le bord de mer (escalier assez raide, parfait pour la gym quotidienne), n'est pas en reste. Roots mais très mimi et bien espacés, les bungalows aux toits de paille sont dotés de bons lits sous moustiquaires, de terrasses et, petite concession, de salles de bains. Pas de plage, mais un ensemble photogénique de grande bleue, mangrove et cocotiers, plus une cabane-resto, le *Sea Wind.* Accueil délicieux.

BANG BAO – บางเบ้า

Bang Bao est une attraction touristique à part entière, avec sa banque, ses multiples restos, une boulangerie, des hébergements allant du très rustique au 2-étoiles, et des boutiques à touche-touche qui lui donnent un aspect de Khao San diurne sur pilotis. À marée basse, les effluves de vase viennent compléter le tableau. D'ici partent la plupart des bateaux d'excursions vers les îles alentour. Le soir, c'est bien plus calme, alors pourquoi ne pas y poser son sac ?

Où dormir ? Où manger ?

🛏 *Paradise Bang Bao* – บางเบ้า พาราไดซ์ *(plan, 8)* : sur pilotis, à droite en allant vers la mer. 🗒 089-934-80-44. Prévoir 250 Bts (5 €). 4 cabanons « boîtes à lit » très bon marché. À l'arrière, la maison de l'hôte, la très gentille Mme Pheat, qui apprend le français : faites-la réviser. Elle peut aussi vous nourrir. Croquignolet, très propre et amusant.

🛏 *Bang Bao Sea Hut* – บางเบ้าซีฮัท *(plan, 8)* : à l'extrémité de la jetée, sur la droite. 🗒 081-620-38-85. ● bangbaosea hut.com ● Compter 2 200 Bts, soit 44 €. Une grappe de huttes émeraude de forme octogonale, plantée dans l'eau face au port et accessible par un réseau de pontons façon cité lacustre. Agréables terrasses fleuries. À l'intérieur, déco cosy à dominante de bois, AC, et une surprenante douche en encorbellement au-dessus des flots.

I●I *Ruan Thai Restaurant* – ร้านอาหาร เรือนไทย *(plan, 8)* : le 1er grand établissement sur la droite en venant de la terre ferme. 🗒 089-883-51-17. Vaste choix de plats, de bon marché (riz sautés, nouilles, etc.) à prix moyens (fruits de mer). Un des plus anciens restos de fruits de mer du village. Très populaire auprès des autochtones, toujours un bon signe.

➤ *LE SUD-EST DE L'ÎLE*

BAN SALAK PHET – บ้านสลักเพชร

Le plus gros et le plus authentique village de pêcheurs de Ko Chang. Situé au centre de la grande baie en forme de fer à cheval qui découpe l'extrémité sud de l'île. Le village, moitié sur la terre ferme, moitié sur pilotis via un enchevêtrement de pontons, fait un peu fouillis. Bougainvillées en pot, canaux boueux où s'échouent des embarcations, poissons qui sèchent en plein soleil, suspendus au toit des maisons, équipages aux visages mats et burinés s'activant à l'entretien des engins de pêche (casiers, filets, lignes...). S'y promener gentiment en respectant les habitants, ce n'est pas un zoo.

BAN RONG THAN – บ้านร่องธาร

Plus loin sur la côte, en suivant le fléchage « Keeri Phet Waterfall », le village maritime de *Ban Rong Than* qui tend à se « touristiser » un peu. Parking payant (quand on vient reprendre la voiture...).

Où dormir ? Où manger ?

🏠 **▮●▮** *Island View Resort* – ไอส์แลนด์ วิวย์ รีสอร์ท *(plan, 14)* **:** *300 m après le parking par le sentier côtier piéton.* ☎ 089-155-26-69. ● *erlebnisreisen-thai land.de* ● *Prix catégorie « Un peu plus chic ».* Un long ponton mène à cette bâtisse qui trempe le béton de ses pilotis dans la mer. Le site a beaucoup de charme. Quant aux chambres, fonctionnelles, avec AC et mobilier moderne, elles mirent en majorité la grande bleue. Calme garanti. Services gratuits et sympas de convoyage vers la belle plage de l'îlot juste en face, prêt de kayaks et vélos. Fait aussi resto avec les grands classiques de la cuisine thaïe et quelques extras d'outre-Rhin.

▮●▮ *Seafood Resort* – ซีฟู้ด รีสอร์ท *(plan, 14)* **:** *accès depuis le parking.* ☎ 512-741. *Prix moyens.* Sur un immense ponton qui donne directement sur la ferme piscicole où frétillent les bestioles rêvant de vous régaler. Fait l'unanimité des gens du cru (encore peu de *farang*), qui se précipitent ici pour faire de véritables orgies de poissons, calamars, coquillages.

LONG BEACH (Hat Sai Yao) – หาดทรายยาว

Une très jolie crique encore vouée à l'esprit « Robinson », à l'extrême sud-est de l'île. *Tree House,* la pension qui lança autrefois Lonely Beach, y a d'ailleurs déménagé. Au-delà de l'embranchement de Salak Khok, la route, récemment tranchée dans une jungle impénétrable, devient spectaculaire. On entend distinctement le bruit de ses habitants (oiseaux, singes). Quelques passages assez raides, très sablonneux et rocailleux ne sont pas encore bitumés sur les 3 derniers km. Accès aussi possible en *taxi-boat (100 Bts, soit 2 €)* depuis Lonely Beach. Voici donc une tranche de paradis qu'on espère durable car, comme le disent les autochtones : « Pourquoi construire une route si ce n'est pour desservir de futurs *resorts* ? »

Où dormir ? Où manger ?

Bon marché (autour de 250 Bts – 5 €)

🏠 |●| *Tree House* – ทรี เฮ้าส์ *(plan, 7) :* lisière nord de la baie, sur un terrain accidenté et rocailleux. Adorables et minimalistes huttes en bambou, bois et feuillage, perchées sur de longues échasses ou de courts piliers, histoire d'assurer la vue sur la mer à tout le monde. Jolis sanitaires communs. Jardin en gestation. Tenu par un couple germano-thaï. Cuisine métissée (des pommes de terre farcies au curry) à déguster assis en tailleur dans la grande maison ouverte aux embruns. Des passerelles rejoignent la plage. Diverses activités sont organisées (sorties en mer, randonnées, cours de yoga). Atmosphère et organisation un peu communautaires, parfaites pour ceux qui veulent être isolés mais... pas seuls.

À voir. À faire à Ko Chang

🚶🚶 *Exploration de la pointe sud-est de l'île :* peu développée, c'est l'occasion de découvrir la vie authentique des autochtones et d'apprécier de superbes points de vue donnant sur la mer, des plantations ou la jungle. En profiter pour se baigner à Long Beach et déguster un repas marin à Ban Rong Than (voir ci-dessus).

🚶 *Les cascades de Ko Chang :* il y en a 4 en tt. Accès payant au parc national (200 Bts, soit 4 €) pour les visiter. Gardez le ticket, il vous servira pour aller de l'une à l'autre. La plus grande, *Than Mayom,* est accessible depuis la côte est. Face à elle mais accessible par la route ouest, *Khlong Phu Waterfalls,* haute de 20 m, est l'occasion d'une balade sympa dans la jungle et d'une tête piquée dans un bassin naturel rempli d'eau limpide et bien fraîche... L'embranchement, fléché, se situe à 5 km au nord de Kaibae. Arrivé au parking, il reste 500 m de grimpette à pied jusqu'à la cascade. Au fait, il n'y a d'eau que pendant et juste après la saison des pluies... alors renseignez-vous.

🚶🚶 *Randonnées dans la jungle* – เดินป่า *:* une expérience étonnante et inoubliable, au milieu d'une végétation exubérante et bruyante. À faire accompagné de préférence car les chemins ne sont pas fléchés et il n'y a pas de carte précise de l'île. On peut se renseigner auprès de sa pension ou d'une des nombreuses agences. L'itinéraire le plus couru consiste à traverser l'île entre les cascades de Khlong Phu et Than Mayom. Pas extrêmement physique. Au programme, papillons géants (40 cm, promis !), araignées « mastardes », serpents et beaux paysages de jungle.

🚶 *Canoë dans la mangrove* – *Ban Salak Kok* – บ้านสลักกอก *:* au sud-est de l'île, prendre la route vers Long Beach, puis la piste 300 m plus loin à gauche (fléché). 📱 084-106-75-41 *(appelez pour savoir si la marée permet de naviguer).* Alternative à la sempiternelle promenade à dos d'éléphant (on ne veut se mettre personne à dos !), la balade au cœur de mangroves aux racines inextricables ravira les plus aventuriers. En 1h *(100 Bts/pers, soit 2 €),* on se faufile dans les canaux maritimes, sans risque de se perdre : avec la pagaie et le canoë, on vous remet une carte plastifiée du labyrinthe.

🚶🚶 *Excursions en bateau autour de Ko Chang :* plusieurs petites compagnies (de la pub partout, réservation possible depuis sa pension) proposent diverses activités : baignade, *snorkelling,* voire pêche parmi les îlots et fonds sous-marins avoisinants ; journée complète à la découverte des îles de Ko Maak, Ko Wai, Ko Kood (voir plus loin « Dans les environs de Ko Chang »).

Plongée sous-marine

Le parc national de Ko Chang offre aux plongeurs des sites sauvages, où s'ébattent profusion de poissons d'une richesse inestimable. La saison s'y étend d'octobre à mai. En février, on croise dans les eaux du coin des requins-baleines. Ceux qui restent à la surface pourront observer quelques dauphins au large des plages de White Sand et de Khlong Phrao.

Club

■ *Eco Divers* – อีโคไดเวอร์ส *: au sud de Khlong Phrao, en bord de route.* ☎ *557-296.* 📱 *084-638-26-67.* ● *mlan con@hotmail.fr* ● *Compter 2 300 Bts (46 €) la journée complète avec 2 plongées (déj et boissons compris). Remise de 5 % accordée sur les cours sur présentation de ce guide.* Centre de plongée géré par des Français. Ici, « éco » n'est pas qu'un argument de vente mais un engagement réel, reconnu par les autorités locales qui consultent l'équipe quant à la protection des fonds marins. Proposent tous types d'excursions et de prestations (baptême et formation pour tous niveaux *PADI, CMAS*) vers les spots de la région. Michel, son épouse et toute l'équipe conjuguent bonne humeur et sérieux. Également une antenne sur Lonely Beach (voir « Où dormir ? – *Siam Hut* »).

Nos meilleurs spots

🐠 *Hin Luk Bath* – หินลูกบาท *: au sud-ouest de l'île. Pour plongeurs de ts niveaux.* Une plongée sympa et fastoche sur un plateau corallien (de 12 à 20 m) particulièrement riche en vie sous-marine. Symphonie jamais achevée de murènes aux yeux blancs (propres à la mer de Chine). Également des raies pastenagues, poissons-papillons, perroquets, lions (rares), trompettes, clowns, cochers. Aux alentours, quelques beaux « bestiaux » (fusiliers, barracudas, carrangues). Également des langoustes dans les failles.

ÉTOILE DE MER OU FLOCON DE NEIGE ?

Les merveilles sous-marines laissent des traces chez tous ceux qui ont un jour porté un masque. Et plonger n'est pas qu'un sport d'adultes : les petits ont droit à leur moment de gloire avec tuba mais aussi emboutellés. Dès 8 ans jusqu'à 2 m de profondeur et, à 12 ans, grand plongeon à 12 m, brevet junior à la clef. Une distinction à arborer aux côtés des flocons récoltés dans les Alpes ou le Charlevoix.

🐠 *Hin Rua Tek* – หินเรือแตก *: au sud de l'île.* Une formation rocheuse impressionnante par son côté « dramatique » : gorges, canyons... et une très grande faune aquatique. Un site où l'on peut descendre jusqu'à 15 m. Pas mal de courant, mieux vaut donc être en forme, car il faut palmer !

🐠 *Ko Yak* – เกาะยักษ์ *: un îlot à l'ouest de Ko Chang.* Pinacle avec une chaîne de massifs coralliens qui regroupe plus de 350 espèces de coraux. Nombreux poissons de toutes sortes. Profondeur maxi de 15 m.

🐠 *Samsao* – สามสาว *: plein ouest. Pour plongeurs de ts niveaux.* Un caillou sympa et peu profond (de 3 à 16 m). De beaux bénitiers, des oursins aux piquants monstrueux et la classique gamme des poissons colorés (à vous de les reconnaître !). Il n'est pas rare de se trouver nez à nez avec de petits requins curieux.

๛ **Ko Rang** – เกาะรัง : *un îlot à 1h30 au sud de Ko Chang. Pour plongeurs de ts niveaux.* Sur ce bel ensemble rocheux sauvage (entre 5 et 25 m), de jolies gorgones rouge flamboyant. Également des anémones roses dans lesquelles les poissons-clowns font leur cirque (un exemple à ne pas suivre !), et de beaux coraux colorés. Ici, les barracudas, poissons-perroquets et autres raies sont de très classiques compagnons de plongée, et messieurs les requins à pointes noires font des passages très remarqués (pêchés, ils se font malheureusement rares). L'une des plongées les plus cotées du coin.

๛ **Ko Wai** – เกาะหวาย : *île perdue au sud de Ko Chang. Pour plongeurs de ts niveaux.* Un site où les coraux se plaisent particulièrement. Entre 9 et 20 m, on admire leurs formes généreuses que survolent d'imposantes escadrilles de poissons colorés. Quelques beaux prédateurs affamés tournicotent avec envie ; l'heure de la soupe a sonné ! Sur le fond sablonneux, on peut souvent approcher un gentil requin-léopard et des raies pastenagues immobiles.

➤ DANS LES ENVIRONS DE KO CHANG : LES ÎLES DU SUD

➤ **Pour s'y rendre en bateau :** rien de plus simple. Mais ne vous pointez pas à la jetée de Bang Bao. Vous ne vous y retrouveriez pas dans l'indescriptible pagaille qui y règne. L'offre fluctue plus vite qu'il ne faut pour l'écrire, et il reste à ce jour plus simple de comparer les offres des agences à Ko Chang selon que vous voulez juste être transporté sur l'une ou l'autre des îles ou y pratiquer des activités comme le *snorkelling*. Les formules incluent généralement le taxi entre votre hôtel à Ko Chang et le bateau. Également quelques bateaux quotidiens provenant du continent (voir « Arriver – Quitter Laem Ngop » en début de chapitre).

KO WAI – เกาะหวาย

À 10 km au sud de Ko Chang, un petit coin encore paradisiaque, aux doux vallonnements boisés qui trempent les racines de leurs cocotiers dans des eaux limpides. Trois hôtels ont pris pied sur la façade est, là où les bateaux accostent (provenant principalement de Bang Bao). C'est d'ailleurs en y logeant qu'on profite le mieux de la beauté du site : avant et après le déversement quotidien de baigneurs, plongeurs, starlettes ou tout simplement découvreurs venus de Ko Chang pour la journée. Les fonds sous-marins y crèvent littéralement le masque : qu'on s'y jette avec bouteille ou tuba.

Où dormir ? Où manger ?

Bon marché (de 200 à 300 Bts – 4 à 6 €)

🏠 ❢❢ **Koh Wai Paradise** – เกาะหวายพาราไดซ์ *(plan, 15) : juste à droite du débarcadère.* ☎ 081-762-25-48. ● explo-rakohchang.com/koh_wai_paradise ● Adresse parfaite pour profiter du site plus que du confort. Les huttes sont rustiques, sans ventilo, avec sanitaires communs (très acceptables), eau froide. Mais vos fibres d'aventurier frétilleront de plaisir au seul son des vagues, aux bruissements de la jungle toute proche et au soleil levant qu'on a égoïstement pour soi tout seul. Pour le frichti, Nung et Grop tiennent un petit resto pas cher et bien sympa juste à côté (un peu surbooké le midi quand même).

KO MAAK – เกาะหมาก

Île plutôt plate, à 18 km au sud de Ko Chang, où le ressac couvre encore le bruit des bars de plage. C'est tout dire. On y arrive par la plage nord (Ao Suan Yai). Croissant de sable blanc baigné par une eau turquoise peu profonde, avec Ko Kham qui fait sa star au large. Le village compte un bureau de poste qui propose aussi des connexions internet. Des bungalows embourgeoisés sont disséminés sur cette large baie. Un peu chers, comme les restos d'ailleurs. L'intérieur de l'île compte quelques plantations d'hévéas dont on voit surgir le latex laiteux. Enfin, la plage sud-ouest, plus à l'écart, offre de jolis paysages maritimes avec de chouettes petits îlots. Les hébergements n'y manquent pas, et les toupies de béton sont à l'œuvre pour en ajouter davantage (dont quelques inquiétantes constructions à étages !).

Où dormir ? Où manger ? Où boire un verre ?

De prix moyens à plus chic (de 600 à 1 800 Bts – 12 à 36 €)

🏠 |●| **Suchanaree Resort** – สุชานารีย์ รีสอร์ท *(plan, 16) : plage d'Ao Suan Yai, au nord ouest de l'île.* ☏ 089-606-27-13. ● *suchanaree_tour@hotmail.com* ● *Juste à gauche du débarcadère.* Une dizaine de cabanes chapeautées de paille, dispersées entre plage et coco-teraie. Toutes en début de la catégorie « Prix moyens », avec salle de bains, balcon, hamac, aménagement simple où lo vontilo viont aooiotor la briso du large. Restauration traditionnelle servie en terrasse à des prix plus raisonnables que chez les voisins. Pas le coup de foudre, mais tient la route.

🏠 |●| **Monkey Island** – มังกี้ย์ไอส์แลนด์ *(plan, 17) : sur la plage d'Ao Kao, au sud de l'île.* ☏ 086-772-79-83. ● *monkeyis landkohmak.com* ● *Taxi possible depuis le village.* Ensemble joliment composé de bungalows à base de matériaux tra-ditionnels. Murs en bambou et toits en palme. Les plus petits ont la taille d'une boîte à chaussures. Les plus grands sont équipés d'une véranda intérieure (très sympa). Tous ont une terrasse avec hamac et barrière de branches vernies. Et c'est vous qui êtes verni de jouir de cette plage encore presque intacte. Réservez, l'adresse a sa réputation. Quant au resto, ambiance grunge décontractée et mets plutôt bien accommodés.

🍷 🍴 **Ko Maak Resort** – เกาะหมากรีสอ ร์ท *(plan, 16) : plage d'Ao Suan Yai, face au débarcadère.* Sous une treille rafraî-chissante de bougainvillées, petit resto-bar qui vaut surtout pour ses bonnes glaces et un excellent expresso. Le reste de la carte, sans fard, est plutôt oné-reux. Parfait pour passer un moment en regardant passer les bateaux.

À L'OUEST DE BANGKOK

NAKHON PATHOM – นครปฐม   IND. TÉL. : 034

C'est en ce lieu, considéré comme le berceau de l'enseignement bouddhique en Thaïlande, que se dresse le plus haut *chedî* (ou stûpa) du monde, d'une hauteur de 120,50 m et entièrement recouvert de tuiles vernissées de Chine.

Les uns avancent que Bouddha s'y serait reposé, les autres que des reliques lui appartenant y seraient enfouies, mais tous sont d'accord pour reconnaître à l'édifice son caractère hautement sacré.

Arriver – Quitter

– **En train :** de Bangkok, 11 départs/j. de la gare de *Hua Lamphong* et 3 départs de *Thonburi*. Compter 1-1h30 de trajet. Très pratique. Dans le sens inverse, 12 départs/j., dont 2 pour *Thonburi*.

– **En bus :** de Bangkok, départ ttes les 20 mn, 6h-22h30, du *Southern Bus Terminal* sur Boromratchonnani Rd à Thonburi (dans le prolongement de Phra Pin Klao Sai Taymai Rd). Compter 1h de trajet, mais parfois plus aux heures de pointe ! Au retour, en bus AC (n°s 997 et 83), départ ttes les 20 mn sur Phayaapun Rd, au bord du *khlong* (la rue à gauche après avoir traversé le pont, en venant du *chedî*).

➤ **Pour Kanchanaburi et la rivière Kwaï :** 2 trains (1 le mat, l'autre l'ap-m) ; 1h30 de voyage. Également des bus (ligne n° 81) partant à proximité de la porte est du *chedî*.

➤ **Pour Damnoen Saduak :** emprunter le bus n° 78. Départ ttes les 30 mn, 6h30-11h. Arrêt près du bureau de la police face à l'entrée sud du *chedî*.

Où dormir ? Où manger ?

Rien ici qui puisse justifier de passer la nuit. Un seul hôtel décent parmi les quelques adresses bon marché que compte la ville.

Prix moyens (de 200 à 400 Bts – 4 à 8 €)

🏠 *Mit Paisal Hotel* – โฮเต็ลมิตรไพศาล : 120/30 Prayapan Rd. ☎ 242-422. ● mitpaisal@hotmail.com ● *Dans la 1re ruelle sur la droite en sortant de la gare ferroviaire. Réception dans le hall de l'immeuble.* Chambres ventilées ou climatisées, assez vieillottes mais relativement propres. Accueil froid. Très central. Possibilité de monter sur le toit pour observer le *chedî*.

I●I Il est conseillé de manger sur le *marché* qui se tient chaque jour le long de la route qui relie le *chedî* à la gare, et dans les rues transversales. Goûter au *khao lam,* cette spécialité locale à base de riz gluant et de lait de coco, cuite à la vapeur et servie dans une tige de bambou. Brochettes et fruits en abondance. Également de belles orchidées. Folle ambiance le dimanche avec un concert donné par les aveugles du coin, tous baffles dehors, et la foule des Thaïs encore plus souriants qu'à l'accoutumée.

À voir

🎯🎯🎯 *Le chedî :* ouv 6h-20h. Peu ou pas de guides anglophones sur place, et peu de secours à attendre des moines. Compter 1h30 pour une visite détaillée.

Maintenant, suivez le *Guide du routard,* et en route pour une ronde au départ de l'entrée nord (face à la gare) et dans le sens horaire (gardez toujours l'édifice sur votre droite).

– On accède aux deux terrasses circulaires par quelques marches pour découvrir d'abord la première chapelle ou *viharn nord* (trois édifices semblables sont disposés aux trois autres points cardinaux), intéressante pour sa statue de Bouddha debout de style Sukhothai. On aperçoit les premières cloches du *chedî* destinées à témoigner tout haut de l'Illumination de Bouddha. Elles vous accompagneront tout au long de la visite.

– À gauche, le *musée* *(ouv 9h-12h,13h-16h, sf lun, mar et fêtes)* qui présente un vrai bric-à-brac poussiéreux : des pendentifs à l'effigie de Bouddha, des statuettes Dvâravatî, mais aussi des bizarreries en tout genre comme ces vieux billets sous verre (on reconnaît au passage le célèbre Voltaire).

– Puis viennent sur la droite le *temple chinois* suivi du *viharn est* et son bouddha méditant sous l'arbre de l'Illumination.

– Face au musée en direction du sud se dresse le *bot* où ont lieu, entre autres, les ordinations des jeunes moines. À l'intérieur, un bouddha très vénéré de style Dvâravatî.

– Peu avant la porte sud, un ensemble de trois *grottes* (dont l'une daterait de plus de mille ans) recèle des dizaines de statues de Bouddha.

– Une autre réplique, un peu plus loin, trône après le *viharn sud.* Celui-ci abrite la statue de Bouddha assis sur un *nâga,* lors de son premier sermon à ses cinq disciples. Plus loin encore sur la gauche, en contrebas de la terrasse, un ensemble de bungalows destinés à accueillir les pèlerins ayant opté pour la retraite méditative (entrée libre).

– Autour, quantités d'arbres saints tels que le *bo* ou le *banian.* Pour finir, le *viharn ouest* présente un bouddha couché (et non endormi) en passe de rejoindre le nirvana et, un peu après sur la gauche, un petit parc mignon tout plein, une occasion de s'asseoir et de méditer sur les principes de cette fameuse « Voie du Milieu » qui fait aujourd'hui courir tant d'Européens.

DAMNOEN SADUAK (FLOATING MARKET) –

ตลาดน้ำดำเนินสะดวก   IND. TÉL. : 034

Petite ville à un peu moins de 100 km à l'ouest de Bangkok, réputée pour son marché flottant, assez touristique et de moins en moins pittoresque.

Arriver – Quitter

En bus

➢ *De/vers Bangkok :* départ ttes les 40 mn, 6h-20h, du *Southern Bus Terminal,* sur Boromratchonnani Rd à Thonburi (dans le prolongement de Phra Pin Klao Sai Taymai Rd). Bus n° 78. Trajet : 2h. Certains bus vous déposent directement sur le quai à proximité du marché, mais d'autres s'arrêtent à la gare routière. Dans ce cas, prendre un *songthaew.* Retour sur Bangkok aux mêmes fréquences.

➢ Ceux qui veulent *partir pour le Sud* (après leur visite) n'ont pas besoin de repasser par Bangkok. Nombreux bus de Damnoen Saduak (gare routière) pour Ratchaburi, puis train. Mêmes bus pour ceux qui veulent rejoindre Nakhon Pathom et Kanchanaburi, après la visite.

À voir

🕴🏃 *Damnoen Saduak* (Floating Market) : *ne fonctionne que de 7h à 13h, sf pdt les 3 j. du Nouvel An chinois (se renseigner quand même).* Quelle déception ! Ce marché flottant a dépéri sous la pression touristique, plus aucune trace d'authenticité. Deux possibilités pour visiter l'endroit. Pour louer une pirogue, compter 250 à 600 Bts l'heure (5-12 €). Négocier ferme. Les moins chères sont sur Luoneda Pier, au bout de la route à droite, directement sur le marché. Attention, même si votre batelière est sympa et souriante, elle vous mènera chez ses copines pour essayer de vous fourguer babioles et souvenirs... *made in China.* Le truc le plus amusant, ce sont les embouteillages. Sinon, visiter l'endroit à pied, en prenant la berge à gauche le long du canal, le must étant d'y aller en pirogue et de revenir à pied. Vous verrez surtout des femmes, coiffées d'un chapeau de bambou traditionnel, vendre leurs marchandises en pirogue. En s'aventurant dans ces canaux moins fréquentés, on découvre de charmantes maisons fleuries plantées au bord de l'eau. Un moyen unique de rencontrer de vrais villageois et de saisir quelques tranches de vie authentiques.

KANCHANABURI ET LA RIVIÈRE KWAÏ – กาญ

จนบุรีและแม่น้ำแคว   IND. TÉL. : 034

À 130 km à l'ouest de Bangkok, Kanchanaburi s'étale sur 5 km le long de la célèbre rivière Kwaï. Sa situation lui donne une atmosphère toute particulière, assez séduisante et, d'ailleurs, de plus en plus appréciée des touristes. Mais le charme est intact et il règne une douce torpeur au bord de l'eau.

Arriver – Quitter

En bus

➤ *De/vers Bangkok :* départ ttes les 15-20 mn du *Southern Bus Terminal,* sur Boromratchonnani Rd à Thonburi (dans le prolongement de Phra Pin Klao Sai Taymai Rd), 4h30-20h env. Compter 3h de trajet. De Kanchanaburi *(plan B3),* départ des bus AC ttes les 15-20 mn, 3h30-18h30 (3h de trajet).

➤ *De/vers Nakhon Pathom :* bus AC ttes les 15 mn, 3h30-18h30. Env 2h de trajet.

➤ *De/vers Damnoen Saduak (Floating Market) :* le même bus que pour Bangkok, s'arrêter à Bangpae. De là, prendre le bus n° 78 ou le minibus n° 1733. Trajet : 2h.

■ **Adresses utiles**	**14** Blue Star Guesthouse
🛈 TAT	**15** Bamboo House
🚃 Gare ferroviaire	**16** Luxury Hotel
🚌 Terminal de bus	**17** Sugar Cane 2
✉ Poste	
@ Internet	⦿ **Où manger ?**
1 Toi's Tour	**20** Jolly Frog
	21 Snooker Bar
🛌 **Où dormir ?**	
	✗ **À voir**
10 Nita Rafthouse	
11 Sugar Cane Guesthouse	**30** Pont de la rivière Kwaï
12 Sam's River Rafthouse	**31** JEAATH Museum
13 Sam's House	**32** Marché

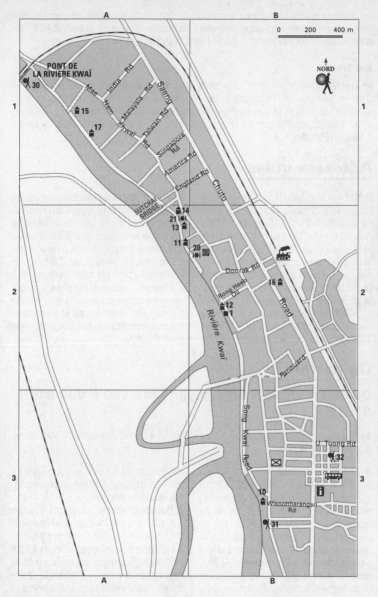

KANCHANABURI

➢ *De/vers le Sud :* bus pour Ratchaburi. De là, une dizaine de trains partent pour le Sud, dans l'après-midi essentiellement. Ils desservent les gares de *Hua Hin, Prachuab Khiri Khan, Chumphon, Surat Thani, Trang* et *Hat Yai.*

En train

➢ *De/vers Bangkok :* 2 départs de la gare de *Thonburi,* tôt le mat et en début d'ap-m. Compter env 2h de trajet. Le nombre des départs étant restreint, on vous conseille de prendre le bus. De Kanchanaburi *(plan B2),* 2 trains/j., tôt le mat et en début d'ap-m, pour la gare de Thonburi (env 3h de trajet). Ils s'arrêtent brièvement à *Nakhon Pathom.*

Adresses utiles

🛈 *TAT* – ท.ท.ท. *(plan B3) : Saeng Chuto Rd (juste à côté du terminal de bus).* ☎ *034-511-200. Tlj 8h30-16h30.* Accueil sympa. On peut s'y procurer la liste des hôtels et des *guesthouses,* ainsi qu'un plan de la ville, des infos loisirs, les horaires des bus et des trains en partance. Accueil sympa et efficace.

■ *Toi's Tour* – บริษัทต้อยทัวร์ *(plan B2, 1) :* 45/3 Rong Heeb Oil Rd (à côté de Sam's River Rafthouse). ☎ 514-209. 📱 081-856-55-23. ● *toistour@yahoo.*

com ● Un autre bureau sur la route de Mae Nam Khwae, plus près du pont. Toi, la patronne, parle bien le français et vous chaperonnera lors d'étonnantes balades en bateau, à vélo, à pied, à dos d'éléphant, en minibus, etc. De jolis programmes à prix très raisonnables.

@ *Internet :* plusieurs boutiques proposent des connexions sur la petite route qui mène au célèbre pont, et principalement aux alentours du resto *Jolly Frog (plan B2, 20).*

Où dormir ?

De bon marché à prix moyens (de 150 à 600 Bts – 3 à 12 €)

Toutes les adresses que nous avons sélectionnées dans cette rubrique sont sur ou à proximité de la rivière.

🛏 *Nita Rafthouse* – เรือนแพนิต้า ใกล้พิพิธภัณฑ์ *(plan B3, 10) :* 27/1 Phakphrak Rd. ☎ 514-521. ● *nita_rafthouse@hotmail.com* ● *À 100 m au nord du JEAATH Museum.* Notre meilleur rapport qualité-prix, malgré la proximité bruyante des *discorafts* le w-e (voir la rubrique « Où manger ? », plus loin). Chambres en bambou, propres et pittoresques, construites sur un gros radeau flottant sur la rivière. Toutes avec ventilo, mais certaines sans salle d'eau (les moins chères). Notre préférée est la n° 54 avec ses 2 fenêtres sur la rivière. Cuisine délicieuse que l'on déguste assis en tailleur devant des tables bas-

ses (on inscrit soi-même sur la note ce que l'on mange). Ambiance décontractée et patron très sympa.

🛏 *Bamboo House* – แบมบูเฮ้าส์ *(plan A1, 15) :* 3-5 Soi Vietnam Tha Makham (500 m avt le célèbre pont). ☎ 624-470. ● *bambou-house@thaimail.com* ● Une des rares *guesthouses* du coin avec vue directe sur le fameux pont de la rivière Kwaï. Nous indiquons cette adresse uniquement pour ses 2 bungalows flottants, qui sont d'un très bon rapport qualité-prix. Propres et simples (matelas par terre, pas de douche et ventilo). Même pas peur des lézards ! Les aventuriers apprécieront, d'autant qu'on y mange bien et pour pas cher. Accueil courtois et discret.

🛏 *Sugar Cane Guesthouse* – ชูการ์ คนเกสท์เฮ้าส์ *(plan A2, 11)* : *22 Soi Pakistan Maenam Kwaï Rd*. ☎ *034-624-520*. Charmante *guesthouse* située au bord de la rivière Kwaï, composée de petits bungalows en bambou disposés autour d'une pelouse bien entretenue. Salle d'eau particulière, ventilo et moustiquaire. Quelques chambres avec AC. D'autres chambres très agréables dans un bungalow flottant. Accueil un peu froid.

🛏 Et face au succès de la formule, *Sugar Cane 2* – ชูการ์คน 2 เกสท์เฮ้าส์ *(plan A1, 17)* est apparu ! *Rdv au 7 Soi Cambodia, sur la route Maenam Kwai*. ☎ *et fax : 514-988*. À quelques encablures de la 1re adresse, on retrouve les mêmes avantages. Propreté, accueil et confort. Chouettes bungalows bon marché, petits et avec de l'eau froide. Les chambres sur la rivière sont beaucoup plus chères. Manque la patine du temps, mais ça viendra ! Très calme.

🛏 *Sam's River Rafthouse* – แซมริเวอร์ ราฟท์เฮ้าส์ *(plan B2, 12)* : *48/1 Rong Heeb Oil Rd*. ☎ *624-231. Fax : 512-023*. Plantée dans un joli petit jardin. Chambres impeccables, avec salle d'eau, ventilo ou AC (les plus chères). Certaines, sur des pontons flottants, vous permettront de dormir au fil de l'eau (nos préférées). Les autres se trouvent sur la terre ferme (les moins chères et les moins propres). Resto agréable où l'on sert de bons petits plats, et accueil attentionné.

🛏 *Sam's House* – แซมเฮ้าส์ *(plan A2, 13)* : *14/2 Mooh 1 Thamakarm (assez près du Sutchai Bridge)*. ☎ *515-956*. ● *samsguesthouse.com* ● Un village de petites maisons en bambou très bien tenues. Douche, w-c et ventilo ou AC. Les plus chères dominent la rivière, tout comme l'agréable terrasse du resto. Accueil un peu froid, dommage !

🛏 *Blue Star Guesthouse* – บลูสตาร์เก สท์เฮ้าส์ *(plan A2, 14)* : *241 Mae Nam Kwaï Rd (à proximité du Sutchai Bridge)*. ☎ *512-161*. ● *bluestar_guesthouse@yahoo.com* ● Peu de bungalows profitent d'une belle vue, les autres se font face autour d'une allée. Les moins chers sont d'un entretien un peu léger.

De prix moyens à un peu plus chic (de 400 à 800 Bts – 8 à 16 €)

🛏 *Luxury Hotel* – โรงแรมลักเซอรี่ *(plan B2, 16)* : *284/1 Saeng Chuto Rd (en ville, assez proche de la gare)*. ☎ *511-168*. *Bon rapport qualité-prix pour sa catégorie*. Un peu en retrait de la route principale, cet hôtel entièrement rénové, nickel mais sans charme, propose des chambres confortables et spacieuses, avec salle de bains, ventilo ou AC. Accueil aimable.

Où manger ?

Bon marché (autour de 150 Bts – 3 €)

🍴 *Jolly Frog* – จอลลิฟร๊อก *(plan B2, 20)* : *Mae Kwaï Rd*. ☎ *514-579*. Au fond d'une petite allée boisée, ce resto tout en bambou propose une délicieuse cuisine thaïe à prix vraiment malins. On a bien aimé le riz sauté au bœuf avec petits légumes et la copieuse salade de fruits, jolie, jolie ! Certainement le meilleur resto du quartier. Bon accueil. Fait aussi *guesthouse*.

🍴 *Snooker Bar (plan A2, 21)* : *99-101 River Kwaï Rd*. Sur le bord de la route, bonne halte pour un déjeuner sur le pouce. Excellents *phad thaï* et *thom kha kai* (soupe de poulet). Petits prix pour faire sourire la glissière de votre porte-monnaie. Chaque soir, film à 18h30. Voir le programme sur le tableau.

À L'OUEST DE BANGKOK

🍽 🍸 Tous les week-ends, une flotte de radeaux *(discorafts)* monte et descend la rivière avec, à bord, des jeunes Thaïs venus faire la fête. Pendant ces croisières nocturnes, ils mangent, boivent plus que de raison et écoutent de la musique forte. Nos routards branchés seront séduits par la rencontre. Embarquement proche de *Nita Rafthouse.*

À voir

Le pont de la rivière Kwaï – สะพานแม่น้ำแคว *(plan A1, **30**) : à 3 km au nord de la ville.* Immortalisé par le roman de Pierre Boulle et le film de David Lean (tourné au Sri Lanka). En 1942, l'armée impériale japonaise ordonna la construction d'une voie de chemin de fer qui devait relier le Siam à la Birmanie. 30 000 prisonniers occidentaux et 100 000 travailleurs asiatiques œuvrèrent à ces 415 km de voie ferrée, au prix d'incroyables souffrances. Les cadences devinrent infernales quand les Japonais décidèrent d'utiliser cette liaison ferroviaire pour envahir l'Inde. Ce qu'ils ne firent jamais. En tout cas, le travail forcé ainsi que la malaria causèrent des milliers de morts. Les derniers mois, les gardes japonais furent, eux aussi, contraints de participer aux travaux afin de respecter le plan. Le pont fut bombardé une dizaine de fois. Le gouvernement thaï décida de restaurer cette ligne pour attirer les touristes. Ironie de l'histoire, il n'hésita pas à demander le financement à des banques japonaises. On peut franchir le pont à pied. À proximité du pont, 2 trains d'époque, dont un camion transformé en locomotive. Grande fête annuelle pendant une semaine (fin novembre-début décembre) avec reconstitution des événements de 1942, son et lumière. Plusieurs trains à vapeur fonctionnent pour l'occasion.

JEAATH Museum – พิพิธภัณฑ์อักษะเชลยศึก หรือพิพิธภัณฑ์สงคราม *(plan B3, **31**) : dans le centre, près de la rivière. Tlj 8h30-17h30. Entrée : 30 Bts (0,60 €).* Ce musée rassemble les divers objets, photos d'époque et gravures qui rappellent les atrocités qu'endurèrent les prisonniers de guerre pour la construction du chemin de fer. Photos, coupures de journaux retracent en guise de témoignage l'horreur de cette période. Le musée est installé dans une cabane en bambou, fidèle réplique des dortoirs de prisonniers.

LA MORT A UN NOM

JEAATH sont les initiales de « Japan, England, America, Australia, Thailand and Holland », faisant ainsi référence aux nationalités des prisonniers qui œuvrèrent et moururent à la tâche. Ce terme JEAATH était utilisé à la place de DEATH, considéré comme tabou.

Le marché – ตลาดในเมือง *(plan B3, **32**) : dans le centre-ville.* Vivant et coloré.

La Nonne flottante – แม่ชีลอยน้ำ *(hors plan par B3) : dans le temple Tham Mongkon Thong* – วัดถ้ำมังกรทอง. Y aller en fin de journée ou le week-end, car le reste du temps la piscine n'est pas chauffée. Offrandes possibles à l'entrée. Des centaines de personnes font le voyage chaque jour pour voir Among, « la Nonne flottante », réaliser, dans un bassin où l'eau lui arrive à la taille, les différentes positions de Bouddha. La cérémonie se termine par la bénédiction des fidèles avec l'eau sacrée du bassin. Among est la deuxième nonne flottante de ce temple, qui est devenu grâce à elle un véritable lieu de pèlerinage. Nombreux touristes chinois et coréens.

➤ *DANS LES ENVIRONS DE KANCHANABURI*

➤ **Petite excursion en tortillard à Nam Tok** – รถไฟนำเที่ยวน้ำตก : c'est une balade de 2h sympa car la voie ferrée traverse le fameux pont, longe la rivière Kwaï et passe sur des surplombs impressionnants (60 km). Prenez un siège sur la gauche, dans le sens de la marche du train. Il s'arrête souvent sans qu'on sache pourquoi, siffle à perdre haleine quand il croise une route, car il n'y a pas de passage à niveau. Paysages magnifiques, mais sur une portion du trajet seulement. Trois départs depuis la gare de Kanchanaburi à 7h, 10h30 et 16h30 (qu'on ne vous conseille pas, à moins de dormir sur place). Retour de Nam Tok à 13h et 15h15.

➤ **Balade aux Erawan Waterfalls** – ไปเที่ยวน้ำตกเอราวัณ : superbes cascades à 65 km de Kanchanaburi, situées dans un parc national. ● nationalpark.go.th ● Entrée : 400 Bts (8 €). En été, les cascades sont réduites à un simple filet d'eau (bien se renseigner). Mais le reste de l'année, un chemin remonte les sept niveaux de cascades (2h de marche). Nombreuses piscines naturelles. Apportez chaussures de marche et maillot de bain. Paysages superbes. Possibilité de louer des bungalows et des tentes sur place. Petits restos. Pour vous y rendre, prenez le bus n° 8170 au terminal de Kanchanaburi. Départ toutes les 50 mn de 8h à 17h20 (2h de trajet). Attention, si vous ne désirez pas dormir sur place, le dernier bus part des chutes à 16h (archiplein, bien entendu).

➤ Autres chutes d'eau : **Sai Yok Noi** – น้ำตกไทรโยคน้อย, petites, ce qui n'empêche pas une belle baignade, sauf en été où l'eau se fait rare ; et **Sai Yok Yai** – น้ำตกไทรโยคใหญ่, plus spectaculaires. Elles se trouvent respectivement à 60 et 105 km de Kanchanaburi. Départ toutes les 30 mn de 6h à 18h30 au terminal des bus. Compter 1h30 et 2h de trajet. C'est le même bus, le n° 8203. Au retour, sachez que le dernier bus quitte le site à 17h.

➤ **Balades en grand raft** – ล่องแพ, de 1 à 2 jours selon la demande. Demandez donc conseil à *Toi's Tour* (voir plus haut « Adresses utiles »), qui connaît bien son affaire.

– Quelques beaux temples *(hors plan par B3)* à voir dans la journée en louant un vélo ou une moto : le **Wat Ban Tum** – วัดบ้านทุ่ม, construit dans une grotte, et, côte à côte, un temple thaï et une pagode chinoise : le **Wat Tham Sua** – วัดถ้ำเสือ et le **Wat Tham Kaeo** – วัดถ้ำแก้ว, à 20 km de Kanchanaburi.

AU NORD DE BANGKOK

BANG PA IN – บางปะอิน
. . . .

À une soixantaine de kilomètres au nord de Bangkok, un bel ensemble de palais, de styles architecturaux variés, construits par Râma V à la fin du XIXe s. Les bâtiments sont de style européen, voilà pourquoi on l'appelle le Petit Versailles.

– **Infos pratiques :** tlj 8h-16h. Entrée : 100 Bts (2 €). On peut louer de petites voitures à l'intérieur du parc.

Arriver – Quitter

En bus ou train

➤ **De/vers Bangkok :** liaisons ttes les 30 mn 5h-20h depuis le Northern Bus Terminal de Bangkok. Trajet : env 2h. En train, une douzaine de départs (1er à 7h, 2e à 9h25) depuis la gare de Hua Lamphong. Trajet : 1h20. Les gares routière et ferroviaire de Bang Pa In sont un peu excentrées, prendre un *songthaew* jusqu'aux palais.

➤ **De/vers Ayutthaya :** le mieux est de prendre le train (même fréquence qu'entre Bang Pa In et Bangkok). Sinon, des camionnettes partent régulièrement du marché Chao Phrom, à Ayutthaya, mais le trajet dure plus longtemps.

En bateau

➤ **De/vers Thonburi (Bangkok) :** pour les inconditionnels de la navigation fluviale, possibilité de chartériser un *long-tail boat* pouvant prendre 8 passagers pour 5 000 Bts (100 €). Compter 3-4h de trajet.

➤ **De/vers Ayutthaya :** louer un *long-tail boat* (un bateau longue-queue) au départ d'Ayutthaya. Superbe balade le long des maisons sur pilotis. Compter 45 mn.

À faire

➤ **Balade en bateau :** au fond du parking à gauche, de 8h à 15h30 environ, des bateliers proposent des balades en « longue-queue ». Petit tour seulement ou promenade jusqu'à Ayutthaya. Un peu cher (on loue la pirogue), sauf si l'on est un petit groupe (8 personnes maximum).

AYUTTHAYA – อยุธยา

IND. TÉL. : 035

◎ À 75 km de Bangkok. Son nom complet, *Phra Nakon Sri Ayutthaya* (« ville sainte d'Ayutthaya »), est généralement celui qui figure sur les cartes. Ayutthaya, une des anciennes capitales du royaume de Siam, offre au visiteur un parc archéologique très intéressant, d'ailleurs inscrit au Patrimoine mondial de l'Unesco. Certes, ceux qui ont peu de temps et comptent de toute façon aller à Sukhothai peuvent éventuellement se passer de la visite, mais les autres devraient s'y arrêter, ne serait-ce que le temps d'une excursion d'une journée depuis Bangkok.

UN PEU D'HISTOIRE

Trente-trois rois régnèrent à Ayutthaya, qui fut fondée en 1350. Le royaume d'Ayutthaya fut l'objet, au XVIIe s, d'une étrange relation avec la France. Louis XIV, après une première mission, envoya une délégation dans le but de faire du roi Naraï un allié et, éventuellement, de le convertir au catholicisme. François de Chaumont dirigea alors l'ambassade, accompagné de l'abbé de Choisy.

L'ambassade siamoise reçue, en remerciements, par Louis XIV, elle, fit grand bruit à Brest, qui s'en souvient d'ailleurs encore, en baptisant rue de Siam son artère principale en l'honneur de l'événement.

Au Siam, la situation fut largement facilitée par la francophilie d'un aventurier grec, Phaulkon, qui exerçait une grande influence sur le roi Naraï. Phaulkon évinça Anglais et Hollandais au profit des Français, et ceux-ci obtinrent d'installer des troupes au Siam. La lune de miel prit fin cependant en 1688 avec l'assassinat de Phaulkon par des nationalistes, la destitution du roi et l'expulsion de tous les étrangers du royaume (pour plus d'infos sur le récit de l'ambassade envoyée par Louis XIV, ou sur l'étonnante personnalité de Phaulkon, lire la rubrique « Livres de route » dans « Thaïlande utile »).

FRANÇOIS-TIMOLÉON, ABBÉ FACÉTIEUX À L'ESPRIT AVENTUREUX

Ce curieux personnage aimait se travestir en femme, goût qu'avait encouragé sa mère dès sa prime jeunesse pour complaire à Monsieur, frère du roi Louis XIV. Il séduisit sous ce costume bien des jeunes filles de bonne famille. Il relate ses aventures dans les Mémoires de l'abbé de Choisy. *Une autre passion peu « catholique », celle du jeu, lui coûta une bonne partie de sa fortune. On lui doit l'un des premiers récits de routard moderne,* Journal du voyage de Siam.

En 1767, Ayutthaya fut mise à sac par les Birmans, et Bangkok devint la capitale. Les Siamois achevèrent la liquidation d'Ayutthaya en utilisant les matériaux des anciens temples et pagodes pour construire ceux de Bangkok. Le reste, laissé à l'abandon et livré à la végétation, fut réhabilité il y a un peu plus d'une trentaine d'années.

Arriver – Quitter

En bus

Les bus longues distances pour le **nord du pays** partent du terminal Soi Grand – บ.ข.ส. ตลาดแกรนด์ (☎ 335-413 ; en principe votre interlocuteur parlera l'anglais), situé à 3-4 km à l'est du centre (hors plan par B2, I). Compter 80-100 Bts (1,60-2 €) en tuk-tuk.

➢ **De/vers Phitsanulok :** 10 départs 7h-19h. Trajet en 5h, compter 180 Bts (3,60 €).
➢ **De/vers Sukhothaï :** 10 bus (dont 2 VIP) 7h-22h. Env 6h de trajet, 220-330 Bts (4,40-6,60 €) selon confort.
➢ **De/vers Chiang Maï :** 13 départs 6h30-22h40. Compter 9h de route et 365-805 Bts (7,3-16,10 €) selon confort.

Pour **Bangkok,** l'arrêt des bus et minibus se situe le long de Naresuan Rd (plan B1, **2**).
➢ Les bus (trajet en 1h30, env 80 Bts, soit 1,60 €) relient la gare routière nord de Bangkok et Ayutthaya toutes les 20 mn de 5h à 19h ; les minibus (un poil plus chers que les bus mais un peu plus rapides) la gare routière sud de Bangkok ou Victory Station et Ayutthaya 5h-18h, dès qu'ils sont pleins.

Pour les **bus locaux,** départs du Chao Phrom Market – ตลาดเจ้าพรหม (plan B1, **3**).
➢ **De/vers Lopburi :** bus ttes les 30 mn. Trajet en 2h, env 35 Bts (0,70 €). Plus rapide en train.
➢ **De/vers Kanchanaburi :** pas de liaison directe, il faut changer à Suphanburi. Compter en tout plus de 4h de trajet. Plus économique que de repasser par Ban-

gkok. En revanche, certaines agences ou *guesthouses* proposent des départs quotidiens en minibus *Sun Travel service* (☎ 232-868 ou 📱 081-823-12-83, 12/34 Moo 4 *Naresuan Rd)* ou *Tony's Place* (voir rubrique « Où dormir ? »).

En train

🚆 *La gare* (plan B1) se trouve juste en dehors de la vieille ville ; prendre le bac (possible d'y embarquer son vélo) ou tourner à gauche sous le pont en venant de l'île. ☎ 241-521. Consigne à l'intérieur.

➢ *De/vers Bangkok (gare Hua Lamphong) :* départs ttes les heures au moins (fréquence légèrement réduite le w-e), jusqu'à 21h45 d'Ayutthaya et 23h25 de Bangkok. Durée : env 1h30.
➢ *De/vers Lopburi :* env 20 départs quotidiens, jusqu'en fin de soirée. Trajet en 1h (40 Bts) ou 1h30 (20 Bts). En partant tôt le mat (par exemple à 6h ou 7h30), on peut visiter Lopburi (au pas de charge !), puis prendre le train de 12h30 pour Phitsanulok (où il arrive en fin d'ap-m).

Orientation

La vieille ville, ou parc historique d'Ayutthaya, est en fait une île dessinée par la rencontre de la Chao Phraya et d'un de ses affluents, la rivière Pa Sak. De forme presque rectangulaire, les hôtels pour routards s'y concentrent à l'est alors que les principaux vestiges archéologiques se trouvent au centre et à l'ouest. La voie ferrée passe à l'extérieur de l'île, parallèlement à son bord est. Un bac, en face de la gare *(plan B1)*, permet de rejoindre la vieille ville. L'accès routier ou piéton se fait, lui, par un grand pont qui traverse la rivière non loin de la gare.
Pour se déplacer, *tuk-tuk* à banquettes latérales ou motos-taxis à gogo. Prix : environ 40 Bts (0,80 €) la course en ville, 200 Bts (4 €) l'heure.

Adresses utiles

🛈 *TAT* – ท.ท.ท. *(Ayutthaya Tourist Center ; plan A2) :* en face du Musée national Chao Sam Praya – พิพิธภัณฑสถานแห่งชาติเจ้าสามพระยา. ☎ 322-730. ● tatyutya@tat.or.th ● Tlj 8h30-16h30. On n'y parle pas l'anglais, mais on vous donnera une belle carte d'Ayutthaya et Bang Pa In avec les principaux monuments positionnés, un petit descriptif et une photo pour chacun d'eux, et leurs horaires de visite. À l'étage supérieur, belle expo *(fermé mer)* sur le patrimoine culturel d'Ayutthaya et collections d'œuvres d'artistes thaïs contemporains ; un film de 15 mn (demander son lancement au bureau du *TAT*), et, au dernier étage, un petit café de poche tenu par une artiste qui décline des dessins représentant des enfants sur différents supports (cartes postales, tee-shirts, sacs, peintures...) ; très gai.
– *Visites guidées :* pas de guide francophone, mais l'office de tourisme peut vous donner les coordonnées de quelques guides anglophones.
✉ *Poste* – ไปรษณีย์ *(plan B1) :* au nord-est de la vieille ville, non loin du marché Hua Raw. Fermé sam ap-m et dim.
@ *Internet :* plusieurs centres sur Naresuan Rd *(plan B1)*, en venant de Shikun Rd, ainsi que dans la « rue des routards ».
■ *Change :* nombreuses banques avec ATM sur Naresuan Rd, dont la **Siam**

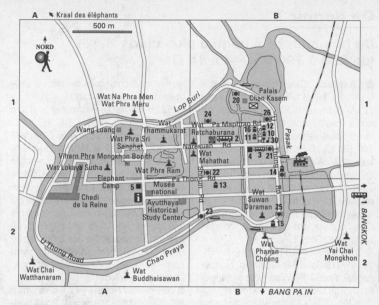

AYUTTHAYA

AU NORD DE BANGKOK

- ■ **Adresses et infos utiles**
  - 🛈 TAT
  - ✉ Poste
  - 🖵 Internet
  - 🚃 Gare ferroviaire
  - 🚌 **1** Gare des bus longues distances
  - 🚌 **2** Bus pour Bangkok
  - 🚌 **3** Bus locaux
  - **4** Siam Commercial Bank
  - **5** Tourist Police, location vélos-motos
  - 🚣 Bac

- ■ **Où dormir ?**
  - **10** Tony's Place
  - **11** P.U. Inn Ubonpon
  - **12** Chantana Guesthouse

- **13** Sherwood House
- **14** BannKunPra
- **15** River View Place Hotel
- **16** Baan Lotus Guesthouse

- 🍽 **Où manger ?**
  - **14** BannKunPra
  - **20** Marché Hua Raw
  - **21** Marché Chao Phrom
  - **22** Marché de nuit
  - **23** Saithong River Restaurant
  - **24** Malakor
  - **25** Pae Krung Kao
  - **26** 29 Steak

- 🍸 🎵 **Où boire un verre ? Où sortir ?**
  - **30** Moon Café

Commercial Bank (plan B1, 4). Fermées le w-e, mais il y a un money-changer ouv tlj à côté du Wat Yai Chai Mongkol (plan B2), et un autre près du Wat Phra Sri Sanphet (plan A1). Sinon, distributeur très pratique sur le quai de la gare.

■ *Location de vélos et motos : dans Naresuan Rd (plan B1), près de la gare ferroviaire, du côté du Chao Praya marché, et à côté de la Tourist Police (plan A2, 5), près du TAT. Certains d'entre eux louent aussi des motos. Compter 45 Bts/j. (0,90 €) pour un vélo, 250 Bts/j. (5 €) pour une moto.*

■ *Piscine Sherwood House – สระว่า ยน้ำ แช วูด เฮ้าท์ : accepte les non-résidents pour 50 Bts, soit 1 € (voir « Où dormir ? »). Piscine plutôt petite, mais ça rafraîchit quand même les idées.*

AU NORD DE BANGKOK

Où dormir ?

De bon marché à un peu plus chic (de 200 à 700 Bts – 4 à 14 €)

🛏 *Chantana Guesthouse* – บ้านจั นทนะเกสท์เฮ้าส์ (plan B1, *12*) : 12/22 Naresuan Rd, Horatanachai, après Tony's Place. ☎ 323-200. ● chan tanahouse@yahoo.com ● Doubles 400-500 Bts (8-10 €). Idéal pour les amateurs de calme ; les chambres (une quinzaine) sont vraiment impeccables. Toutes avec salle de bains et eau chaude, certaines avec balcon. Terrasse à l'étage. Accueil très aimable. Ceux qui veulent de l'ambiance iront plutôt chez *Tony's Place*.

🛏 *Tony's Place* – โทนี่ส์ เพล (plan B1, *10*) : 12/18 Soi 8 Naresuan Rd, Horatanachai. ☎ 252-578. Dans la rue des routards, sur la droite. Doubles 200-700 Bts (4-14 €). Internet payant. Une institution. Maison en bois de 2 étages autour d'une cour avec un peu de verdure et du bric-à-brac. Resto et bar (avec billard, hamacs, etc.) en terrasse au rez-de-chaussée. Très populaire. Chambres de différents types, avec ou sans salle de bains, AC, balcon... demandez à en voir plusieurs même si, globalement, elles sont bien pour le prix. Organisent aussi un tas de choses. Le resto, en revanche, ne casse pas des briques. Une adresse super pour ceux qui aiment l'animation, pas pour les couche-tôt (le bar mitoyen coupe la musique vers 23h-minuit).

🛏 *P.U. Inn Ubonpon* – พี.ยู เกสเฮ้าท์ (plan B1, *11*) : 20/1 Moo 4, Horatanachai. ☎ 251-213. ● puguesthouse. com ● Continuer dans la rue depuis Tony's Place, c'est dans l'allée qui part sur la gauche. Doubles 350-700 Bts (7-14 €) ; réduc pour ceux qui sont seuls. L'un des concurrents de *Tony's*, tenu, comme son nom l'indique, par *P.U.*, la dynamique patronne thaïe. Toutes les chambres, calmes et nettes, ont une salle de bains (eau froide pour les moins chères). AC et TV en option. Éga-

lement des chambres familiales. Propose des tours en bateau.

🛏 *Baan Lotus Guesthouse* – บ้านโ ลตัส เกสท์เฮ้าส์ (plan B1, *16*) : Pa-Maphrao Rd. ☎ 251-988. Compter 300-600 Bts (6-12 €) selon confort. Une vingtaine de chambres de bonne taille réparties dans 2 maisons, bien au calme dans un petit jardin, au bout d'une allée. La proprio, une charmante retraitée qui était chercheuse et enseignante en bio à la fac, est née dans cette maison. Le tout est impeccablement tenu. également un petit resto. Atmosphère sympathique ; une bonne escale en somme. Location de vélos.

🛏 *Sherwood House* – แชวูดเฮ้าส์ (plan B2, *13*) : 21/25 Dechawut Rd. ▯ 086-666-08-13. ● sherwoodmm@yahoo. com ● À 100 m à l'est du rond-point de Shikun Rd. De 280 Bts (5,60 €) avec ventilo à 380 Bts (7,60 €) avec AC. Accès Internet. En cas d'annulation, veuillez prévenir ! Proprio anglais sympa. Pavillon blanc d'un étage, ayant la particularité de cacher une petite piscine à l'arrière (accessible aux non-résidents pour 50 Bts, soit 1 €). 5 chambres doubles très propres, qui se partagent une salle de bains. 2 d'entre elles donnent sur la piscine. également une chambre familiale (max 6 pers). Resto au rez-de-chaussée, avec petits plats thaïs, sandwichs et petit déj. Bon accueil.

🛏 *BannKunPra* – บ้านคุณพระ (plan B1, *14*) : 48 Moo 3, Horatanachai, U Thong Rd. ☎ 241-978. ● bannkunpra. com ● En bordure est de la vieille ville, presque en face de la gare. Compter 300-600 Bts (6-12 €). Internet payant. Ici, il y a un léger dilemme : l'hôtel, aménagé dans une maison plus que centenaire donnant sur la rivière, est vraiment charmant et arrangé avec soin – notamment avec les peintures et dessins du proprio – , mais les chambres sont bruyantes, et particulièrement celles qui donnent sur la rue. À vous de voir, donc. Pour ceux qui décident de s'y installer, demander une chambre à l'avant, elles sont plus calmes et, en plus, ce sont les plus belles (quoique les plus chères aussi), avec du mobilier ancien et des lits à baldaquin. Salle de bains commune avec eau chaude. En outre, l'auberge dispose d'un excellent resto (voir « Où manger ? ») et le personnel est très gentil. Également un petit dortoir à 250 Bts (5 €) le lit. Propose des tours en bateau.

Plus chic (à partir de 1 700 Bts – 34 €)

🛏 *River View Place Hotel* – ริเวอร์ วิว เพลส โฮเต็ล *(plan B2, 15)* : K. 35/5 Horatanachai, U Thong Rd. ☎ 241-444. ● riverview05@hotmail.com ● *Dans le sud-est de la vieille ville.* Chambres (une centaine quand même) immenses de 60 m² minimum, toutes parquetées, la plupart donnant sur la rivière, avec frigo, TV câblée, coffre-fort, grande salle de bains et même un coin cuisine... Petit déj-buffet pris dans une vaste salle. Piscine et centre de fitness (euh... dans le couloir de l'un des étages...).

Où manger ?

Bon marché (moins de 100 Bts – 2 €)

|●| *Marchés de jour et de nuit* – ตลาดหัวรอ : assez propres et vraiment pas chers. Le jour, se rendre au marché *Hua Raw (plan B1, 20)*, près de la rivière, ou au *Chao Phrom,* vers l'extrémité est de la rue Naresuan *(plan B1, 21)*. En soirée, on peut rester au *Chao Phrom,* ou aller au croisement de Shikun et Bang Lan Road *(plan B1, 22)*, où se dresse une longue rangée de stands à la fin du jour. On trouve souvent sur les marchés du coin des *golden thread,* sorte de barbes à papa déclinées dans plusieurs couleurs étonnantes et sous forme de longs fils, très appréciés.

Prix moyens (de 100 à 300 Bts – 2 à 6 €)

|●| *BannKunPra* – บ้านคุณพระ *(plan B1, 14)* : voir « Où dormir ? ». En plus d'être une auberge de charme, c'est un resto super agréable, installé sur une terrasse en bois bordant la rivière. Cuisine un peu plus chère qu'ailleurs (et encore !) mais fine et inventive, qui fusionne joyeusement les recettes thaïlandaises traditionnelles et le style européen. Suggestions différentes tous les mois affichées à l'ardoise, une bien bonne adresse pour casser la graine !
|●| *29 Steak* – 29 สเต็ก *(plan B1, 26)* : 8/14-15 Pamaphrao Rd. *Ouv slt le soir.* Pas loin de la rue des routards, salle ouverte sur la rue, avec des grosses tables et chaises en bois. On y sert des steaks, et pas seulement de bœuf : de poisson aussi, de jambon, de porc, de poulet et même d'autruche ! Accueil gentil, mais qualité variable.
|●| *Saithong River Restaurant* – ร้านอาหารไทรทองริเวอร์ *(plan B2, 23)* : 45 U Thong Rd. ☎ 241-449. Resto en terrasse sur la rivière. Assez prisé des locaux, pour le grand choix de poissons et fruits de mer. Propose aussi, moyennant un supplément de 100 Bts (2 €), une croisière-dîner sur la rivière tous les soirs à 19h (arriver 20 mn avant, pour commander).
|●| *Malakor* – ร้านอาหารมะละกอ *(plan B1, 24)* : Shikun Rd, presque à l'angle de Pamaphrao Rd. Une maison en teck,

agréable. Balcon couvert, terrasse le long de la rue et 4 tables à l'intérieur. Spécialités thaïes de qualité, comme le poisson « Malakor », aux légumes poêlés et porc haché. Dommage que l'ensemble ne soit pas impeccablement tenu et que l'accueil soit inexistant.

🍴 *Pae Krung Kao* – แพกรุงเก่า *(plan B2, 25)* : 2 U Thong Rd. ☎ 241-555. Une adresse qui a beaucoup de succès auprès des Thaïs. Immense resto flottant, en bordure de rivière, atmosphère paisible si on fait abstraction du bruit des moteurs des nombreux bateaux qui circulent : on mange, au rythme d'une musique douce, sur un petit ponton relié à la terre par une passerelle suspendue. Un peu l'usine (en nombre de places), petite carte, ce qui change de beaucoup d'endroits, et bonne cuisine. Vin rouge ou blanc.

Où boire un verre ? Où sortir ?

🍷 ♪ *Moon Café* – มูนคาเฟ่ *(plan B1, 30)* : à côté de Tony's, *dans la rue des routards.* ☎ 232-501. Pour les nocturnes, ambiance musicale tendance blues et rock. Un groupe joue de temps en temps le soir. Accueil sympa, un peu occidentalisé.

À voir

On vient à Ayutthaya pour ses fameux vieux temples, réunis en un parc historique assez étendu. Quasi impossible de le parcourir à pied. Le mieux est de louer un vélo ou une moto (voir « Adresses utiles »). On peut aussi s'entendre avec un chauffeur de *tuk-tuk* pour une demi-journée (compter environ 200 Bts de l'heure, soit 4 €), ou négocier avec lui la visite d'un certain nombre de sites. Demandez à votre *guesthouse* de vous arranger ça. À faire aussi : la tournée des temples illuminés la nuit (là encore, voir avec la *guesthouse*). Bref, à vous de calculer, en tenant compte également du fait que la

POISSONS VOLANTS

Devant les temples, certains vendeurs de souvenirs proposent des mobiles constitués de poissons tressés dans des feuilles de palmier, colorés ou pas. Inspirés du poisson thai barb, ils sont faits par des Thaïs musulmans depuis plus d'un siècle. Une tradition qui vient du temps où les commerçants en épices naviguaient le long de la rivière Chao Praya. Le thai barb est considéré comme un porte-bonheur, préservant la bonne santé de son propriétaire. On en suspend un devant la maison ou au-dessus du berceau. Grâce à ce mobile de plusieurs poissons, on favorise la croissance des enfants et on s'assure une nombreuse descendance.

visite de la plupart des temples est payante. Ceux-ci sont ouverts de 8h à 16h30, parfois 18h. Sachez qu'il existe un *pass* qui coûte 220 Bts (4,40 €), et qui donne accès à 5 temples : *Wat Phra Sri Sanphet, Wat Mahathat, Wat Ratchaburana, Wat Chai Watthanaram* et *Wat Phra Ram*. Ce sont ces mêmes temples qui sont éclairés le soir, en général jusqu'à 21h.

Sur l'île

🛕🛕🛕 *Wat Phra Sri Sanphet* – วัดพระศรีสรรเพชญ์ *(plan A1) : dans le coin nord-ouest de l'île. Entrée : 50 Bts (1 €).* L'ensemble le plus imposant d'Ayutthaya. Édifié au XVᵉ s. Les trois grands *chedî* symbolisent les trois premiers rois qui régnèrent ici. C'était le temple royal et aucun moine n'y résidait (ils étaient invités toutefois). On a retrouvé des cendres royales. Beaucoup de monde (mais moins le matin). éclairé le soir.

🎑🎑 *Viharn Phra Mongkon Bopith* – วิหารพระมงคลบพิตร *(plan A1) : pas loin du précédent. Gratuit.* Le *viharn,* de construction récente, abrite un bouddha de bronze. Daté du XVᵉ s. Le fait qu'il ait traversé autant de périodes troublées et survécu à tant d'épreuves a suscité un culte très important.

🎑 *Wat Mahathat* – วัดมหาธาตุ *(plan B1) : entrée : 50 Bts (1 €).* Ensemble malheureusement en ruine, mais les fondations et quelques pans de mur laissent entrevoir combien il dut être imposant. À voir quand même : une tête de bouddha entourée des racines d'un vieux figuier. Au moment des fouilles, on y découvrit nombre de bijoux et objets religieux de grande valeur, aujourd'hui au musée.

🎑 *Wat Ratchaburana* – วัดราชบูรณะ *(plan B1) : à côté du Mahathat. Entrée : 50 Bts (1 €).* Édifié en 1424, il a miraculeusement conservé un superbe *prang* (tour à base carrée de style khmer).

🎑🎑 *Le Musée national Chao Sam Praya* – พิพิธภัณฑสถานแห่ง ชาติเจ้าสามพระยา *(plan A2) : Rotchana Rd. Ouv mer-dim (sf j. fériés) 9h-16h. Entrée : 150 Bts (3 €).* Musée abritant une riche collection d'objets issus des temples d'Ayutthaya et de la région. Les plus anciens remontent à la période Dvâravatî (VIIᵉ et VIIIᵉ s). Au rez-de-chaussée, face à l'entrée, énorme tête de bouddha en bronze du XIVᵉ s, qui laisse supposer un corps particulièrement massif ! Plus loin, des images de Bouddha en veux-tu, en voilà, portes sculptées splendides, *toranas* de temples, porcelaines, céramiques, etc.
Monter ensuite à l'étage, pour la *salle du Wat Mahathat* et, surtout, le *trésor du Wat Ratchaburana,* qui présente un superbe ensemble d'orfèvrerie religieuse : « arbres votifs » en or, statuettes, colliers, bracelets, bijoux finement ouvragés, éléphant orné de pierres précieuses, fourreau d'épée en or, la licto oot longue ! Enfin, dans l'enceinte du musée, un autre bâtiment où l'on peut voir encore une myriade d'images de Bouddha. Également quelques maisons traditionnelles sur pilotis.

🎑 *Ayutthaya Historical Study Center* – ศูนย์ศึกษาประวัติศาสตร์อยุธยา *(plan A2) : Rojana Rd.* ☎ 245-123. *Tlj 8h30-16h30. Entrée : 100 Bts (2 €).* À l'étage d'un bâtiment moderne, une belle exposition sur l'ancienne Ayutthaya, celle qui, entre les XIVᵉ et XVIIIᵉ s, rayonna sur tout le Sud-Est asiatique. La capitale, le port, les rapports du roi et de ses sujets, et la vie dans les villages. Plusieurs reconstitutions de temples. Voir la belle maquette de la ville au XVᵉ s et les modèles de bateaux de la Compagnie des Indes, évoquant les échanges commerciaux entre Ayutthaya et les puissances européennes. Le mode de vie et les loisirs de l'époque sont également passés en revue, à travers notamment de jolis panneaux illustrés. Explications en anglais.

En dehors de l'île

🎑🎑🎑 *Wat Yai Chai Mongkhon* – วัดใหญ่ชัยมงคล *(plan B2) : situé hors de l'île, à env 3 km de la gare ferroviaire. Entrée : 20 Bts (0,40 €).* L'un des ensembles les plus intéressants. Construit en 1360. Entièrement restauré et bien fleuri. Le *chedî* est le plus haut de la ville (60 m) et... il penche. Il fut érigé en 1592 par le roi Naresuan pour fêter une victoire sur les Birmans (après, il n'y eut plus d'invasions pendant près de deux siècles). Entouré de plusieurs dizaines de bouddhas drapés d'orange. À l'intérieur du sanctuaire, gros bouddha de cuivre. Sur le chemin du *chedî*, on notera un beau bouddha couché et drapé, sur lequel les fidèles viennent écrire des messages d'espoir. Bon à savoir : si vous venez de Bang Pa In (ou que vous y allez), les *tuk-tuk* passent devant ce temple et son voisin le *Wat Phanan Choeng*.

🏯🏯 **Wat Na Phra Men** – วัดหน้าพระเมรุ *(ou Wat Phra Meru ; plan A1)* : *situé au nord, hors de la ceinture d'eau, il fait face à l'ancien palais. Entrée : 20 Bts (0,40 €).* Miraculé de l'occupation des guerriers birmans à la fin du XVIIIe s, il a conservé un très beau plafond à caissons en bois du XVe s et laqué d'or, ainsi que de majestueuses colonnes en fleur de lotus. La curiosité tient surtout au bouddha vêtu du costume royal.

🏯🏯 **Wat Phanan Choeng** – วัดพนัญเชิง *(plan B2)* : *à 1 km du précédent. Situé en face du sud-est de l'île. Entrée : 20 Bts (0,40 €).* Temple récent et classique. Vaut surtout pour son énorme bouddha ancien (1325) qui adopte la posture de soumission des démons. Il s'élève au-dessus des fumées bleues d'encens et suscite la ferveur populaire. C'est le plus haut bouddha assis en brique de Thaïlande (19 m). Malheureusement en rénovation en ce moment. Dans les murs, une multitude de niches, chacune abritant un bouddha... Il y en a 48 000 en tout dans le temple, pour les 48 000 paroles de Bouddha !

🏯🏯🏯 **Wat Chai Watthanaram** – วัดไชยวัฒนาราม *(plan A2)* : *juste en dehors de la vieille ville, côté sud-ouest. Entrée : 50 Bts (1 €).* Posé en bordure de rivière, il fait un peu penser au temple khmer d'Angkor. Stûpa de 35 m, élevé au XVIIe s par le roi Prasatthong, probablement pour célébrer sa victoire sur une partie du Cambodge. En allant faire la guerre au Cambodge, le roi Prasatthong tomba amoureux de l'architecture khmère. Très représentatif de l'apogée politique et de la grande prospérité économique de la ville. Y venir en fin de journée pour voir le soleil se coucher derrière la tour principale. On peut en découvrir une maquette à l'*Ayutthaya Historical Study Center*.

Massages

■ **Pinyaphat** : *10/25 Naresuan Rd.* ☎ *232-665. Tlj 10-22h. Compter 200-400 Bts/h (4-8 €) selon le type de massage.* À deux pas de *Tony's Place*, voilà un salon de massage qui ne profite pas de sa situation géographique hyper touristique pour bâcler ses prestations, bien au contraire. Accueil charmant en plus.

À faire à Ayutthaya et dans les environs

➤ **Balade à dos d'éléphant** : *se rendre à l'Ayutthaya Elephant Camp* – ศูนย์ฝึก ช้างอยุธยา *(plan A1-2), non loin du Musée national. Tlj 8h-17h. Compter 400 Bts (8 €) adulte et 200 Bts (4 €) enfant.* Une balade à dos d'éléphant, c'est toujours chouette, et vous trimbaler, c'est leur gagne-pain (enfin, leur gagne-fourrage) ! Avec un départ en pleine ville, ce n'est pas la balade la plus « nature » de tous les *Elephant Camps* du pays, mais sympa quand même. Malheureusement, personne n'y parle l'anglais ; difficile donc de poser des questions sur l'attachant pachyderme.

➤ **Tour de la vieille ville en bateau** : *la plupart des guesthouses en organisent. Départs généralement entre 16h et 18h, pour 2-3h de navigation (avec l'un ou* l'autre arrêt aux temples de la berge sud). Compter 200-250 Bts (4-5 €) par personne. On vous conseille de faire la balade en fin de journée, c'est plus sympa. Sinon, à l'arrière du marché *Hua Raw (plan B1, 20)*, les fondus de rivières peuvent, s'ils le souhaitent, chartériser un *long-tail boat* et se rendre, en 40 mn, à *Bang Pa In* (voir plus haut).

➤ *Apprendre à s'occuper d'un éléphant :* au kraal des éléphants, à 4 km au nord de la ville (hors plan par A1). ● *elephantstay.com* ● Le kraal est une arène délimitée par des troncs de teck, où les éléphants étaient autrefois, jusqu'à la fin du XIXe s, dressés pour le combat, sous le regard du roi et d'autres spectateurs. Aujourd'hui, le lieu est tout à fait paisible et les 90 pachydermes qui y vivent sont soignés et étudiés par une fondation qui rachète et s'occupe de vieux éléphants ne pouvant plus travailler. Et il y a des naissances ! Signe... qu'ils ne sont pas tous si vieux et qu'ils s'y sentent bien. Les passionnés, et ceux qu'un petit tour à dos d'éléphant ne satisferait pas, peuvent s'inscrire pour un stage de cornac : promenade avec l'éléphant, baignade, nourrissage... Un forfait de 3 jours (c'est le minimum), qui, tout compris, coûte quand même la modique somme de... 12 000 Bts, (240 €), c'est le hic ! 6 chambres seulement, ce qui garantit une expérience dans de bonnes conditions (à ce prix-là...). également des chiens, des perroquets... Intéressant pour ceux qui ne poussent pas jusque dans le Nord, où il existe d'autres formules de même durée bien moins chères. Réservez à l'avance !

LOPBURI – ลพบุรี

Ville calme et paisible d'origine très ancienne, située à 67 km au nord d'Ayutthaya et à un peu plus de 140 km de Bangkok. Partie intégrante de l'Empire khmer au Xe s, elle donne son nom au style Lopburi, à mi-chemin entre le style khmer et le style thaï. C'est ici que fut reçue la fameuse ambassade de Louis XIV, conduite par le chevalier de Chaumont. Le roi Narai préférait résider à Lopburi plutôt qu'à Ayutthaya ; l'été, le climat y était moins humide et plus

> **PLANÈTE DES SINGES, LE *REMAKE* !**
>
> *Les singes à Lopburi courent sur les fils électriques, prennent le soleil sur le sommet des stūpas ou traversent la route sans se soucier des feux ! On se croirait en Inde. Rien d'étonnant puisque ces temples furent à l'origine des lieux de culte hindous. Chaque année, le dernier dimanche de novembre, la population organise un véritable banquet pour ses singes au temple Phra Prang Samyod.*

sain. La ville étant petite, on peut la parcourir à pied aisément.
La visite des attractions peut se faire en 2h environ, au pas de course (attention, ne pas venir un lundi ou un mardi, elles sont presque toutes fermées). Mais pourquoi ne pas y faire une étape ? D'autant que la ville a une particularité étonnante, celle d'être, à certains endroits, totalement livrée aux singes !

Arriver – Quitter

Lopburi n'est pas située sur l'autoroute menant à Chiang Mai. De Bangkok (et Ayutthaya), prendre le train est donc plus rapide et agréable.

En train

🚂 *Gare (plan B2) : dans le centre.* Traversez la rue et vous êtes au Wat Phra Sri Ratana Mahathat.

➤ *De/vers Ayutthaya :* env 15 départs/j. Trajet en 1h (plus rapide que le bus).

➤ *De/vers Bangkok (gare de Hua Lamphong) :* plus d'une quinzaine de départs/j. (notamment à 7h et 8h30 depuis Bangkok). Trajet en 2h45 env. Prix : 30-40 Bts (0,60-0,80 €).

➤ *De/vers Phitsanulok :* même fréquence, grosso modo, que pour Bangkok (1er train de Lopburi vers 8h30). Compter 3-6h de trajet selon le train.

➤ *De/vers Chiang Mai :* 8 trains/j., dont 4 en soirée depuis Lopburi. Trajet : 10h-12h.

En bus

🚌 *Terminal (hors plan par B2) : à env 2 km à l'est du centre historique, au niveau d'un énorme rond-point.* Compter 10 mn et 50 Bts (1 €) en vélo-taxi.

➤ *De/vers Ayutthaya :* départ ttes les 30 mn env, 5h30-17h45. Trajet en 2h, env 35 Bts (0,70 €).

➤ *De/vers Bangkok :* bus en permanence, AC ou non AC, 5h-20h env. Compter 2h30-3h de route et autour de 100 Bts (2 €) le billet.

➤ *De/vers Phitsanulok :* 3 bus/j., à 10h, 12h30 et 14h30 de Lopburi. Trajet : 4h.

➤ *De/vers Chiang Mai :* changer à Phitsanulok.

Adresses utiles

🛈 *TAT – ท.ท.ท. (plan A2) : Rop Wat Pharthat Rd.* ☎ 422-768/9. ● tatlobri@tat.or.th ● Tlj 8h30-16h30. Dans une belle demeure en bois blanc. On y parle un peu l'anglais et on y distribue une abondante documentation, dont les horaires de bus et de trains. On trouve aussi, dans les environs de Lopburi, un *musée* qui rassemble des bateaux traditionnels, bien jolis pour certains. Renseignez-vous sur les conditions de visite avec un anglophone.

✉ *Poste – ไปรษณีย์ (plan B1) : au nord du centre.*

🖥 *Internet – อินเตอร์เน็ท (plan B2, 1) : dans la rue de la gare, à droite en sortant (faire 150 m), 2 cafés Internet presque côte à côte. L'un s'appelle* **Nannetzone** *– แนนเน็ตโซน.*

◼ *Change : banque* **TMB**, *avec distributeur, au croisement des rues Ratchadamnoen et Surasongkhram (plan A2, 2).*

Où dormir ?

De bon marché à prix moyens (de 150 à 400 Bts – 3 à 8 €)

🏠 *Nett Hotel – เนทท์โฮเต็ล (plan A2, 10) : 17/1-2 Ratchadamnoen.* ☎ 411-738. *À 5 mn à pied de la gare. Pas de réduc pour les voyageurs en solo.* Dans un immeuble de 4 étages, un hôtel qui n'a jamais porté aussi bien son nom puisqu'il vient d'être rénové. Hôtel bon marché, chambres avec salle de bains. Les plus chères ont eau chaude, frigo, clim' et TV câblée. Une très bonne affaire.

🏠 *Noom Guesthouse – หนุ่มเกสเฮ้าส์ (plan B2, 11) : 15-17 Phra Ya Amjad Rd.* ☎ 427-693 ou 📱 089-104-18-11. ● *noom*

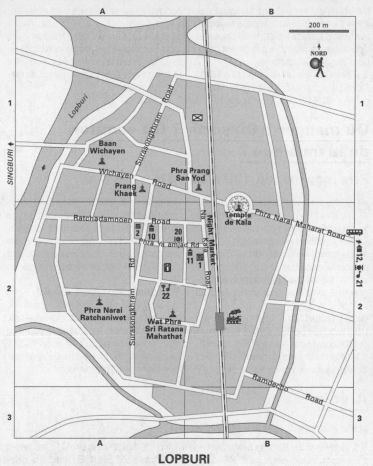

LOPBURI

■ Adresses utiles

- **🛈** TAT
- **🚂** Gare ferroviaire
- **🚌** Gare routière
- **✉** Poste
- **@1** Internet
- **2** TMB Bank

🛏 Où dormir ?

- **10** Nett Hotel

11 Noom Guesthouse
12 Theptani Hotel

🍽 🍷 ♪ Où manger ?
Où sortir ?
Où écouter de la musique ?

20 White House Garden
21 Lopburi Inn
22 Chanchao (Blue Eagle)

---

guesthouse@yahoo.com • 3 chambres 100-200 Bts (2-4 €) avec douche commune, très propres. D'autres chambres un peu plus chères avec ventilo et sdb (eau chaude). Des travaux devraient avoir été effectués à l'heure où vous lisez ces lignes : création d'un petit coin salon-télé (câblée) sur le palier et d'un dortoir, et rénovation des 3 chambres les moins chères. L'ensemble est très bien tenu et l'accueil très sympa. Également un resto. Souvent de la musique live le soir. Location de motos. Organise des virées escalade (le patron est grimpeur et guide lui-même).

🛏 *Theptani Hotel* – โรงแรมเทพธานี (hors plan par B2, *12*) : Narai Maharat Rd. ☎ 411-029. *Sur la route qui conduit à la gare routière depuis le centre, avt celle-ci, sur la droite.* Notre adresse la plus « chère » à Lopburi, mais les chambres sont impeccables, avec salle de bains, frigo, AC, moquette et même une petite table. Resto au rez-de-chaussée.

Où manger ? Où sortir ? Où écouter de la musique ?

Prix moyens (de 100 à 300 Bts – 2 à 6 €)

|●| *White House Garden* – ร้านอาหารไวท์เฮ้าส์การ์เด้น (plan A2, *20*) : *Phra Ya amjad Rd. Un peu en retrait de la rue.* Tables et chaises disposées à l'ombre ou au soleil. Agréable. Beau choix de poissons, crevettes et crabe, mais on y sert aussi un délicieux bœuf au gingembre, avis aux amateurs ! Accueil sympa.

|●| ♩ *Lopburi Inn* – ร้านอาหารลพบุรีอินน์ (hors plan par B2, *21*) : *à 3-4 km du centre, sur Narai Maharat Rd.* ☎ 412-300. *Pour s'y rendre, prendre un bus local près du temple de Kala (plan B1-2).* Buffet le midi 120 Bts (2,40 €). C'est le resto de l'hôtel du même nom. Bonne cuisine locale ou légèrement occidentalisée, au choix. Adresse appréciée des gens du coin. Très vivant et souvent complet. Animation musicale tous les soirs.

♟ ♩ *Chanchao (Blue Eagle)* – ร้านอาหาร (บูล อีเกิล) จันทร์เจ้า (plan A2, *22*) : *3 Ropwatphatad Rd. Ouv slt le soir. Noms en thaï slt.* Typiquement *country-thai* (style très populaire dans tout le pays), sa façade en bois foncé se remarque aisément. Groupe local.

À voir

Malheureusement, pas de visite guidée...

🐾🐾 *Wat Phra Sri Ratana Mahathat* – วัดพระศรีรัตนมหาธาตุ (plan A2) : *ses ruines s'élèvent juste devant la gare. Mer-dim 7h-17h. Entrée : 50 Bts (1 €).* Temple bouddhiste du XIIe s. Vestiges importants de *prang* et *chedî*. Très belles sculptures, notamment sur le *prang* central (remarquable fronton). Le lieu le plus reposant de la ville !

🐾🐾 *Phra Narai Ratchaniwet* – นารายณ์ราชนิเวศน์ (plan A2) : *Surasonkhram Rd. Mer-dim 8h30-16h30. Entrée : 150 Bts (3 €).* C'est le *palais du roi Narai,* construit entre 1665 et 1677. D'immenses portes dans la muraille ouvrent sur de vastes cours verdoyantes où s'alignent réservoirs d'eau, salles au trésor et écuries. Outre le pavillon *Suttha Sawan,* où mourut le roi, on notera le *Hall Dusit Sawan Thanya Prasat,* édifié pour recevoir les hôtes de marque et les ambassadeurs étrangers, comme le chevalier de Chaumont. En plus des influences françaises assez nettes sur la façade avant, il paraît que l'intérieur était orné de miroirs importés de France. À côté se trouve le *Musée national. On y accède aux mêmes horaires que pour le Phra Narai Ratchaniwet et avec le même billet.* L'ensemble est présenté dans trois pavillons. Le 1er *(Phiman Mongkut)* héberge une collection d'objets préhistoriques et des sculptures, monnaies, statues et images de Bouddha du VIIe au XIVe s. Vous y verrez même, au dernier étage, une statue en pied de Napoléon Ier ! Le 2e évoque la vie au temps du roi Narai à travers une série d'objets d'époque, tandis que le 3e renferme des outils agricoles et de pêche traditionnels. Enfin, dans le 4e bâtiment, on découvre des scènes de théâtre d'ombres.

🐒🐒 **Phra Prang San Yod** – ปรางค์สามยอด *(plan B1)* **:** *au bout de la Na Kala Rd (à droite en sortant de la gare). Mer-dim 7h-17h. Entrée : 50 Bts (1 €).* Beau temple à trois *prang,* tout en grès et latérite, s'élevant sur une esplanade. D'origine hindouiste, il révèle de nettes influences khmères et symbolise bien le style Lopburi. Il présente aussi une intéressante décoration sculptée. Quantité de singes, parfois chapardeurs (vous voilà prévenu !), sont abondamment nourris de bananes et autres victuailles par la population. C'est ici que, le dernier dimanche de novembre, toute la ville vient les honorer.

🐒 **Baan Wichayen** – บ้านวิชา เยนทร์หรือพอลคอนเฮ้าส์*(plan A1)* **:** *au nord-ouest. Mer-dim 7h-17h. Entrée : 50 Bts (1 €).* Construit pendant le règne de Narai, au XVIIe s, pour Phaulkon, son fameux conseiller grec (voir « Un peu d'histoire » à Ayutthaya). Pratiquement aussi grand que le palais du roi. Son architecture dégage quelques effluves européens. Il ne reste que la façade, mais l'ensemble, d'une grande élégance, laisse facilement deviner quelle existence luxueuse s'y déroulait.

🐒 **Prang Khaek** – ปรางค์แขก *(plan A1)* **:** à deux pas du palais de Phaulkon. Si vous passez par là, jetez un coup d'œil à ce monument hindouiste du Xe s, de style typiquement Lopburi.

SPLENDEURS ET MISÈRES D'UN CONSEILLER

Phaulkon fut vraiment un cas : aventurier né sur l'île grecque de Céphalonie, marin sur les navires anglais pendant dix ans, commerçant en Indochine, puis trafiquant d'armes pour le compte du ministre des Finances du roi Narai. Il se fit nommer principal conseiller de Narai. Il était polyglotte, Louis XIV et le pape lui écrivaient personnellement. Tout cela suscita naturellement beaucoup de jalousie chez les dignitaires thaïs qui, encouragés par les Hollandais et profitant de la maladie du roi, organisèrent un complot contre lui. Il fut arrêté et exécuté le 5 juin 1688. Le roi mourut peu après. À la suite de cet épisode, le Siam devait se fermer aux étrangers pendant deux siècles.

AU NORD DE BANGKOK

– À l'aide d'un *rickshaw* (station au marché), allez voir les **pêcheurs** un matin tôt sur la rivière, avec leurs grands filets carrés à balancier.

LA PLAINE CENTRALE

De Bangkok au nord du pays s'étale une assez vaste étendue agricole, la plaine centrale, riche d'un important patrimoine architectural. D'abord, encore proches de Bangkok, le palais royal de Bang Pa In, le parc historique d'Ayutthaya et les monuments de Lopburi (voir la partie précédente, « Au nord de Bangkok »). Puis viennent, plus au nord, la petite ville assoupie de Kamphaeng Phet, peu visitée mais recelant de beaux vestiges de temples, Phitsanulok et surtout Sukhothai, l'ancienne capitale du royaume homonyme. Un superbe détour culturel. Aller à la découverte de cette région, c'est ressentir les battements du cœur historique et campagnard de la Thaïlande. Plutôt reposants après les frénétiques pulsations de la capitale, ils aident à recharger les accus avant de monter sur Chiang Mai et le Triangle d'Or.

KAMPHAENG PHET – กำแพงเพชร IND. TÉL. : 055

Bourg tranquille, situé en bordure de la rivière Ping et vivant notamment de la canne à sucre et de la fameuse « banane petit doigt ». Cette dernière entre dans la préparation de la spécialité culinaire locale, le *kluay kai* (banane à l'œuf), en vente sur le marché et le long des routes. Mais Kamphaeng Phet est aussi un site archéologique peu fréquenté.
La ville fut l'une des trois capitales du royaume de Sukhothai, qu'elle défendait à l'ouest ; et c'est ici que se réfugia le dernier souverain de Sukhothai, avant de se soumettre au roi d'Ayutthaya (1378). De cette époque subsistent quelques remparts (*Kamphaeng Phet* signifie « muraille de diamant ») mais surtout des temples monumentaux assez émouvants, en partie ruinés et environnés de verdure, où d'énormes bouddhas livrés aux intempéries sont toujours vénérés et drapés de safran. Rien d'autre à faire à part ça.

Arriver – Quitter

– Pas de train à Kamphaeng Phet.

En bus

🚌 *Gare routière (plan A3) : sur la route de Tak, 300 m après le pont sur la droite.* Départ des bus et *songthaews*. Pour y aller, taxi collectif à prendre rue Ratchadamnoen (compter 15 Bts, soit 0,30 € ; le dernier passe vers 16h) ou moto-taxi (compter 40 Bts, soit 0,80 €).

➤ *De/vers Sukhothai :* 8 bus/j., 11h-19h env. Compter 55 Bts (1,10 €) en minibus (11h et 17h) ou 70 Bts (1,40 €) en bus, et 1h de trajet.
➤ *De/vers Phitsanulok :* 1 départ ttes les heures 5h-18h. Env 2h30 de trajet, 80 Bts (1,60 €) ; bus avec clim'.
➤ *De/vers Bangkok :* 1 départ ttes les heures 8h30-1h du mat depuis Kamphaeng Phet. Env 270 Bts (5,40 €) avec clim' et 5h de route avec 20 mn d'arrêt.

LA PLAINE CENTRALE

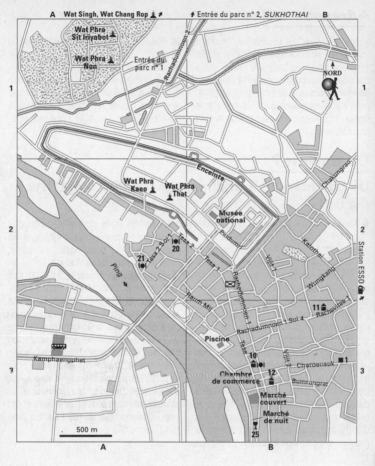

Map labels:

A — Wat Singh, Wat Chang Rop

Entrée du parc n° 2, *SUKHOTHAI* — B

Wat Phra Sit Iriyabot

Wat Phra Non

Entrée du parc n° 1

Rachadumnoen

NORD

Enceinte

Chakungrao

Wat Phra Kaeo

Wat Phra That

Musée national

Pindumri

Tesa 2 Soi 1

Tesa 2

Tesa 1

Kalothai

20

21

Ping

Vichit

Wingkang

Station ESSO

Rachadumnoen 1

11

Rachavithee 1

Raurn Mit

Rachadumnoen 1 Soi 4

Piscine

Tesa 1

10

Vichit

Charoensuk

1

12

Kamphaengphet

Chambre de commerce

Bumrungrat

Marché couvert

Marché de nuit

25

500 m

A

B

KAMPHAENG PHET

Adresses utiles

- 🚌 Gare routière
- ✉ Poste
- **1** Banques Kasikorn et Siam Commercial

🏠 |●| Où dormir ? Où manger ?

10 Chakungrao Riverview

11 Three J Guesthouse
12 Korchokchai Hotel
20 Kwai Tiao Manao
21 Restaurant

🍷 Où boire un café, un jus de fruits frais ?

25 Coffee Mania

Adresses utiles

– Pas d'**office de tourisme,** mais si vous avez une question brûlante sur la ville, vous pouvez toujours tenter votre chance au petit bâtiment de la chambre de commerce, sur Tesa Road (plan B3), près du croisement avec Bumrungrat Road. Horaires d'ouverture toutefois fantaisistes.

⊠ **Poste** – ไปรษณีย์ (plan B2) : dans le centre.

■ **Retrait d'argent et change :** plusieurs banques, la **Kasikorn** et **Siam Commercial Bank** notamment (fermé w-e), ttes 2 avec ATM, sur Charoensuk Rd (plan B3, **1**). Un ATM à la poste également.

Où dormir ?

De bon marché à prix moyens (de 200 à 400 Bts – 4 à 8 €)

🛏 **Three J Guesthouse** – สามเจเก สท์เฮ้าท์ (plan B3, **11**) : 79 Rachavitee Rd. ☎ 713-129. Internet. Une douzaine de chambres dans un complexe de petits bungalows auxquels on accède par des couloirs extérieurs bordés d'arbres et de plantes. Elles sont très bien tenues, avec terrasse privée à l'avant, sanitaires (sauf 2, à moitié prix), et la clim' pour certaines. Attention, les matelas sont un peu durs. Location de vélos et motos. Possibilité de prendre ses repas, autour d'une grande table en bois. « Three J », kesako ? Les initiales des prénoms des 3 enfants des proprios, tout simplement. Et puis il y a Candy, le super golden retriever de la maison, bien sympa lui aussi. Le patron est plein de bons conseils, de tuyaux (excellente adresse de massage, au passage). Une charmante adresse, avec un patron souriant et gai !

🛏 **Korchokchai Hotel** – โรงแรมกอโชคชัย (plan B3, **12**) : 19-43 Ratchadamnoen Rd. ☎ 711-247. Bâtiment blanc assez bas avec une enseigne bleue en caractères thaïs uniquement. Il abrite un hôtel impersonnel, mais au lobby bien net et aux chambres parquetées très propres. Vraiment rien à redire pour le prix. Demandez-en une avec AC, elles sont à peine plus chères que les autres mais sont plus spacieuses et ont l'eau chaude. Certaines sentent parfois l'humidité.

Un peu plus chic

🛏 **Chakungrao Riverview** – โรงแรม ชากังราววิเวอร์วิว (plan B3, **10**) : 149 Tesa Rd. ☎ 714-900. ● chakungrao riverview.com ● À partir de 850 Bts (17 €). Un hôtel pas très intimiste puisqu'il compte quand même une bonne centaine de chambres, mais vraiment agréable, récent et dont une partie des chambres, bien arrangées, donnent sur la rivière. Un bon resto également ; groupe de musique le soir. Installez-vous dehors au beer garden plutôt ; la cuisine est la même (mais la carte plus courte) et le service plus simple. Un certain nombre de plats peuvent être choisis en petite ou grande portion ; bien pratique.

Où manger ?

|❙❍❙ **Night Bazaar** – ไนท์บาซาร์ : le soir, quelques restos en plein air le long de Tesa Road, où s'étire un petit bazar de nuit.

I●I *Kwai Tiao Manao* – ก๋วยเตี๋ยวสู คทะเนาว *(plan A2, 20)* : *Tesa Rd (presque en face de la Police Station)*. Petite cantine bien propre et ouverte sur la rue. Attention, le nom n'est pas écrit en caractères latins, fiez-vous au panneau avec soleil jaune sur fond bleu accroché au-dessus de l'entrée. Plats de nouilles uniquement, au porc ou aux fruits de mer, à 20-25 Bts ! C'est simple mais bien préparé. Accueil aimable mais on n'y parle pas l'anglais.

I●I *Restaurant (plan A2, 21)* : au bord de la rivière, sur la droite en arrivant au bout de la rue. ☎ 717-193. Terrasse agréable à l'abri des saules, un resto aux dimensions pas très intimistes mais où on mange bien : poisson grillé au sel, des calamars au citron ou des huîtres frites aux œufs, une excellente soupe de canard au curry rouge ! Accueil sympa. Prix évidemment plus élevés qu'au précédent. Musique le soir.

I●I *Chakungrao Riverview* – โรงแรม ชากังราวริเวอร์วิว *(plan B3, 10)* : voir plus haut « Où dormir ? ».

Où boire un café, un jus de fruits frais ?

♟ *Coffee Mania* – กาเฟลาว (ร้านจักรวี คีโอ) *(plan B3, 25)* : *Ratchadamnoen Rd.* ☎ 713-202. *Tlj 9h-21h. Internet payant*. Une escale reposante le temps d'un café chaud ou glacé, ou d'un jus de fruits frais. Rien à se mettre sous la dent en revanche. Un petit carré de pelouse où sont posées quelques tables. L'intérieur est tout en bois et vitres, avec de cosy fauteuils rétros, un vieux poste de radio... Une terrasse abritée dans la maison, où trône un piano. Moï, par ailleurs prof de guitare et de piano (musique populaire), acceptera peut-être de vous jouer quelque chose s'il n'est pas trop occupé !

À voir. à faire

La ville actuelle s'est développée à l'intérieur et au sud-est des remparts, qu'elle a en partie absorbés ; mais il en reste quelques sections bien conservées au nordouest (muraille crénelée, porte, forts d'angle).

🏯🏯 *Wat Phra Kaeo et Wat Phra That* – วัดพระแก้วและวัดพระธาตุ *(plan A2)* : au nord du centre. Tlj 6h-16h30. Ticket unique à 100 Bts (2 €) valable pour les 2 sites ; billet jumelé avec le parc historique Aranyik 150 Bts (3 €). On commence par le *Wat Phra Kaeo*, un temple vaste tout en longueur, avec, en plein air, un groupe de trois bouddhas, deux assis, un couché. Du bâtiment qui les abritait ne restent que les bases de colonnes. Superbe. Plusieurs *chedî* en ruine et d'autres statues ou fragments de statues épars complètent l'ensemble.

– Voisin du Wat Phra Kaeo, le *Wat Phra That* est moins remarquable mais montre un beau *chedî* à base octogonale de style Sukhothai.

🏯 *Le Musée national de Kamphaeng Phet* – พิพิธภัณฑ์สถานแห่ง ชาติกำแพงเพ ชร *(plan B2)* : tt près du Wat Phra That. Mer-dim 9h-12h, 13h-16h. Entrée : 30 Bts (0,60 €). Nombreuses pièces issues des sites de Kamphaeng Phet : céramiques, sculptures, tablettes votives, statuettes de bronze, d'argent et d'or, tête de bouddha en stuc, très beau et monumental Shiva de style Sukhothai, etc. Intéressant, en tout cas recommandé en complément de la visite des sites. À côté, le *Musée régional (tlj 9h-16h30, entrée : 10 Bts)* se consacre davantage à l'histoire de la région en présentant, notamment, des dioramas de villages primitifs.

🏯🏯 *Le parc historique Aranyik* – สถานโบราณวัตถุอรัญญิก *(plan A1)* : à 2 km au nord du centre ; 2 entrées possibles (voir le plan). Ouv tlj. Entrée : 100 Bts (2 €).

Billet jumelé avec les Wat Phra Kaeo *et* Wat Phra That *150 Bts. (3 €). Loc de vélos 20 Bts (0,40 €).* Dégagées de la jungle dans les années 1970, voici les principales ruines de Kamphaeng Phet, disséminées dans un vaste domaine assez densément boisé, très bien entretenu. Les moines avaient voulu s'éloigner de l'agitation de la cité pour édifier leurs temples, souvent monumentaux. N'hésitez pas à louer un vélo : les temples sont assez dispersés, la balade est bien sympa, et on a une meilleure vue d'ensemble. À voir surtout : le **Wat Phra Non** – วัดพระนอน, au bouddha couché (en ruine), le **Wat Phra Sit Iriyabot** – วัดพระสิทธิ อิริยะบท, au superbe bouddha debout et au vestige de bouddha marchant, le **Wat Singh** – วัดพระสิงห์ avec son bouddha assis, ceint d'une écharpe orange, et le **Wat Chang Rop** – วัดช้างรบ *(hors plan par A1)* au grand *chedî* en cloche de style sri lankais, entouré de 68 avant-corps d'éléphants, globalement en bon état, même si désormais une trompe ne répond plus présente. On vous recommande de passer d'abord au centre d'informations, où une expo et des DVD interactifs donnent plein d'infos intéressantes.

– *Piscine* – สระว่ายน้ำ *(plan B3) :* envie de vous rafraîchir les idées après vos tribulations culturelles ? En quelques coups de tongs, vous parviendrez à une superbe piscine en plein air, entourée d'herbe et parsemée de petits kiosques pour se protéger du soleil.

– *Massages* – เฮลธ์โซน่าวัดแผนไทย *(hors plan par B2-3, non loin du* Three J Guesthouse*) :* à... la station Esso *; vous avez bien lu ! Tlj 9h-21h.* Le meilleur point de repère qu'on puisse vous donner, puisque ce petit salon de massage donne littéralement dessus ! Des massages de bonne qualité, pas chers.

PHITSANULOK – พิษณุโลก

IND. TÉL. : 055

Ville commerçante, pas remarquable d'un point de vue architectural puisqu'elle brûla totalement en 1960 (voir les photos au *Sgt Major Thawee Folk Museum* plus bas). Mais 1960, c'est déjà loin, et les reconstructions se sont à présent fondues dans ce qui restait. Le centre, sans gros immeubles, distille finalement une atmosphère assez agréable et vivante. Peu de voyageurs s'arrêtent ici pour la nuit. Pourtant, la ville mérite une étape si l'on veut s'imprégner de la petite urbanité thaïlandaise, au calme, sans hordes de touristes. À noter aussi, quelques pittoresques maisons flottantes, un marché de nuit très animé au bord de la rivière et, pour les férus de temples, le Wat Phra Si Ratana Mahathat. Sans oublier la gentillesse des habitants, témoignage d'une Thaïlande qui sait toujours sourire.

Arriver – Quitter

En train

Gare *(plan B2) :* en plein centre. Impeccable ! Vieille loco exposée devant. Consigne dans le hall. Distributeur d'argent liquide.

➢ *De/vers Bangkok :* une bonne dizaine de départs quotidiens, le mat et le soir surtout. Compter 5-7h de trajet.

➢ *De/vers Chiang Mai :* 6 liaisons (celle de 7h30 de Phitsanulok vous fait arriver à 14h45, celle de 0h23 à 7h30). Env 7-8h de trajet.

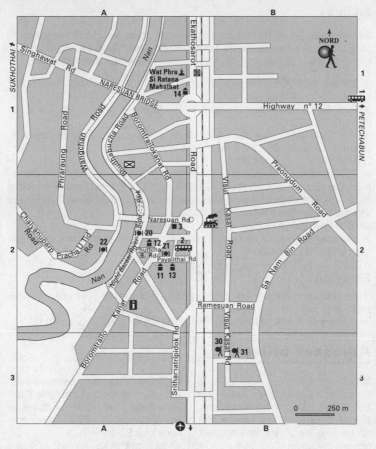

PHITSANULOK

LA PLAINE CENTRALE

■ **Adresses utiles**

✈ Aéroport
🚋 Gare ferroviaire
🚌 1 Terminal des bus
🚌 2 Bus pour Bangkok
🛈 TAT
✉ Poste
@ Internet
3 Bangkok Bank

🏠 **Où dormir ?**

11 Bon Bon Guesthouse
12 London Hotel

13 Lithai Building
14 Topland Hotel

🍴 **Où manger ?**

20 Night Bazaar
21 Karaket
22 Nannam Restaurant

🔪 **À voir**

30 Sgt Major Thawee Folk Museum
31 Garden of Birds et Buddha Casting Foundry

En bus

🚌 *Terminal* – สถานีรถบัส *(hors plan par B1, 1) :* à env 2 km du centre. Pour ttes destinations sf Bangkok. Pour s'y rendre, prendre un tuk-tuk *(compter 60 Bts, soit 1,20 €)* ou, moins cher, le bus n° 1 depuis la gare ferroviaire.

➢ *De/vers Sukhothai :* env 11 bus/j., entre 7h20 et 18h15 depuis Phitsanulok. Un peu plus de 1h de trajet.

➢ *Pour Kamphaeng Phet :* 1 départ ttes les heures entre 5h et 18h. Env 2h de trajet, 80 Bts (1,60 €).

➢ *Pour Chiang Mai :* une quarantaine de départs quotidiens depuis Phitsanulok, avec un trou vers 16h30-19h. Trajet en 6-7h (tous n'empruntent pas le même trajet), 250-340 Bts (5-6,80 €) selon bus.

➢ *De/vers Khon Kaen :* env 16 départs, entre 9h30 et 2h du mat depuis Phitsanulok. Compter 6h de trajet et env 220-280 Bts (5-5,60 €) selon les bus. Très belle route. À 340 km de Phitsanulok, Khon Kaen est la porte d'entrée de la région Est (Phimai, Nakhon Ratchasima, Udon Thani...).

🚌 *Bus pour Bangkok* (plan A2, *2*).

➢ Une bonne quinzaine de liaisons quotidiennes, le mat et en soirée. Env 6h de trajet, 250-430 Bts (5-8,60 €).

En avion

✈ *Aéroport (hors plan par A3) :* à quelques km au sud de la ville. Prendre un tuk-tuk pour y aller.

➢ *De/vers Bangkok :* 2 liaisons/j. *(Thai Airways).* Compter 2 250 Bts (45 €).

Adresses utiles

🛈 *TAT* – ท.ท.ท. *(plan A2) :* 209/7-8 Surasi Trade Center, Boromtrailo Kanat Rd. ☎ 252-742/3. • tatphlok@tat.or.th • Tlj 8h30-16h30. Pas mal d'infos écrites (plan de la ville, liste d'hôtels, horaires des trains et des bus) mais on n'y parle pas beaucoup l'anglais.

✉ *Poste* – ไปรษณีย์ *(plan A1) :* face à la rivière, sur Bhudhabucha Rd.

🖳 *Internet* – ศูนย์อินเตอร์เน็ท *(plan B1) :* en face du Wat Phara Si Ratana Mahathat, sur Ekathosarot Rd. Ouv 8h-minuit.

■ *Change :* plusieurs banques avec ATM dans le centre, comme la *Bangkok Bank* (plan A2, *3*), sur Naresuan Rd ; également un ATM à la gare ferroviaire (plan B2).

– *Massages thaïs* – การนวดไทยแผนโบราณ *(plan A2) :* sur un bateau au bord de la rivière, de part et d'autre du 1er pont (dans le prolongement de la gare ferroviaire). Corps ou pieds pdt 1h : 150 Bts (3 €) sur un matelas dehors ; plus cher en cabine.

Où dormir ?

De bon marché à prix moyens (de 150 à 400 Bts – 3 à 8 €)

🏠 *London Hotel* – เพชรไพลินโฮเต็ล หรือ ลอนดอนโฮเต็ล *(plan A2, 12) :* 21/22 Phuttcha Bucha Rd. ☎ 225-145. Près du marché de nuit. L'adresse la moins chère. Un drôle de petit hôtel, familial et plein d'objets en tous genres (c'est le dada du patron) ; les découvrir occupe un bon moment ! Un rez-de-chaussée complètement ouvert sur la rue. À l'étage (escaliers raides), jolies lattes de teck, qui font penser à nos tavaillons montagnards. 8 chambres toutes simples mais très propres, avec salle de bains commune (eau froide). Les matelas sont fins et les sommiers un peu grinçants ! Accueil sympa.

🛏 *Bon Bon Guesthouse* – บอง บองเกสท์เฮ้าส์ *(plan A2, 11)* : 77 *Payalithai Rd.* ☎ 219-058. En plein centre, mais un peu en retrait de la rue et donc calme. Une quinzaine de chambres nickel, bien arrangées, avec carrelage bleu, matelas bien fermes, TV et salle de bains où coule l'eau chaude. Elles s'organisent autour d'une petite cour, sur 2 étages. À choisir, mieux vaut éviter certaines chambres du rez-de-chaussée, dans le passage. Une excellente affaire autrement ! Accueil sympa et en anglais. Si c'est complet, ils ont d'autres chambres, dans le même style et aux mêmes prix, à 1,5 km de là.

🛏 *Lithai Building* – อาคารลิไท *(plan A2, 13)* : 75/1-5 *Payalithai Rd.* ☎ 219-626. *Fax* : 219-627. *Internet payant.* Presque à côté de la *Bon Bon Guesthouse.* Style assez différent, puisqu'il s'agit d'un hôtel récent et fonctionnel, les chambres (avec eau chaude, salle de bains, AC et frigo) sont très bien. À côté, le *Steak Cottage,* où l'on peut prendre son petit déj (inclus dans le prix des chambres les plus chères, à 460 Bts – 9,20 € – pour deux), grignoter un plat thaï ou à l'européenne, ou siroter un vrai café, accompagné, pourquoi pas, d'une part de tarte.

Chic (autour de 2 000 Bts – 40 €)

🛏 *Topland Hotel* – โรงแรมท็อปแลนด์ *(plan A-B1, 14)* : 68/33 *Ekathosarot Rd.* ☎ 247-800. ● *toplandhotel.com* ● *Compter 60 Bts (1,20 €) en tuk-tuk de la gare ferroviaire.* C'est l'un des grands hôtels de la ville. Lobby imposant, couloirs cossus, avec moquette épaisse, et chambres d'excellent confort. On en a pour son argent, d'autant que le petit déj est inclus. Également une piscine, un resto et un bar avec petit orchestre tous les soirs dès 20h.

Où manger ?

De bon marché à prix moyens (jusqu'à 300 Bts – 6 €)

🍴 *Night Bazaar* – ตลาดกลางคืน *(plan A2, 20)* : *le long de la rivière Nan, à hauteur du centre. Ouv de 19h jusque tard dans la nuit.* Un *Night Bazaar* pas comme les autres : promenade bétonnée avec rambarde bordant la rivière sur plusieurs centaines de mètres, où s'alignent les petits restos en terrasse. Bonne cuisine à petits prix garantis. On vous conseille le *Phak Bung Bin,* tout au bout de la promenade (en venant du centre), vous y dégusterez un bon poulet cuit au vin rouge ! De plus, ce resto propose une animation marrante : les convives qui le souhaitent se voient déguisés en « matrone » et placés sur une estrade, un couvercle de casserole à la main, pour réceptionner le *phak bung,* sortes d'épinards préparés dans une sauce d'huître, que le chef, après les avoir flambés, leur balance de ses fourneaux ! Attention, s'ils tombent à terre, ils sont perdus bien sûr, mais il faut quand même les payer ! Sur cette même promenade, mais plus près du pont, également une succession de bars sympas où boire une bière tranquille (ou un whisky, vendu à la bouteille pour 350 Bts – 7 €), face à la rivière.

🍴 *Karaket* – การะเกด *(plan A2, 21)* : *Payalithai Rd, en face de* Bon Bon Guesthouse. *Ouv 13h-20h.* Propose un bel assortiment de plats thaïs tous plus goûteux les uns que les autres. On choisit au comptoir vitré sur le trottoir et on va s'installer dans une agréable petite salle ornée de cadres. Vraiment pas cher, une très bonne adresse, mais y aller plutôt à midi car le soir, le choix n'est plus le même.

|●| *Nannam Restaurant* – ร้านถาหาร น่านน้ำ *(plan A2, 22)* : 89/4 Wangchan Rd, *quelques dizaines de mètres* au-delà du Riverview Hotel. ☎ 216-404. *Nom en thaï seulement, écriture rouge sur fond jaune.* Agréable, au bord de la rivière, mais pas très intimiste. Cuisine thaïe aux mêmes prix qu'ailleurs. Essayez l'excellent (et copieux) poisson à la sauce citron, servi dans un plat en forme de... poisson. Nombreuses familles, musicien tous les soirs pour accompagner le tout. Un bon choix pour le soir.

À voir

🕴🕴 *Wat Phra Si Ratana Mahathat* – วัดพระศรีรัตนมหาธาตุ *(plan A1)* : à droite du pont sur la rivière Nan. Tlj 6h30-18h. Datant du XVe s, il fut le seul temple à échapper à l'incendie de 1960. Le clou de la visite ici, c'est le *Phra Buddha Chinara* – พระพุทธชินราช. Ce bouddha de bronze doré, très vénéré, symbolise la victoire de Sukhothai sur les Khmers. Caractérisé par son aura dorée et finement ciselée qui entoure la tête et les épaules, c'est le bouddha le plus copié et représenté en Thaïlande. On oublierait presque le remarquable temple qui l'abrite, arborant le style gracieux et ramassé des temples Lanna (toit incurvé descendant très bas). Admirez ses superbes portes incrustées de nacre, sur lesquelles plus de cent artisans travaillèrent pendant des mois au XVIIIe s, les piliers de bois dorés et le plafond rouge vermillon. Un autre bâtiment abrite lui aussi un lieu de culte, ainsi que quelques objets sous vitrines.

🕴🕴 🕴 *Sgt Major Thawee Folk Museum* – พิพิธภัณฑ์พื้นบ้าน จ่าทวี *(plan B3, 30)* : 26/138 Visut Kasat Rd. ☎ 212-749. Tlj sf lun 8h30-16h30. Entrée : 50 Bts (1 €). Initiative privée du major susnommé. Cet homme, aujourd'hui âgé, a dédié sa vie au patrimoine de son pays et a fini par installer cette sorte d'écomusée très intéressant dans une belle maison, où la fonction des objets est bien expliquée (en anglais), schémas à l'appui si besoin. Un aspect de la muséographie très moderne, dont on peut espérer qu'il sera bientôt adapté pour les enfants. Riches collections de coffres, de boîtes laquées, de paniers d'osier tissés d'arabesques savantes, de surprenants « gratte-noix de coco », appeaux, pièges, machines à broyer la canne à sucre, métier à tisser, jouets et ustensiles de massage (et d'automassage, les *Mai Mo Nuat*). À l'extérieur, du gros volume comme ce char à zébu presque entièrement en bambou. Une autre salle abrite d'anciennes photos de la ville. Une jolie boutique, où Pornsiri Buranakate – qui a signé les panneaux explicatifs – a dessiné de gais petits personnages déclinés sur différents supports. Le tout dans un jardin aux multiples arbres fruitiers, fleurs, arbre à cannelle...

🕴 *Garden of Birds* – สวนนก *(plan B3, 31)* : presque en face du Folk Museum. ☎ 212-540. Tlj 8h30-17h. Entrée : 50 Bts (1 €). Pour les amateurs d'oiseaux, un riche jardin ornithologique rassemblant des espèces étonnantes et presque éteintes, comme les calaos rhinocéros (de gros oiseaux à long bec), le tout dernier calao à casque de Thaïlande. Étonnamment, les calaos semblent vraiment chercher notre contact ; voyez encore la *jambu fruit-dove,* cette belle petite colombe à tache rouge dans le cou, ou les superbes couleurs de l'*asian fairy bluebird*. Mais tous ces oiseaux en cage font un peu mal au cœur, il faut bien le dire... Le jardin communique avec la *Buddha Casting Foundry,* un atelier de fabrication de bouddhas *(ouv tlj 8h-17h),* du petit au très grand. Artisans, hommes et femmes sont au travail, maniant le chalumeau ou pétrissant la glaise de leurs mains. Des panneaux expliquent les différentes étapes de fabrication, de la pièce en cire à la statue de bronze en passant par la façon du moule, etc. Au fond, un magasin avec de belles pièces à prix fixe (à partir de 80 Bts – 1,60 €). Plus sûr que le *Night Bazaar* de Chiang Mai.

SUKHOTHAI – สุโขทัย   IND. TÉL. : 055

Quand on parle de Sukhothai, il convient de distinguer la vieille ville de la nouvelle.

◈ **La vieille ville, celle pour laquelle tout le monde vient, ce sont les vestiges de la première capitale du Siam : un ensemble de temples disséminés dans une large vallée entourée de collines boisées. C'est l'un des plus beaux sites archéologiques de Thaïlande et, d'ailleurs, il est inscrit au Patrimoine mondial de l'Unesco. À 12 km de là se trouve la nouvelle ville, ou New Sukhothai. De petite taille, relax, elle accueille la majorité des touristes, bien que certains préfèrent dormir aux abords d'Old Sukhothai, dans les quelques *guesthouses* qui s'y trouvent. Quoi qu'il en soit, il est conseillé d'arriver la veille en ville (que ce soit la vieille ou la nouvelle) et d'y rester la nuit. Cela permet de partir dès l'aube sur le site et d'en profiter pleinement avant les groupes. À 10h, il est déjà tard et il commence à faire chaud.**

UN PEU D'HISTOIRE

D'abord, le prince thaï Bang Klang Thao bouta les Khmers hors de la région au début du XIIIe s, avant de fonder une dynastie de huit rois qui devaient régner 150 ans environ.

La région produisit même un roi de légende, Phra Ruang, fils d'une princesse naga, et qui aurait possédé des dons et pouvoirs surnaturels. Mais c'est Râma Khamheng (Râma le Fort) qui fut le grand monarque de la dynastie de Sukhothai, régnant de 1275 à 1317. Une stèle de pierre gravée, premier exemple connu d'écriture thaïe, raconte sa vie et son œuvre. Ce fut un monarque éclairé. Il créa l'alphabet thaï, établit des relations diplomatiques avec la Chine

> **QUE DU BONHEUR !**
>
> *Le nom* Sukhothai *signifierait « aube » ou « naissance du bonheur » et proviendrait d'un mot sanskrit ou pali (la langue du bouddhisme theravâda). Les terres étaient riches, l'eau ne manquait point et on y trouvait carrières de pierre et forêts bien fournies pour la construction des temples... Est-ce un hasard si c'est ici que l'on trouve le célèbre bouddha qui marche, d'une grâce presque précieuse, se dirigeant vers « l'aube du bonheur » ?*

(qu'il visita par deux fois), instaura le bouddhisme comme religion nationale. Une inscription sur une pierre nous apprend aussi que le roi avait fait installer une cloche à l'une des portes de la ville ; en cas de conflit, les habitants pouvaient sonner la cloche, et le roi venait en personne trouver une issue au différend. Sur le plan artistique, Râma Khamheng fit venir des potiers chinois qui créèrent un artisanat florissant faisant la richesse et le renom du royaume. Dans un tel climat favorable, la production artistique fut, bien sûr, fantastique. Sukhothai se couvrit de temples, de sculptures merveilleuses. L'art de Sukhothai venait de naître, produit de cette

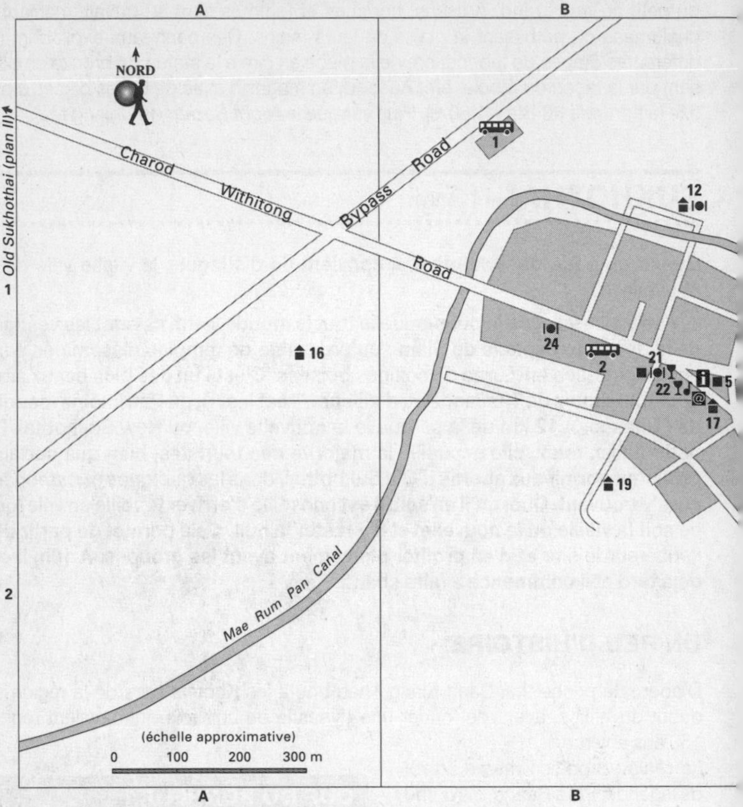

LA PLAINE CENTRALE

NORD

Old Sukhothai (plan II)

Charod Withitong Bypass Road

Road

Mae Rum Pan Canal

(échelle approximative)
0 100 200 300 m

■ **Adresses utiles**

✈ Aéroport
🛈 Office de tourisme
✉ Poste
🚌 1 Terminal des bus
🚌 2 Arrêt des *songthaews*
 pour Old Sukhothai
@ 3 Com Net
@ 4 Jaja Net

5 Kasikorn Bank
6 Sukhothai Travel Service
21 Location de motos

⬛ **Où dormir ?**

10 Banthai Guesthouse
11 River House
12 J and J Guesthouse
13 Sukhothai Guesthouse

atmosphère de liberté créatrice et de l'ouverture vers le monde extérieur. Il digéra de façon harmonieuse les traditions artistiques des anciens oppresseurs khmers, les techniques chinoises, l'apport de l'art birman, saupoudré d'influence cingha-laise. Avec ses derniers rois, la civilisation de Sukhothai déclina cependant, tandis que le royaume d'Ayutthaya montait irrésistiblement. Sukhothai mourut langoureu-sement, avec élégance. Elle nous laisse aujourd'hui des dizaines de merveilles en pierre, un site incomparable et la possibilité de rêver lorsqu'on a le bonheur d'arri-ver le premier sur les lieux...

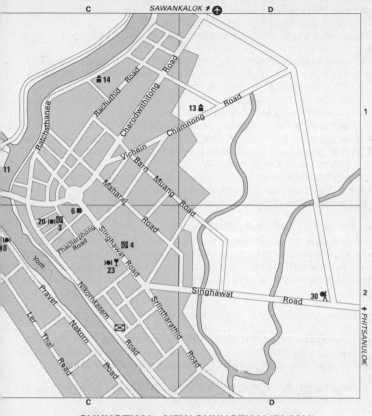

SUKHOTHAI – NEW SUKHOTHAI (PLAN I)

14 Lotus Village
16 Sabaidee Guesthouse
17 TR Guesthouse
19 Baan Georges

🍴 **Où manger ? Où boire un verre ?**

10 Banthai Guesthouse
12 Resto de la J and J Guest-house

20 Marché de nuit
21 Poo Restaurant
22 Chopper Bar
23 Dream Café
24 Jula

🗡 **À voir**

30 Sangkhalok Museum

LA PLAINE CENTRALE

Arriver – Quitter

En bus

🚌 **Terminal** *(plan I, B1, **1**) : à 2-3 km du centre de la nouvelle ville.* Certains *songthaews* qui font la navette entre Old et New Sukhothai (voir plus bas) passent par là. Pour rejoindre New Sukhothai du terminal, prendre un *tuk-tuk,* pour 50 Bts (1 €). On y trouve un *ATM*.

➤ *De/vers Phitsanulok :* 1 départ ttes les heures, entre 6h et 22h depuis Sukhothai. Un peu plus de 1h de trajet ; env 40 Bts (0,80 €).

➤ *De/vers Ayutthaya :* nombreux bus entre 7h50 et 23h depuis Sukhothai. Trajet en 5h.

➤ *De/vers Bangkok :* nombreux départs, entre 7h30 et 23h depuis New Sukhothai, que ce soit en bus d'État ou privés. Compter respectivement 185 Bts (env 3,70 €) et 325 Bts (env 6,50 €). Trajet : 6-7h.

➤ *De/vers Chiang Mai :* 17 départs/j. entre 2h30 et 17h30 depuis Sukhothai, avec *Win Tour* ou *Esan Tour.* Trajet : 5-6h. Prix : 220 Bts (4,40 €).

➤ *De/vers Chiang Rai :* 5 départs/j. avec *Win Tour,* à 6h40, 9h, 10h30, 11h30 et 13h20 de Sukhothai. Trajet : env 9h. Prix : 250 Bts (env 5 €). Le bus passe par *Sri Satchanalai,* pour ceux qui veulent faire la visite du parc historique du même nom (voir « Dans les environs de Sukhothai »).

➤ *De/vers Khon Kaen* (est de la Thaïlande) *:* 6 départs, entre 8h30 et 0h45 depuis Sukhothai. Env 7h de trajet. Prix : 235 Bts (env 4,70 €).

➤ *De/vers Mukdahan* (frontière du Laos) *:* 2 bus quotidiens.

Pour aller de New Sukhothai à Old Sukhothai

🚐 Prendre un *songthaew,* l'arrêt se trouve sur Charod Withitong Road *(plan I, B1, 2),* peu après le pont, sur la droite en venant du centre de New Sukhothai. Départ ttes les 15 mn entre 6h et 18h. Trajet en 30 mn, compter 20 Bts (0,40 €). Dans le sens Old-New Sukhothai, le départ des bus se fait du rond-point devant le Musée national.

En avion

✈ *Aéroport (hors plan I par D1) :* à env *25 km au nord de New Sukhothai.* **Attention, taxe d'aéroport de 300 Bts** **(6 €) non comprise dans le prix du billet.** Des minibus attendent à chaque arrivée d'avion. Prix : 120 Bts (2,40 €).

➤ *De/vers Bangkok :* 1 vol/j. depuis Sukhothai, à 17h20, et 2 vols depuis Bangkok, à 7h50 et 15h40. Compter 2 000 Bts (40 €).

En train

🚆 *La gare* la plus proche est celle de Phitsanulok (voir chapitre précédent).

Orientation dans New Sukhothai

La ville se love dans un coude de la rivière Yom. La plupart des pensions et hôtels sont proches des berges. La rue principale, *Charod Withitong,* emprunte le pont pour sortir de la ville vers l'ouest. Au 1er carrefour, prendre à droite pour rejoindre la gare routière. En continuant tout droit (sur 12 km), on arrive à Old Sukhothai (voir comment y aller dans la rubrique « Arriver – Quitter » ci-dessus). Pour les déplacements dans New Sukhothai, *tuk-tuk* ou, plus folklo, les *samlor,* de drôles de véhicules faits d'une moitié de moto qui pousse un siège à l'avant... Pas plus de 30 Bts (0,60 €) la course.

Adresses utiles

🛈 *Office de tourisme* – ꎾꎾꎾ *(plan I, B1) :* 130 Charod Withitong Rd. ☎ 616- | 228. Ouv tlj 8h30-16h30. Tout beau, tout neuf ! Juste pour récupérer une carte ou des infos de base, d'autant qu'on n'y parle pas l'anglais...

✉ *Poste* – ไปรษณีย์ *(plan I, C2)* : *Nikornkasem Rd.* On y trouve un *Cat Center*, pour les appels téléphoniques longue distance.

@ *Internet :* plusieurs endroits répartis dans le centre, comme *Com Net (plan I, C2, 3)* ou, très sympa, le *Jaja Net (plan I, C2, 4)*, presque en face du *Dream Café*, où l'on surfe sur des espèces de fauteuils de salon de coiffure.

■ *Change et retrait d'argent :* nombreuses possibilités dans le centre de New Sukhothai, notamment à la *Kasikorn Bank (134 Charod Withitong Rd ; plan I, B1, 5).*

■ *Bangkok Airways* – สายการบินบางกอกแอร์เวย์ : *à l'aéroport.* ☎ 647-224. ● *bangkokair.com* ●

■ *Sukhothai Travel Service* – บริษัทสุโขทัยทราเวิลเซอร์วิส จำกัด *(plan I, C2, 6)* : *12 Singhawat Rd.* ☎ 613-075. ● *suk hothaitravelservice@yahoo.com* ● *Tlj sf dim 8h-17h.* Billets d'avion, de bus...

■ *Location de motos* – บริการให้เช่ารถจักรยานยนตร์ : *Poo Restaurant* – ร้านอาหารปู *(plan I, B1, 21 ; voir « Où manger ? »)*, *200 Bts (4 €) les 24h.* Bien pour sillonner le parc historique d'Old Sukhothai ou faire une excursion (Sri Satchanalai, Ramkhamhaeng Park, voir « Dans les environs de Sukhothai »).

Où dormir à New Sukhothai ?

Attention aux rabatteurs de la gare routière, qui vous raconteront tout et n'importe quoi pour vous emmener dans la *guesthouse* de leur choix et toucher une commission. Si ça s'embrouille, prenez un *songthaew*.

De bon marché à prix moyens (de 150 à 400 Bts – 3 à 8 €)

🛏 *TR Guesthouse* – ทิ อาร์ เกสท์เฮ้าส์ *(plan I, B1-2, 17)* : *27/5 Pravet Nakorn Rd, Amphur Muang.* ☎ 611-663. ● *gues thouse_TR@yahoo.com* ● *sukhothaibud getguesthouse.com* ● Compter 250-400 Bts (5-8 €) la chambre double selon qu'il y a la clim' ou pas, et la taille du lit double. Accès Internet. Wifi. Toutes ont l'eau chaude, et surtout Long et Toh ont mis de la couleur sur les murs, avec un sacré effort côté déco. Pour le même prix qu'une chambre climatisée, on peut aussi dormir dans de jolis bungalows ventilés, récents, environnés de verdure et bien au calme, au-delà du garage. L'ensemble est vraiment impeccable, les proprios font bien les choses et parlent bien l'anglais. Également un resto. Étonnamment... un pèse-personne dans le salon-resto (au cas où certains voudraient se peser avant et après avoir avalé un énooorme *ananas pancake* ?). Bref, une atmosphère sympathique ; un très bon rapport qualité-prix. Location de motos.

🛏 *Sabaidee Guesthouse* – สบายดีเกสท์เฮ้าส์ *(plan I, A1, 16)* : *81/7 Moo 1 ; Tambol Banklouy.* ☎ 616-303. 📱 089-988-35-89. ● *sabaidee-guesthouse. com* ● À l'écart de la ville (à env 20 mn à pied du pont), mais on peut venir vous chercher à la gare routière sur simple coup de fil. Sinon, prendre un *samlor*. Internet. Certes un peu isolé, mais très calme et situation agréable, parmi les maisons sur pilotis des paysans. Vous y trouverez une poignée de chambres, en bungalows ou à l'étage du bâtiment principal, fort plaisantes et très bien tenues, avec ou sans salle de bains et AC. Prix très raisonnables quelle que soit la chambre. Le jeune patron thaï parle bien le français. De plus, bon petit resto pour le petit déj ou le dîner, espace commun relax avec hamacs, petite bibliothèque et projection de DVD en soirée !

🛏 *Banthai Guesthouse* – บ้านไทยแก

สท์เฮ้าส์ *(plan I, C2, 10)* : 38 Pravet Nakorn Rd. ☎ 610-163. ● banthai_gues thouse@yahoo.com ● *En bordure de rivière. À l'arrière d'un resto assez fréquenté (voir « Où manger ? »), petits bungalows en bois abritant des chambres carrelées très propres avec salle de bains et, en supplément, l'AC. Également des chambres sans sanitaires, très bon marché, dans un petit bâtiment. Des balades à vélo guidées dans le coin sont proposées, notamment autour du thème du travail dans les rizières ; on emprunte alors différents moyens de transport. On y parle le français*

▲ ***River House*** – รีเวอร์เฮ้าส์ *(plan I, C1, 11)* : 7 Soi Watkuhasuwan. ☎ 620-396.

🖨 087-313-58-81. ● riverhouse_7@hot mail.com ● *Sur la rive ouest de la rivière. Tourner à droite juste après le pont en sortant de la ville. Compter 50-60 Bts (1-1,20 €) en taxi. Grande maison en teck sur pilotis. Tenue par un jeune Français, Jacques, sympa et discret, et son épouse thaïe, Nan, leur petite fille Claire... et le chien Saucisse, qui porte bien son nom ! Au 1er étage, 7 chambres très simples, matelas sur le plancher et moustiquaire, avec balcon devant pour se reposer en contemplant la rivière. Au rez-de-chaussée, pavillon moderne proposant 2 chambres avec salle de bains et AC (compter 400 Bts, soit 8 €). Resto-bar aussi, à l'ombre. Rien à redire pour le prix ! Location de motos.*

De prix moyens à un peu plus chic (de 400 à 1 000 Bts – 8 à 20 €)

▲ ***Sukhothai Guesthouse*** – สุโขทัยเก สท์เฮ้าส์ *(plan I, D1, 13)* : 68 Vichein Chamnong Rd. ☎ 610-453. ● sukhothai guesthouse.net ● *Bungalows 450-700 Bts (9-14 €). Accès Internet, wifi. Une douzaine de bungalows avec petite terrasse (une banquette pour s'allonger) très propres, plutôt mignons et au confort suffisant, répartis dans une courette-jardin reposante. Excellent accueil de Dang, indien d'origine, de Phon son épouse et de leurs 3 enfants, sympas et dynamiques. Ils peuvent venir vous chercher sur un simple coup de fil et se feront une joie de vous aider à découvrir la région. Emprunt possible de DVD, magazines... Massage thaï sur demande (payant) et resto extra ; la spécialité de Phon : le panang curry. On vous laisse découvrir !*

▲ ***J and J Guesthouse*** – เจเจเกสท์เฮ้าส์ *(plan I, B1, 12)* : 122/1 Maeramphan. ☎ 620-095. ● jj-guesthouse.com ● *Un peu à l'écart. Prendre la 2e rue à droite en sortant de la ville en direction d'Old Sukhothai (10 mn à pied). De 350 Bts (7 €) les chambres sans AC à 800 Bts (16 €) les bungalows avec AC et TV câblée. Encore un Belge ! Jacqui et son*

épouse Jim gèrent cet endroit avec simplicité et bon sens. Bungalows vraiment impeccables, avec tout le confort et terrasse privative. Toutes les chambres, cela dit, sont très convenables et ont leur propre salle de bains. Bonne ambiance, très relax, d'autant qu'il y a une chouette petite piscine (accessible pour 50 Bts aux non-résidents). Excursions d'un jour, et même d'une demi-journée, dans les environs (au parc national de *Sri Satchanalai*, notamment). Excellent resto (voir « Où manger ? ») ; pain maison. Jacqui et Jim viennent d'ailleurs d'en ouvrir un autre, *La Bonne Cuisine* (même style qu'à la *guesthouse*), presque en face de la *Kasikorn Bank (plan I, B1, 5).*

▲ ***Baan Georges*** – บ้านจอร์จเกสท์เฮ้าส์ *(plan I, B2, 19)* : Tannee Jarodvithithong 28/54 Soi Chaiwannasut. 🖨 086-100-76-51. ● baan-georges.com ● *Compter 1500 Bts (30 €). À 400 m du restaurant Poo (même proprio). Impressionnante, la maison que Luc vient de faire construire (un an de travaux !). Aujourd'hui, on peut profiter de 8 vastes chambres climatisées, qui ont toutes 3 ou 4 fenêtres et un frigo. De très beaux volumes,* des couleurs et de la lumière. Au dernier étage, une belle terrasse abritée où prendre son petit déj avec une vue sur les environs et l'air qui circule bien. Quant aux autres repas, vous savez où aller ! Et puis, cerise sur le gâteau, une belle piscine, d'ailleurs accessible aux non-résidents pour 50 Bts (1 €).

🏠 *Lotus Village* – โลตัสวิลเลจ *(plan I, C1, 14) : 170 Ratchathanee St.* ☎ *621-484.* ● *lotus-village.com* ● *Accès soit par Rachuthid Rd, soit par Ratchathanee St. Résa conseillée et plutôt par e-mail. Chambres ou bungalows 920-*

1 550 Bts (18,40-31 €) selon taille et équipement. CB acceptées. Voici une adresse d'un charme certain, aux chambres nichées dans un jardin luxuriant. Tenue par un couple franco-thaï. Propose des petits déj à la carte, pas donnés mais pas mauvais (jus de fruits frais, yaourts et confitures maison...), et de quoi grignoter sur le pouce jusqu'à 21h. Excursions, boutique et bungalow consacré aux massages, avec sauna et Jacuzzi en bois... L'adresse est un chouia trop chère peut-être, et l'accueil un peu froid.

Où manger ? Où boire un verre ?

Bon marché (autour de 100 Bts – 2 €)

🍴 *Le marché de nuit* – ตลาดกลางคืน *(plan I, C2, 20) : dans le centre. Tlj sf lun 18h-21h30.* Animé, propre, pas cher et bonne nourriture. Idéal pour les routards fauchés, sympa de toute façon pour les autres.

🍴 *Jula* – จูฬาสเต็ค (ดี) *(plan I, B1, 24) : quelques dizaines de mètres après* Poo Restaurant *quand on vient du pont. Ouv tlj jusqu'à 2h. Sur l'enseigne, le nom, écrit en rouge sur fond blanc, surplombe une enseigne* Coca-Cola *un peu délavée.* Une grande cantine réputée auprès des familles thaïlandaises qui y viennent nombreuses et pour cause : c'est bon, très propre, on y est bien installé, une partie des plats sont visibles, ce qui permet de (bien) choisir. Attention, la plupart sont très épicés ! Ceux qui ne veulent pas se mettre le feu aux papilles commanderont (menu en anglais) plutôt un plat fait minute, histoire de s'assurer qu'il est bien *maï phet*... On n'y parle pas la langue de Shakespeare. L'occasion aussi de goûter à de drôles de sodas fluos...

🍴 *Banthai Guesthouse* – บ้านไทย เกสท์เฮ้าส์ *(plan I, C2, 10) : c'est le resto de la pension signalée plus haut. Service jusqu'à 20h30.* Cadre agréable et aéré. Petit déj avec produits faits maison (muesli, yaourts), délicieuses salades et sandwichs, fondue thaïe (la spécialité) et alcools locaux (*yaa dong*, un alcool de riz). Souvent assez fréquenté.

🍴 🍷 *Poo Restaurant* – ร้านอาหารปู *(plan I, B1, 21) : 24/3 Charod Withitong Rd.* Accueil adorable, dans une salle très soignée donnant sur la rue et ornée d'images de Tintin (le patron est belge). C'est à la fois un bar sympa, avec de bonnes bières à la pression, une belle sélection de cocktails, et un resto pas cher servant, par exemple, de délicieuses nouilles sautées aux légumes. Loue aussi des motos. Ceux qui veulent prolonger peuvent jouer aux fléchettes, entreprendre un *scrabble* ou lire leurs mails ; le proprio vient même d'ouvrir 8 belles chambres dans une vaste maison tout juste sortie de terre, à 5 mn à pied (voir la rubrique « Où dormir ? »).

🍴 *Resto de la J and J Guesthouse* – เจเจเกสท์เฮ้าส์ *(plan I, B1, 12) : on vous recommande plus haut la guesthouse, mais on peut aussi y manger, à une terrasse couverte, avec cuisine bien en vue, de savoureux plats thaïs (superbe tom yam kung !). Prix normaux, clientèle étrangère.*

🍷 🎵 *Chopper Bar* – บาร์ ชอปเปอร์ *(plan I, B1, 22) : Charod Withitong Rd. Tt près de* Poo Restaurant. *Maison* ouverte à tout vent et agrandie d'une terrasse. Rendez-vous des routards (des motards ?) et des jeunes du coin. Un groupe local chante tous les soirs (à partir de 19h30) de la country, en thaï et en anglais. Petits plats, mais plutôt pour boire un verre.

Prix moyens (de 100 à 300 Bts – 2 à 6 €)

|●| ♟ *Dream Café* – คริมคาเฟ่ *(plan I, C2, 23)* : 86/1 Singhawat Rd. ☎ 612-081. Un café-resto tout en bois et carrelage, chargé de vieux objets dont certains sous vitrines, tous à vendre, tels un vieux phonographe, des montres, des verres.... Pas très lumineux mais très bien arrangé. Un lieu de caractère, doublé d'un havre de tranquillité ! Plats thaïs et européens fort bien exécutés. Quelques *stamina drinks* aussi, composés de *yaa dong* (alcool de riz) et d'herbes médicinales. Certains sont aphrodisiaques. Nous déclinons toute responsabilité ! Terrasse plus anodine sur la rue.

À voir à New Sukhothai

🏃🏃 *Sangkhalok Museum* – พิพิธภัณฑ์สังคโลก *(plan I, D2, 30)* : 10 Ban Lurn. ☎ 614-333. Tlj 8h-17h. Entrée : 100 Bts (2 €). Explications en français ! Dans un grand bâtiment, sur deux niveaux, exposition de céramiques d'une qualité exceptionnelle. Quantité impressionnante de pièces rares, des périodes Lanna ou Sukhothai (XIVe s), mais aussi chinoises Yuan

> ### PRONONCIATION À LA CHINOISE
>
> *Sangkhalok est le nom donné à la production de céramique de Sukhothai. Ce terme n'est autre que la déformation du nom de la ville par les marchands chinois faisant commerce au XIIIe s, qui n'arrivaient pas à prononcer « Sukhothaï » !*

ou Ming (XIIIe et XVe s). On comprend ici pourquoi ces vieilles poteries peuvent valoir des fortunes. Splendide ! Magnifiques bouddhas également, de terre cuite ou en céramique, antiques céladons parfaitement conservés, et on en passe.

LE PARC HISTORIQUE D'OLD SUKHOTHAI – อุทยานประวัติศาสตร์สุโขทัย

À 12 km de New Sukhothai, il englobe toutes les ruines de la vieille ville (qui, à elle seule, mesurait 1,8 km de long sur 1,5 km de large), ainsi que d'autres dans les alentours.

Si vous voulez éviter les gros bus de touristes, rendez-vous sur place le plus tôt possible. Vous aurez ainsi le site pour vous tout seul. De plus, la lumière est superbe, les couleurs plus belles et la fraîcheur de l'aube bien agréable.

Chaque zone étant soumise à un droit d'entrée de 30 Bts (40 Bts pour l'ensemble des ruines de la vieille ville), il peut être judicieux d'acheter le *pass* à 350 Bts (7 €), valable 30 jours, qui donne non seulement accès à toutes les zones du parc historique, mais aussi aux musées *Râma Kamheng* (dans la vieille ville, *plan II, F4, 46*) et *Sawanwaranayok* (dans la ville de Sawankhalok), ainsi qu'au parc historique de *Sri Satchanalai* (voir « Dans les environs de Sukhothai »). Bref, très rentable si on compte tout voir ! Il s'achète à l'entrée principale du parc *(plan II, F4)*. À noter qu'il

SUKHOTHAI – OLD SUKHOTHAI (PLAN II)

■ **Adresses utiles**

🛈 Centre d'information touristique
8 Distributeur

🏠 |●| **Où dormir ? Où manger ?**

17 Old City Guesthouse
18 Vitoon Guesthouse
19 Orchid Hibiscus Guesthouse
20 PinPao Guesthouse
24 The Coffee Cup

🔭 **À voir**

41 Wat Mahathat
42 Wat Sri Sawai
43 Wat Trapang Ngoen
44 Wat Sa Si
45 Wat Sorasak
46 Musée national Râma Kamheng
47 Wat Phra Pai Luang
48 Wat Sri Chum
49 Wat Saphan Hin
50 Wat Chetupon

ne permet pas de visiter chaque site plus d'une fois. Et que s'y ajoutent les droits d'entrée pour les vélos (10 Bts – 0,20 €), motos (20 Bts – 0,40 €) et voitures (40 Bts – 0,80 €).

Comment y aller ? Comment s'y déplacer ?

➢ Des *songthaews* font la navette en continu de 6h à 18h30 entre New et Old Sukhothai, au départ de Charod Withitong Rd *(plan I, B1, 2)*. Prévoir environ 30 mn de trajet. Prix : 20 Bts (0,40 €).

– Une fois sur place, la meilleure manière de visiter le site est de louer une bicyclette vu la distance qui sépare les différents ensembles de ruines (plusieurs loueurs autour de la *Vitoon Guesthouse* ; compter 30 Bts – 0,60 € – la journée !). À pied, c'est trop long. Sinon, on peut aussi louer un *tuk-tuk* pour quelques heures (en face de la *Vitoon Guesthouse*), pour environ 300 Bts (6 €). Beaucoup de concurrence, marchandage aisé. Plus exotique encore, des promenades en char à zébus, à l'extérieur du site (départ à côté du Wat Phra Pai Luang ; *plan II, E3, 47*).

Adresses utiles

ⓘ *Centre d'information touristique* – ศูนย์ข้อมูลท่องเที่ยว *(plan II, E3) :* à l'extérieur de l'enceinte, au nord, près du Wat Phra Pai Luang. ☎ 616-228. Pas toujours quelqu'un, n'y aller que pour la superbe et grande maquette d'*Old Sukhothai*. Du reste, les plans ou prospectus disponibles à l'entrée principale et aux autres guérites sont largement suffisants. Si vous souhaitez prévoir une visite guidée de la vieille ville, deman-dez-leur les coordonnées des guides agréés (dont un francophone) ; réservez la visite à l'avance !

■ *Police touristique :* en face du Musée national.

■ *Retrait d'argent* *(plan II, F4, 8) :* distributeur à proximité du 7/Eleven, *dans la rue des* guesthouses, *et un autre pile en face*. Aucune possibilité de change à Old Sukhothai.

Où dormir ? Où manger à Old Sukhotai ?

De bon marché à prix moyens (de 120 à 500 Bts – 2,40 à 10 €)

🛏 *Old City Guesthouse* – เมืองเก่า เกสท์เฮ้าส์ *(plan II, F4, 17) :* 28/7 Charod Withitong Rd. ☎ 697-515. *Dans la rue principale, le bout de la route qui relie Old et New Sukhothai, au fond d'une impasse. Doubles 120-500 Bts (2,40-10 €).* Plusieurs maisons et bungalows un peu en retrait de la circulation, abritant des chambres à différents prix, mais toutes très propres. Celles à 250 Bts (5 €) sont déjà très confortables, avec carrelage, bon matelas, TV et belle salle de bains ! Accueil agréable. Dommage que l'espace qui sépare les maisons fasse office de parking.

🛏 *Vitoon Guesthouse* – วิฑูรย์ เกสท์เฮ้าส์ *(plan II, F4, 18) :* 49/3 Charod Withitong Rd. ☎ 697-045. *À deux pas du* Old City Guesthouse, *au milieu des loueurs de bicyclettes (en loue elle-même). Doubles 300-500 Bts (6-10 €).* Internet payant. 2 bâtiments séparés, de part et d'autre du coin de la rue, l'un pour les chambres climatisées, l'autre pour celles avec ventilo. Salles de bains avec eau chaude partout. L'ensemble, quoique sonore (d'ailleurs, éviter les chambres qui donnent sur la réception comme la n° 1 et la n° 7), est très bien tenu. Mais accueil plutôt inexistant ; on n'y parle pas l'anglais.

|●| *The Coffee Cup* – เดอะค็อฟฟี่คับ *(plan II, F4, 24) :* toujours dans la rue principale. Accès Internet. Agréable terrasse ombragée. Jus de fruits, vrai café et bon sandwich club, en plus de la panoplie traditionnelle de plats thaïs. Et si vous avez envie d'un peu de sucré, commandez donc du *sticky rice with sweet mango*. C'est assez rare de le trouver à la carte des restos touristiques (on le trouve plutôt sur les marchés), et c'est délicieux.

De prix moyens à un peu plus chic (de 600 à 800 Bts – 12 à 16 €)

🛏 *PinPao Guesthouse* – ปืนเปา เกสท์เฮ้าส์ *(plan II, F4, 20)* : Compter 600 Bts (12 €). Mêmes proprios que Orchid Hibiscus Guesthouse, *à quelques centaines de mètres de là.* Un petit hôtel récent qui abrite une poignée de chambres très colorées, et à l'aménagement moderne et personnalisé. Un peu cher tout de même, sachant que certaines ne disposent que d'une fenêtre donnant sur le couloir. Petite terrasse au bord de l'eau avec Jacuzzi attenant et une barque qui permet de se balader un peu, et même d'arriver à l'entrée du site. Également un bar-resto. Une petite adresse qui a de la personnalité.

🛏 *Orchid Hibiscus Guesthouse* – ออ รคิด ฮิบิสคัส เกสท์เฮ้าส์ *(hors plan II par F4, 19)* : ☎ 633-284. ● orchid_hibis cus_guest_house@hotmail.com ● Env 1 km avt la vieille ville en venant de New Sukhothai, prendre à gauche et parcourir encore 500 m (c'est fléché). Internet, wifi. Tenu par un couple italo-thaï, ce petit complexe hôtelier est certes un peu excentré, mais propose dans un très joli jardin une grosse poignée de chambres impeccables et bien arrangées, avec murs de brique, lits à baldaquin, frigo dans les plus chères. De plus, belle piscine au milieu (accessible pour 80 Bts – 1,60 € – aux non-résidents), entourée de transats. également des chambres de l'autre côté de la rue, avec une petite piscine à jets, des volières un peu partout. Une vraie adresse de charme, l'endroit idéal pour se relaxer ! Location de scooters.

À voir

Dans l'enceinte de la vieille ville

Les ruines situées dans l'enceinte sont accessibles tlj 6h-21h. Entrée : 100 Bts (2 €).

🎭🎭🎭 *Wat Mahathat* – วัดมหาธาตุ *(plan II, F4, 41)* : l'édifice le plus important du parc historique. Ce temple était réservé à la famille royale. Autour, les douves font près de 1 km. Devant, imposante esplanade avec ses rangées de colonnes. *Chedî* central orné à la base d'une frise de moines. De chaque côté, deux bouddhas prisonniers de leur gangue de brique. L'ensemble des ruines, avec leur bassin aux lotus au premier plan, constitue l'une des plus belles diapos du voyage.

🎭🎭 *Wat Sri Sawai* – วัดศรีสวาย *(plan II, E4, 42)* : fondé à l'époque de la domination khmère. Un ancien site brahmanique transformé en temple bouddhique. Trois *prang* hindous de style Lopburi qui consoleront ceux qui rêvent de voir Angkor ou n'iront pas à Phimai.

🎭🎭 *Wat Trapang Ngoen* – วัดตระพังเงิน *(plan I, E4, 43)* : juste à côté du Wat Mahathat. *Chedî* en forme de pousse de lotus. De là, vue splendide sur le grand lac et ses lotus. À deux pas, un bouddha en marche très élégant.

🎭🎭 *Wat Sa Si* – วัดสระศรี *(plan II, E3-4, 44)* : entouré par un charmant petit lac, un des temples les plus croquignolets du site. Petite île qu'on atteint par une passerelle. La forme arrondie du temple rappelle celle des stûpas cinghalais. Gros bouddha au nez étrangement disproportionné. Devant s'étendent les vestiges du *viharn* (temple) avec ses colonnes tronquées. Sur la pelouse, un bouddha à la démarche extrêmement gracieuse.

🎭 **Wat Sorasak** – วัดสรศักดิ์ *(plan II, F3, 45) : contre l'enceinte nord.* Vaut le coup d'œil (surtout si vous allez vers le *Wat Phra Pai Luang*) pour sa très belle frise d'éléphants sculptée à la base.

🎭🎭 **Le Musée national Râma Kamheng** – พิพิธภัณฑ์สถานแห่ง ชาติรามคำแหง *(plan II, F4, 46) : en face de* Vitoon Guesthouse. *Tlj 9h-16h. Entrée : 150 Bts (3 €). Photos et caméscopes interdits.* Rassemble évidemment des collections d'objets de l'époque Sukhothai (XIIIe et XIVe s), issues non seulement du parc historique, mais aussi de toute la région. Nombreuses statues, figurines, sculptures, céramiques et fresques d'une qualité extraordinaire, en plus des tablettes votives et des multiples images de Bouddha. Ne pas manquer la vieille pierre d'inscription de 1292, où se trouve gravé l'un des premiers textes en alphabet thaï (qui, rappelons-le, trouve ses origines en Inde). Si ça vous amuse, vous pouvez lire la traduction sur le mur ! D'autres pièces intéressantes à l'étage, comme ce *vihara* miniature en bois, et quelques grosses sculptures à l'arrière.

Hors de l'enceinte

🎭🎭 **Wat Phra Pai Luang** – วัดพระพายหลวง *(plan II, E3, 47) : au nord de la vieille ville. Tlj 8h-16h. Entrée : 100 Bts (2 €).* L'un des plus anciens temples de Sukhothai. Fondé par les Khmers, au XIIe s. Vestiges du *viharn* avec ses rangées de colonnes. Y subsiste un *prang* quasi intact avec de magnifiques stucs et sculptures copiés sur ceux d'Angkor (surtout le fronton). Étonnants restes d'un bouddha marchant en brique.

🎭🎭 **Wat Sri Chum** – วัดศรีชุม *(plan II, E3, 48) : au nord-ouest, pas loin du précédent. Tlj 8h-17h30. Même ticket que le précédent.* Un bâtiment imposant avec une entrée qui laisse entrevoir un immense bouddha assis d'un peu plus de 11 m de haut. Un escalier encastré dans le mur, sur la gauche en entrant, permettait d'accéder à une fenêtre à la hauteur de la tête. Là, un conseiller du roi incitait les soldats à combattre comme si Bouddha leur parlait.

🎭 **Wat Chang Lom** – วัดช้างล้อม *(hors plan II par F4) : à l'est de l'enceinte. Entrée : 30 Bts (0,60 €).* Là aussi, sculptures intéressantes, notamment les figures d'éléphants, autour du socle. Pour ceux qui n'iront pas voir le Wat Chang Lom à Sri Satchanalai.

À quelques kilomètres de l'enceinte

Encore des ruines dignes d'intérêt, accessibles en *songthaew* ou même à vélo.

🎭 **Wat Saphan Hin** – วัดสะพานหิน *(hors plan II par E3, 49) : à env 4 km à l'ouest de l'enceinte. Tlj 8h-16h. Entrée : 30 Bts (0,60 €).* Intéressant pour son chemin de grosses pierres surélevé qui mène au sommet. En haut, ruines du *viharn* et un bouddha de 12 m.

🎭 **Wat Chang Rop** – วัดช้างรอบ *: situé un peu plus loin que le précédent. Même ticket.* Moins spectaculaire et en assez mauvais état. Stûpa avec éléphants sculptés à la base.

🎭 **Wat Chetupon** – วัดเชตุพน *(hors plan II par F4, 50) : au sud, à env 2 km. Tlj 6h-21h. Entrée : 30 Bts (0,60 €).* Vestiges de l'enceinte en schiste et des douves. Bel ensemble. Surtout le sanctuaire principal aux quatre bouddhas. Ceux qui sont assis et couchés ont pratiquement disparu. Restent les bouddhas debout et marchant. Noblesse du coup de ciseau, délicatesse des courbes, de la démarche. D'autres petits *wat* tout autour pour rentabiliser le déplacement.

Fête

– **Loy Krathong :** grande fête dans les ruines, se déroulant durant les 5 jours qui précèdent la pleine lune de novembre. Son (beaucoup !) et lumière. Danses aussi, spectacles divers, *Night Market* et même un feu d'artifice.

➤ *DANS LES ENVIRONS DE SUKHOTHAI*

LE PARC HISTORIQUE DE SRI SATCHANALAI – อุทยา นประวัติศาสตร์ศรีสัชนาลัย

🍴🍴 À une soixantaine de kilomètres au nord de New Sukhothai, le parc historique de Sri Satchanalai rassemble lui aussi de belles ruines de l'époque Sukhothai, disséminées dans une nature assez sauvage. On le recommande sans hésiter à ceux dont la soif de vieux temples n'a pas été étanchée par Old Sukhothai, ou tout simplement aux amateurs du genre, d'autant que le site est encore peu fréquenté. *Ouv tlj 8h-17h.*

Comment y aller ?

➤ Outre les excursions organisées par certaines *guesthouses* de New Sukhothai, le plus simple est de s'y rendre *à moto* (location à New Sukhothai, voir dans « Adresses utiles »). C'est bon marché et, en plus, on peut partir et revenir à l'heure de son choix. Possibilité de louer des automatiques, pour ceux qui n'ont pas l'habitude de ce moyen de transport. Pour la direction, prendre la route n° 101, vers Sawankhalok.
➤ Il est possible aussi d'y aller *en bus* depuis Sukhothai, mais le retour est un peu compliqué car, à moins d'attraper un des rares bus en provenance de Chiang Rai, il faut prendre des bus locaux et changer à Sawankhalok. Si cela vous tente malgré tout, prendre un des 3 bus à destination de Chiang Rai (voir la rubrique « Arriver – Quitter » de New Sukhothai) et descendre 7 km avant le bourg de Sri Satchanai, au niveau de l'entrée principale du parc. Montrez les caractères thaïs ci-dessus au chauffeur pour qu'il n'y ait pas d'équivoque. Traversez le pont et tournez à droite pour arriver à la cahute de vente des tickets.

Où dormir ? Où manger ?

Un seul endroit où loger, aux prestations pas terribles pour le prix. Mieux vaut dormir à Sukhothai.

🛏 🍴 *Wang Yom* – วังยม : 78/2 Moo 6. ☎ et fax : 631-380. *Env 600 Bts (12 €) pour 2, petit déj en sus.* Un complexe de bungalows en bois ou bambou tressé, dans un vaste espace sous les cocotiers. L'ensemble date un peu et est moyennement tenu. Également un grand resto couvert, qui accueille parfois des groupes. Plus sympas pour manger sont les 2 ou 3 bouis-bouis locaux le long de la petite route qui mène à l'entrée.

LA PLAINE CENTRALE

La visite du parc

*Accès tlj 8h-17h. Entrée : 40 Bts (0,80 €) sf, on le rappelle, si vous avez acheté le pass de Sukhothai. Supplément de 50 Bts (1 €) pour les voitures. Si vous voulez un plan du site, passez à l'*Information Center.

Sri Satchanalai, lieu sacré dédié à Bouddha, fut fondé au XIIIe s pour les vice-rois de Sukhothai, très probablement sur un site plus ancien consacré à l'hindouisme. Plusieurs ruines intéressantes, comme le *Wat Chang Lom,* datant du XIIIe s, qui constitue le plus grand complexe. Y admirer le stûpa (ou *chedî*) orné de 39 éléphants. Juste en face s'élève le *Wat Chedî Chet Thaeo,* dont le *chedî* principal possède un toit en forme de lotus. On y aurait conservé, jadis, les cendres de la famille royale de l'époque Sukhothai. Un peu plus au nord, les *Wat Khao Phanom Phloeng* et *Wat Khao Suwan Khiri* trônent sur les sommets de deux collines *(Khao)* reliées par une voie pavée (l'ancien chemin de ronde du mur d'enceinte). Endroits mystérieux, peuplés dès la préhistoire. C'est là, d'après la légende, que l'ermite Satcha aurait emmené le roi prier par le feu, selon les traditions brahmaniques. On accède au *Wat Khao Phanom Phloeng* par un vieil escalier monumental flanqué d'une épaisse végétation. De quoi se sentir un court instant dans la peau d'Indiana Jones !

– À 2 km du site principal, ne ratez pas non plus le *Wat Phra Mahathat,* au milieu d'une boucle de la rivière Yom. De la billetterie du parc, tourner à droite en sortant et continuer tout droit. À voir : un superbe *prang* de style khmer rappelant ceux du célèbre Bayon (Angkor), un bouddha marcheur d'une grande élégance et un bouddha protégé par un *nâga* à sept têtes.

– Enfin, dans les environs, deux autres visites à faire pour ceux qui aiment la poterie (un artisanat jadis très florissant dans la région), en particulier les objets en céladon (voir à Chiang Mai la rubrique « Achats ») : le *Sawanvoranayok Museum (ouv mer- dim 9h-16h ; entrée : 30 Bts),* dans la ville de Sawankhalok, et les *Sangkhalok Kilns,* d'anciens fours à poteries, 5 km après le parc.

RAMKHAMHAENG NATIONAL PARK – อุทยานแห่ ง ชาติ ศรีส ชนาลัย

🎋 Appelé populairement *Khao Luang,* la « montagne des Rois ». Quinze kilomètres à l'ouest de la ville de Kiri Mas, elle-même à 21 km de Sukhothai par la route de Kamphaeng Phet. À l'entrée du parc, on peut louer des tentes 2 places pour environ 120 Bts (2,40 €). 3h30 de dure grimpette (et occasionnellement des marches et des rampes en corde) sont nécessaires pour atteindre un beau massif à plus de 1 000 m d'altitude. Beaux panoramas, plantes rares. Plusieurs cascades et grottes ainsi que des vestiges archéologiques. Prévoyez de l'eau ; arrivé en haut, vous pourrez acheter quelques boissons.

➤ *Pour s'y rendre :* pas de transport public, il faut y aller par ses propres moyens, par exemple en louant une moto à Sukhothai. Sinon, certaines *guesthouses* organisent la visite du parc en voiture.

CHIANG MAI ET SA RÉGION

Si on ne s'est pas arrêté à Sukhothai ou dans la plaine centrale, on y monte directement depuis Bangkok en train, bus ou avion (voir les rubriques « Quitter Bangkok » ou « Comment y aller ? » à Chiang Mai). Région particulièrement intéressante pour sa douceur de vivre, sa cuisine, ses temples et les activités nature qu'elle offre (le trek notamment). En outre, le climat, moins lourd qu'à Bangkok ou dans le Sud, est agréable. Enfin, il y a les gens, les Thaïs ou les ethnies montagnardes, toujours attachants. Une bonne virée.

PETIT AVERTISSEMENT CONCERNANT LES CARTES DE PAIEMENT

Certains ont peut-être entendu parler de l'arnaque à la carte de paiement qui a sévi un temps dans le nord de la Thaïlande, notamment à Chiang Mai.

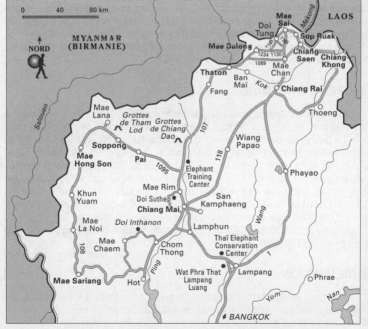

LE NORD DE LA THAÏLANDE ET LE TRIANGLE D'OR

Voici ce qui se passait : certains touristes, avant de partir en trek, confiaient leur carte de paiement à la *guesthouse* où ils logeaient. Mais, au lieu de dormir tranquillement dans la *safety-box,* elle était utilisée pour diverses emplettes, dont le montant pouvait atteindre le plafond de la carte !

Certes, cette pratique a fortement diminué, mais un conseil quand même : emportez tous vos papiers et documents importants avec vous si vous partez en excursion.

GROS AVERTISSEMENT CONCERNANT LA DROGUE

Ce n'est pas un scoop : Chiang Mai est une plaque tournante du trafic de stupéfiants. Petits routards, sachez que même un petit pétard peut vous apporter de gros pépins. Alors, un kilo, imaginez ! Sanctions terribles assurées. Ne pas oublier : les dealers sont les balances. C'est bien connu. De plus, la police effectue des fouilles fréquentes dans la région des treks.

CHIANG MAI (CHIENG MAI) – เชียงใหม่   IND. TÉL. : 053

On éprouve de la tendresse pour cette bonne grosse ville de province, 2e ville de Thaïlande (quoique 50 fois moins peuplée que Bangkok !), entourée de montagnes verdoyantes, dans laquelle on se balade à la recherche des dernières vieilles maisons traditionnelles en bois. Hélas, la cité explose depuis quelque temps, et les constructions anarchiques se multiplient. Elle compte aujourd'hui un peu moins de 200 000 habitants, mais rassemble en journée une bonne partie du 1,5 million d'habitants du district. Des grands hôtels et de gigantesques centres commerciaux poussent dans le centre-ville et les environs. Et naturellement, le trafic s'intensifie.

UN PEU D'HISTOIRE

Chiang Mai fut fondée par le roi Mengrai à la fin du XIIIe s. C'est à cette époque que les canaux et les remparts formant le carré central de la ville furent creusés et élevés. La petite ville devint la capitale du royaume du Lan Na au début du XIVe s, après l'alliance des royaumes de Sukhothai et de Chiang Rai. Pour éviter toute agression, le roi passa même un accord de protection avec le roi de Sukhothai. Malgré cela, la cité, très fréquemment attaquée, finit par tomber sous la coupe d'Ayutthaya, puis entre les mains des Birmans entre la fin du XVIe s et le milieu du XVIIIe s. Coupé du reste du pays jusqu'au début du XXe s (aucune route n'y menait), le royaume développa un courant artistique particulier, le style Lan Na (ou Lanna), inspiré par l'art birman et lao. On retrouve dans les musées cet art singulier, l'un des plus beaux de Thaïlande.

ORIENTATION

La ville n'est pas extrêmement grande. Ce que l'on appellera le *vieux quartier* (ou l'île) est délimité par quatre anciennes douves, qui forment un carré. Pas particulièrement ancien à vrai dire, mais de taille humaine avec ses petites maisons et ruelles, ce quartier abrite la majorité des *guesthouses* et restos ainsi que quelques temples et édifices officiels. La rivière Mae Nam Ping coule à l'extérieur de l'île, environ 700 m à l'est. Tha Phae Road, l'axe principal, qui relie la rivière au vieux quartier vient déboucher sur Tha Phae Gate, véritable centre géographique et culturel de Chiang Mai. Le quartier au sud de Tha Phae Road jusqu'à Sri Don Chai Road, grosso modo un carré de 500 m de côté, concentre quant à lui une grande part des commerces et de l'animation chiangmaïens, avec notamment le *Night Bazaar.* Avec ces éléments, impossible de se perdre.

Comment y aller ?

Tous les chemins (ou presque) mènent à Chiang Mai !

En train

➢ 7 trains/j. depuis *Bangkok* (gare Hua Lamphong), via Phitsanulok. Idéal. 2 *Special Express* (env 12h de trajet) partent en début de soirée.

■ **Adresses utiles**

- ✈ Aéroport
- 🚂 Gare ferroviaire
- 🚌 Arcade Bus Station
- 🚌 Chang Puak Bus Station
- 🛈 TAT
- ✉ Postes
- 1 Immigration Office
- 2 Consulat de Chine
- 3 Ram Hospital
- 4 Maharaj Public Hospital
- 5 Suriwong Book Center
- 6 Prince Hotel (piscine)
- 7 Thai Airways International
- 8 North Wheels
- 9 Alliance française

🛏 **Où dormir ?**

- 10 C & C Teak House
- 11 Lamchang House
- 12 Julie Guesthouse
- 13 Lek House
- 14 Charcoa
- 15 Rendez-Vous Guesthouse
- 17 Pun Pun Guesthouse
- 18 Wiriya House
- 19 B.M.P. Resident
- 20 Little Home Guesthouse
- 21 Pathara House
- 22 Pha-Thai Guesthouse
- 23 Gap's House
- 24 Green Lodge
- 25 Sri Pat Guesthouse
- 26 Mountain View Guesthouse
- 27 Srisupan Guesthouse
- 28 Chiang Mai Travel Lodge
- 29 Siriya House
- 30 Smile House Hotel
- 31 Sira Hotel
- 32 Chiang Mai Gate Hotel
- 33 Micasa Guesthouse

- 34 Chiang Mai International Youth Hostel

🍴 **Où manger ?**

- 40 Petits restaurants de nuit de Somphet Market
- 41 Kalare Food Center (Night Bazaar)
- 42 Halal Food
- 43 Restaurant Tim Sum
- 44 Aroon Rai
- 45 Huen Phen
- 46 Home Made Bread & Thai Vegetarian Food
- 47 Franco-Thaï
- 48 Jerusalem Falafel
- 49 The House Restaurant
- 50 Antique House 1
- 51 Just Khao Soy
- 52 Houn Soontaree
- 53 Pum Pui
- 54 Whole Earth Restaurant
- 55 Le Grand Lanna

🍴 ☕ **Où boire un thé ? Où manger une pâtisserie ?**

- 58 Salon de thé Vieng Joom On Teahouse
- 59 Café de l'Amour

🍸 🎵 🎵 **Où boire un verre ? Où sortir ? Où écouter de la musique live ?**

- 60 The Riverside
- 61 West-Side
- 62 Brasserie
- 63 UN Irish Pub
- 64 Hot Shot et Bubble

CHIANG MAI ET SES ENVIRONS

CHIANG MAI ET SES ENVIRONS

Musée national de Chiang Mai

Wat Chet Yod

Super Highway

Road

Soi Sirithon

Soi Ling Kok

DOI SUTHEP ◄ Museum of World Insects & Natural Wonders

Soi Chedi

Chotan 2

Phattana Chang Phuak

Sri Mongkhol

Wat Ku-Tao

Chang Phuak 4 Road

Rattanakosin Road

Prachana Rattana Rd

Huay Kaeo Road

Hatsa Disew Road

Chang Puak Bus Station

Chang Phuak

Soi Jumpaius

Soi 3

Wat Chiang Yuen

Soi 1

Wat Pa Pao

47

Mani

Nopparat

Road

Wat Chai Sippon

Siphrum Road

26

31

43

14

46

3

Wat Pa Phrao Nai

Soi 4

Soi 2

Soi 3

Wiang Kaeo Road

Chaban

Phra

Pok

Wat Chiang Man

25

11

49

Wat Dab Phai

Harat Road

Soi 1

7

40

63

Wat Pha Pong

Centre des Arts et de la Culture de Chiang Mai

Ratchawithi

Ratchaphakinai

Road

Muang

Chai Ya

Phum Road

8

13

Soi 5

Inthawarorot

Road

Wat Dorg Eung

4

Suthep Road

Wat Phra Singh

Ratchadamnoen

15

Buruangrit

Atak

Suan Dok Gate

Soi 7

Soi 2

Ratchamankha

45

Thiban

Road

Khlai

Soi 8

23

33

44

20

S. 3

Samlan Road

Wat Chedi Luang

Road

Wat Chang Taem

48

Wat Meun Ngeon Kong

Soi 6

Wat Phrajao Mengrai

Soi 7

Soi 6

12

21

53

Wat Phan Waen

Soi 4

Kotchasara

Soi 2

22

Moon

Bumrung

Buri

Road

Rat Chiang Sean

Chang Lo Road

2

Soi 2

30

18

Rakaeng Rd

Wat Sri Suphan

27

Wat That Kam

32

Suntorng Road

Soi 3

Om Muang Road

Hai Ya Road

Thipanet Road

Wuola Road

Nantharam Road

19

Wat Hua Fai

Wat Nantharam

1 ◄ Old Medicine Hospital

A

B

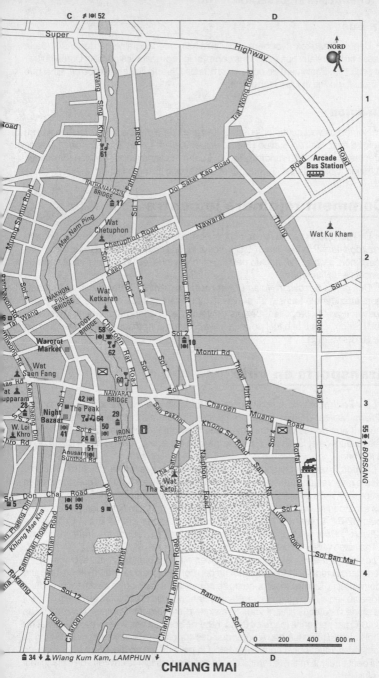

CHIANG MAI

En bus

➤ Depuis **Bangkok** (Northern Bus Terminal), une vingtaine de départs/j. (de la classe ordinaire aux bus VIP), sans compter les compagnies privées. Durée du trajet : env 10h. Également de nombreux bus de **Chiang Rai** et **Sukhothai,** ainsi que 4-5 bus/j. de **Pai** et **Mae Hong Son.**

En avion

➤ Nombreux vols quotidiens depuis **Bangkok** (une dizaine avec *Thai Airways,* au moins 6 avec *Nok Air,* 5 avec *Orient Thai Airlines* et 4 avec *Thai Air Asia*). Liaisons directes aussi depuis Francfort, Tokyo, Luang Prabang (Laos), Yangon (Birmanie), Kunming (Chine), Taipei, Singapour et Chittagong (Bangladesh).

Comment rejoindre le centre ?

➤ De l'**aéroport** *(à env 6 km du centre, hors plan par A4) :* le mieux est de prendre un *airport-taxi.* Prix fixe (env 100 Bts, soit 2 €), on achète le ticket dans le hall d'arrivée. Sinon, il y a les *tuk-tuk,* un peu moins chers que les taxis, mais il faut sortir de l'enceinte de l'aéroport.

➤ Des **gares ferroviaire** *(plan D3)* et **routière** *(plan D1) :* des dizaines de rabatteurs attendent le touriste à l'arrivée. Brandissant photos et cartes de visite des *guesthouses,* ils proposent parfois de vous y emmener gratuitement. À vous de voir ! Sinon, le tarif habituel pour un *tuk-tuk* ou un *songthaew* (voir ci-dessous) est de 60 Bts (1,20 €).

Transports en ville

– **Le vélo :** moyen de locomotion sympa car la ville est plate, mais savoir que Chiang Mai est de plus en plus engorgée, notamment au niveau des voies qui mènent aux portes de l'enceinte et des rues qui longent les canaux. On trouve des loueurs çà et là, en particulier le long du canal est. À partir de 30 Bts (0,60 €) la journée.

– **La moto :** une bonne solution, surtout si on veut rayonner dans les environs. Même réserve que ci-dessus pour la circulation en ville. Certaines *guesthouses* en proposent, mais autant s'adresser directement à l'un des nombreux loueurs installés sur Moon Muang Rd, Kotchasara Rd ou Chai Ya Phum Rd, le long du canal est *(plan B2-3).* À partir de 150 Bts (3 €) pour un scooter et 200 Bts (4 €) pour une 125 cm^3. Pour les conditions de location, voir la rubrique « Transports » de « Thaïlande utile » en début de guide.

– **Les songthaews :** les rouges circulent en ville ; les blancs, jaunes et bleus rayonnent dans la région. Ils fonctionnent un peu comme des bus, mais avec un itinéraire moins précis. Le mieux est donc de se poster dans l'axe de sa destination, de faire signe au véhicule pour qu'il s'arrête et d'annoncer sa destination au chauffeur ; s'il se dirige là où vous allez, il vous fera signe d'embarquer. Compter environ 20 Bts (0,40 €) par personne (parfois 10 Bts, regardez ce que vos voisins paient), soit 2 ou 3 fois moins qu'un *tuk-tuk*. À noter que ces *songthaews* peuvent parfois, quand ils sont vides, fonctionner comme un taxi. On peut même en louer un à la journée, ce qui peut être une manière sympa et pas chère de visiter les environs de Chiang Mai à plusieurs.

– *Les tuk-tuk :* ce sont les véhicules à trois roues, semblables aux *rickshaws* indiens. Ils fonctionnent comme des taxis et sont donc plus chers que les *songthaews,* du moins si l'on est seul. Pour obtenir un tarif raisonnable, retirer 30 à 50 % du prix annoncé.

– *Les samlors à pédales :* aussi appelés « pousse-pousse », on en voit encore quelques-uns.

Adresses et infos utiles

Infos touristiques et générales

🛈 *TAT* – ท.ท.ท. *(office de tourisme ; plan C3) :* 105/1 Chiang Mai Lamphun Rd, dans le district d'Amphoe Muang. ☎ 248-604 ou 607. Tlj 8h30-16h30. ● *tat chiangmai.org* ● *Un peu loin du centre, de l'autre côté de la rivière, juste en face de l'Iron Bridge.* Brochures sur la ville, liste des hôtels, horaires des bus, trains ou avions... Accueil souriant et en anglais. Existe un 2e office de tourisme *(plan B2).*

■ *Police touristique* – คำรวจท่องเที่ ยวถนนลำพูน *(plan C1) : au bord de la Mae Ping River, juste avt la Super Highway en venant du centre.* ☎ 247-318. N° d'urgence : ☎ 16-99.

– *Site internet en français :* ● *chiang mai-news.com* ● *Infos, petites annonces et forum en français.*

– *Distributeurs automatiques d'eau potable :* si ça vous intéresse, sachez qu'un certain nombre de distributeurs d'eau potable sont disséminés un peu partout dans la ville. Il suffit d'avoir sur vous une bouteille vide et une petite pièce, et vous repartez avec le précieux liquide ! Bien pratique en balade.

Poste, télécommunications

✉ *Poste principale* – ไปรษณีย์กลา ง *: Charoen Muang Rd (plan D3), non loin de la gare. Autres bureaux : Praisanee Rd (plan C3), Sam Lan Rd (plan A3) et à l'aéroport. Certains ouv les sam et dim mat.*

■ *Téléphone* – โทรศัพท์ *: Praisanee Rd. Face au bureau de poste (plan C3) précité. Tlj 8h30-20h.* Sinon, nombreux téléphones publics en ville. Pour l'international, on peut appeler des téléphones orange à côté des magasins 7/Ele- ven *(se munir alors d'une carte Lenso coûtant minimum 200 Bts – 4 €) ou, plus pratique, des centres Internet, qui proposent des tarifs à partir de 10-15 Bts/mn.* On peut également appeler en PCV *(collect calls)* moyennant une commission depuis certaines *guesthouses.*

📧 *Internet :* il y a des endroits où surfer absolument partout dans le centre, impossible de marcher longtemps sans en voir un ! *Généralement ouv tlj du mat jusqu'au soir. Env 30 Bts/h (0,60 €).*

Change

Là encore, on trouve des banques avec ATM et comptoir de change ouvert sur la rue partout dans le centre, en particulier le long de Loi Khro Rd et de Moon Muang Rd *(plan B2-3).* Certains de ces guichets, comme celui de la *Siam Commercial Bank* ou de la *Bank Ayudhya* (qui propose aussi un service *Western Union*), sont ouverts tous les jours jusqu'à 20h-20h30. Taux assez équivalents. On peut aussi y changer des *travellers,* moyennant une petite commission.

Représentations diplomatiques, immigration – สมาคมฝรั่งเศส

■ **Consulat honoraire** : au 1er étage de l'Alliance française (voir plus bas). ☎ 281-466. Lun-ven 10h-12h. Seulement en cas de gros pépin.

■ **Immigration Office** – สำนักงานตรวจคนเข้าเมือง (hors plan par A4, **1**) : 97 Sanambin Rd. ☎ 277-510. Lun-ven 8h30-16h30. À côté de l'aéroport. Permet de prolonger de 10 jours son séjour en Thaïlande. Se munir alors de 2 photos et de 1 900 Bts (38 €). Fait en 1h. Une autre solution, en réalité plus intéressante, est de faire l'aller-retour en une journée de Chiang Mai jusqu'à la frontière birmane, qu'on franchit juste pour obtenir un nouveau tampon thaïlandais. Même avec le transport (organisable par l'intermédiaire de nombreuses guesthouses ou agences de voyages), cela vous coûtera moins cher et vous pourrez rester un mois de plus dans le pays !

■ **Consulat de Chine** – สถานกงสุลจีน (plan A4, **2**) : 111 Chang Lo Rd. ☎ 282-417. Lun-ven 9h-11h30. Sur la rive extérieure sud des douves, dans un grand domaine aux murs blancs. Compter 4 jours ouvrables et 30 € pour obtenir un visa de tourisme d'un mois (qu'on peut toutefois facilement prolonger sur place, pour un séjour de 3 mois maximum).

Médecins et hôpitaux

■ **Loi Khro Clinic** – คลีนิคลอยเคราะห์ (plan C3) : 62/2 Loi Khro Rd. ☎ 271-571. Lun-ven 8h-13h, 16h30-20h30 ; sam 8h-13h ; dim 16h30-20h30. En face du Wat Loi Khro. Médecine sérieuse.

■ **Ram Hospital** – โรงพยาบาลราม (plan A2, **3**) : 8 Bunruangrit Rd. ☎ 224-861. Ultramoderne et bien équipé. Hôpital privé, donc cher.

■ **Maharaj Public Hospital** – โรงพยาบาลมหาราช (plan A3, **4**) : 110 Suthep Rd, à l'extérieur de Suan Dok Gate (la porte ouest). ☎ 221-122. Bien moins cher que les précédents, car public, mais beaucoup plus de monde, donc d'attente. Vaste complexe.

■ **Dentistes : Peerayoot Dental Clinic** – พีระยุทธิทันตแพทย์, 58/4 Hatsa Disewi Rd (plan A2). ☎ 212-653. Tlj sf dim 9h-20h, sur rdv. Excellent dentiste, mais assez cher. Autres bonnes adresses : **Chiang Mai Dental Hospital** sur la Super Highway (plan A1). ☎ 411-150. Dentistes parlant l'anglais. Ou encore **Rajavej Chiang Mai Hospital**, 316/1 Chiang Mai-Lamphun Rd. ☎ 801-999.

■ **Pharmacies** – ร้านขายยา : nombreuses dans le vieux quartier, en particulier sur Moon Muang (plan B2-3). La plupart sont ouvertes jusqu'à 20h ou 21h.

Loisirs

■ **Suriwong Book Center** – ร้านหนังสือสุริวงษ์ (plan C4, **5**) : 54/1 Sri Don Chai Rd. Lun-sam 9h-19h ; dim 9h-12h30. On y trouve à l'étage la plus grande librairie de Chiang Mai. Quelques quotidiens français. Plans et bonnes cartes également, dont l'excellente et rigolote carte de Chiang Mai faite par Nancy Chandler.

■ **D.K. Book House** – ร้านขายหนังสือ ดี.เค.ดวงกมล : 79/1 Kotchasara Rd. Tlj 8h30-20h. Même genre que Suriwong, mais pas grand-chose en français.

■ **Gecko Books** – เกกโก บุ๊ค (plan B3) : 2/6 Chiang Moi Kao Rd. Tlj 8h-21h. Dans une allée sur la gauche, au début de Tha Phae Rd. Une caverne d'Ali Baba pour les bouquins d'occase. Un peu de neuf aussi. Énorme choix en anglais, bien sûr, plus un rayon français que le patron essaie de renforcer. Donnez-lui un coup de main en lui rendant visite. Achat, vente, échange. Plusieurs succursales, mais allez à celle-ci pour les bouquins en français.

■ *Presse internationale :* chez certains marchands de journaux le long du canal, comme par exemple celui qui se trouve un peu après Ratchamanka Road en venant de Ratchadamnoen Road. On y trouve *Le Monde* (de l'avant-veille) ou *Libération.*

– Plusieurs journaux gratuits *(Welcome to Chiang Mai, Good Morning Chiang Mai, Chiang Mai Guidelines...),* que vous trouverez dans les hôtels et les restos, se partagent le gâteau des annonceurs publicitaires de Chiang Mai. Pas très informatif en vérité, même si l'on peut piocher ici et là un tuyau, un plan de ville ou des horaires de bus...

■ *Piscines* – สระว่ายน้ำ *: notre préférée est celle du* **Prince Hotel,** *3 Tai Wang Rd (plan C2,* **6**). ☎ 252-025. Ouv 10h-20h. Prévoir 80 Bts (1,60 €) pour y accéder. Une autre, au* **Sara Health Club,** *109 Bumrung Rat Rd (plan C-D2), en face du consulat britannique. Belle piscine olympique avec transats, chaises et parasols. Entrée payante mais pas chère.*

■ *Photo-Bug : 42-46 Chaif Ya Phum Rd, juste avt Chang Moi Rd. Appareils photo, accessoires et, surtout, tous travaux, classique ou numérique, scans, tirage depuis CD, etc. Qualité pro et prix très compétitifs. D'autres boutiques de la même enseigne dans le reste de la ville.*

Compagnies aériennes

■ *Thai Airways International* – สายการบินไทย *(plan B2,* **7**) *: 240 Phra Pok Khlao Rd.* ☎ 920-920. Pour les vols internationaux : 60 Moo 3, Airport Rd.* ☎ 270-222.

■ *Bangkok Airways* – สายการบินบางกอกแอร์เวย์ *: à l'aéroport.* ☎ 281-519.

■ *Nok Air (compagnie à bas prix)* – สายการบินนกแอร์ *: à l'aéroport.* ☎ 922-183.

■ *Thai Air Asia (compagnie à bas prix)* – สายการบินไทยแอร์เอเชีย *:* ☎ 02-515-99-99.

Agence de voyages

■ *Trans World Travel Co* – ทรานซ์เวิร์ลทราเวล *: 259-261 Tha Phae Rd.* ☎ 272-415. Tlj sf dim et j. fériés 8h-17h. Agence de voyages réputée.

Location de véhicules pour rayonner dans la province

■ *North Wheels (plan B2,* **8**) *: 70 Chai Ya Phum Rd.* ☎ 874-478. ● *northwheels. com* ● *Offre les mêmes services que les grandes enseignes à des tarifs intéressants : à partir de 1 100 Bts/j. (22 €) pour une petite Toyota ; prix dégressifs. Depuis une quinzaine d'années, c'est le grand spécialiste de la location de voitures sur le Nord.*

■ *Dang Bike Hire* – แดงไบ้ท์ ไฮร์ *(plan B3) : 23 Kotchasara Rd, face à Tha Phae Gate.* ☎ 271-524. Compter 600 Bts/j. (12 €). Loueur de motos 200 ou 250 cm³ de marque Honda, confor-

tables sur la route et assez agiles sur les pistes. Ici, elles sont toutes assurées automatiquement au tiers (macarons sur le réservoir) et, en plus, on peut racheter la moitié de la franchise. Loue aussi des VTT.*

■ *C & P Service* – ซีแอนด์พี เชอร์วิช *: 51 Kotchasara Rd, près du resto Aroon Rai (plan B3,* **44**). ☎ 273-161. Moto 250 cm³ env 700 Bts/j. (14 €).*

■ *NP Carrent* – เอ็นพี คาร์เร้นท์ *(plan B3) : 3 Ratchamanka Rd.* ☎ 903-914. Scooter 200 Bts/j. (4 €) et voiture à partir de 100 Bts/j. (20 €).*

Francophonie

■ *Alliance française* – สมาคมฝรั่งเศส *(plan C4, 9) : 138 Charoen Prathet Rd.* ☎ *275-277.* ● *alliance-française.or.th* ● *Lun-ven 9h30-12h, 14h-18h30 ; sam 9h-12h. Des activités qui s'adressent à* ceux qui habitent Chiang Mai (cours, bibliothèque). Quand on est de passage, on peut en revanche passer lire les derniers journaux et magazines français.

Où dormir ?

Plus de 300 *guesthouses* à Chiang Mai, donc large choix !
On signale que certains propriétaires feront grise mine si vous ne prenez pas le trek que tous ou presque proposent. Certaines agences de voyages de Bangkok vont même jusqu'à offrir une nuit gratuite à Chiang Mai, là encore, pour vous inciter à prendre le trek de l'hôtel. D'ailleurs parfois, si vous refusez le trek, l'hôtel en question est subitement complet !
Attention aussi à la gare des bus ou des trains, les *tuk-tuk* ou taxis racontent parfois que la *guesthouse* de votre choix a déménagé ou brûlé dans le but de vous conduire là où leur commission est la plus forte. À vous de ne pas vous faire mener par le bout du nez !

De bon marché à prix moyens (de 130 à 350 Bts – 2,60 à 7 €)

■ |●| *C & C Teak House* – ซี.แอนด์ซีที คเฮ้าส์ *(plan D3, 10) : 39 Bamrung Rat Rd.* ☎ *246-966. De la gare, en arrivant sur Chroen Muand Rd, prendre à droite au 3e feu ; c'est à 200 m, sur la gauche.* La recette de cette bonne escale : un couple franco-thaï, Simon et Rung, une maison en teck rustique et superbe, au calme malgré la rue animée, une ambiance conviviale, une cuisine simple mais soignée... et des prix très serrés ! Une vingtaine de chambres au total, tout en bois, décorées de manières différentes, avec moustiquaire et ventilo (sauf les 2 triples, climatisées). Salles de bains communes avec eau chaude. Pour les amateurs d'insolite, il y a même une chambre chinoise et une chambre japonaise, au rez-de-chaussée. Plats mixtes franco-thaïs au resto. Les proprios proposent aussi des treks pédestres ou à moto (assurez-vous que votre guide parle l'anglais), d'un à plusieurs jours. On vous le dit, un excellent rapport qualité-prix !

■ *Lamchang House* – ลำช้างเฮาส์ *(plan B2, 11) : 24 Moon Muang Rd, Soi 7.* ☎ *210-586. Pas de résa possible.* Dans une rue calme et pourtant centrale, une charmante petite adresse, simple, impeccablement tenue par une famille thaïlandaise. Belle maison en teck où tout semble d'origine, avec un petit jardin calme à l'avant. Bambou tressé, confort très simple, mais douche chaude et toilettes à l'extérieur très propres. On y organise aussi des treks.

■ *Julie Guesthouse* – จูไรย์เกสท์เฮ้าส์ *(plan B3, 12) : 7/1 Phra Pok Klao Rd, Soi 5.* ☎ *274-355.* ● *julieguesthouse. com* ● *Par une petite allée dans le coin sud-est de l'île. Résa conseillée. Dortoir 70 Bts (1,40 €) ; différents types de chambres de 100 Bts (2 €) avec matelas par terre à 350 Bts (7 €) pour 2, mais ttes d'un bon rapport qualité-prix !* Eau chaude dans presque toutes les douches. Blindé de jeunes routards. Jardin tranquille à l'arrière garni de transats, personnel cool, atmosphère relax... Fait aussi agence de voyages. Resto au rez-de-chaussée, billard. Location de motos. Chacun note tout ce qu'il consomme (que ce soit une bière ou un trek) et paie à la fin de son séjour.

🛏 🍽 **Lek House** – เล็กเฮ้าส์ *(plan B3, 13)* : *22 Chai Ya Phum Rd.* ☎ 252-686. *Pas loin de Tha Phae Gate, au niveau de Chang Mai Rd. Doubles 200-400 Bts*

(4-8 €) avec ventilo ou AC. Construction en teck et béton. Chambres sobres et petites, mais toutes équipées de salle de bains (avec eau chaude) et TV. Attention, on sent les ressorts des matelas ! Terrasse à l'avant, avec vue sur le *wat* voisin. Atmosphère calme et bon accueil (en anglais). Plats végétariens.

Prix moyens (de 200 à 500 Bts – 4 à 10 €)

🛏 **Rendez-Vous Guesthouse** – รองเดวูเกสท์เฮ้าส์ *(plan B3, 15)* : *3/1 Ratchadamneon Rd, Soi 5.* ☎ 213-763. ● *rendezvouschiangmai@hotmail. com* ● Bien situé, dans un *soi* calme du vieux quartier. Accueil charmant. Demandez les chambres refaites, à peine plus chères que les autres mais carrelées et bien nettes, bref, agréables, avec TV et frigo. Certaines ont même une terrasse. En prime, un bar sympa au rez-de-chaussée, garni de banquettes un peu à l'occidentale et orné d'une grande photo de la place de l'Étoile.

🛏 **Pun Pun Guesthouse** – ปันปันเกสท์เฮ้าส์ *(plan C2, 17)* : *321 Charoen Hat Rd.* ☎ 243-362. ● *armms.com* ● *Non loin de* Hollanda Montri House. En bordure de rivière, des chambres simples dans de petites maisons en bois sur pilotis. Sanitaires communs pour les moins chères. Ventilo uniquement. Bon choix si vous êtes motorisé, car plus aéré que les adresses du centre. Accueil souriant du proprio américain.

🛏 **Wiriya House** – วิริยะเฮ้าส์ *(plan B4, 18)* : *10/4 Rat Chiang Sean Rd, Soi 1.* ☎ 272-340. ● *wiriyah@loxinfo.co.th* ● S'engager 200 m à gauche juste après la station-service depuis Rat Chiang Sean, puis prendre la 1ʳᵉ à droite. Quartier très calme. Un bâtiment moderne de 4 étages, avec réception et resto au rez-de-chaussée. Chambres de belle taille, plutôt bien finies, équipées de TV, minibar et AC pour les plus chères. Déco un peu vieillotte mais chambres très bien tenues. Et, cerise sur le gâteau, petite

piscine, attenante à une terrasse très mignonne. Sur sa chaise longue, on est bien séparé de la route par la végétation. Bon accueil.

🛏 **B.M.P. Resident** – บีเอ็มพีเรสิเด้นท์ *(plan B4, 19)* : *45/1 Rat Chiang Sean Rd, Soi 2.* ☎ 282-261. ● *bmpresident. com* ● *Internet.* Une cinquantaine de chambres convenables sans ou avec AC, dans un petit complexe muni d'un resto en terrasse couverte et d'une grande piscine *(accessible aux non-résidents pour 50 Bts – 1 €).* Certaines chambres parmi les moins chères n'ont pas de véritable fenêtre. On y chante des *folk songs* tous les soirs ! Location de motos et organisation de treks un peu en dehors des sentiers battus. Une adresse de routards.

🛏 **Little Home Guesthouse** – ลิตเติลโฮมเกสเฮ้าส์ *(plan B3, 20)* : *1/1 Kotchasara Rd, Soi 3.* ☎ 206-939. Maisonnette sympa précédée d'un jardin fleuri et tenue par un couple hollando-thaïlandais. 9 chambres seulement, simples et propres, avec salle de bains et eau chaude. AC en supplément. Pas de possibilité de prendre un petit déj.

🛏 **Pathara House** – ภัทราเฮ้าส์ *(plan B3, 21)* : *24 Moon Muang Rd, Soi 2.* ☎ 206-542. ● *P_atharahouse@hotmail. com* ● Dans le vieux quartier, une vingtaine de chambres carrelées avec salle de bains (eau chaude), ventilo ou l'AC en supplément (mais cela devient alors un peu cher). En voir plusieurs, car certaines sont claires et d'autres très sombres. Accueil correct.

De prix moyens à un peu plus chic (de 400 à 1 000 Bts – 8 à 20 €)

🛏 *Pha-Thai Guesthouse* – ฟ้าไทยเกสท์เฮ้าส์ *(plan B3, 22) :* 48/1 Ratphakhinai Rd. ☎ 278-013. 📱 081-998-69-33. ● *phathaihouse.com* ● *Wifi.* Maison impeccablement tenue par un couple thaï adorable, toujours prêt à rendre service. Une trentaine de chambres très agréables, dès les premiers prix (350 Bts soit 7 €), avec carrelage luisant ou parquet, joli mobilier en bois, un petit balcon pour certaines ; un effort de déco dans chaque chambre. Quelques chambres familiales. Petit jardin pour le petit déj. De plus, Pol parle très bien le français. Propose également des petites virées dans la région. Excellente adresse.

🛏 *Sri Pat Guesthouse* – ศรีพัฒน์เกสท์เฮ้าส์ *(plan B2, 25) :* 16 Soi 7 Moon Muang Rd. ☎ 218-716. ● *sri-patgues thouse.com* ● *Dans une rue à la fois calme et centrale, tt près de la* Lamchang House. Un petit bâtiment impec de 3 étages, avec façade en brique – faisant saillie – au rez-de-chaussée. L'un des plus chers de cette catégorie, mais vous y trouverez des chambres impeccables, au carrelage étincelant, avec salle de bains nickel, bonne literie et balcon privé ! De plus, bel espace pour le petit déj, accueil sympathique... On appelle ça une bonne adresse !

🛏 |◑| *Gap's House* – แก๊ปส์เฮ้าส์ *(plan B3, 23) :* 3 Ratchadamneon Rd, Soi 4. ☎ 278-140. ● *thaiculinaryart@yahoo. com* ● *Ne prend pas de résa. Le prix des chambres (qui inclut le petit déj) varie selon taille.* Un ensemble de petits bungalows environnés de végétation au beau milieu de la ville. Les chambres, tout en bois, avec du mobilier ancien, ne manquent pas de cachet, même si certaines sont un peu sombres. Atmosphère plutôt vivante et animée, pas trop conseillé pour une retraite paisible. Cours de cuisine (en dehors de la ville). Leurs dîners-buffets végétariens sont remarquables et ouverts aux non-

résidents. Accueil un peu nonchalant mais gentil.

🛏 *Micasa Guesthouse* – มิกาซ่าเกสท์เฮ้าส์ *(plan B3, 33) :* 2/2 Soi 4, Tha Phae Rd, Changklan A Muang. ☎ 209-127. ● *siammicasa.com* ● *Wifi.* Une quinzaine de chambres, petites pour la plupart, toutes dotées de TV câblée et frigo, aménagées dans une ancienne habitation. Au rez-de-chaussée, un salon-réception coloré et bien arrangé, avec accès Internet. Au 1er étage, 3 des chambres ont une fenêtre qui donne... sur le couloir ; celles-là sont un peu chères du coup (à partir de 450 Bts – 9 € – avec salle de douche partagée). Au 2e étage, une seule chambre ; un nid douillet, avec une grande terrasse et une baignoire à l'ancienne (compter 1 200 Bts soit 24 €) ; super ! Un chouia cher dans l'ensemble, mais on paie le charme d'un lieu bien arrangé et personnalisé.

🛏 *Siriya House* – ศิริยะ เฮ้าส์ *(plan C3, 29) :* 15 Lane 2 Charoen Prathet Rd. ☎ 821-121 et 📱 081-808-73-07. Compter 600 Bts (12 €) pour 2, petit déj inclus. Une maison familiale qui abrite 4 chambres climatisées, chacune – en principe – avec sa salle de bains. Au rez-de-chaussée, une petite épicerie de dépannage pour les habitants du quartier. Une adresse toute simple et sympathique, chez l'habitant. Et n'hésitez pas à appeler sur le portable ; vous tomberez sur Sirilux, qui parle couramment le français.

🛏 *Green Lodge* – กรีนลอดจ์ *(plan C3, 24) :* 60 Charoen Prathet Rd. ☎ 279-188. À deux pas du *Night Bazaar,* 24 chambres sur 5 niveaux dans un petit immeuble blanc. Elles sont bien nettes, avec moquette rouge, TV, bons lits et petite salle de bains. Ni trek ni petit déj, ici, on vient pour dormir et basta !

🛏 *Mountain View Guesthouse* – เมาเท็นวิวเกสท์เฮ้าส์ *(plan B2, 26) :* 105 Siphrum Rd. ☎ 212-866. ● *moun* tainview-guesthouse.com ● *Au niveau de Chang Puak Gate, à l'intérieur de l'enceinte. À partir de 300 Bts (6 €), ttes avec eau chaude ; réduc de 20 % en basse saison.* On vous conseille plutôt les chambres à 800 Bts (16 €), de style thaï, au fond du jardin, plus calmes, agréables et confortables. Derrière une grande maison, dans une grande cour-jardin. On voit le Doi Suthep depuis le toit-terrasse, d'où le nom. Bon accueil. Resto, salon TV.

⌂ Chiang Mai International Youth Hostel – บ้านเยาวชนนานาชาติเชียงใหม่ *(hors plan par C4, 34) : 54 Papraw Rd.* ☎ *276-737.* ● *chiangmaiyha.org* ● *À 2-3 km au sud, par une rue sur la droite de Chang Khlan Rd, en venant du centre. Internet gratuit et wifi. Prix adhérent pour les routards qui réservent sur Internet.* Un ensemble très bien tenu et reposant mais excentré. 8 chambres dans un bâtiment coloré, confortables pour des chambres d'AJ (salle de bains avec eau chaude nickel, AC possible, TV câblée et moustiquaire). Location de motos, laverie,

réservation de billets de transport et organisation de treks, dont l'itinéraire change régulièrement pour éviter de croiser d'autres touristes. Peut aussi venir vous chercher gratuitement à la gare des bus ou des trains.

⌂ Srisupan Guesthouse – ศรีสุพรรณเกสท์เฮ้าส์ *(plan B4, 27) : 92 Wuolai Rd, Soi 2.* ☎ *270-087.* ● *srisupan@yahoo.com* ● *Au sud du centre. Wifi.* Vaste et belle maison privée, habitée par une famille accueillante. Une trentaine de chambres avec balcon, TV, à prix certes un peu élevés, mais dans un quartier bien calme. Transport gratuit depuis la gare.

⌂ Chiang Mai Travel Lodge – เชียงใหม่แทรเวลลอดจ์ *(plan C3, 28) : 18 Kam Phaeng Din Rd.* ☎ *272-448. Internet gratuit.* Immeuble blanc de 3 étages, correct, abritant une quarantaine de chambres impersonnelles mais encore convenables. Situation très centrale (attention peut-être au bruit pour les chambres côté rue). Petit resto simple et tranquille. Accueil sympa.

Plus chic (de 1 000 à 2 000 Bts – 20 à 40 €)

Dans cette catégorie, le petit déj est inclus dans le prix de la chambre.

⌂ Smile House Hotel – โรงแรมสไมล์เฮ้าส์ *(plan B4, 30) : 3/5 Suriyawong.* ☎ *206-210.* ● *smilehousehotel.com* ● *Juste au sud du vieux quartier. Double 1 200 Bts (24 €) en saison.* Une maison bien riante que cette *Smile House* : à l'intérieur d'une petite enceinte aux murs orange avec jardin – bien éclairé la nuit –, fontaine et volière, à l'écart de l'agitation, une quinzaine de chambres coquettes, avec TV internationale, jolie petite salle de bains et literie de qualité. Terrasse couverte à l'étage. Rien à redire pour le prix ! Les couche-tôt éviteront la n° 5, la plus proche du petit bar. Accueil sympathique.

⌂ Charcoa – ชาร์โคล *(plan B2, 14) : Sripoom Rd, Soi 1.* ☎ *212-681.* ● *charcoahouse@gmail.com* ● *Charcoa.com* ● *Doubles 1 000-1 900 Bts (20-38 €) ;*

également une chambre familiale. Wifi. Une petite structure de 12 chambres au calme, claires et sobrement décorées, dotées du confort espéré (AC, TV écran plat, frigo). L'ensemble est chaleureux et arrangé avec soin. également un resto et une boulangerie attenante. Une bonne escale.

⌂ Chiang Mai Gate Hotel – โรงแรมเชียงใหม่เกท *(plan B4, 32) : 11/10 Suriyawong Rd.* ☎ *203-899.* ● *chiangmaigatehotel.com* ● *Au sud de la vieille ville, un peu après le* Smile House Hotel. Hôtel moderne de bon standing dans un quartier calme, qui pratique des tarifs encore raisonnables. Les chambres *deluxe* sont d'un très bon rapport qualité-prix. Si votre budget est plus serré, préférez, pour le même prix, celles du *Smile House Hotel* (mais alors vous « perdez » la piscine, c'est vrai...). Certaines ont un balcon avec vue sur le *chedî* voisin. Piscine agréable. Coffres-forts à la réception.

🛏 *Sira Hotel* – โรงแรมศิระ บูทิค โฮเต็ล *(plan B2, 31)* : 85/5 Sriphoom Rd. ☎ 287-555. ● *sirahotel.com* ● *Sur le bd nord du vieux quartier. Internet.* Une vraie petite bulle de charme ! D'abord le lobby, superbe, puis les couloirs, sur-prenants, dans les tons jaune et orange, et enfin, les chambres, magni-fiques, dans le plus pur style thaï, avec salle de bains jonchée de fleurs fraî-ches, et 2 avec baignoire Jacuzzi... Petit bar et salles de massage. L'ensemble est parfumé et l'atmos-phère pleine de notes de musique douce. Pas de jardin. à ce prix, il man-que quand même une petite piscine...

Où manger ?

Routards gourmands, à vos fourchettes ! Les restos de Chiang Mai sauront titiller vos papilles délicates. La cuisine locale, délicieuse et raffinée, emprunte aux voi-sins birmans et chinois nombre de saveurs inconnues dans le Sud. Sans oublier le côté cosmopolite de la ville, qui permet de faire un tour des cuisines du monde sans se ruiner.

Bon marché (moins de 100 Bts – 2 €)

|●| *Petits restaurants de nuit de Som-phet Market* – ร้านอาหารเล็กๆ ในตอนกลางคืนตลาดสมเพชร *(plan B2, 40)* : *sur Moon Muang Rd, 500 m au nord de Tha Phae Gate. Ouv slt le soir jusque tard dans la nuit.* Cuisine popu-laire thaïe et chinoise, appétissante et bon marché, servie en plein air. Anima-tion sympathique. Sinon, un marché de nuit similaire, encore plus couleur locale (pas de pancartes ni de menus en anglais), se tient au niveau de *Chang Puak Gate (plan B2).*

|●| *Kalare Food Center (Night Bazaar)* – กาแลฟู้ดเซ็นเตอร์หน้าไนท์บาซ่าร์ *(plan C3, 41)* : *Chang Khlan Rd. Tlj 11h-23h30.* C'est la partie resto du *Night Bazaar.* Sans plus.

|●| *Halal Food* – ร้านอาหารมุสลิม *(plan C3, 42)* : *Charoen Prathet Rd, Soi 1. Sur Tha Phae Rd, prendre Charoen Pra-thet Rd, puis la petite rue à droite, où se trouve la mosquée ; c'est sur le trottoir de droite. Tlj 7h-22h.* En plein dans le quartier de ces musulmans venus du Yunnan, dont on dit qu'ils importèrent le *khao soi* (nouilles à la viande), ici parti-culièrement recommandé et bon mar-ché. D'autres préparations mijotent dans de grosses casseroles ou repo-sent derrière un comptoir vitré et on n'y parle pas l'anglais, alors pointez-les du doigt !

|●| *Restaurant Tim Sum* – ร้านอาหา รติ๋ม ซัม *(plan B2, 43)* : *immeuble vieillot de 3 étages au coin de Ratphakhinai et Siphrum (côté nord de l'île).* ☎ 610-249. Nom uniquement en thaï, repérer l'inscription « Tim Sum » sur le stand donnant sur la rue. Profitant de Chiang Mai pour faire un tour du monde culi-naire à petit prix, il ne faudrait pas oublier ce sino-thaï squattant typique-ment un rez-de-chaussée ouvert sur la rue. Drôles de tables carrelées et bancs d'écoliers verdâtres. Des photos du pays du début du XXe s viennent se fon-dre sur plus d'une couche de peinture passée. Ici, grand-mères et jeunes cou-ples sino-thaïs célèbrent quotidienne-ment la bouffe cantonaise populaire en dégustant des *congees* (plat sucré ou salé à partir de porridge de riz) et, bien sûr, des *dim sum.* D'autres préféreront l'un des très nombreux plats de nouilles ou différentes spécialités de la région, la carte en anglais est très éloquente à ce sujet ! On y mange à toute heure (y

compris de la nuit), comme à celle du thé. Accueil encore timide, même si l'on commence à s'habituer à la présence des longs-nez.

Prix moyens (de 100 à 200 Bts – 2 à 4 €)

|●| *Aroon Rai* – ร้านอาหารอรุณไร *(plan B3, 44)* : 45 Kotchasara Rd. ☎ 276-497. À env 100 m de Tha Phae Gate en allant dans le sens des voitures. Tlj 10h-21h30. Une institution à Chiang Mai. Resto populaire, propre et simple servant une bonne cuisine du nord de la Thaïlande à prix modérés. Large choix dont de nombreux currys tel le *kaeng kari kay* au poulet, légèrement relevé. Il y a aussi des grenouilles à la sauce tomate et même des vers et des criquets ! Dommage que le sourire manque à l'appel.

|●| *Home Made Bread & Thai Vegetarian Food* – บูลไคมอนด์ *(plan B2, 46)* : 35/1 Moon Muang Rd, Soi 9. ☎ 217-120. Lun-sam 7h-20h30. Une escale idéale pour le petit déj, mais très bien aussi pour un déjeuner ou dîner. Pour bien commencer la journée, on trouve, entre autres, des yaourts (vache ou soja) maison, du porridge à la noix de coco et à la banane par exemple, des toasts au pain maison, des infusions assez originales, au gingembre, citronnelle, hibiscus... des jus de fruits frais bien sûr, dont des mélanges qui changent un peu. À la carte, des soupes, salades, plats thaïs ; et une carte où l'avocat est roi. Pratique : tous les plats sont en photo. Également un coin boutique avec huiles de massage, fruits secs, infusions, etc. En dessert, crumble, brownie... Quelques tables dehors. Dommage que l'accueil soit inexistant.

|●| *Huen Phen* – ร้านอาหารเฮือนเพ็ญ *(plan B3, 45)* : 112 Ratchamankha Rd. ☎ 814-548 pour le midi, ☎ 053-277-103 pour le dîner. Au centre de la vieille ville. Tlj 8h30-15h, 17h-22h. Résa conseillée pour le dîner en hte saison. Lieu idéal pour goûter aux spécialités de la région, aussi délicieuses qu'abordables. À midi, on mange comme à la cantine. Le soir, on s'installe dans une agréable salle pleine d'un bric-à-brac glané çà et là, ou sous un joli petit palanquin (à condition d'aimer manger en tailleur). Bon *khao soi* (bien sûr !) et *kaeng hua plii* (curry de fleurs de banane et d'herbes).

|●| *Franco-Thaï* – สมาคมไทยฝรั่งเศส *(plan A2, 47)* : 252/3 Mani Noppharat Rd, Soi 3. ▯ 089-855-66-97. Juste au nord du vieux quartier, derrière Icon Plaza. Fermé lun. Grande terrasse ombragée tenue par Ann et Cyril, un couple franco-thaï. Jeu de fléchettes. Ici, après avoir bu un petit pastis par exemple, vous ne mangerez que de la cuisine française, copieuse et goûteuse, à prix serrés ! Filet de bœuf sauce au bleu, mais aussi raclette, fondue savoyarde, choucroute, escargots et même des plats à base de canard (y compris du foie gras...). De quoi faire un break sympa dans le parcours culinaire thaï !

|●| *Jerusalem Falafel* – เยรูซาเร็มฟ ำลาเฟ *(plan B3, 48)* : 35/3 Moon Muang Rd. ☎ 270-208. Tlj sf ven 9h-23h. Ambassadeur d'une bonne cuisine arabe, bien servie et pas chère, depuis déjà une quinzaine d'années. *Pita, homous, falafel,* belles salades, *chawarma,* assortiment de *mezze* à se partager. Fromage maison. Salle à l'intérieur, de taille parfaite. Chaleureux sans qu'on soit les uns sur les autres. Deux petites tables sur la rue aussi. Super choix de petits déj.

Un peu plus chic (plus de 200 Bts – 4 €)

|●| *Antique House 1* – บ้านโบราณ *(plan C3, 50)* : 71 Charoen Prathet Rd. ☎ 276-810. Tlj 16h-minuit. Belle demeure construite en 1870, en teck,

CHIANG MAI ET SES ENVIRONS

par un riche homme d'affaires birman. Délicieuse et légère cuisine traditionnelle, musique du pays chaque soir (jouée pour de vrai par d'authentiques musiciens). Essayez donc le *pla rai kang,* poisson farci frit, pas mauvais du tout, ou le *kra tu korea*... Pour conclure, commandez donc l'assortiment de desserts... À l'intérieur, de petites salles non-fumeurs où teck lustré, mobilier ancien, tables basses et coussins créent une ambiance raffinée. Dehors, la terrasse est bien agréable, fleurie et assez profonde pour trouver où s'asseoir à l'écart de la rue. Également un long balcon à l'étage. Service dans le ton, délicat, un brin indolent.

I●I *Just Khao Soy* – จัสท์ข้าวซอย *(plan C3, 51)* : 108/2 Charoen Prathet Rd. ☎ 818-641. Tlj 11h-23h. Tt près d'Antique House 1. Pour les amateurs de *khao soy* (soupe aux nouilles typique du Nord de la Thaïlande) car, ici, on ne sert rien d'autre (voir le nom du resto) ! On vous l'apportera sur un plateau figurant une palette de peintre (la cuisine étant, comme chacun sait, un art), avec divers condiments tout autour, pour que vous l'accommodiez selon votre goût. Un peu cher, pour ne rien vous cacher, mais c'est bon, copieux et les produits utilisés (bœuf, poulet ou poisson) sont de bonne qualité ; et, bonne idée, tout est expliqué (épicé/pas épicé, les différents types de nouilles...). De plus, le cadre est très agréable ; expos temporaires (peintures, céramiques...).

I●I *Houn Soontaree* – ร้านอาหารเฮือนสุนทรีย์ *(hors plan par C1, 52)* : 208 T. Patan Rd. ☎ 872-707. Dans le prolongement de Wang Sing Khan Rd, à env 2 km au nord de la Super Highway. Tlj

16h-minuit. Si vous cherchez un endroit qui sort un peu des sentiers battus, alors n'hésitez pas à faire la route ! Superbe décor d'abord : un vaste espace ouvert, sur 2 niveaux, arrangé dans le plus pur style Lanna et prolongé par un jardin exquis en bord de rivière. Puis, il y a Mme Soontaree, ex-chanteuse de variétés à succès, qui tous les soirs continue à chanter pour le plus grand plaisir des convives des chansons traditionnelles. Enfin, il y a le menu, plein de mets originaux et bien travaillés, comme le *crab cake,* le pot-au-feu de *serpent-head fish* ou encore le *laab kua* (porc aux herbes). Essayez aussi l'assortiment de hors-d'œuvre « Lanna style », pour bien prendre la mesure de la cuisine. Parfois complet en fin de semaine, évidemment.

I●I *Pum Pui* – ร้านอาหารปุ้มปุ้ย *(plan B3, 53)* : 24/1 Moon Muang Soi 2. ☎ 278-209. Au cœur du vieux quartier. Bons plats, à partir de 100 Bts (2 €). L'italien de service. Grande maison en bois précédée d'une terrasse romantique (nappes à carreaux blancs et rouges et bougies sur les tables). Ça fait un bail que Franco gère sa petite affaire, pépère. On peut choisir dans une liste son type de pâtes, puis sa sauce. Pizzas, bien sûr, et viandes. Vin au verre et bonnes bouteilles de la péninsule.

I●I *Whole Earth Restaurant* – ร้านอาหารโฮลเอิร์ท *(plan C4, 54)* : Sri Don Chai Rd. ☎ 282-463. À côté de l'hôtel Chiang Mai Plaza. *Résa très conseillée.* Fort joli cadre de maison traditionnelle environnée de verdure, pour une cuisine végétarienne raffinée. Également des plats thaïs et indiens non végétariens. Un peu cher tout de même.

Plus chic (plus de 300 Bts – 6 €)

I●I *Le Grand Lanna* – ร้านอาหารเลอแกรนด์ลานนา *(hors plan par D3, 55)* : 51/4 Chiang Mai-Sankampaeng Rd, Moo 1. ☎ 888-566. Un peu à l'est de la ville (1 km après la Super Highway ; c'est fléché). Tlj 11h30-14h30, 18h30-22h30.

C'est l'un des restos du *Mandarin Oriental* (l'un des hôtels les plus chic de Chiang Mai). Beau resto donc, très beau même, installé en hauteur à côté d'anciens greniers à riz et entouré d'arbres et de végétation exotique. La cuisine, thaïe du Nord et occidentale, est à l'avenant. Service très classe, assuré par des serveurs en habit traditionnel. Et, bien sûr, prix assez élevés, bien qu'on s'en sorte à meilleur compte que dans un resto ordinaire de chez nous.

|●| *The House Restaurant* – ร้านอาหารเดอะเฮ้าส์ *(plan B2, 49)* : 199 Moon Muang Rd. ☎ 419-011. Tlj 18h-22h30. Plats 90-500 Bts *(1,80-10 €).* Excellente adresse ! Joyeux et exquis mariage de cuisines asiatique et européenne. Inutile de citer les plats ; la carte, comme souvent dans ce genre de restos, est courte et change régulièrement. Pas mal de tapas. Du salé, du sucré, du moelleux, du croquant, du fondant, à déguster sur fond de musique jazz, dans un décor original, aux couleurs chatoyantes à mi-chemin entre Laura Ashley et Designers Guild. Le soir, on peut, au choix, opter pour le resto-salon de thé ou pour le resto *(ouv slt le soir).* La carte est la même mais le cadre très différent. On a une préférence pour le premier, vraiment surprenant. Bon choix de vins également.

Kantoke dinner

Traditionnellement, le *kantoke* est un plateau en bois (de teck dans le Nord, de bambou et rotin dans le Sud et l'Est) où l'on dispose une série de spécialités de la région : curry thaï, plats épicés, charcuterie de Chiang Mai, le tout accompagné de riz gluant. On s'asseyait autrefois autour du *kantoke* pour les grandes occasions : mariage, funérailles, naissance...

C'est devenu une façon de dîner touristique, nommée d'ailleurs *kantoke dinners,* avec danses « traditionnelles », qu'on ne vous conseille pas particulièrement, à cause de son côté surfait... Cela dit, si ça vous tente, c'est relativement bon marché (de 200 à 300 Bts la soirée, 4-6 €), et vous trouverez un peu partout des annonces pour ces soirées-spectacles.

Mais bon, encore une fois, à notre avis, pour voir des danses traditionnelles et manger thaï, autant aller au *Kalare Food Center,* dans le *Night Bazaar.*

Où boire un thé ? Où manger une pâtisserie ?

|●| ☞ *Salon de thé Vieng Joom On Teahouse* – ร้านชาเวียงจูมออน *(plan C2-3, 58)* : 53 Charoen Rat Rd. ☎ 303-113. Compter 90 Bts *(1,80 €)* pour 2 petits fours et un thé. Une escale raffinée dans l'univers du thé et de la pâtisserie. On n'y va pas pour s'empiffrer, vous l'aurez compris, mais pour déguster de délicieuses pâtisseries, des infusions plutôt originales (lavande, jus de citronnelle, d'hibiscus...) chaudes ou froides et, bien sûr, des thés d'ici et d'ailleurs, sélectionnés avec soin. Tout ça dans un cadre moderne et coloré, à l'intérieur comme sur la terrasse.

|●| ☞ *Café de l'Amour* (plan C4, 59) : 8/3 Sri Donchai Rd. ☎ 819-257. Tlj 8h-20h30. On ne perd rien à croire qu'on va y rencontrer le grand amour ; en attendant on y mange de bonnes pâtisseries à accompagner d'un jus, et c'est tout ce qu'on demande !

Où boire un verre ? Où sortir ? Où écouter de la musique live ?

Si la vie nocturne est ici moins explosive et débauchée qu'à Bangkok, Chiang Mai offre toutefois assez de possibilités pour ceux qui ne se couchent pas avec les poules. Les établissements sont généralement ouverts de 17h à 1h du matin, bien que certains bars jouent de discrètes prolongations au gré des contrôles et du versement de l'« argent du thé » – nom donné par les Thaïs aux pots-de-vin.

Y ♪ The Riverside – เคอะริเวอร์ไซด์ *(plan C3, 60)* : 9 Charoen Rat Rd. ☎ 243-239. *Résa conseillée pour le dîner-croisière, surtout le w-e ou en hte saison.* Le *Riverside* est le plus grand et le plus agréable des cafés-concerts qui bordent la rivière Ping. D'ailleurs, c'est LE rendez-vous nocturne des routards de toutes nationalités depuis plus de 20 ans ! Groupes de musiciens tous les soirs, certes de qualité inégale, mais comme il y a 2 scènes qui proposent chacune 3 sets au cours de la soirée, vous devriez y trouver de quoi vous satisfaire. Salles décorées dans un style un peu country fait de bois et bambou. Terrasse ouverte surplombant la rivière. Clientèle variée. Bière à la pression. Fait aussi resto et même dîner-croisière (qui dure 1h30) très sympa, avec un bateau qui embarque les convives pour un tour sur la rivière (départ à 20h mais il faut être là à 19h15). Sinon, si c'est complet, essayez le *Good View* juste à côté ou, un peu plus loin, la *Brasserie* (voir ci-dessous), dans un style différent.

Y ♪ West-Side – บาร์เวสท์ไซด์ *(plan C1, 61)* : 36 Wang Sing Khan Chang Moy. ☎ 234-421. *Sur la rive ouest de la rivière, à 2 km du centre. Ferme vers 1h.* Un peu comme le *Riverside,* mais moins rugissant et fréquenté principalement par des Thaïs. Groupes de rock thaïs d'ailleurs, souvent très bien, et qui tournent façon radio-crochet. Soirée dépaysante qui change des indécrottables rendez-vous de *farang.* Possibilité d'y manger. Pas cher et bon.

Y ♪ Brasserie – บ้านริมน้ำ *(plan C3, 62)* : 37 Charoen Rat Rd. ☎ 241-665. *Env 500 m après le* Riverside *en venant du pont Nawarat. Ferme vers 1h30.* Atmosphère calme au bord de la rivière Ping, sur une terrasse éclairée de gentilles loupiotes, ou « club-bar » à l'intérieur, avec *rhythm and blues* de qualité

à partir de 22h. Clientèle d'habitués thaïs ou *farang.*

Y ♪ UN Irish Pub – ยูเอ็นไอริชผับ *(plan B3, 63)* : 24 Ratchawithi Rd. ☎ 214-554. Irlandais un peu ou beaucoup ? Peu importe, voici un bel établissement fréquenté par une clientèle bigarrée de Thaïs, *farang* et voyageurs. Ce n'est pas pour rien d'ailleurs que l'endroit se nomme « Nations unies » ! Musique live les mardi (scène ouverte) et vendredi (groupes), soirée quiz le jeudi. C'est aussi un *sport bar,* avec écran géant à l'étage. Bien sûr, bonnes bières à la pression, notamment la *Guinness,* importée de Malaisie. Carte thaïe et internationale si vous avez un petit creux. En bonus, une terrasse sympa à l'arrière. Service nickel.
– Non loin de là se trouve une ruelle animée bordée de cahutes à billard, où se produisent des petits groupes de musiciens. Atmosphère très bon enfant. Pour y aller, prendre à droite en sortant du *UN Irish Pub,* puis la 1re rue à droite, puis à gauche.

Y ♪ Hot Shot – ฮ็อทชอท *(plan C3, 64)* : 46-48 Charoen Prathet Rd. *À deux pas du* Night Bazaar, *au rez-de-chaussée de l'hôtel* Porn Ping. *Tj 21h-1h. Entrée gratuite.* Un bar-resto un peu sombre où passent sur scène des petites formations de musiciens-chanteurs thaïs. Clientèle surtout thaïe. Certains soirs, on ne compte plus les décibels, et on y est assez serré !

♪ Bubble – บับเบิ้ล *(plan C3, 64)* : *presque à côté du précédent, fait aussi partie de l'hôtel* Porn Ping. *Ouv 21h-2h. Entrée : 100 Bts (2 €), avec une boisson.* Là, c'est carrément une boîte, qui tonitrue au rythme de la techno. Tabourets métalliques et lasers en tout sens. On aime ou on n'aime pas mais, au moins ici, on ne fait pas de distinction entre *farang* et Thaïs (même tarif).

À voir. À faire

Les temples et les musées

Tous les temples de la ville sont accessibles à vélo. Hmm ! Quelle chouette balade en perspective ! Il n'y a pas loin de 350 temples dans Chiang Mai ; quasi à tous les coins de rue. On vous signale les plus célèbres, sachant que, dans les plus modestes, on peut toujours goûter avec respect à la vivante quiétude d'un temple. Ne pas hésiter à entrer.

Rappel : ne pas oublier de se déchausser et de conserver une certaine retenue. On peut, à certaines périodes, suivre des cours de méditation, notamment au *Wat Ram Poeng.* Renseignez-vous à l'office de tourisme si ça vous tente. Cela ne peut pas faire de mal.

🏃 **Wat Chiang Man** – วัดเชียงมาน *(plan B2) : Ratphakhinai Rd. Ouv en principe 9h-17h.* Ensemble de temples dont les deux plus intéressants sont face à l'entrée (le grand) et à droite (plus petit). Le grand est le temple le plus ancien de la ville, fondé à la fin du XIIIe s. Façade élégante, tout en bois sculpté et charpente de bois à l'intérieur, typique du nord du pays. À côté du temple de droite, en cage, un bouddha de marbre qui aurait plus de 2 000 ans (on n'a pas vérifié)... Derrière le temple principal, beau *chedî* à dôme doré.

🏃🏃 **Wat Phra Singh** – วัดพระสิงห์ *(plan A3) : au bout de Ratchadamnoen, au coin de Sing Harat Rd. Ouv 8h-17h.* Fondé au XIVe s, c'est l'un des plus importants et intéressants de la ville. Le temple principal arbore une belle façade classique, mais c'est celui du fond, plus petit et à gauche du principal, qui présente le plus d'intérêt. Façade délicieusement sculptée et ornée de fresques du XVIIe s. Le clou de cette visite est le bouddha du VIIIe s qui arriva, dit-on, de Ceylan après de nombreux détours. Hélas, sa tête a été dérobée en 1992.

🏃 **Wat Chedî Luang** – วัดเจดีย์หลวง *(plan B3) : Phra Pok Khlao Rd.* Construit en 1391 sous le règne du roi Saen Muang Ma. D'effrayants *nâga* gardent l'entrée du temple où l'on découvre un *chedî,* haut de 85 m, qui date du XVe s et qui abrita le bouddha d'Émeraude (celui de Bangkok). Remarquez la câblerie qui grimpe le long du *chedî :* c'est une petite télécabine à eau bénite permettant d'asperger le sommet de l'édifice, notamment à l'occasion de la fête de l'Eau. On peut discuter avec les moines tous les jours de 13h à18h.

🏃 **Wat Bupparam** – วัดบุพพาราม *(plan C3) : 234 Tha Phae Gate.* Surtout intéressant pour son *viharn* trois fois centenaire, tout en bois et sur lequel ont été collés des stucs à motifs floraux incrustés de miroirs de couleur.

🏃🏃🏃 **Wat Chet Yod** – วัดเจ็ดยอด *(plan A1) : sur la Super Highway, au nord de la ville, côté gauche, quelques centaines de mètres avt le Musée national de Chiang Mai.* Le vieux temple du XVe s qu'on vient voir est sis dans un environnement verdoyant, entouré d'autres petits temples, de stûpas et de logements pour les moines. On apprécie le calme de ce lieu. Pour une fois, voici un ancien temple qui n'a pas été rénové et c'est tant mieux. Il possède un vieux *chedî* à sept pointes qui symbolisent les sept semaines que Bouddha passa sous un figuier, avant son Illumination. Autour, quelques vestiges de bas-reliefs en stuc, assez abîmés, où l'on devine des bouddhas en position de méditation. Il y a toujours des bonzes et des enfants qui se baladent autour des temples et c'est agréable, même si l'entretien de la pelouse semble un peu négligé.

❄ Wat U Mong – วัดอุโมงค์ *(hors plan par A3) : complètement à l'ouest de la ville.* Temple, ou plutôt *chedî* en plein milieu d'une forêt. Pas grand-chose à voir, mais une impression étrange émane de cet endroit. Sur de nombreux arbres, des proverbes thaïs un peu « ringards » sont traduits en anglais. Intéressant pour son parc animalier, ses grottes et son lac. C'est aussi un centre de spiritisme.

❄❄ Wiang Kum Kam – เวียงกุมกาม *(hors plan par C4) : à 5 km au sud-est de la ville. En bus, embarquer pour Pha Gluay Sarapee depuis Warorot Market (plan C3) et descendre à Wat Ku Khao. À bicyclette ou à moto, suivre la Highway 106 qui file vers Lamphun, bordée d'arbres gigantesques, passer sous la voie rapide et tourner à droite au niveau d'un chedî (repérer le panneau).* Cet ensemble de vestiges archéologiques fut la première capitale du roi Mengrai. Balade agréable et intéressante dans un cadre campagnard. Carte disponible à l'office de tourisme.

❄❄❄ Le Musée national de Chiang Mai – พิพิธภัณฑสถานแห่งชาติเชียงใหม่ *(plan A1) : au nord de la ville, à côté du Wat Chet Yod.* ☎ 221-308. Mer-dim 9h-16h. Entrée : 30 Bts (0,60 €). Bel ensemble de bâtiments modernes mais inspirés par la tradition. Très belle collection d'objets sacrés et profanes, reflétant les différentes tendances de l'art thaï, avec une grande place laissée à l'art du Lan Na, le style du Nord. Énorme et magnifique tête de Bouddha dans ce style. Puis, entre autres, rare empreinte de son pied, panneau de bois peint datant de 1794 et curieux fusils géants, longs de 2 m au moins et devant peser 30 kg. Dans d'autres salles, objets, panneaux et maquettes illustrent l'économie et le style de vie des habitants de la région à travers les époques ; repérer les remarquables bateaux « scorpions » des commerçants chinois datant de l'époque pas si éloignée où la rivière était la principale voie commerciale du pays ; impact de l'arrivée du chemin de fer (1920) sur l'économie nationale. Intéressantes explications en anglais.

❄❄ 👫 Le Centre des arts et de la culture de Chiang Mai – หอศิลปวัฒนธรรมเมืองเชียงใหม่ *(plan B3) : Phra Pok Khlao Rd, au milieu du vieux quartier.* ☎ 217-793. Mar-dim 8h30-17h. Entrée adulte : 90 Bts (1,80 €), réduc. Complète bien le Musée national, d'autant que l'expo permanente est riche, moderne et interactive : pas moins de 15 salles sur 2 niveaux, avec de très nombreux dioramas illustrant bien chaque section, de bonnes explications sur panneaux ou écrans tactiles et, même, des commentaires enregistrés en français (avec un accent thaï), qu'on peut entendre en poussant sur des boutons. Voir, par exemple, la réplique d'art rupestre dans la section préhistoire, le texte en *tham,* vieux de plusieurs siècles, sur du papier de mûrier (salle 5), la belle maquette de Chiang Mai au début du XXe s (salle 6) ou encore les scènes de marché, de rue et les intérieurs de maison reconstitués. Agréable petite cafét' et boutique de souvenirs en fin de parcours. Compter bien 1h à 2h de visite.

❄❄ Museum of World Insects & Natural Wonders – พิพิธภัณฑ์โลกของแมลงและธรรมชาติมหัศจรรย์ *(hors plan par A2) : 72 Nimmanhemin Rd Soi 13.* ☎ 211-891. Au nord-ouest de la ville. Tlj 8h30-17h. Entrée : 300 Bts (6 €). Cher, c'est sûr, mais si vous êtes en fonds et que vous vous intéressez tant soit peu au monde naturel, ce petit musée privé, tenu par un grand spécialiste de la malaria, aujourd'hui retraité, vaut le déplacement. On y voit des milliers d'insectes conservés, dont 436 espèces de moustiques, des insectes en forme de bâtonnet, des coléoptères gros comme des souris et des papillons de toutes les couleurs. Également une riche collection de coquillages et de fossiles. C'est M. Rattanarithikul, le propriétaire, qui a tout rassemblé pendant 50 ans.

Les marchés

🎭 *Warorot Market* – คลาดาวโรรส *(plan C3) : près de Foot Bridge, à l'angle de Chang Mai Rd et Witchayanon Rd. Tlj du mat jusqu'en début de soirée. Énorme, coloré et odorant. On y trouve vraiment de tout en se perdant dans les petites rues : vêtements, tissus, ustensiles divers, légumes frais, fleurs, gros tas de poissons et crevettes séchés... Il faut s'y promener avant d'aller au Night Bazaar, bien plus touristique. Ici, on ne rencontre pratiquement que des Thaïs qui font leurs courses. Et bien sûr, on peut y manger.

🎭 *Night Bazaar* – ไนท์บาซ่าร์ *(marché de nuit ; plan C3) : sur Chang Khlan Rd, rue parallèle à Charoen Prathet Rd. Actif 18h-23h, même si quelques magasins « en dur » sont ouv pdt la journée. Très touristique et donc un peu surfait. Stands colorés, restos en plein air (voir « Où manger ? ») ou encore spectacles de danse et de boxe thaïe gratuits (dans le Kalare Food Center) qui rendent la sortie agréable. Sur les trottoirs, on trouve des souvenirs, des chapeaux et pas mal de contrefaçons. Quelques dealers et pickpockets aussi...

🎭 *Le marché du dimanche :* Thanon Ratchadamnoen et Phra Pok Lao (à l'intérieur des douves). À partir du milieu de l'ap-m et jusqu'à env 22h. Des centaines de camelots (dont beaucoup d'amateurs) investissent ces deux rues. Éventail complet, joyeux et créatif, de tous les types d'artisanats, traditionnels ou branchés. Des musiciens, des peintres et parfois des saltimbanques. Beaucoup de stands de nourriture. Énormément de monde cheminant à la queue leu leu dans une ambiance bon enfant. Mieux que le Night Bazaar.*

Autres activités ou distractions

– *La boxe thaïe :* au Kawila Boxing Stadium (plan C-D3), sur San Pakhoi Khong Sai. Prendre la 2e rue à droite après le Nawarat Bridge, puis sur la gauche à la fourche. Entrée : env 400 Bts (8 €). En général un soir en fin de semaine, souvent le vendredi. Sinon, des combats un peu bidons mais amusants (et gratuits) se déroulent au *BBC (Bar Beer Center)* sur Moon Muang.
Renseignez-vous auprès du *TAT* si vous n'avez pas repéré d'affiches annonçant les matchs (où l'on peut lire « en accroche » : *Authentic Muay Thai, no show fight, big fight !*). Et c'est vrai, là, c'est pas pour épater la galerie, ils se tapent vraiment dessus comme des dingues. Très grosse ambiance avec paris et tout.

– *Le tiercé du samedi :* à l'hippodrome, Chotana Rd, km 1, passé la Super Highway. À côté du terrain de golf Lanna. Assez en dehors de la ville, vers le nord, sur la route de Mae Rim et des camps d'éléphants, de serpents... Le sam 12h-18h, sf j. de fête bouddhiste, auquel cas c'est le dim. Le spectacle est autant dans les gradins – où les parieurs échangent pognon et tuyaux dans une ambiance hystérique – que sur la piste. Très amusant.

– *Le zoo :* au nord-ouest de la ville, pas loin de la résidence d'été du roi, sur la route de la montagne Doi Suthep. ☎ 221-179. Tlj 8h-18h. Entrée : 100 Bts (2 €), réducs. On n'aime pas les zoos, mais on doit avouer que celui-ci n'est pas mal conçu. Les 200 espèces d'oiseaux et mammifères sont ici un peu moins à l'étroit qu'ailleurs. Il faut payer en plus pour voir certaines espèces (pandas, koalas, poissons de l'aquarium). À pied, prévoyez une grosse demi-journée. Les pressés le visitent en voiture, quant aux motos, elles sont interdites. Des spectacles y sont organisés. Pas non plus indispensable.

– *Cours de cuisine thaïe :* en général 9h-16h, par groupes 2-9 pers. Résa obligatoire. À partir de 800 Bts (16 €) la journée et 2 000 Bts (40 €) les 3 j. Les cours d'initiation au mystérieux art culinaire thaïlandais sont très en vogue en ce moment chez les touristes indépendants et curieux (comme vous !). Le tarif inclut un livret, une visite au marché et, naturellement, le droit de consommer ce qu'on a cuisiné. L'école la plus ancienne (1993) est la **Chiang Mai Cookery School** (47/2 Moon Muang Rd ; ☎ 206-388. • thaicookeryschool.com •), mais il y en a d'autres, comme la **Thai Farm** (2/2 Ratchadamnoen Rd, Soi 5, en face de la Rendez-Vous Guesthouse ; 📱 081-288-59-89), tenue par une Belge, dont les cours se donnent un peu en dehors de Chiang Mai, dans une ferme bio.

– *La méditation :* certains temples (notamment le **Wat U Mong,** le dim à 15h) organisent des séminaires de méditation, parfois ouverts aux touristes. Sinon, il y a la **Buddhist University** (Chiang Mai Campus, Wat Suan Dok, Suthep Rd ; ☎ 053-820-777), qui propose, outre des séances de discussion avec des moines (lun, mer et ven 17h-19h), des meditation retreats (mar et mer ap-m).

– *L'escalade :* The Peak, 302/4 Chiang Mai-Lumphum Rd. ☎ 800-567. • thepea kadventure.com • 1h pour 400 Bts (8 €). De l'escalade sur un mur artificiel de 15 m de haut répondant aux normes internationales, à deux pas du Night Bazaar ! Convient aussi bien aux débutants qu'aux experts. The Peak organise aussi des sorties sur de la vraie roche, dans la région de Sankampang, des descentes dans une grotte vertigineuse et toutes sortes de virées en raft, à moto, quad ou 4x4 (mais là, ça devient cher).

– *Parcours dans les arbres Jungle flight :* rens au 47/2 Moon Muang Rd, 2e étage, en face de Tha Phae Gate. ☎ 208-666. • jungle-flight.com • Une journée complète (le site est à environ 40 km de Chiang Mai). Des ateliers aménagés jusqu'à 40 m de hauteur !

Massages traditionnels

Apprendre...

Les écoles de massages traditionnels sont désormais nombreuses à Chiang Mai. Partout, vous verrez des brochures vantant tel établissement ou technique. Trop de fois, l'argument majeur semble être le prix. Or apprendre à masser, ce n'est pas acheter un paquet de lessive. Faites le tour, interrogez des élèves, testez avant de plonger. Nous n'en citerons qu'une, réputée pour son sérieux.

■ **Old Medecine Hospital** (hors plan par A4) : 238/8 Wuolai Rd. ☎ 201-663. • thaimassageschool.ac.th • Par une petite ruelle en face du Old Chiang Mai Cultural Center. Dans un immeuble moderne de 3 étages. Deux sessions de 2 sem par mois, lun-ven 9h-16h. Prix : 5 000 Bts (100 €). Une des premières écoles à avoir monté un cours pour les étrangers. Certes, ce ne sont pas des cours particuliers, l'enseignement se fait en classe, mais on est sûr d'y acquérir de bonnes bases.

Laisser faire...

Là aussi, des salons partout. Compter minimum 140 Bts (2,80 €) pour 1h, plus pour un massage spécial ou avec de l'huile. Si vous n'avez pas essayé, tentez le herbal massage, en fait un complément du massage thaï traditionnel, mais qu'on ne vous propose pas partout dans le pays. Il s'agit d'une sorte de balle d'herbes (leur combinaison est variable) chauffées à la vapeur, appliquée sur le corps pour favoriser la circulation veineuse.

■ **Thai Massage Conservation Club** – สมาคมนวดแผนโบราณ : 9 Ratdamri Rd. ☎ 406-017. Au nord-ouest du vieux quartier. Tlj 8h-22h. Un centre sérieux. Massages pratiqués par des filles aveugles (il paraît que ce sont les meilleures dans ce domaine) sortant toutes de l'école de Wat Pho à Bangkok (gage de qualité !). Notre préféré. Une annexe : 99 Ratchadamri Road.
■ **Chiang Mai Anatomy Thai Mas-**

sage : 1 Changmoi Kao Rd (à côté de Tha Phae Gate). ☎ 251-407. Tlj 9h-23h. Un autre bon endroit pour des massages aux plantes et au miel, cette fois.
■ **Bor Nguen** : 9 Moon Muang Rd, Soi 2, T. Phrasing (pas facile à trouver). ☎ 207-260. Tlj 9h-22h. Très bons massages traditionnels, à l'huile ou aux herbes si l'on veut, foot massage... le tout dans un bel endroit, relaxant et parfumé.

Achats

Certains de nos lecteurs savent peut-être que Chiang Mai est le grand centre de production artisanale de la Thaïlande. Environ 90 % de tout l'artisanat que vous verrez dans le pays est réalisé ici. Une bonne partie de la production vient de grands ateliers ou de petites usines situés à quelques kilomètres à l'est du centre, sur la route qui conduit aux villages de *Borsang* et *Sankampaeng*. Hélas, ils ressemblent plus à des centres

**UNE DE CASSÉE,
MILLE DE RETROUVÉES**

La fabrication traditionnelle des ombrelles remonte à deux siècles au moins, lors du passage d'un moine qui, ayant cassé son ombrelle, aurait demandé à un paysan de la lui réparer. Après avoir contenté le moine, le paysan aurait appris à tout le village la technique qu'il avait improvisée. Manifestement, c'est une réussite, car tout le monde s'y est mis.

commerciaux qu'à des masures en bambou. Reste qu'on y découvre les techniques de fabrication de la soie, de la laque, des fameux parapluies de Chiang Mai, de la céramique, etc. *Attention :* la plupart sont fermés le dimanche (mais pas les boutiques) et ferment vers 17h30 (qu'il s'agisse d'ateliers ou juste de boutiques) ; n'y allez donc pas trop tard. Pour s'y rendre, louer une moto, prendre un bus au *Nawarat Bridge,* ou encore un taxi ou un *tuk-tuk* (compter 200 Bts soit 4 € les 2h).
Voici quelques-uns des ateliers qu'on a bien aimés, classés du plus proche au plus éloigné de Chiang Mai. Mais il y en a beaucoup d'autres. À vous de faire votre choix.

☙ **U Pienkusol et Kinaree Thai Silk** – ยู.เพียรกุศลและกินรีไทยซิลค์ : *sur la droite, à 3-4 km de Chiang Mai.* Pour la soie.
☙ **Bombix** – ร้านผ้าไหมบอมบิกซ์ : autre soierie. Visite guidée en français.
☙ **Lanna Thai Silverware** – ล้านนาไทยเครื่องเงิน : *sur la gauche.* Fabrication de bijoux.
☙ **Laitong Laquerware** – ร้านเครื่องเข

นลายทอง : *sur la droite.* Une fabrique d'objets en teck ou en bambou laqués, décorés de feuille d'or ou de coquille d'œuf.
☙ **Gems Gallery International** – ร้าน–เพชรเจ็มส์แกเลอรีอินเตอร์นันชันแนล : *sur la droite.* Ouv 8h-17h. Ami routard, tenez-vous bien, c'est la plus grande bijouterie de Thaïlande. Autant dire qu'elle a la taille d'un hypermarché...

❀ *Sudaluck* – สุดาลักษณ์ *: sur la gauche.* Un véritable *Conforama* asiatique. On y trouve tout, du mobilier de jardin au lit à baldaquin !

❀ *À Borsang* – บ่อสร้าง (petit village) *: à l'angle d'une grande route qui part sur la gauche.* Tout un quartier est consacré à la décoration d'ombrelles. Notre préféré !

❀ *Siam Celadon* – สยามศิลาดล *: un peu plus loin encore, toujours sur la gauche. Tlj 8h30-17h30.* Les céladons sont des poteries de couleur verte, dont la technique de fabrication fut inventée en Chine, il y a plus de 2 000 ans !

❀ *Hilltribe Handicraft Training center : 248/1 Maneenoparat Rd. Ouv lun-ven.* Une structure caritative où l'on vend des accessoires réalisés par des membres des communautés akha, karen, hmong, lisu... Petites bourses, sacs, trousses, quelques vêtements, housses de coussins, plaids... On y voit souvent quelques femmes qui travaillent.

❀ Également quelques boutiques d'artisanat haut de gamme le long de Charoen Rat Rd, au niveau du resto *Brasserie (plan C3, 62).*

❀ Et puis, ne pas oublier le *Night Bazaar,* dans le centre-ville et, encore dans le centre, les nombreux tailleurs qui, pour une poignée de bahts, pourront vous confectionner n'importe quel vêtement.

Fêtes

– *Festival des Ombrelles :* le 3e w-e de janv, dans le petit village artisanal de Borsang (à 8 km env à l'est de Chiang Mai). Les artisans y présentent et vendent leur collection d'ombrelles de l'année, élection d'une Miss Ombrelle... Un vrai festival de couleurs.

– *Carnaval des Fleurs :* chaque année, début fév, époque à laquelle on en trouve la plus grande variété.

– *Festival des Eaux :* du 12 au 15 avr à Chiang Mai. Très amusant, c'est le Nouvel An *(Songkran)* bouddhique, souhaité à coups de seaux d'eau... À ne pas rater. Une des fêtes les plus sympas, surtout à Chiang Mai. À propos du Nouvel An, il faut savoir qu'outre le leur, les Thaïs fêtent également le nôtre et celui des Chinois. C'est cela avoir le sens de la fête !

– *Loy Krathong :* célèbre fête qui a lieu à la pleine lune de nov. Défilé de chars. Multitude de petites bougies sur le fleuve. Les habitants exorcisent leurs fautes. Vu le nombre de bougies qui flottent, ils ont dû beaucoup pécher !

– *Winter Fair :* grande foire fin déc-début janv. Animation folle pendant une dizaine de jours, concentrée autour du parking du City Hall. Plein d'attractions, dont l'élection de Miss Chiang Mai, qui n'est pas celle qui déclenche le moins de passion.

➤ *DANS LES ENVIRONS DE CHIANG MAI*

EXCURSIONS À LA JOURNÉE

Pas mal de choses à voir. Le mieux est de louer une moto ou, éventuellement, un *songthaew* à plusieurs. À vélo, c'est trop long et en bus, c'est trop galère... Toutes ces attractions en dehors de Chiang Mai vous permettront de découvrir la campagne, même si les *resorts* poussent comme des champignons (après la pluie !) dans cette région en pleine expansion touristique. Le circuit, qui emprunte la route du Nord puis oblique vers l'ouest, passe par plusieurs « fermes » d'orchidées et de serpents et de nombreux « centres de dressage d'éléphants ». On ne les indique pas tous, évidemment. Sortir de Chiang Mai par la Chuang Phuak Gate (la route du Nord), en direction de Fang. On passe alors devant le golf, l'hippodrome et une immense base militaire (à cause du Myanmar voisin, l'ex-Birmanie, dont on se méfie toujours en Thaïlande). À environ 16 km, vous traverserez le village de *Mae Rim,* où vous aurez tout intérêt à vous arrêter pour déjeuner. Les restos y sont moins chers que ceux des différentes « fermes ». On vous recommande le premier sur la droite (panneau en thaï), à côté du poste de police. Cuisine ouverte, gros bancs en bois, excellente soupe de nouilles et prix dérisoires. À la sortie de Mae Rim, prendre la route sur la gauche. Un vaste panneau indique « Mae Sa Butterfly Farm ; Mae Sa Waterfalls ; Mae Sa Elephant Camp... ».

🎋 ***Tribal Museum*** – พิพิธภัณฑ์ทริบาล (ทางไปแม่ริม) *: au nord-ouest du Musée national, à 6 km env de Chiang Mai, sur la gauche de la Highway 107 qui mène à Mae Rim.* ☎ *210-872. Lun-ven 8h30-16h30. Entrée gratuite. Accessible facilement à vélo ou à moto. En tuk-tuk, compter 50 Bts (1 €).* Le musée est installé dans les beaux jardins royaux de Suang, à l'abri d'une construction récente de style traditionnel ressemblant à un *chedî*. Sur 3 niveaux, intéressante présentation des principales tribus montagnardes, à l'aide de mannequins costumés, d'outils divers et d'artisanat, comme dans un écomusée. Petits panneaux de propagande sur les bonnes actions du gouvernement envers les tribus (écoles, soins médicaux, etc.). Diaporamas payants disponibles en français.

🎋 ***Mae Sa Orchids Farm (Sainamphung Orchids Nursery)*** – ฟาร์มผีเสื้อแม่สาแ ละสวนกล้วยไม้สายน้ำผึ้ง *: à 21 km de Chiang Mai ; env 700 m après la Snake Farm, sur la gauche.* ☎ *298-771. Tlj 8h-17h. Entrée 40 Bts (0,80 €).* Les orchidées sont des plantes épiphytes, vivant sur un support végétal ou minéral, sans le parasiter. La plupart des dizaines de milliers d'espèces poussent sans terre. Ici, petit parcours entre verdure et orchidées (peu de variétés). Également une volière à papillons de mai à juillet, quelques chats siamois, chiens thaïs et volatiles en cage (on se demande un peu ce qu'ils font là les malheureux). Bref, une petite visite pas extraordinaire mais agréable. Bar-resto à l'intérieur et boutique de souvenirs. Possibilité d'acheter des orchidées qui tiennent assez bien en France, ainsi que des orchidées emprisonnées dans une sorte de résine et montées en broche ou en pendentif ; pas mal du tout.

🎋🎋 ***Mae Sa Waterfalls*** – น้ำตกแม่สา *: env 3 km plus loin, sur la gauche. Entrée : 100 Bts (2 €).* Un réseau de chemins mène à un petit chapelet de cascades pas palpitantes. Il y en a sept et pas une pour relever l'autre. Pas mal de monde en fin de semaine. Un chouette arrêt pour déjeuner néanmoins. Sur le parking, nombreux petits restos. Cuisses de poulet grillées, soupes...

🎋🎋 🐘 ***Mae Sa Elephant Camp*** – ปาง ช้างแม่สา *: en reprenant la route principale, 4 km après les* Mae Sa Waterfalls, *sur la gauche. Ou bien depuis la gare routière de Chang Puak à Chiang Mai, départ ttes les 20 mn vers Mae Rim, tlj 5h30-17h30, puis prendre un tuk-tuk ou un taxi jaune devant le marché.* ☎ *206-247. Tlj 7h30-14h30. Entrée : 120 Bts (2,40 €) adulte ; 80 Bts (1,60 €) enfant. L'intérêt est d'arriver un peu avt une démonstration. Il y en a 3 : à 8h, 9h40 et 13h30, et elle dure 30 à 40 mn.* Démonstration (essentiellement le matin) de ce que peut faire un éléphant avec sa trompe, danse des éléphants, partie de foot... Un peu le cirque mais rudement bien fait, les enfants adorent (les éléphants aussi, semble-t-il). Un panneau – qui nous a fait rire – précise de ne pas tenir banane/canne à sucre et appareil photo dans la même main. Cela dit, le conseil est judicieux. On peut faire une petite balade à dos d'éléphant (compter 800 Bts – 16 € – pour 2, 30 mn), ou prévoir d'y passer 1, 2 ou 3 jours pour apprendre à s'occuper d'un éléphant.

🐘 *Le lac artificiel de Huay Tung Tao* – ห้วยตุงเถ่า *(hors plan par A2) : à 15 km au nord-ouest de Chiang Mai. Ouv 7h-19h. Entrée modique*. On s'y baigne (mais en short et T-shirt, à la mode locale), on fait du canoë, voire de la planche à voile et on peut louer des embarcations à pédales.

VERS LE NORD-OUEST

🐘 *La montagne Suthep et le Wat Doi Suthep* – คอยสุเทพและวัดพระบรมธาตุคอ ยสุเทพ *: le Suthep, montagne culminant à 1 676 m d'altitude, s'élève à env 15 km au nord-ouest de Chiang Mai. Prendre la route du zoo, devant lequel des songthaews attendent les passagers ; prix du trajet : env 30 Bts/pers (0,60 €). Tenue correcte exigée*. Sinon, balade agréable et facile à moto. Presque au sommet, on trouve un temple bouddhique qui dresse fièrement son grand *chedî* avec reliques de Bouddha. Panorama superbe sur la plaine. Fait assez rare, il est habité par des bonzesses tout en blanc (à ne pas confondre avec les gonzesses, plaisantait notre guide, ah ah !).

🐘 *Phuping Palace* – พระตำหนักภูพิงค์ราชนิเวศน์ *: à quelques km du temple de Doi Suthep*. C'est la résidence d'hiver du roi. En réalité, il y met rarement les pieds. On peut jeter un petit coup d'œil aux jardins *(ouv slt ven-dim, sf quand le roi est là)*.

🐘 *Doi Suthep – Puy National Park* – ฤทยานแห่ง ชาติดอยปุย *: tout ce secteur fait partie d'un parc national protégé. Pour les voyageurs au long cours, nombreuses balades possibles. Se renseigner sur place.

VERS LE NORD

🐘🐘 *Elephant Training Center Chiang Dao* – ศูนย์ฝึกช้างเชียงดาว *: à env 50 km de Chiang Mai, sur la route de Fang, donc de Chiang Dao, fléché à droite. Entrée à prix modique, mais, comme toujours, les promenades à dos de pachyderme sont assez chères. Shows à 9h, 10h et 15h*. Environnement plus « junglesque » (il y a même un pont de singe) que les autres camps du coin, spectacle plus axé sur le travail et moins cirque, et balade agréable sur la rivière.

🐘🐘 *Chiang Dao Caves* – ถ้ำเชีย– งดาว *: à env 75 km au nord de Chiang Mai, toujours sur la route de Fang (à mi-chemin env). On peut aller en bus jusqu'au village de Chiang Dao, sur la route principale, mais il reste de là 5 km à parcourir et il n'y a guère de motos-taxis ou autres songthaews... À moins d'être prêt à marcher, mieux vaut y aller à moto. Tlj*

> ### LES HASARDS DE LA CHASSE
> *La légende raconte que la grotte fut découverte par un roi chasseur qui poursuivait une biche d'une rare beauté. Aucun des deux ne serait jamais ressorti de la grotte, mais, à notre connaissance, aucun touriste ne les a encore rejoints. Une sacrée aventure quand même...*

8h-18h. Entrée : 20 Bts (0,40 €) ; visite guidée : 100 Bts (2 €) groupe max 5 pers. Bel ensemble de galeries qui se faufilent sur plusieurs kilomètres dans la montagne *Doi Chiang Dao* (« ville de l'Étoile »), le 3e sommet du pays (2 175 m), qui domine de façon spectaculaire la jolie campagne environnante. On peut s'aventurer librement dans certaines parties, éclairées, des grottes (garnies de bouddhas), mais mieux vaut prendre un guide avec lampe, qui vous mènera dans les entrailles de la montagne (attention, certains passages sont étroits et glissants), pointant çà et là diverses formations minérales animalières. Compter 30 mn pour le tour.

Le Chiang Dao est par ailleurs un lieu de pèlerinage important pour les Thaïs. Quelques vestiges y furent retrouvés et un temple s'est implanté devant. Pensez aussi à nourrir les poissons du bassin. Pour votre propre estomac, vous trouverez sur le site plusieurs gargotes.

Où dormir ? Où manger dans le coin ?

🛖 ⋈ *Malee's Nature Lovers Bungalows* – มะลิบังกะโล : *env 1,5 km après les grottes, juste avt la réserve ornithologique.* ☎ *456-426.* ● *maleenature@hotmail.com* ● *Bungalows 400-900 Bts (8-18 €), chambre simple 250 Bts (5 €).* 8 bungalows en bois, dont certains très agréables, disséminés dans un jardin luxuriant. Possibilité de camper. Eau chaude. Malee, la patronne, est absolument adorable et met à votre disposition de nombreuses cartes et infos sur les possibilités de balades dans ce superbe coin du pays. Le soir, elle prépare le dîner pour tout le monde, et on discute nature et oiseaux dans ce repaire d'ornithologues de tout poil !

VERS LE SUD

🍴🍴 *Lamphun* – ลำพูน : *à 25 km au sud de Chiang Mai. Sympa en excursion à la demi-journée ou pour y faire étape (c'est l'ancienne route, plus agréable) sur la route de Chomthong et du Doi Inthanon. Possibilité d'y aller en songthaew bleu depuis le pont Narawat. Sinon, en bus depuis le terminal Chang Puak. Départ ttes les 15 mn, trajet en 45 mn. Facile aussi à moto : depuis le pont Nawarat, suivre la route bordée d'arbres gigantesques (hors plan par C1) qui passe par Wiang Kum Kam (rubrique « À voir. À faire. Les temples et les musées »).*
Lamphun est l'ancienne capitale du petit royaume môn d'Hariphuncha, qui parvint à conserver son indépendance entre les VIIIᵉ et XIIIᵉ s. Le centre-ville est de forme ovoïde, souligné par les anciennes douves. En plein milieu, *Wat Phrathat Hariphunchai* est le plus beau temple de la région : de splendides peintures y représentent les diverses étapes de la vie de Bouddha, une ombrelle en or ou massif est posée sur un stûpa impressionnant et un pavillon de pierre abrite un des plus gros gongs suspendus du monde. Les moines le frappent chaque jour, à 6h et à 18h ; vous pouvez faire de même à toute heure en formant un vœu. C'est la tradition en Thaïlande ! En face, de l'autre côté de la rue, le *Musée national Haripunchai* permet d'en savoir plus sur les vieux royaumes de la région *(fermé lun et mar ; entrée : 30 Bts – 0,60 €).*
Vers l'ouest, à un petit kilomètre, un stûpa très particulier de base carrée et d'origine sri lankaise, le *Wat Chamma Thewi*, s'orne de trois bouddhas sur chacun des côtés de ses cinq niveaux.
Pour ceux qui ont du temps, se promener aussi sous les halles du marché *Mondok*, très bien achalandé. On y trouve quelques stands où la nourriture est aussi délicieuse de simplicité que ridicule de prix. Le soir, se diriger vers la rivière où une promenade est en cours d'aménagement.

🍴🍴 *Le temple de Lampang, Wat Phra That Lampang Luang* – วัดลำปาง วัดพ ระธาตุลำปางหลวง ง : *à 20 km de la ville de Lampang. De Chiang Mai, ne pas aller jusqu'à Lampang (à env 100 km au sud-est), prendre à droite 12 km avt (c'est indiqué), puis parcourir les 5 derniers km.* Incontestablement l'un des plus beaux temples de Thaïlande. Ceint d'une vieille muraille (une forteresse existait ici dès le VIIIe s) et surélevé, on y accède par un escalier monumental, bordé de *nâga*. L'ancienneté des bâtiments (du XVe s pour la plupart), leur facture, le cadre tranquille et l'architecture typique du Nord du pays, avec ses toitures basses et étagées, ses élévations, tout concourt à l'harmonie générale. Le grand *chedî* abrite un cheveu de l'Éveillé. Belle teinte cuivrée (le *chedî,* pas le cheveu !) des toits.

Où dormir ?

🏠 **Supamit Holiday Inn** – อาคาร ศุภมิ ตรธุรกิจ *: en face du Wat Chamma Thewi. Doubles 250-400 Bts (5-8 €).* Imposante bâtisse blanche de 3 éta-ges. On y parle l'anglais. Chambres de type hôtel standard, carrelées et propres. Ventilo ou clim'. Bien pour ceux qui font étape.

VERS LE SUD-OUEST

🍴 **Mae Klang Falls** – น้ำตกแม่กลาง *: à env 60 km au sud-ouest de Chiang Mai. Pour y aller, prendre un bus à la Chiang Mai Gate, au coin de Wualai Rd, mais c'est un peu galère.* Belle cascade, surtout à la saison des pluies. À côté, la petite ville de **Chom Thong.** À l'entrée de celle-ci, temple avec *chedî* doré (pour plus de détails, voir plus loin « De Mae Sariang à Chiang Mai »).

🍴 Si vous faites ce circuit à moto, vous pourrez pousser jusqu'au **Doi Inthanon** – คอยอินทนนท์ (110 km de Chiang Mai), le plus haut sommet du pays (2 590 m). Des bus directs partent de Chiang Mai Gate au sud de la vieille ville (voir plus loin « De Mae Sariang à Chiang Mai »).

QUITTER CHIANG MAI

En train

🚆 **Gare ferroviaire** – สถานีรถไฟ *(plan D3) : à l'est de la ville, sur Charoen Muang Rd.* ☎ 244-795. Chiang Mai est le terminus nord de la ligne qui part de Bangkok. Arrêt possible à Phitsanulok, Lopburi et Ayutthaya.

➢ **Pour Bangkok :** 7 départs/j. 6h45-21h50. Résa conseillée plus de 1 j. avt. Trajet : 12-14h30. Prix : 230-610 Bts (4,60-12 €) le siège ; 490-1 350 Bts (10-27 €) la couchette en 2de (déjà très bien) ou 1re classe.

En bus gouvernemental

🚌 **Arcade Bus Station** – สถานีรถขา ร์เขต (plan D1) : *Lampang Super Highway.* ☎ 242-664. Situé en périphé-rie de la ville, au nord-est, à env 5 km. C'est le terminal des bus longues distances.

➢ **Pour Bangkok** (720 km) *:* env 20 départs/j. (bus ordinaires, AC, VIP, etc.), 6h30-21h. Trajet : 10h. Prix : 375-745 Bts (7,50-15 €).

CHIANG MAI ET SES ENVIRONS

➢ *Pour Chiang Rai* (195 km) *:* 11 départs/j., surtout le mat. Trajet : 3h. Prix : de 80 Bts (1,60 €) avec ventilo à 225 Bts (4,50 €) en bus VIP.

➢ *Pour Pai* (137 km) *:* 6 départs/j., surtout le mat. Trajet : 3h30. Prix : env 60 Bts (1,20 €).

➢ *Pour Mae Hong Son* (par Pai, 250 km) *:* 3 bus le mat (1er à 6h30) et 2 en soirée. Trajet : 7h. Prix : 145-215 Bts (2,90-4,30 €).

➢ *Pour Mae Sariang :* 7 bus/j., la plupart sans AC, 6h-21h. Trajet : 5h. Prix : 80 Bts (1,60 €).

➢ *Pour Sukhothai* (373 km) *:* 12 bus/j. 5h-20h. Trajet : 5h. Prix : 177 Bts (3,50 €).

➢ *Pour Phitsanulok* (430 km) *:* 10 départs/j. 6h30-20h. Trajet : 6h. Prix : 120-215 Bts (2,50-4,30 €).

➢ *Pour Mae Sai* (frontière avec le Myanmar, 256 km) *:* 8 bus/j. 6h-17h. Trajet : 4h. Prix : à partir de 110 Bts (2,20 €).

➢ *Pour Golden Triangle* (256 km) *:* 2 bus vers 12h. Trajet : 4h.

➢ *Pour Chiang Khong* (frontière laotienne, 337 km) *:* 3 bus, à 6h30, 8h et 12h30. Trajet : 6h. Prix : 140-255 Bts (2,80-5 €).

🚌 *Chang Puak Bus Station* – สถานี รถช้างเผือก *(plan B2) : Chang Puak Rd.* | ☎ *211-586. À 500 m au nord du vieux quartier.*

➢ *Pour Fang* (150 km) *:* ttes les 30 mn 5h30-17h30. Trajet : 3h. Prix : 60 Bts (1,20 €).

➢ *Pour Thaton :* 6 bus/j. 5h30-15h30. Trajet : 4h. Pour la balade sur la rivière Kok, prendre celui de 7h20. Prix : 70 Bts (1,40 €).

➢ *Pour Lamphun :* ttes les 10 mn 6h45-17h45. Trajet : 1h. Prix : 12 Bts (0,25 €).

En bus VIP privé

Ces bus desservent surtout Bangkok et Chiang Rai. Confortables, car peu de passagers, mais plus chers. La plupart des agences se trouvent sur *Anusarn Market,* d'où les bus partent. Acheter ses billets sur place ou dans les *guesthouses* moyennant une petite commission. Pour Chiang Rai cela dit, on peut très bien se contenter d'un bus traditionnel.

En avion

✈ *Aéroport* (hors plan par A4) *:* à 6 km au sud-ouest du centre. Prendre un taxi (env 150 Bts, soit un peu plus que dans l'autre sens) ou un tuk-tuk (un peu moins cher).

➢ *Pour Bangkok :* nombreux départs quotidiens avec *Thai Airways* (env 2 500 Bts – 50 €), ainsi qu'avec *Nok Air* et *Thai Air Asia,* 2 compagnies *low-cost.*

➢ *Pour Mae Hong Son :* 3 vols avec *Thai Airways* (env 1 500 Bts – 30 €), dans l'ap-m, et 1 avec *Nok Air.*

➢ *Pour Phuket :* 1 vol avec *Thai Airways,* en fin de matinée.

➢ Également des vols pour *Francfort* (1 vol/j.), *Tokyo* (1 vol/j.), *Kunming* (Chine ; 2 vols/sem) et *Chittagong* (Bangladesh ; 3 vols/sem) avec *Thai Airways* ; *Yangon* (Myanmar ; 4 vols/sem) avec *Air Mandalay* ; *Vientiane* et *Luangprabang* (Laos ; 5 vols/sem) avec *Lao Airlines* ; et *Singapour* (3 vols/sem) avec *Silk Air* ou *Tiger Airways.*

TREKS À LA RENCONTRE DES ETHNIES MONTAGNARDES

Chiang Mai est le grand point de départ des treks (en français : « randonnées ») dans les montagnes de la région. L'intérêt principal de ces excursions est la découverte des villages et du paysage, qui sont superbes, et la rencontre avec l'habitant, qu'il soit *akha, karen, lisu, lahu* ou *yao* (une vingtaine d'ethnies en tout). Mais du trek originel, aventureux et authentique, à l'industrie touristique qui s'est développée aujourd'hui, la différence est... grande. Voici quelques infos et conseils qui vous permettront de mieux comprendre ce qu'est le trek, et comment éviter les déconvenues et autres mauvaises surprises.

LE TREK AUJOURD'HUI

Aujourd'hui, Chiang Mai compte au moins 100 agences qui organisent des treks, dont une quarantaine labellisées par le gouvernement (on ne sait pas si ce label est un gage de sérieux, mais il est sûr en revanche que l'agence sans véritables moyens ni structure ne peut pas l'obtenir). Comme il y a foule d'agences et encore plus foule de trekkeurs, fatalement, tous les groupes se retrouvent sur les mêmes sentiers et dans les mêmes villages. Il existe cependant des régions moins visitées que d'autres, renseignez-vous, mais aucune n'est vierge.

Le trekking habituellement proposé dure en moyenne 2 ou 3 nuits. Il cumule en général la marche en terrain accidenté, de difficulté modérée (les montagnes du Nord thaïlandais ne dépassant pas les 2 500 m), la virée à dos d'éléphant et la descente de rivière en raft ou radeau de bambou. La visite de 2 ou 3 ethnies est bien sûr au programme. Allez, 10 ethnies, le tour à dos d'éléphant et un coup d'*hydrospeed* en un jour, et pas cher avec ça ! Il existe même maintenant des treks spécial 3e âge, au parcours extra-plat, sans effort. Mais trek tout de même !

QUELQUES ÉLÉMENTS SUR LES CULTURES MONTAGNARDES

Sur le plan culturel, ces sociétés longtemps isolées des basses terres ont conservé, malgré la siamisation (et le tourisme), des traditions d'une grande originalité, et cette seule dimension suffit largement à justifier la randonnée.

Ces ethnies sont issues de trois grands groupes linguistiques : le ***groupe sino-tibétain*** (sous-groupes tibéto-karen et tibéto-birman), qui inclut les ethnies *karen, lisu, lahu* et *akha* ; le ***groupe austro-thaï*** (sous-groupe *miao-yao*), qui inclut les ethnies *hmong* et *mien* ; et le ***groupe austro-asiatique*** (sous-groupe *môn-khmer*), incluant les ethnies *htin, khamu, lawa* et *mlabri*.

Ce qui fait dix groupes ethniques principaux. En réalité, on pourrait en dénombrer davantage, une vingtaine peut-être, mais ça deviendrait compliqué. Tous ces groupes sont traditionnellement de religion animiste, c'est-à-dire qu'ils rendent un culte aux esprits des choses, des éléments et, en particulier, des parents défunts. Tous ont une structure sociale centrée sur le lignage et parfois le clan ; et la maisonnée est l'unité économique de base. Leur organisation politique n'excède généralement pas les limites de la famille élargie, et toute décision impliquant plusieurs lignages, voire plusieurs villages, se prend en discutant entre chefs de lignage mâle.

Les groupes ethniques sont très dispersés sur le territoire. Ce qui a pour agréable conséquence qu'il est facile de visiter plusieurs villages d'ethnies différentes au cours d'un même trek.

Voyons un peu plus en détails chacun des groupes.

Les Karen, Lahu, Akha et Lisu

Ces quatre ethnies comptent respectivement pour 50 %, 11 %, 6 % et 4 % de la population montagnarde du pays.

– **Les Karen** (prononcer « Karène », *Kariang* en thaï) : ce sont les plus anciens à s'être implantés en territoire thaïlandais. Il y a près de 300 ans, ils sont venus des hautes terres de Birmanie, où réside toujours le plus gros de cette population. C'est donc le long de cette frontière qu'on trouve le plus grand nombre de villages karen, et là aussi que certains de leurs habitants militent pour la création d'un État karen qui serait à cheval sur la Thaïlande et le Myanmar (mais principalement sur le Myanmar). Il faut noter que la répression, côté Myanmar, est terrible envers ces indépendantistes. Réfugiés politiques en Thaïlande, ils ont été « parqués » dans des villages militarisés où leurs conditions de vie, si elles ne sont pas enviables, sont toutefois incomparablement meilleures que celles vécues au Myanmar. Ils sont divisés en quatre sous-groupes : les *Saw Karen* ou *Karen blancs* ; les *Pwo Karen* ou *Plong* ; les *Taungthu* ou *Karen noirs* ; et les *Kayah* ou *Karen rouges.* Bref, un véritable arc-en-ciel.

Arrivés les premiers en Thaïlande, ils ont pu occuper des terres à une altitude relativement faible (autour de 500 m), près des villages thaïs, et ont ainsi subi une importante influence culturelle. Leur agriculture est sédentarisée et centrée sur la riziculture inondée.

Ils élèvent également des animaux domestiques : poulets, porcs, buffles et éléphants, dont ils sont d'excellents dresseurs. Les poulets sont en général sacrifiés lors des cérémonies. Les *Karen* sont, en partie, de croyance animiste. Le divorce et l'adultère sont rares, mais si ce dernier arrive, un sacrifice doit être pratiqué pour apaiser les esprits. Il existe aussi beaucoup de chrétiens. Évangélisés au XIXe s par deux pasteurs américains, les *Karen* chrétiens respectent une morale profondément imprégnée de principes puritains : ni alcool ni drogue. Bref, ça ne rigole pas ! Il y a aussi pas mal de bouddhistes.

Dans certaines tribus des *Karen,* on trouve des **femmes-girafes** (*Padong* ou *Kayan* en thaï) qui font partie du groupe des *Karen.* Ces tribus (8 000 personnes environ) vivent principalement dans la région de Mae Hong Son.

À l'image des montagnards, ces femmes ont les muscles des épaules atrophiés par les nombreux anneaux qu'elles portent autour du cou. L'origine de cette coutume est assez discutée : pour les uns, les anneaux auraient d'abord servi à se protéger des griffes du tigre, pour d'autres, c'est un privilège réservé aux femmes nées pendant la pleine lune, enfin on entend dire aussi que ces anneaux représentent et concentrent l'esprit de la tribu... Allez savoir. Toujours est-il qu'aujourd'hui les femmes-girafes vivent dans des villages visités régulièrement par les touristes. Un côté « zoo humain » qui pourra en choquer quelques-uns. On y revient plus loin (chapitre « Mae Hong Son »).

– **Les Lahu** (ou *Musoe* en thaï) : d'origine sino-tibétaine, on en dénombre environ 61 000 en Thaïlande, qui sont installés le long de la frontière birmane, au nord de Chiang Mai et de Chiang Rai. On compte de nombreux sous-groupes, notamment les *Lahu Nyi* (Lahu rouges) et les *Lahu Na* (Lahu noirs). Leurs villages sont petits, dispersés et situés en altitude (environ 1 000 m), donc à l'écart des lieux de résidence thaïs. Mais leur isolement ne les empêche pas d'avoir le sens de la fête. Nombreuses animations au Nouvel An.

Ils cultivent l'opium en plus du riz et du maïs, et en tirent une grande source de revenus. Les *Lahu* sont également éleveurs et surtout chasseurs. Leur arbalète est toujours prête à servir. Animistes, ils croient aux esprits, ont des sorciers et accordent une place importante à leurs ancêtres.

– *Les Akha* (*Ikaw* en thaï) : d'ori-gine tibéto-birmane, ils viennent du Laos et du sud de la Chine (pro-vince du Yunnan), et se sont d'abord installés en Birmanie à la fin du XIXᵉ s. Puis ils ont émigré vers les régions de Chiang Rai et de Chiang Mai au siècle dernier. On en dénombre environ 33 000. Ils vivent sur les montagnes ou à flanc de colline : ils sont donc assez difficiles à atteindre. Ils cul-

HAUTE COUTURE

Leurs costumes sont étonnants. Les Akha détiennent la palme pour l'esthé-tique vestimentaire, basée sur le noir et le rouge. La femme porte la jupe ainsi que des jambières décorées. Sa tête est couverte d'une sorte de coiffe haute, agrémentée de dizaines de pièces d'argent. Les costumes ne sont pas de Donald Cardwell !

tivent l'opium, le riz, le maïs, mais également le millet et des légumes divers. Leur élevage de volailles, cochons et buffles répond à leur besoin de sacrifices. La soupe de chien constitue un de leurs plats favoris, faisant même l'objet d'un véritable événement !

Leur habitat est d'une monacale simplicité, contrastant avec leur mode de vie où tout est prétexte à chanter et à faire la fête.

Les *Akha* sont panthéistes : le culte des ancêtres et les offrandes constituent des événements importants. D'ailleurs, à chaque entrée et sortie des villages, une « porte pour les esprits » est dressée afin de bien délimiter le monde des esprits et celui des hommes. Franchir cette porte est un moyen de se purifier des mauvais esprits de la jungle. La « cérémonie de la balançoire » est l'événement principal de la société akha.

– *Les Lisu* (*Lisao* en thaï) : on en recense aujourd'hui 25 000 en Thaïlande (et 400 000 au Myanmar). Ils ont suivi la même vague migratoire que les *Akha,* mais ils sont d'origine sino-tibétaine. Leurs villages se concentrent près de la frontière bir-mane, au nord de Chiang Mai, à l'ouest de Chiang Rai et plutôt en altitude. On croit avoir observé l'entrée des premiers arrivants sur le sol thaïlandais il y a à peine 60 ans.

Ils exploitent leur sol (riz des montagnes, maïs, légumes...) et connaissent, bien entendu, la culture de l'opium. Très influencés par la culture chinoise, ils célèbrent le même Nouvel An qu'en Chine. Lors de cette fête, les femmes portent une coiffe particulièrement colorée.

Hmong (prononcer « mongue » ; aussi appelés « Méo ») et Mien (aussi appelés « Yao »)

Ces deux groupes sino-tibétains composent respectivement 15 % et 6 % du total de la population montagnarde de Thaïlande. En plus d'une proche parenté linguis-tique (leur écriture utilise les caractères chinois), ils sont tous deux originaires du centre de la Chine et ont laissé d'importantes concentrations de leurs congénères là-bas, ainsi qu'au Laos et au Nord-Vietnam. On estime la population hmong dans le Sud chinois à près de 5 millions d'individus ! Ces deux groupes ont une vision du monde se rapprochant beaucoup de la cosmogonie chinoise et pratiquent un chamanisme foisonnant (assister à une cérémonie chamanistique est une expérience inoubliable... quoique difficilement réalisable pour le trekkeur de passage). Les deux sont des migrants tardifs sur le sol thaïlandais (environ un siècle) et peut-être est-ce pour cela qu'ils occupent les crêtes les plus hautes du massif montagneux, à plus de 1 000 m. Du coup, les maisons hmong et mien sont systématiquement construites sur terre battue, plus chaudes que les constructions sur pilotis pratiquées par presque tous les autres groupes. Cette situation en altitude constitue également un avantage marqué quand vient le temps de cultiver le pavot ; les *Méo* et les *Yao* sont les experts incontestés de cette activité.

– **Les Méo :** ils sont originaires du sud de la Chine, et on en compte environ 100 000 en Thaïlande (et 5 millions en tout !), installés principalement à la frontière du Laos, au nord et à l'ouest de Chiang Mai. Ils s'établirent ici vers la fin du XIXᵉ s tout d'abord, puis après la guerre du Vietnam.

Ils se divisent en trois sous-groupes. Les *Méo bleus* : on reconnaît les femmes grâce à leurs superbes jupes plissées couleur indigo et à leurs jolies broderies. Certaines sont de véritables pièces d'art composées de batik, broderie et pliage. Les *Méo blancs* : les femmes portent une jupe blanche pour les cérémonies et un pantalon indigo pour aller aux champs. Ce sont des brodeuses hors pair. Les *Méo Gua Mba*, quant à eux, viennent du Laos et habitent pour la majorité dans des camps de réfugiés ; la révolution de 1975 ne leur a rien valu. Leurs villages sont établis pour la plupart en haute altitude pour la Thaïlande (1 000-1 200 m). La culture de l'opium dépasse celle du riz et du maïs. Principale source de revenus malgré les nombreuses tentatives des autorités pour leur imposer des cultures de substitution, l'opium est surtout apprécié des vieux, qui le fument selon des rites ancestraux.

L'organisation sociale des *Méo* permet la polygamie. Leur religion combine le panthéisme et le chamanisme. Leurs croyances ont subi une importante influence chinoise, tout comme leur langue, qui ne s'écrit pas. Le Nouvel An (fin décembre) reste la fête la plus importante. Une des traditions est le lancer de balle entre garçons et filles se courtisant. Les tribus méo autour de Chiang Mai sont devenues très touristiques.

– **Les Yao :** venus du sud de la Chine il y a environ 150 ans, ils se sont installés près de la frontière du Laos, autour de Chiang Rai et de Nan. Comme leurs amis des autres ethnies, ils s'adonnent à la culture de l'opium dont ils tirent le gros de leurs revenus, mais les autres cultures ont aussi leur importance.

Leurs costumes sont gais, surtout ceux des femmes (touches de couleur rouge sur fond indigo). Remarquable est aussi le boa rouge écarlate qu'elles portent autour du cou. Par ailleurs, les *Yao* sont connus pour leur côté extrêmement économe.

Les Htin, Khamu, Lawa et Mlabri

Ces trois premières ethnies, *Htin, Khamu* et *Lawa,* du sous-groupe linguistique môn-khmer, totalisent ensemble moins de 8 % de la population montagnarde de Thaïlande. Considérées plus près culturellement des populations môn et khmères, qui avaient fondé de puissants empires dans la péninsule il y a plus de 12 siècles, elles sont sédentarisées depuis beaucoup plus longtemps que les autres montagnards de la région. Elles pratiquent toujours un animisme qui était la norme dans toute la péninsule avant l'arrivée du bouddhisme. Il y a peu de chances pour que vous en rencontriez durant un trek.

– **Les Khamu :** rien à voir avec Albert, ils sont originaires du Laos et sont installés dans les provinces de Nan, sur la frontière du Laos, ainsi que dans la région de Lampang et de Kanchanaburi.

– **Les Htin** se situent dans le même secteur.

– **Les Lawa :** ils immigrèrent ici vers le VIIᵉ s. Ils ne sont que 8 000 et on les rencontre surtout au sud-ouest de Chiang Mai et au sud-est de Mae Hong Son. C'est le seul groupe de montagnards qu'on ne trouve qu'en Thaïlande. Ils sont presque complètement intégrés à la majorité thaïe.

– **Les Mlabri :** appelés aussi **Phi Thong Luang** (« esprits des feuilles jaunes »). Ce groupuscule compte autour de 150 individus. Ils habitent les provinces de Nan et de Phrae. Ce sont les derniers montagnards nomades qui déplacent leur campement tous les 3 ou 4 jours (des vrais routards, quoi !). Ils vivent essentiellement de la chasse et ne possèdent pas de terre. En fait, bien souvent, ils travaillent chez les autres. Les Mlabri vivent en toutes petites communautés de 3 à 12 membres.

SAVOIR-VIVRE DANS LES VILLAGES MONTAGNARDS

Les vertus cardinales durant votre visite chez les montagnards sont le *respect* et le *savoir-vivre*. Vous n'êtes pas chez vous, vous en êtes même très loin ; beaucoup de choses qui peuvent vous paraître évidentes échappent peut-être à votre entendement, et votre guide, qui n'est généralement pas chez lui non plus, n'y comprend peut-être pas grand-chose non plus. Ne prenez donc pas pour acquis que ce que le guide fait est bien, les exemples déplorables sont légion ; jugez plutôt par vous-même selon votre bon sens.

Les montagnards sont accueillants, c'est une tradition. Veillez donc à la faire durer en évitant d'abuser de leur patience, et surtout de celle des esprits. Car il ne faut jamais oublier cette dimension animiste. La santé, l'humeur, toutes choses et tous événements dépendent des esprits. Ne pas trop chercher à comprendre, à rationaliser, mais plutôt admettre que c'est leur vision des choses et respecter les lieux et les objets sacrés. Cela est essentiel. Respectez aussi le sommeil de vos hôtes, surtout si vous avez bien bu et même si vous et vos amis êtes en vacances, car eux se lèvent à 5h. Respectez leur intimité. De la même manière que vous n'apprécieriez pas que l'on vienne vous photographier dans votre salle de bains, sachez reconnaître quand le moment de prendre une photo est approprié ou non : consultez donc votre sujet du regard avant de vous exécuter et, dans le doute, n'hésitez pas à vous abstenir. Dites-vous que déjà vous êtes privilégié de venir ici, car rien au fond ne les oblige à vous recevoir. En résumé, la meilleure des bonnes manières reste la discrétion.

COMMENT RÉUSSIR UN TREK ?

La meilleure époque se situe de novembre à mars. Petits Français qui venez en juillet-août, vous risquez de rencontrer de chouettes averses. Une condition physique moyenne et une certaine volonté de faire un effort, entre les plages du Sud et les plaisirs de Bangkok, suffisent pour être à la hauteur.

Pour s'assurer du sérieux d'une agence, il est bon de demander la durée exacte du trek (il arrive que 3 jours se transforment en 2) ; s'assurer que le guide parle l'anglais ainsi qu'une ou deux langues des tribus ; enfin, il est prudent de se faire décrire le parcours sur la carte...

Refuser les offres des guides rencontrés en ville... et les treks à prix plancher (genre 1 200 Bts par personne pour 3 jours pour un groupe de 4 personnes). Quant aux *guesthouses,* elles sont pratiquement toutes affiliées à une agence. Interroger des voyageurs qui reviennent d'un trek est également une excellente source d'infos.

ÉQUIPEMENT POUR LE TREK

– Chaussures de marche.
– Plusieurs slips et chaussettes (traversées de cours d'eau).
– Petite (voire grosse) laine pour la nuit. Attention : entre décembre et février, il peut faire très froid en montagne la nuit. Apporter son duvet, un vrai, bien chaud, pendant ces périodes, car les couvertures fournies sont plutôt minces.
– Pantalons longs (broussailles et ronces).
– Chapeau (insolations fréquentes) + crème solaire (bras).
– Un Opinel ou, mieux, un couteau suisse.
– Lotion antimoustiques.
– K-way ou cape de pluie, surtout en été.
Ne chargez pas inutilement vos valises pour la Thaïlande, car tout cela se trouve à Chiang Mai, et pour une poignée de riz (ou deux).
– Pastilles *Micropur® DCCNa* (ou autre marque).
– Une gourde.
– Une torche.
– *Ercéfuryl®* et *Imodium®* pour les petits ennuis intestinaux.
– Papier hygiénique (à enterrer ; sinon, bientôt, on suivra les touristes à la trace !).
– **Emporter sa carte de paiement et son passeport** (en tout cas, ne pas les laisser à la *guesthouse*).

QUELQUES ZONES DE TREKS

– *Aux alentours de Chiang Dao* – บริเวณเชียงดาว : à 80 km au nord-ouest de Chiang Mai, une multitude de villages rassemble toutes les ethnies. Région assez visitée, 60 % des treks s'y déroulent, mais le grand nombre de villages (voir plus loin) permet d'éparpiller les touristes. Quelques agences ont trouvé de nouveaux secteurs peu fréquentés.
– *Vers le Doi Inthanon, Samoneng et Mae Chaem* – คอยอินทนนท์, สมอเงินและ แม่แจ่ม : un bon tiers des treks au départ de Chiang Mai a lieu dans ce secteur situé à 60 km au sud-ouest de la ville, dans et aux alentours du parc naturel de *Doi Inthanon*.
– *Mae Hong Son* – แม่ฮ่องสอน (voir plus loin) : toute une région à l'ouest de Chiang Mai, près de la frontière birmane, d'où l'on peut aussi organiser des treks. On y rencontre surtout des *Karen* et les paysages sont vraiment beaux.
– *Au nord de la rivière Kok* – เหนือแม่น้ำกก : le *Triangle d'Or* – สามเหลี่ยมทองคำ. Nom pittoresque, mais région très touristique avec vente de T-shirts, souvenirs, etc., à chaque arrêt. Secteur usé jusqu'à la corde.
Il reste encore, bien sûr, des tas d'autres chemins possibles ouverts par des guides indépendants, mais là, c'est la jungle dans tous les sens du terme.

À LA RENCONTRE DES ETHNIES SANS AGENCE : PAS BON !

Il est possible, depuis Pai ou Soppong par exemple, et en 1 ou 2h de marche (facile !), de gagner des villages lahu, karen ou méo. Cependant, **on déconseille formellement de s'aventurer trop près de la frontière birmane** où escarmouches, embuscades et autres tirs de mortier surviennent de temps à autre. Ils opposent l'armée birmane aux rebelles karen, ou aux troupes des rois de l'opium, et, parfois, mêlent l'armée thaïlandaise, qui se trouve prise entre plusieurs feux. Bref, n'allez pas par là. Même pour de petites promenades, munissez-vous d'une carte et soyez sûr de votre localisation. Organisez impérativement les longues randonnées aventureuses avec les agences. Ça manque peut-être un peu de sel, mais au moins c'est balisé et on ne risque pas, en principe, de se faire trouer la peau.

QUELQUES ORGANISATEURS DE TREKS À CHIANG MAI

On l'a dit, Chiang Mai est la reine du trek. Neuf treks sur dix partent de là. Nous, on préfère s'en tenir à ce qu'on connaît, et les trois organisateurs de treks suivants ne nous ont jamais posé de problème. On nous signale en revanche régulièrement de mauvaises agences, des *guesthouses* aux treks pas bons du tout, etc. Prudence !

■ *Udom Porn Tours* – บริษัทฤคมพรทั วร์ : *330/12 Chiang Mai Land Village.* ☎ *204-349.* ● *up-adventure.com* ● *À 2-3 km au sud du centre, dans le même coin que l'auberge de jeunesse.* Agence bien organisée, travaillant avec des guides anglophones. Tous types de treks. Loue aussi des véhicules.
■ *Mr Wuthi Yunnan, S.T. Tours and Travel* – นายวุฒิ ยุนนาน,เอส.ที.ทัวร์แอ นด์ทราเวล : *1/28 Lanna Villa, Super Highway.* ☎ *222-174.* ▯ *081-531-67-33.* M. Yunnan parle bien le français et

organise des tours... certes plus chers que ceux de beaucoup d'autres agences, mais hors des sentiers battus. Pousse un peu à la conso aussi.
■ *Chiang Mai Youth Hostel* – บ้านเยา วชนเชียงใหม่ : *54 Papraw Rd.* ☎ *276-737.* ● *chiangmaiyha.org* ● *Voir la rubrique « Où dormir ? ».* Propose des treks dans des coins où les autres agences ne vont pas. Également des excursions à la journée (certains diront surtout des balades).

TREKS À MOTO

Depuis quelque temps se développe une nouvelle forme de trek, non plus à pied mais à moto... Elle est tout aussi physique et sportive, et requiert en outre des aptitudes de conduite certaines. Voici quelques infos et recommandations générales pour rendre votre balade la plus agréable possible.

Les formalités

– Le passeport doit être laissé en dépôt.
– Le permis de conduire international est officiellement obligatoire mais, dans les faits, très peu demandé. Nous, on le conseille.
– Les assurances commencent à être obligatoires pour les loueurs. Vérifiez bien ce point avant d'enfourcher la machine et prévoyez une bonne assistance personnelle dans votre pays d'origine.
– Bien se mettre d'accord avant le départ sur les conditions de location, et, surtout, s'assurer du bon état de marche de la bécane.
– Pas d'obligation concernant le port du casque (sauf à Bangkok, Chiang Mai et Sukhothai), mais bon, dans votre propre intérêt...

Le matériel

Il est le même que pour les treks à pied (voir plus haut), à quelques différences près :
– crème solaire indispensable. À moto, on ne ressent bien souvent pas la chaleur, et pourtant, le soleil est là ;
– pantalons et T-shirts à manches longues pour se protéger contre le vent, le soleil, les insectes, la poussière et les chutes ;

– une paire de gants et de chaussures hautes de préférence, voire des bottes de motard ;

– de grands sacs en plastique, style sac-poubelle, pour protéger vos bagages de la poussière.

Quelques conseils de sécurité

– Au cas où vous l'auriez oublié, en Thaïlande, on conduit à gauche.

– Respecter les distances de sécurité.

– Les Thaïs roulent assez lentement, alors prenez exemple... surtout lorsque vous traversez des villages (enfants et animaux).

– Éviter de conduire à la tombée de la nuit, sauf si vous aimez vous perdre (routes peu éclairées et signalisation parfois insuffisante).

– Être attentif lors des journées très ensoleillées : le bitume, d'assez mauvaise qualité, devient gras et glissant. Dérapages fréquents dans les virages.

– Sur les chemins de terre, dans les descentes, bien doser l'usage des freins avant et arrière pour éviter le blocage des roues et, une fois de plus, le dérapage... Toute une technique !

Organisateur de treks à moto

■ **Safari Raid Aventure** – ซาฟารีโมโต้ ถาวองชู *: Prasing Post Office, BP 102, Chiang Mai.* ☎ 810-103. 🖥 0869-155-319. ● *pelletierthierry@hotmail.com* ● *safarithailand.com* ● *Dans le vieux quartier.* Thierry, le patron, est un des précurseurs du trek à moto. Il se déplace dans votre hôtel ou votre *guesthouse* pour répondre à vos questions. Connaissant bien pistes et sentiers de la région (aucun nom de village, dénivelée ou carrefour ne lui est inconnu 500 km à la ronde !), il vous accompagne sur des circuits de 1 à 21 jours. Propose aussi des circuits avec traces GPS (fourni). S'adresse aux motocyclistes sportifs et confirmés. Propose aussi des descentes à VTT. Très pro.

À L'OUEST DE CHIANG MAI : LA PROVINCE DE MAE HONG SON

Toute cette région à l'ouest de Chiang Mai peut être explorée soit en bus, soit en faisant une grande randonnée à moto de 4 ou 5 jours à partir de Chiang Mai. On peut aussi louer un deux-roues à Mae Hong Son et effectuer une boucle vers les autres villages, ou encore se débrouiller avec les transports locaux, bus ou pick-up.

La population de la région se compose de 65 % de *Shan,* 34 % de tribus montagnardes et 1 % de « vrais » Thaïs. Vous noterez d'ailleurs que l'architecture des temples est fortement influencée par la majorité shan, dont le style birman s'est imposé.

Les circuits que nous proposons partent de Mae Hong Son, modeste mais attachante capitale de la province du même nom. On revient à Chiang Mai par Soppong (appelé aussi « Pang Mapha », le nom du district) et Pai. On peut évidemment aussi partir de Chiang Mai, visiter Pai, Soppong et enfin Mae Hong Son. L'autre itinéraire, passant par le Sud, via Khun Yuam, Mae Sariang et Chom Thong pour finir à Chiang Mai, est également réversible.

MAE HONG SON – แม่ฮ่องสอน

À 250 km de Chiang Mai en passant par la route de Pai et Soppong (la route aux 1 864 virages ; on n'a pas compté, mais ça y ressemble fort !). Gros bourg gentil et calme, situé à quelques kilomètres de la frontière birmane. Point de base idéal pour explorer la région, particulièrement belle et vivifiante. On y rencontre quelques tribus montagnardes, surtout des *Karen,* mais aussi des *Lahu* noirs, *Méo* et *Lisu,* qui viennent au marché, pour vendre et acheter. La ville constitue une étape reposante, sympathique et au caractère encore unique.

> ### GENTIL ET CALME... ENFIN PRESQUE
>
> *Si vous cherchez un petit frisson, sachez que Mae Hong Son est une plaque tournante de l'opium produit dans la région et le rendez-vous des exploitants birmans et des trafiquants chinois, mais ça, vous n'en verrez rien. Et d'ailleurs, on vous le souhaite.*

Arriver – Quitter

En bus

🚌 *Gare routière (hors plan par A2) :* infos au ☎ 611-318.
➤ *De/vers Pai et Chiang Mai :* 5 bus, dont 3 le mat depuis Mae Hong Son. Trajet : 3h30 jusqu'à Pai et 7h jusqu'à Chiang Mai (250 km). Sinon, minibus avec AC (au moins 8 bus/j.), plus chers (250 Bts, soit 5 €, jusqu'à Chiang Mai) mais plus rapides et confortables. On vous les conseille car la route, si elle est belle, est éprouvante en raison du très grand nombre de virages (nos lecteurs sujets au mal des transports veilleront à prendre quelque chose avant le départ).
➤ *De/vers Chiang Mai via Mae Sariang :* env 7 bus/j. C'est la route du Sud, plus longue (369 km) mais nettement moins sinueuse. Du coup, la durée du trajet est à peine plus longue que par Pai.

En avion

✈ *Aéroport (plan B1) :* juste au nord du centre (on peut y aller à pied !). ☎ 612-037. Change et... rabatteurs pour les *guesthouses* de la ville.

➤ *De/vers Chiang Mai :* env 3 vols/j. avec *Thai Airways* (compter 45 €) et 4 vols/sem avec *Nok Air* (nettement moins cher).

Adresses et infos utiles

Infos pratiques

🛈 *TAT – ท.ท.ท. (office de tourisme ; plan A2) :* Khumlumprapas Rd ; en face de la poste. ☎ 612-982. Tlj 8h30-16h30. Bâtiment en bois, avec un pavillon d'expo-vente de produits artisanaux OTOP (« un district, un produit », une intelligente initiative de la reine). Pour les infos, aller au guichet dans le couloir de droite en entrant. Bonne doc et, en plus, on y parle l'anglais.
■ *Tourist Police –* ตำรวจท่องเที่ยว

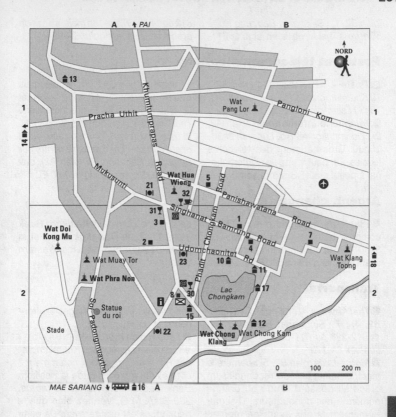

MAE HONG SON

■ Adresses utiles

- ✈ Aéroport
- 🚌 Gare routière
- ℹ TAT
- ✉ Poste
- @ Internet
- **1** Tourist Police
- **2** Téléphone international
- **3** Kasikorn Bank
- **4** Thai Airways
- **5** Motos-taxis
- **7** Hôpital Srisangwan
- **8** Nam Rin Tour

🏠 Où dormir ?

- **10** Jongkam Guesthouse
- **11** Jongkam Place
- **12** Palm House et Romtai House

13 Yok Guesthouse
14 Sang Tong Huts
15 Piya Guesthouse
16 Fern Resort
17 Home for Relaxing
18 Gims Resort

|●| Où manger ?

- **21** Salween River Restaurant & Bar
- **22** Fern Restaurant
- **23** Kai-Mook

🍸 🍵 Où boire un verre ? Où prendre un petit déj ?

- **30** Sunflower
- **31** Crossroads
- **32** Baan Tai Yai Coffee

(plan B2, 1) : Singhanat Bamrung Rd, à 50 m de la Thai Airways, *en face.* ☎ *611-812 ou 11-55. Tlj 8h-18h mais, en cas de problème, il y a quelqu'un 24h/24.*

Postes et télécommunications

✉ *Poste* – ไปรษณีย์กลาง *(plan A2) : 79 Khumlumprapas Rd. Lun-ven 8h30-16h30 ; sam-dim 9h-12h.*

■ *Téléphone international (plan A2, 2) : Udomchaonitet Rd. Lun-ven 8h30-16h30. Gros bâtiment des télécoms locaux. On peut y appeler l'international à petits prix (7 Bts/mn, soit 0,14 €)* en achetant une *CAT Phone Net* (mais qualité moyenne), ou à prix normal (22 Bts/mn, soit 0,44 €) en achetant une *Thai Card* à 300 ou 500 Bts (6-10 €).

@ *Internet (plan A2) : en face de la poste (tlj 12h-22h). Un autre centre sur Singhanat Bamrung Rd (plan A2), ouv 8h-21h. Compter 40 Bts/h (0,80 €).*

Argent, change

■ Plusieurs banques avec ATM et comptoir de change *(ouv slt lun-ven 8h30-15h30)* sur Khumlumprapas Rd, avant Singhanat Bamrung Rd en venant de la poste, comme la *Kasikorn Bank (plan A2, 3)*, la *Bangkok Bank* et la *Bank of Ayudhya* (service *Western Union*).

Transports

■ *Thai Airways* – สายการบินไทย *(plan B2, 4) : 71 Singhanat Bamrung Rd.* ☎ *612-220 ou 611-367 (à l'aéroport). Lun-ven 8h-17h.*

■ *Motos-taxis (plan B1, 5) : derrière le marché municipal.* Se reconnaissent grâce au dossard rouge ou orange numéroté des conducteurs. Discuter fermement le prix avant de monter. C'est aussi ici que vous trouverez les songthaews (pour les villages environnants) et quelques tuk-tuk.

■ *Location de motos* – เช่ารถมอเตอร์ไซค์ *: plusieurs loueurs sur Khumlumprapas Rd, la rue principale, notamment 2 côte à côte à proximité de la Kasikorn Bank. Loc de scooters et de motos, 200 Bts/j. (4 €).* Vérifiez bien que le deux-roues est assuré avant de partir avec.

Santé

■ *Hôpital Srisangwan* – โรงพยาบาลศรีสังวาลย์ *(plan B2, 7) : à l'est du centre.* ☎ *611-378.*

Treks

La plupart des *guesthouses* en organisent et il y a des agences en ville, comme *Rose Garden Tour,* sur Khumlumprapas Rd *(plan A2),* qui proposent de nombreux tours d'une demi-journée ou d'un jour entier. Vend aussi la carte *The Mae Hong Son Loop* au 1/375 000. Les prix se situent en général autour de 800 Bts (16 €) par jour et par personne, pour un groupe de quatre. Mais prudence, bien se faire tout expliquer : itinéraire, durée de marche, détails pratiques, etc. Essayer aussi d'interroger des voyageurs qui reviennent, c'est souvent une bonne source d'infos.

■ *Nam Rin Tour* – น้ำริณทัวร์ *(plan A2, 8) : dans une baraque à côté de la poste.* ☎ *614-454. Compter 1 800 Bts/j. (36 €) pour 2 pers en voiture ; un peu plus cher* si on va dans un village alentour *(notamment pour les femmes-girafes).* Difficile à rater, il y a un *Routard* sur le mur ! On pourrait craindre que cette « notoriété » finisse par nuire à la qualité des prestations, mais M. Dam maîtrise toujours bien son sujet. Examinez ses intéressants circuits pédestres Mae Hong Son-Pai en 4 à 6 jours, traversant jusqu'à 20 villages. Sa devise : « *Bad sleep, bad jokes but good food, good tour guide... good trek !* » Voilà un homme volubile et sûr de lui. D'autres randos sur mesure, faciles ou difficiles, à pied ou en voiture selon vos desiderata. Groupe de 8 personnes maximum. Notez que pour accéder aux villages les plus intéressants et les moins accessibles, cela implique de la marche.

Divers

■ *Laveries :* plusieurs en ville, non loin de la poste. Pas cher du tout, et linge lavé dans la journée.

Où dormir ?

De bon marché à prix moyens (de 150 à 500 Bts – 3 à 10 €)

🛏 *Jongkam Guesthouse* – จองคำเกสท์เฮ้าส์ *(plan B2, 10)* : Udomchaonitet Rd. ☎ 613-855. ● *jongkhamguesthouse.com/* ● *Internet (wifi) gratuit.* Pour les tout petits budgets, une poignée de chambres aux cloisons en bambou tressé, avec matelas par terre et salle d'eau commune, disposées autour d'un jardin reposant et très bien tenu qui donne sur le lac. Tenu par une famille discrète. Également 2 bungalows, au double du prix des chambres mais avec salle de bains privée. On peut y prendre son petit déj. Et, bon plan pas négligeable, on peut utiliser la cuisine pour préparer ses repas. Location de motos.

🛏 *Home for Relaxing* – บ้าน ฟอร์ รีแลกซิ่ง *(plan B2, 17)* : 26/1 Chumnansatit Rd. 🖭 089-427-0149. ● *home relaxing@hotmail.com* ● *Internet gratuit.* Jang et Tong, un jeune couple très sympa, et leur petite fille vous accueillent dans 3 chambres très simples (matelas à même le sol) mais propres, dans une atmosphère conviviale, qui se partagent une douche avec eau chaude. Lui peint petits tableaux et cartes postales. Côté rue, on peut boire un *shake* ou un café. Rien à manger en revanche.

🛏 *Palm House* – ปาล์มเฮ้าส์ *(plan B2, 12)* : 22/1 Chamnanshathit Rd. ☎ 614-022. À deux pas des temples, bâtiment sur 2 étages flanqué d'une cour. Ne vous fiez pas au petit bureau-réception, franchement pas engageant. Pas de resto ni d'espace commun (ni même de jardin), mais les chambres sont impeccables, avec carrelage, salle de bains, TV (en anglais) et petit porte-linge. AC en supplément. Idéal pour ceux qui cherchent une bonne chambre à prix moyen et basta. Les prix augmentent un peu le week-end. La construction de nouvelles chambres est prévue.

🛏 *Yok Guesthouse* – หยกเกสท์เฮ้าส์ *(plan A1, 13)* : 14 Sirimongkol Rd. ☎ 611-532. *Au nord-ouest, prendre la rue à gauche après celle menant à* Sang Tong Huts. Une dizaine de chambres bien tenues – même si la peinture pâtit un peu des années qui passent – et au calme, autour d'une petite cour. Toutes ont salle de bains (et eau chaude), mais une seule avec AC. Patronne sympa. Rien de folichon.

Prix moyens (autour de 600 Bts – 12 €)

🛏 *Jongkham Place* – จองคำ เพลส *(plan B2, 11)* : 4/2 Udom Chao Ni-Thet Rd. ☎ 614-294. Une petite adresse discrète et bien au calme. Seulement

4 bungalows (le n° 2 un chouia plus sombre parce qu'il a une fenêtre de moins) bien alignés dans une petite cour verdoyante et fleurie, impeccablement tenus. Pas de petit déj ; accueil charmant. Très bon rapport qualité-prix.

🛏 *Sang Tong Huts* – แสงทองฮัทส์ *(hors plan par A1, 14) : au nord-ouest de la ville.* ☎ 620-680. ● *sangtonghuts. com* ● À la lisière de Mae Hong Son (compter 15 mn de marche), dans un environnement boisé et pentu, 11 bungalows isolés les uns des autres, avec terrasse en lattes de bois donnant dans les arbres ! Le prix et le niveau de confort sont très variables (du bungalow bon marché en bambou tressé avec juste un matelas à celui plus chic – un vaste duplex –, avec salle de bains en sous-sol) mais tous sont très agréables et très soignés, avec bon lit surmonté de moustiquaire. Également une chambre familiale. Le patron, allemand, vit ici une partie de l'année. Il y a aussi un super petit resto à côté (cuisine thaïe traditionnelle), où l'on peut boire un bon café *Duang Dee* (cultivé par les tribus locales) le matin ou, le soir,

s'offrir le menu de 3-4 plats autour de 200 Bts (4 €)... Et une piscine pour compléter l'ensemble. Bon, vous nous avez compris, on trouverait dommage que vous ne passiez pas une nuit ici. Les amis des chiens seront comblés : on en compte presque autant que de bungalows.

🛏 *Romtai House* – รวมไทยเฮ้าส์ *(plan B2, 12) : 22/7 Chamnanshathit Rd.* ☎ 612-437. Pour 100 Bts de plus (2 €), préférer les chambres au fond du jardin parfaitement tenu (bananier, plan d'eau avec des fleurs de lotus) ; elles ne sont pas très lumineuses mais bien au calme.

🛏 *Piya Guesthouse* – ปิยะเกสท์เฮ้าส์ *(plan A2, 15) : 1/1 Khumlumprapas Rd, Soi 3.* ☎ 611-260. ● *piyaguesthouse@ hotmail.com* ● Bien situé, au coin sud-ouest du lac. 14 bungalows climatisés assez confortables (parquet, salle de bains, bonne literie) et peints, à l'extérieur, de couleurs vives. Ils s'articulent autour d'un grand jardin, correctement tenu. Le soir, on donne en plein dans l'animation du marché, installé au bord du lac.

Beaucoup plus chic (plus de 2 000 Bts – 40 €)

🛏 *Fern Resort* – เฟิร์นรีสอร์ท *(hors plan par A2, 16) : à 7 km au sud de la ville, prendre à gauche au panneau et continuer encore sur 2 km.* ☎ 686-110/1. ● *fernresort.info* ● *Petit déj inclus.* Plusieurs navettes quotidiennes pour le centre-ville. Dans un coin paumé, au bord d'une petite rivière, un ensemble de bungalows en bois et toit de feuilles de *tung* (*tong tung* en thaï), disséminés dans un jardin luxuriant superbement tenu et parcouru de petits ruisseaux qui font cliqueter les bambous. C'est le point fort du lieu, les chambres, quoique confortables, étant un peu chères tout de même (3 500 Bts soit 70 € pour les plus chères). Mais le domaine est un tel ravissement qu'il justifie à lui seul un séjour ici, d'autant qu'il y a une belle piscine. Une petite balade balisée permet

d'arriver à une jolie cascade en 1h, et, plus original, en saison on peut demander à passer une journée dans les rizières pour participer au travail.

🛏 *Gims Resort* – กิมส์รีสอร์ท *(hors plan par B2, 18) : 133/7 Moo 5 Chalumprakria Rd Baan Mai Pangmoo.* ☎ 614-214. Compter 2 500 Bts (50 €). à 20 mn à pied du centre, et plus près encore du petit aéroport (rassurez-vous, le trafic n'est pas intense...). Le jeune proprio, un artiste de Bangkok qui vient de poser ses valises ici, est aimable mais pas très bavard. 8 bungalows disséminés dans un jardin verdoyant et bien fleuri, parfaitement adapté pour les amateurs de déco et de calme. Gims a conçu le mobilier et mis de la couleur dans les chambres. Toilettes séparées, salle de bains (baignoire ou douche) avec des galets au sol. Et une piscine devrait exister à l'heure où vous lisez ces lignes ! Un chouia cher quand même.

Où manger ?

Bon marché (autour de 100 Bts – 2 €)

|●| *Kai-Mook* – ้านอาหารไข่มุก *(plan A2, 23) : ouv tlj.* Une adresse appréciée des habitants, où l'on aime bien cuisiner le poisson de rivière. Mais le choix ne s'arrête pas là. De grandes tables et une salle bien tenue. Plusieurs menus autour de 350 Bts (7 €) pour ceux qui ont une faim de loup. Et, pas mal, une partie des plats est proposée en 2 « formats » différents. Pensez à préciser si vous préférez que le pot de piment ne tombe pas entier dans la casserole !

|●| *Salween River Restaurant & Bar* – ร้านอาหารและบาร์สาละวินริเวอร์ *(plan A1, 21) : 3 Singhanat Bamrung Rd.* ☎ 612-050. Ici, petite salle sympathique avec tables et chaises en bois clair. Bons petits plats, thaïs mais aussi birmans et occidentaux. La soupe au potiron, servie avec un *petite* pain chaud, est délicieuse. Sinon, hamburgers, steaks de saumon, spaghettis bolo, schnitzel de poulet, chili con carne, pizzas, et des petits déj, car l'endroit ouvre dès 8h. Quelques bouquins qui permettent d'échanger les siens. C'est aussi un bar où l'on retransmet tous les événements sportifs.

|●| *Fern Restaurant* – ร้านอาหารเฟิร์น *(plan A2, 22) : 87 Khumlumprapas Rd.* ☎ 611-374. *CB acceptées. Ferme vers 22h. Internet gratuit 10 mn si on consomme.* Aspect un peu chicos, mais atmosphère très décontractée. Salle superbe à l'intérieur d'une maison en teck, ouverte sur la rue et prolongée à l'arrière par une grande terrasse-plateforme. Cuisine classique et très réussie. Service à la fois diligent et délicat. Délicieux *hor mok* (fruits de mer aux légumes, en papillote) ou encore *kai ho bai teoi*, du poulet grillé dans des feuilles parfumées. Grand choix de plats épicés. Desserts fins. Hmm... Des plats internationaux aussi, mais y venir plutôt pour manger thaï, que diable ! Également un petit salon de thé avec jus de fruits frais et cafés, et parfois quelques pâtisseries (cake à la banane, tiramisù...).

Où prendre un petit déj ? Où boire un verre ?

Mae Hong Son n'est pas vraiment animée le soir. Rien de la fièvre nocturne de Chiang Mai ! Trois adresses sympas quand même.

▮ ☎ *Baan Tai Yai Coffee* – ร้านกาแฟบ้านไทยใหญ่ *(plan A1-2, 32) : 31 Singhanat Bamrung Rd.* ☎ 081-992-17-94. *Internet gratuit.* Un beau café-resto, tenu par deux frères qui ont quitté la capitale et leur boulot de photographe et de producteur audiovisuel pour joliment rénover cette maison d'une cinquantaine d'années. Aujourd'hui on s'accoude volontiers au – superbe – comptoir en bois, le temps de siroter un apéro sur fond de musique lounge. Très bien aussi pour prendre un petit déj avant d'aller flâner au marché couvert (juste à côté). Délicieux chocolat chaud (le chocolat vient de Suisse...). Quelques bougies, des petites fleurs fraîches, des magazines, musique lounge... L'espace, moderne et chaleureux, est complètement ouvert sur l'extérieur ; un choix architectural « humain » puisque le but est aussi que le voisinage aime y passer, notamment pour voir le puits du quartier, remis en valeur, que les anciens viennent observer avec émotion. Les proprios prévoient d'ouvrir une boutique expo au 1er étage avec photos, bijoux, peintures.

♈ Sunflower – ชันฟราวเวอร์ *(plan A2, 30)* : Phadit Chongkam Rd. Grande terrasse et bar à l'extérieur, au bord du lac. Bancs et longues tables de bois, alignés comme dans un camp scout. On y vient pour prendre un pot, mais aussi pour la fondue thaïe-buffet autour de 90 Bts (1,80 €) proposée tous les soirs, au rythme des chansons thaïes chantées par des petits groupes locaux.

Ambiance bon enfant. Mais attention, s'il reste à manger dans votre assiette, vous payez 50 Bts (1 €) !

♈ Crossroads – ครอสซ์โรดส์ *(plan A2, 31)* : au carrefour central de la ville. Tlj jusqu'à minuit. Le rancard des cowboys du coin. Bières et cocktails (une soixantaine de sortes) se consomment à table ou sur tabouret, au bar. Déco *western style*. Billard à l'étage, et sur murs et plafond, des bons mots, des signatures. Musique occidentale. On peut aussi y manger.

À voir

🍴🍴 Le marché – ตลาดสด *(plan A1-2)* : dans le centre, entre Singhanat Bamrung Rd et Udomchaonitet Rd. Ouv 5h-18h, mais plus animé le mat. Surtout des fruits et des légumes, mais aussi de la vaisselle, du tissu, etc. Certaines femmes des tribus montagnardes viennent s'y approvisionner.

🍴🍴 Wat Hua Wieng – วัดหัวเวียง *(plan A1)* : tt à côté du marché. Ce petit temple shan renferme un bouddha birman vieux de deux siècles. Ne pas rater non plus les quelques mètres carrés du magnifique carrelage d'origine, tout autour...

🍴🍴🍴 Wat Chong Klang – วัดจองกลาง *(plan B2)* : au bord du petit lac. Ouv 8h-18h. Monastère tout en bois de style birman. Depuis leur rénovation, les multiples toits verts à bords dorés font un peu Disneyland sans toutefois parvenir à ruiner le pittoresque de l'ensemble. Dans la grande salle de prière, construite sur pilotis, d'anciennes plaques de verre peintes illustrent les grands moments de la vie de Bouddha. Au fond, un sympathique petit musée abrite une collection de statues en bois représentant des paysans, des vieillards et des animaux. Venant de Birmanie, leurs expressions de douleur mystique sont impressionnantes et peu courantes en Thaïlande. Amusant, pensez à glisser une pièce dans les troncs pour faire tourner le manège ! Très belle lumière sur le lac et le *wat* un peu avant le coucher du soleil.

🍴 Wat Doi Kong Mu – วัดพระธาตุดอยกองมู *(plan A2)* : à 2 km du centre. Ouv 6h-21h. Une route escarpée mène au sommet d'une colline *(Doi)* coiffée d'un temple très important pour les habitants du coin puisque leurs ancêtres chassèrent les bandits qui occupaient autrefois ce menaçant promontoire. On peut aussi y accéder par un escalier. Vue superbe sur la ville, le lac, la vallée... et l'aéroport.

🍴 Wat Phra Non – วัดพระนอน *(plan A2)* : au pied de la colline qui mène au Doi Kong Mu. Ouv 6h-18h. Le sanctuaire principal, tout en teck, abrite un bouddha couché de plus de 11 m. Tout un bric-à-brac de porcelaines, bouddhas et autres vieilleries s'entasse dans un petit musée. C'est ici que reposeraient, dans un cercueil gardé par deux effrayants dragons, les cendres de la famille royale de Mae Hong Son.

➤ DANS LES ENVIRONS DE MAE HONG SON

🍴 Tham Pla (Fish Cave) – ถ้ำปลา : à 18 km au nord, sur la route de Pai. Site resté magique malgré sa fréquentation et l'aménagement qui en a découlé. Petit parc paysagé très agréable, l'occasion d'une jolie balade. Adossée à une falaise karstique, la résurgence d'une rivière souterraine s'échappe du rocher. Vraiment pas passionnant.

🦶 *Ban Rak Thai* – แม่แอว (บ้านร–ักไทย) : *à env 28 km au-delà de Tham Pla par une petite route maintenant bitumée (panneaux indicateurs).* Emporter la carte du *TAT.* Mae Aw est un village chinois du Kuomintang (KMT), en plein sur la frontière birmane. Des partisans

CARPE DIEM

C'est à Tham Pla, protégées par un bouddha érémitique, hésitant entre ombre et lumière, que s'ébattent des carpes sacrées, d'un beau gris bleuté. Certaines mesurent plus de 1 m de long. Les habitants en prennent bien soin : ils les nourrissent de légumes et d'insectes et ont renoncé à pousser plus avant l'exploration de la grotte pour ne pas risquer de les effrayer. Alors, on vous laisse imaginer dans quelles souffrances atroces périrait l'imprudent qui les mangerait.

de Chiang Kai-shek se réfugièrent ici après leur défaite face aux communistes avant de s'investir largement dans la contrebande d'opium. Aujourd'hui, le bled est pacifié : *Ban Rak Thai* veut dire « village qui aime les Thaïs ». Un petit lac, un cru de thé local à goûter, c'est assez pour créer une atmosphère différente. Quelques *guesthouses* pour ceux qui voudraient se poser un peu. Pas mal de Birmans aussi, qui traversent quotidiennement la frontière pour commercer, se faire soigner, aller à l'école... Combiné avec Tham Pla et quelques arrêts en route (nombreux villages), voici une belle journée d'excursion. Ça peut chauffer parfois un petit peu entre Thaïs et Birmans, mais pas de parano, renseignez-vous avant, et les militaires des *checkpoints* sont là pour ça.

À propos des femmes-girafes...

C'est dans cette région montagneuse, couverte de forêts, à la frontière birmano-thaïlandaise, que vivent les **femmes-girafes** *(long-necks),* membres d'une tribu apparentée aux *Karen,* les *Padong* (ou *Kayan).* Fuyant le régime birman, les *Padong* se sont installés en Thaïlande à partir des années 1950. Ce sont donc des réfugiés politiques à part entière, que la Thaïlande a d'abord accueillis dans des camps militaires dirigés par des *Karen,* sous contrôle du gouvernement thaïlandais. Ça, c'est le petit contexte historique qu'il nous fallait planter pour que vous puissiez décider en votre âme et conscience s'il est acceptable, ou non, d'aller visiter, comme cela se fait couramment depuis quelque temps, les villages où vivent désormais ces femmes-girafes. Car la polémique fait rage : certains jugent intolérable le côté voyeur de ces incursions dans ces villages, qu'ils assimilent à de véritables zoos humains, alors que d'autres pensent que si cela se fait avec l'accord de ces tribus et dans le respect de celles-ci, il n'y a là rien de scandaleux, et que c'est même une source de revenus (il faut payer pour entrer dans les villages et les femmes vendent leur artisanat) pour ces populations qui, faut-il le préciser, ne peuvent pas, en tant que réfugiés, cultiver la terre. Bref, voyeurisme ou simple curiosité ? À vous de voir, mais dites-vous bien que la question se pose autant pour les treks dits ethniques au départ de Chiang Mai... Si l'expérience vous tente, la plupart des agences de Mae Hong Son proposent des excursions à la demi-journée dans ces villages, dont le plus visité est *Nai Soi,* à 35 km au nord-ouest de Mae Hong Son. En revanche, si vous êtes résolument contre, sachez que vous pouvez approfondir le sujet en contactant certaines associations en France qui se battent pour la défense des droits des peuples indigènes dans le monde, comme l'*ICRA (International Commission for the Rights of Aboriginal People ; ● icrainternational.org ●).*

À noter que l'on peut, dans le cadre de treks, partir à la rencontre d'autres tribus vivant dans la région de Mae Hong Son, comme les *Lisu, Lahu* ou d'autres *Karen* (voir, plus haut, les commentaires sur ces ethnies), d'autant que le coin est superbe et moins fréquenté que du côté de Chiang Mai. On vous rappelle que l'agence *Nam Rin Tour* (voir « Adresses utiles ») organise de bons tours pédestres à la carte. Possibilité aussi de promenades à *dos d'éléphant,* souvent incluses dans des excursions d'une journée.

DE MAE HONG SON
À CHIANG MAI PAR PAI

Cette route, que nous appellerons « du Nord », est très sinueuse (1 864 virages, gare au mal des transports !) mais particulièrement belle. Sachez, pour l'anecdote, que le parcours de cette route donne droit à un certificat (qu'on obtient auprès de la chambre de commerce de Mae Hong Son), une sorte d'« attestation de conducteur aguerri ». Mais rassurez-vous, si vous vous apprêtez à l'emprunter, son tracé n'a rien d'insurmontable pour autant !

Au départ de Mae Hong Son, commencer par visiter la grotte aux carpes (*Tham Pla* ; voir plus haut « Dans les environs de Mae Hong Son »). Ensuite, ouvrez tout grands vos yeux, ce sont probablement les plus beaux kilomètres : paysage typiquement karstique composé de collines calcaires recouvertes d'une épaisse végétation, de vallées torturées, érodées par l'action de multiples rivières. À parcourir tôt le matin ou en fin d'après-midi, quand la lumière est idéale. Faire un break calme et respectueux à *Wat Tham Wua* – วัดถ้ำวัว (grand panneau de bois). Ce lieu est dédié à la méditation. Vu le paysage, on comprend pourquoi. Seize kilomètres avant *Soppong,* une petite route part sur la gauche vers le village de Mae Lana (voir « Dans les environs de Soppong »).

SOPPONG (PANG MAPHA) – สปผง   IND. TÉL. : 053

À 2h de Mae Hong Son (70 km) et à une bonne heure de Pai (45 km). Le bus qui relie Mae Hong Son à Chiang Mai s'y arrête malgré la petitesse du village et la relative absence de touristes (tant mieux !). Soppong (ou Pang Mapha, nom du district sur certaines cartes) se résume à un groupe de maisons le long d'une rue principale. Tout près du village, on trouve les superbes grottes de *Tham Lod* – ถ้ำลอด. Vous pouvez demander à votre *guesthouse* la carte des balades à faire à pied au départ de Soppong. Vous pouvez aussi faire appel à un guide.

Où dormir ? Où manger ?

Bon marché (de 100 à 250 Bts – 2 à 5 €)

🏠 *Charming Home* – ชาร์มมิ่งโฮมม์ : à env 1 km du village, par un chemin (non │ carrossable en saison des pluies) qui démarre en plein centre, sur la droite en venant de Mae Hong Son, au niveau de la cabine téléphonique. ☎ 086-981-84-39. Pour les amateurs du genre (ou tout simplement les fauchés), 3 cabanes sur pilotis face à une petite colline, au bord d'une petite rivière qu'on traverse. Confort minimum, un matelas par terre,

une ampoule au plafond et des sanitaires rustiques (eau froide). Mais bon, c'est pas cher du tout, propre, et le coin est isolé, vraiment très nature. De plus, les hôtes sont gentils. Possibilité de petit déj et de dîner.

De prix moyens à un peu plus chic (de 250 à 800 Bts – 5 à 16 €)

🛏 |◉| *Little Eden Guesthouse* – ลิตเติลเอเดนเกสท์เฮ้าส์ : 295 Moo 1, à la sortie du village en venant de Mae Hong Son. ☎ 617-054. Bungalow 420 Bts (8,40 €) ; maison Honey Moon 1 500 Bts (30 €). Internet. Le long d'un terrain arboré et abondamment fleuri, 7 bungalows en forme de A. Petits mais soignés et mignons, avec eau chaude, ventilo et moustiquaire. Au fond du jardin, 2 maisons de charme dont une (la *Honey Moon*) dispose d'une baignoire en pierre, d'une cheminée et d'une grande terrasse en bois donnant sur la rivière. Vraiment une affaire pour le prix ! Juste en dessous, une petite chambre très mignonne aussi dans un autre genre, un peu chère toutefois vu sa taille. également ment une petite piscine pour tout le monde. On peut aussi y manger ou,

simplement, y siroter une *hill tribe caïpirinha* au salon-resto couvert de belle brique et pourvu d'une cheminée...

🛏 |◉| *Soppong River Inn* – สปปง ริเวอร์ อินน์ : côté rivière, à l'entrée du bourg en venant de Mae Hong Son. ☎ 617-107. ● *soppong.com* ● Une chambre 1 pers 150 Bts (3 €) ; 4 bungalows 2 pers 650 Bts (13 €) (dont 1 en duplex, plus cher). Internet. Luxueux et étonnants, les bungalows sont perchés au-dessus de la rivière (on peut s'y baigner), avec une grande terrasse commune en lattes de bois. Prix raisonnables pour la qualité (belle déco, bonne literie et charmante salle de bains en pierre). Beau jardin aussi. Sans oublier le resto, où l'on sert de très bons petits plats. Massage.

➤ *DANS LES ENVIRONS DE SOPPONG*

🍴🏃 *Mae Lana* – แม่ลานา : 9 km avt Soppong en venant de Mae Hong Son, prendre à gauche vers le village shan de Mae Lana, perdu au milieu d'un site superbe. On atteint d'abord, au bout de 6 km, un village lahu magnifiquement situé au pied de promontoires rocheux. Il suffit alors de descendre dans la cuvette où se niche Mae Lana, entouré d'arpents de terre plate contrastant avec l'étroitesse des cols et la tourmente des falaises avoisinantes. Beau temple d'influence birmane. Cadre bucolique à souhait, idéal pour se couper du monde 1 ou 2 jours, d'autant qu'on peut y dormir et qu'il y a de belles balades à faire alentour !

🛏 |◉| *Maelana Garden Home* – แม่ลานา การ์เด้นโฮมส์ : à quelques centaines de mètres à l'écart du village. ☎ 070-016 et ☎ 081-706-60-21. Un petit bout du monde ; ceux qui ne sont pas motorisés peuvent, après avoir appelé Ampha (qui parle l'anglais) prendre le

bus Mae Hong Son-Soppong et demander au chauffeur de descendre au niveau de la police box, *un petit poste de contrôle*. Petite *guesthouse* charmante avec bungalows en bois à 300 Bts (6 €) ou chambres toutes simples, pour le prix d'un café en France, dans le bâtiment principal. D'autres chambres disséminées dans le grand jardin, et une grande maison récente (pour 11 personnes). Pas d'eau chaude et matelas assez durs, mais le lieu est vraiment reposant et la patronne, Ampha (prononcer « Ampa »), très sympathique ; dans la journée, elle tient une épicerie dans le village et cultive des légumes bio qu'on retrouve ensuite à table, puisqu'elle propose des repas. Demandez-lui le petit plan schématique du coin, pour les balades. Et affalez-vous ensuite dans le hamac, accompagné par le dynamique petit caniche.

🦟🦟 *Les grottes de Tham Lod* – ถ้ำลอด : *à 9 km au nord de Soppong. Tlj 8h-17h.* L'entrée au site est gratuite, mais la visite des grottes se fait obligatoirement avec un guide, qui demande 150 Bts (3 €) pour 1 à 3 pers. On peut aussi découvrir d'autres parties de la grotte sur un radeau, mais là, c'est 400 Bts (8 €) pour 1 à 3 pers. En effet, la rivière Lang, souterraine sur environ 1 km, traverse un vaste réseau de cavernes que l'on peut suivre jusqu'à la sortie avant de revenir à l'extérieur par le *Nature Trail.*

BRUISSEMENT D'AILES

À Tham Lod, le plus spectaculaire, ce sont les dizaines, voire centaines, de milliers de chauves-souris qui ont trouvé refuge à environ 1 km de l'entrée des grottes (se faire indiquer l'endroit). Essayez de synchroniser votre visite avec leur sortie nocturne (peu après le coucher de soleil) ou leur retour matinal (plus dur). Vol groupé, qui restera gravé dans votre mémoire !

À pied, en suivant le guide, on découvre un monde étrange de stalagmites, de vastes galeries, d'étroits boyaux... Le guide pointe les rochers les plus remarquables et emprunte des échelles de bois, parfois un peu bringuebalantes, qui mènent à des terrasses d'où partent d'autres galeries. Assez impressionnant. On peut déjeuner sur place.

🏠 🍴 *Cave Lodge* – เคฟลอดจ์บ้านถ้ำ : *un peu avt l'entrée des grottes.* ☎ 617-203. ● *cavelodge.com* ● *De 90 à 600 Bts (1,80-12 €).* Un lieu assez exceptionnel, dans un cadre unique. Des huttes minimalistes sur pilotis et quelques bungalows en dur pas mal du tout, avec salle de bains, se partagent le flanc d'une colline qui surplombe la rivière. Également 2 dortoirs à 90 Bts (1,80 €) par personne. Au-dessus, vaste salle commune équipée d'un âtre central pour les soirées au coin du feu et d'une table de ping-pong. Ambiance un peu communautaire ; accueil assez nonchalant. Resto. Ne pas rater le *swimming hole*, piscine pour le moins originale (on vous laisse découvrir) ; petit sauna. Des treks sont organisés dans les environs.

PAI – ปาย

À 112 km de Mae Hong Son, Pai est un gros village où se rassemblent la plupart des Occidentaux qui viennent dans la région et pas mal de touristes thaïs. Mais voilà, refrain certes connu, Pai n'est plus ce qu'elle était. La multiplication des *guesthouses* lui a fait perdre beaucoup de son cachet campagnard. On a parfois l'impression d'être dans un camp retranché pour routards mimétiques. De décembre à avril, le coin, moins boisé, est plus sec que Mae Hong Son ou Soppong.

LA PROVINCE DE MAE HONG SON

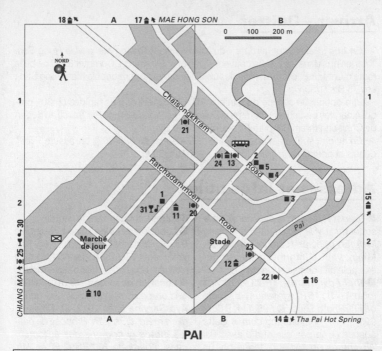

PAI

LA PROVINCE DE MAE HONG SON

Cependant, nulle part ailleurs dans la région vous ne trouverez une telle concentration d'hébergements, restos et services à petits prix et, on l'a dit, de congénères en vadrouille à rencontrer. Du fait de la multiplicité des offres, c'est aussi un bon endroit pour organiser des treks ou des balades dans les environs. Et puis, c'est très bien pour ne rien faire du tout... Point positif étant donné les risques encourus, la vente et la consommation de drogues, un phénomène qui s'était accru ces derniers temps, a subi un coup d'arrêt depuis la guerre antidrogue menée par Napoléon-Thaksin, l'ancien Premier ministre.

Arriver – Quitter

➤ *En bus :* Pai est sur la route « du Nord » reliant *Chiang Mai* à *Mae Hong Son.* Tous les bus dans les 2 sens peuvent s'y arrêter. Il y en a 6/j. Compter 3h30 de belle route montagnarde tourmentée depuis Chiang Mai, autant depuis Mae Hong Son ; env 75 Bts (1,50 €).

– Autre option, un service de minibus AC, plus chers et plus rapides (2h30), proposé par des particuliers (comme la *Duang Guesthouse, Ping&Pai Travel*) au départ de Chaisongkhram Rd *(plan B1 ; compter 150 Bts.).*

➤ *En avion :* si, si, c'est possible, avec *SGA Aero (* ☎ *698-207),* qui assure 1 vol/j. depuis et pour *Chiang Mai.* Compter 1 900 Bts (30 €).

Adresses et infos utiles

■ *Tourist Police (hors plan par A2) à la sortie de la ville (en allant vers Chiang Mai).* En principe toujours quelqu'un. Mieux vaut s'informer ailleurs, par exemple à l'adresse suivante.

■ *Thai Adventure –* ไทยแอดเวนเทอร์ *(plan A2, 1) :* 16 Rangsiyanun Rd, à côté du Fuji Photo Shop. ☎ *699-111.* 📠 *081-993-96-74.* • *thairafting.com* • Cette agence (à ne pas confondre avec *Pai Adventure,* un copieur), tenue par un Français très sympa (Guy, dit Khun Ki), propose en exclusivité des descentes en raft sur la grande section de la rivière Pai. Compter 2 400 Bts (46 €) pour 2 jours, tout compris. La saison démarre mi-juin et se termine mi-février. Réduc pour ceux dormant à *La Terrasse* (lire plus bas dans « Où dormir ? ») et peut vous renseigner sur ce qu'il y a à voir et à faire dans la région.

✉ *Poste –* ไปรษณีย์ *(plan A2) : dans la rue principale. Lun-ven 8h30-16h30 ; sam 9h-12h.*

@ *Internet et téléphone :* il y a des endroits où surfer sur le Net, d'où l'on peut généralement aussi appeler l'international à petit prix, un peu partout en ville, juste à côté de *Na's Kitchen* par exemple. À noter que l'accès à Internet est un peu plus cher ici qu'ailleurs puisqu'il est facturé en moyenne 1 Bts/mn.

■ *Change et ATM :* à la *Bank of Ayudhya (plan B1, 2), sur Chaisongkhram Rd. Comptoir de change tlj 9h-17h.* Sinon, d'autres banques dans le centre.

■ *Location de vélos : Good View (plan B2, 3), Chaisongkhram Rd. Tlj 8h-19h. Vélos ou VTT 50-80 Bts (1-1,60 €) la journée.* Loue aussi des petites motos.

■ *Location de motos –* เช่ารถมอเตอร์ไซค์ *: un peu partout. Au-dessus du lot, Aya Service (plan B1-2, 5), Chaisongkhram Rd, tlj 7h-21h. Propose de petites motos (y compris des automatiques) à partir de 100 Bts (2 €) les 24h. Également des 400 cm³ à 700 Bts (14 €).* Mais le véritable plus ici, ce sont les assurances. Attention, faites-vous bien expliquer les différentes formules (jusqu'à 180 Bts/j., soit 3,60 €, en sus du prix de location).

■ *Piscine : Fluid, à quelques centaines de mètres après le pont en allant vers Tha Pai Hot Spring (hors plan par B2). Tlj 9h-18h. Fermé pdt la saison des pluies. Entrée : 60 Bts (1,20 €).* Piscine de 25 m. Agréable, surtout quand il fait chaud, d'autant qu'il y a un chouia de verdure. Quelques appareils de gym. Musique cool et petit bar. On peut même y manger un morceau et profiter du hammam. Ensemble très bien tenu.

■ *Massages : Ice House, en retrait de Chaisongkhram Rd, par une ruelle sur la droite avt le loueur de vélos Good View (en venant du centre).* Juste quelques paillasses sous un toit de feuilles, mais bons massages. Demander Alit.

■ *Cinéma :* dans l'enceinte de *PS Riverside* (lire plus bas « Où dormir ? ») ; programmation quotidienne de 2 films qui s'enchaînent. Entrée prévue : 30 Bts (0,60 €) pour la soirée. Une construction en bambou, sans toit, avec 2 rangées de gradins, quelques coussins. Côté grand écran, des films de toutes nationalités, sous-titrés en anglais. On regarde l'écran, réchauffé par le grand feu qui est parfois lancé devant. Une initiative originale et qui change un peu des verres dans les bars.

Alors passez vous renseigner au *PS Riverside* sur le programme !

■ *Souvenirs : Mitthai in Pai* – มิตรไทย ที่ปาย *: Chaisonkhram Rd, un peu avt* Nongbeer Restaurant. Pour les inconditionnels (et les autres !) de Pai qui voudraient dégoter une carte postale originale, des pin's, magnets ou T-shirts qui le sont tout autant. Beaucoup d'idées, de couleurs, et en plus y'en a pour tous les g(c)oûts !

Où dormir ?

Bel éventail de *guesthouses,* vous ne devriez pas avoir de difficulté à trouver un toit.

De bon marché à prix moyens (de 100 à 400 Bts – 2 à 8 €)

🛏 *Shan Guesthouse* – ชาญเกสท์เฮ้าส์ *(plan A2, 10) : au sud de la ville, sur la route de Chiang Mai.* ☎ *699-162. Chambres 150-400 Bts (3-8 €).* Étonnante réception sur pilotis (on se demande comment ça tient) au milieu d'un mini-étang qui confère à l'adresse un charme indéniable. Tout autour, sur un vaste terrain gazonné, une bonne vingtaine de chambres en hutte ou bungalow, convenables, toutes avec salle de bains, même les moins chères ! Tenu par une gentille dame. Bref, agréable, calme et d'un bon rapport qualité-prix.

🛏 *P.S. Riverside* – พี.เอส ริเวอร์ไซด์ *(plan B2, 12) : toujours au bord de la rivière, un peu après le précédent.* ☎ *698-095.* Là encore, un ensemble de huttes rudimentaires en forme de A, ou circulaires sur pilotis, dans un jardin calme. Contrairement à de nombreux endroits au bord de la rivière, le coin est calme, assez vaste et pas densément contruit ; la rivière est visible et c'est bien agréable. Bar super cool au mi-

lieu. Ici, le temps n'a plus de sens et le confort moderne non plus. Un peu plus cher que le *Pai River Lodge.* Cours de *qi gong* gratuits tous les matins, dispensés par un membre du staff.

🛏 *Duang Guesthouse* –ดวงเกสท์เฮ้าส์ *(plan B1, 13) : face à l'arrêt des bus.* ☎ *699-101.* Une des premièrers *guesthouses* de Pai ; autant dire que c'est en quelque sorte une institution. Dans une maison autrefois entourée d'un jardinet où des bungalows ont maintenant poussé (fleur locale tenant parfois un peu de la mauvaise herbe). Dans la maison, en premier prix, chambres acceptables avec ou sans salle de bains. Les bungalows, eux, se négocient à 300 Bts (6 €), plus si vouleز la TV et un frigo. Bonne tenue générale. Le couple de proprios tient aussi une agence de voyages et loue des VTT. L'un des guides qui travaille pour Duang et parle bien l'anglais a autrefois servi de guide au couple royal dans son propre village ; une photo en atteste !

De prix moyens à un peu plus chic (de 400 à 1 100 Bts – 8 à 22 €)

🛏 *Pairadise* – ปายราไดซ์ *(hors plan par B2, 15) : de l'autre côté du pont, par le chemin qui part sur la gauche ; à env*

400 m, sur la droite. 📱 *089-431-35-11.* ● *pairadise.com* ● *Internet, wifi.* Ce qui séduit d'emblée ici, c'est le site : un petit plan d'eau charmant donnant sur les collines. De plus, les chambres tout autour de l'étang ne sont pas en reste ! Elles sont même impeccables, vastes, claires et bien arrangées, avec des lampes de chevet et des rideaux aux fenêtres, frigo dans les plus chères... Et le matin, le pain est fait sur place car le proprio, bien que thaï, a été boulanger en Allemagne. Excellent rapport qualité-prix. Pas de réservation possible en saison.

â **The Sun Hut** – เดอะซันฮัทท์ *(hors plan par B2, 14) : sur la route des sources chaudes, quelques centaines de mètres après le pont, côté droit.* ☎ 699-730. *Wifi.* Dans un beau jardin très au calme, des chambres de différents types et à différents prix, un chouia chères peut-être. Elles sont toutes très bien mais on préfère celles en bois, spacieuses, avec bons lits, belle salle de bains, petite terrasse privative agrémentée de hamacs... De quoi déconnecter complètement ! D'ailleurs un sage adage peint sur une pancarte est là pour vous y inciter *(« Slow is beautiful »)*. De plus, on y fait du feu tous les soirs, enfin, dans l'âtre au milieu du jardin, où se trouvent aussi une fontaine et une petite bibliothèque, des plans de la région, etc. Belle variété de petits déj le matin. Au resto, des plats essentiellement végétariens et des légumes principalement cultivés par les proprios.

â **La Terrasse** – ลาเทอเรซ *(plan B2, 16) : env 200 m après le pont en allant vers les sources chaudes (accès par le chemin qui part sur la gauche).* ☎ 081-993-96-74. *Compter 800 Bts (16 €) pour 2, petit déj inclus.* Tenu par Guy, le Français de l'agence *Thai Adventure* (voir « Adresses et infos utiles »). En plus des descentes en raft, il a fait construire 3 grandes chambres confortables à côté de chez lui, sur une butte, avec vue sur les environs *(jusqu'à 5 pers max – 3 sur des matelas par terre).*

â **LiLu Hotel** – โรงแรมลิลู *(plan A2, 11) : presqu'en face de* Thaï Adventure. ☎ 064-351. ● *liluhotel.com* ● En plein centre, un petit hôtel récent, aménagé de façon moderne et assez monacale. Une poignée de chambres, pas très grandes pour le prix mais lumineuses pour la plupart. Un peu cher toutefois. Également un resto-bar en terrasse.

Beaucoup plus chic (de 2 500 à 3 000 Bts – 50 à 60 €)

â **Belle Villa Resort** – แบลวิลล่ารีสอร์ท *(hors plan par A1, 17) : 113 Moo 6 Huaypoo-Wiangnua Rd.* ☎ 698-226. ● *belle villaresort.com* ● *À env 2 km du village, par la route de Mae Hong Son.* Un des plus beaux hôtels de Pai. Il s'agit en partie de bungalows individuels sur pilotis, disséminés dans un beau jardin fort bien tenu. Superbe déco thaïe et confort total : espace douche circulaire dans les salles de bains, peignoirs, excellente literie, coffre, lecteur de DVD, bouilloire, tout y est ! Petite piscine aussi et, le matin, on prend un très bon petit déj au resto-terrasse donnant sur la campagne. Dommage que 20 nouvelles chambres – et une nouvelle piscine – aient poussé dans l'année. Un bâtiment somme toute assez ordinaire, qui gâche un peu le caractère assez exceptionnel et intimiste du lieu. Cela dit, à l'intérieur, les chambres, quoiques petites, sont très bien. Accueil très chaleureux. Très jolie vue sur les champs.

Où manger ?

Bon marché (autour de 100 Bts – 2 €)

I●I **Stands ambulants** : *sur Chaisongkhram et Rangsiyanun Rd (plan B1).* En grand nombre, dès la tombée du jour. Pancakes, spécialités locales et brochettes pour une poignée de bahts... Certains restent ouverts assez tard. De

jour, il y a aussi quelques gargotes du côté du marché *(plan A2)*.

Prix moyens (de 100 à 300 Bts – 2 à 6 €)

I●I **Na's Kitchen** – นาคิกเช่นน์ *(plan A-B2, 20)* : *Ratchadamoen Rd. Tlj 13h30-23h*. Grosses tables et banquettes en bois. À la carte : légumes poêlés à la viande ou aux crevettes, plats végétariens, salades piquantes, délicieux currys (la spécialité), poisson au gingembre frais... Ici, on ne sert que du thaï, et à prix très modérés ! Un peu d'attente, c'est sûr, mais que voulez-vous, quand on prépare une cuisine de qualité... Excellent accueil.

I●I **Nongbeer Restaurant** – ร้านอาหารน้องเบียร์ *(plan A1, 21)* : *39/1 Chaisongkhram*. Resto d'angle, à terrasse ouverte. Bonne cuisine populaire, très propre et bon marché. Beaucoup de succès auprès des Thaïs. Si vous n'aimez pas trop la bouffe épicée, essayez les *satays* (brochettes de porc ou de poulet sauce cacahuète) ou le *fried* (écrit « fired » !) *chicken with cashew nuts*.

I●I **Duang Restaurant** – ร้านอาหารดวง *(plan B1, 13)* : *attenant à la* Duang Guesthouse, *à l'angle de la rue principale*. Une cuisine thaïe qui se permet quelques incursions dans l'art culinaire birman. *Pad thai* réussi. Goûtez la spécialité locale, le *khao soi*, d'origine birmane. Plats copieux. Également quelques sandwichs et spaghettis, pour ceux qui préfèrent. Et mémorables *fruitshakes*. Cadre en revanche tout à fait banal.

I●I **Baan Pai** – ร้านอาหารบ้านปาย *(plan B1, 24)* : *presque au croisement des rues Chaisongkhram et Rangsiyanun*. Très populaire. Cadre tout en bois, abrité sous les pilotis d'une grande maison. Les spécialités de viande comme

le copieux *baan pai chicken safari* (pas le plat le moins cher) sont bien maîtrisées. Pizzas aussi (140-320 Bts – 2,80-6,40 €), pâtes, sandwichs et petit déj. Ainsi que des petits plats thaïs à partir de 40 Bts (0,80 €). Occasionnellement de la musique live.

I●I **Amido's** – ฺอมิโคส์ *(plan B2, 22)* : *à la sortie du village, 100 m après le pont, sur la gauche. Ouv slt le soir*. Cadre très simple : une poignée de banquettes en bois sous un toit de feuillage, avec une petite sono posée sur le comptoir. On viendra plutôt pour les bonnes et copieuses pizzas (120-170 Bts, soit 2,40 ou 3,40 €), qui ont même la réputation d'être les meilleures au nord de Bangkok ! Également des pâtes, et des plats qu'il propose sur commande (bœuf bourguignon...). Le patron, Amido, est algérien.

I●I **Baan Benjarong** – บ้านเบญจรงค์ *(hors plan par A2, 25)* : *à la sortie du village en allant vers Chiang Mai, 20 m avt le Be Bop* (voir « Où boire un verre ? »). Bon, ici, on vous prévient, l'accueil est bourru. En revanche, et c'est pour cela qu'on vous l'indique, la cuisine est délicieuse. À vous de voir ce qui prime ! Terrasse.

I●I **The Sanctuary** – เคถะซังเขอรี *(plan B2, 23)* : *juste avant le pont*. ☎ 698-150. *Tlj 9h-22h*. Une bonne escale où manger végétarien et bio. Une carte longue comme le bras, qui fait le tour du monde à la sauce *Sanctuary* ; le tout à déguster, au choix, dehors ou dedans, le long de la rivière. Idéal dès le petit déj. Pour ceux qui veulent prolonger le plaisir, des cours de yoga quotidiens.

Où boire un verre ?

♟ ♪ **Be Bop** *(hors plan par A2, 30)* : *à la sortie de Pai, direction Chiang Mai. Tlj*

20h-1h. C'est un des grands rendez-vous nocturnes de la région. Tous les soirs dès 21h, sauf exception, petit « bœuf » façon rock, reggae ou rhythm'n'blues, selon l'humeur des différents groupes qui se succèdent. Il y a aussi un billard. On peut y grignoter.

🍷 Juste à côté, le **Groove Yard,** bien sympa aussi dans son style branché. Faites donc d'une pierre deux coups !

🍷 🎵 **Phu Pai Art Café** – ภูปายอาร์ต

ทาคาเฟ่ *(plan A2, 31) : Rangsiyanun Rd.* Atmosphère plus intime qu'au *Be Bop.* Ici, on vient écouter du *rongang,* sorte de mélange de musique tsigane et musulmane, originaire du sud du pays. Le patron, dont les peintures ornent les murs, fait partie de la petite formation qui se produit tous les soirs à partir de 21h.

➤ *DANS LES ENVIRONS DE PAI*

🎋 **Les chutes de Mo Paeng** – น้ำ ตกโม่แปง : *à 9 km au nord de Pai, par la route de l'hôpital.* Après 5 km, on arrive au *village chinois du Kuomintang* (KMT). Jetez-y un œil.

Les habitations en dur ont peu à peu remplacé les traditionnelles maisons en terre battue, le décor en souffre mais le confort s'améliore. Quatre kilomètres plus loin,

PASSE-MURAILLE

Certains habitants du village chinois du Kuomintang sont des membres de l'armée chinoise qui combattirent Mao Zedong. Quelques-uns se sont réfugiés en Birmanie et vivent du trafic d'opium. D'autres se sont rangés et vivent de l'agriculture, de la culture du thé et du commerce en Thaïlande.

les chutes d'eau, charmantes, avec, au pied, un agréable bassin de 10 m sur 5 dans lequel barbotent les gamins du coin. Cerné de forêts, un petit lieu ravissant pour une baignade. Pour y aller, on traverse un minivillage lahu, où les cochons des montagnes gambadent en semi-liberté. Les arbustes qui bordent la route sont des litchis.

🛏 🍽 **Muang Pai Resort** – เมืองปายรี สอร์ท *(hors plan par A1, 18) : un peu avt les chutes.* ☎ 699-988. ● muangpai.in fothai.com ● *De Pai, prendre la direction de Mae Hong Son sur 7 km, puis tourner à gauche (c'est fléché).* Compter 1 200 Bts (24 €), avec le petit déj. Calme, dans un beau jardin très bien tenu, ce *resort* propose des bungalows (nombreux !) d'architecture tradition-

nelle séparés les uns des autres par des allées, chacun avec terrasse aménagée. Ils abritent des chambres bien nettes, avec rondins en bois verni intégrés aux murs, mais un peu passées de mode. Belle piscine et bon resto. Si vous y logez plusieurs nuits, mieux vaut louer une moto (vérifiez les phares !) en ville que de prévoir de rentrer en moto-taxi.

🎋 *Chedî Phra Mae Yen* – เจดีย์พระแม่เย็น *(hors plan par B2) : à env 1 km au sud-est de Pai, puis par un chemin qui part sur la gauche.* Temple au sommet d'une colline, d'où la vue est magnifique. Un bon petit but d'excursion pour les routards en quête de nature et de calme.

➤ **Thom's Pai Elephant Camp** – นั่งหลังช้างเที่ยว (ทางไปน้ำพุร้อนท่าปาย) : *sur la route de Tha Pai Hot Springs (qu'on ne vous recommande pas car l'entrée est à 400 Bts, soit 8 € !), à env 7 km au sud de Pai ; sur la gauche, un peu avt les sources.* ☎ 699-286. ● thomelephant.com ● La sympathique Thom propose des balades à dos d'éléphant en montagne ou vers la rivière (choisissez cette dernière, plus agréable, moins galère et l'éléphant la préfère). Compter 500 Bts (10 €) pour 1h ; elle propose aussi des formules qui incluent par exemple un tour sur la rivière en raft de bambou puis un bain d'eau chaude thermale pour 1 000 Bts (20 €), 10h-15h, ou la possibilité de loger sur place (camping ou bungalows chic) pour apprendre à s'occuper d'un éléphant. Petit bureau à Pai, sur Rangsiyanun Road, entre Ratcha-damnoen et Chaisongkhram Road (plan B2).

🍴 *Pai Canyon* – ปายแคนยอน : *sur la route de Chiang Mai, à 8-9 km au sud de Pai (dans le même secteur que Tha Pai Hot Springs), prendre le sentier (non carrossa-ble) qui part sur la droite (c'est indiqué).* Au bout de 200 m, vous serez récompensé par une vue grandiose sur toute la région !

🏠 *Tha Pai Spa & Resort* – ท่าปายสปา แคมป์ : *sur la route des sources chau-des, un peu avt celles-ci.* ☎ 693-267. *Chambre 3 000 Bts (60 €), petit déj inclus ; bain thermal 50 Bts (1 €).* Pour nos lecteurs à l'aise dans leur budget, chambres luxueuses dotées d'une ter-rasse privative avec vue sur la rivière et baignoire où coule l'eau thermale. Ils ont aussi 35 chambres à la moitié de ce prix, mais elles sont assez anciennes. Sinon, vous pouvez simplement venir vous immerger dans l'un de leurs bassins (rempli d'eau thermale).

➤ *Les treks :* quelques agences, dont *Duang Guesthouse* (voir « Où dormir ? »), en proposent. De 1 à 3 jours, avec ou sans nuit dans les villages, balades à dos d'éléphant. Certaines proposent aussi des descentes de rivière en radeau de bambou.
Attention : pour certains treks, des organisateurs s'arrangeraient pour que, le soir au village d'étape, le touriste puisse s'offrir une « défonce » bon marché à l'opium. N'en prenez en aucun cas : c'est une drogue dure et, donc, très dangereuse (un Français a été victime d'une overdose il y a quelque temps).

➤ *Le rafting :* une activité largement pratiquée dans les environs de Pai. On vous recommande l'agence *Thai Adventure* (voir « Adresses utiles »), qui organise des descentes en raft en caoutchouc (les autres agences utilisent des rafts en bambou ou PVC) sur la grande section de la rivière Pai (60 rapides sur 60 km dans un envi-ronnement vierge !).

➤ Pour ceux qui sont à *moto,* les environs de Pai offrent de chouettes balades (avoir une carte). Se renseigner sur place, dans les agences. Voir aussi la rubrique « Treks à moto » dans « Treks chez les ethnies montagnardes », plus haut.

DE MAE HONG SON À MAE SARIANG

Cette route, que nous appellerons « du Sud », est plus longue mais moins sinueuse que celle qui passe par Pai. Et elle traverse aussi de très beaux pay-sages, en particulier jusqu'à Chomtong, où commence une voie à plusieurs bandes jusqu'à Chiang Mai. Sept bus par jour la parcourent (en moyenne) dans les deux sens. Le voyage dure huit petites heures pour effectuer 370 km.
De Mae Sariang, on peut aussi poursuivre vers le sud et Mae Sot, mais bien se renseigner alors sur l'état de la route avant de partir car, pendant la saison des pluies, il y a des risques de glissements de terrain.
Nous suivons donc cette route au départ de Mae Hong Son jusqu'à Chiang Mai.
En quittant Mae Hong Son, on traverse une région peuplée de nombreux Karen aux vêtements chatoyants. À noter, au km 32, soit moins de 20 km après les

sources d'eau chaude où des villageois viennent laver leur linge, une route qui part sur la gauche, vers le village méo de *Microwave,* perché à 1 000 m d'altitude. Superbe point de vue de là-haut mais attention, la petite route qui y mène est très raide et étroite par endroits.

MAE SARIANG – แม่สะเหรียง

Après avoir traversé le village de Mae La Noi, on arrive à Mae Sariang, un peu à l'écart de la grande route. Près de 4 000 personnes vivent ici, principalement des Shan et des Thaïs. Assez commerçant, le bourg est une étape pour les voyageurs de commerce qui sillonnent le pays et un lieu d'approvisionnement pour les montagnards de la région. On y trouve de nombreuses et sympathiques maisons en teck et, sur son flanc ouest, une charmante rivière.

Adresses et infos utiles

⊠ ■ *Sur Wiang Mai Rd, la rue qui vient de la route principale, vous trouverez la* **poste** *(plan B1), l'***hôpital** *(plan B1, 2) et la* **Government Savings Bank** *(plan A1, 3) avec distributeur Visa.*

@ **Internet** *(plan A1) : entre le* Riverhouse Hotel *et le* Riverhouse Resort.

■ *Police et retrait de liquide (plan A2, 4) au sud de Mae Sariang Rd, au niveau* de la poste de la ville.

🚌 **Gare routière** *(plan A1) : dans le centre.*

➤ *Pour Mae Hong Son :* 4 bus 7h-15h30, plus 2 en fin de soirée. Trajet : 3h30. Prix : 80-140 Bts (1,60-2,80 €).

➤ *Pour Chiang Mai :* 5 départs 7h-15h (plus 2, à minuit et 1h). Env 4h de route, prix similaires.

Où dormir ?

De bon marché à prix moyens (de 100 à 400 Bts – 2 à 8 €)

🛏 **Northwest Guesthouse** – นอร์ทเวสท์เกสท์เฮ้าส์ *(plan A1, 10) : Langpanich Rd.* ▯ *089-700-99-28 ou 086-670-42-86.* ● *Patiat_1@hotmail.com* ● *À 50 m de la rivière mais ne donne pas sur celle-ci. Chambre env 200 Bts (4 €) ; réduc si l'on est seul. Internet.* Maison tout en teck abritant 10 chambres toutes simples mais nickel. Deux d'entre elles ont salle de bains et clim' (350 Bts, soit 7 €). Possibilité de petit déj. Patronne adorable. Location de motos.

🛏 **Riverside Guesthouse** – รีเวอร์ไซด์เกสท์เฮ้าส์ *(plan A1, 11) : 85 Langpanich Rd.* ☎ *681-188.* Terrasse sympa dominant la rivière et les environs. À part ça, les chambres, à différents prix, avec ou sans salle de bains, AC ou TV, manquent un peu de tenue, comme l'ensemble du lieu d'ailleurs.

Un peu plus chic (de 500 à 950 Bts – 10 à 19 €)

🛏 *Riverhouse Hotel* – รีเวอร์เฮ้าส์ *(plan A1, 12) : 77 Langpanich Rd.* ☎ *621-201.* Notre adresse préférée. Vous y trouverez une douzaine de chambres ravissantes et douillettes, avec beau plancher, TV, lits confortables et, surtout, un balcon donnant sur la rivière et les montagnes ! AC et petit déj en sup-

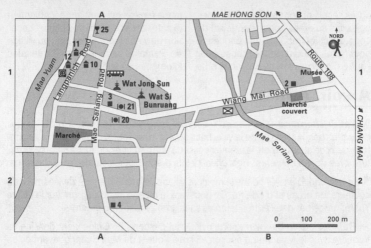

MAE SARIANG

■ **Adresses utiles**

- 🚌 Gare routière
- ✉ Poste
- @ Internet
- **2** Hôpital
- **3** Government Savings Bank
- **4** Police et retrait de liquide

🛏 **Où dormir ?**

- **10** Northwest Guesthouse

- **11** Riverside Guesthouse
- **12** Riverhouse Hotel

🍴 **Où manger ?**

- **20** Intira Restaurant
- **21** Renu Restaurant

🍸 **Où boire un verre ?**

- **25** Shine Club

plément. Ils possèdent aussi, à deux pas de là, un autre hôtel *(Riverhouse Resort),* plus moderne, proposant le même type de chambres mais en un peu plus cher (compter 1 000 Bts, soit 20 €, avec minibar et petit déj inclus). Autant rester ici.

Où manger ?

🍴 *Intira Restaurant* – ร้านอาหารอินทิ รา *(plan A1, 20) : Wiang Mai Rd. Tlj 8h-21h30.* On dîne dans une grande salle un peu kitsch ouverte sur la rue ou, à l'intérieur, dans un espace climatisé. Excellente cuisine thaïe, préparée avec soin et servie en grosse portion. En automne, spécialité de grenouilles géantes de la région, mais sachez que c'est une espèce protégée.
🍴 *Renu Restaurant* – ร้านอาหารเรณู *(plan A1, 21) : en face du précédent.* L'autre resto recommandable de Mae Sariang. Décor, menu et prix assez similaires.

Où boire un verre ?

🍸 *Shine Club* – ชายน์ คลับ *(plan A1, 25) : Langpanich Rd.* Sympa pour prendre un verre dans la journée ; pas d'alcool. Les écoliers adorent passer ici après l'école et commander d'étranges boissons colorées : un mélange lait de coco, biscuit Oreo, jelly, lait concentré pour l'un... poudre de thé, cacao pour l'autre... pas mauvais du tout en fait ! La jeune femme qui tient impeccablement le café fabrique aussi des bijoux. Location de vélos (pour aller jusqu'au village de Pamalor par exemple, à quelques kilomètres au sud).

À voir. À faire

🍴 *Wat Si Bunruang* – วัดศรีบุญเรือง et *Wat Jong Sun* – วัดจองสุ่น *(plan A1) :* les deux plus beaux temples de la ville, bâtis au XIXᵉ s, se touchent presque. S'ils sont tous deux de style birman, le premier possède une certaine originalité dans sa structure avec décrochements. Trois *chedî* peints précèdent le second, plus classique.

🍴 *Le marché (plan A2) :* dans le moindre village, le marché est un ravissement de couleurs, de bruits et d'odeurs. On poussera la balade jusqu'au pont sur la rivière Yuam, gardé par deux autres temples sans grand intérêt architectural.

➤ *Balades sur la Salawin :* cette rivière qui descend de Chine vient dessiner la frontière avec le Myanmar à environ 45 km à l'ouest de Mae Sariang, avant de se jeter dans l'océan Indien. On peut y faire une excursion (en bateau) d'une demi-journée ou d'une journée. Renseignements à la *River House.*

➤ *Treks :* possibles dans le *NGAO National Park.* Compter 1 à 3 jours, à pied, radeau de bambou ou dos d'éléphant. Là encore, infos à la *River House,* ou auprès de M. Salawin (comme la rivière !), qui fréquente assidûment la *Riverside Guesthouse.*

DE MAE SARIANG À CHIANG MAI

La route 108, partant de Mae Hong Son, bifurque vers l'est après Mae Sariang pour finir à Chiang Mai. 190 km séparent ces deux villes.
Si vous voyagez en bus, il vous sera difficile de vous arrêter pour voir les sites décrits plus bas. Les distances données s'entendent au départ de Mae Sariang.

🍴 *Km 18 : Thoong Bua Thong* – ทุ่งบัวทอง (ou *Doi Mae Ho* – ดอยแม่โฮ) est une montagne à ne pas rater si vous voyagez entre octobre et décembre, période où les tournesols mexicains qui couvrent ses flancs sont en fleur. Cette explosion de jaune or est une image largement répandue sur les cartes postales du pays.

🍴 *Mae Chaem* – แม่แจ่ม *: par bifurcation sur la gauche (route n° 1088) aux env du km 80 (panneau indicateur).* Un bourg assoupi au milieu d'une vallée perdue. 50 km de trajet plein nord depuis l'embranchement. Longtemps difficile d'accès, la route est maintenant bitumée. Mais l'endroit a gardé un maximum d'authenticité, loin du folklore touristique. On y trouve quelques beaux temples, récemment restaurés mais gardant leur cachet lanna. La route remontant vers le Doi Inthanon (25 km plus loin ; voir plus bas) est magnifique, plongeant entièrement sous un manteau végétal après son entrée dans le parc du même nom.

🛏 ⏹ *Pongsara Resort* – ปางสรารีสอร์ท ภ : *à l'entrée de Mae Chaem en venant de Mae Sariang.* ☎ 485-011. Compter | 300-700 Bts (6-14 €). Repérer les bungalows aux toits bleus répartis sur un grand terrain. Une vraie affaire, car les

chambres sont impeccables, bien fraîches, avec TV, salle de bains et déco
sympa ! Café et bon resto, en prime.

Sinon, comme d'hab', stand de nouilles
au petit marché de la ville.

🏃 Km 91 (peu après la bifurcation pour Mae Chaem en restant sur la route 108) : les
gorges Obluang – ถ้ำถบหลว ง. Entrée : 400 Bts (8 €) ! Creusées par la rivière Mae
Chaen, qu'enjambe un impressionnant petit pont de bois. Bien aménagée, avec
aire de pique-nique, camping et possibilité de baignade, cette petite balade suit les
traces (gravures, tombes...) des hommes qui vécurent ici il y a 7 000 ou 8 000 ans.

🏃 Km 142 : le bourg de **Chom Thong** – จมทอ ง possède un temple dont le magnifique chedî abrite une importante relique de Bouddha lui-même. Du coup, le village
est le théâtre d'une grande fête à la pleine lune de juin. Juste à côté du temple,
plusieurs gargotes proposent, entre autres, grillades de poulet et brochettes de
bananes.

🏃 Km 150, par une bifurcation sur la gauche, à la sortie de Chom Thong : **le parc
national du Doi Inthanon** qui, rappelons-le, est le plus haut sommet de Thaïlande
(2 590 m). Y aller à moto ou avec votre propre voiture... C'est en tout cas le seul
moyen de vous déplacer un peu librement dans le parc et même, en gros, d'atteindre le sommet du Doi Inthanon. Sinon, il y a quelques songthaews au départ de
Chom Thong le matin (entre 10h et 12h), qui vont à Mae Chaem par la route qui
traverse le parc. Mais, hormis pour prendre ou débarquer des passagers, ils ne
s'arrêtent pas vraiment en chemin... Entrée : 400 Bts (8 €). Refuge d'espèces animales rares, de nombreuses balades y sont possibles. Il y a plusieurs chutes d'eau,
des villages d'ethnies et des projets écotouristiques à visiter. Au sommet de la montagne, les plates-formes de deux stûpas (assez laids, il faut bien le dire) offrent une
superbe vue panoramique. Logement (notamment sous tente) et resto possible à
l'Accomodation Center (☎ 268-550 ; à 31 km de Chom Thong).

CHIANG RAI ET LE TRIANGLE D'OR

La pointe septentrionale de la Thaïlande ne manque pas d'attraits : chaleureux *Night Bazaar* de Chiang Rai, animation commerçante de Mae Sai, bourg-frontière sur le Mékong, curieux village de Mae Salong, tout chinois, et bien sûr point de vue sur le fameux Triangle où Laos, Myanmar et Thaïlande se rencontrent – ou plutôt, s'observent – de part et d'autre du majestueux Mékong...

THATON – ท่าตอน   IND. TÉL. : 053

Site agréable, dominé par une colline où trône un gros bouddha. Quelques bonnes adresses en bordure de rivière pour certaines, *guesthouses* ou hôtels, incitent à y dormir avant d'embarquer sur la rivière Kok (voir plus bas), de faire un trek alentour ou de continuer par les belles routes de la région la plus septentrionale de Thaïlande vers Mae Salong et Mae Sai.

Arriver – Quitter

➤ *De/vers Chiang Mai (terminal Chang Puak) :* 7 bus/j., 6h-15h30 depuis Chiang Mai et 6h20-16h depuis Thaton. Trajet en 4h env (173 km).

➤ *De/vers Chiang Rai :* pas de bus direct (mais des pirogues ! voir plus bas). Il faut prendre, de Thaton, un des minibus jaunes pour *Klu Satai* (1er vers 6h, dernier vers 14h), puis un vert pour *Mae Chan* et, enfin, un 3e pour Chiang Rai. En tout, compter bien 3h de trajet.

Adresses utiles

■ *Police touristique* – ตำรวจท่อง เที่ยว *: juste avt le pont à droite en venant de Chiang Mai.*

@ *Internet :* presque en face de la police touristique.

Où dormir ?

Bon marché (autour de 300 Bts – 6 €)

🏠 *Kwan's Guesthouse* – ขวัญเกสท์เฮ้าส์ *: juste avt de passer le pont (venant du sud), côté gauche.* ☎ 081-993-12-67. ● *Kwan.guesthouse@hotmail.com* ● 8 chambres modestes mais très propres, en semi-dur, avec salle de bains où coule de l'eau... tiédie par le soleil et vraiment chaude dans 2 d'entre elles ; les chambres s'ordonnent autour d'un petite courette. Tenu par un couple germano-thaï. On peut aussi y manger à toute heure. Treks.

De prix moyens à un peu plus chic (de 400 à 1 500 Bts – 8 à 30 €)

🛏 ▮●▮ *Apple River Villa* – แอ๊ปเปิ้ล ริเวอร์ วิลล่า : *juste après le pont (en venant de Chiang Mai), sur la droite.* ☎ 373-144. ● applethaton@yahoo.com ● *Chambre 1 000 Bts (20 €) ; bungalow 350 Bts (7 €).* Une adresse qui s'est accordée une nouvelle jeunesse en déménageant. Toujours au bord de l'eau mais sur l'autre rive, les proprios ont vraiment bien fait les choses : des sols originaux (dans les bungalows les moins chers et sur la terrasse des autres), des plantations minutieusement entretenues. 16 chambres avec frigo et petit déj inclus, à bon prix compte tenu de la qualité de la prestation, et ce d'autant que tout est neuf. Également 4 bungalows clairs et colorés avec eau chaude, et une maison pour 4 personnes. Au resto, spécialités de poisson de rivière.

Excellente adresse.

🛏 *Garden Home* – การ์เด้น โฮม เกสท์เฮ้าส์ : *passer le pont et prendre tt de suite à gauche le chemin qui borde la rivière.* ☎ 373-015. ● gardenhomenatu re.com ● *Chambres 400-1 500 Bts (8-30 €).* Bienvenue dans ce complexe de bungalows et de huttes en bambou, répartis dans une véritable plantation de litchis. Une trentaine de chambres, toutes impeccables et équipées de salle de bains avec eau chaude ! De plus, cadre vraiment extra, aéré, bien tenu et, même, une (petite) plage en saison sèche. Sauf pour la vue sur la rivière Kok, on aime autant les bungalows plus simples. Resto sympa avec tables en pierre. Location de motos, treks, rafting et réservation de la descente en bateau jusqu'à Chiang Rai.

Plus chic (à partir de 1 200 Bts – 24 €)

🛏 *Old Tree's House* – โอลด์ ทรี เฮ้าส์ : ☎ 722-90-02. ● oldtreeshouse.net ● *250 m après le pont en direction de Chiang Rai ; bien fléché. 4 chambres slt ; 3 à 1 400 Bts (28 €) et 1 à 1 200 Bts (24 €) (pas de vue et plus sombre).* Internet et wifi gratuits. On vous le dit tout de go : voilà une adresse coup de cœur. Une chambre d'hôtes sur les hauteurs de Thaton d'où l'on a une très jolie vue sur les environs. Nid et Paulo, un couple franco-thaï, aiment vous accueillir chez

eux, et ça se sent. Dans les chambres, une jolie déco de chambre d'amis et bien plus que le confort qu'on pourrait attendre : toilettes séparées, lavabo double vasque, lecteur DVD, lecteur CD (CD et DVD à emprunter), des grands lits ; possibilité de faire laver son linge, et boissons, tout ça gratuitement. Et, cerise sur le gâteau, une très jolie piscine. On peut également y dîner sur demande. Massage possible dans votre chambre. Location de motos.

Où manger ?

De bon marché à prix moyens (de moins de 100 à 400 Bts – 2 à 8 €)

▮●▮ *Thaton River View* – ท่าตอน ริเวอร์ วิว : *au-delà du* Garden Home *(voir « Où dormir ? »).* Excellente table, avec terrasse idéalement située face à la rivière. Pas mal de charme... et de

moustiques ! Mais voir le soleil se coucher sur les temples voisins, on ne s'en lasse pas. Surtout quand on peut déguster avec ça un superbe jambonneau façon chinoise aux légumes verts !

Bien aussi pour boire un verre.

|●| *Apple River Villa* – แอ๊ปเปิล ริเวอร์ วิลล่า : *dans la* guesthouse *du même nom (voir « Où dormir ? »).* Cuisine thaïe simple mais bonne et pas chère, servie avec le sourire. Grande salle ou terrasse. Permet d'attendre le moment du départ puisqu'on a vue sur le ponton.

|●| *Chankasem* – จันทรเกษมเกสท์เฮ้าส์ : le long de la rivière à droite avant le pont (en venant de Chiang Mai), au-delà de l'embarcadère. Resto bon marché, correct aussi.

À faire au départ de Thaton

Descente de la rivière Kok

La descente et les excursions à partir de la rivière Kok ne sont plus aussi aventureuses qu'autrefois. L'amélioration du réseau routier ayant tué le trafic fluvial, il n'y a plus que les pirogues des touristes sur la rivière. La surexploitation passée a aussi malmené l'authenticité de ce petit périple, transformant les villages bordant les rives en centres de magasins de souvenirs. Mais la région reste très belle et la rivière peut toujours être l'objet d'explorations plus profondes.

Organiser l'excursion

Le quai se trouve sur la rive droite de la rivière Kok. Juste avt le pont (venant de Chiang Mai), prendre la rue sur la droite qui suit la berge. Le bureau de résa (tlj 8h-17h) est situé sous l'abri du quai. Le responsable de l'embarcadère, Kosol, est sympa et parle bien l'anglais alors n'hésitez pas !

La plupart des touristes font la descente de la rivière jusqu'à Chiang Rai, mais on peut tout aussi bien louer une pirogue et aller où l'on veut et, surtout, en prenant son temps, d'autant que de nombreuses tribus (Lisu, Akha, Karen, Yao et Lahu) vivent le long de la région traversée par la rivière, sur les rives ou à une heure ou deux de marche à l'intérieur des terres.

Si vous voulez aller à Chiang Rai, il y a en principe une pirogue tous les jours à 12h30. Compter 350 Bts (7 €) par personne et 3h30 de navigation, avec 1 arrêt dans un village. Attention, la pirogue part quel que soit le nombre de personnes ; entre 6 et 10 maximum selon le niveau de l'eau. Sinon, on peut toujours, comme on l'a dit plus haut, louer son bateau et voguer à loisir, vers Chiang Rai ou ailleurs. Compter alors 2 200 Bts (44 €) la journée, pour une embarcation qui peut prendre maximum 6 personnes (cela dépend du niveau d'eau). Vous trouverez à l'embarcadère la liste de tous les arrêts possibles. Pensez à prendre de l'eau, des gâteaux pour tromper les petits creux (quoiqu'on puisse se ravitailler « en route », dans les villages qui bordent la rivière), et de quoi vous couvrir le caillou. Sachez aussi qu'un certain nombre de *guesthouses* se sont installées près des rives de la Kok, notamment au niveau des sources chaudes *(Hot Springs).* Deux d'entre elles, *My Dream Guesthouse* et *Akha Hill House,* sont faciles d'accès.

Enfin, sachez aussi qu'on peut faire le trajet en sens inverse, c'est-à-dire de Chiang Rai (départ à 10h30) à Thaton (arrivée 14h30), mais c'est bruyant car, vu que l'on va à contre-courant, la pirogue doit faire tourner son moteur à plein régime. C'est aussi moins drôle lors du passage des « rapides ». On met les guillemets car, jamais très décoiffants, ceux-ci n'apparaissent vraiment qu'entre la saison sèche et la saison des pluies.

CHIANG RAI – เชียงราย

Capitale de la province du même nom, Chiang Rai est une petite ville pas bien excitante à première vue, souffrant d'un urbanisme anarchique et sans grâce. Mais, rapidement, on y découvre un marché de jour typique et, la nuit venue, un *Night Bazaar* très animé. Chiang Rai est, par ailleurs, le point de départ vers la région du Triangle d'Or que l'on peut explorer à moto. Paysages attachants. Balades uniques dans une région qui n'est plus vierge mais qui reste très belle.

Arriver – Quitter

En bus et en *songthaew*

🚌 *Gare routière* (hors plan par B3) : sur Phahon Yothin, à 6 km au sud du centre. C'est d'ici que partent tous les bus.

🚌 *Gare des songthaews* (plan B2) : sur Suk Sathit Rd, au niveau du marché principal. Départs pour les petites villes et villages des environs.

➤ *De/vers Chiang Mai :* nombreux bus, AC, non AC ou VIP, 6h30-17h30 depuis Chiang Rai (19h30 les ven et dim). Trajet : env 3h. Prix : 100-270 Bts (2-5,40 €).
➤ *De/vers Bangkok :* nombreux bus, essentiellement le mat et en fin d'ap-m (jusqu'à 19h30). Trajet : 11h (845 km). Prix : 450-900 Bts (9-18 €).
➤ *De/vers Sukhothai et Phitsanulok :* 5 bus/j., 7h30-14h30 depuis Chiang Rai. Compter 6-8h de trajet.
➤ *Do/vers Mae Sai (via Mae Chan) et le Triangle d'Or (Chiang Saen) :* départ ttes les 20 mn, 5h-18h30. Trajet : env 1h30.

■ **Adresses utiles**

✈ Aéroport
🚌 Terminal des bus ou des *songthaews*
🛈 TAT
✉ Poste
@ Internet
1 Chiang Rai Telecommunication Center
2 Thai Airways
4 Alliance française
5 Tourist Police
6 Overbrooke Hospital
7 Pharmacie Boots
8 ST Motorcycle

🛏 **Où dormir ?**

10 Chat House
11 Orchids Guesthouse
12 Jitaree Guesthouse et Lotus Guesthouse
13 Chian House
14 Baan Bua Guesthouse
15 Ben Guesthouse
16 Moon & Sun Hotel
17 Naga Hill Resort
18 Baan Rub Aroon Guesthouse

🍽 **Où manger ?**

30 Marché de jour
31 Night Bazaar
32 Nice Kitchen
33 Oasis Vegetaurant
34 Paojai
35 Aye's Restaurant
36 Il Pirata
37 Cabbages and Condoms
39 Funny House

🍽☕ **Où boire un café ? Où manger une pâtisserie ?**

42 Le Petit Café

🍷♪ **Où boire un verre ? Où sortir ?**

45 Teepee Bar
46 Sa-bun-Nga Pub & Restaurant

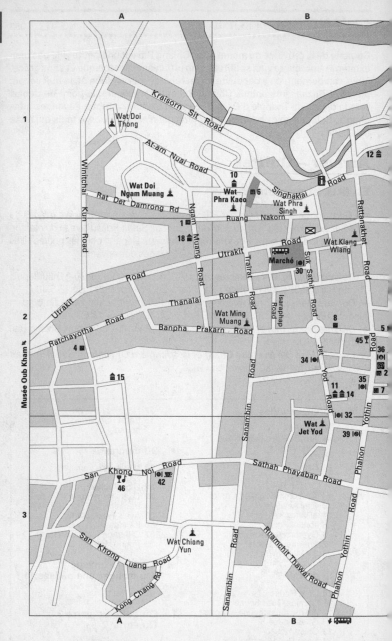

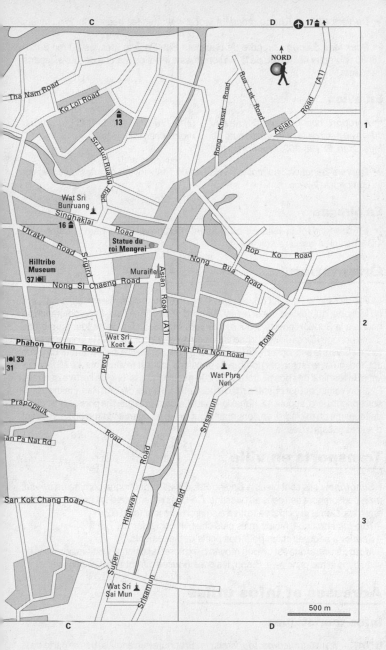

CHIANG RAI

➢ *De/vers Chiang Khong (frontière laotienne) :* ttes les heures 6h-17h. Trajet : 2h30.

➢ *Pour Mae Salong :* prendre un bus pour Ban Pasang (ttes les 20 mn 5h50-18h30 ; compter 45 mn) et, de là, un *songthaew* (arrêt au marché de jour). Départs fréquents.

En avion

✈ *Aéroport (hors plan par D1) : à env 10 km au nord de la ville, sur la route de Mae Chan.* ☎ *798-202. Prendre un taxi* (env 170 Bts, soit 3,40 €) ou, un peu moins cher, un tuk-tuk.

➢ *De/vers Bangkok :* au moins 3 vols/j. avec *Thai Airways* et autant avec *Nokair* (la compagnie *low-cost*).

En pirogue

➢ En descendant la rivière Kok depuis Thaton (voir plus haut à cette ville, « Descente de la rivière Kok »).

Orientation

La ville de Chiang Rai s'est développée sur la rive droite de la rivière Kok, un affluent du Mékong, qui coule d'ouest en est, au nord de la ville. À l'est, l'agglomération se heurte à la Super Highway 1 qui monte vers Mae Sai. Une petite tour surmontée d'une horloge *(Clock Tower)* trône au milieu du carrefour central de la ville. En partant de là vers le sud, on arrive à un quartier de petites ruelles centré autour de la rue Jet Yod, où se rassemblent nombre de pensions, bars et restaurants. Le *Night Market* et le terminal des bus se trouvent à 200 m vers l'est, le long de l'artère centrale, Phahon Yothin, qui est orientée nord-sud. Cette voie, qui devient Rattanakhet dans son tronçon nord, aboutit à Singhaklai Road. La prendre à gauche pour aller à l'office de tourisme ou rejoindre, en continuant tout droit, un quartier calme où se trouvent d'autres *guesthouses*.

Transports en ville

– *Songthaew :* ils sont bleus à Chiang Rai. En ville, fonctionne comme un *tuk-tuk* mais peut prendre des gens au passage. Certains rallient aussi les petites villes des environs. L'arrêt principal se trouve au marché de jour *(plan B2)*.

– *Tuk-tuk :* pratique, rapide mais plus cher. Négocier ferme.

– *Samlor à pédales :* bien pour des petits déplacements.

– *Moto :* en louer une est un bon moyen d'explorer la région. Plusieurs adresses en ville, dans la rue principale. Sinon, les *guesthouses* offrent aussi ce service.

Adresses et infos utiles

Infos touristiques

🛈 *TAT – ท.ท.ท. (office de tourisme ; plan B1) : Singhaklai Rd.* ☎ *711-433.* ● *tatchrai@tat.or.th* ● *Tlj 8h30-16h30.* Brochures en anglais, bonne carte de la ville et de la région, horaires des bus, mais le personnel ne parle pas beau-

coup l'anglais...
■ *Tourist Police* (plan B2, **5**) : 586/6

Phahon Yothin Rd. ☎ 740-249.
■ *Urgences 24h/24 :* ☎ 11-55.

Poste et télécommunications

✉ *Poste* – ไปรษณีย์ *(plan B2)* : Utrakit Rd. Lun-ven 8h30-16h30 ; sam-dim 9h-12h.
■ *Téléphone :* centre à l'étage de la poste, ouv lun-ven 8h30-16h30.
■ *Un autre, le Chiang Rai Telecommunication Center (plan A2, 1) se trouve sur Ngam Muang Rd (fermé aussi le w-e).* Sinon, nombreux téléphones à cartes internationales *Lenso* à côté des

7/Eleven, ou possibilité d'appels depuis un centre Internet.
@ *Internet :* plusieurs cybercafés au centre-ville, notamment sur Phahon Yothin Rd. Parmi ceux-là, le *Connect Café (plan B2),* tlj 9h-21h. Très sympa, avec un petit comptoir tout plein de produits alléchants et des boissons chaudes en veux-tu, en voilà. Vendent des cartes de téléphone CAT.

Argent, change

Nombreuses banques avec distributeur de billets *Visa* et *MasterCard* dans le centre, en particulier sur Phahon Yothin Road *(plan B2)*. Certaines, comme la *Thanachart Bank,* ont un comptoir de change ouvert tous les jours jusqu'à 21h ou 22h. Pour le service *Western Union,* aller à l'*Ayudhya Bank,* sur Thanalai Road, à l'angle de Suk Sathit Road *(plan B2)*.

Santé

■ *Overbrooke Hospital* – โรงพยาบาลโอเวอร์บรู๊ค *(plan B1, 6) :* à l'angle de Singhaklai Rd et de Trairat Rd. ☎ 711-366. Service 24h/24. L'ancien hôpital de Chiang Rai, toujours très coté. Médecins anglophones.

■ *Pharmacie : Boots* (plan B2, **7**), 873/7-8 Phahon Yothin Rd. ☎ 600-983. Tlj 10h-23h. Vend des médicaments et des articles d'hygiène qu'on trouve en Europe.

Transports

■ *Thai Airways* – สายการบินไทย *(plan B2, 2) :* 870 Phahon Yothin Rd. ☎ 711-179. Lun-ven 8h-17h. À l'aéroport : ☎ 798-202.
■ *ST Motorcycle* (plan B2, **8**) : 527 Banpha Prakarn Rd. ☎ 713-652. Tlj 8h-20h. Loc de motos. Propose des

100 cm³ à 150-200 Bts/j. (3-4 €), dont certaines automatiques, et des 250 cm³ à partir de 700 Bts/j. (14 €), ainsi que des petits 4x4, à partir de 800 Bts/j. (16 €) ; réduc à partir de 1 sem. Fait aussi vendeur et réparateur, ce qui est un gage de sérieux. De plus, on y parle l'anglais.

Culture

■ *Used books :* tlj 10h-20h. Juste à côté du resto Funny House. Des bouquins d'occasion en français. Proposez les vôtres en échange !
■ *Gavroche :* un magazine d'information en français, qui couvre l'Asie du Sud-Est. On peut l'acheter chez *Naiin* – นายอินทร์ *(tlj 10h-22h)* juste en face

de *Wang Inn Hotel,* Phahon Yothin Rd.
■ *Alliance française (plan A2, 4) :* 1077 Soi 1 Ratchayotha. ☎ 660-810. Tlj sf dim 10h-18h. Accueil sympa, mais peu d'activités culturelles. Bibliothèque. Pour les routards de passage, la halte vaut surtout pour boire un verre en lisant la presse française. On peut parfois y

trouver Bertrand Lartoux (● *berto_l@hot mail.com* ●), un guide de formation qui peut organiser un tour dans la région.

Le contacter très en avance bien sûr, d'autant qu'il est également prof à l'Alliance française.

Où dormir ?

Pas mal de *guesthouses* d'un bon niveau. Pratiquement chacune d'entre elles propose des treks ou des excursions vers les villages du Nord et le Triangle d'Or.

De très bon marché à prix moyens (de 100 à 450 Bts – 2 à 9 €)

🛏 *Ben Guesthouse* – เบญเกสท์เฮ้าส์ *(plan A2, 15)* : 351/10 San Khong Noi Rd, Soi 4. ☎ 716-775. À l'ouest du centre. De pas cher du tout (sans sdb) à prix moyens (AC). Superbe maison en bois, dans le style du nord de la Thaïlande, qui vient d'être entièrement rénovée, y compris côté literie ! Bon rapport qualité-prix. Certaines chambres sont même bien mignonnes, avec murs de briquette et mobilier en rotin. Pour le reste, endroit charmant, avec balcon-terrasse où il fait bon prendre un verre. On peut venir vous chercher gratuitement à l'arrivée du bateau, du bus ou de l'avion. Organisent aussi de bons treks. Accueil aimable ; la proprio venant de passer quelques années en Nouvelle-Zélande, elle parle parfaitement l'anglais. Lors de votre passage, un nouveau resto sera peut-être sorti de terre. Super adresse.

🛏 *Chat House* – ชาติเกสท์เฮ้าส์ *(plan B1, 10)* : 3/2 Soi Sang Kaeo Trairat Rd. ☎ 711-481. ● *chatguesthouse.com* ● *Internet* et wifi. Dans une rue calme non loin du *Wat Phra Kaeo*, une pension bien sympathique, proposant 20 chambres propres et pas chères autour d'un jardin exubérant égayé d'une petite fontaine. Eau chaude. Certaines ont leur salle de bains, pour quelques bahts de plus... Petite terrasse ombragée pour le petit déj ou le dîner. Et un dortoir, pour les fauchés. Accueil charmant. Ils organisent aussi des treks de 1 à 3 jours et louent vélos et motos.

🛏 *Lotus Guesthouse* – โลตัสเกสท์เฮ้า ส์ *(plan B1, 12)* : 247 Soi Santirat, Singakhlai Rd. ☎ 716-662. Des chambres très simples mais bien tenues, avec douche (chaude) à un prix imbattable, qui s'articulent autour d'une grande pelouse bien entretenue où l'on peut s'écraser dans un hamac. Également un petit coin salon. Un adresse au calme et d'un bon rapport qualité-prix.

🛏 *Jitaree Guesthouse* – จิตรี เกสท์เฮ้า ส์ *(plan B1, 12)* : 246 Soi Santirat, Singhaklai Rd. ☎ 719-348. *Internet.* Quartier tranquille au nord du centre. Des chambres impeccables et carrelées, avec bon lit, salle de bains et même la TV ! Elles se répartissent dans un petit bâtiment sur 2 étages avec couloirs extérieurs. Treks et location de motos. En outre, la femme du proprio est infirmière et peut soulager vos petits maux gratuitement.

🛏 *Chian House* – เชียนเฮ้าส์ *(plan C1, 13)* : 172 Sri Bun Ruang Rd. ☎ 713-388. ● *chianguesthouse@hotmail. com* ● *Au nord-est du centre (prendre un tuk-tuk ou un samlor). Chambres bon marché ou bungalows à prix moyens. Internet.* On aime bien les chambres à l'étage du bâtiment au fond, avec cloisons en bambou tressé et petit mobilier en bois. Chouette atmosphère générale. Agréable piscine au milieu du jardin et bonne cuisine familiale. Location de vélos, motos, voitures, treks appréciés... Que vouloir de plus ?

🛏 *Orchids Guesthouse* – ออร์คิดเก สท์เฮ้าส์ *(plan B2, 11)* : 1012/3 Jet Yod Rd. ☎ 718-361. ● *orchidsguesthouse.*

com ● *Internet gratuit.* Une *guesthouse* un peu en retrait de Jet Yod Road. Dans un bâtiment sur 2 niveaux, chambres flambant neuves, dotées de salle de bains carrelée, TV câblée et bons lits tout neufs ! On peut se prélasser devant, sur des petites chaises en bois, au rythme de la petite fontaine. En revanche, pas de pièce commune ni de petit déj, juste du café ou du thé le matin, à la réception. Propose des treks (guides parfaitement anglophones).

🛏 *Baan Bua Guesthouse* – บ้านบัวเกสท์เฮ้าส์ *(plan B2, 14) :* 879/2 Jet Yod Rd. ☎ 718-880. ● *baanbuaguesthouse. com* ● *Juste après l'*Orchids Guesthouse *(indiqué).* Une quinzaine de chambres de plain-pied avec salle de bains, réparties dans 2 pavillons construits autour d'une cour-jardin avec tables et hamac. AC en supplément. L'endroit est tenu par une Anglaise, établie ici de longue date. Bon petit déj.

De prix moyens à un peu plus chic (de 500 à 800 Bts – 10 à 16 €)

🛏 *Baan Rub Aroon Guesthouse* – บ้านรับอรุณ เกสท์เฮ้าส์ *(plan A2, 18) :* 65 Ngam-Muang Rd. ☎ 711-827/234. ● *baanrubaroon.net* ● *Doubles 450-750 Bts (9-15 €), petit déj inclus.* Wifi. Une *guesthouse* qui a récemment ouvert et où Sukhon, très sympa et parfaitement anglophone, propose 6 chambres, avec ou sans AC ; également un dortoir avec 6 lits confortables et une salle de bains. Les chambres, réparties sur 2 niveaux, sont vastes et lumineuses (sauf une au rez-de-chaussée). Un chouïa cher sachant que 5 chambres se partagent 2 salles de bains, mais le cadre est super : une grande maison coloniale bientôt centenaire en plein centre-ville, environnée d'un jardin. Le tout est sobrement et joli-ment décoré. Sukhon n'habite pas sur place mais y passe ses journées. Le soir, un gardien dort sur place et prépare les petits déj, qu'on peut prendre dans le jardin. Possibilité d'utiliser la cuisine pour préparer ses repas. Location de vélos.

🛏 *Moon & Sun Hotel* – โรงแรมมูนแอนซัน *(plan C1-2, 16) :* 632 Singhaklai Rd. ☎ 719-279. ● *moonandsunhotel.com* ● Hôtel niché dans un bâtiment vert, moins chaleureux que les *guesthouses*, mais abritant des chambres d'un très bon rapport qualité-prix pour les plus chères. Literie de qualité, carrelage, mobilier en bois, salle de bains nickel. Une bonne affaire. Pas vraiment de petit déj, mais du café et des toasts inclus dans le prix de la nuitée.

Où dormir dans les environs ?

🛏 *Naga Hill Resort* – นาคาฮิลล์รีสอร์ท *(hors plan par D1, 17) :* à 8 km au nord de la ville. ☎ 702-120. ● *nagahill.com* ● *Prendre la Super Highway en direction de Mae Sai, tourner à gauche à la bifurcation pour le Rajabhat Institute, puis suivre le (discret) fléchage sur env 2 km. Sinon, téléphonez, on viendra vous chercher. Résa conseillée. Compter 800-1 800 Bts (16-36 €) pour 2, sans le petit déj.* Wifi. Une adresse admirable, posée au sommet d'une douce colline et au milieu d'un grand jardin tropical. 10 bungalows de charme, en bois sur pilotis (avec salle de bains sous l'espace à coucher) ou en dur (les plus chers), avec coin salon ravissant. Resto aux allures de temple et vraie piscine, d'où l'on contemple les couchers de soleil sur les collines birmanes au loin... Le tout tenu par Vincent (un caméra-man français) et Pat, son épouse thaïe. Comme ils le disent : « Pour ceux qui aiment le calme, la nature et l'intimité. »

Où manger ?

Bon marché (moins de 100 Bts – 2 €)

La plupart des *guesthouses* préparent une bonne petite cuisine familiale. Sinon, quelques tables appréciables en ville.

I●I *Le marché de jour* – ตลาดกลางวัน *(plan B2, 30)* : dès 11h ou midi. Les stands de nourriture en plein centre du marché couvert servent une cuisine authentique et irréprochable, pour trois fois rien. Idéal pour une petite bouffe rapide à midi. Derrière le marché, un bouddha chinois et tout grassouillet garde l'entrée d'un curieux temple.

I●I *Night Bazaar* – ไนท์บาซ่าร์ *(plan B-C2, 31)* : 19h-23h. Formidable cantine nocturne en plein air. Les gargotes entourent un vaste espace garni de tables et chaises, et l'on prend ici une brochette de poulet, de grosses crevettes au curry, là un poisson grillé, un *tom yam* ou, pourquoi pas, un ravier de vers ou de criquets (essayez, c'est meilleur qu'il n'y paraît) ! Pour arroser le tout, une *Singha Beer*, en regardant le spectacle gratuit (2 scènes où alternent danses traditionnelles et chanson thaïe actuelle, entre 20h et 22h). Vraiment très agréable.

I●I *Saturday Market* : carrefour Thanalai Rd et le long de Nong Si Chang Rd *(plan C2)*. Plein d'échoppes pour grignoter à partir de 17h.

I●I *Paojai* – พอใจ *(plan B2, 34)* : sur Jet Yod Rd. Tlj 7h-16h. Enseigne en thaï slt, écrit jaune sur fond rouge, mais c'est juste derrière l'hôtel Wangcome. Pour le déjeuner, salle bien nette et tout en profondeur, ouverte sur la rue. On y sert 3 sortes de soupes aux nouilles. Très bon, léger, cadre propre et, évidemment, on ne se ruine pas.

I●I *Nice Kitchen* – ไนซ์คิทเช่น *(plan B2-3, 32)* : Jet Yod Rd. Ferme à 18h. Là encore, guinguette au cadre soigné, ouverte sur la rue. Il y a même des nappes en tissu. Honnêtes plats thaïs à prix serrés. L'endroit est populaire et, à juste titre, auprès des *farang*.

I●I *Oasis Vegetaurant* – โอเอซิสเว็ทเจ็ททัวร็องท์ *(plan C2, 33)* : à l'arrière du Night Bazaar, dans un immeuble récent faisant le coin. ☎ 740-525. Ferme à 20h. Pour manger végétarien pas cher du tout, dans une grande salle sans charme particulier mais claire. Choisir son plat au comptoir. En plus des diverses salades, nouilles et riz, de nombreuses préparations au tofu, dont des saucisses et de succulents pâtés. Tout ça est bien frais. Les carnivores, même endurcis, devraient essayer. Large choix.

Prix moyens (de 100 à 300 Bts – 2 à 6 €)

I●I *Cabbages and Condoms* – ร้านอาหารแคบแบจแอนด์คอนดอม *(plan C2, 37)* : 620/1 Thanalai Rd. ☎ 740-657. Au rez-de-chaussée du Hilltribe Museum. Tlj 9h-minuit. Un resto, comme à Bangkok, lié à l'association PDCA *(Population and Community Development Association)* à laquelle sont reversés tous les bénéfices. Histoire de faire une B.A. en mangeant (en musique) une cuisine thaïe pleine de saveurs (riz aux crevettes, curry de poulet, etc.) sous une verrière ou en salle, à des tables en bois. Prix à peine plus élevés qu'ailleurs.

I●I *Aye's Restaurant* – เอเรสเตอร์รองส์ *(plan B2, 35)* : 869/170 Phahon Yothin Rd. ☎ 752-534. Une vaste salle ouverte sur la rue, avec de larges tables et des fauteuils en rotin couverts de coussins. Grand choix à la carte : plats chinois, végétariens, occidentaux, poissons, crustacés, cuisine du nord de la Thaïlande... Essayez le tilapia au gingembre sauce abricot ou, simplement, l'excellent curry de légumes. Tous les soirs dès 19h, on a même droit à des chansons au piano ou à la guitare.

|●| *Il Pirata* – อิล ไพระตา *(plan B2, 36) : 868/8 Phahon Yothin Rd.* Vous l'avez deviné, ici, on sert toute la panoplie des plats italiens, des pizzas à pâte bien fine aux plats de pâtes, en passant par les lasagnes et les *gnocchi al gorgonzola*. Ça change un peu de la gastronomie ambiante et, comme c'est bien réalisé (mmm... la pâte fine...), on n'a guère de raisons de se priver. Le patron est de

Vérone et semble apprécier le cyclisme, à en juger par les photos qui ornent les murs.

|●| *Funny House* – ฟันนี่เฮ้าส์ *(plan B3, 39) : Phahon Yothin Rd.* Fermé dim. Si ce resto s'appelle comme ça, c'est parce que, en effet, la maison a une forme pour le moins curieuse... Ici, on a basculé de l'autre côté des Alpes (par rapport au resto *Il Pirata*), avec des *Bratkartoffeln*, des *Schnitzel* et autres viandes, servies avec de bonnes frites. Tenu par un Allemand.

Où boire un café ? Où manger une pâtisserie ?

|●| ☛ *Le Petit Café* – เลอ เปอติ กาเฟ *(plan A3, 42) : 194 Sankongnoi Rd.* ☎ *756-761. Tlj 10h-20h.* Une halte qui devrait satisfaire les gueules sucrées. Un café-pâtisserie cosy et bien arrangé, où l'on peut se poser sur un fauteuil, une chaise ou par terre, selon l'humeur du

moment, le temps d'avaler un bon café, accompagné d'un bon gâteau carottes-noix, d'un *brownie* ou d'un *strawberry triffle*... la fourchette dans une main et un magazine dans l'autre, sur fond de petite musique lounge. Également une terrasse.

Où boire un verre ? Où sortir ?

Pas grand-chose a se mettre sous la dent (ou au fond du gosier plutôt !) dans cette ville, pourtant la plus importante, après Chiang Mai, de cette partie du pays. Un peu d'animation du côté de Jet Yod Road, mais ce sont en partie des bars à filles, qui ne sauraient intéresser la majorité de nos lectrices. On vous conseille donc plutôt d'aller traîner du côté de Phahon Yothin Road, en particulier au *Night Bazaar*, l'un des plus chouettes de Thaïlande. Sinon, voici deux adresses qui nous ont plu :

♉ *Teepee Bar* – บาร์ทีพี *(plan B2, 45) : 542/4 Phahon Yothin Rd. Tlj 18h30-2h.* Préparez-vous à entrer dans un endroit pas triste, une petite salle où règne un invraisemblable bric-à-brac : vélos en suspension, cages à lapin, photos de stars tapissant les murs, plaques de voitures, etc. On s'assied sur des coussins, des caisses en carton... S'il y a du monde, le patron appelle un pote qui vient jouer de la guitare ! Ne pas négliger non plus la petite terrasse sur le toit,

à ciel ouvert. Ambiance rock vraiment sympa. On aime !

♉ ♪ *Sa-bun-Nga Pub & Restaurant* – สับังงานับแอนด์เรสโตรองท์ *(plan A3, 46) : 226/50 San Khong Noi Rd.* ☎ *712-290. Internet.* Petite scène où se produisent des groupes, ambiance variétés. La clientèle tourne autour de la quarantaine. Bon resto. Tous les soirs à 19h, dans une autre salle, a également lieu un spectacle *kantoke* (dîner-spectacle avec danses locales).

À voir

Pas grand-chose, à dire vrai, en dehors du beau musée Oub Kham.

🍴🏛 *Oub Kham Museum* – พิพิธภัณฑ์อูบคำ (hors plan par A2) : 81/1 Military Front Rd. ☎ 713-349. Tlj 8h-17h. Prix : 300 Bts (6 €). Visite guidée exclusivement. Dommage que l'entrée soit si chère. Une superbe collection privée patiemment constituée depuis une quarantaine d'années par M. Suriyachai, descendant d'une ancienne famille royale du royaume. Il a rassemblé des objets témoignant de l'importance et de la richesse du royaume Lanna (1259-1892), qui s'étendait à une partie de la Chine, du Laos et de la Birmanie, en plus du Nord de la Thaïlande. La plupart des objets, souvent en argent, étaient en usage dans les différentes cours royales, l'*Oub Kham,* qui a donné son nom au musée, étant la pièce majeure. Superbe trône doré à la feuille, des couronnes, pièces de monnaie, statuettes de bouddhas, laques, costumes de différentes ethnies du royaume (on en comptait 60) et quelques tissus rebrodés avec du fil d'or, une chaise à porteurs de reine (qui nécessitait huit porteurs !), une tapisserie – mi-XVIIIe s – racontant la vie de Bouddha, offerte à un temple par la famille royale, des boîtes à bijoux, des baguettes en os de singe, noircissant en cas de contact avec du poison..., des objets de rite aussi. Et un petit délire kitsch : une grotte dorée qui abrite céramiques et quelques autres objets. L'ensemble est présenté dans plusieurs bâtiments à l'architecture Lanna. On conclut par un petit thé. Une bien belle visite.
– Au carrefour de Jet Yod Road et de Suk Sathit Road, une horloge kitsch à souhait. Le soir, entre 18h et 20h, c'est un vrai son et lumière, très prisé des thaïs.

🍴 *Le marché* – ตลาด (plan B2) : pittoresque, grand, couvert et animé. De nombreux paysans du coin viennent y faire leurs emplettes. Alimentation, stands de nourriture, fringues, tournevis, déboucheurs de w-c, jeux électroniques... On y trouve de tout et la balade est sympa.

🍴🍴 *Night Bazaar* – ไนท์บาซ่าร์ (plan B-C2) : à 23h, tout le monde remballe ! On vous conseille de venir y dîner (voir plus haut), mais il serait dommage de ne pas en profiter pour flâner entre les étals d'objets d'artisanat (ou pas, d'ailleurs !) que les habitants de la région viennent déballer ici tous les soirs. Parfait si vous cherchez encore le cadeau à rapporter au petit neveu ou à la belle tante : jolis savons sculptés, superbes boîtes ouvragées, sacs en bois, bâtonnets d'encens, à la fraise ou à la vanille, bref, de la belle marchandise, à découvrir dans une ambiance très bon enfant !

🍴 *La muraille et la statue du roi Mengrai* – กำแพงเมืองและอนุสาวรีย์พ่อขุนเม็งรายมหาราช (plan C2) : au bord de la Super Highway. On vous les signale pour qu'ils vous servent de points de repère. En effet, ni les quelques mètres d'ancienne muraille reconstituée, ni l'effigie du roi, pourtant abondamment fleurie, ne méritent vraiment un détour.

🍴 *Hilltribe Museum* – พิพิธภัณฑ์ชาวเขา (plan C2) : 620/35 Thanalai Rd. ☎ 740-088. Lun-ven 9h-18h ; w-e 10h-18h. Entrée : 50 Bts (1 €). Au 3e étage de l'immeuble occupé, au rez-de-chaussée, par le resto Cabbages & Condoms (voir « Où manger ? »). Expo sur la région de Chiang Rai et les tribus qui la peuplent, leurs modes de vie, moyens de subsistance. Un diaporama sur TV, avec commentaires (disponibles en français), peut également vous être montré. Boutique. Ils organisent aussi des tours et treks de 1 à 4 jours, aux mêmes prix qu'ailleurs. Bonne documentation, surtout en anglais.

🍴🍴 *Wat Phra Kaeo* – วัดพระแก้ว (plan B1) : en face de l'Overbrooke Hospital. Temple du XVe s qui donna un temps l'hospitalité au bouddha d'Émeraude (celui de Bangkok). Belle façade rouge rehaussée de dorures ouvragées, avec un élégant cocotier juste devant. À l'intérieur, intéressants piliers de bois à motifs floraux et

belles fresques de scènes de festivités. Derrière le temple principal, vieux *chedî* restauré datant du
XIVᵉ s.

🔆 *Wat Jet Yod* – วัดเจ็ดยอด *(plan
B3) :* vaut le coup d'œil pour son
élégante façade chargée. Également un bouddha énorme et
d'effrayants dragons, à l'entrée du
temple. Pour chasser les mauvais
esprits, certainement. Oussst !

🔆 *Wat Doi Ngam Muang* – วั
ดคดอยงามเมือง *(plan A1) :* à 2 mn
à pied de la Chat House (voir « Où

> **STATUE K-O**
>
> *Selon la légende, c'est dans le temple
> du Wat Phra Kaeo, à Chang Rai, que la
> foudre fendit le stûpa en stuc qui recou-
> vrait, non pas l'émeraude, mais le jade.
> Le bouddha apparut et fut ensuite
> transféré à Bangkok. Le temple, situé
> derrière la pagode dorée, prit le nom
> de Wat Phra Kaeo, comme celui de la
> capitale. Dans le chœur, on a replacé
> en 1991 un nouveau bouddha, toujours
> en jade. Bien sûr, la statue est moins
> sacrée que celle de Bangkok. Mignonne
> tout de même.*

dormir ? »), sur une butte. On y accède par un escalier (gardé ici encore par deux
féroces dragons). Son *chedî* contiendrait les restes du roi Mengrai.

Quelques organisateurs d'excursions ou de treks

Pratiquement toutes les *guesthouses* en proposent : à pied, en minibus, à moto, en
bateau ou à dos d'éléphant. Tiens, on n'a rien vu à dos de chameau ! Par ailleurs, il
y a un paquet d'agences en ville, notamment du côté de Phahon Yothin Road. Elles
proposent toutes différents tours et excursions, de la simple visite du Triangle d'Or
en minibus au trek de plusieurs jours combinant descente de rivière en pirogue,
visite de villages ethniques et balades à dos d'éléphant dans la jungle. On rappelle
tout de même que l'exploration de la région de Chiang Rai peut parfaitement se
réaliser tout seul, en respectant un certain nombre de règles élémentaires de prudence. En effet, contrairement à Chiang Mai, ici de nombreux villages ethniques se
trouvent au bord de la route ou non loin. Bien sûr, pour l'éléphant, il faudra passer
par une agence. En revanche, pour se balader sur les routes balisées du Triangle
d'Or, on fait ça tout seul sans problème. Si vous préférez tout de même passer par
une agence, allez en voir plusieurs, pour comparer les prix. Pensez aussi à vous
renseigner auprès du Hilltribe Museum (voir plus haut), qui organise des treks à prix
raisonnables.

■ *Chat House* – ชาติเฮ้าส์ *: voir les
coordonnées dans « Où dormir ? ».*
Organise de bons treks, sur mesure,
entre Thaïlande et Myanmar. Pour l'instant, aucun lecteur n'en est revenu

mécontent.
■ *Golden Triangle Tour* – โกลเด้นไ
ทรแองเกิลทัวร์ *(plan B2) :* 590/2 Phahon
Yothin Rd. ☎ 711-339. ● goldenchian
grai.com ● Une agence sérieuse.

Balades à moto

Lisez nos recommandations sur les treks à moto dans le chapitre « Treks à la rencontre des ethnies montagnardes » et munissez-vous d'une bonne carte (celle du
TAT peut toutefois suffire pour certaines destinations). Ceux qui souhaitent explorer plus en profondeur la région se muniront de cartes détaillées en vente chez
Naiin (voir « Adresses utiles » plus haut).

➢ *Chiang Rai-Mae Chan* – เชียงรายแม่จัน : 29 km, compter 30 à 45 mn. Commençons par un crochet pour aller voir des chutes d'eau. Départ du 2e pont de la ville, non loin du débarcadère. Suivre cette route jusqu'au village de *Ban Tung Luang* – บ้านทุ่งหลวง. Dans le village, tourner à gauche en direction de la *cascade de Hue Mae Sai* (panneau indicatif en anglais donnant 4 km). Début d'une piste sur 8 km en fait, pour arriver à un village *akha,* juste après un village *yao* (moderne). Dans le village *akha,* prendre (à pied) le chemin qui monte le long de la maison sur pilotis, puis bifurquer vers la droite. Après un gros quart d'heure de marche, on parvient aux petites mais belles chutes d'eau qui constituent le point de départ d'autres randonnées pédestres dans le coin.

Retourner au pont principal de la rivière Kok, s'engager sur la route 110 (Super Highway). Après 29 km, bifurquer à gauche en direction de *Mae Chan* – แม่จัน, qui se trouve à 150 m environ.

À *Mae Chan,* départ du poste de police. Aller tout droit et traverser l'autoroute. Continuer tout droit sur environ 4,5 km, jusqu'au carrefour, et tourner à gauche. Au bout de 6 km, village *yao* de *Thummajaric* ; 500 m plus loin, à droite, se trouve le village *akha* de *Cho Pa Kha* – จ๊อปาคา. Retour ensuite à Mae Chan.

➢ *Mae Chan-Mae Sai* – แม่จันที่แม่สาย via *Mae Salong* – แม่สลอง et *Doi Tung* – คอยตุง (103 km, compter 1 journée ; voir un peu plus loin les informations sur ces sites).

De Mae Chan, 2 routes, toutes les deux bien bitumées, qui rejoignent *Doi Mae Salong* – คอยแม่สลอง.

– La 1re route (n° 1130) démarre au village de *Pang Sa* – ป่างสา, situé sur la Highway, 7 km au nord de Mae Chan. C'est la plus sinueuse. Continuer toujours tout droit, jusqu'à ce que la route devienne la n° 1234. Le 1er km est très abrupt et souvent glissant. Prendre ensuite à gauche la direction de Mae Salong (44 km).

– La 2de, plus facile pour les novices, emprunte sur 24 km la voie n° 1089 qui rejoint Thaton et Fang. Tourner ensuite à droite au carrefour (c'est indiqué) pour attaquer 36 km de grimpette en passant par de nombreux villages de minorités ethniques.

De Mae Salong, vous pourrez redescendre par la route que vous n'avez pas empruntée à l'aller. Ceux qui opteront pour la route n° 1234 et qui n'ont pas froid aux yeux pourront se balader dans le coin, et même pousser jusqu'au village militarisé de *Toed Thai* – เทอดไทย, ancien fief du seigneur de l'opium, Khun Sa. Comme ça, vous pourrez dire : « J'y suis allé », même s'il n'y a pas grand-chose à voir. Une partie du village est d'ailleurs barrée au niveau du poste de police. Il faut alors faire demi-tour, revenir sur 3 km et prendre à gauche, juste après la sortie du village, puis longer la rivière et le grand temple chinois. Là, 10 km de piste facile et de paysages magnifiques s'offrent à vous.

Une fois arrivé sur la route n° 1234, prendre à gauche et rouler 6 km. À l'intersection, prendre la direction de *Ban Pha Bur* – บ้านฟ้าบูรณ์ (vers la route n° 1149) sur 8 km. Au total, 14 km de routes de campagne où les paysages sont très verts, même en saison sèche. En arrivant sur la grande route, prendre à gauche pour *Doi Tung-Mae Sai,* afin de négocier 24 km de route goudronnée, à travers des paysages grandioses entourés de montagnes aux parois quasi verticales.

Depuis le *Doi Tung* – โครงการพัฒนาคอยตุง, ceux qui ont encore la frite et les épaules pas trop fatiguées rejoindront Mae Sai par la branche au nord de la route n° 1149 (prendre la direction de *Mae Fah Luang Arboretum* – สวนรุกขชาติแม่ฟ้าหลวง คอยช้างมูบ เชียงราย) qui longe la frontière birmane. Les autres descendront en contrebas de la villa royale (accès principal, route plus large, 35 km). Voir plus loin le chapitre « Doi Tung » pour plus de détails.

LA RÉGION DU TRIANGLE D'OR
— สามเหลี่ยมทองคำ

Le Triangle d'Or est également appelé « région des trois frontières », car c'est là que se rejoignent celles du Laos, de la Thaïlande et du Myanmar (ex-Birmanie). Le Triangle s'étend en gros de Kentung (Myanmar) à Chiang Rai (Mae Hong Son, Mae Sariang...) et Ban Houay Sai (Laos). La partie thaïlandaise de cette région est composée de villages richement boisés.

Ce sont des tribus d'origine chinoise ou sino-birmane qui cultivent le pavot dans les montagnes couvertes de jungle, souvent difficilement accessibles. Il est peu recommandé pour un Occidental de s'aventurer trop loin dans la montagne sans guide, à cause du banditisme. En revanche, on emmène des cars de touristes photographier la rivière, à *Sop Ruak,* au point de rencontre des trois pays, histoire de leur donner un peu de frissons, bien calés dans leur siège. Mais ce site n'est pas le plus beau, on préfère les villages voisins ou la région au nord-ouest de Chiang Rai.

Les caravanes d'opium descendent des confins birmans, laotiens et thaïs entre mars et juin ; les plus importantes peuvent transporter jusqu'à 20 t d'opium. Ce commerce lucratif est, pour l'essentiel, entre les mains du KMT (Kuomintang). Formées des débris de l'armée nationaliste chinoise de Chiang Kai-shek, ces troupes furent

> **OR BLANC**
>
> *On comprend pourquoi « Triangle », mais pourquoi « Or » ? Devinez : ça a à voir avec une certaine poudre blanche... Environ la moitié de l'opium illicite consommé dans le monde vient de ce fameux Triangle d'Or. Or, déjà à l'époque, l'opium valait de l'or. Et il était payé avec de l'or.*

chassées de la Chine communiste après la victoire de la révolution de 1949. Utilisées dans les années 1950 par la CIA pour boucler la frontière sino-birmane, les forces du KMT sont aujourd'hui au service des opérations de contre-guérilla menées dans les régions montagneuses du Nord.

Il est bon aussi de préciser qu'au lieu-dit le Triangle d'Or, au bord du Mékong, là où l'on peut voir effectivement les trois pays d'un coup, il n'y a plus de champs de pavot depuis 1965. Les autorités les ont remplacés par des cultures de substitution : café et tabac (attention, là aussi, abus dangereux). D'une façon générale d'ailleurs, les plantations de pavot ont une petite tendance à déserter la Thaïlande – même s'il en reste d'importantes – depuis que la politique antidrogue du gouvernement s'est progressivement durcie.

➢ *Pour s'y rendre :* voir la rubrique « Arriver – Quitter » à Chiang Rai.

EXPLORER LA RÉGION PAR SOI-MÊME

Cette région est passionnante avant tout parce qu'elle permet de nombreuses balades. Tous les moyens de transport sont envisageables.

Si vous disposez de quelques jours et que vous voulez simplement vous balader dans les villages du Nord, dans la région du Triangle d'Or, il est absolument inutile de vous inscrire dans une agence. Les bus locaux vous conduisent aux mêmes endroits pour bien moins cher. Dans les coins les plus reculés, des camionnettes prennent le relais. Sinon, louer une moto (même automatique, pour les novices) est une solution idéale à condition d'être prudent.

MAE SALONG – แม่สลอง

IND. TÉL. : 053

Les deux routes goudronnées qui y mènent sont magnifiques (voir, plus haut, les itinéraires à moto autour de Chiang Rai). Elles gravissent et dévalent les collines verdoyantes, plongent dans les vallées pour mieux resurgir aux sommets, ondulent autour des plantations et composent une balade sereine et bucolique. Le village lui-même, totalement créé pour et par les réfugiés du Kuomintang (KMT), ne présente pas un intérêt majeur au-delà de quelques heures de flânerie au milieu d'une population bouddhiste, chrétienne et musulmane. Une bonne et originale base pour explorer la région.

Arriver – Quitter

➢ *De/vers Thaton :* 4 bus/j. 8h20-13h50 de Mae Salong. Trajet en 1h15.
➢ *De/vers Chiang Rai :* pas de liaison directe, il faut prendre, de Mae Salong, un bus pour Ban Pasang (horaires irréguliers) puis un autre pour Chiang Rai.

Adresses utiles

■ *Retrait d'argent et change : TMB Bank,* env 1 km avt les adresses d'hébergement proposées plus bas, en venant de Thaton.

@ *Accès Internet :* un grand cybercafé à côté de la banque.

Où dormir ? Où manger ?

De bon marché à prix moyens (de 100 à 400 Bts – 2 à 8 €)

🛏 I●I *Mae Salong Little Home* – แม่ส—ลองลิตเติ้ลโฮมม์ *: à l'entrée du village (en venant de Chiang Rai).* ☎ 765-389. ● *maesalonglittlehome.com ● Internet.* Tenue par une gentille famille, une super petite adresse où passer la nuit ou tout simplement casser la croûte. Propose 6 chambres impeccables et coquettes, tout en bois, avec matelas par terre ; elles donnent sur la rue ou sur la réception, alors mieux vaut ne pas être lève-tard ! Sanitaires communs (nickel, avec eau chaude) au rez-de-chaussée. Pas cher du tout. D'autres chambres dans les bungalows avec terrasse à l'arrière, plus chères mais d'un très bon rapport qualité-prix, le petit effort de déco en prime. De plus, on y mange très bien (goûtez la spécialité, un régal !), sur une petite terrasse donnant sur la rue, bien exposée au soleil à l'heure du petit déj ! Pour les amateurs, balades à cheval.

🛏 I●I *Shin Sane Guesthouse* – โรงแรมชินแซ *: juste à côté de* Mae Salong Little Home. ☎ 765-026. ● *maesalong-shinsane.blogspot.com ● chambre à partir de 50 Bts/pers(1 €) ; bungalow env 300 Bts (6 €) pour 2. Internet.* Dans une maison chinoise avec une cour intérieure. Chambres ou bungalows, avec ou sans douche. Les plus modestes (avec matelas au sol) sont très bon marché. Sinon, il y a les bungalows, plus chers, mais équipés de salle de bains et de TV satellite (TV5). Resto aussi, proposant des plats chinois de la province du Yunnan. Sur un mur, une carte dessinée indique la position de tous les villages de la région *(akha, lisu, lahu...)*. Propose des treks à cheval. Location de motos. Possibilité d'utiiliser le lave-linge.

🏠 *Akha Guesthouse* – ธาก้ำเกสท์เฮ้า ส์ : à côté des 2 autres. ☎ 765-103. Très simple mais propre et vraiment très bon marché. Même prix que *Shin Sane Guesthouse*. Bien tenu et accueil souriant.

🏠 *Saeng A Roon Hotel* – โรงแรมแสงอ รุณ : ▯ 0898-922-732 *(interlocuteur parlant l'anglais). En face de* Mae Salong Little Home. Tenu par une famille chinoise qui fait du commerce de thé. Une poignée de chambres d'une propreté clinique, avec plusieurs salles de bains – tout aussi impeccables – à partager. Un couple souriant et empressé, qui ne parle malheureusement pas du tout l'anglais.

🍽 Dans le village, plusieurs maisons de thé, petits cafés et restos, comme le croquignolet *Mini Restaurant (dans la rue principale, après les adresses ci-dessus),* proposant de délicieux riz et nouilles sautées ainsi qu'un petit remontant maison plus ou moins médicinal.

🍽 *Sweet Mae Salong :* à la sortie du village, après le 7/Eleven. ▯ 081-855-4000. Voilà une adresse pour faire une halte et bien manger sur le pouce. Un cadre moderne, une terrasse en surplomb. Bon et bien présenté.

Plus chic (plus de 1 000 Bts – 20 €)

🏠 🍽 *Mae Salong Farmstay* – แม่สัลอ งฟาร์มสเตย์ : ▯ 084-611-95-08. Env 2 km avt le village (en venant de Chiang Rai), prendre un chemin sur la droite (panneau indicateur), c'est à 1 km. Bungalows 1 000-2 500 Bts (20-50 €). Petit déj en sus. Wifi. Pour nos lecteurs motorisés en quête de tranquillité, voici un lieu de charme, un peu à l'écart de tout. 9 bungalows à la déco sobre mais de bon goût, avec lits à baldaquin. Surtout, ils ont chacun une terrasse privée donnant sur la vallée de Mae Salong. Pas de TV, pour ne pas déranger les autres hôtes. On peut aussi y manger, y camper et même louer une tente. DVD à emprunter pour ceux qui ont leur ordinateur.

À voir

🦶 Dans le haut du village, une sorte de *rue-marché,* dont l'animation commence vers 5h30 du matin – avis aux insomniaques – jusqu'à 9h seulement. Certains stands ou boutiques proposent parfois des objets en jade et en rubis (plusieurs fabriques dans le secteur), des pots d'herbes chinois et du thé, de toutes sortes. La spécialité de la région est un alcool de maïs, la version locale du *Baijiu* chinois. Distillé frauduleusement et donc théoriquement interdit, mais souvent délicieux et sans danger si l'on s'en tient à un petit verre. On ne le voit pas sur les stands ; il faut le demander. Quelques stands de *noodles* pour déjeuner.

➤ *DANS LES ENVIRONS DE MAE SALONG*

LE DOI TUNG – วัดน้อยดอยตุง

🦶🦶 À mi-chemin entre Mae Salong et Mae Sai, le Doi Tung, une montagne de 1 800 m, s'élève en plein sur la frontière birmane, dans une région assez boisée. Plusieurs sites touristiques se trouvent sur ses flancs et de nombreux villages garnissent les pentes. Il y a de temps à autre des combats entre l'armée et les contre-bandiers, mais pas d'inquiétude, vous serez averti à temps au niveau des *check-points*. Pour rejoindre le Doi Tung depuis Mae Salong, voir ci-dessus « Balades à moto » à Chiang Rai. En venant de Mae Sai, deux possibilités. La 1re consiste à emprunter la Super Highway jusqu'au village de **Ban San Ton Krong,** où il faut bifurquer à droite sur la route n° 1149. Pour ceux qui y vont en bus, descendre à ce croisement, puis monter dans un des *songthaews* mauves qui desservent Doi Tung. Le 2nd itinéraire démarre directement de Mae Sai. En venant de la frontière, tourner à droite dans la rue après celle qui monte au temple **Wat Doi Wao** – วัดดอยว้าว. La direction du Doi Tung est rapidement indiquée. Il s'agit de la section nord de la route n° 1149, voie faisant une boucle entre Mae Sai, Doi Tung et la plaine. Rapide-ment, on tombe sur un *checkpoint* militaire (avoir son passeport). À partir de là, la route devient très pittoresque et étroite (on croirait parfois être sur une piste cycla-ble) et joue aux montagnes russes tout le long de la frontière birmane jusqu'au Doi Tung.

🏃🏃 *Doi Tung Royal Villa, Mae Fah Luang Garden et Princess Mother Commemorative Hall* – โครงการแม่ฟ้าหลวงดอยตุง : *sur le versant du Doi Tung, par la route n° 1149.* ☎ 767-015. *Tlj 6h30-17h. Entrée : 70 Bts (1,40 €) la Villa ; 80 Bts (1,60 €) le Garden. Si vous voulez voir les 2, prenez le ticket combiné à 130 Bts (2,60 €).* Il s'agit d'un site dédié à la reine mère (décédée en 1994), qui fit bâtir ici un superbe chalet, la *Villa,* pour avoir un lieu de séjour dans

TOMBÉE DU CIEL

Sorte de Mère Teresa couronnée, Mae Fah Luang (« mère royale venue du ciel ») est vénérée par les Thaïlandais ; et c'est par milliers qu'ils affluent ici lui rendre hommage, un peu comme les catholiques vont à Lourdes. Le hall commémoratif retrace en détail sa vie, ses passions, ses œuvres, en particulier ce qu'elle a fait pour la région du Doi Tung, qu'elle a contribué à sortir du sous-dé-veloppement en diversifiant les cultu-res (supprimant, au passage, celle de l'opium) et en restaurant l'écosystème.

cette région du Nord, où elle entreprit de nombreux projets de développement. À voir donc : la villa, tout en pin et en teck. Attention, lunettes de soleil, casquette et short sont interdits ! Tout comme les photos à l'intérieur (les réserver pour le jardin et la terrasse). Gare aussi à ne pas pointer un pied vers l'image de la reine ! En tout cas, la maison est belle, épurée. Notez les références à l'astrologie, notamment sur le plafond du grand hall : c'était l'un des hobbies de la reine mère. Puis il y a le *Mae Fah Luang Garden,* en contrebas, vraiment superbe : serres, étangs bordés de fleurs, fontaines, cascades, parterres magnifiquement fleuris... Un vrai ravisse-ment ! Le site est très fréquenté par les Thaïlandais, notamment en groupe, le week-end.

🍴 ⊛ Face à l'entrée du jardin, un *self-service* propose des petits plats de can-tine corrects et une boutique de luxe vend les produits de la Fondation Doi Tung (● doitung.org/indexeng.htm ●) : du café et des noix de macadamia (à goûter absolument !), deux cultures qui furent choisies en substitution à celle du pavot, mais aussi vêtements, accessoi-res et bijoux.

🏃🏃 *Wat Noi Doi Tung et la montagne Doi Tung* – วัดน้อยดอยตุง : *suivre les pan-neaux indicateurs. Coin très boisé, beaux panoramas.* Le temple lui-même, situé à 1 500 m d'altitude, ne présente que peu d'attrait. Offert par le roi à sa mère, c'est toutefois un lieu de culte très important puisqu'un *chedi* renfermerait une clavicule de Bouddha. De plus, l'empreinte de son pied (que l'on peut voir) symbolise son passage ici même. Une cinquantaine de mètres avant l'entrée du temple, un petit sentier (30 mn de grimpette) mène au sommet d'où l'on jouit d'une vue formidable et imprenable sur le Mékong et le lac Chiang Saen.

🍴 *Mae Fah Luang Arboretum* – สวนรุกขชาติแม่ฟ้าหลวง : *sur le Doi Chang Mub* – คอยช้างมูบ. *Par la branche nord de la route n° 1149 (voir ci-dessus). à 9 km de Doi Tung Royal Villa en direction de Mae Sai. Ouv tlj 6h-18h. Entrée : 50 Bts (1 €).* Un jardin compact et sauvage, moins fréquenté que Mae Fah Luang Garden. Azalées, rhododendrons, parterres de fleurs multicolores et sapins. Par un petit tunnel qui passe sous la route, monter au sommet jusqu'à la plate-forme des trois capitales, d'où l'on peut apercevoir le Laos et poser un pied au Myanmar pour la photo.

À voir le long de la route n° 1 (Super Highway)

🍴 Retour sur la route principale, la n° 1, dite aussi Super Highway, autoroute donc, bien que mobylettes et vélos y circulent, vers Mae Sai. À 5 km environ au nord de Huay Krai, pancarte sur la gauche – un peu avant le village de Ban Thun – pour *Saohim Cave and Lake* – ถ้ำเสาหินและบึง (attention, pas de panneau en anglais ; ouvrir l'œil).
À 2 km de là, jolie pièce d'eau. À 500 m du lac, sur la droite, le *Wat Tham Pla* – วัดถ้ำปลา est un temple bâti à côté d'un bassin où nagent des poissons sacrés. Vous n'avez rien à craindre des carpes et des poissons-chats, mais on vous invite à vous méfier de la colonie de singes qui vit ici.

🍴 En reprenant la route n° 110, quelques kilomètres plus loin encore (6 ou 8 km), toujours sur la gauche, pancarte pour *Tham Luang Caves* – ถ้ำหลวง, une autre série de grottes, situées à 3 km de l'autoroute. C'est un étroit boyau, long de 7 km. Attention, à explorer avec un guide.
Par ailleurs, sur le même site, chemins menant en quelques minutes de marche à des « cavernes », de petites excavations naturelles plutôt, dont une abrite un bouddha, comme au *Wat Tham Pla.*

🍴 Quelques kilomètres avant Mae Sai, on longe la montagne dite *The Sleeping Lady,* parce qu'elle aurait la forme d'une femme qui dort. Avant l'arrivée en ville, part l'embranchement pour Chian Saen.

MAE SAI – แม่สาย   IND. TÉL. : 053

La ville la plus septentrionale de la Thaïlande. La Highway venant de Chiang Rai vient s'y transformer en une longue rue principale, bordée d'échoppes et d'édifices sans charme. Tout au bout, un marché (sur la gauche, en retrait de la route) puis un pont, frontière avec le Myanmar. Comme une avenue en cul-de-sac... Séparant les deux pays, la (petite) rivière Mae Sai coule perpendiculairement à cet axe.
Sur la gauche en regardant le pont, une rue parallèle à la rivière mène au coin le plus sympa. Ici, les locaux font la navette entre les deux pays dans l'indifférence générale. Les *farang* (munis de leur passeport) peuvent aussi traverser la frontière, mais uniquement pour se rendre à *Tachilek,* le village-frontière côté birman, ou éventuellement dans la ville de *Kengtung*, à 163 km de Tachilek (ne pas essayer de se soustraire à cette restriction, les *checkpoints* veillent

au grain au Myanmar !). À Tachilek, quelques temples et pagodes, un marché (où pas mal de Thaïs vont faire leurs emplettes)... et un endroit où vivent des femmes-girafes.

Arriver – Quitter

Terminal des bus : sur la route principale, à env 4 km de la frontière. Pour rejoindre celle-ci, prendre un songthaew, pour 15 Bts (0,30 €).

➤ **De/vers Mae Chan et Chiang Rai :** départ de minibus ttes les 15 mn, 5h40-18h. Durée : 1h30. Prix : 40 Bts (0,80 €). Pour Mae Chan, on peut aussi prendre des songthaews.

➤ **De/vers Chiang Mai :** 7 bus climatisés 6h45-18h15, quelques autres sans clim'. Trajet : 4h30. Prix : un peu plus de 200 Bts (4 €) en bus AC.

➤ **De/vers Sop Ruak (Triangle d'Or) et Chiang Saen :** les songthaews attendent sur Phahon Yothin Road (la rue principale), à hauteur de la Kasikorn Bank, donc sur la droite quand on se dirige vers le pont. Départ ttes les heures 9h-14h env ; compter 50 Bts (1 €).

Adresses utiles

✉ **Poste et téléphone :** à 800 m env du terminal des bus, sur le côté gauche de la rue principale (en venant de Chiang Rai), un peu en retrait de celle-ci.

@ **Internet :** au 2ᵉ étage du Mae Sai Plaza, situé dans la rue principale, au dernier coin avt le poste-frontière, sur la droite. Tlj 8h-23h.

■ **Change et retrait :** plusieurs banques (fermées le w-e) avec distributeur le long de la rue principale, la plus proche de la frontière étant la **TMB,** sur la droite.

■ **Poste-frontière :** tout au bout de la rue principale, juste avt la rivière. Tlj 6h30-18h30. Pour se rendre à Tachilek, le village de l'autre côté du pont, ou éventuellement à Kengtung, mais pas au-delà. On vous demandera 10 US$ ou 500 Bts (10 €), côté birman, pour les frais administratifs. En principe (se renseigner car la situation évolue souvent), le permis de séjour ainsi délivré peut atteindre 7 jours.

Où dormir ?

Il y a plusieurs pensions pas chères le long de la rue qui longe la rivière (en partant sur la gauche quand on regarde la frontière). Cependant, à part deux ou trois, propreté et confort manquent un peu à l'appel. C'est même parfois carrément délabré.

Bon marché (de 100 à 200 Bts – 2 à 4 €)

🛏 **Chad's Guesthouse** – ชัดส์เกสท์เฮ้า ส์ : 52/1 Soi Wiengpan. ☎ 732-054. Depuis la rue principale, env 1 km avt la frontière, prendre une allée sur la gauche (c'est fléché). Nom en thaï seulement, écrit en orange sur fond noir. Chambres (sanitaires communs, 1 douche chaude et 1 douche froide) ou 2 chambres bon marché avec salle de bains (eau froide). Un coup de pinceau serait le bienvenu. Mais le calme et l'accueil sympathique en font une adresse convenable. Draps non fournis. Resto pour les hôtes ; les couche-tôt éviteront la chambre la plus proche.

Prix moyens (de 400 à 600 Bts – 8 à 12 €)

🏠 *Mae Sai Guesthouse* – แม่สายเกสท์ เฮ้าส์ซอยเวียงพานคำ : *tt au bout de la rue qui part sur la gauche en regardant le poste-frontière (compter 10 mn de marche) et qui longe la rivière.* ☎ 732-021. La plus ancienne *guesthouse* de Mae Sai. Un chouette endroit, bien au calme. Bungalows en bambou, avec belle salle de bains et lits confortables. Les plus chers sont ceux qui donnent sur la rivière (et le Myanmar), mais tous ont une petite terrasse privée. Également 2 chambres avec salle de bains commune. On peut y manger. Organise aussi des excursions au Triangle d'Or.

🏠 *Yeesun Hotel* – โรงแรมยีซัน : *avt la Mae Sai Guesthouse (donc plus central), dans la même rue.* ☎ 733-455. Moins de charme que le précédent, puisqu'il s'agit d'un petit hôtel fonctionnel, mais chambres bien nettes, équipées de TV, frigo, salle de bains avec serviettes et savon... Du vrai petit luxe à petit prix !

Où manger ?

🍽 *Le marché* – ตลาด : *un peu en retrait de la rue principale, sur le côté gauche en allant vers le pont, à 300 m de celui-ci. Pas visible de la rue.* On y fait des petits plats de bonne femme pour trois fois rien. Le soir venu, de nombreux stands (crêpes, soupes, brochettes) s'installent aussi dans la rue principale.

🍽 *Rabieng Khew* – ร้านอาหารระเบียง– แก้ว : *dans la rue principale. Après le marché, sur la gauche, toujours en regardant la frontière.* Grande maison de style thaï. Salle rustique et toit-terrasse baignant dans une musique douce. Tous les classiques thaïs à la carte, mais aussi des poissons au barbecue et quelques plats occidentaux. Bons *tao chiao* (à base de coco) et *nam phrik* (vraiment épicé !).

🍽 *Rimnam Restaurant* – ร้านอาหารริ มน้ำ : *juste en contrebas du pont, côté gauche en regardant le Myanmar.* Longue terrasse sur 2 niveaux au bord de la rivière. On y déguste d'excellentes soupes de poisson pimentées, du poisson frit et de bonnes grosses grenouilles servies entières (mmm, la tête, craquante, est délicieuse !). Bon *fried-beef with oyster sauce* également. Service un peu négligé.

À voir

🔨 *Thong Tavee Factory* – โรงงานทองทวี : *17 Phahon Yothin Rd (la rue principale).* ☎ 731-013. Visite (gratuite) 9h-12h, 13h-17h ; fermé dim. Un atelier de taille de jade et d'albâtre importés du Myanmar. C'est bruyant et poussiéreux, mais quel travail !

🔨 *Le marché couvert : juste en face de l'atelier. Ouv slt en journée.* Chaussures en plastique moulé, monceaux de victuailles, piments à la pelle, groins de cochon, mulets vivants... Quel spectacle !

🔨 *Wat Doi Wao* – วัดดอยว่าว : *par une allée sur la gauche depuis la rue principale, un peu avt le pont.* Elle mène droit à l'entrée du temple qui se trouve au sommet d'une colline et d'où l'on découvre un superbe panorama sur le Myanmar et la ville, construite toute en béton. Escalier de 207 marches pour y accéder... ou route menant jusqu'en haut et que l'on emprunte à pied ou en moto-taxi pour 25 Bts (0,50 €). En haut, sculpture moderne de deux affreux scorpions géants. S'ils se mettaient à bouger, vous partiriez en courant.

LA ROUTE DE MAE SAI
AU TRIANGLE D'OR

La route n° 1290 part vers l'est, juste après Mae Sai. Promenade agréable sur une bonne route refaite à neuf, bordée d'habitations coquettes (belles maisons modernes en teck) ou typiques (cabanes sur pilotis), et traversant des paysages plats, doux et paisibles, mais ne longeant pas la rivière. On croise parfois quelques paysans lahu et lisu dans leurs costumes traditionnels, utilisant encore d'antiques outils agricoles ou moyens de transport.

SOP RUAK – สบรวก   IND. TÉL. : 053

Nous y voilà ! C'est ce coin-là, précisément, qui a « usurpé » le nom de Triangle d'Or.

Oui, « usurpé », car le Triangle d'Or, c'est historiquement une vaste zone géographique couvrant une partie de la Thaïlande, du Myanmar et du Laos, trois pays que l'on peut effectivement voir de cet endroit, où se rejoignent la rivière Mae Nam Ruak et le Mékong.

Mais le village de Sop Ruak ne présente en soi aucun intérêt.

C'est une rangée de stands d'artisanat et de T-shirts. Point trop n'en faut et, là, c'est un peu trop. Flopée de cars de touristes évidemment. En haut du village, un temple et belvédère avec panneau « Golden Triangle », histoire que les touristes aient quelque chose à photographier. Belle vue tout de même, et le temple *Phra That Pukhao*, qui date du XIVᵉ s, est assez pittoresque. On y accède par un bel escalier décoré de *nâga.*

En fait, on viendra plutôt à Sop Ruak pour son grand musée, le *Hall of Opium*, conçu à l'initiative de la reine mère dans la foulée de son *Doi Tung Development Project* pour sensibiliser le public à la nature, à l'histoire et aux effets potentiellement dévastateurs du pavot, longtemps cultivé dans la région.

Question trafic d'opium, cela dit, sachez qu'il ne s'est jamais passé grand-chose par ici. L'endroit est beaucoup trop à découvert, et tout l'opium transite par les montagnes, beaucoup moins accessibles. Bref, le *Hall of Opium,* oui, mais le village de Sop Ruak, c'est de la flambe.

Où dormir ? Où manger ?

Très fréquenté, Sop Ruak possède un nombre important d'hôtels et de *guesthouses,* pour la plupart d'un bon rapport qualité-prix (meilleur qu'à Chiang Saen, la petite ville voisine ; voir plus bas).

🛏 *PU-One Guesthouse* – ปูวันเกสท์ ฮ้าส์ : *près de la rue principale, sur la route qui conduit au temple Phra That Pukhao et au point de vue, côté droit en montant.* ☎ 784-168. Compter 250 Bts (5 €) ; 350 Bts (7 €) avec AC. 9 chambres sans un grain de poussière, avec salle de bains (eau chaude) et lits confortables. De plus, l'accueil est charmant. Pas de petit déj, mais café, bananes et biscuits offerts le matin à la réception.

🏠 *Golden Home* – โกลเด้นท์โฮมม : *41 Moo 1.* ☎ 784-205. ● *goldenhome46. com* ● *Sur la même route que* PU-One Guesthouse, *avt celle-ci en venant de la rue principale. Double 600 Bts (12 €), petit déj inclus. Wifi. Là encore, une bonne affaire : un ensemble charmant de 11 petits bungalows en bois coiffés de toit rouge, abritant des chambres impeccables et tout confort (frigo, AC).*

Petit déj servi dans une agréable salle à manger.

🍴 Pour manger, plusieurs restos le long de la rue principale. Parmi ceux-ci, le *Sriwan* – ศรีวรรณ, en face du *Imperial Golden Triangle Resort* (rien que ça !), propose un grand choix de plats et dispose d'une terrasse donnant sur le Mékong et le casino, côté birman.

À voir. À faire

🎯🎯🎯 *Hall of Opium* – พิพิธภัณฑ์ฝิ่นตร งข้ามกับโร แรมอณันตรารีสอร์ทและสปา : *3 km avt le village en venant de Mae Sai.* ☎ 784-444. ● *goldentrianglepark.org* ● *Tlj sf lun 8h30-16h (fermeture de la caisse). Entrée : 300 Bts (6 €).*
Le fameux musée dont on vous parlait plus haut a ouvert ses portes en 2003 dans un grand pavillon moderne. Sur 5 600 m² et 2 niveaux, l'expo couvre avec brio tout ce qu'on peut se demander sur l'opium. Présentation assez magistrale, faisant usage des dernières technologies multimédia. Agréable cafétéria à la fin du parcours.
D'abord on traverse un tunnel obscur de 137 m (!), avec des bas-reliefs illustrant la grande variété d'états liés à la prise de narcotiques, histoire de nous plonger dans le bain, avant de déboucher dans un hall qui montre une plantation de pavots, en fait des *Papaver somniferum,* la plante dont est extrait l'opium. Puis on traverse une multitude de salles retraçant l'histoire de ladite substance, de son commerce (reconstitution d'un dock de la Compagnie des Indes), les conflits que celui-ci engendra (superbes dioramas illustrant la guerre de l'Opium entre l'Angleterre et la Chine), comment il était consommé au XIXᵉ s (fumeries d'opium), son interdiction progressive au cours du XXᵉ s, les moyens imaginés par les trafiquants pour déjouer les contrôles, les différents types de drogues aujourd'hui disponibles et les effets dévastateurs qu'elles peuvent avoir sur la vie d'un homme. Enfin, la visite s'achève dans le *Hall of reflection,* où des citations issues des grands livres (Bible, Coran...) et d'illustres personnages tels Gandhi, Lao Tseu, Marc Aurèle et même Julio Cortázar devraient définitivement faire passer au visiteur le goût de ces petits psychotropes.

🎯 *Opium Museum* – พิพิธภัณฑ์ดอกฝิ่น : *dans le centre. Tlj 7h-19h. Entrée : 50 Bts (1 €).* C'est l'ancien musée de l'Opium... Beaucoup moins complet (et moderne) que l'autre, mais bon, il est toujours ouvert au public (et ne devrait d'ailleurs pas fermer). Bref, plutôt pour ceux qui ont moins de temps, ou qui peuvent se contenter d'une expo plus sommaire, d'autant que l'entrée est nettement moins chère !

🎯 *Balade en bateau :* plusieurs bateliers proposent 30 mn de balade sur la rivière. *Prix habituel : 400 Bts (8 €) par bateau (max 5 pers) ; certains bateaux ont une plus grande capacité.* On se rapproche du *Golden Triangle Paradise Resort* (un casino aux mains des Thaïs, sur le territoire birman) et l'on débarque sur une île laotienne. Agréable par beau temps, tôt le matin ou en fin d'après-midi. On peut aussi aller jusqu'à Chiang Saen.

CHIANG SAEN – เชียงแสน

IND. TÉL. : 053

À 35 km de Mae Sai. Certainement le village le plus authentique de la région. Un petit bout du monde où les touristes ne se bousculent pas. Chiang Saen, autrefois entourée de remparts, fut la capitale d'un royaume bien plus ancien que Chiang Mai. Bien que la ville ait été rasée au XVIIIe s, il reste de nombreuses ruines datant du Xe au XIIIe s. Avec son marché coloré, modeste, et ses habitants gentils, on apprécie cette halte au bord du Mékong, par lequel arrivent de Chine des barges chargées de marchandises. En revanche, à part un chouette hôtel, l'hébergement n'y est pas folichon.

Arriver – Quitter

🚌 *Ts les bus ou* songthaews *arrivent et partent de la rue principale, celle qui est perpendiculaire au fleuve.*

➢ *De/vers Mae Chan et Chiang Rai :* départ ttes les 30 mn, 6h-17h. Compter 30 mn jusqu'à Mae Chan et 1h jusqu'à Chiang Rai.

➢ *De/vers Sop Ruak et Mae Sai :* songthaews ttes les 40 mn, le mat surtout depuis Chiang Saen.

➢ *De/vers Chiang Mai :* 2 bus/j., à 7h et 9h (AC) depuis Chiang Saen. Trajet en 5h.

➢ *De/vers Chiang Khong :* 1 départ/j. de songthaew à 9h.

Adresses utiles

🛈 Pas d'*office de tourisme,* mais le musée *(plan A2)* donne quelques brochures sur le coin.

✉ *Poste* – ไปรษณีย์สื่อสาร *(plan A2) : dans la rue principale, en face du Wat Man Muang.*

■ *Police* – สถานีตำรวจ *(plan B2, 1) :* à l'angle de la rue principale et de celle qui longe le fleuve.

@ *Internet (plan A2) : petit centre entre* JS Guesthouse *et la rue principale, et*

CS Network (8h-22h).

■ *Change et distributeurs :* plusieurs banques (fermées le w-e) avec ATM dans la rue principale, notamment la *Siam Commercial Bank (plan B2, 2).*

■ *Location de motos et VTT :* en face de l'*Immigration Office,* dans la rue principale *(plan A-B2, 3),* juste après le 1er carrefour en venant du fleuve. Le meilleur moyen de se déplacer dans le coin.

Où dormir ?

De bon marché à prix moyens (de 100 à 600 Bts – 2 à 12 €)

🛏 *JS Guesthouse* – เจ เอส. เกสท์เฮ้าส์ *(plan A2, 10) :* dans la 2e rue à droite quand on vient du fleuve par la rue principale. ☎ 653-380. *Un peu en retrait de la rue, par un passage longeant la maison des proprios. Les chambres sont réparties dans 2 baraques blanches à l'arrière. Prendre celles avec salle de*

bains, à peine plus chères que les autres mais plus agréables. L'une des seules adresses recommandables dans cette gamme de prix. Et encore, propreté pas toujours au rendez-vous !

🛏 |●| *Best House* – เบสท์เฮ้าส์ *(plan A1, 12) :* 📱 084-500-06-50. *Quelques bungalows alignés en retrait de la route ; un*

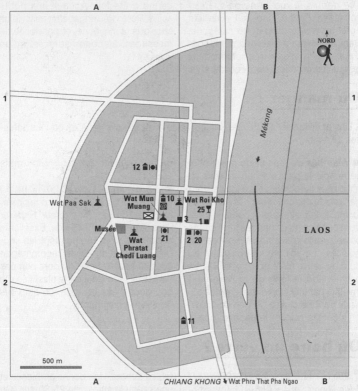

CHIANG SAEN

CHIANG KHONG ↘ Wat Phra That Pha Ngao

| ■ **Adresses utiles** | **11** Chiang Saen River Hill Hotel |
| | **12** Best House |

⊠ Poste
🖳 Internet
1 Police
2 Siam Commercial Bank
3 Location de motos et VTT

|●| **Où manger ?**

20 Marchés de jour et de nuit
21 Sam Ying

🛏 **Où dormir ?**

10 JS Guesthouse

🍸 **Où boire un verre ?**

25 2be1

---

peu cher pour le confort (600 Bts, soit
12 €), mais ils sont bien tenus, l'accueil
est aimable et le resto pas mal du tout.

Bonne ambiance le soir, autour de la
fondue thaïe ; ça vaut le coup d'essayer.

D'un peu plus chic à plus chic (de 800 à 1 000 Bts – 16 à 20 €)

🛏 *Chiang Saen River Hill Hotel*
– เชียงแสนริเวอร์ฮิลล์โฮเต็ล *(plan B2,*

11) : 714 Moo 3, Tambol Wiang. ☎ *650-
826.* ● *chiangsaen@hotmail.com* ● *Flé-*

ché depuis la rue principale. Résa conseillée. Petit déj inclus. Le meilleur hôtel de la ville dans cette catégorie. Dans un bâtiment rose, chambres spacieuses, bien finies et tout confort, dans lesquelles un effort de déco de style Lanna a été fait. Accueil aux petits soins. Resto très engageant aussi (plus cher que la moyenne) et possibilité de massages. La bonne adresse, qu'on vous dit !

Où manger ?

À l'instar de la scène hôtelière, Chiang Saen ne croule pas sous les bonnes adresses de resto...

|●| Marchés de jour et de nuit : pour se remplir la panse à peu de frais au milieu des autochtones. Le jour, se diriger vers le marché de la rue principale (plan B2, 20). Nombreux petits stands, dont certains tenus par des immigrants chinois (raviolis, succulentes soupes de nouilles). Le soir, se rendre plutôt du côté du fleuve (côté nord, plan B1). La promenade le long de la berge est investie par une litanie de gargotes où, assis sur une chaise ou des coussins, on ingurgite salade de papaye, poulet grillé et autres plats simples mais essentiels.

|●| Sam Ying – ร้านอาหารสามหญิง (plan A2, 21) : dans la rue principale, entre le 1er et le 2e carrefour. Repérer l'enseigne bleue. Tlj 8h-20h. Excellente cuisine du Nord, notamment les soupes Northern style. On recommande aussi le saluted pork, du porc non pas salué mais sauté. La carte plastifiée a le bon goût d'être bilingue, ce qui vous facilitera la commande.

Où boire un verre ?

🍷 2be1 – โทบีวัน (plan B2, 25) : 251/1 Rimkhong Soi 4. 📱 086-911-09-95. Tlj 8h-minuit. The place to be à Chiang Saen. Musique mixée, billard, des tables dehors. Une bonne ambiance et une clientèle autour de 25-30 ans. On peut aussi y dîner, et bien.

À voir. À faire

🏛 Wat Phratat Chedî Luang – วัดพระธาตุเจดีย์หลวง (plan A2) : il date du XIIIe s, ça se voit, et cela lui confère un charme indéniable. De ce temple, il ne subsiste en fait que le pourtour de brique, abrité par un toit de tôle. Pourtant, l'endroit est toujours vénéré. À côté, grand chedî d'une quarantaine de mètres, mangé par les herbes. Bien ruiné mais émouvant malgré sa taille.

🏛 D'assez nombreux temples, en ruine eux aussi, subsistent çà et là en ville, créant une atmosphère assez romantique. Parmi ceux-ci, le **Wat Mun Muang** – วัดมันเมือง (plan A2), avec son teck géant et son alcôve à bouddha debout, et le **Wat Roi Kho** – วัดร้อยเกาะ (plan A-B2) possèdent un vrai charme.

🏛 Le musée – พิพิธภัณฑ์ (plan A2) : juste à côté du Wat Phratat Chedî Luang. Mer-dim 9h-16h. Entrée : 30 Bts (0,60 €). Musée sur l'histoire et la culture du coin. Statues et têtes de bouddha de style Lanna, datées du XIVe au XVIIIe s, mains de bouddha, belles céramiques. Et puis étoffes, monnaie, armes, instruments de musique, costumes de la région, maquette d'habitation, métier à tisser, boîte laquée, peintures... Également une petite section préhistoire et un faux poisson-chat.

ᛦᛦ Dans les environs du village, plusieurs autres *wat,* dont le superbe **Wat Phra That Pha Ngao** – วัดพระธาตุผาเงา *(hors plan par B2),* à environ 3 km sur la route de Chiang Khong, côté droit. Dans le style birman, le temple principal ressemble à une pagode. L'intérieur est orné de magnifiques panneaux de bois doré relatant, en anglais notamment, la vie de Bouddha. Au fond, la base du temple originel et un très ancien et très vénéré bouddha de pierre. Un des plus beaux temples de la Thaïlande septentrionale, malgré la présence d'un distributeur automatique d'horoscopes du plus mauvais goût, côtoyant sans vergogne l'Éveillé, décidément imperturbable. À l'extérieur, d'impressionnants *nâga* enserrent l'escalier en haut duquel on jouit d'une vue imprenable sur le Mékong et le Laos.

➢ *Croisière sur le Mékong vers la Chine :* le temps où il fallait embarquer sur un cargo chinois est révolu. Il y a désormais un bateau de passagers reliant *Chiang Saen* et *Jinghong* en une journée. Départ les lundi, mercredi et vendredi à 5h, arrivée vers 18h. Compter tout de même 4 500 Bts (80 €) pour le billet. De plus, il faut s'être muni au préalable du visa chinois (c'est possible à Chiang Mai). Sinon, la *Gin's Guesthouse* (sur la route de Sop Ruak, à 2 km du centre), qui vend aussi les billets, peut vous l'obtenir en 2 jours, mais c'est nettement plus cher qu'en le prenant à Chiang Mai.

CHIANG KHONG – เชียงของ

IND. TÉL. : 053

La route (n° 1129) allant de Chiang Saen à Chiang Khong est champêtre et vallonnée. De novembre à janvier, le tabac est mis à sécher sur le bord de la chaussée. Pour les accros du Mékong, des bifurcations permettent de rejoindre une petite route suivant le fleuve au plus près.
Outre le *Wat Phra That Pha Ngao* où l'on pourra faire une halte (voir plus haut), on trouve plus loin un beau point de vue sur le fleuve *(Sala View),* avec aire de repos et petite restauration.
Chiang Khong est un village frontière entre la Thaïlande et le Laos, au bord du Mékong, juste en face de Houeisay. Mais ici, c'est plutôt calme. Rien à voir avec l'atmosphère grouillante de Mae Sai à la frontière birmane, par exemple, même si, depuis le développement du tourisme au Laos, l'apparence du bourg a changé. Commerces, pensions et restos à l'intention des *farang* se multiplient. Contemplé depuis l'une des chouettes *guesthouses* posées sur sa berge, le Mékong, maître des lieux, reste cependant imperturbable. Ici, on ne se perd pas !

Arriver – Quitter

🚌 *L'arrêt des bus* est à l'extrémité sud de l'agglomération, le poste-frontière à l'autre bout. Entre les deux, il y a un gros km et toutes les adresses mentionnées.

➢ *De/vers Houeisay* (le village laotien en face de Chiang Khong, de l'autre côté du Mékong) *:* des pirogues à moteur font régulièrement la navette. Prix : 30 Bts (0,60 €).

➢ *De Houeisay à Luang Prabang (Laos) :* 2 possibilités. En bateau : départ à 10h30, nuit à Pak Beng (à mi-parcours) et arrivée le lendemain ap-m. Compter 850 Bts/pers (17 €). On peut aussi louer son bateau, mais c'est très cher. L'autre possibilité consiste à prendre le bus jusqu'à *Luang Namtha* (départ à 9h30 et 11h), où on passe la nuit, puis de là un autre bus pour Luang Prabang. On vous conseille en fait cette solution. Le prix et la durée du trajet sont à peu près les mêmes qu'en bateau, mais on voit plus de pays.

➢ *De/vers Chiang Sean :* songthaews (devant la poste, dans la rue principale) ttes les heures 8h-16h.

➢ *De/vers Chiang Rai :* 1 bus/h, 6h-17h. Trajet : 2h. Prix : 60 Bts (1,20 €). À moto, prendre la route n° 1174, puis à droite la n° 1098 au niveau de Kaen Nua, avant de rejoindre la n° 1173. Compter 1h30 en tout.

➢ *De/vers Chiang Mai :* 3 bus directs, à 6h, 9h30 et 11h30 de Chiang Khong, mais on peut aussi aller d'abord à Chiang Rai, puis prendre une correspondance. Env 6h de voyage. Prix : 150-270 Bts (3-5,40 €). Sinon, il y a également des minibus privés, plus rapides.

➢ *De/vers Bangkok :* 4 bus/j., à 7h20 puis entre 15h et 16h de Chiang Khong. Trajet : 12h30. Prix : à partir de 500 Bts (10 €).

Adresses utiles

■ *Poste-frontière* – ด่านศุลกากร : dans la descente vers le quai d'embarquement, difficile à rater. Tlj 8h-18h. On peut obtenir son visa pour le Laos ici même (enfin, côté laotien), mais il est plus simple de remplir tous les papiers (prévoir 1 photo) la veille dans une agence de voyages (par exemple *Easy Trip,* voir plus bas) ou votre *guesthouse.* Ils ne prennent pas de commission, et au moment de passer la frontière, vous aurez déjà votre tampon. Compter 30 US$ ou 1 500 Bts si vous êtes français ou belge, 35 US$ (ou 1 700 Bts) si vous êtes suisse.

■ *Easy Trip* – อีซี่ทริป : dans la rue principale, à 200 ou 300 m de la frontière. ☎ 053-655-174. ● discoverylaos.com ● Tickets de bus et de bateau pour le Laos, de même que le visa. De plus, ils parlent bien l'anglais et donnent d'excellentes infos.

▨ *Internet : Eye Com,* à 500 m de la frontière, à côté de l'entrée de Bamboo Riverside Guesthouse (voir « Où dormir ? »). Env 40 Bts/h (0,80 €).

Où dormir ? Où manger ?

Bon marché (de 150 à 250 Bts – 3 à 5 €)

🛏 *Baan Fai Guesthouse* – บ้านไฟเกสท์เฮ้าส์ : à 100 m de Bamboo Riverside Guesthouse, vers la gare routière. ☎ 791-394. Internet. Une maison familiale typique derrière une boutique de tissages. Chambres bon marché, avec ou sans salle de bains. Demandez la n° 3 ou la n° 6, très charmantes, avec leur petit mobilier en bois. Également une minidortoir. Location de motos et vélos. Une très bonne affaire, d'autant que les proprios sont adorables !

🍽 *The Mekong Restaurant* – ร้านอาหารเดอะแม่โขง : à 50 m du poste-frontière, immanquable. Grande terrasse tout en bois garnie de beaux abat-jour rouges en suspension. Pratique pour ceux qui attendent de passer la frontière ou qui arrivent du Laos. Et, de toute façon, à essayer car on y mange vraiment bien. Très peu de choix à la carte car ici, tout est frais du jour. En gros, des *Phad Silew* (nouilles), *Kao Phad* (riz frit) ou des légumes poêlés à la viande, mais le patron, un jeune de Bangkok plein de gentillesse, pourra vous préparer un exquis poisson du Mékong. Un de nos meilleurs souvenirs culinaires de Thaïlande, c'est dire !

Un peu plus chic (autour de 800 Bts – 16 €)

🏠 *Nam Khong River Side Hotel* – โร— งแรมน้ำโขงริเวอร์ไซด์ : *174-176 Moo 8.* ☎ 791-796. ● *phayao@hotmail.com* ● *Juste derrière la* Baan Fai Guesthouse. *Moins cher mai-nov.* Hôtel tout neuf, fièrement posé sur les rives du Mékong.

Pour ceux qui désirent un peu plus de confort, chambres impeccables et carrelées, avec TV, frigo, AC et même un petit cadre au-dessus du lit (qui plus est douillet). Resto donnant sur le fleuve.

LE NORD-EST

La région du Nord-Est, connue sous le nom d'*Isan,* bordée par le Laos au nord et à l'est, et par le Cambodge au sud, couvre un tiers de la superficie du pays et rassemble la même proportion de ses habitants.

La région n'est pas à court d'arguments touristiques : 600 km de rives bordant le Mékong, plusieurs parcs nationaux, un grand nombre de chefs-d'œuvre de l'architecture khmère et des sites préhistoriques, qui prouvent que l'Isan fut habité bien avant la naissance du peuple thaï.

À ces atouts géographiques et historiques s'ajoutent une culture et des traditions spécifiques. Fortement influencées par leurs voisins laotiens et khmers, celles-ci ont aujourd'hui largement débordé de leur région d'origine, disséminées aux quatre coins du pays par des millions d'émigrants partis chercher une meilleure vie, sinon la fortune.

Cette musique entraînante, le *Mor-lam,* jouée dans le taxi pris à l'aéroport, accompagnée de danses endiablées diffusées à la télé pendant que vous ouvrez vos bagages, la « salade de papaye, poulet grillé, riz gluant » servie à la gargote d'une première faim, ce chaland qui vous propose de superbes soieries... À votre insu, vous aurez peut-être rencontré l'Isan dès votre arrivée en Thaïlande et initié une complicité qui donne l'envie d'en savoir plus.

Compter une bonne semaine de visite, si possible davantage pour les amateurs d'art khmer, de nature, de photos, de cuisine (voir « Hommes, culture et environnement »), ou tout simplement de sourires.

Passages des frontières laotienne et cambodgienne

– *Laos :* 5 postes-frontières sont ouverts aux étrangers, *Nong Khai, Nakhon Phanom, Mukdahan, Chong Mek* et *Thali,* ce dernier, à l'écart des grands axes et mal desservi par les transports côté laotien, est encore peu utilisé.

– *Cambodge : Chong Chom,* dans la région de Surin, et *Chong Sa-ngam,* dans la province de Si Saket, qui donne accès à de meilleures routes et transports côté cambodgien (une donnée évolutive, se renseigner). Voir les chapitres consacrés ci-après pour plus d'infos.

Petit point au sujet des visas laotien et cambodgien

À la frontière laotienne, obtention facile et rapide d'un visa valable pour 1 mois de séjour. *Prix : selon les postes et le cours du change 1 200-1 500 Bts (24-30 €) ou 30-35 US$ (intéressant). Petit supplément éventuel le w-e ou aux heures des repas 1 US$ ou 50 Bts (1 €).* Les voyageurs désirant accomplir d'autres formalités peuvent s'adresser aux consulats de Bangkok ou de Khon Kaen.

Aux postes cambodgiens, obtention d'un visa valide pour un mois, sans difficulté notable à l'exception de son prix ou de petites arnaques (droit de timbre, etc.)... Se renseigner sur le prix officiel (20 US$ mais pourrait augmenter), avoir la somme en

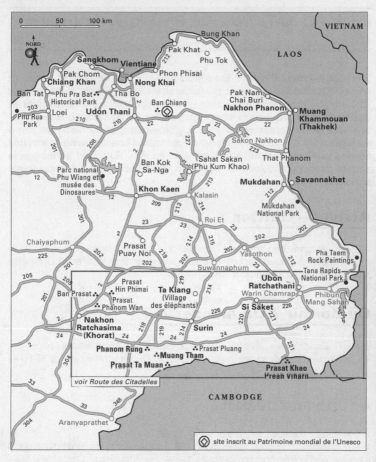

L'ISAN

US$ (paiement en Bts moins avantageux) et rester ferme. Visa également délivré à Bangkok, au consulat ou via une agence de voyages.

LES PARCS DE LA PROVINCE DE LOEI

Cette région préservée, isolée par une petite chaîne de montagnes, plaira aux amateurs de calme et autres randonneurs. Le coton produit dans la province est réputé dans toute la Thaïlande pour son excellente qualité. Le célèbre parc de Phu Kradung vaut à lui seul le voyage. Après les efforts, il est doux et facile de rejoindre Chiang Khan, bourg assoupi et langoureux sur le Mékong.

LE PARC NATIONAL DE PHU RUA – อุทยานแห่ง ชาติ ภูเรือ

IND. TÉL. : 042

Phu Rua, le « mont Bateau », tire son nom de la forme de sa cime rappelant une jonque chinoise renversée qui flotterait à 1 365 m d'altitude. Assez petit (120 km²), le parc offre au visiteur un large panorama sur les chaînes et vallées du Laos (à quelques kilomètres), atteint par de faciles balades à travers une lande parsemée de pins et d'affleurements rocheux. De juin à novembre, les cascades et la floraison par tapis d'une vingtaine de variétés florales rares renforcent l'intérêt de la visite. Phu Rua n'est certes pas le parc le plus spectaculaire de Thaïlande, mais l'occasion d'une escapade agréable.

Arriver – Quitter

➢ **Loei, Phitsanulok :** arrêt au village de *Phu Rua,* à 50 km de Loei, sur la route n° 203 Loei-Phitsanulok via Lom Sak. Bus fréquents dans les 2 sens. Une petite route mène au parc depuis le milieu du village.

Où dormir ? Où manger ?

Voir « Thaïlande utile », en début de guide, pour plus d'informations concernant les hébergements dans les parcs nationaux. Ou téléphoner au ☎ 884-144 (n° infos des parcs).

À l'intérieur du parc

⚊ *Camping :* espaces au niveau des Visitor Centers n° 1 *(peu après avoir payé le droit d'entrée, coin verdoyant tte l'année)* et n° 2 *(1,5 km en contrebas du sommet).* ☎ 801-716 ou 📱 085-450-89-83. W-e, résa conseillée. 30 Bts/pers *(0,60 €)* pour planter sa propre tente. Loc tente 2-6 places : env 270-800 Bts *(5,40-16 €).*

🏠 *Bungalows :* mêmes emplacements que les campings. Compter 2 000-4 500 Bts *(40-90 €)* selon capacité (4, 6 ou 9 pers). Il faut payer l'intégralité des lits quoi qu'il arrive.

🍽 *Restos du parc :* proche des Visitor Centers n° 1 et 2.

À l'extérieur du parc

🏠 🍽 *Phu Rua Chalet* – ภูเรือชาเล่ต์ *:* sur la route de Loei, à 6 km de Phu Rua ; piste (cahute au coin) sur la droite. ☎ 899-012. ● *phuruachalet.com* ● *Doubles 750-1 200 Bts (15-24 €).* Selon prix, chambres en rang d'oignons dans une construction en brique ou grands bungalows. Charmant, niché sur une colline verdoyante. Bien meublé mais plus tout neuf et pas d'AC (même si les nuits sont suffisamment fraîches). Essayer de négocier les prix. Délicieuse cuisine thaïe et européenne pour tous les budgets. Accueil chaleureux.

La visite

➢ *La route bitumée, longue de 10 km, tortueuse et assez raide (dernier tronçon à plus de 15 %), mène quasiment au sommet. Stop assez facile le w-e. Entrée :* check-point 1 *à 2 km de l'embranchement avec la nationale ; 5h-20h ; 200 Bts (4 €). 4 km plus haut,* Visitor Center n° 1. *Loc VTT : 50 Bts/h (1 €), 200 Bts/j. (4 €).* Depuis le centre d'information (se munir d'un plan du parc, toujours utile même si le balisage des sentiers est assez bon), départs des sentiers qui permettent de réaliser en une journée la boucle d'une vingtaine de kilomètres passant par les principales cascades et le sommet (1 365 m). Faisable aussi à VTT. Le *Visitor Center n° 2* (site plus intéressant) n'est qu'à 700 m de *Phurua Peak.* Attention, Phu Rua détenant le record de fraîcheur en Thaïlande (- 4 °C), penser aux vêtements chauds, même en dehors de l'hiver.

➤ *DANS LES ENVIRONS DU PARC*

🍴 **Le vignoble de Phu Rua « Château de Loei » :** *à 11 km du village, en direction de Dan Sai, sur la gauche de la route.* ☎ *891-454.* ● *chateaudeloei.com* ● *Tlj 8h-17h.* Après la promenade, le réconfort ! Venir plutôt motorisé, les cuves et la « cave » de dégustation sont à 2 km de l'entrée par une route qui serpente à travers les vignes. Ce domaine, à 650 m d'altitude, produit un honnête breuvage, considéré par certains comme le meilleur du pays. Consultants australiens et français se disputent l'expertise, mais c'est le coq national qui l'emporte sur le logo. Chenin blanc et syrah composent une gamme allant du rouge au blanc extra-sec. Le blanc normal, seul proposé à la dégustation gratuite, est facturé à l'achat environ 9 €, à comparer au prix du jus de grappe d'importation, si lourdement taxé.

LE PARC NATIONAL DE PHU KRADUNG – อุทยา

นแห่งชาติภูกระดึง   IND. TÉL. : 042

Phu Kradung, la « montagne-cloche », est l'un des plus beaux parcs naturels thaïlandais. Depuis son étonnant sommet, au large plateau gréseux posé à plus de 1 200 m d'altitude, les panoramas sur les basses terres et collines alentour sont époustouflants. Selon la légende, Phu Kradung aurait été découvert il y a seulement deux siècles par un

> ### SCOUTS... TOUJOURS !
>
> *L'amour de la nature inspire l'Amour aux cœurs juvéniles... Pendant les grandes vacances scolaires de mars-avril, de nombreux adolescents, dont beaucoup de scouts, envahissent le lieu, rêvant parfois d'un premier flirt, éclairés par les derniers feux du soleil couchant sur Lomsak Cliff... on les comprend !*

chasseur *lao* parti sur les traces d'une proie. Voilà sans doute pourquoi la biodiversité y est encore assez bien préservée : flore tropicale, méditerranéenne et océanique abritant des chacals d'Asie, des écureuils noirs géants, des *sambar* (cervidé), *serow* (bovidé), des gibbons aux mains blanches... ainsi qu'une vingtaine d'éléphants et peut-être encore quelques tigres.

Arriver – Quitter

Bifurcation pour le parc au rond-point du village de Phu Kradung, sur la n° 201 Khon Kaen-Loei. À 4 km env, *Visitor Center* et parking au pied de la montagne. Marche ou *songthaew (env 30 Bts, soit 0,60 €)*.

➢ *Khon Kaen :* bus dès 6h env, ttes les 30 mn dans les 2 sens ; env 140 km.

➢ *Loei :* similaire à Phu Kradung-Khon Kaen ; 80 km.

➢ *Bangkok :* depuis la capitale, bus en fin de soirée pour Loei, descente tôt le mat au village. Sens inverse, attendre un bus direct au village ou rejoindre d'abord Khon Kaen.

➢ *Chiang Mai, Phitsanulok :* transiter par Chum Phae, situé sur la route n° 12, à env 50 km de Phu Kradung.

Quand y aller ?

Pendant la mousson, de juin à fin septembre, le parc est fermé pour des raisons de sécurité et de régénération de la flore.

Le reste de l'année, préférer les visites en semaine pour être plus tranquille, notamment d'octobre à janvier, haute saison du Phu Kradung.

Sinon, il n'y a pas vraiment de période privilégiée pour la visite, tout dépend de vos centres d'intérêt.

– D'octobre à décembre, les eaux accumulées pendant la saison des pluies ruissellent paresseusement à travers le plateau avant de dévaler les flancs de la montagne en formant des cascades, asséchées à partir de fin janvier.

– De janvier à février, pendant la saison froide, les sportifs savoureront sans trop suer l'ivresse des grandes randonnées à travers plus de 50 km de pistes balisées. Prévoir des vêtements chauds, les températures nocturnes pouvant frôler 0 °C.

– En mars et avril, les tapis multicolores d'azalées et de rhododendrons réjouiront les amoureux de la nature.

Équipement, durée de séjour

– Il est chaudement conseillé de stocker les affaires superflues auprès du *Visitor Center* du départ (consigne).

– Selon vos capacités physiques et le poids de votre équipement (tente, etc.), il peut être judicieux de louer les services de porteurs (20 Bts, soit 0,40 € par kilo, bien organisé, récup au sommet).

– Pas la peine de trop se charger en victuailles et liquides, la montée est jalonnée de plusieurs zones de petits restos.

– Les très bons marcheurs peuvent monter, faire une rando raisonnable sur le plateau et redescendre en une journée (prévoir 10h de marche, pauses comprises). Dommage cependant de s'en tenir là, et attention aux courbatures (2 000 m de dénivelée au total) !

Où dormir ? Où manger ?

À l'intérieur du parc

Il est conseillé de réserver à l'avance le week-end et en haute saison. Voir « Hébergement » dans « Thaïlande utile » en début de guide pour plus d'infos ou téléphoner au ☎ 871-333. Le jour même, réservation possible directement au *Visitor Center* situé au pied de la montagne (obligatoire pour les bungalows) ou au *Visitor Center* du plateau (exclusivement pour le camping).

⋏ *Camping :* sur le plateau, à côté du Visitor Center. *Tarifs : 30 Bts/pers (0,60 €) pour planter sa propre tente ; loc tente 2-6 pers, 150-500 Bts (3-10 €).* Rajouter env 1 €/pers pour l'équipement complet (matelas, sac de couchage, oreiller).

🛏 *Bungalows :* sur le plateau, à l'exception de 3 bungalows vers le parking (pour dépanner si arrivée après 14h). Lit 150-400 Bts (3-8 €). Va de la cabane sans salle de bains au chalet confortable avec sanitaires. Capacité de 4 à 12 personnes, mais il faut toujours louer l'ensemble.

|●| ⊛ *Gargotes et bazar-alimentation du parc :* derrière les 2 Visitor Centers, *ainsi qu'aux haltes pdt la montée.* Cuisine acceptable et tarifs honnêtes. Vente de petit équipement (torches, piles et allumettes).

À l'extérieur du parc

🛏 *Phu Kradung Resort –* ภูกระดึง รีสอร์ท *: sur la petite route qui mène au parc depuis le rond-point. 1 km avt le check-point, sur la gauche. Nom anglais presque invisible.* ☎ 871-076. Doubles avec sdb 300-600 Bts (6-12 €). En retrait de la route, sur un terrain peu entretenu avec une pièce d'eau. Bungalows spartiates (eau froide, ventilo) ou chambres climatisées plus confortables mais sans charme, côte à côte dans une bâtisse de plain-pied au fond du terrain. Passable, reste le meilleur choix si on arrive trop tard ou en cas de problème de correspondance.

|●| *Gargote et marché de nuit du village :* à 500 m env du Phu Kradung Resort, *en allant vers la grand-route. Plats 20-50 Bts (0,40-1 €). Tlj jusqu'à 21h env.* À gauche, un petit resto-épicerie avec des tables dehors. Bonne tambouille et sourires. En face, le petit marché de nuit, parfait pour des en-cas (brochettes, soupes, desserts) ou un ravitaillement de fruits.

La rando : une bonne grimpette avant les balades...

Ouv 1er oct-31 mai, tlj 6h30-16h30. **Attention,** *fermeture guichet à 14h, plus d'ascension après. Entrée : 400 Bts (8 €) ; réduc. Petit droit d'entrée véhicule. Plan photocopié et brochure gratuite.*

🐾🐾🐾 Seul accès au plateau, un sentier long de 5,5 km traverse la forêt pour atteindre le *Mountain Top* (3 à 4h d'effort), d'où il reste encore 3,5 km de plat à parcourir jusqu'au *Headquarter* du plateau (45 mn environ), entouré des hébergements, restos et de vastes pelouses. C'est le moment de sortir un ballon ou un frisbee ! Vu la pente très rude (20 % en moyenne) et la dénivelée (1 100 m), la montée constitue un certain challenge. On conseille de faire une pause salvatrice au site agréable de *Sam Kok Done* (3,7 km depuis le départ, belle vue), avant d'attaquer les 2 km les plus pentus, munis d'échelles métalliques (sans difficulté, c'est pas de la *via ferrata...*). Quand on arrive en haut, l'indicateur d'assiette et la boussole de l'exotisme s'affolent : les dernières rampes couvertes d'une végétation dense et persistante laissent brusquement place à une pinède clairsemée, sur un plateau plat comme un terrain de football, qui ne déparerait pas sous nos latitudes. Il est conseillé de ne pas quitter les nombreux sentiers très bien balisés. Ils permettent de multiples combinaisons et, même en plein barouf d'un week-end estudiantin, d'accéder au calme et à la sérénité en évitant les sites les plus courus. Dans les zones nord et nord-ouest du parc, interdites au public, les animaux sont encore totalement protégés des activités humaines.

Quelques suggestions de balades, en démarrant du quartier général :

➤ *Le chemin des Cascades : au nord-ouest du quartier général, 30 mn à 2h de marche.* Au fur et à mesure que l'on s'éloigne, le plateau s'abaisse en pente douce et la végétation redevient luxuriante. Visite au choix des cascades *Wang Kwang, Pen Pob Mai, Phon Pob, Tham Yai* et *Pen Pob.* Voir « Quand y aller ? » plus haut.

➤ *Le chemin des Azalées :* 12 km aller-retour. Prendre vers l'ouest en direction de la cascade *Thamsok Noo* en passant par la statue de Bouddha et la mare *Ano Dard.*

➤ *Lever du soleil :* depuis *Nok An Cliff* (2 km). Puis, si c'est la saison, quantité de fleurs sauvages dans les environs de *Lanwat Prakaew.*

➤ *Falaises et coucher du soleil : grande boucle de plus de 20 km. Prévoir la journée, pas de ravitaillement en chemin. Avoir une torche.* Après la balade pour admirer le lever du soleil, suivre la falaise tout du long d'est en ouest pendant 13 km. S'arranger pour être à *Lomsak Cliff* (point de vue exceptionnel) au moment du coucher du soleil. Du monde les week-ends en saison ! Retour par *Thamsok Noo* (9 km).

DE CHIANG KHAN À NONG KHAI, LE LONG DU MÉKONG

Voici des kilomètres bénis à partager avec le fleuve mythique, dans une atmosphère toujours paisible, entouré d'une nature souvent sauvage.
Trait d'union de deux univers si contrastés, le Laos et la Thaïlande, le fleuve nourricier vous laissera peut-être rencontrer Phrayanak, le dragon-serpent du Mékong.
Pour se déplacer (même à contrecœur...), des bus ou *songthaews* font régulièrement la navette. Seule la section entre Chiang Khan et Pak Chom nécessite de rentrer un peu dans les terres pour récupérer un bus en provenance de Loei.

Le festival annuel des boules de feu du Mékong

– *Naga Fireball Festival* – เทศกาลออกพรรษา บั้งไฟพญานาค *: ts les ans, aux alentours du mois d'oct, à la fin du carême bouddhique. Plusieurs sites de Sangkhom à Bung Kan, le plus important étant Phon Phisai.* Récemment élevé au rang d'événement touristique majeur, prétexte à force fêtes, foires et liesses populaires. Les berges du Mékong longeant la province de Nong Khai sont célèbres dans tout le pays car on y observe chaque année, à la fin de la saison des pluies, un étrange phénomène : de petites boules rougeâtres transpercent les flots pour s'élever parfois jusqu'à une centaine de mètres. Les croyances populaires et religieuses voient ces « ovnis » s'échapper de la bouche de *nâga* fluviaux, d'où leur nom, célébrant ainsi le retour de l'Éveillé sur terre. Les cartésiens préfèrent parler de combustion de méthane, accumulé plutôt dans le lit du Mékong que provenant du derrière des vaches, d'ailleurs peu nombreuses à se baigner au fond du fleuve. Quant aux *nâga,* vous remarquerez peut-être, dans quelque échoppe ou restaurant, une photo représentant un groupe de soldats américains soutenant de leurs bras musculeux un interminable poisson serpentiforme. L'authenticité de ce cliché est sujette à caution...

CHIANG KHAN – เชียงคาน   7 000 hab.

Le vieux Chiang Khan, régal pour tout voyageur peu pressé, consiste en une longue et étroite rue parallèle au Mékong (Thanon Chaikong), bordée de belles maisons en teck. C'est un petit univers en parfaite adéquation avec le flâneur, où de paisibles habitants déambulent ou jouent au badminton loin des embouteillages. On fait le tour du secteur en une demi-heure et le coin des bonnes adresses en 10 mn. Au-delà (si nécessaire !), quelques rues transversales et les routes de Nongkhai (Thanon Chiang Khan) et Loei, bordées de nombreux commerces et restos.

Arriver – Quitter

🚌 *Pas de station de bus, mais plusieurs arrêts selon les destinations, ts situés au-delà de Thanon Chiang Khan en venant du Mékong (sur la route de* Loei, dans le prolongement du Soi 9). Horaires et fréquences des bus évolutifs, se renseigner auprès des pensions.

➤ *Bangkok :* depuis la capitale (station Mo Chit), 3 départs/j. (mat et soirée). Sens retour : 8h30 (ordinaire) et 18h (VIP). Env 650 km, 10-11h de route ; 500-700 Bts (10-14 €).
➤ *Khorat :* dans les 2 sens, 6h-15h30, 9 bus/j. ; env 380 km, 6-7h de route ; 230-300 Bts (4,60-6 €). Dessert aussi Khon Kaen.
➤ *Nong Khai :* attention, pas de service entre Chiang Khan et Pak Chom. Solution : chartériser un véhicule entre ces deux bourgs (env 800 Bts, soit 16 €), ou transiter par Ban Tat (à 20 km au sud de Chiang Khan, *songthaew* ttes les 30 mn), village situé sur la ligne Loei-Nongkhai. Voir plus loin la même rubrique concernant Nong Khai.
➤ *Loei :* 7h-17h (jusqu'à 20h depuis Loei) *songthaews* dans les 2 sens ttes les 30 mn ; 48 km, 1h15 de route ; 40 Bts (0,80 €). Autre solution : emprunter un bus Khorat-Chiang Khan.
➤ *Laos :* district de Thali, à 50 km à l'ouest de Chiang Khan (65 km au nord-ouest de Loei). Passage de la frontière par le nouveau pont Thai-Lao Friendship Bridge enjambant la rivière Huang. Visas dispos à la frontière. Un hic : le transport reste difficile côté laotien ; se renseigner auprès des pensions de Chiang Khan ou Loei.

Adresses utiles

■ *Distributeur de billets ATM :* sur la route n° 201 à la *Government Saving Bank.* Pas de change d'espèces.

@ *Accès Internet : U.U net* sur Thanon Chiang Khan, face à l'embouchure du Soi 10 (11h-22h), ou au pub

LE NORD-EST

Sangthong, plus cher mais plus cool.
■ *Location de bicyclettes et de motos :* la plupart des pensions assurent ce service. Compter 60 Bts/j. (1,20 €) pour un vélo et 200 Bts/j. (4 €) pour une moto.
■ *Renseignements touristiques et balades dans la région :* Pascal (de la *Rimkhong Pub & Guesthouse,* voir « Où dormir ? ») vit dans le coin depuis longtemps. Ses classeurs à consulter sur

place sont une vraie mine d'infos pour le visiteur. Il organise aussi des balades en bateau et des tours à la carte en moto ou minibus (de 1 à 3 jours).
■ *Immigration :* sur Chai Khong Rd, *après les écoles*. Rappel : en général, autant faire un tour au Laos et obtenir un nouveau visa au retour que de prolonger sur le sol thaïlandais (voir « Thaïlande utile » en début de guide).

Où dormir ?

Profitant de l'authenticité des demeures, les chambres ont du caractère, et même du teck ! Et tout le monde semble mettre un point d'honneur sur la propreté. Si jamais toutes nos adresses étaient complètes, pas de souci, il y a d'autres pensions pas si mal sur Chai Khong Road. Pour les frileux, eau chaude dans toutes les salles de bains et clim'... nulle part !

De bon marché à un peu plus chic (de 150 à 600 Bts – 3 à 12 €)

🛏 *Rimkhong Pub & Guesthouse –* ริมโขงผับและเกสท์เฮ้าส์ : *294 Thanon Chai Khong, Soi 8.* ☎ *821-125.* 📱 087-951-31-72. ● *rimkhongchk@hotmail. com* ● *Doubles sans sdb 150-400 Bts (3-8 €). Bungalow ventilé avec sdb 600 Bts (12 €).* 2 grandes bâtisses en teck récemment rénovées abritent 6 chambres dont la très spacieuse n° 6, qui donne sur le Mékong. Effort d'ameublement tourné vers le confort. Les grands bungalows de 35 m² (Soi 4, côté opposé de Thanon Chiang Khan, à 1 petit km du centre) disposent de frigos et de terrasses pour profiter du jardin. Le lieu est managé par Bunliang et son mari, Pascal, qui connaît la région sur le bout des doigts. Petit déj à la française au pub (voir aussi « Où boire un verre ? »). Location de VTT et de motos avec assurance. Organisation de balades (voir « Adresses utiles »). Massages traditionnels.
🛏 *Loogmai –* เรือนแรมลูกไม้ : *112 Thanon Chai Khong, Soi 5.* ☎ *822-234.* ● *loogmaiguest@thaimail.com* ● *Doubles 300-400 Bts (6-8 €).* Dans une belle

et ancienne maison de fonction, maçonnée contrairement à ses voisines, 5 chambres remarquables d'élégance minimale (volumes et déco) mêlant le colonial des lieux à l'esprit contemporain du proprio, l'artiste Somboon Hormtientong (●*rama9art.org/somboon* ●). Sur les 4 du haut, 2 dont l'une de taille généreuse donnent sur une terrasse, côté fleuve, où se trouve la salle de bains commune. Au rez-de-chaussée, la seule chambre avec douche s'ouvre sur un petit jardin. La femme du peintre s'occupe de la maison, mais tous deux la quittent le soir pour aller plus en amont. Comme un hobby... Bouteille d'eau, bouilloire, thé et café, bureau et lampe... un endroit où se poser et laisser filer quelques jours, voire plus.
🛏 *Tonkhong Guesthouse –* ต้นโขงเกสท์เฮ้าส์ : *299/3 Thanon Chai Khong, entre les Soi 9 et 10.* ☎ *821-879.* ●*benjama@hotmail.com* ● *Doubles avec ou sans douche 200-350 Bts (4-7 €).* Chambres propres mais aux séparations cellulaires à l'étage, mieux pour les

2 du rez-de-chaussée avec des douches (eau chaude). Tenu par un couple thaï serviable et chaleureux. Anglais parlé. Location de vélos et de motos. Balades sur le Mékong et dans la forêt. Massages. Voir aussi « Où manger ? ».

🏠 *Chiang Khan Guesthouse* – เชียงคาน เกสท์เฮ้าส์ : *282 Thanon Chai Khong, Soi 19.* ☎ *821-691.* ● *thailandunplugged.com* ● *Presque à l'extrémité est de la rue. Doubles sans sdb 200-300 Bts (4-6 €).* Maison typique en bois.

Grand rez-de-chaussée avec tables et chaises (boissons, petit déj et plats sur commande). Au 1er, 14 chambres cloisonnées en enfilade, dont 2 (recherchées) donnent sur la rivière. Petit balcon sur les flots, 2 salles de bains, hamac, fleurs, tables, c'est spartiate mais soigné et dépaysant. La patronne, Pim, mariée à un Hollandais, est absolument adorable, serviable et souriante. Organisation de toutes activités, et même de petits concerts traditionnels.

Où manger ?

Mis à part les pubs, susceptibles de prolongation, tout ferme assez tôt à Chiang Khan. Pour les fringales tardives, pousser vers l'intersection de Thanon Chiang Khan et la route n° 201.

|●| *Rabieng* – ร้านอาหารระเบียง : *Thanon Chai Khong. Proche de* Tonkhong GH. ☎ *821-532. Plats env 40-180 Bts (0,80-3,60 €).* Estampillé meilleur resto thaï du coin. Grande salle ouverte se prolongeant par une terrasse. Décor de cantine impersonnelle, dommage. Bonne cuisine classique, c'est vrai.

|●| *Tonkhong Restaurant* – ร้านอาหา รต้นโขง : *voir « Où dormir ? ». Plats env 30-150 Bts (0,60-3 €).* Sur une mignonne terrasse au 1er, surplombant le Mékong, de bons plats thaïlandais dont de nombreux *dips* (assortiment d'ingrédients à tremper dans une sauce pimentée) et pas mal de choix végétariens. Aussi des petits déj, *shakes*, cafés et même des cocktails.

Où boire un verre ?

|●| 🍸 *Rimkhong Pub & Guesthouse* – ริมโขงผับและเกสท์เฮ้าส์ : ☎ *821-125. Tlj 8h-minuit oct-mars (sinon, slt pension et petit déj).* Pour un snack, un café ou une bière, en écoutant de la musique ou les bons tuyaux de Pascal et de ses amis du coin. Prix doux.

|●| 🍸 *Sangthong Pub* – แสงทองผับ : *Thanon Chai Khong, 162/1 Thanon Chai Khong Soi 12-13.* ☎ *821-305.* ● *thepbluesthai@hotmail.com* ● *Tlj jusqu'à env* minuit, selon affluence. Internet. Lieu sympathiquement négligé, dans un esprit *rock'n'folk.* Tableaux et bric-à-brac « artisano-artistique » dans la pièce principale. Parfois, de petits concerts sur la modeste terrasse donnant sur le Mékong, seul endroit où l'on peut vraiment s'asseoir. Patronne sympa, parlant le français, location de vélos et motos. Également 6 chambres rudimentaires à 150 Bts (3 €).

À voir. À faire

🍴 *Le marché :* entre les Soi 9 et 10, sous une halle au-delà de Thanon Chiang Khan en venant de Chai Khong. Ouv 3h (si si !)-8h du mat, puis 16h-20h. Y aller si possible avant l'aube pour y voir la quête traditionnelle des moines. Denrées alimentaires et bric-à-brac.

LE NORD-EST

𝄞 *Les tisserandes :* dans de nombreuses demeures, ainsi qu'à l'usine située au 122/4 Soi 10 (avant le marché), on peut encore observer le travail artisanal du coton (notamment couvertures et couettes).

𝄞𝄞 *Balades en bateau sur le Mékong :* pour un bateau, compter env 500 Bts/h *(10 €), tarif valable sur une base de 3 passagers. Prix/pers dégressif pour plus de participants.* À faire plutôt en fin d'après-midi, afin de revenir à Chiang Khan au coucher du soleil. Le matin, le fleuve est souvent brumeux. Deux options au choix : vers l'amont (3h), jusqu'au point où le fleuve pénètre au Laos (embouchure de la rivière Huang), ou vers l'aval et les rapides de Kaeng Khut Khu (2h). Les bateaux sont en général de longues barques effilées munies de puissants moteurs et pouvant contenir 10 passagers.

𝄞 *Bains de vapeur (1h) et massages traditionnels (1h30) :* 126/1 Thanon Chai Khong, Soi 12. ☎ 821-119. Tlj 18-20h. Résa au moins 30 mn avt. Compter 200 Bts *(4 €) pour un bain, un peu moins pour le massage.* Expérience à ne pas manquer. Les secrets du bain de vapeur et la connaissance des plantes médicinales de la gentille grand-mère qui vous recevra remontent à son arrière-grand-père, un célèbre guérisseur qui s'installa à Chiang Khan au milieu du XIXe s. Au total, pas moins d'une quarantaine de plantes (basilic, gingembre, citron vert, feuilles de citronnier, tamarin, bambou...) entrent dans la préparation du bain et des lotions à base de miel. Si la porte est fermée, demander aux voisins d'aller chercher madame, elle n'est jamais très loin.

➤ *DANS LES ENVIRONS DE CHIANG KHAN*

𝄞 *Les rapides de Kaeng Khut Khu* – แก่งคุดคู้ : à 4 km de la ville. Direction Pak Chom, puis bifurquer sur la gauche au panneau Kaeng Kude Khu (antenne télécoms) d'où il reste 1,5 km à faire. Bien à bicyclette. Ici, le Mékong, rétréci dans un coude, forme une plage à la saison sèche. Selon la légende, une divinité aurait déplacé un énorme rocher bloquant jadis le cours du fleuve et ainsi redonné vie au bas Mékong. À l'entrée de la promenade, une espèce de gros caillou planté commémore l'exploit. Baignades déconseillées (fort courant). Stands et restos.

𝄞 *La grotte de Paben* – ถ้ำผาแบ่น : à env 15 km de Chiang Khan. Direction Pak Chom sur 8 km jusqu'au village de Paben (ou Pha Baen). Après le pont, 1re piste sur la droite (plusieurs panneaux bleus en thaï) pdt 4-5 km, bifurquer au niveau d'une colline karstique sur une petite piste carrossable qui mène 2 km env derrière l'escarpement. Demander son chemin en cas de doute. Plat, facile à moto et faisable en vélo (prévoir alors la demi-journée). À gauche du chemin qui continue au-delà, de grandes marches en mauvais état mènent à une grotte, veillée par un petit pavillon sur pilotis habité de quelques moines. À l'intérieur, un bouddha sous un rai de lumière, ne pas oublier une lampe torche pour continuer l'exploration. Essayer de synchroniser avec les envolées de chauves-souris aux lever et coucher (plus facile...) du soleil.

𝄞 *Le village de Tadimi, le Big Buddha :* y aller en bateau (voir à Chiang Khan, « À faire ») ; ou louer une moto : direction Tha Li (ouest) par la no 2195, tourner à droite au niveau du km 21 (au village de Ban Na Chan) puis suivre les panneaux. Tadimi, à l'embouchure de la rivière Huang, est le dernier village thaï sur le bord du Mékong. Le *Big Buddha* (20 m de haut) domine le village et commande une vue superbe sur la vallée du Mékong, le confluent avec la rivière Huang et le Laos.

🍴 *Les rapides de Kaeng Ton* – แก่งโตน : *env 50 km à l'ouest de Chiang Khan, dans le village de Pak Huay. À faire à moto : direction Tha Li par la n° 2195. Après env 45 km, prendre à gauche à l'intersection vers Ban Ahi (petit* checkpoint*), continuer jusqu'au carrefour suivant (avec la route n° 2115), tourner à droite et suivre la rue jusqu'au bout. Après un temple, mur de brique marqué « Welcome to Kaeng Ton ».* Ces rapides animent la rivière Huang, qui forme la frontière avec le Laos avant de venir mêler ses eaux au grand Mékong. On longe le Mékong puis, par intermittence, la rivière Huang (possibilité d'emprunter une route croquignolette encore plus proche de la rivière). Gargotes sur les berges. On s'installe sur des plates-formes ou, mieux, sur des radeaux de bambou en contrebas. De l'autre côté, le Laos est à moins de 50 m. Des flopées d'enfants des deux pays s'en donnent à cœur joie dans les flots. Attention, traversée interdite ici, pour cela il faut aller au nouveau pont (voir la rubrique « Arriver – Quitter ») !

🏠 |●| *Jai Dee Kangton View* – ใจดี แก่งโตนวิว : *Pak Huay. Face à la rivière, accès par un chemin à droite avt l'enceinte des rapides.* ☎ *812-982.* 📱 *089-711-19-75. Bungalows avec sdb 400-1 000 Bts (8-20 €). Plats 30-150 Bts (0,60-3 €).* Même patronne que *Sugar GH* de Loei. Les 3 hébergements les plus chers surplombent la rivière. Vue zen à travers la végétation depuis le balcon. Pavillon resto en retrait (bonne cuisine), jardin fleuri et *sala* donnant sur la rivière. L'équipement modeste (ni TV, ni frigo, seulement ventilé) justifierait un prix plus bas. Négocier. Accueil charmant.

SANGKHOM – อำเภอสังคม   IND. TÉL. : 042

Les 100 km séparant Chiang Khan de Sangkhom forment probablement un des plus beaux tronçons de route suivant le haut Mékong. La voie, sinueuse et tourmentée, se bagarre contre des poches de reliefs karstiques, qui l'enserrent parfois jusqu'à l'étranglement, découvrant de-ci de-là de petits vals verdoyants en toute saison. Le fleuve n'est pas en reste, les roches le combattent jusque dans son lit, créant une mosaïque ininterrompue de bas-fonds, d'îles et de récifs. Mais soudain, surprise ! Les reliefs s'estompent, s'écrasent vers un horizon plus lointain. Voici Sangkhom, la presque maritime. Ici, pas de rues étroites ni d'anciennes maisons, la route allant à Nong Khai traverse des pavillons épars. Mais en se dirigeant vers le fleuve, on pénètre dans un autre monde, sableux à souhait, avec des petits endroits ombragés, et au large une grande île appartenant, comme toutes ses consœurs, au Laos.

Arriver – Quitter

➢ *Nong Khai :* 7-12h env, plusieurs bus ; 95 km, 2-3h de route ; 70 Bts (1,40 €). Également des *songthaews* jusqu'en milieu d'ap-m.

➢ *Chiang Khan :* **rappel,** pas de transport public direct sur la section Pak Chom-Chiang Khan. Solution : emprunter un bus Nong Khai-Loei (voir ci-dessous) et descendre à Ban Tat. Pour l'ensemble du trajet : partir tôt, env 3h30 de route et 70 Bts (1,40 €).

➢ *Loei :* dans les 2 sens, 1 bus ttes les heures env (via Pak Chom et Ban Tad) ; 3h30 de voyage ; 90 Bts (1,80 €).

LE NORD-EST

Où dormir ? Où manger ?

🏠 ⏺ *Bouy Guesthouse* – บุยเกสท์เฮ้า
ส์ *: 60/4 Sangkhom.* ☎ *441-065. Après
le 1er pont en venant de Pak Chom.
Côté fleuve (panneau). Bungalow
190 Bts (3,80 €). Resto 7h-20h. Internet.* Pour arriver dans la pension sim-
plissime mais paradisiaque de M. Toy,
traverser d'abord l'agréable espace
resto, juché sur pilotis au-dessus d'une
petite rivière aux berges potagères.
Une passerelle rejoint la langue de
sable où sont négligemment posés
8 bungalows-paillotes tournés vers les
flots. 4 d'entre eux disposent de salles
de bains rudimentaires (eau froide) ;
10 Bts (0,20 €) de remise pour les
autres ! Douche chaude à la réception
(petit supplément). Spartiate mais
l'essentiel est assuré : moustiquaire,
ventilo, grande couche, table basse et
petite terrasse dotée d'un banc et du
hamac syndical. Destination *siesta* ! Au
resto, bons petits plats thaïs, *shakes*,
cafés, etc. Location de vélos et motos,
massages.

🏠 *Cake Resort* – บังกาโล เค้กรีสอร์ท *:
avt le pont en venant de Pak Chom.
Doubles avec sdb 250-500 Bts (5-10 €).*
Aucune des autres pensions du bourg
n'a le charme ou la tenue de *Bouy
Guesthouse.* Si nécessaire, essayez
celle-ci. Chambres avec ou sans AC
dans une maison ou des bungalows en
dur. Au bord du fleuve, sans que cet
avantage soit très bien exploité ; état et
propreté moyens.

⏺ *Petits restos et marchés :* en marchant dans le bourg depuis *Bouy Guesthouse,* en direction de Nong Khai. Au
bord du Mékong...

À voir. À faire

Plutôt rien, et c'est bien comme ça. Guère besoin de grand-chose sinon de palmiers... Pour les hyperactifs, plan de la région chez *Bouy Guesthouse.*

NONG KHAI – หนองคาย   70 000 hab.   IND. TÉL. : 042

Autrefois alanguie au bord du Mékong, Nong Khai profite aujourd'hui pleinement du *pont de l'Amitié, « Friendship Bridge »,* qui relie la Thaïlande et le Laos
depuis 1994. La croissance économique découlant du commerce frontalier et
du tourisme a accru le niveau de vie des habitants et altéré le charme provin-
cial de la petite ville. Mis à part le secteur de *Mutmee Guesthouse,* d'ailleurs
menacé (voir « Où dormir ? »), il faudra aller chercher au-delà des berges plus
sauvages et magiques.
Au change, inégal, Nong Khai a gagné un peu de modernité contrastant avec
les quelques vestiges de l'aventure coloniale française au Laos voisin : quelques demeures du centre aux persiennes, balcons et arcades typiques, la
célèbre baguette et une forte présence d'anciens réfugiés vietnamiens et
chinois.

Arriver – Quitter

En bus

🚌 *Terminal des bus (plan D1, 8) :*
Thanon Prajak, légèrement à l'est du
centre-ville, proche du Wat Sri Kun
Muang.

➤ **Bangkok :** depuis Nong Khai, env 20 bus/j., 4 le mat (6h-10h), tt le reste en début de soirée (18h-20h) ; 620 km, 10-11h de route ; 1ʳᵉ classe et VIP, respectivement 450 et 700 Bts (9 et 14 €). Depuis Bangkok (terminal Mo Chit), fréquences et horaires similaires.

➤ **Udon Thani :** dans les 2 sens, 6h-18h départ ttes les 30 mn ; 53 km, 1h de route ; 40 Bts (0,80 €).

➤ **Khon Kaen, Khorat :** nombreuses liaisons par les bus Nong Khai-Bangkok ou en transitant par Udon Thani. Voir sous ces villes.

➤ **Chiang Mai, Chiang Rai :** changer de bus à Udon Thani.

➤ **Nakhon Phanom via Udon Thani :** dernier départ vers 16h30, env 270 km, 4h de voyage.

➤ **Nakhon Phanom en suivant le Mékong :** itinéraire plus joli et pittoresque, voir « De Nong Khai au That Phanom ») ; dans les 2 sens, 7h-14h, 9 bus/j. ; env 300 km, 5h de route ; env 200 Bts (4 €).

➤ **Loei :** 6h-16h 4 départs/j. (bus n° 507) ; env 230 km, 6h de route ; 120 Bts (2,40 €). Dessert aussi : Wat Pra That Bang Phuan, Tha Bo, Sangkhom, Pak Chom et Ban Tad (d'où l'on peut rejoindre Chiang Khan). Alternativement, transiter par Udon Thani.

LE NORD-EST

En train

🚆 **Gare** (plan B3) : 2 km à l'ouest de la ville. Tourner à gauche avt le carrefour du pont de l'Amitié. Rens : ☎ 411-592. Comptoir des résas ouv 7h-19h. Tuk-tuk : env 30 Bts (0,60 €) pour le centre.

La ligne Bangkok-Nong Khai (Northeastern Line) dessert notamment Udon Thani, Khon Kaen, Nakhon Ratchasima et Ayutthaya.

➤ **Bangkok :** depuis Bangkok, 18h30, 18h40 et 20h45 ; au départ de Nong Khai, 6h, 18h20 et 19h15. Trajet : 10h30-13h ; couchette en 2ᵉ classe ventilo/AC env 500-800 Bts (10-16 €).

■ **Adresses utiles**

- 🚆 Gare ferroviaire
- 🛈 Office de tourisme (TAT)
- ✉ Poste centrale
- **2** Krungthai Bank
- **3** Bangkok Bank
- @ **4** Internet
- **5** Family Cooperation Travel
- **6** Service de navette pour l'aéroport
- **7** Librairie
- 🚌 **8** Terminal des bus
- **10** Mutmee Guesthouse, Hornbill Bookshop
- **15** Pantawee Spa and Massage

🛏 **Où dormir ?**

- **10** Mutmee Guesthouse
- **11** Rimkhong Guesthouse
- **12** Ruan Thai Guesthouse
- **13** Sawasdee Guesthouse
- **14** Esan Guesthouse
- **15** Pantawee Hotel
- **16** Nongkhai Grand

|●| **Où manger ?**

- **10** Mutmee Guesthouse
- **20** Gargotes du marché
- **21** Nam Tok Rimkhong
- **22** Daeng Namnuang « The Terrace »
- **23** Dee Dee Pochana et Thai Thai
- **24** Marché de nuit
- **25** Rudy's German Bakery
- **26** Zodiac restaurant

🍸 **Où boire un verre ?**

- **10** Gaia

🍴 ⚙ **À voir. À faire. Achats**

- **10** Croisière en bateau sur le Mékong – Nagarina
- **30** Sala Keoku (Wat Khaek)
- **31** Village Weaver Handicrafts
- **32** Atelier
- **33** Kulpawee Kulthanyawat

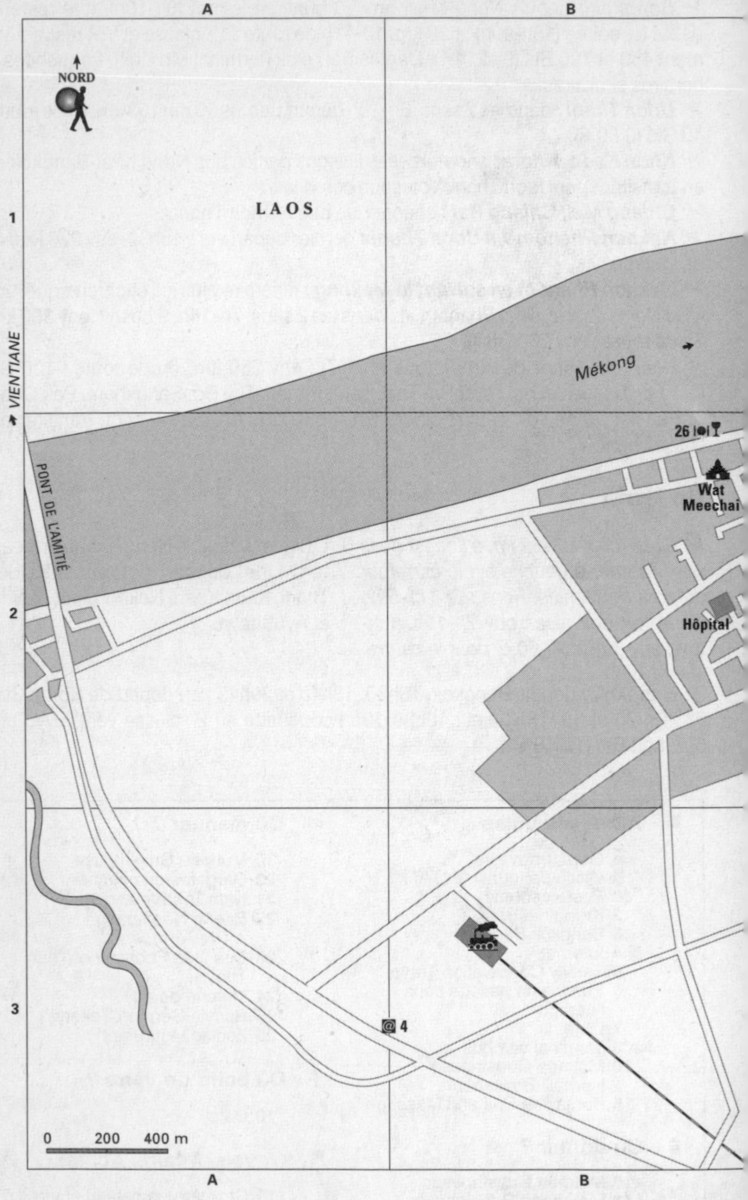

NORD

A B

LAOS

VIENTIANE

Mékong

PONT DE L'AMITIÉ

26

Wat
Meechai

Hôpital

1

2

3

4

0 200 400 m

A B

LE NORD-EST

NONG KHAI

➤ *Nong Khai-Thanalang (Laos) :* 1 train/j. le mat, retour l'ap-m. Prix : 50 Bts (0,10 €). Passe par le pont de l'Amitié, mais n'arrive pas encore à Vientiane.

En avion

✈ *Aéroport d'Udon Thani :* service de navette sur la route n° 2 (plan C2, **6**). ☎ 411-530. Minivans 12 pers. 5h30- 17h, env 4 départs/j. synchros avec les vols ; 60 km, 1h de route ; 120 Bts (2,40 €).

➤ *Bangkok :* 7 liaisons/j. dans les 2 sens affrétées par *Thai Airways* et les *low-cost Air Asia* et *Nok Air.* Depuis Bangkok, départ de Don Muang (se faire confirmer) sauf pour *Air Asia.* Prix et évolutions : voir les sites des compagnies dans « Thaïlande utile ».

➤ *Chiang Mai :* normalement, vols directs en fin de sem.

Adresses utiles

🛈 *TAT* – ท.ท.ท. *(office national de tourisme de Thaïlande ; plan C3) : route n° 2. En venant du centre, à droite au-delà de l'hypermarché Tesco, dans un complexe couleur brique (Maekhong Center) à l'angle d'une perpendiculaire.* ☎ 421-326. Tlj 8h30-16h30. Horaires des trains, plan de la ville, prospectus et documentation sur la région. Anglais parlé.

✉ *Poste centrale (plan C1) : Thanon Meechai, au niveau du Soi Wat Nak.* Lun-ven 8h-16h.

■ *Banques : sf précision, horaires d'ouverture communs à ttes les banques, lun-ven 8h30-15h30. Service de change et distributeurs de billets, notamment auprès de : Siam City Bank* et *Bank Thai,* sur *Thanon Prajak ; Krungthai Bank (plan C1, **2** ; ferme à 16h30), sur Thanon Meechai, 200 m à l'est de la poste ; Bangkok Bank (plan C1, **3**), dans le soi entre le Mékong et Wat Sri Saket, ainsi qu'à l'intérieur du marché (Thanon Rimkhong, secteur couvert).*

■ *Transfert d'argent rapide : Thanon Prajak.* Service *Western Union* hébergé par la *Bank of Ayudhya.*

@ *Internet : Soi Rimkhong, dans le complexe de la Mekong Guesthouse (plan A-B3, **4**). Ouv 8h-22h.* Confortable. Également *Hornbill Bookshop, Pantawee Hotel* (wifi), voir plus loin.

■ *Bureau de l'immigration* – สำนักงา

นตรวจคนเข้าเมือง : voir aussi « Thaïlande utile » en début de guide.

■ *Mutmee Guesthouse* – มัดหมี่เก สท์เฮ้าส์ *(plan C1, **10**) : ● mutmee.net ● Voir « Où dormir ? ».* Des tonnes d'infos pratiques et culturelles sur la région. À consulter via Internet ou sur place.

■ *Family Cooperation Travel (plan C1-2, **5**) : Thanon Meechai.* ☎ 411-526. ● family_corp2@yahoo.co.th ● *Tlj 9h-19h.* Agence de voyages émettant tout billet d'avion. Transfert à l'aéroport d'Udon Thani.

■ *Location de vélos et motos : vélos 30-50 Bts/j. (0,60-1 €) ; motos 200-250 Bts/j. (4-5 €).* La plupart des pensions proposent ce service.

■ *Hornbill Bookshop (plan C1, **10**) : dans l'allée de la Mutmee Guesthouse. Lun-sam 10h-19h. Internet.* Livres d'occasion dont quelques ouvrages en français. Vend aussi des cartes postales.

■ *Librairie (plan C2, **7**) : Thanon Prajak, à quelques pas du magasin Weaver Handicraft. Tlj 8h-21h.* Bon rayon de guides sur la Thaïlande et les pays limitrophes, manuels de conversation et cartes.

■ *Pantawee Spa and Massage* – สปา คมนวดแผนไทยจังหวัดหนองคาย *(plan C2, **15**) : attenant à l'hôtel Pantawee (voir « Où dormir ? »).* ☎ 421-106. *Tlj 8h-minuit.* Massages et autres soins, respec-

tivement à partir de 400 Bts et 900 Bts/h (8 et 18 €). Un salon au sérieux garanti

proposant aussi des spas et soins du visage.

Pour se rendre au Laos

➤ *Pont de l'Amitié :* env 4 km à l'ouest du centre. Tlj 6h-22h (évolutif). Visa laotien de 30 jours délivré à la frontière. Voir « Passages des frontières laotienne et cambodgienne » plus haut. Souvent congestionné à l'ouverture, à midi et en fin d'après-midi.

➤ *Transports :* la traversée du pont se fait obligatoirement en véhicule.

– *Depuis le pont :* service de navette du pont (env 20 Bts, soit 0,40 €). De l'autre côté, transports locaux jusqu'à Vientiane (env 20 km, 30 mn de trajet).

– *Service de bus international Nong Khai-Vientiane :* depuis la gare routière 6 bus/ j., 7h30-18h. Prix : 55 Bts (1,10 €). Économique et pratique (le bus attend pendant les formalités).

Où dormir ?

De très bon marché à prix moyens (de 100 à 450 Bts – 2 à 9 €)

🛏 *Mutmee Guesthouse* – มัดหมี่เก สท์เฮ้าส์ *(plan C1, 10) :* 1111/4 Thanon Kaeworawut. ☎ 460-717. ● *mutmee. net* ● *Par une allée qui rejoint le fleuve (panneau). Lit en dortoir 100 Bts (2 €) ; doubles 200-600 Bts (4-12 €).* Un endroit assez exceptionnel, à l'ambiance communautaire, un peu branché. Dans plusieurs maisons de 2, 3 ou 4 chambres, multitude d'options d'hébergement pour tout budget, allant du lit en dortoir à la double AC avec salle de bains. Propre et bien aménagé. Très agréable café-restaurant dans le jardin, sur les berges du Mékong. Tout est prévu pour les routards, qui, grégaires et pas ingrats, en ont fait leur rendez-vous préféré. Infos culturelles et pratiques (voir « Adresses utiles »). Nombreux services et activités : librairie, cours de thaï, circuits à vélo, tai-chi, yoga... Accueil excellent.

🛏 *Rimkhong Guesthouse* – ริมโขงเก สท์เฮ้าส์ *(plan C1, 11) :* 815/1-4 Thanon Rimkhong. ☎ 460-625. *Près du Wat Haisok, face au fleuve. Doubles sans sdb 140-200 Bts (2,80-4 €).* 7 chambres bon marché dans une maison avec jardin et terrasse ombragée. Net et

spartiate : béton au sol, ventilo, pièce d'eau à la thaïe. Accueil très gentil. Servent des petit déj.

🛏 *Ruan Thai Guesthouse* – เรือนไท เกสท์เฮ้าส์ *(plan C1, 12) :* 1126 Thanon Rimkhong. ☎ 412-519. ● *ruanthaihome. com* ● *(ne pas utiliser le site pour les résas ; téléphonez !) À deux pas à l'est de Rimkhong Guesthouse. Doubles 150-400 Bts (3-8 €). Internet payant.* Dans une coquette maison mi-dur mi-bois donnant sur une petite cour-jardin, chambres ventilées avec ou sans salle de bains et d'autres tout confort (AC, TV dont TV5, frigo). Également une familiale, arrangée dans une maisonnette en bois indépendante (1 000 Bts, soit 20 €). Ensemble soigné et accueillant. Petit café-resto.

🛏 *Sawasdee Guesthouse* – สวัสดี เกสท์เฮ้าส์ *(plan D1, 13) :* 402 Thanon Meechai, en face du Wat Srikunmuang. ☎ 412-502. ● *sawasdee_gh@hotmail. com* ● *Doubles 180-420 Bts (3,60-8,40 €).* Dans une maison coloniale – les dernières survivantes se concentrent d'ailleurs dans le coin. Choix allant de la double ventilée sans salle de bains au petit luxe d'une douche privée, de la TV et du frigo. Passé la grande pièce faisant réception et salon, décorée d'objets hétéroclites, on accède aux chambres du rez-de-chaussée ou de l'étage par une agréable cour intérieure (boissons et petit déj). Éviter si possible celles qui donnent sur la rue. Une bonne adresse. Massage, laverie.

🛏 *Esan Guesthouse* – อีสานเกสท์เฮ้าส์ *(plan D1, 14) : 538 Soi Srikunmuang.* ☎ *412-008.* ● *e-san07@hotmail.com* ● *À 50 m sur la gauche en allant vers le* *Mékong, depuis l'angle de* Sawasdee Guesthouse. *Doubles 250-450 Bts (5-9 €).* Belle maison *isan* traditionnelle, en bois et sur pilotis, offrant 5 chambres sans salle de bains dans le ton : ventilo, parquet et murs bien vernis, bonne literie. Dans le pavillon adjacent, récent mais toujours en bois, 3 chambres AC avec bains, dotées de balcon avec tables et chaises pour profiter d'un bout de jardin. Jeune patron accueillant se débrouillant en anglais.

D'un peu plus chic à plus chic (de 700 à 1 700 Bts – 14 à 34 €)

🛏 *Pantawee Hotel* – โรงแรมพรรณทวี *(plan C2, 15) : 1049 Thanon Haisoke.* ☎ *411-568.* ● *pantawee.com* ● *Doubles avec sdb 700-1 400 Bts (14-28 €). Internet illimité gratuit (sauf pour le premier prix).* Bâtiments de 2 étages à l'arrière d'une cour au calme ou bungalows (les options budget) de l'autre côté de la rue. Chambres nickel, carrelées et claires, toutes équipées de clim', TV et frigo. Petite piscine soignée tendance spa. Agence de voyages. Faisant le maximum pour sortir de son standard, l'amusant *Pantawee* est un bon plan dans sa catégorie. Accueil avenant.

🛏 *Nongkhai Grand* – โรงแรมหนองคา ยแกรนด์ *(plan D2, 16) : route 212, 1 petit km à l'est de l'intersection princi-* *pale donnant sur la ville.* ☎ *420-033.* ● *nongkhaigrandhotel.com* ● *Doubles env 1 300-1 700 Bts (26-34 €) après réduc (automatique ou via site de résa) ; petit déj-buffet non compris (compter 3 €/pers).* Immeuble blanc d'une dizaine d'étages, au style classique des grands hôtels thaïs. Vaste lobby « siamobaroque ». Chambres standard, un peu vieillottes, correctement entretenues et propres. Ni charmant ni décevant, c'est le meilleur choix dans sa catégorie, d'autant qu'on entre en ville très rapidement par les petits *soi* perpendiculaires. Sur le toit en terrasse, resto de spécialités thaïes et isan avec animation musicale. Piscine.

Où manger ?

Bon marché (autour de 100 Bts – 2 €)

|●| *Gargotes du marché (plan D1, 20) : Thanon Rimkhong, 500 m env dans le marché Taa Sadej en venant de l'ouest, ou accès par la promenade. Tlj 8h-18h.* Sur la gauche du passage couvert, des stands-barbecues précèdent les terrasses qui ne sont plus sur pilotis mais sur béton, snif ! Cela n'a pas affecté le caractère rustique *lao-isan* de l'ambiance et de la tambouille : délicieux poisson *pla chawn,* saucisses de porc *sai krog* ou vietnamiennes, brochettes de crevettes, à accompagner de *lap, som tam, khao niaw* ou *pat mi* (nouilles froides) sur un fond de musique *molam.*

|●| *Marché de nuit (plan C2, 24) : Thanon Prajak. Tlj 6h-23h.* Sur 200 m environ, à partir de l'embouchure de Thanon Haisok. Situation moins agréable que dans d'autres villes, mais toujours aussi « goûtu » et peu cher.

|●| *Nam Tok Rimkhong* – ร้านน้ำตก ริมโขง *(plan C1, 21)* : *Thanon Rimkhong, là où il se rétrécit.* ☎ *460-324.* Pas de nom anglais. Grande bâtisse de bois traversée par une terrasse qui donne dorénavant sur la promenade, comme ses voisines. À part ça, pas de changement à l'exception d'un petit coup de peinture. Toujours 100 % *isan,* rituelles chaises en plastique et tables de cantine comprises. Menu en anglais. Spécialité locale : *Neua Nam Tok,* une salade de bœuf aigre et pimentée. Pas mal non plus, les filets de poisson marinés *Kang Luog* à tremper dans une sauce... pimentée, naturellement.

Prix moyens (de 100 à 300 Bts – 2 à 6 €)

|●| ♟ *Mutmee Guesthouse* – มัดหมี่เก สท์เฮ้าส์ *(plan C1, 10)* : *voir « Où dormir ? ».* Plats 40-150 Bts (0,80-3 €). Tlj 7h-22h. L'endroit idéal quand il faut ménager son estomac ! Mets familiers (salades, sandwichs, gâteaux), versions savamment édulcorées de classiques thaïs (currys, *tom yam,* sautés divers, spécialités maison et poissons) et choix végétarien. Cet incontournable de Nong Khai s'apprécie confortablement assis autour de grandes tables de bois sous paillotes. Socialisation facile et système de commande « participatif » (on vous laisse découvrir). *Shakes* et cocktails.

|●| *Daeng Namnuang « The Terrace »* – แดง แหนมเนือง เดกะเทกเรซ *(plan C1, 22)* : *Thanon Rimkhong.* ☎ *411-961.* Rouleaux 90-170 Bts (1,80-3,40 €) pour 2-4 pers ; autres plats 30-50 Bts (0,60-1 €). Resto vietnamien nationalement célèbre, dorénavant installé dans un grand complexe moderne et élégant, dont la généreuse véranda tire le meilleur profit de la promenade. C'est ici qu'il faut goûter les *Nam Nuang,* des rouleaux de printemps livrés en « kit ». Délicieux de finesse et de fraîcheur ; ludiques aussi : placer une feuille de riz dans la main avant de la garnir de vermicelle, de saucisse de porc et d'un assaisonnement composé de menthe, d'herbes et de fruits tropicaux coupés menu. Demander la démo si nécessaire.

– On peut observer l'atelier de production où une armada d'employés aux uniformes immaculés prépare les spécialités que *Daeng* expédie dans tout le pays. Petit magasin à l'entrée, coffret de *Nuang* en kit...

|●| *Dee Dee Pochana et Thai Thai* – ร้านดีดีโภชนาและไทยไทย *(plan C2, 23)* : *1155 Thanon Prajak, secteur du marché de nuit.* Tlj 8h-22h. 2 frères siamois, archétypes du bon resto sino-thaï populo : béton au sol, toitures blanches de hangar et lanternes rouges au-dessus de l'entrée ; floraison de légumes en devanture, cuisines ouvertes, menus sans fin et pour toutes les faims : légumes sautés (succulents et multicolores), canards laqués, gambas frites au sel (recommandé), simples riz sautés, etc. Très populaire. Carte en anglais, service rapide.

|●| *Rudy's German Bakery* – รูดีส์ เยอ รมันเบเกอรี (บองกาเฟย์) *(Bon café ; plan C1, 25)* : à l'angle des Thanon Haisok et Meechai. Sandwichs, petit déj 50-150 Bts (1-3 €). Cadre très quelconque mais bonnes viennoiseries, sélection de pains sympas, sandwichs et *burgers* à la carte.

|●| ♟ *Zodiac restaurant* – ร้านอาหา รพ 12 ราศี *(plan B2, 26)* : *Thanon Meechai, en contrebas du Wat du même nom (entrer par le porche).* Tlj 18h-23h. Plats 60-180 Bts (1,20-3,60 €). Resto flottant fréquenté par les « Nong Khaiens » et quelques visiteurs au courant. Interminable ponton de bois, dont certaines parties sont couvertes. Menu en anglais. Généreux plateau d'entrées de l'Isan, salades *yam,* soupe *tom yam,* etc., mais le meilleur ici, ce sont les poissons dispos en de multiples préparations : grillé, en matelote, à la vapeur, sauce soja ou autres. Bien pour un verre aussi.

Où boire un verre ?

🍷 *Gaia* (plan C1, **10**) : ponton en contrebas de Mutmee Guesthouse. *Tlj 19h-1h, voire plus.* Aménagé comme une fumerie d'opium qui flotterait sur le Mékong : couche, abat-jour-montgol-fière, lampes tressées, tables basses. Cocktails pas donnés (100-180 Bts, soit 2-3,60 €) mais parfaitement réalisés. Bière, café aussi. Concert bohème généralement le dimanche vers 20h30.

À voir. À faire

🚶🚶 *Sala Keoku (Wat Khaek)* – ศาลาแก้วกู่ (วัดแขก) (hors plan par D1, **30**) : à 5 km à l'est de la ville par la Highway 212 (direction Phon Phisai). *Tlj 7h-18h.* Entrée : 10 Bts (0,20 €).

Rapidement, des paysans séduits par le charisme et la moralité du gourou Boun Leua Sourirat vinrent l'aider dans sa tâche. Ainsi naquit d'abord *Xiang Khouan*, situé à 25 km de Vientiane, au bord du Mékong. Après une vingtaine d'années de travail, Boun Leua fut

> ### IL ÉTAIT UNE FOI
>
> *Il était une fois un artiste mystique lao-tien, Boun Leua Sourirat. Lors d'une excursion en montagne, il tomba (au propre comme au figuré) sur un ermite, Keoku, qui l'initia aux mystères de la foi et du panthéon hindo-bouddhique. Dès lors, Boun Leua ressentit une étrange mission : celle de construire des jardins de sculptures passablement hallucinés, en utilisant des matériaux peu onéreux (âme de brique et ferraille recouverte de béton).*

expulsé du Laos en 1970 par les communistes. Divinement têtu, il se remit à l'ouvrage à Nong Khai, créant ce nouveau jardin, le *Sala Keoku,* avant de mourir en 1996 à l'âge de 72 ans. Sa momie se trouve au 1er étage du grand bâtiment blanc (pas de visite).

Si l'origine des visions de Boun Leua est embuée de mystères, son œuvre est bien tangible et sacrément impressionnante. Au milieu de parterres de fleurs (dont de superbes bougainvillées) s'élèvent dieux et déesses, animaux et simples humains. Sculptés dans un style syncrétique fortement baroque, ils interpellent, voire font divaguer le visiteur... Pièces maîtresses : un bouddha assis sur les circonvolutions d'un *nâga,* surmonté de ses sept têtes culminant à 20 m de haut et la roue de la vie (*Samsâra*).

🍷 *Le pont de l'Amitié* – สะพานมิตรภาพไทยลาว (plan A2) : financé par les Australiens, long de plus de 1 km. Il porte bien son nom, puisqu'il parachève la route de l'Amitié construite par les Américains lors de leur « villégiature » au Vietnam. Il fut pendant très longtemps le seul ouvrage franchissant le haut Mékong hors territoire chinois, avant l'ouverture en 2007 du pont reliant Mukdahan à Savannakhet.

🍷 *Croisière en bateau sur le Mékong – Nagarina* (plan C1, **10**) : tlj à 17h, en contrebas de Mutmee Guesthouse, *même ponton que Gaia* ; boucle de 1h ; 100 Bts (2 €). Rien de spécial à voir, sinon la pointe du *chedî* englouti et un beau coucher de soleil. Pas grave, la magie du fleuve se suffit à elle-même. Possible de manger (cuisine thaïe) mais comme c'est un peu tôt, autant se contenter d'un verre...

🍷 *Balade à vélo ou à moto :* vers l'est (marais reliés au Mékong, centre de recherche sur la soie) ou vers l'ouest (cultures de fleurs). Par de petites routes campagnardes reliant de charmants villages. Récupérer les plans détaillés grâce à *Mutmee Guesthouse* (site ou brochure).

🏂 Marché Taa Sadej *(plan C1) : central, sur une longue section couverte de Thanon Rimkhong, filant vers l'est à partir de Thanon Banterngjit et aussi quelques allées perpendiculaires. Ferme à 18h.* Y aller plutôt le matin, puis y manger. On y trouve un peu tout ce que les pays du Mékong produisent : du couteau chinois qui rechigne à couper quoi que ce soit, des articles électriques à durée de vie limitée, de l'artisanat vietnamien et laotien dont d'exquis sarongs, de la vannerie, des bijoux, et puis des étals de friandises sucrées ou salées, dont ces délicieuses saucisses cuites dans des feuilles de bananier.

🏂 La résidence du gouverneur – จวนผู้ว่าราชการจังหวัดหนองคาย พ.ศ. *(plan C1) : angle Thanon Meechai et Hasok. Tlj 8h30-18h. Entrée et prospectus gratuits.* Bel exemple de l'architecture coloniale française d'Indochine, cette grande demeure fut construite en 1929 par une équipe vietnamienne mandatée par le gouvernement thaï, pour recevoir notamment des officiels français. Vaut surtout pour la photo depuis l'entrée et le jardin. L'intérieur, mis à part les portes-fenêtres, de vieux carrelages et le soin porté à la ventilation naturelle, n'est pas très riche en aménagement et mobilier.

🏃 Prap Ho Monument, festival Anou Savari *(plan C2) : face au carrefour principal avec la route n° 2, devant l'ancien hôtel de ville. Vers mars, pdt 10j. env ; rens auprès de* Mutmee Guesthouse. Repère dans la ville, ce monument blanc commémore la victoire des Thaïs sur les *Jiin Haw*, connus dans notre histoire coloniale sous le nom de Pavillons noirs. Ces bandes de pillards venus du Yunnan (province chinoise où passe le Mékong) dévastèrent la région dans la deuxième moitié du XIXe s. Tous les ans, le festival **Anou Savari** rappelle cette délivrance avec force marchés de rues, foires et autres cérémonies/événements.

Achats

🛍 Village Weaver Handicrafts – หมู่บ้านทอผ้า *(plan C2, 31) : à l'angle des rues Prajak et Hasiok.* ☎ 422-653. *Tlj sf dim 8h-17h.* Dans le spacieux et joli magasin, exposition et vente de tissus (notamment les célèbres *mutmee*, des *ikats* sur fond indigo), de vêtements, tentures et accessoires ainsi que de poteries. L'ensemble de la production provient de villageoises adhérant à une association à but non lucratif, créée en 1982 par les sœurs de la congrégation du Berger.
– **Atelier** *(plan C-D2, 32) : 1151 Soi Chitapanya, allée transversale partant vers* le sud depuis Thanon Prajak (pancarte jaune VWH). À l'arrière de la boutique, deux métiers à tisser et un petit atelier réalisant des vêtements sur mesure.

🛍 Kulpawee Kulthanyawat – แพรไหม มกุลปวีณ์ กุลธัญวัฒน์ *(plan C1, 33) : 294 Thanon Rimkhong (secteur couvert, marché Taa Sadej).* ☎ 412-095. *100 m au-delà de l'ancien bâtiment de l'Immigration, sur la gauche.* Très belle sélection d'écharpes, sarongs et autres cotonnades et soieries. Prix indiqués, raisonnables (souvent moins cher qu'au Laos) et souvent négociables.

➤ DANS LES ENVIRONS DE NONG KHAI

🏃🏃 Le parc national historique de Phu Phra Bat – อุทยานประวัติศาสตร์แห่งชาติภูพระบาท *et* **🏃 Wat Praphutabat Buabok** – วัดพระพุทธบาทบัวบก *: 2 sites à* *env 80 km au sud-ouest de Nong Khai. ☎ 910-107. Parc : tlj 8h-16h30. À moto : rejoindre le village de Ban Phu via le bourg de Tha Bo, puis Bantiu (à 12 km) où se trouve l'embranchement pour les sites ; 3 km plus loin, bifurcation à droite pour le parc (3 km supplémentaires) ou continuer tt droit vers le Wat (3 km) ; prévoir env 1h30 de trajet (bonnes routes, peu de circulation). En bus : départ matinal (vers 7h) pour Ban Phu, songthaew jusqu'à Ban Tiu et enfin moto-taxi ; 2-3h de voyage au total ; dernier retour depuis Ban Phu vers 15h. Entrée du parc : 30 Bts (0,60 €).*

Au sommet de la colline de Phupan, le **Phu Phra Bat** est semé de nombreuses et étranges formations rocheuses, sortes de cheminées de fées en plus modestes. Elles servirent d'abri dès l'époque préhistorique (entre 1 500 et 3 000 ans av. J.-C.) à l'une des toutes premières communautés humaines installées dans la région. En témoignent encore aujourd'hui quelques peintures géométriques et figuratives de couleur ocre rouge, probablement liées à des rituels religieux. Plus tard, pendant l'ère Dvâravatî (du IIe s av. J.-C. jusqu'au IXe s), tables et menhirs naturels furent convertis en lieux de culte. Dans les croyances populaires de part et d'autre du Mékong, cette colline est aussi associée à la légende Usa-Baros (narrée par des panneaux sur le site).

Quant au **Wat Praphutabat Buabok** voisin, il s'agit d'une réplique moderne du fameux stûpa de That Phanom. Censé reposer sur une empreinte de Bouddha et contenir des reliques de ce dernier à l'intérieur de sa flèche, il est fréquenté par de nombreux pèlerins. Atmosphère de fête, pop-corn, maïs et poulet grillé. Fête annuelle à la mi-mars. La preuve que piété ne rime pas avec morosité...

La visite du parc

*Compter 2h de balade pour une boucle complète. Auprès de l'*Information Center, *récupérer la brochure comportant un plan du site avec les distances. Bon fléchage et pancartes en anglais sur place.*

Démarrer par un tour au petit « musée » attenant (planches explicatives en anglais). La promenade commence par le *Ha Nang Ou Sa (plan local, n° 1)*, un pilier surmonté d'une dalle. Ressemblant à un champignon géant, il est entouré de *semas* (pierres caractéristiques de l'époque Dvâravatî) marquant les 8 points cardinaux. Non loin, le *Wat Poh Ta (n° 6)*, ou temple du beau-père, et le *Tham Phra (n° 7)*, meilleur exemple de conversion d'un abri préhistorique en sanctuaire hindo-bouddhique (les Khmers sont aussi passés par là). Continuer par les secteurs ouest et sud pour découvrir d'autres formations rocheuses et les peintures rupestres *(Tham Wua)*. Jolis sentiers sablonneux ou à même la roche, atmosphère un rien mystérieuse.

UDON THANI, KHON KAEN ET ENVIRONS

UDON THANI – ภูครธานี   145 000 hab.   IND. TÉL. : 042

À 52 km au sud de Nong Khai et 109 km au nord de Khon Kaen, Udon Thani, l'une des trois anciennes bases américaines de la guerre du Vietnam, offre peu d'intérêt pour le voyageur. Rien n'oblige d'ailleurs à s'y arrêter si l'on

voyage en train ou en bus (bonnes correspondances). Pour ceux qui le feront, nous proposons deux visites, l'une amusante, l'autre plus sérieuse.

➤ DANS LES ENVIRONS D'UDON THANI

🏃 *Udon Sunshine Orchid Garden*–อุดรชันชายน์ออร์คิดการ์เด้นท์: *village de* **Nong Sam Rong.** ☎ 242-475. En périphérie de la ville, 1 km env au nord-ouest du centre. Bien indiqué. Le docteur

un peu Mabuse s'est découvert deux nouveaux dadas après celui des orchidées : il construit des maisons calquées sur le signe zodiacal de leurs futurs propriétaires, et se consacre au développement d'un engrais humain purifié. Pour l'instant, pas de flacon-test sur les présentoirs mais, plus sagement, ce parfum d'orchidée qui sent très bon !

🏃🏃🏃 ⊚ *Le site archéologique de Ban Chiang* – อุทยานประวัติศาสตร์บ้านเชียง : *55 km à l'est d'Udon Thani, près de la route n° 22 allant à Sakon Nakhon. Bien desservi par les transports publics.* ☎ 208-340. Tlj 8h30-17h. Entrée : 30 Bts (0,60 €). Ban Chiang, site archéologique le plus important de la région, a été inscrit au Patrimoine mondial de l'Unesco en 1992. Après pas mal de controverses, les fouilles et travaux ont confirmé l'existence ici d'une civilisation florissante autour de 3 000 ans av. J.-C. (voire plus), arrivée à l'âge du bronze. C'est le berceau d'une civilisation de l'Asie du Sud-Est que l'on n'imaginait pas si ancienne et autonome. Le site est divisé en deux parties : sur la gauche, le beau Musée national (légendes et film en anglais), où sont notamment exposées les poteries dont le style primitif distinctif à spirales ocre rouge sur un fond beige, abondamment copié, a fait largement connaître le nom de Ban Chiang ; sur la droite, un chantier accessible de fouilles en plein air.

KHON KAEN – ขอนแก่น   150 000 hab.   IND. TÉL. : 043

Quatrième ville du pays, traditionnellement renommée pour son agriculture et son artisanat textile, Khon Kaen est aujourd'hui tournée vers l'avenir, comme en témoigne le dynamisme de son université, la plus réputée de l'Isan.
Centrale et bien desservie par les transports, c'est une bonne escale pour rayonner dans la région et au-delà. La ville n'a pas de charme ni d'intérêt particulier en soi, à l'exception d'un intéressant musée et de nombreuses boutiques d'artisanat et de produits régionaux.
Pour s'orienter, il suffit de repérer les tours des hôtels *Charoen Thani, Kosa* et *Sofitel,* dominant le centre de la ville, tout de suite au sud-ouest de l'intersection des deux axes principaux, Thanon Na Muang et Thanon Srichan.

LE NORD-EST

Arriver – Quitter

En bus

Deux stations distinctes desservent les mêmes destinations :

🚌 *Station des bus « AC1 »* (plan C2) : à 50 m en retrait de Thanon Klang-muang. ☎ 239-910. Véhicules dits AC1 avec clim' et toilettes.

🚌 *Station des bus ordinaires* (plan C1) : Thanon Prachasamosorn. ☎ 237-300. Pas de toilettes. Les « AC2 » ont la clim', les ordinaires sont ventilés.

➤ *Bangkok :* bus ordinaires et AC1, 7h-23h, ttes les 30 mn ; 450 km, 6-7h de trajet ; 240-400 Bts (4,80-8 €). Depuis la capitale (terminal Mo Chit), fréquences et horaires similaires.

➤ *Khorat (Nakhon Ratchasima) :* les bus Bangkok-Khon Kaen font générale-ment étape à Khorat. 3-4h de route ; 120-180 Bts (2,40-3,60 €).

➤ *Loei :* voir à cette ville.

➤ *Nong Khai :* AC1 directs dans la nuit (3h-5h) ainsi qu'à 15h et 18h ; 170 km, 3-4h de route ; env 150 Bts (3 €). Autre option, changer de bus à Udon Thani.

➤ *Udon Thani :* AC1 et ordinaires, 5h-19h, ttes les 30 mn ; 130 km, 2h de tra-jet ; 70-100 Bts (1,40-2 €).

➤ *Chiang Mai :* AC1, départ 20h et 21h ; AC2, 3h-18h env, 8 bus ; env 500 km, 10h de route ; compter 400-500 Bts (8-10 €).

➤ *Sukhothai :* départ AC1 à 20h ; env 370 km, 6h de route ; compter 300 Bts (6 €). Les bus AC2 allant à Chiang Mai (voir horaires) passent par Sukhotai (ancienne route). Également possible de transiter par *Phitsanulok* (5h-16h30 env ; 10 bus).

En train

🚆 *Gare* (plan B2) : Thanon Ruen Rom, 1 km au sud-ouest du centre. ☎ 221-112.

➤ *Bangkok :* 4 trains/j. dans les 2 sens. De Bangkok, départs à 8h20, 18h30, 18h40 et 20h45. Depuis Khon Kaen, 8h30, 20h11, 21h et 22h16. Arrêts notamment à Nakhon Ratchasima et Ayutthaya. 8-10h de voyage. Couchette 2e classe à partir de 350 Bts (7 €).

➤ *Nong Khai :* 3 trains/j. dans les 2 sens. Depuis Khon Kaen, 2h, 4h15 et 5h40 ; sens inverse, 6h, 18h20 et 19h15. 2h30 de voyage. À partir de 80 Bts (1,60 €).

En avion

✈ *Aéroport* (hors plan par A1) : à 9 km au nord-ouest de la ville. ☎ 246-305. Pas de transport public, prendre un tuk-tuk ou s'adresser aux bureaux de loc de voitures à l'arrivée (env 100 Bts soit 2 € le trajet).

➤ *Bangkok :* dans les 2 sens, 3 vols/j. avec Thai Airways (☎ 245-001). Durée : 1h. Depuis Bangkok, départ de Don Muang (se faire confirmer). Prix et évolutions : voir les sites des compagnies dans « Thaïlande utile ».

Adresses utiles

🅸 *TAT – ท.ท.ท.* (office de tourisme ; plan C1) : 15/5 Thanon Prachasamosorn. ☎ 244-498 ou 499. Fax : 244-497. À 1,5 km au nord-est du centre. Tlj 8h30-16h30. Bon accueil et bon anglais. Plan de la ville clair et très pra-tique, avec les lignes de bus. Infos transports.

■ *Consulat du Laos – สถานกงสุลลา ว (plan D1, 1) :* 171 Thanon Prachasamosorn. ☎ 242-856. À l'est du TAT. Lun-ven 8h-12h, 13h-16h. Si vous avez besoin d'autre chose que le visa de 1 mois obtenu à la frontière.

■ *Consulat du Vietnam* – สถานกงศุล เวียดนาม *(plan D1-2, 2)* **: 65 Thanon Chata Phadung.** ☎ 242-190. • *vietna membassy.or.th* • *Env 1,5 km à l'est du centre.* Lun-ven 8h-12h, 13h-16h. Délivre des visas de 30 jours en 3 jours. Prévoir 1 800 Bts (36 €). Intéressant puisque le visa vietnamien ne peut s'obtenir aux frontières.

■ *Bangkok Bank (plan B2, 3)* : Srichan Rd, proche de l'hôtel Charoen Thani Princess. *Guichet de change ouv tlj 9h-17h. Distributeur automatique 24h/24.* D'autres banques et nombreux distributeurs de billets dans la même rue, ainsi que sur les axes perpendiculaires (Thanon Na Muang et Klang Muang).

■ *Piscine municipale* – สระว่ายน้ำ : les piscines de plein air des hôtels Kosa et Sofitel (plan B2) sont accessibles pour les non-résidents moyennant un petit droit d'entrée. Pour le modèle olympique, aller à l'université *(près du stade, entrée 15 Bts, soit 0,30 €, tlj 15h-20h).*

■ *Narujee Car Rent (NRJ)* – นรูจี คาร์เร้ นท์ *(plan B2, 4)* : 178 Soi Kosa, Srichan. ☎ et fax : 224-220. *Motos et voitures à louer. Respectivement à partir de 200 et 1 500 Bts/j. (4 et 30 €).*

■ *Supaporn Car Rent* – สุภาภรณ์ คาร์ รันท์ : 239 Srichan Rd. ☎ 239-663. *Prix similaires.* Autre loueur du centre-ville (à 300 m du carrefour central).

■ *Location de voitures Avis et Budget :* à l'aéroport. *Ouv à l'arrivée des vols.*

@ *Internet (plan C1)* : à 50 m sur la gauche du Roma Hotel *(voir « Où dormir ? »). Ouv 9h-22h. Prix modique. Grande salle. Accès également à la cafétéria de l'hôtel Charoen Thani (plus cher). Wifi gratuit au Kiwi Café.*

Où dormir ?

De bon marché à prix moyens (de 200 à 500 Bts – 4 à 10 €)

🛏 *Saen Samran Hotel* – โรงแรมแสนสำ ราญ *(plan C1, 10)* : 55-59 Thanonklang Muang. ☎ 239-611. *Doubles ventilées avec sdb 200-250 Bts (4-5 €).* Vieille et

---

■ **Adresses utiles**

- ✈ Aéroport
- 🚂 Gare ferroviaire
- ❶ Office de tourisme (TAT)
- @ Internet
- 🚌 Station des bus « AC1 »
- 🚌 Station des bus ordinaires
- 1 Consulat du Laos
- 2 Consulat du Vietnam
- 3 Bangkok Bank
- 4 Narujee Car Rent (NRJ)

🛏 **Où dormir ?**

- 10 Saen Samran Hotel
- 11 Sawasdee Hotel
- 12 Roma Hotel
- 13 Khon Kaen Hotel
- 14 Charoen Thani Princess

|●| **Où manger ?**

- 20 Marché de nuit

21 Naem Nuang
22 Pram
23 First Choice Restaurant
24 Kiwi Café

🍸 🎵 🎶 **Où boire un verre ? Où danser ?**

- 14 Zolid disco
- 30 Kosa Beer Garden
- 31 Rue des boîtes

🎭 **À voir. À faire**

- 40 Le Musée national
- 41 Marché
- 45 Ban Kok Sa-nga

🏵 **Achats**

- 42 Grande épicerie
- 43 Prathamakant Local Goods Center
- 44 Magasin Otop

NORD

A

B 45

Maliwan

R

Mitaphap

Rd

1

Pimpasut

Sol Habrutsaliga

Thaptarak

22

Sol Supattira

Rd

Srichan

Rd

3

44

4

30

31

Prachasamran

Rd

Hôtels Kosa
et Sofitel

Sol Namuang

2

Ruenrom

Rd

43

Mitaphap

Rd

Darunsamran

Rd

Sol Veerawan

3

Lao Na Dee Rd

A

B

Nam Nao National Park

KHON KAEN

grande maison en bois tropical *madeng*, donnant sur un parking. 47 chambres spartiates (pas d'eau chaude) et en attente de rénovation (lino effiloché, rideaux éreintés, literies épuisées). Celles donnant sur la rue sont bruyantes. Le patron, anglophone cultivé et communicatif, connaît bien la région et milite en faveur d'un tourisme intelligent. Panneaux d'infos. Cité pour l'accueil et ses prix, les plus bas.

🛏 *Sawasdee Hotel* – สวัสดีโฮเต็ล *(plan C2, 11)* : 177-179 Thanon Namuang. ☎ 221-600. ● *thesawasdee@ hotmail.com* ● *Bien situé près du marché de nuit (à 100 m env). Doubles avec sdb et clim' 400-450 Bts (8-9 €). Pour env 2 € de plus, accès Internet illimité. Dans un immeuble aux étages à colonnades, des chambres carrelées, peu*

chaleureuses mais nettes, donnant sur la rue ou sur un parking à l'arrière. Bon équipement : frigo, bouilloire et TV. Accueil manquant d'entrain, légèrement anglophone. Bien dans l'ensemble.

🛏 *Roma Hotel* – โรงแรมโรมา *(plan C1, 12)* : 50/2 Thanon Klangmuang. ☎ 334-444. *Doubles avec sdb 250-500 Bts (5-10 €). Petit déj non compris (100 Bts, soit 2 €).* Immeuble hôtelier classique de 5 étages. Grand hall spacieux à l'arrangement désuet mais assez soigné. Y aller plutôt pour les chambres avec clim', récemment rafraîchies et de bon rapport (faux parquet, bureau, frigo, TV), que pour les premiers prix, ventilées, vraiment pas terribles. Accueil standard.

D'un peu plus chic à plus chic (de 700 à 1 900 Bts – 14 à 38 €)

🛏 *Khon Kaen Hotel* – ขอนแก่นโฮเต็ล *(plan C1, 13)* : 43/2 Thanon Pimpasut. ☎ 333-222. Fax : 242-458. *Doubles avec clim' 700-800 Bts (14-16 €) ; petit déj compris. Wifi gratuit... censé fonctionner dans les chambres !* Ressemble au *Roma*, en plus grand, coloré et luxueux. Pas étonnant, c'est la même direction. Confort et équipement sont au rendez-vous : frigo, baignoire, TV, petits balcons (vue dégagée côté nord). Tapisseries fleuries et moquettes bigarrées bien entretenues, sorties des années 1970 sans qu'il y ait effet de style. Lobby plaisant. Calme.

🛏 *Charoen Thani Princess* – โรงแรม จริญธานี ปริ๊นเซส *(plan C2, 14)* : 260 Thanon Srichan. ☎ 220-400. ● *prin cess@kknet.co.th* ● *ou via* ● *dusit.com* ● *Selon confort et saison, doubles à partir de 1 300-1 900 Bts (26-38 €) ; petit déj compris. Internet payant.* Du haut de sa quinzaine d'étages, fort de ses 300 chambres, ce n'est pas le seul hôtel dans cette catégorie mais un de ses bons et fiables représentants. Restos, petit déj-buffet honorable, piscine intérieure. Du très classique mais sans défaut majeur. Les chambres *deluxe* bénéficient d'un équipement plus complet (bouilloire, coffre) mais ne sont pas plus grandes.

Où manger ?

Bon marché (de 20 à 100 Bts – 0,40 à 2 €)

🍴 Nombreuses *gargotes* proposant cuisines thaïe ou chinoise le long de Thanon Klang Muang.

🍴 *Marché de nuit* (Night Bazaar ; plan C2, 20) : Thanon Ruenrom, entre Namuang et Klangmuang. Plats simples 20-60 Bts (0,40-1,20 €). Passé l'appréhension de la langue, les traditionnels marchés de nuit (Night Bazaar) sont toujours un endroit de choix pour dîner réellement à la locale. Celui-ci, particulièrement riche (Isan oblige), bien organisé et propre, est propice à l'initiation. Par exemple, toute une série de stands au milieu de la rangée proposent de délicieuses soupes à compléter avec la multitude de légumes (crus ou en saumure) et d'herbes à dispo sur les tables. Un tenancier se débrouille en anglais, il saura vous guider. Sinon, pointer du doigt ou utiliser son lexique suffit au bonheur.

|●| *Naem Nuang* – ร้านอาหารแหนมเ นืองๆ *(plan C1, 21)* : *Thanon Klangmuang, à côté de l'hôtel* Saen Samran (« *Où dormir ? »*). Tlj 6h-21h30. Repas env 100 Bts (2 €). Pas d'enseigne en caractères romains. *Vietnam Food* est écrit sur la porte, en dessous du faux pignon de maison en bois. Spécialités de rouleau de printemps à confectionner soi-même. Également des nems, salades et nouilles de riz. Salle climatisée et propre. Menu avec photos.

Prix moyens (de 80 à 150 Bts – 1,60 à 3 €)

|●| *Pram* – ร้านอาหาร บ้านหน้าไม้ *(plan B1, 22)* : *42/14 Thanon Ammart.* ☎ 239-958. Tlj 11h30-14h et 17h-21h30. Plats 80-200 Bts (1,60-4 €). Une grande et belle maison de bois, ce qui est trop rare à Khon Kaen. L'extension extérieure, la terrasse et la déco ne sont malheureusement pas aussi jolies et soignées. Mais ne faisons pas les difficiles puisque la cuisine est bonne, servie avec attention et modernité : spécialités *isan*, poissons, nombreux *dips* (préparations épicées dans lesquelles on trempe légumes ou autres mets), salades de type thaï en tout genre. Menu avec photos. La patronne parle un peu l'anglais.

|●| *First Choice Restaurant* – ร้านอาหารเฟิร์สช้อยส์ *(plan C1, 23)* : 18/8 Thanon Pimpasut. ☎ 333-352. En face de l'hôtel Khon Kaen. Tlj 7h-23h. Plats 40-180 Bts (0,80-3,60 €). Cuisine asiatique et occidentale pour carnivores (steaks, hamburgers) et végétariens. Petit déj.

|●| ⚑ *Kiwi Café (plan C3, 24)* : 311/13 Thanon Robbung. ☎ 228-858. Lun-jeu 11h-23h ; w-e 10h-minuit. Bec sucré, 25-60 Bts (0,50-1,20 €) ; petits plats et petit déj 100-150 Bts (2-3 €). Wifi gratuit. Pavillon moderne aux larges baies vitrées ouvertes sur une plaisante terrasse orientée vers le lac. Fauteuils relax ou chaises. Café dans tous ses états, gâteaux (dont *brownies* et *muffins, of course !*), pâtisseries et petits plats honnêtes (salades, *fish'n'chips,* tourtes, lasagnes).

Où boire un verre ? Où danser ?

L'esplanade cernée de grands hôtels (depuis Thanon Srichan, entrer par Soi Kosa) constitue un petit îlot agréable à l'écart du trafic des grandes avenues. S'y concentrent là ou à deux pas de nombreux restos, terrasses, bars et boîtes que fréquentent Thaïs et *farang*.

|●| ⚑ *Kosa Beer Garden* – ร้านโคสา เบียร์การ์เด้น *(plan B2, 30)* : *en contrebas de l'hôtel* Kosa. En plein air, grand choix de boissons et bière pression. Orchestre et écrans vidéo. Côté resto, 2 catégories de prix coexistent ; ceux de la carte *Coffee Shop* sont bien plus abordables et justifiés que ceux du *Kosa Hotel.*

⚑ ♪ ♫ *Zolid disco* – โซลิดดิสโก้ *(plan C2, 14)* : sur plusieurs niveaux, dans les entrailles de l'hôtel Charoen Thani. Entrée gratuite. Accueille des groupes thaïs typiques, délivrant de la variété-rock pleine d'énergie. Plus cossu que populo, mais les consos restent à des prix « provinciaux » très abordables.

⚑ ♪ ♫ *Rue des boîtes* – ถนนคนเดิ

น *(plan B2, 31) : Thanon Prachasamran.* Bordant à l'ouest le centre moderne de Khon Kaen, cette rue aligne plusieurs stars de la nuit locale. Ainsi, le *Rad Society,* complexe à rallonge couvrant les options café-lounge, boîte excitée et resto-bar d'extérieur tout en bois. Pas loin, en face, impossible de louper le *Freeze,* bloc rectangulaire dont l'étage ouvert sur la nuit et habituellement bondé brille de ses néons bleus.

À voir

🏃🏃 **Le Musée national** – พิพิธภัณฑสถานแห่งชาติขอนแก่น *(plan C1, 40) : Thanon Lung Soon Rachakarn, 1,5 km au nord de la ville. Mer-dim 9h-16h. Entrée : 30 Bts (0,60 €).*
Une des collections les plus riches du pays, exposée de manière très pédagogique (anglais partout) sur deux étages, autour d'un adorable patio fleuri. Attention, les dates indiquées correspondent au calendrier bouddhique. Retrancher 5 siècles (voir « Décalage horaire » dans « Thaïlande utile ») !
– *Au rez-de-chaussée :* tout de suite à droite, commencement logique avec la géologie, la paléontologie et la préhistoire de la région : squelettes de dinosaures, remarquables assortiments d'outils, poteries et bronzes de Ban Chiang, maquettes et reconstitution d'une tombe. Dans la salle en face, consacrée aux périodes dvâravatî et khmère, exposition de nombreuses bornes de pierre ou *sema.* Marquant les limites des sites religieux, elles furent sans doute utilisées pour le culte des ancêtres avant d'être « récupérées » et souvent sculptées de scènes bouddhiques. Parmi elles, le clou de l'expo représente la princesse Bhimba essuyant les pieds de l'Éveillé.
– *À l'arrière,* les deux salles suivantes donnant sur le patio retracent l'histoire de la ville et présentent la culture et les traditions de l'Isan à travers des costumes, des outils utilisés pour le tissage, la pêche, la chasse et des instruments de musique dont, bien entendu, le *kaen,* une sorte d'orgue à bouche qui a donné son nom à la cité.
– *Le 1ᵉʳ étage* est dédié à l'art bouddhique : statuettes de toutes les grandes périodes et écoles, tablettes votives, fragments sculptés de stûpas, etc.

🏃 **Les marchés :** très animés, de part et d'autre de Thanon Klangmuang. Y aller de préférence tôt le matin ou à la tombée de la nuit, l'affluence y est alors importante, notamment au sud de la poste *(plan C2, 41).*

Achats

🌐 **Spécialités culinaires de l'Isan :** tout au long de Thanon Klangmuang, concentration incroyable de boutiques spécialisées principalement dans la charcuterie et la confiserie locales : saucisse fumée et andouille, biscuits, fruits confits... Une idée de cadeau originale et pas ruineuse.

🌐 **Grande épicerie** – แหนมจับแล *(plan C1, 42) : 32 Thanon Klangmuang.* ☎ *239-498. Juste à côté de l'hôtel* Roma. Longue façade dorée portant de grosses lettres rouges. Large choix de produits de bouche typiquement *isan* et quelques objets artisanaux, justifiant le pèlerinage de clients fidèles !

🌐 **Prathamakant Local Goods Center** – ศูนย์สิงทอพระธรรมพันต์ *(plan B2, 43) : 81 Thanon Ruenrom.* ☎ *224-080. Au sud du centre, en face du* Night Bazaar. Apparence un peu poussiéreuse, faux pignons de bois, et pourtant cette caverne d'Ali Baba mérite le détour : soieries et cotonnades de toutes les provinces de l'Isan, service tailleur, coussins triangulaires, vaisselle, argenterie, céramique, babioles et « kitscheries » à profusion.

⊛ *Magasin Otop* (plan B2, **44**) : Soi *Kosa, Thanon Srichan. Tlj 9h-20h.* Permet de se faire une idée des prix (ici pas forcément les moins chers) et des produits de la région, malgré l'excès de standardisation que véhicule cette initiative gouvernementale.

Fête

– *Foire de la Soie : fin nov-début déc.* Elle dure 2 semaines : expositions, défilés, musique, danses traditionnelles et, bien sûr, l'élection de Miss Soie !

➤ *DANS LES ENVIRONS DE KHON KAEN*

¶ *Ban Kok Sa-nga* – บ้านโคกสง่า *(le village des Cobras ; hors plan par B1, **45**) :* 50 km au nord de Khon Kaen. Ouv 8h-17h. Observation des serpents gratuite, faire une donation. Spectacle sans horaire fixe (mais plutôt le mat). À partir de 200-300 Bts (4-6 €) si l'on est seul (se marchande).

➤ *Pour s'y rendre :* motorisé, remonter la route n° 2 sur 33 km, bifurquer à droite sur la n° 2039 (direction Nam Pong-Kranuan) et à nouveau à droite (panneau) après 14 km. Alternative plus bucolique : route n° 209 en direction de Kalasin sur 12 km, puis n° 2183 et n° 2008. Transport public : bus vert n° 501 (ttes les 90 mn à partir de 6h), descendre à Nam Pong (dernier retour à 18h), puis moto-taxi ; env 2h de trajet, compter 60 Bts (1,20 €).

Ban Kok Sa-nga est un petit village pas comme les autres, où tous les habitants ou presque élèvent des cobras. Chaque année, lors du festival de *Songkran* (du 13 au 15 avril), les reptiles sont particulièrement en vedette, et une reine (humaine, elle) des Cobras est élue. Le reste du temps, deux « King Cobra Club », respectivement à proximité des *Wat Sakaew* et *Sritanma,* permettent de voir des reptiles dans des cages et d'assister éventuellement à des spectacles. Ces derniers sont plutôt réservés aux groupes, car dépendent de la demande et du prix proposé. En solo, discuter le coup patiemment ou attendez du renfort ! La visite vaut surtout si vous n'avez pas encore assisté à un show similaire, à Bangkok ou vers Chiang Mai.

¶ *Nam Nao National Park* – อุทยานแห่งชาตินำหนาว *(hors plan par D1) :* district de Nam Nao, 140 km env à l'ouest de Khon Kaen. ☎ 02-562-07-60 (Bangkok) ou ▤ 081-962-62-36. ● dnp.go.th ● *Pour y aller : motorisé, suivre la route n° 12 jusqu'à l'entrée du parc (20 km env après la bifurcation menant au bourg de Nam Nao lui-même) ; en transport public, prendre un bus desservant la route Khon Kaen-Phitsanulok et demander à descendre à l'entrée du parc, marcher 1 km jusqu'au* Visitor Center. *Tlj 6h-18h. Entrée : 200 Bts (4 €) ; réduc. Petit droit véhicule (voiture 0,60 €).*

À la frontière entre l'Isan et la Thaïlande du Nord, techniquement dans la province de Phetchabun, le parc de Nam Nao donne l'occasion d'organiser facilement une pause-nature. À seulement 1 km de la grand-route, le *Visitor Center* (plan du parc à dispo, panneaux sur la faune, flore et géologie, taxidermie, un peu d'anglais, accès Internet) est entouré de gargotes et d'hébergements tandis que les départs des sentiers rayonnent tout autour. En une journée, possible de se mettre en jambe sur le civilisé et parfois bitumé « Nature Trail » (1 km) et d'accomplir une boucle plus longue vers un point de vue au nord-est (via Dong Ma Fai, 1h30 de marche environ) ou la forêt persistante au nord (environ 3h en tout). Sentiers assez faciles et suffisamment balisés. Certains sites sont également accessibles directement depuis la route n° 12 : *Phu Kor,* beau panorama au lever du soleil (surmonté d'une haute tour de surveillance interdite d'escalade), relié au *Visitor Center* par un sentier de 4 km ; *Tam Par Hong,* promontoire idéal pour le coucher de soleil mais éloigné (10 km de l'entrée) et sans sentier le raccordant au reste du parc. Les panneaux « Attention éléphants » rappellent que le parc côtoie aussi des réserves naturelles *(Wildlife Sanctuary)* strictement consacrées à la protection de la faune et de la flore. La nature n'est pas très impressionnante mais la couverture végétale est suffisamment variée (plusieurs types de forêts, bambous, etc.) et dense pour garantir un bon bol d'air pur et de beaux points de vue.

Nam Nao, c'est aussi une bonne mise en jambe avant le Phu Kradung, à seulement 70 km de là (du trafic sur les routes, pas trop galère même en transport public).

X 🏠 *Camping, bungalow et restos du parc :* proche du Visitor Center. Tarifs : 30 Bts (0,60 €) pour planter sa tente ; loc tente 2 pers avec matelas : 50 Bts (1 €) ; 3 pers avec tt équipement (dont sac de couchage), 250 Bts (5 €) ; hutte 2 pers, 300 Bts (6 €) ; chalet, selon taille et confort, à partir de 1 000 Bts (20 €) pour 4 pers. Résa obligatoire pour les bungalows. Restos : plats 30-150 Bts (0,60-3 €). Les terrains où planter vont du découvert sans intérêt au grand terrain gazonné et ombragé. Chalets plutôt mignons et récents. Nourriture bonne et peu chère. Tous les ingrédients pour un séjour agréable.

🦶 *Prasat Puay Noi* – ปราสาทเปือยน้อย : *79 km au sud de Khon Kaen, sur la droite à l'entrée du bourg assoupi de Puay Noi. Motorisé : après 44 km sur la route n° 2 en direction de Khorat, bifurquer sur la n° 23 au niveau de Ban Phai, puis, après 10 km, sur la n° 2301 et enfin la n° 2297. Panneaux indicateurs. Transport public : descendre à Ban Phai, puis songthaew jusqu'à Puay Noi. Attention aux retours vers la grande route (dernier véhicule vers 15h).* Plus grand temple khmer du centre de l'Isan, ce *prasat* est majestueusement posé sur une grande pelouse portant les marques d'anciens bassins. Beau grès rose sur une base de latérite, fenêtres à colonnes et quelques beaux linteaux, piliers et frontons finement sculptés.

➤ *LES DINOSAURES DE L'ISAN*

Le plateau central s'étalant sur les provinces de Khon Kaen et Kalasin constitue la région la plus riche en sites paléontologiques de Thaïlande.

Découvert en 1996, le *Siamotyrannus isanensis* serait l'ancêtre du fameux *Tyrannosaurus rex* qui vécut sur le continent américain une cinquantaine de millions d'années après son cousin d'Asie. Y aurait-il eu des migrations entre les deux continents via le détroit

CHASSE À L'OS

Les fossiles, d'une valeur inestimable, suscitent bien des convoitises. Tellement qu'en février 2005, la police a démantelé un véritable trafic de fossiles de dinos provenant de la région. Elle en a même intercepté jusque sur e-bay : Piriya Watchajitpan les avait achetés à des villageois thaïlandais qui s'en débarrassaient, craignant que cette richesse ne leur vaille d'être expropriés. Attention à ce que vous ramassez !

de Béring ? Tandis que de gros dinos en béton envahissent les ronds-points et de plus petits, dorés, garnissent les réverbères, deux sites ont fait l'objet d'un aménagement touristique :

🍗 *Le parc national du Phu Wiang et le musée des Dinosaures* – อุทยานแห่งชา ติภูเวียงและพิพิธภัณฑ์ไดโนเสาร์ : *90 km à l'ouest de Khon Kaen.* ☎ *249-052. Pour y aller : motorisé, prendre la route n° 12 sur 48 km, puis tourner à droite sur la n° 2038 rejoignant Phuwiang (indiqué) ; transport public, rejoindre Phuwiang puis chartériser un véhicule, aussi cher que de louer une moto à Khon Kaen. Tlj 8h30-18h. Entrée : 200 Bts (4 €) ; réduc.*

– Les *sites de fouilles* sont tous accessibles depuis le parking à côté du *Visitor Center*. Le n° 9 abrite la star locale, le *Siamotyrannus*. Le n° 1, le *Phuwiangosaurus sirindhornae*, contient un sauropode d'une vingtaine de mètres de long, baptisé ainsi en l'honneur de la princesse royale qui parraina et finança une partie des fouilles. Les n°s 2 et 3 contiennent d'autres sauropodes non encore identifiés.

– *Le musée :* 4 km avt l'entrée du parc. Tlj sf mer 9h-17h. ☎ 917-036. Entrée libre jusqu'à ce que la clim' soit installée. Panneaux retraçant l'histoire des dinos en Thaïlande et squelettes complets de quelques bêtes. Peu de légendes en anglais, mais accueil enthousiaste des jeunes étudiants.

⛺ 🏠 *Camping et bungalow :* à l'intérieur du parc. ☎ 085-852-17-71. Tente 3 pers 450 Bts (9 €) ; chalet 6 pers 1 800 Bts (36 €).

🍗 *Phu Kum Khao (Isan Jurassic Park)* – ภูกุ้มข้าว (อีสาน จูราสิค ปาร์ค) : *env 120 km à l'est de Khon Kaen, dans le district de Sahat Sakan.* ☎ *871-014. Pour y aller : motorisé, rejoindre Kalasin (coquette petite ville à 80 km de Khon Kaen, où l'on peut faire une pause) par la n° 209, puis obliquer vers le nord et Sahat Sakan par la n° 227, accès par une petite route au niveau de l'école. En bus, rejoindre Kalasin puis Sahat Sakan (assez long).* Au pied d'un tertre, le Phu Kum Khao, les scientifiques ont retrouvé de nombreux os et squelettes (deux sont exposés) dans ce grand cimetière de dinosaures datant d'il y a 120 millions d'années. Également un petit musée, le *Sirinthorn Museum* (entrée gratuite), où sont exposés des morceaux de squelette ainsi que des photos et des dessins. Peu de commentaires en anglais.

DE NONG KHAI AU THAT PHANOM

Cet itinéraire permet de retrouver le Mékong. Au risque de passer pour des monomaniaques, mais l'on sait combien vous l'aimez aussi... et nous ne nous sommes jamais beaucoup éloignés du Mékong en empruntant la route n° 211. Ceux qui voyagent entre Nong Khai et les parties orientales et méridionales de l'Isan devraient apprécier cet itinéraire long de 300 km environ. Quand le ruban de bitume rentre dans les terres, c'est pour pénétrer des terroirs quasi ignorés du tourisme, peu avares de surprises visuelles... sans oublier celles des marmots du coin. Sur une route le long d'un village, occupés à faire des moulinets des bras pour soulager nos dos fatigués par le voyage, c'est toute une assemblée de chérubins qui s'empressa d'imiter nos mouvements de drôles d'étrangers à la peau claire, sans oublier leurs aînés, avant de succomber à un grand éclat de rire. Isan, tu nous tiens !

LE NORD-EST

NAKHON PHANOM – จังหวัดนครพนม

37 000 hab.   IND. TÉL. : 042

Capitale provinciale riquiqui, *Nakhon Phanom* semble avoir abandonné définitivement ses ambitions régionales à sa rivale Mukdahan (satané pont !). Juste en face de la ville laotienne de *Thakhek,* elle reste pourtant un des points de passage autorisés pour les étrangers et n'est finalement pas si désagréable, loin s'en faut.

Arriver – Quitter

🚌 *Station de bus de Nakhon Phanom : proche de l'intersection du péri-* phérique ouest et de Thanon Nittaya.

➤ *That Phanom :* dans les 2 directions, 6h-19h env, ttes les 30 mn ; 60 km, 1h de trajet ; env 40 Bts (0,80 €).

➤ *Nong Khai : via Sakon Nakhon et Udon Thani,* 20 bus/j., transfert à Udon ; *le long du Mékong,* voir plus haut, « Nong Khai » (fréquences et horaires similaires).

➤ *Mukdahan :* 6h-17h env, ttes les heures ; 120 km, 2h de route ; compter 100 Bts (2 €).

Adresses utiles

🏢 *TAT – ท.ท.ท. (office de tourisme) :* Thanon Sunthon Wichit. ☎ 513-490. Dans la rue qui longe la rive du Mékong, 400 m au nord de la vieille horloge, proche de la poste. Tlj 8h30-16h30. Sert aussi de siège aux offices des régions de Kalasin, de Sakon Nakhon et même de Mukdahan. Peu de docs, à l'exception d'une bonne carte de la ville, on devrait y faire de son mieux pour répondre à vos questions.

■ *Quai des ferries pour le Laos :* proche de la vieille horloge. Tlj 7h-18h env, départs réguliers ; 30 Bts (0,60 €).

■ *Banques :* plusieurs sur Thanon Nittaya. Lun-ven 8h30-15h30. Service de change et distributeurs de billets.

@ *Internet :* Thanon Srithep, en face du Grand Hotel. Tlj 8h-22h. Prix modique. Bon matériel et casques pour préserver le calme des non-joueurs.

Où dormir ? Où manger ? Où boire un verre ?

🏨 *Grand Hotel –* โรงแรม แกรนด์ *: 210,* Thanon Srithep. ☎ 513-788. 200 m au sud de l'ancienne horloge, à l'angle d'une ruelle. Doubles avec sdb 180-320 Bts (3,60-6,40 €). Dans un immeuble blanc de 3 étages. Petit hôtel déclassé car plus tout neuf, mais, comme la réception le laisse présager, efficacement maintenu. Prix évoluant en fonction du confort (eau froide ou chaude, ventilo ou clim', qualité de literie), du nombre de lits (1 ou 2 grands), et

de la présence ou non de TV, uniquement thaïe... Partout, du carrelage aussi propre au sol que dans les douches et des tables et fauteuils authentiquement rétros. Bon exemple d'hôtel budget habitué aux routards.

🏨 *Nakhon Phanom River View –* โรงแรม นครพนม ริเวอร์วิว *: Thanon Sunthon Wichit (berge du Mékong).* ☎ 522-333. Double env 1 000 Bts (20 €). Un peu excentré au sud, mais c'est là qu'il faut loger pour obtenir le meilleur standing. Belle vue sur le fleuve depuis les couloirs des étages supérieurs, motivant un lever aux aurores. Piscine extérieure. Restos.

|●| 🍴 *Ohio* – โอไฮโอ : *Thanon Tamrongprasit.* ☎ 541-450. À 100 m env au nord-ouest de l'horloge. Sympathique resto-bar-boîte avec une grande terrasse.

|●| 🍴 *Restos et terrasses le long du Mékong :* secteur du Maenamkong

Grand View Hotel – โรงแรมแม่น้ำโขงแกรนด์วิว. Populo ou un peu plus guindé, selon que l'on choisisse la terrasse de l'hôtel ou les voisins. Nombreuses et délectables spécialités de poissons et fruits de mer à prix très corrects. Plus au sud, après le *Nakhon Phanom River View* (voir plus haut), des restos typiques *isan* exploitent du haut de leurs pilotis le retour au naturel des berges.

À voir. À faire

🚶 *Panorama sur le Mékong :* tôt le matin, des bancs de sable au premier plan et une des chaînes calcaires les plus spectaculaires du Laos à l'horizon encadrent avec bonheur le défilement des flots. Bordée de plusieurs temples, une avenue-promenade d'une largeur hypertrophiée longe le fleuve.

🚶 En ville, plusieurs *vieilles résidences coloniales.* Comme à Nong Khai, beaucoup d'habitants d'origine chinoise ou vietnamienne émigrèrent à cette époque. Hô Chí Minh passa ici 7 années de vie fugitive dans les années 1920. Son ancienne maison se visite, mais offre peu d'intérêt.

THAT PHANOM – พระธาตุพนม   IND. TÉL. : 042

Une soixantaine de kilomètres au sud de la capitale provinciale, par la route n° 212 presque toute droite d'où le grand fleuve apparaît par intermittence entre des bosquets de végétation, la petite ville *That Phanom* est célèbre dans tout le pays pour son stûpa éponyme. Monument le plus sacré de l'Isan, c'est l'un des quatre sanctuaires majeurs de la Thaïlande.
De vieilles maisons de bois se concentrent dans les deux rues parallèles au fleuve, dans une ambiance passablement assoupie, contrastant avec l'afflux constant de pèlerins dans l'enceinte du stûpa.

Arriver – Quitter

🚌 *Station de bus de That Phanom :* au sud du Wat, au niveau du grand virage. À part les navettes Nakhon Phanom-That Phanom, peu de transports émanent ou aboutissent ici. Il faut, soit monter dans des bus Nakhon Phanom-Ubon ou Ubon-Udon faisant étape ici

(ce sans garantie de place), soit prendre des correspondances à Nakhon Phanom ou Mukdahan. Se renseigner à la gare ou auprès de Niyana (voir « Où dormir ? »). Ci-dessous horaires et fréquences indicatives.

➤ *Nakhon Phanom :* se reporter à cette ville.

➤ *Mukdahan :* 5h-17h env, ttes les heures ; 60 km, 1h de route ; env 60 Bts (1,20 €).

➤ **Ubon Ratchathani :** 240 km, 4-5h de route ; pour les bus AC, compter 200 Bts (4 €).

Où dormir ?

🏠 **Niyana Guesthouse** – นียนา เกสท์ เฮ้าส์ : *Thanon Rimkhong, Soi Weethee Sawrachon.* ☎ 540-880. ● niyana-gh@ hotmail.com ● *Rejoindre la rive du Mékong par la rue dans l'axe du porche et du Wat, tourner à rebrousse-chemin dans la 1re allée à gauche. 3 chambres sans sdb avec eau chaude (dont une triple) 120-180 Bts (2,40-3,60 €).* Déménagée dans une nouvelle maison, la tenue laisse ici un peu à désirer. Le mobilier dépareillé et assez rincé gâche un peu le cachet potentiel des bois de l'étage. Reste une bonne adresse pour l'accueil un peu excentrique et adorable de Mme Pana, prof d'anglais le week-end (cours au rez-de-chaussée !), et les infos prodiguées (plan, horaires des bus et vélos à louer, etc.)

Où manger ? Où boire un verre ?

|●| 🍸 **Gargotes au bord du Mékong :** agréable balade le long du Mékong par Thanon Rimkhong. L'essentiel des établissements occupe le côté route, mais certains se sont réapproprié les berges. Alors, un escalier précaire enjambe le parapet de béton pour rejoindre des plates-formes de bambou qui surplombent des maraîchages saisonniers. Une soirée sympa assurée.

À voir. À faire

🕏🕏🕏 **That Phanom** – พระธาตุพนม : mélange parfaitement dosé de finesse et de galbe, haut de plus de 50 m, voici le stûpa à ne pas manquer, hermétiques et blasés compris. Divin aussi après le coucher de soleil, sous les ors supplémentaires des projecteurs se reflétant sur le damier du sol.

Arborant des motifs floraux récemment redorés sur un fond d'un blanc éclatant, coiffé d'une ombrelle d'or massif pesant 16 kg, le fameux stûpa de brique et de plâtre attire tous les regards. Sa silhouette en forme de pied de chaise renversé répond aux canons du style laotien, dont l'archétype est le That Luang de Vientiane. Selon la légende, le premier That Phanom aurait été construit peu après la mort de Bouddha. L'actuel ne date cependant que de 1975, une énième reconstruction ayant succombé cette année-là à des pluies torrentielles. En tournant dans le sens des aiguilles d'une montre, déchaussé comme il se doit, prêter également attention à la face intérieure du muret d'enceinte.

Un petit musée ouvert tous les jours regroupe les reliques trouvées dans les entrailles du stûpa après son effondrement. Pas mal de commentaires en anglais. Au 1er étage, une intéressante collection d'images bouddhiques.

– **Festival du Wat Phra That Phanom :** pendant une semaine, entre récoltes et nouvelles semailles, et conformément au calendrier bouddhique *(vers la mi-fév),* la ville s'embrase spirituellement et populairement.

🕏 **Le marché lao** – ตลาดลาว : *depuis le quai, suivre Thanon Rimkhong vers l'amont sur env 500 m. Lun et jeu.* Pour le pittoresque des produits et des marchands venus de l'autre rive.

DE MUKDAHAN À KHONG CHIAM

Cet itinéraire suit encore un temps le Mékong qui, peu avare de ses efforts, continue à dessiner la frontière orientale de l'Isan, face au Laos. Peut-être las de ces considérations géopolitiques, et profitant de son union avec la rivière Moon qui irrigue la région d'Ubon Ratchatani, il finit par s'enfuir chez le voisin et quitter à jamais le Siam qui atteint là son « Extrême-Orient ». Cette désertion isole un périmètre méconnu plus au sud, un triangle non pas d'or mais d'émeraude, couleur des forêts tropicales qui survivent ici avec une vigueur surprenante. Là, les terres du royaume de Cambodge rejoignent celles de ses deux voisins indochinois.

LE NORD-EST

MUKDAHAN – มุกดาหาร   50 000 hab.   IND. TÉL. : 042

Mukdahan profite de sa position stratégique face à Savannakhet, ville sud-laotienne en pleine expansion et premier relais commercial entre la Thaïlande et le Vietnam. Moins riche historiquement et moins dépaysante que Nakhon Phanom ou Ubon Ratchathani, sa modernisation s'est accélérée depuis la construction du nouveau pont sur le Mékong, à 7 km au nord de la ville. Ici comme ailleurs, le béton a coulé le long du fleuve, propulsant une partie du fameux « marché indochinois » dans les sous-sols frisquets d'une longue promenade...

Mukdahan est surtout un passage symbolique entre le nord et le sud de l'Isan, au gré d'un voyage le long du fleuve, et une étape de plus à considérer sur la route du Laos. Une nuit par ici ne sera jamais perdue : le pittoresque reprend ses droits à deux pas du centre et, la nuit venue, les restos des berges deviennent bien romantiques.

Arriver – Quitter

🚌 *Gare routière* (hors plan par A1) : *3 km à l'ouest de la ville, sur la route n° 212.* Desservie par les *songthaews* publics jaunes (passent par Thanon Song Nang Sathit et Samut Sakdarak) ; prévoir 30 Bts (0,60 €).

➢ *Bangkok :* plusieurs bus/j. tôt le mat ou en soirée ; 640 km, 11h de route ; AC2-VIP, 400-800 Bts (8-16 €). Depuis Bangkok, horaires similaires (terminal de Mo Chit).

➢ *Ubon Ratchathani :* voir à cette ville.

➢ *Nakhon Phanom :* voir à cette ville. Dessert That Phanom au passage.

➢ *Khon Kaen :* départ ttes les 30 mn ; 240 km, 4-5h de route ; prévoir 180 Bts (3,60 €).

Passer au Laos

Pour une raison de gros sous, plus de passage en ferry depuis la ville vers le Laos. Dommage, d'autant que c'est toujours possible dans l'autre sens !

Pour les visas, voir « Passages de frontière » en début de section.

➢ **Pont de l'Amitié** *(Friendship Bridge ; hors plan par B1, 4) : 7 km au nord de Mukdahan. 15 mn de trajet.* Pour le traverser, le plus simple est d'embarquer à la gare routière dans un bus transfrontalier Mukdahan-Savannakhet (voir ci-dessous). Alternative : *songthaew* jaune depuis la ville, 50 Bts (1 €) ; *tuk-tuk* env 150 Bts (3 €).

➢ **Bus Mukdahan-Savannakhet (Laos) :** 8h-19h, 12 bus/j. ; 50 Bts (1 €). Attend pendant les formalités. Montée possible au pont, s'il y a de la place.

➢ **De Savannakhet,** liaisons quotidiennes avec *Vientiane* (12h) et *Pakse* (6h).

Adresses utiles

🛈 **Tourist Information Center** *(plan A2) : Thanon Phitak Phanomket.* Grande bâtisse toute neuve mais, à part une boutique, personne ne répond à l'appel. Vous aurez peut-être plus de chance.

■ **Bureau de l'Immigration** – สำนัก งานตรวจคนเข้าเมือง *(plan B1, 1) : Thanon Song Nang Sathit, face au quai des ferries.* ☎ 611-074. *Lun-ven 8h30-16h30.* Prolongation de visa (plus intéressant d'entrer au Laos et revenir) et autres formalités. Le week-end, aller au bureau du *Friendship Bridge (* ☎ *674-041).*

■ **Bangkok Bank, Kasikorn Bank** *(plan A2, 2) : l'une en face de l'autre, à l'angle de Thanon Song Nang Sathit et Phitak Santirat. Lun-ven 8h30-15h30.* Services de change et distributeurs de billets. D'autres distributeurs à la station des bus et à côté du quai des ferries (Thanon Samran Chaikong).

■ @ **Autres services :** location de vélos et accès Internet au **Huanum Hotel** *(plan B1-2, 10* ; voir « Où dormir ? »). Agence de voyages et Internet chez **Orchid Travel** *(plan B2, 3) : Thanon Phitak Phanomket,* ☎ 633-144.

Où dormir ?

De bon marché à prix moyens (de 150 à 350 Bts – 3 à 7 €)

🛏 **Huanum Hotel** – โรงแรมฮ้วน่ำ *(plan B1-2, 10) : 36 Thanon Samut Sakdarak.* ☎ 611-137. *Doubles 150-350 Bts (3-7 €). Wifi gratuit, sinon postes dispo (prix modique).* Petit immeuble blanc de 2 étages en angle. Meilleure adresse routarde de la ville, managée par un sino-thaï anglophone, très gentil et serviable. 30 chambres typiques d'un modeste hôtel daté mais bien entretenu : carrelages ou linos décents, mobilier rudimentaire mais d'aplomb. Au choix : doubles ventilées sans salle de bains avec 1 lit ou, plus grandes, avec 2 larges lits (les *twin,* pour une famille « sur la route » ?), et chambres avec salles de bains, clim' et TV. Certaines donnent sur la rue, trafic nocturne cependant limité. Location de *mountain bikes,* 100 Bts/j. (2 €).

🛏 **Saensuk Bungalows** – แสนสุขบังกะโล *(plan A2, 11) : 2 Thanon Phitak Santirat.* ☎ 611-214. *Pas de nom anglais. Doubles avec sdb et clim' 280-350 Bts (5,60-7 €).* Encerclant une cour gravillonnée, un village resserré de bungalows (ceux à 2 lits sont les plus chers) bleu et blanc. Plus tout neuf, sans grand charme (intérieurs maxi-carrelés, fauteuil skaï) ni de grand espace dehors, mais l'ensemble est net, distrayant et de bon rapport.

Plus chic (à partir de 1 200 Bts – 24 €)

🛏 **Mukdahan Grand Hotel** – มุกดาหาร แกรนด์โฮเทล *(hors plan par A2, 12) : 78* | *Thanon Song Nang Sathit.* ☎ 612-020. *Fax : 612-021. Env 1 km à l'ouest du*

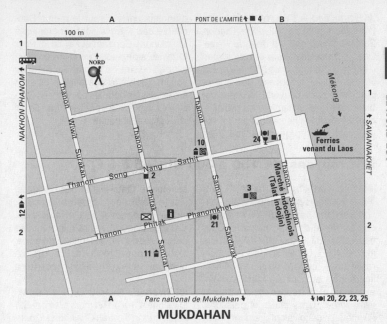

MUKDAHAN

| ■ **Adresses utiles** | 11 Saensuk Bungalows |
| | 12 Mukdahan Grand Hotel |

- Gare routière
- **i** Tourist Information Center
- ✉ Poste centrale
- **1** Bureau de l'Immigration
- **2** Bangkok Bank, Kasikorn Bank
- @**3** Orchid Travel
- **4** Pont de l'Amitié
- @**10** Huanum Hotel

≜ Où dormir ?

- **10** Huanum Hotel

|●| ▼ Où manger ? Où boire un verre ?

- **20** Gargotes
- **21** Restos thaïs
- **22** Resto Lao
- **23** Wine Wild Why
- **24** Good Mook
- **25** Riverside Restaurant

---

centre. Double à partir de 1 200 Bts (24 €). Petit déj inclus. Grand hôtel classique de 10 étages et 200 chambres.

Lobby élégant et assez moderne. Vastes chambres bien équipées et rafraîchies récemment. Disco populaire.

Où manger ? Où boire un verre ?

Bon marché (de 50 à 150 Bts – 1 à 3 €)

|●| La journée, **petits stands** sur le marché indochinois et **gargotes en dur** spécialisées en *som tam* sur Thanon Samran Chaikhong, à l'extrémité sud de la promenade bétonnée *(hors plan par B2, 20).* Le soir, **stands** le long de Thanon Song Nang Sathit.

|●| **Restos thaïs** *(plan B2, 21) : au rez-de-chaussée d'un immeuble à l'angle de Thanon Phitak Phanomkhet et Thanon Samut Sakdarak.* Côte à côte, 2 établissements populos fréquentés par des habitués. Cuisine thaïe simple et peu chère. Menu en anglais.

LE NORD-EST

|●| *Resto Lao* – ร้านอาหาร ป่าว ประ คิษฐ์ *(hors plan par B2, 22) : Thanon Samran Chaikhong, au delà du Riverside. À l'enseigne jaune et rouge (pas d'anglais), prendre l'allée bitumée qui va vers le fleuve.* Découverte d'une simplissime terrasse couverte, jouxtant une belle maison et un jardin d'où proviennent les multiples herbes qui parfument les plats, ici typiquement *lao.* Pas d'anglais parlé, ni sur le menu. Délicieux *Laap Pla* (ils sont renommés à Mukdahan), *Somtam* et *Kai Yang.* Pour le reste, aidez-vous de votre lexique, allez en cuisine ou lorgnez l'assiette du voisin... Sérénité des berges où sont amarrées des barques de pêcheur. Délicieux mais épicé : précisez *mai pet* si vous êtes allergique !

Prix moyens (de 150 à 300 Bts – 3 à 6 €)

|●| *Wine Wild Why* – ร้านอาหารไ วท์น ไวล์ค ไวย์ *(hors plan par B2, 23) : Thanon Samran Chaikhong, 200 m au sud de l'extrémité de la promenade. Côté fleuve.* ☎ 633-122. *Plats 40-120 Bts (0,80-2,40 €).* Chalet en bois avec terrasse posé au bord du fleuve. Choix limité mais efficace de cuisine thaïe, excellente et bien servie : salades *lap* et *yam, curries,* plats sautés et poissons. À l'intérieur, déco volontairement dépareillée, nappe vichy et lattes de bois au sol. Terrasse parfaite. Ambiance plaisante, patron bobo-relax *made in Bangkok.*

|●| ▼ *Good Mook (plan B1, 24) : Thanon Song Nang Sathit. Tt proche du quai des ferries. Tlj 9h-22h (ven-sam 23h). Boissons 30-70 Bts (0,60-1,40 €) ; snacks et petits plats 70-120 Bts (1,40-2,40 €).* Bistrot branché, ce qui est plutôt inattendu ici. Large choix de boissons dont des cafés sérieux ou fantaisies et des cocktails. Petite sélection de pâtes, burgers, salade thaïe *yam* et petit déj américain. Velléités décoratives rafraîchissantes mêlant moderne, collections diverses, récup vintage et récup tout court. Chaque mois, une *party,* avec concerts ou DJ.

|●| *Riverside Restaurant* – ร้านอาหา รมุกคาหารริเวอร์ไซด์ *(hors plan par B2, 25) : Thanon Samran Chaikhong. Continuer au-delà de Wine Wild Why sur env 500 m. Pas d'anglais sur le panneau.* ☎ 611-705. *Tlj 10h-22h (plutôt pour le dîner).* En retrait de la route, grosse demeure au vaste toit de tuiles incliné. Salle vieillotte sans intérêt, se diriger vers l'élégante terrasse sur pilotis surplombant le Mékong. Réputé être un des meilleurs restos de la ville. Spécialités de poissons, dont des chéros, mais beaucoup de plats sont très abordables.

À voir

🍴 *Le marché indochinois (Talat Indojin ; plan B1-2) : Thanon Samran Chaikhong et les étages inférieurs de la promenade, sur 500 m env à partir du bureau de l'Immigration. Également dans les rues perpendiculaires.* On y trouve tout et n'importe quoi... du kitsch en veux-tu, en voilà, comme ces homards naturalisés dans leurs présentoirs transparents (un sacré souvenir !), des outils et machines importés de Chine via le Vietnam et le Laos, des cotonnades rustiques, quelques belles soieries, des plantes, des guitares à double manche pour jouer du *Molam,* des stands de CD et VCD de cette musique (plus sûr...), des plantes, des tonnes de fringues, du petit artisanat et beaucoup de « drouille ». Vaut surtout pour l'ambiance. En profiter pour visiter le *Wat Sri Mongkol Thaï* construit dans les années 1950 par des réfugiés vietnamiens, et, 200 m au sud, le *Wat Sri Sumong.*

Contraste important entre, d'un côté, ce *viharn* flambant neuf et, de l'autre, cet ancien *bot* d'influence architecturale française dans un état de délabrement avancé.

UBON RATCHATHANI – อุบลราชธานี

110 000 hab.   IND. TÉL. : 045

À quelque 560 km à l'est de Bangkok, la capitale du Triangle d'Émeraude joue un rôle de carrefour à proximité des frontières du Laos et du Cambodge. Étendue et dynamique, Ubon conserve un centre à taille humaine où règne une atmosphère provinciale hospitalière, sans pour autant proposer d'attraits touristiques particuliers. L'endroit est une bonne escale sur la route de Khong Chiam et des parcs alentour, de la frontière laotienne ou du fabuleux *Prasat Khao Preah Viharn*. On y trouve tous les services urbains habituels, un musée honorable et de quoi bien se restaurer et se loger.
– Chaque année, en juillet, la ville change de registre et revêt des habits de lumière pendant le *Candle Festival,* une des parades religieuses et populaires les plus célèbres de Thaïlande : dans le parc *Toong Si Muang,* tous les temples de la ville (et il y en a !) marquent le début des 3 mois de retraite bouddhique en construisant autour de bougies géantes d'énormes structures décorées de cire d'abeille gravée.

Passer au Laos ou au Cambodge

Laos

➢ *Chong Mek* ช่องเม็ก-*Vang Tao :* 85 km à l'est d'Ubon (25 km au sud de Khong Chiam), via Phibun. Ouv tlj 8h-18h.
Pour le visa laotien, voir « Passages de frontière » en début de section.
➢ *Bus international Ubon-Paksé :* gare routière principale d'Ubon. Départs tlj 7h, 9h30, 14h30 ; et 16h30 ; 200 Bts (4 €) ; 138 km, env 3h de trajet, temps de formalités inclus.
➢ *Chong Mek :* une véritable frénésie immobilière a envahi l'unique voie de passage terrestre entre les 2 pays. Atmosphère fébrile autour du marché, dont les produits viennent du Laos ou transitent par celui-ci : quantité de fruits et légumes, bouddhas en tout genre, fringues à bas prix, sarongs et tissus, pharmacopée chinoise, cargaisons de teck en partance pour Bangkok... Rien de transcendant toutefois, les frontaliers conseillent les marchés côté laotien.

Cambodge

➢ *Chong Sa Ngam-Anlong Veng :* 135 km au sud-est d'Ubon. 2h30 de route. Permet de rejoindre Angkor. Mieux desservi par les transports et meilleures routes que via *Chong Chom-O'Smach* (poste plus à l'est). Se renseigner à l'office de tourisme sur les dernières évolutions.
Pour le visa cambodgien, voir « Passages de frontière » en début de section.

Arriver – Quitter

En bus

Plusieurs compagnies privées disposent de leurs propres arrêts mais elles possèdent aussi, en général, un bureau à la gare principale (exemple *Cie Nakhon Chai*). Si nécessaire, se renseigner auprès du *TAT*.

🚌 *Gare routière principale* – สถานี ขนส่ง *(plan A1) : sur Thanon Chayangkul à 2 km au nord du centre. 15 mn de trajet par les bus urbains n° 2 (en face* de l'office de tourisme) ou n° 3. Dessert toutes les destinations. Tous les véhicules ou presque y font étape.

➢ *Bangkok :* 7h-20h30, env 10 bus ; 620 km, 7-8h de route ; 350-600 Bts (7-12 €), selon catégorie (AC gouvernementaux à VIP privé). Depuis Bangkok (Mo Chit terminal), horaires similaires.
➢ *Mukdahan :* 6h-18h, ttes les heures env ; 175 km, 3h de route ; 100-150 Bts (2-3 €).
➢ *Surin :* 6h-20h ttes les heures env ; 190 km, 3h de route ; 150-220 Bts (3-4,40 €).
➢ *Khong Chiam :* 6h-17h, *songthaew* ttes les 30 mn (part quand plein, changement de véhicule éventuel à Phibun Mangsahan) ; 75 km, 2h de voyage ; prévoir 60 Bts (1,20 €).
➢ *Khon Kaen :* 6h30-15h, env 10 bus ; 310 km, 5h de route ; 150-250 Bts (3-5 €) selon catégorie.

En train

🚉 *Gare ferroviaire (plan A2) : au sud de la ville, au-delà de la rivière.* ☎ *321-* 004. Bus urbain n° 2 depuis Thanon Chayangkul ou autres arrêts.

➢ *Bangkok :* dans les 2 sens, 7 trains/j. Depuis Bangkok, 5h45, 6h40, 15h20, 18h55, 20h30, 22h25 et 23h40. Depuis Ubon, 7h, 8h45, 14h50, 15h, 16h50, 18h30 et 19h30. 9-12h de voyage selon le type de train ; couchettes 2e classe 700-800 Bts (14-16 €). Arrêts notamment à Ayutthaya, Khorat et Surin.

En avion

✈ *Aéroport (plan B1) : à 2 km du centre-ville. Compter 100 Bts (2 €) en tuk-tuk.*
➢ *Bangkok :* dans les 2 sens, 3 vols/j. avec *Thai Airways* et 3 vols/j. *low-cost* avec *Nok Air* et *Thai Air Asia.* Depuis Bangkok, départ de Don Muang (se faire confirmer) sauf pour *Air Asia.* Prix et évolutions : voir les sites des compagnies dans « Thaïlande utile ».

S'orienter. Se déplacer

La ville est traversée du nord au sud par la route n° 212 qui prend le nom de « Thanon Chayangkul » et franchit la rivière Mun à la limite méridionale du centre. Une série de transversales viennent couper cet axe.
Pour se déplacer, plusieurs lignes de bus de différentes couleurs selon leurs destinations (utiliser le plan du TAT). Tarif : 10 Bts (0,20 €).

UBON RATCHATHANI

■ **Adresses utiles**

- ✈ Aéroport
- 🚌 Gare routière principale
- 🚂 Gare ferroviaire
- 🛈 TAT
- ✉ Poste
- @ Internet Service
- **1** Kasikorn Bank
- **2** Bangkok Bank
- **3** Location de véhicule
  « Chow Watana »

🏠 **Où dormir ?**

- **10** New Sri Isan Hotel 2 et Sri
  Isan 1 Hotel
- **11** Tokyo Hotel
- **12** Racha Hotel
- **13** Ratchathani Hotel
- **14** Laithong

|●| **Où manger ?**

- **10** Sri Isan 1 Hotel
- **20** Marché de nuit
  (Night Market)
- **21** Porntip Kai Yang
- **22** Smile Restaurant

🎯 **À voir**

- **30** Le Musée national
- **31** Wat Supattanaram
- **32** Wat Nongbua
- **33** River Mun Market

Adresses utiles

fl *TAT* – ท.ท.ท. *(office de tourisme ; plan A-B2) : 264/1 Thanon Khuan Thani.* ☎ *250-714. Tlj 8h30-16h30.* Plan utile de la ville (thaï, caractères latins, lignes de bus) et de la région, brochures touristiques couvrant plusieurs provinces et infos transports. Bon service.

⊠ *Poste (plan B2) : située dans Thanon Sri Narong.*

■ *Banques : dans le secteur de l'hôtel Sri Isan 1 (voir « Où dormir ? »). Kasikorn Bank (plan A2, 1), Bangkok Bank (plan A2, 2), etc.* Horaires identiques pour le service de change *(lun-ven 8h30-15h30)* et distributeurs automatiques de billets (il y en a aussi un à la gare routière).

☒ *Internet Service : nombreux, notamment sur Thanon Kuanthani (plan B2), près du TAT. Tlj 10h-22h env. Prix modiques.*

■ *Location de véhicules « Chow Watana » –* ช. วัฒนา *(plan A1, 3) : 269 Thanon Suriyat (section ouest).* ☎ *242-202. À partir d'env 200 Bts/j. (4 €) et 1 500 Bts/j. (30 €) pour 2 ou 4 roues.* Ne soyez pas surpris, c'est aussi un magasin de soie. Également un guichet de l'enseigne *Budget* à l'aéroport.

Où dormir ?

De bon marché à prix moyens (de 200 à 400 Bts – 4 à 8 €)

ⓘ *New Sri Isan Hotel 2 –* ศรีอีสานโฮเทล 2 *(plan A2, 10) : Thanon Ratchabut.* ☎ *254-544. Au niveau du marché de la rivière Mun, par l'allée longeant l'hôtel Sri Isan 1. Doubles avec sdb 200-360 Bts (4-7,20 €).* Prix selon la présence ou pas de TV, clim' et eau chaude. Hôtel rudimentaire soumis à l'acharnement thérapeutique de ses proprios. On le croyait enterré, usé jusqu'à la trame mais le revoilà, tout à fait logeable, et même, à sa manière... net, ce sans avoir changé de mobilier ni d'habitués (lieu de rendez-vous de vieux Chinois sympathiques). Pittoresque, complice des petits budgets.

ⓘ *Tokyo Hotel –* โตเกียวโฮเต็ล *(plan A1, 11) : 360 Thanon Chayangkul.* ☎ *241-739. Fax : 241-262. 25 m en retrait de la rue, côté est. Doubles avec sdb, ventilée ou AC, 270-400 Bts (5,40-8 €).* Rien à voir avec le fameux groupe allemand ! Premiers prix dans l'ancien bâtiment sur la droite. Autant mettre 1 € de plus pour le bloc plus récent qui abrite la réception : meilleure propreté, confort et équipement. Accueil un tantinet mollasson. Cafétéria pas chère au rez-de-chaussée. Moyen dans l'ensemble, mais bien situé.

ⓘ *Racha Hotel –* โรงแรมราชา *(plan A1, 12) : 19 Thanon Chayangkul.* ☎ *254-155. Au nord de la ville, en retrait de l'avenue. Doubles avec sdb, ventilo ou AC, 280-400 Bts (5,60-8 €).* Bâtiment en L avec coursives extérieures. Grandes chambres toutes identiques et propres, déclinées en grand lit ou lits jumeaux, ventilées ou AC et eau chaude. Mobilier rétro d'origine, le *Racha* date mais maintient le cap. Très calme. Pas un mot d'anglais, le sourire communicatif de la maîtresse des lieux y remédie.

D'un peu chic à plus chic (de 650 à 1 800 Bts – 13 à 36 €)

ⓘ *Sri Isan 1 Hotel –* ศรีอีสาน โฮเทล 1 *(plan A2, 10) : 62 Thanon Ratchabut. En* face du marché. ☎ *261-011.* ● *sriisanhotel.com* ● *Double 650 Bts (13 €). Petit déj inclus. Wifi gratuit.* Immeuble ancien mais pimpant, où les chambres s'enroulent sur 4 étages de galeries autour d'un étroit patio. Doubles assez petites mais bien dotées (AC, TV, frigo, eau chaude), au blanc immaculé souligné de touches bleues. Également des suites familiales (jusqu'à 4 personnes). Bon resto, au diapason de l'établissement.

🛏 *Ratchathani Hotel* – โรงแรมเคอะราชธานี *(plan A2, 13) : 297 Thanon Khuanthani.* ☎ 244-388. ● *theratchathani.com* ● *Double ventilée avec sdb à partir de 400 Bts (8 €) ; deluxe avec clim' et petit déj inclus 650-850 Bts (13-17 €). Wifi gratuit dans le hall d'accueil. Vaut surtout pour les* deluxe *qui se distin-*

guent des vieillottes ordinaires par leur équipement sans reproche (TV câble, bouilloire avec thé et café, frigo) et leur déco contemporaine soignée, à l'image de la réception et du resto.

🛏 *Laithong* – โรงแรมลายทอง *(plan B1, 14) : 50 Thanon Pichitrungsan.* ☎ 264-271. *Fax : 264-270. Doubles 1 300-1 800 Bts (26-34 €), petit déj inclus. Internet (wifi) gratuit dans le lobby et certaines chambres.* Mis à part l'avancée aux toits typiques, barre blanche standard de 7 étages abritant plus de 100 grandes et agréables chambres décorées classiquement. Entretien et propreté à la hauteur de son rang de, disons, 3 étoiles. Piscine en plein air. *Coffee shop,* restos.

Où manger ?

Bon marché (autour de 100 Bts – soit 2 €)

|●| *Marché de nuit (Night Market)* – ในท์มาร์เก็ต *(plan A2, 20) : le long de Thanon Ratchabut, à côté du Musée national.* Tous les soirs, le trottoir se transforme en une formidable terrasse squattée par des dizaines de roulottes-restaurants. Soupes, poulet grillé, brochettes, crêpes farcies, jus de fruits pressés et plein d'autres choses. Pour tester d'autres marchés de nuit (nombreux à Ubon), demander conseil auprès du *TAT* ou de votre hôtel.

|●| *Porntip Kai Yang* – พรทิพย์ ส้มตำไก่ย่าง วัดแจ้ง อุบลฯ *(plan B1, 21) : Thanon Suriyat (enseigne en thaï slt). Un peu à l'est de l'intersection avec Tha-*

non Nakhonban, en face d'une station-service. ☎ 245-540. *Tlj 8h-18h.* L'enseigne a déménagé mais demeure à l'identique, purement *isan.* Tous les fans de cette cuisine devraient venir déjeuner ici ou remplir leur panier pique-nique. On ne plaisante pas, c'est une adresse réputée malgré son aspect boui-boui ! Terrasse couverte précédant une drôle de salle ventilée aux murs fleuris. Produits phares : *kai yang* (poulet grillé), *som tam* (salade de papaye) et *khao niaw* (riz gluant), évidemment... Tout aussi exquis, les saucisses et poissons.

Prix moyens (de 100 à 300 Bts – 2 à 6 €)

|●| *Smile Restaurant* – สมายล์รับแถนด์เรสเตอรองส์ *(plan A2, 22) : 200 Thanon Sirnarong (partie ouest).* ☎ 262-407. *Tlj 17h-minuit. Repas env 250 Bts/pers (5 €).* Rectangle de béton aux généreuses baies vitrées s'ouvrant sur une grande terrasse semée de plantes et pavée de brique. Menu sans fin mais légendé en anglais et illustré. Mélange de tradition et de création présenté

avec soin et générosité, dont : plateau d'entrées *isan,* délicieux currys, sautés et poissons parmi lesquels le *fried fish and herbal salad,* hautement recommandé. Musique live dans la salle de déco moderne. Offre spéciale sur bouteilles et cocktails, bien aussi pour un verre accompagné de quelques snacks, dans une ambiance tropicalo-contemporaine à la mode provinciale.

LE NORD-EST

|●| *Sri Isan 1 Hotel* (plan A2, **10**) : voir « *Où dormir ?* ». Cuisine et cadre soignés. Spécialités thaïes, chinoises et vietnamiennes et même quelques plats occidentaux.

À voir

🏛🏛 *Le Musée national* – พิพิธภัณฑสถานแห่งชาติอุบลราชธานี (plan A2, **30**) : Thanon Khuanthani, proche de Thanon Chayangkul. Mer-dim 9h-16h. Entrée : 30 Bts (0,60 €). Joliment installé dans un ancien palais de style colonial du roi Râma VI, aux murs ocre, volets verts et tuiles roses. La géographie, l'histoire et les traditions populaires de la région sont présentées dans neuf salles réparties autour d'un patio lumineux et fleuri. Pour respecter la chronologie, débuter la visite par la gauche. Temps forts de cette intéressante visite : la reproduction des peintures rupestres de Pha Taem, une statue khmère du VIIIe s représentant Ardhanarisvara (union symbolique de Shiva et Uma), une frise de pierre sculptée de neufs divinités et un lion de style Baphuon du XIe s, une collection de bouddhas où l'on remarquera la douceur des visages et l'humanité du style dit laotien, des textiles, de la vannerie et de l'argenterie (produits régionaux d'une grande finesse), ainsi qu'une collection de coffrets à bétel polychrome.

🏛 *Wat Supattanaram* – วัดสุปัฏนาราม (plan A2, **31**) : à l'extrémité ouest de Thanon Promthep, le long de la rivière Mun. Temple intéressant pour son architecture composite : soubassements de style khmer, murs en pierre d'influence germanique et toit dans la pure tradition thaïe. On y découvre aussi la plus grande cloche en bois de Thaïlande.

🏛 *Wat Nongbua* – วัดหนองบัว (plan A1, **32**) : au nord de la ville en direction de Mukdahan. Une réplique du célèbre *chedî* Mahabodhi (« de la grande Illumination ») de Bodhgaya en Inde. Détail insolite, la présence d'une cabine téléphonique sous le dôme... Face au *chedî*, un nouveau temple ultramoderne décoré de marbre, de dorures à quat'sous et (levez la tête) de peintures représentant les différents épisodes de la vie de Bouddha.

🏛 *River Mun Market* – ตลาดแม่น้ำมูล (plan A2, **33**) : surplombe la berge de la rivière Mun, non loin du pont. Halle baignée d'odeurs envahissantes où l'on se bouscule... À visiter tôt le matin.

➤ DANS LES ENVIRONS D'UBON RATCHATHANI

🏛🏛🏛 *Prasat Khao Preah Viharn* – ปราสาทเขาพระวิหาร : voir plus loin, dans le chapitre « Sur la route des citadelles khmères ».

🏛🏛 *Wat Pananachat* – วัดป่านานาชาติ (hors plan par A2) : à 15 km d'Ubon en direction de Sri Saket, le long de la route n° 226. Indiqué. Tlj 6h-12h. Après, c'est le règne du silence... Situé en pleine forêt, ce temple est dirigé, une fois n'est pas coutume, par des moines occidentaux en lutte (toute pacifique) pour la préservation du patrimoine naturel et culturel des Thaïs. Ayant fondé le groupe « Nature sacrée », ils se réunissent de temps à autre avec les villageois des alentours pour les sensibiliser à leur approche.

🏛 *Les rapides de Kaeng Saphue* – แก่งสะพือ : dans le bourg de Phibun, à 43 km d'Ubon par la route n° 217. 300 m en aval du pont sur la rivière Mun, après la station *de bus.* Pendant la saison sèche, les rochers émergent à la surface. Les jeunes du cru, lestés de grosses chambres à air, sont alors nombreux à se risquer dans les rapides. Promenade aménagée sur la rive droite de la rivière avec stands et buvettes. Nattes à louer pour le repas et la sieste.

KHONG CHIAM – โขงเจียม

IND. TÉL. : 045

C'est dans cette région isolée parmi les collines boisées et sauvages que la rivière Mun a choisi de s'unir au « géant d'Asie », le Mékong. Khong Chiam, village niché dans le confluent dit du « fleuve aux deux couleurs », reste un joyau paisible et langoureux, malgré le nombre grandissant de touristes locaux qui viennent y séjourner. Il est doux de s'y reposer, les yeux tournés vers les flots, au retour d'excursions intéressantes comme celle de *Pha Taem*, falaise célèbre pour ses peintures rupestres et son panorama qui séduisit Oliver Stone pour son film *Alexandre* !

Arriver – Quitter

➡ **Station de bus :** *à l'entrée du village, sur la droite.*
➤ **Ubon Ratchathani :** 8h-15h30 env, ttes les 30 mn. Habituellement, changement de véhicule à **Phibun.**
➤ **Bangkok :** depuis Khong Chiam, 7h30-15h30 env 4 départs bus AC et VIP ; 700 km, env 10h de trajet ; 430-500 Bts (8,60-10 €).

Adresses utiles

✉ **Poste :** *près de* l'Apple Guesthouse *(voir « Où dormir ? »).*
■ **Location de motos et de vélos :** *auprès d'**Apple** ou de **Mongkhon Guesthouse.** Compter à partir de 200 Bts/j. (4 €) pour les motos et 100 Bts/j. (2 €) pour les vélos.*

■ **Krung Thai Bank** *(plan, 1) : sur la rue principale, dans une coquette maison de bois. Lun-ven 8h30-16h30. Distributeur automatique de billets.*
■ **Bureau de police :** *Thanon Pookamchai, non loin de l'Araya Resort.*

Où dormir ?

De bon marché à un peu plus chic (de 150 à 800 Bts – 3 à 16 €)

🛏 **Apple Guesthouse** – แอ๊ปเปิ้ลเก สท์เฮ้าส์ *(plan, 5) : Thanon Pookamchai, ou petit passage depuis Thanon Kaewpradit.* ☎ 351-160. *Proche de la tour métallique des télécoms. Doubles 150-300 Bts (3-6 €). Dans un alignement de bungalows sur pilotis, chambres ventilées plutôt rustiques avec salle de bains commune (eau froide). Préférer le* 1er étage. Clim', salle de bains privée (eau chaude) et carrelage net dans les maisonnettes de plain-pied. Ensemble bien tenu par une famille conviviale parlant un peu l'anglais. Location de vélos et de motos.
🛏 **Mongkhon Guesthouse** – มงคล เก สท์เฮ้าส์ *(plan, 6) : 595 Thanon Kaewpradit.* ☎ 351-352. ● *koma.nee@hotmail.*

com ● *Peu après l'entrée dans le village, proche du marché. Doubles avec sdb 200-800 Bts (4-16 €). Réduc possible selon affluence. Internet.* D'un côté de la rue, à l'arrière de la maison de bois familiale, chambres premiers prix avec ou sans AC. En face, sur un grand espace bétonné (dommage !), plu-

sieurs types d'hébergements, toujours avec AC, frigo et petit espace extérieur, dans une bâtisse en dur ou des bungalows plus charmants (parquet, belle literie avec moustiquaire). Tenue et qualité d'accueil au rendez-vous. Motos et vélos à louer.

Un peu plus chic (plus de 600 Bts – 12 €)

🛏 *Ban Rimkhong Resort* – ริมโขงรี สอร์ท *(plan, 7)* : *37 Thanon Kaewpradit.* ☎ *351-101.* ● *banrimkhongresort@yahoo.com* ● *Selon affluence, doubles 800-1 000 Bts (16-20 €). Petit déj non compris. Résa conseillée.* Sur un terrain gazonné et fleuri, s'étendant de Thanon Kaewpradit à Rimkhong, 8 chalets spacieux avec terrasses, alignés en 2 rangées face à face, et 2 autres donnant directement sur la promenade du Mékong. Moins mignon à l'intérieur que vu de l'extérieur, mais bien équipé (AC, frigo et salle de bains avec baignoire), propre et refait à neuf. Accueil plaisant.

🛏 *Bankiangnam* – บ้านเคียงน้ำ *(plan, 8)* : *Thanon Kaewpradit.* ☎ *351-374.* *Sur la droite de la rue, au-delà de la banque. Doubles 600-1 300 Bts (12-26 €).* En profondeur, serré le long d'une allée jardinée avec soin. Premiers prix, la rangée de 7 petites chambres contiguës. Dans les bungalows à 2 chambres, plus d'espace et de petites terrasses ombragées. Aménagement confortable partout (baignoire, AC et TV satellite, joli et frais. Minibar sous une paillote. Anglais rudimentaire et accueil charmant. Négocier un prix.

Où dormir dans les environs ?

Plus chic

🛏 *Tohsang Khong Chiam Resort* – โ รงแรมทอแสง โขงเจียมรีสอร์ท *(hors plan, 9)* : *Baan Huay-Mak-Tai.* ☎ *351-174/6.* ● *tohsang.com* ● *8 km au sud de Khong Chiam, en aval du confluent, par une petite route tt de suite à gauche après le pont (panneaux indicateurs). Selon saison et rabais, double et bungalow à partir de 2 400 Bts et 3 200 Bts env (48 et 64 €) ; petit déj compris. Wifi.* Lieu de villégiature chic aménagé autour d'un grand jardin sur les rives d'un Mékong encore bien sauvage par

ici. Idéal pour couples en lune de miel. Chambres dans des bâtiments en dur ou des bungalows plus romantiques avec vue sur le jardin ou le fleuve. Déco combinant les styles régionaux et balinais. Cuisine soignée au resto et petit déj incluant plein de spécialités faites minute. Grande piscine. Divers forfaits incluant repas, spa ou massages. Superbe mais isolé : venir avec son propre véhicule, sinon il faudra organiser ses balades via l'hôtel.

Où manger ? Où boire un verre ?

Bon marché (jusqu'à 150 Bts – 3 €)

|●| *Gargotes :* petites épiceries-restos et marché (le matin) sur Thanon Kaew-

pradit *(plan, 10).* D'autres, sur Thanon Rimkhong, face à un petit parc hono-

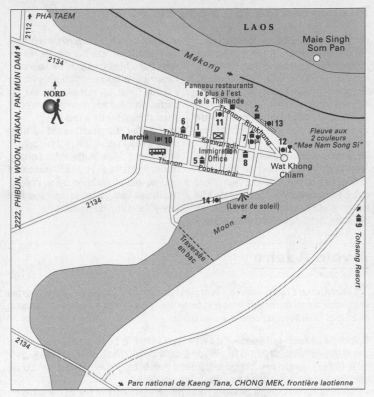

KHONG CHIAM

■ **Adresses utiles**	**9** Tohsang Khong Chiam Resort
🚌 Station de bus	
✉ Poste	|◐| ▼ **Où manger ? Où boire un verre ?**
1 Krung Thai Bank	
2 Embarcadère	**7** Ban Rimkhong Restaurant
	10 Gargotes et marché
⬢ **Où dormir ?**	**11** Thai Restaurant
	12 Mae Nam Song Si
5 Apple Guesthouse	**13** Restos flottants
6 Mongkhon Guesthouse	**14** Hat Mae Mun Restaurant
7 Ban Rimkhong Resort	
8 Bankiangnam	

rant (mensonge !) le point le plus à l'est de la Thaïlande (panneau « *Eastern-most* »...) dont un avec une pancarte en anglais « ***Thai Restaurant*** » *(plan, 11)*, tenu par un sympathique patron. Plats simples sur le pouce, pour une poignée de bahts...

|◐| ▼ ***Mae Nam Song Si*** – แม่น้ำสองสี

(plan, 12) : *Thanon Rimkhong*. Le premier des restos de la berge en venant du temple Wat Khong Chiam. Le plus populo. Comme chez les voisins : *laap*, *tom yam*, poisson, etc. Le seul à garder des tables pile sur la promenade qui longe les berges. Brise fluviale, bière fraîche, le bonheur !

Prix moyens (de 150 à 300 Bts – 3 à 6 €)

|●| ❢ *Ban Rimkhong Restaurant* – บ้านริมคลอง *(plan, 7) : dans le prolongement de* Rimkhong Resort *(voir « Où dormir ? »)*. Une institution locale. Grande terrasse couverte. Les plats simples (riz et nouilles sautées) ou les *tom yam* et poissons sont tous de bonne qualité et justement tarifés. Atmosphère relax.

|●| *Restos flottants (plan, 13) : Thanon Rimkhong, un poil à l'est du* Ban Rimkhong. Les passerelles qui rejoignent ces 2 pontons voisins aux toits de tôle donnent sur la promenade. Dans les deux cas, la cuisine thaïe et chinoise y est un peu chère en regard de la qualité standard. Souvent bondés le weekend, quand les groupes de touristes locaux débarquent à midi après avoir visité le Laos. Le reste du temps, au calme, on peut très bien se contenter d'une boisson et de snacks.

|●| *Hat Mae Mun Restaurant* – ร้านอาหารหาดแม่มูล *(plan, 14) : sur les berges de la rivière Mun.* Autre resto flottant, moins touristique et plutôt fréquenté pour la qualité de sa cuisine, notamment des *yam* (salades épicées à la mode thaïe) et... du poisson.

À voir. À faire

🎏🎏 *Wat Khong Chiam* – วัดโขงเจียม *:* le plus charmant temple du village marque l'extrémité du confluent en forme de pointe. Belle vue et alignement photogénique de stûpas funéraires, colorés et « emmiroités ».

🎏 *Balade en long-tail boat* – ล่องเรือหางยาว *(plan, 2) : embarcadère au niveau des restos flottants.* ☎ 351-015. *Prévoir à partir de 600 Bts/h (12 €) le bateau, jusqu'à 10 pers comprises.* Longues barques couvertes, y aller tôt le matin ou de manière à apprécier le soleil couchant. 3 possibilités :
– Rejoindre l'embouchure bicolore de la rivière et les îlots et bancs de sable du Mékong.
– Voguer jusqu'au *parc de Kaeng Tana.* 1h de balade.
– Pousser jusqu'à *Pha Taem* et sa falaise magique. 2h de navigation.

➤ *DANS LES ENVIRONS DE KHONG CHIAM*

Si vous visitez les deux sites ci-dessous dans la même journée, gardez votre ticket du premier parc, vous devriez pouvoir obtenir une réduction sur le second.

Où dormir ?

⚕ *Camping : 30 Bts/pers (0,60 €) avec sa propre tente ; 150 Bts (3 €) pour une tente 2 places équipée + 50 Bts/pers (1 €) pour l'équipement (sac de couchage, matelas et oreiller).*

🏚 *Bungalows : à partir de 1 600 Bts (32 €) pour 8 pers à Kaeng Thana ;* 1 200-2 000 Bts (24-40 €) pour 6 pers à Pha Taem. Beau chalet à Kaeng Thana (vue sur Don Tana). Moins bien, et assez excentré à Pha Taem, y préférer le camping, plus proche du célèbre lever de soleil. Rappel : obligation de payer l'ensemble du chalet.

À voir

ﾠ🎎 Le parc national de Pha Taem (peintures préhistoriques) – อุทยานแห่งชาติผาแต้ม : à 20 km au nord de Khong Chiam. ☎ 246-332. Tlj 5h-18h. Entrée : 400 Bts (8 €) ; réduc. Petit droit pour les véhicules.

Pha Taem est célèbre pour ses superbes peintures rupestres vieilles de 2 000 à 3 000 ans. Abritées sous des strates en corniche, elles furent protégées des dégradations du temps. Elles s'étendent

> **GRAND DU MÉKONG**
>
> *Au-dessus, un plateau aride d'où la vue sur le Mékong et le Laos est tellement belle qu'elle fut choisie pour le tournage des scènes du film* Alexandre *lors de l'hiver 2003. Au passage, on peut remarquer que, si le conquérant, parti de Macédoine, est arrivé jusqu'en Inde, il n'a jamais atteint la Thaïlande. Un territoire qu'il n'aurait sans doute pas dédaigné ajouter aux 5 millions de km² que comptait déjà son empire !*

sur le flanc d'une impressionnante falaise de grès, bordée d'une végétation luxuriante et filant parallèlement au cours du Mékong.

Comment y aller ?

Assez galère en bus car très peu de *songthaews* desservent le coin (direction Nam Thaeng). Faites le point auprès de votre *guesthouse*. L'idéal est de louer une moto à partir de Khong Chiam. Route facile, peu de circulation. Plusieurs bifurcations, attention aux panneaux.

La visite

Après la caisse, continuer sur 2 km pour rejoindre le plateau. Parking, resto et centre d'information bien conçu (photos et documents légendés en anglais). À proximité immédiate – *Pha Taem* étant le lieu le plus oriental du pays –, deux points de vue permettent de jouir, respectivement, du 1er lever et du 1er coucher de soleil thaïlandais.

Pour découvrir les peintures, marcher 200 m à main droite depuis le centre d'information. Un sentier agréablement ombragé descend le long de la falaise, puis suit son flanc en passant successivement par tous les sites rupestres. Le deuxième est le plus spectaculaire. Pas besoin d'être un spécialiste pour l'apprécier et reconnaître, aidé par une planche explicative, la nature des figurations : mains d'hommes, éléphants, tortues, le fameux *pla buk* ou poisson-chat géant, etc. Au-delà, le sentier contourne la falaise avant de revenir sur le plateau (4-5 km en tout). Chemins bien balisés sans difficulté particulière.

Plus au nord, on pourra, si l'on a le temps (se renseigner au centre d'information), explorer une forêt luxuriante et découvrir des cascades (de juin à novembre), dont la singulière Sang Chan qui émerge d'une faille dans les rochers.

🎎 Le parc national de Kaeng Tana – อุทยานแห่งชาติแก่งตะนะ : à 12 km en amont de Khong Chiam par le pont. De part et d'autre de la rivière Mun (entrée par la rive droite). ☎ 442-002. Tlj 8h-18h. Entrée : 200 Bts (4 €) ; réduc. Points d'attraction essentiels : les rapides *(Kaeng Tana),* plus animés à la saison sèche, quand le lit de la rivière est partiellement découvert, et l'îlot *(Don Tana)* au centre de la rivière, couvert de forêts de tecks et relié aux deux rives par des ponts suspendus assez photogéniques. Également des cascades pendant la saison des pluies. Visite pas renversante mais rafraîchissante et dépaysante.

LA REGION DE KHAO YAI
– อุทยานแห่งชาติเขาใหญ่

IND. TÉL. : 044

Montagneuse et très verte, la région de Khao Yai occupe la frontière sud-ouest de l'Isan. Elle sépare le plateau de Khorat des basses terres du centre de la Thaïlande. Il y a un siècle, ce territoire n'était pourtant qu'une petite partie de *Dong Phaya Fai,* une formidable forteresse verte s'étendant de la province de Chaiyaphum, au nord, jusqu'au-delà de la frontière cambodgienne, au sud. Les tigres y rôdaient en nombre, la malaria y était endémique : la traverser, c'était risquer sa peau !

Dans la première moitié du XXᵉ s, la citadelle tombe sous les coups de bélier des temps modernes, éventrée par le chemin de fer. Profitant de cette trouée, des colons s'installent dans les montagnes. Ils sont bientôt rejoints par de nombreux bannis et fugitifs à la recherche d'un abri isolé. En 1962, le gouvernement décide de faire le ménage : les habitants sont déplacés, leurs parcelles cultivées deviendront progressivement les savanes qui saupoudrent une forêt dorénavant protégée par la création concomitante du premier parc national du pays.

De nos jours, la région de Khao Yai vit du tourisme. Infrastructures, *resorts,* petites pensions routardes et agglomérations se sont développées autour du parc. L'essentiel est sauvegardé puisque l'intérieur reste vierge de tout sur-développement inconsidéré, malgré la nécessité d'accueillir les quelque 500 000 visiteurs annuels.

L'abondance de faune en liberté, l'assurance de la rencontrer, la richesse de la flore et la possibilité de randonner rangent Khao Yai parmi les meilleurs parcs naturels et touristiques du monde.

PAK CHONG – ปากช่อง

IND. TÉL. : 044

Les routards entrent dans la région de Khao Yai par le nord, via Pak Chong, petite ville à environ 200 km de Bangkok et 23 km de l'entrée du parc, tandis que les « Bangkokiens » aisés viennent souvent en voiture, par le sud.

Pak Chong, éventrée tout du long par une branche de la route n° 2, n'offre guère d'intérêt en soi, en dehors de son marché de nuit. Autant filer sans trop attendre pour se loger le long de la route d'accès au parc, ou à l'intérieur (voir plus loin). Si vous deviez y passer plus de temps (arrivée nocturne, problèmes de correspondance), sachez que la ville offre tout le nécessaire au voyageur.

Arriver – Quitter

En bus

Arrêts des bus de Pak Chong : plusieurs selon type de bus et de compagnies. Pour Khao Yai : proche du magasin 7/Eleven, *au 547 Thanon Mittraphap.*

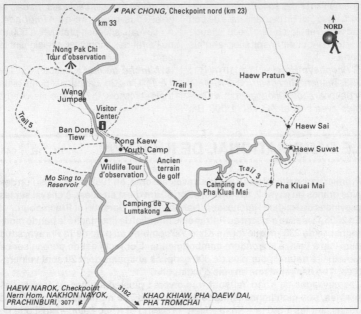

KHAO YAI

➢ **Bangkok :** depuis la capitale (terminal Mo Chit), 24h/24 ttes les 30 mn. Sens inverse, 5h-21h. Env 180 km, 3-4h de route (selon embouteillages...) ; env 150 Bts (3 €).

➢ **Nakon Ratchasima (Khorat) :** 6h30-22h ttes les 30 mn dans les 2 directions ; 1h30 de trajet ; compter 80 Bts (1,60 €).

➢ **Pak Chong-Khao Yai :** 6h-17h env, *songthaews* dans les 2 sens partant quand ils sont pleins. Desservent le **checkpoint nord** ; 27 km, 30 mn de route ; 100 Bts (2 €). Alternativement, les pensions de Khao Yai proposent des navettes, gratuites ou payantes. Se renseigner par téléphone.

➢ **Phitsanulok :** 7h-12h, 3 bus/j. ; 220 Bts (4,40 €).

En train

➢ **Bangkok :** depuis Bangkok, 11 trains/j., dont ceux de 5h45, 6h40, 10h05, 11h40, 15h20, 18h30, 18h55 (les autres arrivent en pleine nuit). Depuis Pak Chong, départs notamment à 0h43, 1h27, 2h24, 10h09, 11h27, 14h et 16h35. 3-4h30 de trajet ; 1re classe ventilo ou AC, 170-370 Bts (3,40-7,40 €). Dessert aussi Ayutthaya, 2-2h40 de trajet.

➢ **Nakon Ratchasima :** 10 trains/j. dans les 2 sens dont 5 de jour ; 1-2h de trajet.

Où dormir ? Où manger ?

🛏 **Phubade Hotel** – โรงแรมภูเบศ : 9 Tesaban Soi 15. ☎ 314-964. Fax : 314-965. Doubles avec sdb 330-360 Bts (6,60-7,20 €). En retrait de la grande route, au calme. Bien placé, à proximité des gares ferroviaires et routières ainsi

LE NORD-EST

que de l'arrêt des *songthaews* desservant Khao Yai. Un peu fané mais de bon rapport. Ventilo ou clim', eau chaude partout. Accueil hospitalier, anglais parlé.

🛌 *Phuphaya Hotel* – โรงแรมภูพญา : 733 Thanon Mitraphab. ☎ 313-489. ● phuphayahotel@hotmail.com ● Doubles avec sdb et AC 760-1 000 Bts

(15,80-20 €), petit déj inclus. Rabais le w-e. Plus moderne que *Phubade*. À nouveau, situation pratique, à 500 m de l'arrêt des *songthaews* rejoignant le parc.

|●| *Marché de nuit :* Tesaban Soi 15-17. Tlj 17h-23h. Savoureux petits plats thaïs et chinois. Divers produits locaux.

LE PARC NATIONAL DE KHAO YAI   IND. TÉL. : 044

Premier parc national de Thaïlande à avoir été créé, en 1962, c'est aussi l'un des plus grands du pays : 2 168 km², environ 80 km d'est en ouest, à cheval sur les provinces de Nakhon Ratchasima, Nakhon Nayok, Saraburi et Prachinburi.

En 2005, l'Unesco a inscrit au Patrimoine mondial de l'humanité la bande montagneuse de 230 km que forme Khao Yai combiné au parc de Ta Phraya, situé plus loin à l'est, à la frontière cambodgienne. L'objectif est de pérenniser ce sanctuaire naturel pour plus de 800 espèces animales dont 20 sont vulnérables, 4 en danger et une en voie d'extinction.

Les paysages de Khao Yai sont très divers : plusieurs types de forêts, des prairies, des montagnes (altitude moyenne de 700 m) dominées par 2 pics dépassant les 1 300 m – *Khao Khiaw* – เขาเขียว et *Khao Laem* – ainsi que de nombreuses et rafraîchissantes cascades, parmi lesquelles *Haew Suwat* – น้ำตกเหวสุวัต, *Pha Kluai Mai* – น้ำตกผากล้วยไม้ et *Haew Narok* – น้ำตกเหวนรก, la plus haute (300 m, en 4 paliers).

Faune et flore

Khao Yai est recouvert à 80 % de forêt appartenant à plusieurs catégories : mixte, persistante sèche, d'altitude et pluviale, la plus largement représentée. Tout ceci définit de nombreux écosystèmes colonisés par une flore très riche qui profite aussi des zones de clairière. Certains bois comme le santal ou l'agar, dont les prix au kilo peuvent atteindre 50 000 Bts (1 000 € !), font l'objet d'une véritable petite guerre entre braconniers et gardes du parc.

La faune vit en totale liberté, déterminant son territoire dans l'environnement qui lui convient le mieux.

– Plus de 25 espèces de grands mammifères dont : l'éléphant (250 individus dénombrés, meilleure période d'observation novembre-décembre), le *gaur* (un massif et timide bovidé noir), le *sambar* (rencontre fréquente, certains se sont habitués à l'homme), le *barking deer* (ou *Red Muntjac*, petit cervidé qui aboie quand il a peur), le *dhole* (chien sauvage), les ours noirs et malais, quelques tigres (moins d'une dizaine, attesté si une empreinte féline fait plus de 12 cm de long), des cochons sauvages, l'énigmatique panthère nébuleuse, des singes (macaques omniprésents et deux espèces de gibbons aux chants magiques ; peureux, ils évitent la terre ferme).

– Les 300 espèces d'oiseaux, principalement résidentes, font le bonheur d'escadrons de *bird-watchers* armés de jumelles. Star incontestée, le féerique calao (*hornbill*, 4 espèces, meilleure période janvier-mars), volatile d'envergure squattant les

cimes des géants de la forêt, d'où résonne son vol aux sonorités d'hélicoptère. À voir aussi : pies orientales, faisans, perroquets, pics, rapaces, etc.
– Également représentés en nombre, les serpents, y compris le cobra royal, des espèces rares de chauves-souris habitant les grottes de la région, des scolopendres géants et, bien sûr, une multitude d'insectes dont de superbes papillons.

Info utile

– Pour plus d'informations concernant les parcs nationaux : voir « Thaïlande utile » en début de guide ; ☎ 02-562-0760 (Bangkok). ● dnp.go.th ●

Quand y aller ?

Annuellement, Khao Yai est arrosé de 2 200 mm de précipitations et jouit d'une température moyenne de 23 °C.
– Hiver : nov-fév, prendre une petite laine, ça descend à environ 10 °C la nuit. Agréable la journée, c'est une bonne période.
– Été : mars-avr, il y fait 30 °C en moyenne. Reste bien plus supportable qu'en plaine. Le débit des chutes d'eau est faible mais rarement tari.
– Saison des pluies : mai-oct, prévoir 27 °C. La flore est à son zénith et l'observation des animaux encore plus facile. Très humide quand même. Impératif : s'équiper de guêtres (vendues ou prêtées sur place) contre les sangsues et s'enduire régulièrement d'antimoustiques.

Où dormir ? Où manger ? Où se ravitailler ?

À l'intérieur du parc

– Bungalows : résa 1 mois à l'avance théoriquement obligatoire. Voir « Thaïlande utile » en début de guide. Dim-jeu, parfois possible de trouver sur place.
– Camping : résa inutile mais, si vous devez louer, venir tôt pdt les j. de congés et le ven-sam.

⚑ **Camping :** route de Haew Suwat. Site de **Lumtakong** – ลำตะคอง, à 7 km du Visitor Center et **Pha Kluai Mai** – ผากล้วยไม้, 2 km plus loin. Droit de camping 30 Bts/pers (0,60 €) ; tentes 2, 4 ou 8 pers 150 Bts/pers (3 €) ; sac de couchage et tapis de sol 70 Bts/pers (1,40 €). 2 grands terrains bien équipés (sanitaires, restos, épiceries). On préfère Pha Kluai Mai, plus mignon et au début du sentier qui mène à la cascade Haew Suwat.
⛺ **Bungalows :** 4 zones situées à l'arrière et par une petite route au-delà du Visitor Center. S'adresser à l'Accomodation Office. ☎ 297-406. Dortoirs,

compter 50 Bts/pers (1 €), possible slt s'il n'y a pas de groupe ; chalet 2-8 pers, prévoir 300-400 Bts/pers (6-8 €) ; lodge 20-25 pers, 7 500-9 000 Bts (150-180 €). Préférer la zone 2 installée sur une colline un peu isolée. La 3 n'est pas terrible. Attention, mis à part un lit éventuel en dortoir, tous les autres hébergements doivent être loués en entier. Or, il y a peu de petites capacités...
|●| ⊛ **Gargotes et bazar-alimentation :** situés près du Visitor Center et des espaces de camping. Dim-jeu 7h-19h30, ven-sam 6h-21h. Plats 25-40 Bts (0,50-0,80 €). Riz et légumes sautés, poulet grillé, currys et soupes

composent l'ordinaire. Les bazars-alimentation stockent une quantité modeste d'articles : bougies, piles, gâteaux, boissons, etc.

À l'extérieur du parc

Nos deux adresses se trouvent pile sur la route reliant Pak Chong à l'entrée du parc. Elles sont proches d'une petite zone de service (station d'essence, supérette 7/*Eleven*, distributeur automatique de billets, et même accès Internet wifi).

🏠 ❙●❙ *Greenleaf Guesthouse & Tour :* 52 Moo 6 Thanon Tanarat. ☎ 365-073. ● greenleaftour.com ● *À 7,5 km de Pak Chong et 18 km de l'entrée du parc. Sur la droite, après la station-service. Double avec sdb eau froide 200 Bts (4 €). Résa conseillée.* 15 chambres ventilées, spartiates mais suffisamment nettes. Hébergements entassés dans 2 cours successives. De nombreux routards s'échangent ici des tuyaux et apprécient les qualités de *Birdman Nine,* un guide doué pour repérer le bestiau. Bon resto, prix modiques. Ramassage à la gare routière ou ferroviaire de Pak Chong si vous réservez par téléphone. Accueil plaisant, bon anglais.

🏠 ❙●❙ *Khao Yai Garden : sur la gauche, juste avt la station, en venant de Pak Chong.* ☎ 365-167. ● khaoyai-garden-lodge.com ● *Doubles 350-1 250 Bts* (7-25 €). *Plats thaïs et occidentaux 50-250 Bts (1-5 €). Internet gratuit sur postes.* Hébergement arrangé sur un vaste terrain, dans plusieurs types de bâtisses et de pavillons. Premiers prix sans salle de bains. La catégorie au-dessus (prévoir 500 Bts, soit 10 €), avec pièce d'eau, est un bon compromis, mais essayer d'éviter celles du devant. Petit déj inclus avec les chambres AC. Eau chaude partout. Vu les différentes époques de construction, visiter avant de choisir. Belle piscine paysagée. Grande terrasse couverte faisant réception et resto-bar. 7h-13h, 3 transferts gratuits pour Pak Chong. Large choix de plats copieux et bons. Ensemble bien tenu, avec professionnalisme et sourire. Sur demande, on peut même venir vous chercher à la gare.

La visite

– **Entrée :** au *checkpoint nord « km23 »* – ด่านตรวจอุทยานแห่งชาติเขาใหญ่ กม 23 : *400 Bts/pers (8 €), réduc ; moto ou voiture 30-50 Bts (0,60-1 €).* **Attention, il faut repayer à chaque entrée (intransigeant). Ceux qui veulent sillonner le parc en profondeur feront donc mieux de loger à l'intérieur.**

■ *Visitor Center* – ศูนย์บริการนักท่องเที่ยว : *à 14 km du* checkpoint, *au milieu du parc.* Nombreuses planches intéressantes et didactiques sur la faune et la flore. Anglais parlé. Plan photocopié gratuit et brochure sur demande. Réservation de guides possible. À proximité : bureau des hébergements et chalets, restos et bazar-alimentation.

Se déplacer dans le parc

– La route n° 2090 *(ouv 6h-21h)* relie Pak Chong au centre du parc. Elle devient la n° 3077 pour en ressortir au sud, via le *checkpoint Nern Hom* – ด่านตรวจอุทยานแห่งชาติเขาใหญ่ (เนินหอม) , situé à 28 km du *Visitor Center,* en direction de Nakhon Nayok et Prachinburi (à 20 km supplémentaires). Dans le parc, deux routes secondaires : l'une rejoint la « falaise solitaire » *Pha Daew Dai* – ผาเดียวดาย, magnifique point de vue à 13 km du *Visitor Center,* et *Khao Khiao-Pha Tromchai*

– เขาเขียว ผาตรอมใจ, un autre panorama situé 500 m plus haut, proche d'un barrage militaire ; l'autre dessert la cascade de *Haew Suwat* et les campings.

– Vu les distances, difficile de faire tout à pied. Les *songtaews* publics n'ont pas le droit d'entrer dans le parc, il faut chartériser ou faire du stop (pratique commune ici). À l'intérieur, s'adresser au *Visitor Center* et rangers des autres sites ou... tenter le stop. Exemples : *Nong Pa Chi-Visitor Center,* environ 200 Bts (4 €) le véhicule ; *Visitor Center – checkpoint Nern Hom* (30 km), environ 700 Bts (14 €).

To be or not to be... guidé

Les sentiers de randonnées partent du *Visitor Centre* ou des routes principales. Les randos typiques ne sont ni trop longues ni difficiles (de 1,5 à 8 km). Elles empruntent des sentiers négociables seul pour peu qu'on soit habitué à marcher. Une confusion demeure quant à la numérotation des différents itinéraires, parce qu'elle a évolué dans le temps ou que certains plans ne respectent pas celles des quelques panneaux indicateurs. L'essentiel est de faire le point avec un employé du *Visitor Center,* à l'aide de leur plan photocopié.

L'intérêt principal d'un guide provient de sa connaissance du parc et de ses espèces. Il repère les traces et autres indices. Il connaît les petites habitudes de ses amis les bêtes, ce qui multiplie singulièrement les chances de rencontre, là où vous n'auriez rien vu tout seul, au mieux juste entendu. Idéalement, il doit être muni d'une longue vue télescopique et vous fournir des guêtres pour éviter les sangsues (surtout en période de pluies).

■ *Guides du parc :* s'adresser au *Visitor Center* ou à la rigueur aux campings. Ils ne parlent pas l'anglais sauf à de rares exceptions. Pas si grave, le langage de la nature est universel. *Prix de base : 500 Bts (10 €) jusqu'à 6 pers, pour une rando de 5-6h. Grimpe à 800 Bts (16 €) quand un transfert court en véhicule est prévu. Pour le sentier* des cascades, prévoir 300 Bts (6 €).

■ *Les guides des pensions :* principal avantage, ils parlent l'anglais. Plutôt bons et parfois facétieux, style « Indiana Jones promène le *farang* ». Un hic, leurs prestations sont habituellement liées aux tours standard des pensions (voir ci-dessous).

Les tours organisés par les pensions

– 1 jour ½ d'excursion : *compter à partir de 1 400 Bts/pers (28 €), déj compris, mais parfois entrée en sus. Comparer les offres.* Commence d'habitude par une baignade dans une piscine naturelle. Ensuite, promenade vers une grotte sous un temple, habitée par des myriades de chauves-souris à museau ridé. Elles s'échappent au coucher du soleil (vous serez là !), en bandes spectaculaires, disciplinées comme un long cordon d'oiseaux migrateurs... Le lendemain matin, entrée dans le parc. Arrêt au km 33 et rando de 2h vers Nong Pak Chi. Après déjeuner, baignade à Haew Suwat. Pour finir, un *night safari* à la tombée de la nuit.

– ½ journée, 1 journée : pas conseillé, trop bref.

– Randos de plusieurs jours : possible, discuter et négocier sur place.

Randos

Savoir que la majorité des sentiers empruntés par l'homme ont d'abord été tracés par les animaux sauvages, notamment les éléphants qui les utilisent toujours. Respecter les priorités !

LE NORD-EST

– *Trail 1* : **Kong Kaew** – น้ำตกกองแก้ว – **Haew Suwat Fall** : *8 km, 5-7h de marche selon les arrêts.* Suivre le *Nature Trail* sur 500 m avant de trouver l'embranchement. Réputé pour les oiseaux. Le sentier disparaît parfois sous les arbres tombés et quelques croisements sont mal indiqués. Envisagez un guide si vous manquez d'expérience. Si vous ne voyez pas de carrés rouges (cloutés ou peints sur les arbres, pas les rubans !) pendant trop longtemps, rebroussez chemin jusqu'à la dernière fourche.

– *Trail 5* : **Ban Dong Tiew** – บ้านดงคิว – **Nong Pak Chi** – หนองปักชี – *route n° 2090* : *5,4 km, 3h. Même remarque pour le marquage.* Démarre à quelques enjambées du *Visitor Center* (panneau) et se confond avec le sentier de Mo Sing To sur 1,7 km – ถ้ำเก็บน้ำมอสิงโต. Quelques fourches en route, rester normalement à main gauche et chercher les carrés rouges. À la bifurcation pour Mo Sing To (à 1 km), il reste 3 km jusqu'à la prairie de Nong Pak Chi, elle-même à 1 petit km de la route. Présence régulière d'éléphants, flore superbe dont un arbre gigantesque aux racines irradiant une énorme superficie, lianes débonnaires ou épineuses, etc. On profite aussi de la prairie et de la tour d'observation de Nong Pak Chi.

– *Trail 3* : **Pha Kluai Mai** (camping) – **Haew Suwat Falls** : *3 km, 2h.* Sentier sans difficulté, d'abord cimenté puis sauvage. En avril, floraison en masse d'une espèce d'orchidée rouge vif (Waidaeng) sur l'éboulis rocheux de la première cascade. Suit la plupart du temps une rivière, croupissante en saison sèche. Gibbons, calaos, peut-être un *sambar* et pourquoi pas le croco ? Ce fut en tout cas notre tableau de chasse ! Plein de papillons aussi. Un truc pour les attirer : verser au sol une bonne dose de sauce de poisson *(nam plaa)* et attendre. Terminus au parking de la cascade *Haew Suwat Falls.* Ne pas manquer cette dernière, ne serait-ce que pour la vue depuis le sentier en belvédère. C'est une vedette : elle a joué dans le film *La Plage* ! Baignade possible sous un jet de 30 m. Dans les environs, deux autres cascades.

– *Trail 14* : **Kong Kaew Nature trail** : *depuis le* Visitor Center. *1 km, 1h.* Aménagé. Passe par la petite cascade du même nom. Facile. En apéro ou digestif.

– **Night Safari** : *depuis le* Visitor Center, *départs tlj à 19h et 20h, 40 Bts/pers (0,80 €), durée 1h. Inclus dans les programmes 1 jour ½ des pensions.* Pas vraiment une rando puisqu'on se déplace en véhicule équipé de puissants phares. Rencontres assurées, souvent des éléphants. Les avis divergent quant au bien-fondé de cette activité. Se balader au soleil couchant ou levant à pied serait plus écolo.

– *Les vrais treks* : *2 à 4 j. de rando.* Y réfléchir si on a le temps. La durée engendre le plaisir... S'adresser au **Visitor Center** ou aux pensions. Sous-entend de dormir dans des sous-stations du parc.

SUR LA ROUTE DES CITADELLES KHMÈRES, DE PHIMAI AU PREAH VIHARN

Ce voyage dans l'Isan méridional qui borde le Cambodge fera découvrir aux amoureux de l'art extrême-oriental quelques temples qui comptent parmi les plus délicats témoignages que la civilisation khmère nous a laissés. Ce sera aussi l'occasion de résider dans de petites villes calmes, parfois charmantes comme Phimai, et de traverser plein de villages authentiques dont certains sont réputés pour leur artisanat.

➢ *Conseil pratique pour s'y rendre :* certains sites de cet itinéraire se situent à l'écart des grands axes. Les distances à parcourir depuis les villes de la région peuvent être assez importantes. Alors, une fois n'est pas coutume, on conseille d'étudier la location d'un véhicule sur certaines sections (comme le Phanom Rung ou Preah Viharn). Pas si cher en définitive, notamment comparé aux coûts (parfois excessifs) des moto-taxis et autres *songthaews* chartérisés quand il n'y a plus ou si peu de transport public. Cela dit, moyennant un minimum de temps et de patience, l'ensemble du circuit est tout à fait réalisable en transports en commun, en panachant éventuellement avec un peu de stop ou de marche.

NAKHON RATCHASIMA (KHORAT) – นครราชสีมาหรี
อโคราช   200 000 hab.   IND. TÉL. : 044

Nakhon Ratchasima est un nœud ferroviaire et routier idéalement situé à l'intersection des axes nord-sud et est-ouest. Pourtant, rien n'oblige à s'y arrêter, que l'on aille vers Phimai ou le Phanom Rung. En tout cas, pas plus de temps qu'il n'en faut pour sauter d'un bus ou d'un train à l'autre. D'ailleurs, rien ne le justifie vraiment car l'ancienne base américaine de la guerre du Vietnam est devenue une cité moderne assez étendue, où, plus que partout ailleurs dans le Nord-Est, immeubles et bureaux se multiplient. Alors qu'y faire ? Eh bien, découvrir que manquer de charme n'est pas synonyme d'absence de caractère. Pour cela, il suffit de se promener dans le centre historique entouré de murailles et aux alentours de l'esplanade du mémorial de Thao Suranari. Passer une nuit à Khorat, ce n'est pas perdre son temps.

Arriver – Quitter

En bus

🚌 *Gare routière n° 1 (plan B1, 1) :* Thanon Burin. Ne concerne normalement que les trajets intra-provinciaux (dont Pak Chong-Khao Yai). Mais certains bus, comme ceux de Bangkok, s'arrêtent aux 2 terminaux (se renseigner).

🚌 *Gare routière n° 2 (hors plan par B1, 2) :* à 1 km au nord du centre, sur la route n° 2. Bus urbain ou tuk-tuk (compter 50 Bts, soit 1 €, depuis le centre). Tous les bus longues distances (et ceux pour Phimai) passent par ici.

➢ *Bangkok (via Sara Buri) :* départ 24h/24, ttes les 30 mn ; 270 km, 3h30-5h de route (selon types de bus) ; 170-220 Bts env (3,40-4,40 €). Depuis Bangkok (Mo Chit terminal), horaires similaires.

➢ *Phimai :* 5h30-22h, ttes les 30 mn ; 50 km, 1h de route ; env 70 Bts (1,40 €).

➢ *Surin :* 6h-20h, ttes les 30 mn ; 180 km, 4h de route ; env 130 Bts (2,60 €).

➢ *Pak Chong (Khao Yai) :* depuis Khorat, il faut vérifier que le bus emprunte l'ancienne route (plutôt ou slt depuis le terminal 1).

➢ *Ubon Ratchathani :* 6h-20h, nombreux départs dont 5 de bus AC ; 360 km, env 6h de trajet ; 200-300 Bts (4-6 €) selon type de bus.

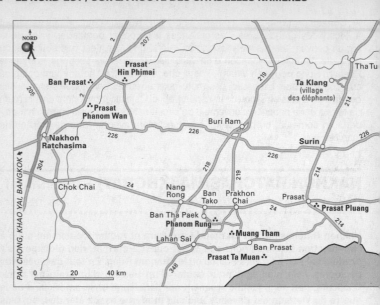

➢ **Nong Khai :** 5h-23h, bus AC ttes les heures ; env 400 km, 6-7h de route ; env 350 Bts (7 €).

➢ **Chiang Mai :** 10 bus/j. ; 13h de trajet ; 600-700 Bts (12-14 €).

En train

🚆 **Gare ferroviaire** (plan A2) : à env 1 km à l'ouest du centre. ☎ 242-044.

➢ **Bangkok :** dans les 2 sens, 9 trains/j. Depuis Bangkok, entre 5h45 et 23h40. Sens inverse, 0h51-23h40. Trajet : 4h30-6h. Prix : 200-400 Bts (4-8 €) selon type de train et de confort. Dessert aussi Ayutthaya.

➢ **Ubon Ratchathani :** dans les 2 sens, 7 trains/j. Trajet : 4h30-6h. Dessert aussi Surin : 2-3h de voyage.

Adresses utiles

✉ **Poste centrale** – ไปรษณีย์ (plan B1-2) : Thanon Jomsurang. Lun-ven 8h30-16h30 et sam mat.

🛈 **TAT** – ท.ท.ท. (office de tourisme ; hors plan par A1-2, **3**) : 2104 Thanon Mittra-phap (route n° 2). ☎ 213-666. Fax : 213-667. Assez éloigné. 3 km à l'ouest du centre, à côté de l'hôtel Sima Thani. Bus urbains nᵒˢ 2 ou 3. Tlj 8h30-16h30. Infos et documentations sur les transports et les sites de la région. Bon plan de la ville.

@ **Internet Service :** Thanon Ratcha-damnoen, 250 m avt l'entrée du Musée national (plan C1, **4**) ; près de la poste, au 130/3 Thanon Jomsurang (plan B1-2, **5**). Ouv 10h-22h env. Prix modique.

■ **Banques :** guichet de change lun-ven 8h30-15h30 et distributeurs automatiques de billets auprès de **Bangkok Bank** (plan B1-2, **6**), Thanon Jomsu-rang, **Krungthai Bank** (plan C1, **7**) ainsi que devant la gare ferroviaire (plan A2). Distributeur également à la gare routière nᵒ 2.

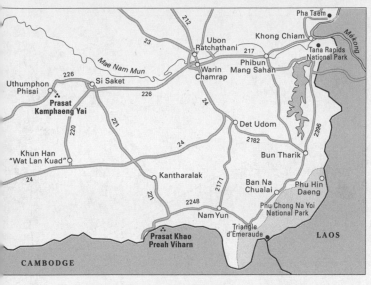

LA ROUTE DES CITADELLES KHMÈRES

Où dormir ?

De bon marché à prix moyens (de 150 à 450 Bts – 3 à 9 €)

🛏 *Doctor's House* – ค็อกเตอร์ก็ สท์เฮ้าส์ *(hors plan par A1, 10) : Thanon Suep Siri, Soi 4.* ☎ *255-846. À 600 m env du TAT et 500 m à l'ouest de la voie ferrée. Bus urbain n° 1. Doubles sans sdb 200-350 Bts (4-7 €).* Excentrée, cette petite pension familiale est tenue par un couple de retraités parlant quelques mots d'anglais et secondés par un vieux chauffeur de *tuk-tuk*. 5 chambres au diapason de la maison de bois : fanées et spartiates mais logeables (dont une pour 3 personnes), avec ventilo ou clim'. 2 salles de bains avec eau chaude à partager. Café et petits plats. Couvre-feu à 22h, calme...

🛏 *Sakol Hotel* – หจก.โรงแรมสากลโ คราช *(plan C1, 11) : 46 Thanon Asa-dang.* ☎ *241-260. Fax : 256-596. Doubles avec sdb 150-450 Bts (3-9 €).* Lobby-parking au rez-de-chaussée.

Chambres quasi identiques, déclinées en ventilo et eau froide, TV ou pas, AC et eau chaude (1 ou 2 lits, frigo). Ménage consciencieux, confort et entretien honorables. Déclassé de par son âge mais pas du tout glauque et bien situé, c'est le meilleur choix petit budget de la ville. Accueil souriant de Mme Suvimol, la patronne.

🛏 *First Hotel 1* – โรงแรมเฟิสท์ โคราช1 *(plan B1, 12) : 136 Thanon Burin.* ☎ *255-117. À 500 m de l'esplanade de la gare routière n° 1. Doubles avec sdb 260-360 Bts (5,20-7,20 €).* Longue barre blanche carrelée. Réception sous l'immeuble. Chambres étonnamment grandes et nettes, avec lavabo et douche chaude. Ventilo ou AC. Préférer celles qui ne donnent pas sur la rue.

LE NORD-EST

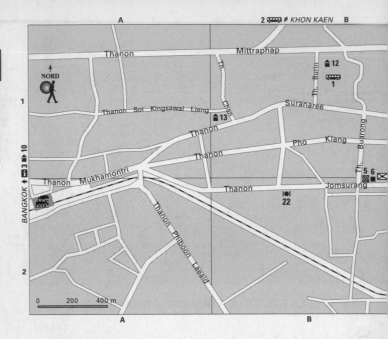

Adresses utiles

- 🚂 Gare ferroviaire
- ✉ Poste
- 🚌 1 Gare routière n° 1
- 🚌 2 Gare routière n° 2
- 🅱 3 TAT
- @ 4 Internet Service
- @ 5 Internet Service

6 Bangkok Bank
7 Krungthai Bank

🏠 Où dormir ?

10 Doctor's House
11 Sakol Hotel
12 First Hotel 1
13 Sri Patana Hotel

D'un peu plus chic à très chic (de 750 à 1 300 Bts – 15 à 26 €)

🏠 **Sri Patana Hotel** – โรงแรมศรีพัฒนา (plan B1, **13**) : 346 Thanon Suranaree. ☎ 251-652. ● sripatana.com ● Près du Khorat Memorial Hospital. Double 750 Bts (15 €). Petit déj inclus. Vaste hôtel assez central et plus tout neuf mais de bon rapport. Chambres propres et confortables avec AC, frigo et TV. Déco banale. Vue sur la ville. Piscine.

🏠 |●| **Chomsurang Hotel** – โรงแรมชม สุรางค์ (plan C2, **14**) : 270-1/2 Thanon Mahathai. ☎ 257-080. ● chomsurang. com ● Central, à côté du marché de nuit. Doubles avec sdb 800-1 300 Bts (16-26 €). Petit déj en sus : 161 Bts (3,20 €), pas un de moins ! Demander un rabais. Grand immeuble blanc de 9 étages. Dans toutes les chambres : AC, TV, frigo et salle de bains avec baignoire. Les deluxe, disponibles avec 1 ou 2 lits, sont plus spacieuses mais autant se contenter des standard dans l'attente d'un rafraîchissement (moquette et salle de bains). Bon resto et piscine.

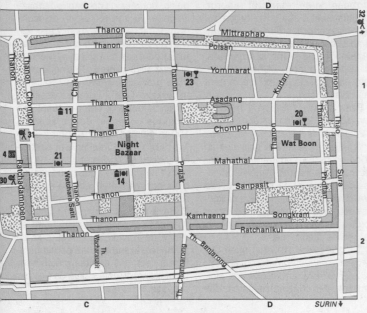

NAKHON RATCHASIMA

14 Chomsurang Hotel

23 Koratburi

Iel ￼ Où manger ? Où boire un verre ?

20 Marché de nuit
Wat Boon
21 Wan Varn Restaurant
22 Baan Kaew

￼ À voir

30 Musée national Maha
Viravong
31 Mémorial de Thao
Suranari
32 Wat Sala Loi

Où manger ? Où boire un verre ?

Bon marché (moins de 100 Bts – 2 €)

Iel ￼ *Marché de nuit Wat Boon (plan D1, 20) : Thanon Chompol, en face du Wat Boon.* Tlj 18h-minuit. Principalement des restos de rue, contrairement au *Night Bazaar.*

Iel *Marché de nuit Night Bazaar* – ตลาดกลางคืน *(plan C1) :* rubrique « À voir ». Surtout des snacks et sucreries, à consommer plutôt en se baladant.

Prix moyens (de 100 à 300 Bts – 2 à 6 €)

Iel *Wan Varn Restaurant* – ร้านอาหารวันวาน *(plan C1-2, 21) : 107 Thanon Mahadthai.* ☎ 244-509. *Au niveau du*

croisement avec Thanon Chakri. Tlj 10h-22h. « Ah, les bons vieux jours » *(Wan Varn),* tel est le style asiaticoeuropéen de ce resto qui regorge d'antiquités et d'objets de brocante. Les tables sont importées du Vietnam, les abat-jour de France, les pendules d'Allemagne, le piano d'Amérique, les 78-tours d'Inde... Côté cuisine, c'est plus classique (exclusivement thaï) mais fort bon.

|●| Baan Kaew – ร้านอาหาร บ้านแก้ว *(plan B2, 22)* : 105 *Thanon Jomsurang.* ☎ 246-512. *Tlj 16h-minuit.* 2 salles contiguës et brillamment éclairées au rez-de-chaussée d'un immeuble. Délicieuse cuisine thaïe et chinoise. Multitude de plats dont de succulents *red curry duck* et *deep fried salty chicken.* Les accompagner d'un *pad mee khorat* (nouilles sautées façon locale). Très propre, service attentionné.

|●| ♟ Koratburi – โคราชบุรี *(plan D1, 23)* : 266 *Thanon Yommarat.* ☎ 269-108. *Tlj 10h-22h.* 2 maisons aux cloisons enlevées ou remplacées par des baies, bordées d'une longue terrasse soignée. *Tom yam,* currys, poissons (sympathique *fried serpent head fish with herbs,* du poisson-chat), salades thaïes dont *som tam* (papaye). Menu en anglais avec photos. Cuisine léchée, mais préciser *mai pet* (pas épicé) si nécessaire. Clim' à l'intérieur et salle à l'étage. Cocktails, groupe jouant une musique coulante, douce soirée... 100 m plus à l'est, le **Rabieng-Pa** – ระเบียงป่า : à la fois simple et particulier (rideau de feuillage), il nous a été conseillé par des épicuriens locaux mais comme il était vide ce soir-là... À suivre.

♟ Bars locaux *(plan D1)* : *Thanon Yommarat* et *Thanon Kudan.* Entre les restos de *Thanon Yommarat,* puis en allant vers le sud par une perpendiculaire à l'est, une tripotée d'établissements allant du café « cleanos » au bar sauvage.

À voir

♚ Le Musée national Maha Viravong – พิพิธภัณฑ์โบราณคดี *(plan C2, 30)* : *Thanon Ratchadamnoen.* À côté du Wat Suthachinda. Mer-dim 9h-17h. Entrée : 10 Bts (0,20 €). Petit musée abritant l'ancienne collection privée d'un célèbre moine de l'Isan. Quelques pièces intéressantes d'époques Dvâravatî et khmère. Pour les passionnés.

♚ Le mémorial de Thao Suranari – อนุสาวรีย์ท้าวสุรนารี *(plan C1, 31)* : *Pratu Chompol.* Héroïne locale, Thao Suranari organisa la résistance contre une invasion laotienne en 1826. Chaque année, une fête est organisée en son honneur fin mars-début avril. Pendant 10 jours, les rues Chumphol et Mahathai se transforment chaque soir en une immense kermesse commerciale.

♚ Wat Sala Loi – วัดศาลาลอย *(hors plan par D1, 32)* : 500 m à l'extérieur de l'angle nord-est des douves. Pour les amateurs de temples, en voici un moderne au style étonnant. La chapelle principale est bâtie en forme de jonque chinoise flottant sur l'eau.

♚ Le marché de nuit *(Night Bazaar ; plan C1)* : le long de Thanon Manat, entre Thanon Chompol et Mahathai. Tlj 18h-22h. Une ville ne serait pas vraiment thaïe sans son marché de nuit. Toute la population de 7 à 77 ans s'y retrouve. Pas ou peu d'artisanat, mais des fringues, accessoires, gadgets et babioles à volonté et à petits prix. Super ambiance. Comme le shopping, ça creuse, quelques stands pour grignoter.

➤ *DANS LES ENVIRONS DE NAKHON RATCHASIMA*

🍴 *Le temple de Prasat Phanom Wan* – วัดปราสาทหินพนมวัน : *à 20 km au nord-est de la ville par la route n° 2 (celle de Phimai) sur 15 km, puis une petite transversale sur la droite (indiqué). 7h-17h30, au moins 1 bus/h depuis la gare n° 1 jusqu'à l'embranchement ; faire les 5 derniers km en moto-taxi (100 Bts, soit 2 €).* Dédié initialement à Shiva, ce temple fut construit du IXe au XIe s selon le plan classique du sanctuaire khmer : chœur, couloir et antichambre, entourés d'une enceinte carrée percée de 4 portes *(gopura)* identiques. Il comporte très peu de pièces contemporaines et conserve un aspect assez démantelé. Tous les linteaux sculptés ont rejoint les musées de Phimai et Bangkok, à l'exception d'une représentation d'un dieu assis sur la tête d'un *kala,* situé au-dessus de l'entrée nord du sanctuaire.

🍴 *Boutiques de soie de Pak Thong Chai* (Thai Silk Shops) – ศูนย์ทอผ้าไหมปักธ งชัย : *à 30 km au sud de Nakhon Ratchasima, par la route n° 304.* Soieries à prix d'usine. Choix formidable. Plusieurs magasins. L'un de nos préférés s'appelle *Chatthong Thai Silk.*

PHIMAI – พิมาย

IND. TÉL. : 044

À une soixantaine de kilomètres au nord-est de Nakhon Ratchasima, Phimai, plantée au confluent des rivières Moon et Lamjakarat, vous reposera des grandes cités modernes et bruyantes. Célèbre pour son merveilleux temple khmer, le *Prasat Hin Phimai,* elle a su garder son caractère de petite bourgade tranquille. La 2e semaine de novembre, la ville s'embrase lors du *Festival de Phimai.* Au programme des festivités : régates sur le fleuve, processions de barges royales, cérémonies bouddhiques et *Wimaya Nathakarn* – un son et lumière accompagné de danses thaïes classiques. Ce dernier est aussi organisé à plus petite échelle le dernier samedi de chaque mois.

UN PEU D'HISTOIRE

Il y a huit siècles, le puissant royaume khmer s'étendait à l'ouest jusqu'à Sukhothai et aux confins de la Birmanie et, au sud, jusqu'en Malaisie. L'interprétation de certaines inscriptions est à l'origine d'une théorie qui ferait du *prasat* de Phimai le modèle d'Angkor ! Une chose est sûre, les deux sites étaient autrefois reliés par une route pavée. Le temple fut abandonné au XIIIe s et tomba en ruine par la suite.

S'orienter. Se déplacer

D'une simplicité extrême ! Le temple Hin Phimai occupe le centre nord de la ville. Il est bordé au sud par Thanon Anantajinda, d'où file dans l'axe du temple la perpendiculaire principale Thanon Chomsudasapet (pensions, restaurants) jusqu'à Pratu Chai, la porte sud. Parallèle à Chomsudasapet, côté est, Thanon Songkhran compte aussi nombre de commerces et gargotes.

Arriver – Quitter

🚌 *Gare routière :* *Thanon Chomsudasadet, en face de l'hôtel Phimai.*
➤ *Khorat :* depuis Phimai, 5h-19h, ttes les 30 mn. Voir aussi sous Khorat.

Adresses utiles

🛈 *Informations touristiques :* pas de bureau officiel *TAT.* Les hébergements cités ci-après disposent tous de plans corrects de la ville ainsi que d'infos sur les horaires des transports.

■ *Banques :* *guichet de change lun-ven 8h30-15h30 et distributeurs automatiques de billets auprès de* ***Thai Military Bank,*** *Thanon Anantajinda (quasi en face de l'entrée du prasat), et* ***Kasikorn Bank,*** *sur Thanon Chomsudasapet.*

@ *Internet Service :* accès depuis la boutique à l'angle du soi menant à Old Phimai Guesthouse. *Prix modique. Également à la* ***Boonsiri Guesthouse*** *(un peu plus cher, wifi gratuit prévu).*

■ *Location de véhicules :* pour les vélos, s'adresser à ***Old Phimai*** et ***Boonsiri Guesthouse*** (voir « Où dormir ? »), compter 80 Bts/j. (1,60 €) ; pour les motos, aller au magasin de deux-roues situé au croisement de Thanon Anantajinda et Wounpran (☎ 471-117 ; fermé dim), 125 cm^3 bien entretenues, 250 Bts/j. (5 €) ; pour les voitures, ***Phimai Hotel*** (voir « Où dormir ? »), à partir de 1 600 Bts/j. (32 €).

Où dormir ?

De très bon marché à prix moyens (de 90 à 650 Bts – 1,80 à 13 €)

🛏 ***Old Phimai Guesthouse*** – โอลด์พิมายเกสท์เฮ้าส์ *: 214 Thanon Chomsudasapet.* ☎ *471-918.* • phimaigh.com • *À 100 m du temple, par une impasse sur la gauche en le regardant. Lits en dortoir ou simples 90-150 Bts (1,80-3 €) ; doubles 180-350 Bts (3,60-7 €). Sdb à partager. Internet.* Grande maison familiale en bois, calme, conviviale et aérée. Rusticité charmante, bibelots, trophées et photos comprises. Salles de bains sur les paliers (eau chaude au 1er étage). Petit déj et boissons en self-service. Terrasses sur le toit ou côté jardin (ombragé). Plein d'infos disponibles. Location de vélos. Organisation d'excursions, comme Phanom Rung et Muang Tham *(8h-16h, 700 Bts/pers soit 14 €, sur la base de 4 pers).* Intéressant pour ceux qui ne peuvent pas repasser par Surin (et c'est moins cher !)

🛏 ***Boonsiri Guesthouse*** – บุญสิริ เกสท์เฮ้าส์ *: 228 Thanon Chomsudasapet.* ☎ *471-159.* • boonsiri.net • *Presque en face d'Old Phimai Guesthouse. Lit en dortoir avec sdb 150 Bts (3 €) ; doubles avec sdb 450-650 Bts (9-13 €). Rabais selon fréquentation. Internet.* Entrée par un long couloir partagé avec un resto (petit déj et cuisine sino-thaïe). Derrière, c'est aéré (cour et terrasse au 1er étage) et d'une remarquable propreté. 2 dortoirs ventilés de 10 lits équipés de casiers individuels à l'intérieur. Grandes et confortables doubles 2 lits avec parquet au sol, TV câblée, ventilo ou AC. Eau chaude dans toutes les salles de bains. Accueil tip-top du jeune manager anglophone.

🛏 ***Phimai Hotel*** – โรงแรมพิมายโฮเต็ล *: 305 Thanon Haruethairome.* ☎ *471-306. Fax : 471-940.* En allant vers Pratu Chai, tourner dans la dernière rue partant sur la droite. *Doubles avec sdb 280-540 Bts (5,60-10,80 €), supplément petit déj 140 Bts/chambre*

(2,80 €). Immeuble blanc de 4 étages. Au choix : chambres ventilées et carrelées, standard (AC), ou VIP, plus grandes, avec moquette et frigo. Partout, TV et eau chaude. Malgré quelques vétustés, propreté, confort et qualité de l'accueil font de cet hôtel une bonne adresse. Location de véhicules.

Où manger ? Où boire un verre ?

Bon marché

|●| *Marché de nuit (Night Bazaar) :* dans le prolongement est de Thanon Anantajinda. Tlj 18h-21h. Plein de stands proposant des petits plats minute, salés ou sucrés. Animé et bien populo !

|●| *Petites échoppes* – ปิ๊ก ปุ๊ย ปุ๊ย : *197 Thanon Songkhran, 100 m au-delà de Thanon Anantajinda. Plats 20-40 Bts (0,40-0,80 €).* Un local simplissime, peint en vert pâle et ouvert sur la rue. Pointer du doigt poulet, canard ou cochonnailles, les voici sur votre table, garnissant un riz blanc *(khao suay)* ou frit *(khao pat)*.

|●| *Jeeraporn* – ร้านอาหารจิราพร : *84 / 2 Thanon Ussadang (perpendiculaire partant de l'angle est du temple), 2ᵉ maison sur la droite après l'angle (enseigne slt en thaï).* ☎ 481-497. Tlj 8h-18h. Plats 20-40 Bts (0,40-0,80 €). Salle pittoresque, remplie d'un amusant bric-à-brac familial et cuisine donnant sur la rue. Plats simples et authentiques : riz sautés, soupes et des spécialités locales comme les nouilles sautées *pad phimai*. Patronne d'une gentillesse communicative.

De bon marché à prix moyens

|●| *Bai-Teiy Restaurant* – ร้านอาหารใบเตยถนนกลางเมือง : *à env 500 m au sud de Pratu Chai, sur Thanon Phimai-Chumpuang.* ☎ 287-103. Portail khmer donnant sur un terrain. Tlj 9h-22h. Plats 50-200 Bts (1-4 €). Grande terrasse couverte donnant sur un espace vert proche d'un plan d'eau. Menu en anglais détaillant un large choix de plats succulents (quelques photos). Suggestions : *Po Peia Tod* (rouleaux de printemps maison), *Kai Ma Now* (poulet à la confiture de citron), sans oublier le canard et, en accompagnement, le simple mais parfait *Pad Poy Chiang* (8 légumes sautés). Prépare aussi de bons petits déj, du vrai café et quelques plats occidentalisés.

|●| 🍸 *Raga* – ระกา : *à l'angle de Thanon Anantajinda et Songkhran, face au temple.* Façade de style chalet. L'habituel resto-bar « country-thaï », un peu sombre et tout de bois vêtu. Chanteur en soirée. Boissons alcoolisées ou pas et petite carte (en anglais) de plats à prix modiques : *phimai noodles,* soupes *tom yam* et... frites. Attire jeunes et noctambules.

À voir

🛕🛕🛕 *Prasat Hin Phimai (le temple)* – ปราสาทหินพิมาย : *tlj 6h-18h. Entrée : 40 Bts (0,80 €).*

« Château de pierre » construit de la fin du XIᵉ à la fin du XIIᵉ s suivant le principe hindouiste du mandala (centre cosmique de l'univers), le Prasat Hin Phimai est orienté nord-ouest/sud-est, dans l'axe d'Angkor. Le *prang* principal figure le légendaire mont Méru, les murailles, les montagnes le protégeant, et l'eau entourant le *prasat,* les océans.

Pourtant, ce dernier ne semble pas avoir servi au culte hindou mais au bouddhisme mahayana. En témoignent les multiples statues de Bouddha ainsi que les deux linteaux de part et d'autre du couloir central du sanctuaire, le représentant face à l'assaut de Mara puis en méditation sous un serpent-*nâga*.

Après avoir franchi l'enceinte extérieure par une première *gopura* précédée d'un escalier orné de *nâga*, une plate-forme surélevée, gardée par deux *singha* (lions), mène à l'enceinte Intérieure.

La restauration du *prang* central et de son antichambre *(mondop)* de grès blanc dura 20 ans. Le résultat est assez fabuleux, même si l'assemblage des sculptures du fronton présente quelques bizarreries. Le *prang* principal atteint 28 m de haut. S'y abrite un bouddha à l'ombre d'un *nâga* à sept têtes reposant en lieu et place du lingam de Shiva. Peu avant le coucher du soleil, dirigez-vous vers la *gopura* est de l'enceinte intérieure.

🏛🏛🏛 *Le Musée national de Phimai* – พิพิธภัณฑสถานแห่งชาติพิมาย : *à 300 m de l'angle nord-est du temple, avt la rivière Mun. Mer-dim 9h-16h. Prix : 30 Bts (0,60 €).* Voici la meilleure vitrine culturelle et historique de l'Isan. Sur deux étages, de riches collections de poteries et céramiques retrouvées à Ban Prasat, de *sema* d'époque Dvâravatî, de linteaux, frontons et statues d'époque khmère voisinent avec des panneaux et reconstitutions illustrant les coutumes et l'artisanat du pays (maison des esprits, festivals, tissages). Bien agencé, clair et aéré.

Le joyau du musée est sans aucun doute la statue en pierre de Jayavarman VII. Dernier grand roi khmer, il gouverna l'empire à son apogée, de 1181 à 1219. Remarquer aussi les *singha* et, à l'étage, le Brahmi (Brahma dans sa forme féminine) à quatre têtes provenant de Phanom Rung ainsi qu'un fragment de stuc, rare témoignage des finesses artistiques qui ornaient autrefois les temples.

➤ *DANS LES ENVIRONS DE PHIMAI*

🌳 *Le banian géant (Sai Ngam)* – ต้นไม้ใหญ่ : *à 2 km au nord-est de Phimai. Emprunter Thanon Anantajinda jusqu'à son extrémité, puis suivre les panneaux.* Sur votre gauche, cet incroyable bosquet n'est rien d'autre qu'un gigantesque banian *(Ficus religiosa)*. Ainsi, il y a quelque 350 printemps, une plante parasite étouffa un arbre tuteur, projeta des racines aériennes qui, rejoignant le sol, formèrent les premiers troncs ! Les

UNE FORÊT À LUI TOUT SEUL

Le banian figure au livre des records des arbres ayant le plus gros tronc… ou plutôt ayant le plus de troncs ! Un seul arbre peut avoir plus de 350 gros troncs et 3 000 petits. On cite l'exemple d'un figuier banian à Calcutta (Inde) mesurant 412 m de circonférence. À côté, les baobabs les plus volumineux, dont la circonférence ne dépasse pas 43 m, auraient presque l'air de vulgaires brindilles.

banians sont sacrés car la légende assure que Bouddha reçut l'Illumination sous l'un d'entre eux.

🚶 *Ban Prasat* – บ้านปราสาท : *à 17 km au sud-ouest de Phimai. Prendre la route n° 2 puis obliquer vers l'ouest (indiqué).* Ban Prasat vient tout de suite après Ban Chiang pour la quantité de vestiges archéologiques retrouvés dans ses sépultures. Le village surplombe un coude de la rivière *Tarn Prasat.* Les eaux de cet affluent de la rivière Mun, une des neuf rivières sacrées du pays, sont utilisées pour les cérémonies royales. Dès l'époque préhistorique, le site fut habité par une importante communauté qui prospéra jusqu'à l'arrivée des Khmers.

Le village actuel, assez charmant, a fait l'objet d'un développement écoarchéologique modèle, orchestré conjointement par le département des beaux-arts et l'office de tourisme national. Un petit musée et trois fosses de fouilles ont été aménagés. La n° 1 *(pit)* est la plus spectaculaire. Nombreux squelettes et fragments de poteries. Intéressant de voir que l'orientation des corps a fortement évolué au cours des âges : une seule certitude, si l'on dort la tête au nord dans nos contrées, ici, personne ne repose de la sorte !

🛏 🍴 ***Chambres chez l'habitant (home stay) :*** ☎ *367-075 (ou toquer à une porte une fois sur place...). Prévoir* 400 Bts/pers (8 €), 2 repas inclus. Possible dans de nombreuses maisons villageoises adhérant à ce programme.

PRASAT PHANOM RUNG – ปราสาทหินพนมรุ้ง
ET MUANG THAM – เมืองต่ำ   IND. TÉL. : 044

Dans l'extrême sud de la province de Buriram, très proche du Cambodge, voici deux temples cousins que séparent seulement 8 km. Avec Phimai et Preah Viharn, ils forment sans aucun doute les quatre joyaux khmers de l'Isan. Dans les environs, d'autres vestiges à découvrir dont l'isolé *Prasat Ta Muan.*

Arriver – Quitter

Commençons par le « préacheminement »

➢ ***Bangkok :*** depuis le terminal Mo Chit, 7h30-19h env, plusieurs liaisons directes avec Nang Rong (compter 300 Bts, soit 6 €, en bus AC 1re classe) ou Prakhon Chai. Autre option : transiter par Nakhon Ratchasima, Surin ou Buriram (jusqu'à 15 liaisons/j. dans les 2 sens pour chacune des villes), puis rejoindre Nang Rong ou Prakhon Chai (escompter 1 départ ttes les heures).
➢ ***Nang Rong-Surin :*** départs réguliers de bus ordinaires ; env 130 km, 2h30 ; env 70 Bts (1,40 €).
➢ ***Nang Rong-Khorat :*** là aussi, départs réguliers de bus ordinaires.

Rejoindre les temples

➢ Pour les excursions organisées ou locations de véhicules, voir « Adresses utiles » à Surin et les pensions à Nang Rong.
➢ ***Nang Rong-Phanom Rung :*** transiter par Ban Tha Paek, 6h-16h, ttes les heures, 40 mn de route, env 30 Bts (0,60 €). Entre Ban Tha Paek et le temple, moto-taxi (100 Bts, soit 2 €), stop ou pédibus (6 km).
➢ ***Prakhon Chai-Phanom Rung :*** à Prakhon Chai, station des *songthaews* à 500 m au nord de l'intersection des routes n°s 219 et 24. 10h-17h30, liaisons env ttes les 2h. Dépose au pied de la colline, dernier km à faire à pied.

Où dormir ? Où manger ?

Pour dormir au plus près des temples, deux options : le bourg de ***Prakhon Chai*** – ประโคนชัย ou ***Nang Rong*** – นางรอง. Si le premier est plus pittoresque (beaucoup de maisons de bois), *Nang Rong* dispose de deux pensions plaisantes, des lieux de rencontre pour routards en vadrouille, offrant nombre de services annexes.

🏠 |○| *Honey Inn* – ฮันนีอินน์ : *8/1 Soi Srikoon, Nang Rong.* ☎ *622-825.* ● *ho neyinn.com* ● *En venant de Khorat (Nakhun Ratchasima), tourner à gauche sur un chemin (panneau) situé env 300 m après la station-service* PTT *et avt le carrefour (en ville) des routes nos 2073 et 348. Tuk-tuk depuis la gare, 50 Bts (1 €). Doubles avec sdb 200-350 Bts (4-7 €).* Grande bâtisse avec cour tenue par Mme Phanna, enseignante d'anglais à la retraite. 10 chambres propres, ventilo ou AC, plus toutes neuves mais suffisamment confortables. 2 d'entre elles ont 2 lits, 3 ont l'eau chaude. Petit déj à prix modique et, habituellement, intéressant repas thaï (plusieurs plats à partager entre les hôtes). Nombreux services : location de motos, 250 Bts/j. (5 €) ou de voitures avec chauffeur, 1 000 Bts/j. (20 €) sans l'essence, demi-journée possible. Pour les indépendants, plein d'infos à dispo pour réussir ses excursions.

🏠 *P.California Inter Hostel* – บ้านพัก พี. แคลิฟอร์เนีย : *Thanon Sangkarit Burana. En venant de Khorat (Nakhun Ratchasima), tourner dans la rue à droite au-delà de la* Bangkok Bank. *70 Bts (1,40 €) en tuk-tuk depuis la gare routière.* ☎ *622-214.* ● *geocities.com/ california8gh* ● *Doubles avec sdb 300-500 Bts (6-10 €). Internet.* Autour de l'agréable cour, 12 chambres installées dans la maison ou les 2 petites baraques annexes. Les ventilo-eau froide sont assez spartiates, les clim'-eau chaude sont cosy comme si on était un invité de la maison, celui de Wick, l'aimable patron anglophone. Propreté et maintenance irréprochables. Petit café. Location de motos et voitures, respectivement 250 et 700 Bts (5 et 14 €) ; formules avec chauffeur et guide. Sert aussi de centre pour des travailleurs bénévoles.

À voir

🏛🏛🏛 *Prasat Phanom Rung* – ปราสาทหินพนมรุ้ง : *tlj 6h-18h. Entrée : 40 Bts (0,80 €).* Édifié sur un ancien volcan entouré de plaines fertiles et situé sur l'axe historique d'Angkor, Phanom Rung jouit d'un site stratégique exceptionnel. Dédié au dieu Shiva (même si Vishnou n'en est pas totalement absent), sa construction débuta au Xe s pour s'achever probablement vers la fin du XIIe s. Son architecture et son ornementation rejoignent le zénith de l'art khmer. Une fois par an, le matin du 15e jour du 5e mois du calendrier lunaire (en avril normalement), le soleil darde ses rayons à travers les 15 portes du temple. C'est l'occasion d'un grand festival de processions qui serait vieux de plus de 8 siècles.

La visite

Il faut absolument démarrer la visite par la porte est, la n° 1 (grand parking, restos et échoppes), pas depuis le sommet de la colline (portes nos 2 et 3), question de jouissance ! Celle de passer de la terre au paradis, du profane au divin en respectant la symbolique du lieu qui s'accorde parfaitement avec la topographie. Après trois premières volées de marches de latérite, toute la perspective, dominée par la tour principale qui représente le mont Méru, se dévoile depuis la première terrasse en croix. Sur la droite, la *salle de l'Éléphant blanc* où le roi venait se changer pour revêtir ses habits de prière. La majestueuse allée de 160 m de long, bordée de part et d'autre par 67 piliers représentant les boutons du lotus sacré, se termine par la « porte » du paradis, une plate-forme-pont cruciforme, aux balustrades formées par des *nâgas* à cinq têtes. Au milieu, un châssis de bois protège une fleur de lotus gravée. Le raide escalier en cinq sections mène à une terrasse de latérite supportant quatre bassins lustraux et le second pont cruciforme aux *nâga*. On franchit alors successivement les vestiges du mur d'enceinte extérieur, dont les rangées de colonnes auraient supporté une charpente de bois et des tuiles, puis la *gopura* de l'enceinte intérieure. Celle-ci, en bon état, est formée de galeries étroites aux murs percés de fausses fenêtres *Luk Malnut*. Levez les yeux, le fronton sculpté représente l'ermite Narendratiya, qui serait le créateur du *prasat*.

Le dernier pont aux *nâga* mène à l'antichambre *(mandapa)* du *prang* central, absolument magnifique. Sa porte d'accès est décorée du **plus célèbre linteau de Thaïlande,** représentant Vishnou couché sur un serpent dans la mythique mer de lait.

En faisant le tour du sanctuaire dans le sens des aiguilles d'une montre, on découvre les deux *Bannalas* (bibliothèques), le *Prang Noi* (petite tour) et, revenu vers la porte est, les vestiges de 2 bâtiments de brique, constructions les plus anciennes du *prasat*.

LA VENGEANCE MYSTÉRIEUSE

Ce linteau a connu une histoire rocambolesque : dérobé en 1966, il fut acheté dans une rue de Bangkok par un collectionneur new-yorkais qui le revendit à l'Art Institute of Chicago. Le mystère du vol, découvert dix ans plus tard, ne tarda pas à déclencher un véritable tollé. Finalement, grâce à un échange opéré en 1988, le linteau rejoignit son pays d'origine. Depuis, une malédiction semble avoir frappé les voleurs du trésor : à l'exception de l'un d'entre eux, ils auraient tous trouvé la mort dans des conditions accidentelles...

Pour ne rien gâcher, la vue depuis le sommet de la colline est très belle, notamment de juin à novembre, quand les champs de riz coupés au cordeau forment un patchwork avec les îlots de forêt.

%% ***Le centre d'information touristique du Phanom Rung*** – ศูนย์ข้อมูลข่าวสาร การท่องเที่ยวพนมรุ้ง *: sur la gauche de la voie menant à l'entrée n° 1, dans des bâtiments modernes évoquant l'architecture des sanctuaires khmers. Tlj 9h-16h30. Entrée gratuite. Brochures disponibles en français.* La visite de ce centre qui mériterait facilement le nom de musée est recommandée. Pièces archéologiques, plan du *prasat,* maquette du site et une série de planches en anglais fort bien conçues, abordant la construction, la décoration et la restauration du temple.

%% ***Muang Tham*** – เมืองต่ำ *: à 8 km au sud-est du Prasat Phanom Rung, par la route n° 2221 en direction de Prakhon Chai, puis, après 3 km, une bifurcation sur la droite (panneau). Tlj 6h-18h. Entrée : 30 Bts (0,60 €).*
Assurément l'un des plus beaux temples khmers, Muang Tham fut restauré avec élégance sous le parrainage d'une fille du roi passionnée d'archéologie. Les pierres, la verdure et l'eau du grand *barai* (réservoir) qui borde le flanc ouest composent un panorama délicieusement équilibré. Cette « cité basse » de forme presque carrée (120 x 127 m) fut construite au pied de la colline du Phanom Rung, un siècle avant, suivant l'orientation classique est-ouest. En traversant la première enceinte par la *gopura* est, on découvre deux des quatre bassins lustraux en L, aux margelles garnies de *nâga*. Protégé par la 2e enceinte, le sanctuaire, précédé de deux bibliothèques, comptait originellement cinq *prang* placés en quinconce (trois devant et deux derrière) avant que la tour centrale représentant le mont Méru ne s'écroule. Le lingam retrouvé au cœur du sanctuaire, tout comme l'important linteau de la tour nord-est figurant Shiva et Uma sur le taureau Nandin ont permis d'établir que Muang Tham était dédié à Shiva.

– Face au côté est du temple, avant le parking, un *Visitor Center* marque l'entrée d'une esplanade bordée de magasins de souvenirs. Petits restos au fond.

– Si vous voulez rejoindre *Ban Kruat* et *Prasat Ta Muan*, prenez la petite route garnie de nids-de-poule qui quitte le site par l'angle sud-ouest.

➤ *AUTRES TEMPLES DANS LES ENVIRONS*

Prasat Ta Muan – ปราสาทตาเหมือน : *à env 80 km au sud de Surin. Transport public* : songthaews *peu nombreux et irréguliers depuis Prasat ou Prakhon Chai (si vous venez de Nang Rong) jusqu'au village de Ban Ta Miang (sur la route de Kap Choeng, 20 km à l'est de Ban Kruat), puis affréter une moto-taxi (12 km de petite route bitumée). Motorisé : plus simple, louer une voiture à Surin ou une moto à Nang Rong, par exemple. Tlj 6h-17h. Entrée libre.*

Cet ensemble de ruines à la lisière du Cambodge constitue une excursion excitante. Elle peut être couplée avec Phanom Rung, à 60 km au nord-ouest de là, par des routes correctes et peu fréquentées.

Malgré les aménagements récents – le bitume a remplacé la piste et les vestiges ont été dégagés de leur fouillis végétal –, le cadre sauvage et le faible nombre de visiteurs distillent toujours un parfum de découverte... La région fut l'un des derniers bastions des Khmers rouges. Aucun danger, à condition de ne pas s'aventurer en forêt (mines non désamorcées).

On pense que les ruines remontent au règne du dernier grand roi de l'Empire khmer, Jayavarman VII (fin XIIe-début XIIIe s). Il édifia Angkor Thom et imposa le bouddhisme Mahayana (Grand Véhicule) comme religion d'État, dont l'idéal de compassion peut expliquer la construction de ces hôpitaux et auberges destinés aux pèlerins.

Après 8 km sur la petite route d'accès, un contrôle policier puis des chicanes et campements militaires, en général désertés.

– **Prasat Bai Khlim** – ปราสาทใบคลีม : *3 km après le contrôle, dans une petite clairière sur la gauche.* Ancienne chapelle en latérite pour les voyageurs et pèlerins de l'auberge voisine depuis longtemps disparue. Architecture intéressante, mais peu d'intérêt figuratif hormis un linteau et une série de colonnes ajourées sur la façade est.

– **Prasat Ta Muan Thot** – ปราสาทตาเหมือนทศ : *200 m plus loin, sur la droite.* À nouveau une ancienne chapelle, celle d'un hôpital lui aussi évanoui. Il ne reste aucune décoration, sinon deux ou trois volutes, mais les vestiges entourés de végétation sont fort jolis.

– **Prasat Ta Muan Thom** – ปราสาทตาเหมือนธม : *1 km au-delà.* De loin le plus impressionnant des trois. Orienté nord-sud, il devait jalonner la voie reliant Phimai à Angkor. Composé d'un sanctuaire central, de deux tours au nord et de deux bâtiments en aile. Le *prang,* bâti autour d'un lingam taillé à même la roche – remarquer la rigole de pierre par laquelle s'écoulait l'eau de ses « ablutions » rituelles – présente encore de belles décorations : volutes de fleurs, serpents-*nâga*, motifs géométriques. Malheureusement, tous les linteaux et frontons sculptés ont disparu, arrachés de force (parfois à la dynamite) par les Khmers rouges.

SURIN – สุรินทร์   40 000 hab.   IND. TÉL. : 044

Cette modeste capitale provinciale située à 450 km de Bangkok est célèbre pour son rassemblement annuel d'éléphants. Pas loin de 200 pachydermes participent à cette fête, exécutant parades, exercices de force, etc., sous le

regard amusé de milliers de badauds. Le spectacle est aussi et surtout dans la rue. Les éléphants s'arrêtent aux feux rouges au milieu des cyclopousses et s'aspergent dans les embouteillages. Les 363 autres jours de l'année, Surin, agréablement calme et reposante, constitue une excellente base pour visiter les ruines khmères.

Au-delà des seuls vestiges archéologiques, la culture et l'artisanat local sont également teintés d'influences cambodgiennes, renforcées par des migrations dont la plus récente eut lieu à l'époque maudite des Khmers rouges.

LES SUAY, CES MYSTÉRIEUX CORNACS

Cette ethnie également appelée *Kui* exerce un monopole sur le dressage des éléphants, avec lesquels elle semble avoir établi une véritable symbiose. L'origine exacte de ce peuple qui parle un langage à la fois différent du thaï et du khmer reste un mystère. Probablement venus d'Inde, les Suay fondèrent un royaume au Cambodge avant que les Khmers ne les forcent à migrer au Laos, pays où on les trouve encore aujourd'hui, notamment dans la province d'Attopeu et la région de Champassak. Entrés en Thaïlande au début du XVIIIe s par la région de Khong Chiam, ils finiront par gouverner Surin jusqu'au début du XXe s. Leur religion, un intéressant mélange de bouddhisme et d'animisme, incorpore des rituels liés à leurs imposants compagnons.

Arriver – Quitter

En bus

🚌 *Gare routière* (plan B1) : *près de l'hôtel* Thong Tarin, *dans le centre. Ts départs.*
➢ *Bangkok :* 6h-13h, ttes les heures puis vers 21h30 ; env 420 km, 8h de route ; prévoir 250-500 Bts (5-10 €) selon type de bus. Depuis Bangkok (terminal Mo Chit), horaires similaires.
➢ *Khorat (Nakhum Ratchasima) :* voir cette ville.
➢ *Ubon Ratchatani :* voir cette ville.

En train

🚆 *Gare ferroviaire* (plan A1) : *au nord de la ville, pas loin de la station des bus.*
➢ Les 7 trains/j. de la ligne *Bangkok-Ubon Ratchathani* desservent Surin et permettent aussi de rejoindre des sites à proximité de la voie ferrée (voir « Dans les environs de Surin »).

Passer au Cambodge

Pour les dernières évolutions, on peut se renseigner auprès de *Saren Travel* (voir « Adresses utiles »). Ceux qui lisent l'anglais pourront aussi consulter la page « Cambodia Overland » sur le site ● *talesofasia.com* ●

➢ *Chong Chom-O'Smach –* ด่านช่องจอม (district de Kap Choeng – ตำบลคาบเชิง) : *à 70 km au sud de Surin.* Pour aller au poste-frontière : minivan depuis la gare routière, 6h-16h30, env ttes les heures ; 1h30 de trajet ; env 60 Bts (1,20 €). **Attention :** pas de visa délivré à la frontière et route cambodgienne n° 68 en mauvais état.

➢ **Chong Sa Ngam-Anlong Veng** – ช่องสะ งำ อำเภอ อันลองเวง : *à 120 km env au sud-est de Surin.* Route cambodgienne n° 67 bien meilleure et visa délivré à la frontière. Pas encore de service régulier de transport depuis Surin. Location de voitures jusqu'à la frontière possible chez *Saren Travel* (compter 1 200 Bts, soit 24 €) ou *Farang Connection.*

Adresses utiles

■ **Banques :** *guichet de change lun-ven 8h30-15h30 et distributeurs automatiques de billets auprès de **Bangkok Bank** (plan A1, 2),* en face de Surin Sangthong Hotel, *et **Siam Commercial Bank,** Thanon Jitbumrung (plan B1, 3). Également un distributeur devant* Thong Tarin Hotel *(voir « Où dormir ? »).*
@ **Internet** *(plan B1, 1) :* en face de *l'esplanade du* Thong Tharin Hotel, *24h/24, prix modique.*
■ @ **Farang Connection** *(plan B1, 4) : entre Thanon Sirirat et la station des bus, côté sud de la place-parking.* ☎ 511-509. ● *farangconnection.com ● Loc de voitures et de motos : prévoir 1 200 Bts/j. (24 €) pour 1 voiture et 200 Bts/j. (4 €) pour 1 moto. Accès Internet : un peu plus cher que le précédent, mais meilleurs ordis.* Comme le nom l'indique, un lieu de ralliement et de services pour toute une foule de *farang* installés dans le coin. Pub et resto préparant une cuisine occidentale passable.
■ **Pirom-Aree's House** *(hors plan par A1, 6) :* voir « Où dormir ? ». *Excursions à partir de 1 400 Bts/j. par pers (28 €) tt compris sur une base de 4 pers.* M. Pirom, ancien travailleur social et guide touristique à l'anglais impeccable, est un personnage très intéressant et cultivé. Connaissant la région et ses habitants comme sa poche, il organise des excursions en voiture (dont une Land Rover châssis long *vintage* !) pour

1 à 6 personnes, en direction des ruines khmères ou des villages alentour. Également des tours à la demi-journée ou de 2 jours avec hébergement. Difficile de trouver meilleure façon d'appréhender le patrimoine de la région. Documentation et commentaires particulièrement riches.
■ **Saren Travel** – สะเริน ทราเวล *(plan B2, 7) : à l'angle des Thanon Lak Muang et Thesaban.* ☎ 520-174. ● *sarentour@hotmail.com ● Lun-sam 8h30-18h, dim 9h-12h.* Petite agence sympathique managée par Oun, une jeune patronne anglophone bien disposée à l'égard des budgets routards et qui donne des infos (si elle en a le temps !). Réservation d'hôtels, de billets d'avion et de places pour le Festival des éléphants. Location de voitures avec ou sans chauffeur et guide (prévenir à l'avance). Excursions vers les temples khmers ou les environs de Surin et circuits courts *(2-3 j.)* pour Siem Reap.
⊛ **Magasins de soieries et cotonnades :** *plusieurs enseignes en face de la gare routière (plan B1), sur Thanon Jitbumrung. Des ambulants aussi.* Nong Yin *nous a été recommandé pour la qualité et les prix. Voir aussi « Dans les environs de Surin ».*
⊛ **Marché de la ville** *(plan A1) : côté nord de Thanon Krungsrinai, section ouest.* Bat son plein le matin de 5h à 7h.

Où dormir ?

Attention ! Il est très difficile de trouver une chambre à l'occasion du Festival. Réservation impérative.

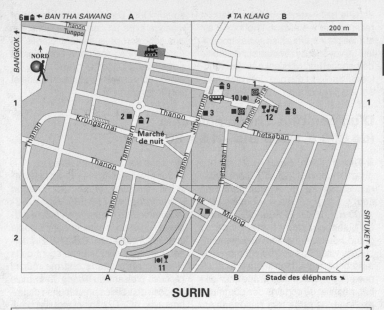

SURIN

- **■ Adresses utiles**
  - 🚍 Gare routière
  - 🚆 Gare ferroviaire
  - @ 1 Internet
  - 2 Bangkok Bank
  - 3 Siam Commercial Bank
  - @ 4 Farang Connection
  - 6 Pirom-Aree's House
  - 7 Saren Travel

- **🛏 Où dormir ?**
  - 6 Pirom-Aree's House

- 7 Surin Sangthong Hotel
- 8 Thong Tarin Hotel
- 9 Surin Majestic

- **|●| 🍷 ♩ ♫ Où manger ? Où boire un verre ? Où sortir ?**
  - 10 Sumrub Tornkruang Restaurant
  - 11 Larn Chang
  - 12 Beer Garden

De très bon marché à prix moyens (de 120 à 500 Bts – 2,40 à 10 €)

🛏 **Pirom-Aree's House** – ภิรมย์–อารี ย์ เฮ้าส์ สุรินทร์ *(hors plan par A1, 6) : après la voie ferrée, tourner à gauche dans Thanon Tungpo (direction le village des tisserandes) et, après env 600 m, dans la petite allée à gauche (panneau). Prévoir 50 Bts (1 €) en tuk-tuk (les chauffeurs connaissent).* ☎ 515-140. ▯ 089-355-41-40. *Résa conseillée. Simple (petit lit 1 pers) et double sans sdb, respectivement 120 Bts et 200 Bts (2,40 et 4 €). Dans la maison familiale (mieux) ou un bâtiment adjacent, cham-* bres spartiates mais très propres et typiques (cloison et parquet de bois). 3 salles de bains, jardin et petite salle café-resto. Mme Aree reçoit avec le sourire, tandis que M. Pirom organise toute une série d'excursions recommandées (voir « Adresses utiles »).

🛏 **Surin Sangthong Hotel** – สุรินทร์แ สงทอง โฮเต็ล *(plan A1, 7) : 279 Thanon Tannasarn.* ☎ 512-009. *Doubles avec sdb 150-500 Bts (3-15 €). Les petites villes du pays abondent en restos et hôtels involontairement rétros, mais ici,* dans le hall « atmosphérique » faisant réception et restaurant, l'horloge s'est arrêtée pour marquer les *sixties* tropicales. Le voyageur y rêvasse sur de drôles de banquettes, rafraîchi par des ventilos qui tutoient l'éternité. Très bien, mais est-ce une bonne adresse, direz-vous ? Oui ! Dans un contexte net et managé avec un certain panache, les prix sont scrupuleusement étagés en fonction de l'équipement. Dans l'ordre grandissant : 1 ou 2 grands lits, TV câblée ou pas, eau chaude ou froide et ventilo ou clim'.

D'un peu plus chic à plus chic (de 800 à 1 300 Bts – 16 à 26 €)

🛏 *Thong Tarin Hotel* – โรงแรมทอ งธารินทร์ *(plan B1, 8)* : 60 Thanon Sirirat. ☎ 514-281/8. ● thongtarinotel. com ● Selon affluence, doubles 800-1 300 Bts (16-26 €). Petit déj compris. La blancheur des 12 étages de ce grand hôtel central domine sans difficulté la ville. Plus de 200 chambres de taille généreuse, bien tenues et équipées (frigo, baignoire). L'âge mûr des bâtiments et de certains des communs explique les tarifs très raisonnables. Piscine, cafétéria et restos. Plutôt sympa, c'est une bonne adresse.

🛏 *Surin Majestic* – โรงแรมสุรินทร์ มาเจสติก *(plan B1, 9)* : 99, Thanon Jitbumrung. ☎ 713-980. Fax : 713-979. Immeuble moderne en V de 4 étages, au nord de la gare routière. Double avec sdb à partir de 800 Bts (16 €). Internet. Établissement le plus récent de la ville, il n'offre pas le charme mûr ni l'accueil plaisant du *Thong Tarin* mais propose de solides prestations : chambres avec AC, TV câblée, mobilier neuf, balcon, piscine généreuse. Petit resto.

Où manger ? Où boire un verre ? Où sortir ?

Bon marché (de 100 à 200 Bts – 2 à 4 €)

🍽 *Marché de nuit* – ตลาดกลางคืน *(plan A1)* : Thanon Krungsrinai, section est. Tlj 18h-22h. Marché animé et mixte, composé d'une rangée de nombreux étals appétissants et d'une autre de fringues et babioles. Comme d'habitude, on y mange très bien et pour trois fois rien, de quasiment tout ce que la Thaïlande et l'Isan ont à offrir : épicé, doux, aigre, salé ou sucré... C'est aussi une sortie pittoresque. Pour les noctambules, des restos de rue restent ouverts après minuit devant le marché de la ville (voir « Adresses utiles »).

Prix moyens (de 200 à 400 Bts – 4 à 8 €)

🍽 *Sumrub Tornkruang Restaurant* – ร้านอาหารสำรับต้นเครื่อง *(plan B1, 10)* : entre la gare routière et Thanon Sirirat, côté nord de la place-parking. ☎ 515-015. Certains soirs, chanteuses à partir de 20h. Décor rétro : pendules européennes à l'ancienne, lampes de mineurs arrangées en lustres et postes radio première génération. Nourriture thaïe parfumée et agréablement présentée.

🍽 *Larn Chang* – ร้านอาหารพื้นเมือ งลานช้าง *(plan A2, 11)* : 199 Thanon Siphathai Saman. Au sud-est des vestiges de douves. Tlj 10h-minuit. ☎ 512-869. Plats 40-180 Bts (0,80-3,60 €). Pas si éloigné qu'il n'y paraît et pourtant déjà bien au calme et rafraîchissant. Maison de bois désossée de ses cloisons, entourée d'une terrasse-jardin au mobilier de bambou. Menu en anglais. Large choix de cuisine thaïe-*isan* pour tous les budgets : plats servis sur riz, salades *yam, laap, nam prik* (préparation très épicée où l'on trempe des légumes crus), sautés et poissons dont une suggestion, le « *Grilled Nile Tilapia with salt* » (passé au barbecue après avoir été enduit d'une croûte de sel). Boissons et bières pas chères.

🍷 🎵 🎶 *Les bars et discos à proximité*

du Thong Tarin Hotel (plan B1) : le *Beer Garden (plan B1, 12)* sur l'esplanade-parking de l'hôtel, ambiance musicale sirupeuse tous les soirs. Dans l'allée, à un bloc au nord, par Thanon Sirirat, plusieurs restos-bars et aussi des boîtes de nuit à la thaïe, d'atmosphère allant du bon enfant *(sanuk !)* au plus canaille.

Le Festival annuel des éléphants

Ts les ans, 3e sem de nov : 16h-minuit (foires et animations), w-e 8h30-11h30, « Elephant Show ». ● surin.go.th ● *Résa conseillée de l'hébergement, voire des places ; s'adresser à* Pirom *ou* Saren Travel *(voir « Adresses utiles »).*
Première étape, l'arrivée des éléphants dans la ville après 2 jours de marche. À cette occasion, une petite cérémonie de présentation est organisée face à la gare routière. Ferveur populaire au rendez-vous. Ensuite ont lieu les démonstrations officielles dans le stade *(hors plan par B2 ; entrée : 200-800 Bts, soit 4-16 €)*. Plus spectaculaires mais aussi moins spontanées, c'est le temps fort du festival. Au programme : un exercice de manipulation de billes de bois, une parodie de la célèbre bataille d'Ayutthaya où les éléphants serviront de chars d'assaut contre les Birmans, et le très attendu match de football. Il est conseillé de se lever tôt pour suivre la procession des pachydermes à travers la ville, les voir se goinfrer des douceurs préparées par les habitants, avant de rejoindre l'arène.
Évidemment, ce festival est aussi l'occasion de faire une promenade à dos d'éléphant. Préférer celles en villes, plus palpitantes, aux 5 petites minutes dans le stade.

➤ DANS LES ENVIRONS DE SURIN

🐘 *Ta Klang, le village des éléphants* – หมู่บ้านช้างท่ากลาง *: à 58 km au nord de Surin. Bifurcation sur la route n° 214 après 15 km, au niveau de Nong Tat.* Attention, si les villageois possèdent un nombre important d'éléphants (le chef en a sept), les pachydermes ne sont là en nombre qu'après les récoltes, de novembre à décembre. Le reste du temps, leurs cornacs les emmènent dans de grandes vadrouilles foraines qui leur attirent à la fois les foudres des municipalités, de la police routière (malgré le catadioptre installé sur la queue !) et celles des amis des bêtes. Parfois cependant, le week-end, des réunions et petits shows sont organisés à Ta Klang. Se renseigner auprès de M. Pirom ou *Saren Travel* (voir « Adresses utiles »).

🐘🐘 *Le village des tisserandes de Ban Tha Sawang* – หมู่บ้านทอผ้าไหมบ้านท่าสว่าง *: à 7 km à l'ouest de la ville, par la route n° 3009. Prendre l'allée à gauche (panneau Otop), en face de celle menant au Wat Sammakee.*
Tout l'Isan est réputé pour sa production de soie, qui tire à la fois profit des sols propices à la culture des mûriers et de la minutie d'excellentes tisserandes. La province de Surin se distingue par la variété et la spécificité des motifs, souvent des *mutmee* (étoffe de type *ikat,* où la trame précolorée dessine le motif après tissage), d'origine cambodgienne.
Il faut être accompagné d'un guide (voir « Adresses utiles ») pour avoir un aperçu et comprendre tout le processus, depuis l'élevage du ver à soie jusqu'aux différents types de métiers à tisser. Toutefois, la visite de ce village est facilement envisagea-

ble en solo. Dans une grande bâtisse de bois sur pilotis, les plus habiles tisserandes produisent les sarongs qui ont fait la réputation internationale du village, depuis qu'ils furent portés lors d'une réunion de l'Apec. Ils doivent être commandés longtemps à l'avance et coûtent à partir de 35 000 Bts (700 €) le mètre ! Un prix à l'aune de leurs qualités : fils recouverts d'argent et d'or, quatre tisserandes sur le même métier (dont une à l'étage inférieur !) et plus de 500 niveaux de trames. Tout autour, des espaces de vente plus démocratiques pour se consoler : compter à partir d'environ 200 Bts (5 €) le mètre de soie unie et 1 500 Bts (40 €) pour un beau sarong coloré. Autre village de tisserandes : Ban Khwao Sinarin (voir aussi ci-dessous) et Ban Janrom.

🏶 *Les villages du travail de l'argent :* à 14 km au nord de Surin par la n° 4 puis la n° 3036 vers l'est (panneau). Ban Khwao Sinarin, Ban Chok et Ban Sado, proches les uns des autres, sont réputés dans tout le pays pour la qualité de leurs bijoux en argent.

🏶🏃 *Prasat Sikhoraphum* – ปราสาทศรีขรภูมิ *: env 20 km à l'est de Surin par la route n° 226. Dans la ville du même nom : en regardant la gare ferroviaire, partir vers la droite, traverser un carrefour et continuer vers la tour métallique. De nombreux bus bus ainsi que 3 trains par jour font étape dans ce bourg. Tlj 7h30-18h. Entrée : 30 Bts (0,60 €).* Entouré d'un étang en forme de U (ancien bassin sacré), le *prasat* est composé de cinq tours comme à Angkor, une disposition très rare, réservée aux temples d'État. Sa construction, commencée au XIIe s par les Khmers, ne fut achevée qu'au XVIe s par les Laotiens. La qualité de la pierre (grès rose aux tons chauds) et des sculptures décoratives font de ce temple une petite merveille.

🏶 *Prasat Kamphaeng Yai* – ปราสาทกำแพงใหญ่ *: 40 km à l'est de Sikhoraphum, par la route n° 226. Prendre un bus pour Si Saket ou Ubon et descendre à Utum Phonphisai, 27 km avt Si Saket. Embranchement pour Kamphaeng Yai sur la droite (indiqué), juste après avoir traversé la voie ferrée.* Construit au XIe s en l'honneur du dieu Shiva, ce temple khmer de style *papuan* fut converti au culte bouddhique deux siècles plus tard. Ses vestiges sont aujourd'hui « emprisonnés » dans l'enceinte d'un temple moderne. Le contraste entre le *prasat* et le nouveau *wat*, clinquant de moulages modernes et vaniteusement élevé, incite à la réflexion... D'est en ouest, deux bibliothèques précèdent les trois *prang* centraux faits de grès rose et de brique. Alignés perpendiculairement à l'axe et partageant la même base, ils sont décapités mais portent encore nombre de belles sculptures. À l'arrière, côté sud, un bâtiment esseulé. L'ensemble est entouré d'une galerie massive percée des habituelles *gopura*. Petit stand où l'on peut se désaltérer et manger une soupe.

PRASAT KHAO PREAH VIHARN – ปราสาทเขาพระ วิหาร

IND. TÉL. : 045

Situé dans la chaîne frontalière des Dangkrek, en territoire cambodgien, à 100 km au sud d'Ubon via Kantharalak. Les allures de forteresse de ce sanctuaire de grès jaune noirci par les siècles, grimpant à l'assaut d'une colline sacrée depuis des temps immémoriaux, pour culminer à 640 m d'altitude comme une nef tournée vers Angkor, font de cette visite un moment i-nou-bli-able. Mystérieux joyau de l'art khmer, Khao Preah Viharn fut construit sur une période d'environ 200 ans, entre les Xe et XIe s. Des inscriptions indiquent qu'il fut consacré à Shiva. Certaines parties se sont complètement écroulées, mais, malgré les pillages contemporains, de nombreux linteaux et frontons subsistent alors que des travaux de restauration ont sauvé l'essentiel. Ce mélange ne fait qu'ajouter à la violence évocatrice du lieu.

Par le passé, le site fut régulièrement fermé aux visiteurs. D'abord parce que la souveraineté du *prasat* n'a été établie qu'en 1962 par un jugement de la Cour internationale de justice à l'avantage du Cambodge – ce que les Thaïs ont mal accepté (voir les diverses brochures touristiques). Puis, à cause des Khmers rouges qui firent de cette zone isolée un de leurs derniers bastions jusqu'à la fin des années 1990. Aujourd'hui, après une rechute frontalière de 2001 à 2003 puis en 2008, le *Preah Viharn* se visite assez facilement et – normalement – sans aucun danger depuis la Thaïlande, via un parc national portant le même nom. Mais mieux vaut se renseigner avant ! Précisons aussi que le temple reste difficile à atteindre depuis le reste du Cambodge. Siem Reap et Angkor sont à 250 km de piste de là, soit au moins 6h de route en véhicule 4x4, malgré de récentes améliorations.

Arriver – Quitter

➤ *Ubon-Kantharalak-Khao Preah Viharn :* bus Ubon-Kantharalak, 6h-17h, ttes les 20 mn dans les 2 sens ; 64 km, 1h de trajet ; 50 Bts, soit 1 €. À partir de *Kantharalak,* liaisons irrégulières en *songthaew* avec le village de *Phum Sarom* (50 Bts, soit 1 €, 45 mn de route) qui est à encore 11 km supplémentaires du site (env 200 Bts, soit 4 € l'aller simple en moto-taxi ou *tuk-tuk*). Mieux, chartériser à *Kantharalak* une moto ou une voiture directement jusqu'au site : prévoir respectivement 500 et 800 Bts (10 et 16 €) l'aller-retour (avec attente le temps de la visite).

➤ *Si Saket et autres villes de l'ouest (Surin, Nakhon Ratchasima) :* rejoindre d'abord Kantharalak. Liaison Si Saket-Kantharalak : ttes les 30 mn dans les 2 sens, 60 km. Fréquences similaires depuis les autres villes de l'ouest.

Où dormir ? Où manger ?

Kantharalak – กันทรลักษณ์, légèrement au sud de la route n° 24 Ubon-Khorat, est la petite ville la plus proche du **Khao Preah Viharn** (37 km par la n° 221). On y trouve des transports pour organiser l'excursion, une banque avec distributeur de billets et une station de bus suffisamment active.

🛏 *Kanthalak Palace Hotel* – โรงแรม นินทรลักษ์ พาเลช *: rue principale de Kantharalak.* ☎ 635-157. *Doubles avec sdb 300-550 Bts (6-11 €).* Chambres ventilées ou AC dans une construction de plain-pied située dans l'arrière-cour, ou mieux (à partir de 450 Bts, soit 9 €), dans le corps de l'hôtel. Dans ces dernières, vieillottes et peu guillerettes – tout comme l'ensemble – , tenue et équipement corrects (frigo et clim'). Les VIP disposent d'un grand et d'un petit lit. Le patron, serviable, parle suffisamment l'anglais pour vous aider à louer moto ou voiture jusqu'au *prasat.*

🍽 *Resto et marché :* en sortant du *Kanthalak Palace Hotel,* honorable resto sino-thaï avec terrasse juste en face. Depuis ce dernier, marcher vers la gauche pour trouver, après une intersection, plusieurs gargotes à même le trottoir (soupes, riz avec viande) et, sur une allée transversale, un marché d'alimentation (fruits, desserts, viandes, poissons) parfait pour préparer un pique-nique sur site.

🍽 Dans le parc, rangée de *gargotes* en face du *Visitor Center.*

Visite

– *Visa cambodgien inutile.*

– *Tlj 8h-18h, plus d'entrée après 16h. Formalités et droit d'entrée : 200 Bts (4 €) pour le parc national thaï (au checkpoint) ; photocopie du passeport au poste de contrôle thaï, obtention d'un pass (5 Bts, soit 0,10 €) à conserver ; paiement du droit d'entrée cambodgien 200 Bts (4 €) ou 5 US$ (plus intéressant).*

– **Essayer d'arriver le plus tôt possible sur le site afin d'éviter la foule, notamment le week-end.**

– **Attention, ne pas trop s'éloigner des sentiers** en raison des mines encore enfouies sous terre !

– *Visitor Center : au niveau du parking, côté thaï.* Maquette du *prasat* et panneaux explicatifs. Rien de semblable côté cambodgien.

Similaire par sa structure et son style au *Prasat Phanom Rung*, *Khao Preah Viharn* s'étage sur un plateau incliné qui se termine par une falaise abrupte d'où l'on domine superbement la plaine cambodgienne. Par beau temps, la vue porte jusqu'à Angkor ! Le relief définit l'orientation nord-sud du sanctuaire, dont l'ascension revêt un parfum initiatique.

Un long escalier (assez raide) de plus de 150 marches mène à la 1re *gopura* (porte-pavillon), de taille modeste et de plan cruciforme. Le drapeau cambodgien flotte au-dessus des poutres écroulées. Puis vient la première chaussée, longue de 320 m. En pente douce et bordée de lingams, elle se termine par la volée de marches raides (noter le réservoir sur la gauche) de la 2e *gopura*. À la sortie, retournez-vous pour contempler le remarquable fronton représentant le mythe hindou de la création. Une nouvelle voie longue de 220 m conduit à *Mahamandira,* la 3e *gopura*, qui, avec ses deux ailes, forme un vaste périmètre rectangulaire d'axe transversal. Nombreux frontons sculptés dont un, exquis, représentent Uma et Shiva. Reste alors 50 mètres magiques à parcourir et la 4e *gopura* à traverser pour pénétrer dans le sanctuaire central, le *Bhavalai*.

Ce saint des saints est entouré d'une enceinte rectangulaire de 90 m de long qui est entièrement close côté sud, à une dizaine de mètres seulement de la falaise. Intention délibérée afin d'éviter aux moines d'être distraits par le panorama, dit-on... À l'intérieur, face à vous en entrant, un fronton peu commun représente Shiva chevauchant un éléphant. Dans le *prang* abritant autrefois le lingam de Shiva, de jeunes moines gardent une effigie de Bouddha. Tout autour, un impressionnant éboulis de colonnes, de pierres et de frontons parfois à demi fichés dans le sol.

➤ *DANS LE PARC ET SES ENVIRONS*

🏃 *Dans le parc national thaï :* on se demande s'il n'a pas principalement été créé pour que le Siam tire sa part du gâteau. Ceux qui ont le temps pourront quand même apprécier, par un sentier fléché depuis le *Visitor Center* puis une volée d'escaliers descendant à flanc de falaise, un bas-relief datant peut être du IXe s, ce qui en ferait le plus vieux de Thaïlande. À voir encore, pour les fans : *Prasat Don Tuan (1 km après le péage thaï, puis 4 km par une bifurcation sur la gauche),* une ruine dont il ne reste qu'un *prang,* ainsi que des forêts et cascades *(juin-nov).*

🏃 *Wat Lan Kuad* – วัดล้านขวด *: à env 20 km à l'ouest de Kantharalak, dans le bourg de Khun Han* – อำเภอขุนหาญ, *sur la n° 2111. Desservi par des bus et songthaews. Entrée gratuite, faire une donation. Ou apporter un carton de belles bouteilles vides...* À 1 km au nord-ouest d'un rond-point de la taille d'un terrain de football – il y en a d'ailleurs un au milieu ! –, le « temple des millions de bouteilles » est officiellement appelé *Pa Maha Chedî Kaeo* sur les plans. Visite décalée de ce lieu complètement dingo. *Bot*, *vihara*, *chedî*, crématorium et le flambant neuf *Ho Trai* (hall des écritures, posé au milieu d'une pièce d'eau) sont entièrement construits d'un amalgame de béton et de bouteilles de verre. On a même trouvé une bouteille de cognac bien de chez nous ! À vous de chercher.

RIEN NE SE PERD, TOUT SE TRANSFORME

Murs, balustrades, sols et toitures, tout y passe dans ce Wat Lan Kuad, « temple des millions de bouteilles », sans oublier les capsules, qui servent à composer quelques pieuses mosaïques. La vision qu'eut le moine fondateur, il y a une quinzaine d'années, d'un sanctuaire entièrement fait de verre, puis son pragmatisme, sont à l'origine de cette célébration en tout bien tout honneur de la dive bouteille. Le plus fou, c'est que le nombre ne semble pas exagéré !

LE NORD-EST

LE SUD : ITINÉRAIRE BANGKOK – HAT YAI

Dans cette partie de la Thaïlande, frontalière avec le Myanmar et la Malaisie, on vient surtout pour le sable blanc, le soleil et la mer turquoise. Ici, pas ou peu de vieilles pierres, mais des milliers de plages ourlées de cocotiers, réparties sur le continent et les centaines d'îles du golfe de Siam et de la mer d'Andaman. Les parcs nationaux, terrestres ou maritimes, sont nombreux. Malheureusement, leur réglementation est souvent appliquée de façon très laxiste… De nombreux chapelets d'îles en font partie, comme *Ko Phi Phi, Ko Lanta* et *Ko Tarutao* ; idem pour beaucoup de coins où l'on trouve des cascades (certaines sont superbes, comme celles de *Hat Yai*) ou des poches de forêt équatoriale miraculeusement préservées telles que Khao Sok.

Le sud de la Thaïlande concentre certains hauts lieux du tourisme sexuel, on pense à Pattaya bien sûr mais aussi à Patong (île de Phuket) ou encore à Lamai (Ko Samui). Le mal semble endémique et est probablement en progression. Il est cependant très facile d'éviter les zones « infectées » qui sont groupées comme de véritables ghettos.

Ceux qui aiment la plongée sous-marine, tout comme les adeptes du *snorkelling* (nage avec palmes et tuba), découvriront de nombreux spots peuplés de coraux magnifiques, de poissons multicolores, et d'autres superbes « bestiaux » à dentition de taille très respectable !

DE HUA HIN À SURAT THANI

HUA HIN – หัวหิน
IND. TÉL. : 032

Située à 230 km de Bangkok, Hua Hin est la plus ancienne station balnéaire de Thaïlande. Sa grande plage de sable blanc où l'on se baigne sans danger est autant fréquentée par les Thaïs que par les *farang*. Le charme de Hua Hin est dû à quelques antiques baraques de pêcheurs, notamment celles qui se prolongent sur la mer par des pontons à rallonge. Servant autrefois à sécher les *pla muk* (calamars), elles ont été transformées depuis en pittoresques restaurants ou pensions, mais tous leurs empiètements devraient bientôt être démolis, malgré une longue bataille juridique. Cela permettra de dégager une véritable plage face à la ville, même si celle-ci existait déjà à quelques centaines de mètres de là !

À l'exception d'une adorable vieille gare tout en bois, le reste de Hua Hin est composé de buildings modernes et de restos et marchés très touristiques. L'ambiance, restée relativement familiale et bon enfant, explique pourquoi ce village de pêcheurs devenu station balnéaire demeure une étape populaire pour les routards en partance vers le sud, ou, pour d'autres voyageurs, l'occasion d'un rapide saut à la mer pas loin de la capitale.

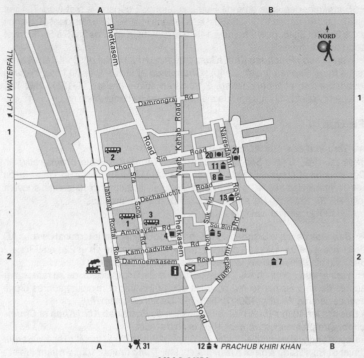

HUA HIN

■ **Adresses utiles**

🚂 Gare ferroviaire
🛈 TAT
✉ Poste
🚌 1 Terminal des bus AC pour Bangkok
🚌 2 Terminal des bus ordinaires
🚌 3 Terminal des bus AC pour le Sud
4 Hua Hin Polyclinic

🏠 **Où dormir ?**

5 Ban Boosarin Hotel

7 Sofitel Central Hotel
8 All Nations
11 Pattana Guesthouse
12 Thipurai Guesthouse
13 Fulay Guesthouse et Hotel

🍽 **Où manger ?**

20 Sang-Thai King Seafood Restaurant
21 Moonsoon

🎭 **À voir**

31 Combats de coqs

Arriver – Quitter

Les horaires ci-dessous, donnés à titre indicatif, s'entendent dans les deux sens, quotidiennement et selon les mêmes fourchettes horaires, sauf mention contraire.

En train

🚂 **La gare ferroviaire** *(plan A2) :* ancienne et pittoresque, équipée d'une | réservation électronique, elle vaut vraiment le coup d'œil... Consigne 24h/24.

➤ **Bangkok :** depuis la gare de Hua Lamphong, 2 départs le mat (vers 7h45 et 9h20), puis 10 départs 13h-22h50. Dans le sens inverse, 12 trains dont 10 de nuit entre 0h30 et 5h45, puis 2 trains à 14h15 et 15h45. Durée : de 3h15 à 5h de trajet selon type de train.

➤ **Vers le sud : Prachuab Khiri Khan,** 9 départs (1h30 de trajet), dont 6 env s'arrêtent à **Bang Saphan** (trajet : 2h40) ; **Chumphon** et **Surat Thani,** 11 trains (durée respective : 4h et 6-8h) ; **Trang,** 2 trains en soirée (trajet : 11-12h) ; **Hat Yai,** 5 départs (trajet : 13h). La grande majorité des trains circulent de nuit.

En bus

🚌 **Terminal des bus AC pour Bangkok** (plan A2, **1**) **:** Sra Song Rd, entre Dechanuchit et Amnyaysin Rd.

🚌 **Terminal des bus AC pour le Sud** (plan A2, **3**) **:** Sra Song Rd, en face et un poil au sud du terminal des bus AC pour Bangkok.

🚌 **Terminal des bus ordinaires** (plan A1, **2**) **:** Liabtang Rodfai Rd. Desserte de toutes les autres destinations, souvent de manière omnibus.

➤ **Bangkok :** entre le Southern Bus Terminal de Bangkok et le terminal des bus AC de la ville. Une trentaine de départs (ttes les 40 mn) entre 4h et 22h env. Trajet : 3h30. En hte saison, mieux vaut acheter son billet à l'avance.

➤ **Vers le sud :** pour choisir lieu et horaire de départ, judicieux de se renseigner auprès de sa guesthouse ou, pour les bus privés VIP et minibus, auprès d'une agence comme Western Tour (☎ 533-303, Damnoenkasem Rd).

– Bus ttes les 40 mn, tôt le mat, à destination de **Prachuab Khiri Khan** et **Chumphon.** Compter respectivement 1h30 et 4h de trajet.

– Départs principalement entre 9h et 23h pour **Surat Thani** (trajet : 7h), **Ko Samui** (trajet : 11h), **Phang Nga** et **Krabi** (trajet : 9h), **Trang** (trajet : 10h), **Phuket** (trajet : 11h) et **Hat Yai** (trajet : 11h).

Adresses utiles

🛈 **TAT –** ท.ท.ท. (office de tourisme ; plan A2) **:** au croisement des rues Damnoemkasem et Phetkasem. ☎ 511-047. Au rez-de-chaussée de bâtiments municipaux (pas d'enseigne dehors). Tlj 8h30-16h30. Plan de la ville gratuit, liste des hébergements, horaires détaillés des bus en partance et découvertes des environs. Accueil dynamique et compétent.

✉ **Poste –** ไปรษณีย์ (plan B2) **:** Damnoemkasem Rd. Lun-ven 8h30-16h30 ; w-e 9h-12h.

■ **Central téléphonique –** ชุมสาย–โทรศัพท์ **:** juste à côté de la poste. Tlj 8h30-16h30.

@ **Internet et appels internationaux à prix réduits :** boutiques spécialisées ou pas (agences, GH) un peu partout en ville.

■ **Police –** สถานีตำรวจ **:** en face de la poste.

■ **Banques & ATM (distribanques) :** Phetkasem Rd. **Bangkok Bank** et **Kasikorn Bank** se font face au nord du croisement avec Chom Sin Rd, **Siam Commercial Bank** est plus au sud (en face du TAT). Lun-ven 8h30-15h30. Plus pratiques, les guichets de **Bank of Ayudhaya,** dans les rues touristiques Damnoenkasem et Naresdamri, tlj 10h-21h. Ils disposent de distributeurs 24h/24 et proposent le service de transfert d'argent express Western Union.

■ **Hua Hin Polyclinic –** หัวหินโพลีคลีนิค (plan A2, **4**) **:** sur Phetkasem Rd, juste à côté d'une laverie. Consultations tlj 7h30-12h, 16h30-21h.

Où dormir ?

De bon marché à prix moyens (de 250 à 600 Bts – 5 à 12 €)

≜ *All Nations* – ออลเนชั่นเกสท์เฮ้าส์ *(plan B1-2, 8)* : 10/1 Dechanuchit Rd. ☎ 512-747. •*cybercafehuahin@hotmail. com* • Petite *guesthouse* plutôt bien tenue. Chambres avec ventilo ou AC, salles d'eau communes sur le palier (sauf 2 chambres avec bains). Éviter la chambre B, très bruyante (musique du bar plus bruit de la rue). Bar-resto avec billard au rez-de-chaussée.

≜ Autres *guesthouses* bon marché – มีเกสท์เฮ้าส์ราคาถูกมากมายทิบริเวณถนนนเรศดำริ *: dans le quartier de la rue Naresdamri*. Bientôt plus sur la mer (voir intro) mais toujours en nombre dans les ruelles intérieures.

≜ *Pattana Guesthouse* – พัฒนาเกสท์เฮ้าส์ *(plan B1, 11)* : 52 Naresdamri Rd. ☎ 513-393. • *huahinpattana@hot mail.com* • *Résa par e-mail conseillée.* Au fond d'un *soi* (ruelle) calme. Maison de 2 étages en teck centenaire, admirablement rénovée, comprenant 13 chambres ventilées, avec ou sans sanitaires. Tout est impeccable et décoré avec un goût sûr. Cuisine soignée (le midi seulement) et management parfait des proprios hollandais. Excellent rapport qualité-prix, c'est notre meilleure adresse.

De prix moyens à un peu plus chic (de 800 à 1 350 Bts – 16 à 27 €)

≜ *Fulay Guesthouse et Hotel (plan B2, 13)* – โรงแรมฟูเลย์ เกสท์เฮ้าส์ *: 110 Naresdamri Rd.* ☎ 513-145 (GH) et 513-670 (hôtel). •*fulay-huahin.com* • Repeinte récemment d'un bleu et blanc méditerranéens, voici d'abord la jolie *guesthouse*, tout en long sur son mignon ponton agrémenté d'un kiosque et de tables et chaises longues. C'est confortable et bien équipé (AC, TV et eau chaude) et les prix grimpent selon l'avancée. Survivra-t-elle tout ou en partie au ravalement général ? En face, même proprio, un hôtel à la façade de bois proposant une poignée de chambres climatisées au-dessus d'un resto propret. Tout l'assortiment est net, décoré sobrement ou, à l'opposé, débordant vers le kitsch.

≜ *Ban Boosarin Hotel* – โรงแรมบ้านบุษรินทร์ *(plan B2, 5)* : 8/8 Poon Suk Rd. ☎ 512-076. Vastes chambres équipées de tous les gadgets habituels (AC, TV, frigo). Déco soignée, propre. Certaines disposent d'un agréable balcon. Calme garanti.

≜ *Thipurai Guesthouse* – ทิพย์ธุไรเกสท์เฮ้าส์ *(hors plan par B2, 12)* : 113/27-28 Phetkasem Rd. ☎ 532-731. • *thipu rai.com* • *Petit déj inclus.* Un peu excentré, dans un véritable petit quartier de pensions (tout proche du *Royal Garden* et de l'hôtel *Mariott*), à seulement 100 m de la meilleure portion de plage (bar, chaises longues et parasols). Chambres impeccables, spacieuses et bien équipées (AC, frigo et TV satellite). Service stylé. Piscine commune avec les autres hôtels. Si celui-ci est complet, tentez votre chance chez les voisins (prix et services grandement alignés).

Beaucoup, beaucoup plus chic (à partir de 6 000 Bts – 120 €)

≜ *Sofitel Central Hotel* – โรงแรมโซฟิเทลเซ็นทรัล *(plan B2, 7)* : Damnoemka-sem Rd. ☎ 512-021. Résa en France : ☎ 01-46-62-44-40. • *sofitel.com* •

Hôtel construit en 1923, dont l'architecture reflète l'élégance rétro de l'époque. Il servit de décor pour l'ambassade de France à Phnom Penh dans le film *La Déchirure*. Confort impeccable, service attentionné et resto sans faute. Piscine. Grand jardin donnant directement sur la plage, abritant un véritable zoo végétal ! Même si vous n'y dormez pas, il vaut un petit coup d'œil.

Où manger ?

Hua Hin, malgré son développement à l'occidentale, reste comme toute cette côte (affaires à suivre !) un très bon coin pour les poissons et autres fruits de mer. Moins cher et meilleur que sur les îles...

Bon marché (jusqu'à 200 Bts – 4 €)

|●| *Le marché de nuit* – ตลาดกลา ง คืน (ตลาดนัตราไชย ; *Chatchai Market* ; *plan A2*) : *Dechanuchit Rd, à l'ouest de l'intersection avec Phetkasem Rd*. Un grand marché avec toujours autant de sourires que d'étalages ; l'occase d'un bain de foule bien sympa. Poissons frais grillés, brochettes diverses, fruits... Un tas de petits stands de restauration rapide à prix très doux. Aussi, au-delà de Sasong Road, des restos en dur dont les terrasses et stands mangent la rue, comme les renommés (et conseillés) *Hua Hin Sea Food* et *Bird Chilli* (un peu plus chers).

Prix moyens (autour de 300 Bts – 6 €)

|●| *Sang-Thai King Seafood Restaurant* – ร้านอาหารแส่งไทยคิงซีฟู๊ด *(plan B1, 20)* : ☎ 512-144. *Tlj 10h-23h.* Resto-cantoche ressemblant à un hangar, posé sur un ponton où accostent les bateaux de pêche. Poisson d'une fraîcheur absolue. Les plats, présentés en photo sur le menu, sont bien alléchants. À l'entrée, quelques crustacés barbotent dans un vivier... feront-ils le grand saut jusqu'à votre assiette ? Attention, la langouste fait exploser le budget ! Service sympa.

|●| *Les restos pontons de Naresdamri Rd (plan B1-2)* : alignés côte à côte, *Ketsari, Fish, Chao Lay* (un peu usine celui-là) et consorts voient donc l'existence de leurs pontons-terrasses menacée (voir intro). Espérons que ce qui est posé sur la terre ferme survivra. Y aller au feeling, car tous se valent à peu près. Ambiance touristique mais sympa. Cuisine marine et accompagnements toujours honorables, tout comme les prix.

|●| *Moonsoon (plan B1, 21)* : *62 Naresdamri Rd.* ▤ *086-877-78-08. Sur la gauche en remontant la rue vers le nord.* Déco coloniale, élégante, musique *ambient*, serait-ce les prémices du nouveau Hua Hin ? Salle ouverte sur la rue avec mezzanine, se terminant par une petite cour-terrasse bien agréable. Cuisine vietnamo-thaïe assez raffinée. Suggestion : le plateau de dégustation *Moonsoon*.

À voir

🐓🐓 *Les combats de coqs* – ชนไก่ *(hors plan par A2, 31)* : descendre vers le sud la route qui passe devant la gare. Traverser la voie de chemin de fer à la 1re intersection. Les combats ont lieu généralement le samedi.

🐓 Ne pas manquer le retour des pêcheurs dans la nuit...

➤ *DANS LES ENVIRONS DE HUA HIN*

🎥 Balade sympa jusqu'au temple *Wat Kao Kai Lad* – วัดเขาไก่ราช, édifié au bord de l'eau. Prendre un bus en face du *TAT*.

🎥 Plus au nord, on peut visiter le *Klai Kung Wol Palace* – พระราชวังไกลกังวล, palais d'été du roi Prachadipok (Râma VII), construit dans les années 1920 au bord de l'eau.

🎥 *Phetchaburi :* à 130 km au sud de Bangkok et 66 km au nord de Hua Hin. Ceux qui descendent de Bangkok par saut de puce pourront s'arrêter dans la petite ville de Phetchaburi. Très beaux et majestueux, le *sala* de bois et le *bot* aux murs aveugles et aveuglant de blancheur du *Wat Yai Suwannaram* (date du XVIIᵉ s) réjouiront les fans du genre.

Moins spirituelle mais divertissante et exhalant un parfum nostalgique, la colline *Khao Wang* fut transformée en résidence d'été par le roi Râma IV en 1860. Un funiculaire débouche sur son sommet garni de pavillons et coiffé par son ancien palais d'été, le *Phra Nakhon Khiri,* parfaitement représentatif d'un style occidento-thaï qu'aimaient tant les souverains du Siam. Petit musée (meubles et déco d'époque), sentes pavées cheminant dans la verdure vers de curieux *chedî* en belvédères.

🎥 *Les cascades de Pa La-u* – น้ำตกปาละอูในอุทยานแห่ง ชาติแก่งกระจาน : à 63 km, dans le parc national de Kang Krajarn (entrée : 400 Bts, soit 8 €) qui borde la frontière birmane. Pour y faire trempette, pique-nique et éventuellement son petit Tarzan dans la jungle (13 niveaux de bassins, mais au-delà du 3ᵉ, ça devient sportif...). L'idéal, c'est d'y aller à moto : jolie route sans difficulté, peu de trafic. Mieux vaut se grouper pour y aller avec une agence, sinon c'est assez cher.

ENTRE HUA HIN ET SURAT THANI

L'accès est particulièrement facile : une autoroute et une ligne de chemin de fer unique, largement fréquentées par tous les routards qui gagnent le Sud. Vous utiliserez donc sans problème les nombreux bus et trains qui roulent nuit et jour sur ce « grand boulevard du Sud »...

KHAO SAM ROI YOT NATIONAL PARK

🎥🎥 Parc naturel côtier à 60 km au sud de Hua Hin. Accès en songthaews *depuis Pranburi* (entrée nord) ou par le sud, à 36 km au nord de Prachuab Khiri Khan. Entrée : 400 Bts (8 €).

Ceux qui disposent d'un véhicule (tout à fait faisable à moto) devraient suivre la côte via *Pak Nam Pran*. Alternance de plages sauvages et d'excitations immobilières, villas un peu loufoques, anses pleines de bateaux de pêcheurs, guinguettes où goûter leurs prises. Soudain, à l'horizon, tourmentée comme l'échine de quelque dinosaure échoué dans ce vaste marais côtier, s'élève *Khao Sam Roi Yot*, « la montagne aux 300 pics ». Culminant à 600 m d'altitude, ce massif de karst recouvert de buissons, d'arbres nains et de gros cactus n'est toutefois qu'une des attractions du parc. Belles plages de sable, randos vers des points de vue ou des grottes, sentiers éducatifs à travers la mangrove, îlots au large, villages de pêcheurs, voilà les promesses très variées de la plus belle excursion de la région.

Par le nord, rejoindre d'abord le village de *Ban Bang Pu,* d'où un sentier rocailleux escalade un cap rocheux (panorama magnifique) avant de redescendre vers *Laem*

Sala Beach (possible aussi en bateau). Camping ou logement dans des bungalows (réserver avant, voir la rubrique « Hébergement » dans « Thaïlande utile » en début de guide) sur cette plage ravissante, à l'ombre d'une forêt de pins maritimes. Au prix d'une nouvelle grimpette démarrant dans le dos de la plage, raide mais sans difficulté particulière (marches taillées), entrée saisissante dans *Phraya Nakhon Caves*. Ces impressionnantes grottes jumelles, dont les plafonds sont en partie effondrés, abritent un pavillon doré que viennent heurter les rayons du soleil. Atmosphère magique, c'est la photo la plus célèbre de la province.

Au sud, le QG principal du parc : panneaux explicatifs et réseau de sentiers sur pilotis dans la mangrove. On peut y arranger un tour en bateau (environ 2h) à travers une lagune ou, à quelques mètres des bâtiments, attaquer la grimpette sportive (30 mn) menant au point de vue de *Khao Deng*. Le sentier, sauvagement tracé sur les dures arêtes calcaires, débouche sur un « crâne » de roches (vue à 360°). À noter encore, des bungalows privés sur la plage sympa de *Hat Phu Noi*, à l'extérieur du parc proche de l'entrée nord. Gardez votre ticket si vous voulez retourner dans le parc après y avoir dormi.

PRACHUAB KHIRI KHAN – ประจวบคีรีขันธ์ *(Ind. tél. : 032)*

À 80 km au sud de Hua Hin. Cette petite ville endormie sur son bord de mer a le charme des coins authentiques et sans apprêt. Une promenade un peu austère suit le long front de mer incurvé tout comme, à l'arrière, la rue principale encore assez étroite et pittoresque. La gare et les stations de bus sont proches du centre-ville. Face à la mer (pas loin du *Wat Thammikaram*), l'*office de tourisme* (tlj 8h30-16h30) dispose de plans et d'infos très utiles. Bon accueil.

➢ *Pour s'y rendre :* entre Prachuab et Bangkok *(South Terminal),* bus toutes les 90 mn, de 6h à minuit env. Voir sous Hua Hin pour les trains et les bus vers le sud.

Où dormir ?

Prix moyens (de 300 à 900 Bts – 6 à 18 €)

🛏 *Had Thong Hotel* – โรงแรม มหาดท— ๑ง : en ville, pile au milieu de la baie, devant la mer. ☎ 601-050. ● hadthong. com ● Le meilleur hôtel de la ville. Dans un immeuble de 8 étages, un peu fané d'extérieur comme de l'intérieur. Grandes chambres classiques, moquettées. Préférer celles avec vue sur la mer et balcon (2-3 € de plus). Location de scooters juste en face.

🛏 *Bungalows :* entre Khao Chong Krajok et la fourche qui conduit, à droite, au Khao Ta Mong Lai – เขาตาม.ฬองล่าย. Plusieurs petites pensions entre mer et lagune. Bungalows de confort et constructions variables : en bambou ou en dur, ventilé et eau froide ou AC et eau chaude. Ne pas hésiter à en visiter plusieurs avant de se poser.

Où manger ?

Prachuab est réputée dans toute la Thaïlande pour ses poissons et fruits de mer. Goûter absolument au *plaa samli (Cottonfish),* surtout préparé à la mode locale *daet diao.* Le poisson, rapidement séché au soleil, puis tout aussi vite grillé au wok, est servi ouvert en deux avec une salade de mangue verte épicée. Mi-croustillant mi-onctueux, miam ! On trouve ce mets sur toute la côte (et donc aussi à Hua Hin), mais rien ne vaut les spécialistes de la ville.

|●| *Phloen Samut* – เพลินสมุทร : *sur le front de mer, à deux pas de l'hôtel* Had Thong. ☎ 611-115. *Prévoir autour de 200 Bts (4 €) pour son petit festin. Pavillon de bois vert pâle, rafraîchi par* la brise marine et de vieux ventilos. Salle ou terrasse. Calamars, crevettes, crabe, légumes, riz sautés et *plaa samli,* bien sûr. Pas loin, le *Pan Phochana* est un autre favori des locaux.

À voir. À faire

En suivant la promenade vers le nord, rencontre inévitable avec le beau temple *Wat Thammikaram,* perché sur la colline *Khao Chong Krajok* d'où l'on voit les singes sauter et s'égailler dans la rivière. Plus loin, passer des restos et des pensions ainsi qu'une plage très photogénique colonisée par des bateaux de pêcheurs, un parc, le *Khao Ta Mong Lai.*

Toujours le long de la côte, mais cette fois-ci vers le sud (à environ 5 km), la plage déserte d'*Ao Manao* est aussi l'occasion d'une petite excursion. Située dans une base de l'armée de l'air thaïe, il faut franchir les barrières de sécurité (et parfois échanger son passeport contre un carton numéroté), puis la piste d'atterrissage, avant de s'étendre sur le sable chaud, les yeux dans le bleu ! Dépaysant, il n'y a que des Thaïs, toujours très sympas dans ce genre d'environnement où ils adorent papoter et paresser en grignotant.

BANG SAPHAN YAI – บางสะพานใหญ่ *(Ind. tél. : 032)*

À 85 km au sud de Prachuab Khiri Khan. La région très verte étire son front de mer en de jolies plages de sable clair, bordées de cocotiers, souvent désertes en dehors de petits hameaux côtiers. Bang Saphan Yai, proche de l'océan, se situe à l'est de l'autoroute n° 4. On peut y aller en train et il y a des bus directs à destination de Bangkok ou de Chumphon (pas la peine de rejoindre l'autoroute). Attention, ne pas confondre avec Bang Saphan Noi, une dizaine de kilomètres plus loin au sud ! Rentré dans la (bonne) petite ville, tournez à droite après avoir traversé la voie ferrée, au niveau d'une épicerie *7/Eleven.* Il reste alors environ 7 km jusqu'à la plage de *Suan Luang* (via une bifurcation indiquée sur la gauche). Alternativement, continuer tout droit puis à droite à l'intersection qui conduit à *Hat Mae Ramphueng,* une autre plage juste au nord du bourg. Moins belle, mais on y trouve des hébergements pas chers et de charmants restos de plage. Pour rejoindre ces plages, service de pick-up depuis la ville. Pour se perdre un peu plus dans ce « bout du monde », rejoindre *Ko Thalu* – เกาะทะลุ en bateau, un îlot paradisiaque avec quelques bungalows seulement ; très routard dans l'âme...

Où dormir ?

Bon marché (de 400 à 600 Bts – 8 à 12 €)

🏠 |●| *Suanluang Resort* – สวนหลวง รีสอร์ท : *en allant vers la plage de Suan Luang.* ☎ 817-031. ● suanluangresort. com ● Une dizaine de bungalows avec salle de bains et terrasse, situés à environ 1 km de la plage, sur un vaste terrain. Au choix : bois et bambou, ventilo et eau froide ou du dur avec plus de confort (AC, eau chaude, frigo et TV). Propreté exemplaire. Location de vélos et motos, réservation de billets de bus ou minivans. Resto préparant une bonne cuisine thaïe et occidentale à prix très raisonnables. Français parlé. Téléphonez, on viendra vous chercher gratuitement.

🛏 *Nipa Beach Bungalow* – นิภา บีช บังกาโล : *Hat Mae Ramphueng.*

☎ *548-140. En arrivant sur la mer, tt de suite à droite, à 50 m de l'intersection en T.* La meilleure option sur cette plage, idéale pour ceux qui cherchent à s'isoler de leurs congénères, mais pas des autochtones. Autour d'une esplanade gravillonnée, rangs perpendiculaires de bungalows en dur, carrelés à l'intérieur. Très bien équipé pour le prix : AC, eau chaude, TV, frigo. Accueil adorable.

Plus chic (de 1 500 à 3 300 Bts – 30 à 66 €)

🛏 I●I *Coral Hotel* – โรงแรมคอรัล : *plage de Suan Luang.* ☎ *691-667.* ● coral-hotel.com ● Grand hôtel-résidence à l'aise dans une cocoteraie donnant quasi directement sur une plage de sable fin. Tenu d'une main de maître depuis plus de 10 ans par un Français, professionnel du métier. Chambres standard, *cottage* familial (2 adultes + 1 ou 2 enfants selon l'âge), ou *deluxe* (nouvelles additions, plus grand, parfait pour 4 personnes). Très confortables, ameublement et déco classiques mélangeant joliesse thaïe et sérieux occidental. Belle et gigantesque piscine. Cuisine française au resto, mais aussi une belle sélection de plats thaïs. Repas servis au choix sur terrasse avec vue panoramique sur la mer ou dans une salle de resto. Formule demi ou pension complète possible. Plein de choses pour occuper votre temps libre : billards, bibliothèque, salon de massage, ping-pong, canoë, masques et tubas, VTT, initiation à la boxe thaïe, excursions...

Où manger ?

I●I *Petits restos de plage :* Hat Mae Ramphueng – หาดแม่รำพึง. *Arrivé face à l'océan à l'intersection en T, tourner à gauche et poursuivre jusqu'au niveau de* Benjawan Bungalow – เบญจ วรรณ บังกะโล. En face de ce dernier, au bord de la mer, ici toute proche, un amusant regroupement de paillotes individuelles ou communautaires. Balancelles, tables en bambou ou carrelées. Poissons et fruits de mer à des prix défiant toute concurrence. Pour disons, allez, 300 Bts (6 €), attendez-vous à un banquet marin et rabelaisien. Un verre de ces fameux rhums ou whiskys thaïs là-dessus, et l'on refait le monde.

CHUMPHON – ชุมพร (Ind. tél. : 077)

À 80 km au sud de Bang Saphan. Rien à y faire de particulier, sinon lézarder sur les plages des environs et explorer gentiment les quelques îlots du large... Pourtant, pas mal de routards en ville... C'est que ceux venus du nord pour aller à *Ko Tao* ont tout intérêt à embarquer ici. Ils économisent ainsi le voyage jusqu'à Surat Thani, et les traversées successives vers Ko Samui puis Ko Pha Ngan.

Arriver – Quitter

Depuis Bangkok, on se rend à Chumphon en train, en bus, ou éventuellement par les airs avec la compagnie *Air Andaman.* Mais l'aéroport est excentré et les heures de vol (3 liaisons hebdomadaires seulement) ne coïncident pas forcément avec les horaires des bateaux...

En bateau

Les liaisons sont données à titre indicatif pour la haute saison. Elles s'entendent quotidiennement dans les 2 sens et selon les mêmes fourchettes horaires, sauf mention contraire. Attention, la météo peut vous jouer des tours !

⚓ Port de Pak Nam Chumphon – ท่าปากน้ำชุมพร : *à env 10 km au sud-est du centre-ville. Facilement accessible* depuis la gare en moto-taxi ou songthaew.

➢ **Ko Tao et au-delà :** un express-boat *Songserm* (☎ 506-205) quitte Chumphon à 7h et Ko Tao à 14h30. Prévoir 3h de traversée. Continue vers Ko Pha Ngan et Ko Samui.
Plus rapides, les compagnies *Lomprayah* (☎ 558-212) et *Seatran* (☎ 238-129) affrètent chacune 2 départs (1 tôt le mat, l'autre vers midi). Ces bateaux font la navette sur la ligne Chumphon-Ko Tao-Ko Pha Ngan-Ko Samui. Depuis le continent, compter respectivement 2h30, 4h et 4h30 de trajet, escales comprises.
Enfin, autres options plus « exotiques » entre Chumphon et Ko Tao, le ferry lent *Ko Jaroen* (sf dim) et un bateau de nuit, minuscule, d'état un peu inquiétant ! Départs entre 22h et minuit (5h à 6h de traversée). Prévoir 200-600 Bts (4-12 €) la traversée, selon l'embarcation choisie.

Où dormir ?

On préfère vous emmener à la mer que de rester en ville où, si nécessaire, il y a plusieurs pensions décentes et centrales.

Prix moyens (autour de 800 Bts – 16 €)

⌂ **Clean Wave** – คลื่นเวฟรีสอร์ท : *Thung Wua Laen* (voir « Les plages des environs de Chumphon »). ☎ 560-151. *Au milieu de la plage.* Le resto est sur la plage, mais la colonie de bungalows, des minivillas en dur aux toits de tuiles rouges, s'est posée sur une grande propriété de l'autre côté de la petite route. Sans grand charme mais proprement carrelés et confortables (AC et baignoire !). Accueil très gentil.
⌂ **View Resort** – วิวรีสอร์ท : *Thung Wua Laen, légèrement au sud de* Clean Wave. ☎ 560-214. L'un des rares établissements à profiter d'un peu d'espace au bord de la mer. Malheureusement, le parking gravillonné ruine un peu cet avantage. Choix entre d'anciens chalets en dur (eau froide) ou un assemblage de petits pavillons contigus (eau chaude en sus). Tous climatisés. Resto face à la mer, paillotes privatives ou tables carrelées. Bon accueil ici aussi.

Où manger ?

Bon marché (moins de 150 Bts – 3 €)

|⊙| **Le marché de nuit** – ตลาดกลางคืน : *au cœur de la ville, pas très loin de la* gare. Un assez grand *Night Bazaar* où l'on trouve de tout : brochettes, *pad*

thai, soupes de nouilles... Également de nombreux *food corners* qui servent de bons petits plats. Ambiance très plaisante dans ce marché bien vivant.

I●I Resto de plage : *Thung Wua Laen.* Extrémité sud de la plage (vers le Chumphon Cabana*). Au niveau de l'intersec-* tion avec la route qui vient des terres (panneau « welcome to... »). Un grand chalet ouvert sur la mer, plus chaleureux et décoré que les autres (plaques publicitaires, peintures de couleur). Patronne super sympa et, ce qui ne gâche rien, super cuistot. Prix attrayants.

➤ *LES PLAGES DES ENVIRONS DE CHUMPHON*

⚎⚎ Thung Wua Laen – หาดทุ่งวัวแล่น : *à 12 km au nord de la ville. Pour s'y rendre, des* songthaews *jaunes circulent env 6h-18h. Prévoir 25 Bts (0,50 €) la course. Plus tard, c'est plus cher : compter 300 Bts (6 €) pour un taxi, la moitié pour une moto-taxi.* La plus belle plage de la province, parfois appelée *Cabana Beach,* du nom du plus grand établissement hôtelier du coin (un peu vieillot maintenant). Assez large et longue de 6 km, on s'y baigne avec plaisir et confort, ce qui n'est pas toujours le cas le long de cette côte. Fréquentée aussi bien par les Thaïs que les *farang.* Thung Wua Laen s'est gentiment développée jusqu'à offrir tout ce qu'il faut pour les estivants à la recherche de ces mélanges délicats de calme et d'animation : restos, quelques bars, Internet, location de motos, etc. Voir « Où dormir ? » pour s'y loger.

⚎ Hat Sai Ree – หาดทรายรี : *à 15 km au sud-est de la ville. À faire idéalement à moto louée (à Chumphon ou Thung Wua Laen), mais la balade est aussi possible en* songthaew *(mêmes horaires que ci-dessus).* Ici, on semble vouer un culte aux bateaux. Un torpilleur est posé sur le béton à l'entrée de la plage, à côté d'un mémorial dédié à un prince local, doté d'un petit musée très marin lui aussi. Certains hôtels s'obstinent à ressembler à une proue de navire. L'extrémité sud de la plage est de loin la plus agréable. Baignade sans problème et quelques hébergements corrects. D'ici, franchir les rochers et on découvre une autre plage un peu secrète, en contrebas de l'entrée du *Chumphon National Park* – อุทยานแห่งชาติชุมพร. Pour manger, une tripatouillée de restos le long de la rue, au centre de la baie, servent les tables disposées de l'autre côté. Comme d'hab', paillotes privées ou *salas* plus grands. L'ambiance est extrêmement thaïe et familiale. On vous hélera peut-être pour partager un pique-nique et une boisson.

SURAT THANI – สุราษฎร์ธานี   IND. TÉL. : 076

Ville sans attrait ; il faut s'arranger pour ne pas avoir à y dormir. Son seul intérêt est d'être le port d'embarquement principal pour Ko Samui et Ko Pha Ngan. Pour Ko Tao, on conseille vivement de prendre un bateau à Chumphon (voir ci-dessus).

Arriver – Quitter

En bus

➤ *Bangkok :* depuis la capitale, plusieurs départs du *Southern Bus Terminal* entre 19h30 et 20h30 en bus AC (10h de trajet) et, le mat ainsi que plus tard le soir, des bus non AC (11h de trajet). Dans un sens comme dans l'autre (fréquences et horaires comparables), arriver à l'avance. Pour les trajets combinés bus + bateau, voir aussi « Arriver – Quitter » à Ko Samui.

➢ *Sud et côte ouest (Andaman) :* abondants dans les 2 sens, Surat Thani étant un nœud routier très important.

En train

➢ *Bangkok (Hua Lamphong) :* 10 trains/j. 13h30-22h35, arrivant de nuit à Surat Thani (le dernier vers 8h du mat). En sens inverse, 10 trains 17h-23h45. Compter 9-11h de trajet. La gare se trouve à Phun Phin, à 14 km de Surat Thani. Pour attraper un bateau, nombreux bus ou un taxi entre la gare et les quais ou les guichets des compagnies maritimes.

En bateau

⚓ *Les quais d'embarquement :*
– *Ban Don,* au centre de Surat Thani, pour les bateaux lents dont ceux de nuit.
– *Ta Tong (5 km de la ville),* bateaux express de la compagnie *Songserm* (☎ 285-124) vers Ko Samui, puis Ko Pha Ngan et Ko Tao.
– *Donsak (73 km à l'est, 1h30 de trajet)* d'où partent les ferries pour Ko Samui et Ko Pha Ngan. Compagnies *Raja* (☎ 471-151) et *Seatran* (☎ 471-173).
➢ Pour les fréquences et durées, voir les rubriques adéquates à Ko Samui, Ko Pha Ngan et Ko Tao.

En avion

➢ *Bangkok :* 2 vols/j. dans les 2 sens avec *Thai Airways.* Si votre destination finale est Ko Samui, pensez à *Bangkok Airways* (voir même rubrique dans cette île).

À L'EST : LES ÎLES ENTRE KO SAMUI ET KO TAO

CLIMAT

En général, il pleut d'octobre à janvier, puis le beau fixe s'installe jusqu'à mi-avril. Les mois d'été (juillet-août) jouissent aussi d'un ensoleillement remarquable, même si le temps y est moins stable. Vents et orages nocturnes sont fréquents, mais rien à voir avec la saison des pluies qui se déchaîne sur Phuket à la même période...

KO SAMUI – เกาะสมุย

IND. TÉL. : 077

Ko Samui est la troisième plus grande île du pays (21 km sur 25) après Phuket et Ko Chang. Ses habitants sont connus pour leur indépendance de caractère. Comme toutes les îles de la région, elle fut d'abord peuplée de pêcheurs malais, mais ce sont les vagues d'immigrants chinois venus de l'île de Hainan qui lui donneront sa couleur particulière. Développant les plantations (d'où ces millions de noix de coco) ainsi que la pêche, ils fondèrent tous les villages importants de l'île.
Aujourd'hui, les vagues de touristes façonnent le paysage : aller de Na Thon à Chaweng revient à traverser une sorte de village-rue ininterrompu de 30 km

KO SAMUI

où agences immobilières, foires aux meubles, bars branchés, restos internationaux et baraques préfabriquées sont plus nombreux que les cocotiers ! D'ailleurs, sur une grande partie de cette route côtière... on ne voit plus vraiment la mer. Samui est entrée de plain-pied sur le marché de la résidence secondaire.

> ### SOUS LE BÉTON... LA PLAGE !
>
> *Belle usine à tourisme que cette île dont les plages offrent le plus grand nombre de kilomètres de sable blanc de tout le golfe. Toutes les atmosphères s'y retrouvent : bruyante et noctambule à Chaweng et Lamai, bobo à Bo Phut, calme et plutôt « budget » à Mae Num Beach, à l'écart sans être trop loin.*

Et Dieu sait qu'il y en a du monde de Singapour à Munich ! Bétonnée, tranchée en tous sens par des projets immobiliers et hôteliers qui s'étalent toits sur toits, murs à murs, souvent en dépit du bon sens et à des prix parmi les plus élevés de Thaïlande... sa principale beauté est peut-être ce qu'elle a été.

Dans ce qui s'apparente de plus en plus à un marasme, trouver un coin sympa relève de l'exploit. On va vous donner nos derniers tuyaux, avant de partir vers les petites voisines Ko Pha Ngan et Ko Tao, tellement plus agréables.

Arriver – Quitter

En bus ou train (+ bateau)

➢ **Bangkok :** transit par la gare routière ou ferroviaire de *Surat Thani* (voir ci-dessus). Offre débordante de billets combinés bus ou train + bateau (les horaires d'arrivée annoncés ne sont pas toujours fiables). On les achète : à Bangkok dans les quartiers touristiques ou directement au *Southern Bus Terminal* ; à Ko Samui, au terminal de bus publics de Na Thon *(plan, 8)* ou auprès des agences et compagnies maritimes. Vu la fréquence des traversées, on peut se débrouiller seul, mais on n'y gagne guère financièrement. De nombreux taxis et bus font la navette entre les gares et les quais.

➢ **Surat Thani :** 6 bus publics/j., 6h30-16h30. Trajet : 4h ; 150 Bts (3 €) prix du bateau inclus. Et multiples formules combinées auprès des compagnies maritimes.

➢ **Phuket-Krabi :** 1 bus public à 10h (7h30 dans l'autre sens). Trajet : 10h ; 430 Bts (8,60 €) prix du bateau inclus. Et multiples formules combinées auprès des compagnies maritimes.

En bateau

– Billets dans les agences des îles et du continent, ainsi qu'aux guichets installés aux gares et sur les quais. Vu la multiplicité des compagnies et des quais, autant ne prendre qu'un aller simple pour être libre sur l'horaire et le port de retour.

– Les liaisons ci-dessous sont données à titre indicatif et pour la haute saison. Ça change souvent ! Un vrai casse-tête !

– Ceux qui visitent à la suite Ko Tao, Ko Pha Ngan et Ko Samui peuvent arriver de Chumpon et s'extraire par Surat Thani (ou vice versa).

Les embarcadères de Ko Samui : les bateaux arrivent du continent à **Na Thon** et **Thong Yang,** 10 km plus au sud.

– Ceux vers et depuis Ko Pha Ngan et Ko Tao abordent sur la côte nord à **Mae Nam, Bo Phut** et, tout proches de l'aéroport, **Big Buddha.** Les *express-boats* de **Songserm** transitent par **Na Thon.**

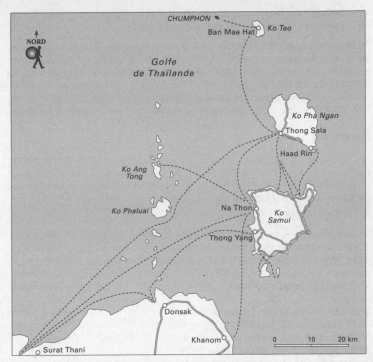

L'ARCHIPEL DE KO SAMUI

– **Les compagnies principales : Lomprayah Catamaran,** ☎ *427-765.* ● *lomprayah.com* ● **Raja Ferry,** ☎ *415-230.* │ **Seatran,** ☎ *426-000.* ● *seatranferry.com* ● **Songserm,** ☎ *420-157. Tlj 8h-17h.* ● *songserm-expressboat.com* ●

➢ *Depuis/vers Surat Thani :*

– **De Ban Don à Na Thon (via Donsak) :** avec **Seatran,** *2 express-boats/j.,* 8h30-16h. Trajet : 2h ; 200 Bts (4 €). Continuent ensuite vers Ko Pha Ngan (compter, en plus, 30 mn et 120 Bts, soit 2,40 €).
Également 1 bateau de nuit, tlj à 23h, arrivée à 5h. Dans l'autre sens à 21h, arrivée à 3h30. Compter 140-200 Bts (2,80-4 €). Parfait pour les voyageurs à petit budget, les romantiques, ou ceux, arrivés tard, qui ne veulent pas dormir à Surat Thani mais gagner quelques heures de bronzette sur l'île (on est bien d'accord !). Les passagers s'installent sur des matelas étroits placés côte à côte. Arrivez tôt pour vous assurer une paillasse, sinon c'est le pont (prévoir une couverture). Gardez un œil sur vos sacs et une main sur votre gilet de sauvetage ! La traversée est annulée par mauvais temps.
– **De Donsak à Na Thon :** avec **Seatran,** *1 ferry/h,* 6h-19h. Trajet : 2h ; 180 Bts (3,60 €). Bus de Surat Thani à Donsak (trajet : 1h30) inclus dans le prix. Ceux de 10h et 17h continuent vers Ko Pha Ngan (compter, en plus, 1h et 100 Bts, soit 2 €).
– **De Donsak à Thong Yang :** avec **Raja Ferry,** *ttes les heures,* 5h-19h. Trajet : 3h ; env 100 Bts (2 €).

– *De Tatong à Na Thon :* avec *Songserm,* tlj à 8h et 14h dans les 2 sens. Trajet : 3h ; 150 Bts (3 €). Continue vers Ko Pha Ngan et Ko Tao.

➢ *Depuis/vers Ko Pha Ngan et Ko Tao :* avec **Haad Rin Queen, Lomprayah, Seatran** et **Songserm.** Pour les fréquences et durées, voir les rubriques « Arriver – Quitter » de ces deux îles. Attention, pas de ferries pour les voitures entre Ko Samui et Ko Pha Ngan !

La liaison vers **Chumphon** (**Lomprayah** et **Seatran-Discovery**), avec escales à Ko Pha Ngan et Ko Tao, n'est raisonnable que combinée avec un bus pour Bangkok.

En avion

✈ Propriété de *Bangkok Airways,* l'*aéroport de Ko Samui* (☎ 245-600) compose un adorable ensemble de paillotes au milieu des palmiers. Café et petits fours gratuits avant l'embarque-ment... Compter 3 000 Bts, soit 60 €, vers Bangkok, hors offres spéciales ! Les changements de vols sont gratuits hors offres promotionnelles.

– Ceux qui poursuivent directement vers Ko Pha Ngan ou Ko Tao peuvent trouver des billets combinés (taxi + bateau) intéressants à la sortie de l'aéroport.

– Les fréquences ci-dessous, valables dans les 2 sens, correspondent à la haute saison :

➢ *Bangkok :* jusqu'à 30 vols/j., 6h-22h. Durée : 40 mn (10 vols min en basse saison).

➢ *Krabi :* 1 vol/j., le mat. Durée : 50 mn.

➢ *Phuket :* 2 vols/j., mat et ap-m. Durée : 50 mn.

➢ *Pattaya :* 1 vol/j., le midi. Durée : 50 mn.

➢ *Singapour :* 1 vol/j. le soir. Durée : 2h20.

➢ *Hong-Kong :* 5 vols/sem. Durée : 3h.

– Les pas trop pressés qui font gaffe à leur budget peuvent étudier la solution *Thai Airways* qui assure 2 liaisons/j. entre Surat Thani et Bangkok. Prévoir 6h de voyage entre les aéroports, bateaux et transferts compris pour environ 1 000 Bts (20 €) d'économisés.

Circuler dans l'île

Notre plan de l'île est indicatif ; pour vous déplacer, munissez-vous dès votre arri-vée d'une des cartes gratuites (disponibles partout). Indispensables, elles indi-quent toutes les routes et (presque) tous les hébergements de l'île.

– *Les songthaews :* camionnettes bâchées à banquettes, qui circulent sans arrêt sur tout le pourtour de l'île de 6h à 17h30 environ. Leur destination finale est indi-quée dessus. Pratiques et rapides (souvent un peu trop). Il suffit de les attraper au bord de la route. Pour descendre, appuyez sur l'interrupteur au plafond (ou tapez sur le toit). Ayez toujours de la monnaie et demandez le prix de la course avant d'embarquer. Le soir, des *songthaews* organisent des « ramassages » sur certai-nes plages entre 20h et 21h et conduisent les *farang* à Chaweng ou Lamai Beach, pour picoler dans les bars. Retour entre 3h et 4h. Les prix du transport flambent alors en conséquence.

– *Les motos-taxis :* on les reconnaît à leur T-shirt fluo violet, jaune, vert... selon les plages. Plus rapides, plus dangereux et plus chers que les *songthaews*. Par exem-ple, autour de 30 Bts (0,60 €) pour une petite course dans Chaweng. Les pilotes portent un casque, demandez-en un.

– *La moto :* un moyen d'être indépendant, mais aussi, statistiquement, l'activité la plus périlleuse que vous pourrez pratiquer sur l'île. Le trafic est vraiment dangereux ; lire notre rubrique « Transports » dans « Thaïlande utile » en début de guide pour les mises en garde.

– *La voiture :* plus sûre que la moto, plein de loueurs dont de grandes enseignes. Pas si cher, d'autant moins si l'on est plusieurs. Un gros hic, la circulation inextricable et stressante de Lamai Beach à Mae Nam en passant par Chaweng.

Adresses et infos utiles

Voir aussi Na Thon, capitale de l'île.

Informations touristiques

Distribuées un peu partout : plusieurs publications gratuites généralistes, pleines d'infos pratiques, telles que *Samui Guide* ● samuiguide.com ● ou *Samui Explorer* ; des spécialisées comme *Samui Dining Guide* et *Samui Health & Spa Guide* ainsi que des cartes de l'île, *Infomap* étant la plus complète. Vous trouverez tout cela et bien d'autres choses à l'office de tourisme *(TAT)* de Na Thon (voir plus loin). Enfin, n'oublions pas ● samui-info.com ● un portail d'informations francophone bien fait et assez complet.

Banques, guichets automatiques et change

Sur toutes les plages, plusieurs kiosques de change, dont certains ferment à 22h (plus tôt à Na Thon). Dans tous les lieux fréquentés, les distributeurs automatiques ne sont jamais bien loin.

Agences de voyages

Dans tous les villages touristiques, des (grosses !) dizaines d'agences de voyages proposent toutes à peu près la même chose : billets de bateau, de bus ou d'avion, excursions, connexions Internet, fax, téléphone...

■ *Bangkok Airways* – สายการบินบา งกอกแอร์เวย์ *(plan, 1) :* au sud de Chaweng Beach, sur la route n° 4169, voisin du Bangkok Samui Hospital. ☎ 422-512. ● bangkokair.com ● Tlj 8h-17h.

Plongée

Ko Samui n'est pas une île où l'on plonge, car les fonds ne s'y prêtent pas et il n'y a rien à voir. Il y a bien des clubs de plongée un peu partout, mais ils emmènent leurs clients autour de Ko Tao, c'est-à-dire à 2h de bateau de Samui. Ceux qui ont prévu de se rendre dans cette île préféreront plonger depuis là-bas, ça leur coûtera deux fois moins cher. Au cas où, voici l'adresse d'un club francophone :

■ *Bo Phut Diving* – โรงเรียนดำน้ำสม ุยบ่อผุด *(plan, 5) :* dans le village de Bo Phut. Succursale à Lamai. ☎ 425-496. ● bophutdiving.com ● Compter autour de 4 000 Bts la journée de plongée (soit 80 €). Réduc de 10 % sur les plongées sur présentation de ce guide. Centre *PADI* francophone (Patrice et Serge, les 2 proprios, sont originaires du Gers), qui propose baptême, formations et plongées autour de Ko Tao.

KO SAMUI

Santé

■ *Samui International Hospital* – โรงพยาบาลสมุยอินเตอร์เนชั่นแนล (plan, **6**) : au nord de Chaweng. ☎ 422-272. Ouv 24h/24. Hôpital privé pour les urgences, médicaments, problème dentaire, pédiatrie.
■ *Samui Hospital* – โรงพยาบาลสมุย (plan, **7**) : au sud de Na Thon. ☎ 421-399.
■ *Dr Surasit Clinic* – คลีนิคหมอสุรสิทธิ์

(plan Na Thon A2, **4**) : 167 Taweratphakdee Rd. Au centre du village, face au marché. ☎ 421-011. Consulte lunven 8h-18h ; w-e 8h-12h. Sympa, le Dr Surasit parle l'anglais et connaît bien son métier. Il délivre des certificats autorisant la pratique de la plongée sous-marine avec bouteilles... Également pédiatre.

■ **Adresses utiles**

✈ Aéroport
1 Bangkok Airways
2 Bureau d'Immigration
3 Magic Alambic
4 Tesco-Lotus
5 Bo Phut Diving
6 Samui International Hospital
7 Samui Hospital
🚌 8 Terminal des bus de Na Thon
22 Samui Institute of Thaï Culinary Arts

🏨 **Où dormir ?**

5 The Lodge, The Red House
12 Mae Nam Village Bungalow
13 Sea Shore 2
14 Rainbow Bungalow
15 Palm Point Village
16 Free House Bungalows, Cactus
17 L'Hacienda
18 Coco Palm
19 O.P. Bungalows, The Chaweng Garden Beach, Chaweng Villa Beach Resort
20 Coral Bay Resort
21 Long Beach Lodge, Central Bay Resort
23 Silver Beach Resort
24 Whitesands Bungalow, Bill Resort
26 Lamai Coconut Resort
27 Wanna Samui Resort
28 Jinta Beach Bungalow
29 Emerald Cove
37 O Soleil Bungalow, P.S. Villa
38 New Hut

🍴 **Où manger ? Où prendre le petit déj ?**

5 Tid Restaurant, Eden Issan Restaurant, Starfish and Coffee Restaurant, La Sirène, 56
12 About Café, Seaview Restaurant

17 Boulangerie
18 John's Garden
19 Samui Seafood, Chomtalay
21 Ninja Restaurant, Sojeng Kitchen
22 Poppies
26 Lamai Food Center
29 Emerald Cove
30 Rimbang Seafood
31 Ban Chantra
32 Angela's Bakery and Café
33 BBC Restaurant
34 Marché de Laem Din
35 Captain Kirk
37 O Soleil Bungalow, P. S. Villa, Island View
38 Ninja Crepes Restaurant, Buddy Beach
39 Gingpagarang Restaurant, La Java

🍸 🎵 🎶 **Où boire un verre ? Où danser ?**

5 The Frog & Gecko Pub, Billabong Surf Club Bar & Grill
19 The Islander, Soi Green Mango
33 BBC Restaurant
34 Reggae Pub
38 Buddy Beach
39 La Java

🏃 **À voir**

27 Samui Aquarium
34 Boxe thaïe
40 Big Buddha
41 Thong Son Bay
42 Hin Ta & Hin Yai
43 Butterfly Garden
45 Moine momifié du Wat Khunaram
46 Hin Lad Waterfall
47 Na Muang Waterfall 1

■ **Massages et spa**

50 Spa Ban Sabai
51 Tamarind Springs

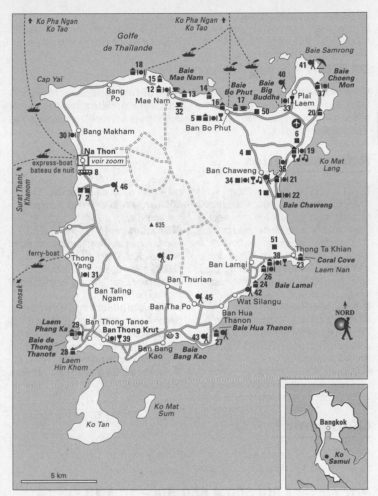

KO SAMUI

Conseils pour trouver où dormir et où manger

Des rabatteurs rôdent à l'arrivée des bateaux. Ayez avant tout une idée précise de la plage où vous voulez atterrir et prenez un *songthaew* pour vous y rendre.

Nos bonnes adresses ont ici une courte durée de vie : développement galopant, indolence de certains hébergeurs référencés dans un guide... Les prix diminuent en basse saison. Bien que la notion de haute saison tende à s'estomper, on considère qu'elle s'étend de janvier à avril et, pendant l'été, à partir de la mi-juillet. Attention, les prix que nous indiquons correspondent à celle-ci, pas à ceux de la *peak season* (fêtes de fin d'année) où les débordements sont difficilement prévisibles.

De même, nous indiquons relativement peu de restos. Car (à l'exception de Bo Phut peut-être), on ne note rien d'étincelant côté cuisine à Ko Samui. Toutes les habituelles chaînes internationales de *beurk-food* y sont même représentées.

NA THON – หน้าทอน *(Ind. tél. : 077)*

Ville principale de l'île. Port d'arrivée et de départ des *express-boats* et ferries pour Surat Thani, dont certains pour Ko Pha Ngan. C'est aussi le terminus des bus qui débarquent sur l'île par le *ferry-boat* de Thong Yang (à environ 10 km au sud). Pas d'un intérêt débordant.

KO SAMUI

Adresses utiles

🛈 TAT – ท.ท.ท. *(plan Na Thon, A1) :* Chayakul Rd. ☎ 420-504. ● *tatsamui@ tat.or.th* ● *En longeant la mer vers le nord, tourner avt la poste, puis dans la 1re à gauche ; aller jusqu'au bout de la ruelle. Tlj 8h30-12h, 13h-16h30.* Plans de l'île, infos sur les liaisons maritimes, brochures en tout genre (hôtel, restos, loisirs...). Accueil très aimable.

■ **Tourist Police :** ☎ 421-281.

✉ **Post Office** – ไปรษณีย์ *(plan Na Thon, A1) : sur le front de mer, à gauche en descendant du bateau, à 300 m. Lun-ven 8h30-16h30.*

■ **Bureau d'Immigration** – สำนักงานตรวจคนเข้าเมือง *(plan, 2) : au sud du village, juste au croisement de la route* qui mène au Samui Hospital. ☎ 421-069. Lun-ven 8h30-16h30. Pour prolonger son visa.

■ **Banques** *(plan Na Thon, A1 et A2, 2) :* nombreuses sur Taweratphakdee Rd et face au port. Ouv lun-ven 8h30-15h30 (17h30 selon agence). Distributeurs.

@ **Internet :** sur Taweratphakdee Rd et face au port.

🚕 **Taxis collectifs** – รถสองแถว : départs fréquents depuis les parkings en face du débarcadère pour les différentes plages de l'île. Leur destination est inscrite sur le pare-brise.

■ **Agences de voyages :** *face au débarcadère.*

Où dormir ?

Parlons sans ambages : aucun intérêt à dormir à Na Thon. Obligé pour une raison X ? Voici une adresse très correcte.

Prix moyens (de 500 à 650 Bts – 10 à 13 €)

🛌 **Jinta City Hotel** – โรงแรมจินตา จิตี้ *(plan Na Thon, A2, 11) : sur le front de mer, à 700 m du débarcadère.* ☎ 236-369. ● *jintasamui.com* ● *Internet dans le lobby.* Chambres ou bungalows dispersés dans un jardin plutôt agréable au cœur duquel vous attend une piscine. Ensemble propre et tranquille. Prix selon la température de l'eau et de l'air (dans les chambres !). Proprio sympa.

Où manger ?

Bon marché (moins de 100 Bts – 2 €)

|●| 🍽 **Jelly Roll** – ร้านอาหารเยลลี่ โรล *(plan Na Thon, A1, 20) : dans la rue face* aux pontons. Attention, pas d'enseigne. Tlj 7h-17h. Grande salle anonyme,

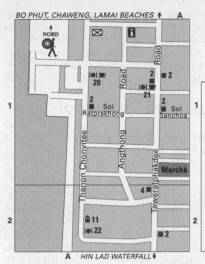

BO PHUT, CHAWENG, LAMAI BEACHES ↑ A

NORD

Road

Road

2 ■ 2
20
21
2 ■ Soi
Soi Sanchoa
Ratprakhong

Thanon Chonvitee

Angthong

Taweratphakdee

Marché

4

11
22 ■ 2

A HIN LAD WATERFALL ↓

■ **Adresses utiles**

ℹ️ TAT
✉️ Poste Office
2 Banques
4 Dr Surasit Clinic

🏠⛵ **Où dormir ?**

11 Jinta City Hotel

🍽️ **Où manger ?**

20 Jelly Roll
21 Ruangthong Bakery
(Hot Bread Shop)
22 Starry Seafood

KO SAMUI

NA THON

genre cantoche. Bons petits plats thaïs, chouettes soupes, ainsi que des plats d'inspiration franchouillarde, telles les crevettes au beurre d'escargot (en français dans le texte !). On peut aussi y prendre le petit déj.

🍽️⛵ *Ruangthong Bakery (Hot Bread Shop)* – เรืองทองเบเกอรี่ (ฮ็อท บรคช็อป) *(plan Na Thon, A1, 21)* : Taweratphakdee Rd. ☎ 421-295. Tlj 7h-18h30. Dans la salle grande ouverte sur la rue de ce salon de thé-boulangerie-resto à la siamoise, se mélangent autochtones et touristes ; idem sur la table où petits plats thaïs voisinent avec bonnes pâtisseries et cafés.

Prix moyens (de 100 à 300 Bts – 2 à 6 €)

🍽️ *Starry Seafood* – สตาร์รี่ซีฟู้ด *(plan Na Thon, A2, 22)* : à env 1 km au sud du débarcadère. 📱 086-952-78-02. Plats pas chers et bien faits. Populaire. Il fait le plein de familles chinoises qui se partagent une variété incroyable de coquillages et crustacés, dont la fameuse cigale de mer (moins chère ici que dans le reste de l'île).

Où manger dans les environs ?

Bon marché (moins de 150 Bts – 3 €)

🍽️ Au nord de Na Thon, plusieurs petits restos dressent leurs tables. Pas très chers, à l'écart de la frénésie touristique, ils tournent le dos au bruit (la route) pour faire face au calme (la mer). Le coucher de soleil y est remarquable. Entre autres, le *Rimbang Seafood* – ริมบางซีฟู้ด *(plan, 30)* : ☎ 236-047. Tlj midi et soir.

À voir au large

🎋 *Le parc national marin d'Ang Tong* – อุทยานแห่งชาติหมู่เกาะอ่างทอง : il s'agit d'un chapelet d'îles, à l'ouest de Ko Samui (env 2h30 de traversée). Attention : comparer les prix des compagnies maritimes qui organisent l'excursion et ceux pratiqués par les agences ; les différences sont notables. Excursion au départ de Na Thon le matin, retour le soir. Repas compris, compter 1 600 Bts (32 €). Franchement, le seul intérêt de cette balade, c'est le paysage totalement vierge et paradisiaque de l'archipel. Car les eaux sont souvent troubles et les possibilités de *snorkelling,* de fait, assez réduites. Hyper touristique. Ne pas oublier sa crème solaire.

➤ *LES PLAGES DE L'ÎLE (Ind. tél. : 077)*

Nous parcourons les différentes plages de Ko Samui en tournant dans le sens des aiguilles d'une montre, à partir de Na Thon.

MAE NAM BEACH – หาดแม่น้ำ

La première vraie plage rencontrée en venant de Na Thon par le nord. Et une de nos chouchoutes. Les abords de la route sont plutôt laids, comme d'hab'. Cependant, tourner vers la mer au niveau du *7/Eleven,* sur la petite rue principale, amène aux menus mais charmants restes du village chinois d'antan. On y trouve de grandes maisons commerçantes de bois et un exubérant temple chinois. C'est aux extrémités de la baie (surtout à l'ouest) que l'estivant trouvera les plus beaux coins de plage. La plupart des adresses sont éloignées de la route et desservies par des pistes.
Mae Nam conviendra à ceux qui recherchent le calme et une plage « budget ». Loger ici permet aussi d'apprécier Bo Phut, proche voisine plus coquette et... chère.

Où dormir ?

De bon marché à prix moyens (de 250 à 1 000 Bts – 5 à 20 €)

🛏 *Sea Shore 2* – ซี ชอร์ 2 *(plan, 13) :* à l'est. ☎ 425-192. *Env 2 km après le 7/Eleven, à gauche après le poste de police et le pont.* C'est tellement en retrait qu'on a du mal à trouver cet hébergement. Pas le grand luxe, mais des maisonnettes maçonnées avec ventilo, salle de bains, lit en rondins de bois et prix béton. Cuisine familiale de bon goût. C'est simple, propre et on y est bien. À côté, le *Sea Shore 1* propose des prestations similaires mais en plus minus.
🛏 *Rainbow Bungalow* – เรนโบว์

บังกะโล *(plan, 14) :* Mae Nam est. *Un poil après la poste à gauche, c'est au bout du chemin gravillonné.* ☎ 425-425. Très bien tenu par un gentil couple thaï (qui peut aussi vous régaler dans le petit resto familial attenant à leur maison). Certaines chambres souffrent de la promiscuité, mais celles avec vue sur mer sont une véritable affaire. Loin de la foule et du bruit, mais sur la plage. Confort habituel avec pales tournantes ou chambre réfrigérée. Une bonne adresse.

De prix moyens à un peu plus chic (de 500 à 1 500 Bts – 10 à 30 €)

🛏 *Mae Nam Village Bungalow* – แม่น้ำวิลเลจบังกะโล *(plan, 12) :* au

milieu du village. ☎ 425-151. *Au bout de la rue principale, à droite puis à gau-*

che après le temple chinois. À deux pas de la plage, bungalows et chambres dans des petites maisons en dur. Ventilo et douche froide dans la plupart des chambres, mais certaines avec AC, eau chaude et frigo.

🛏 *Palm Point Village* – ปาล์มพอยท์วิลเลจ *(plan, 15)* : *en arrivant à Mae Nam par la route de Na Thon.* ☎ 247-372. ● *palmpointsamui.com* ● Ne pas se fier à l'entrée peu engageante, tout s'arrange en allant vers la mer. 2 rangées de bungalows, soit en dur, soit plus « suisses » en bois verni, sous les cocotiers. Certains (nos préférés) donnent sur la mer et la belle plage de Mae Nam ouest. Propre et confortable, ventilo et eau froide ou AC et eau chaude. Accueil familial souriant.

D'un peu plus chic à plus chic (de 1 200 à 2 000 Bts – 24 à 40 €)

🛏 *Coco Palm* – โคโค ปาล์ม รีสอร์ท *(plan, 18)* : *2,5 km à l'ouest, au bout de la route menant à la jetée vers Ko Pha Ngan.* ☎ 247-288. ● *cocopalmsamui. com* ● Dans une zone calme et encore peu développée, voilà un hôtel tout confort qui exhibe de jolis bungalows en bois de couleur rouge basque et crème. Tous dotés de l'AC et d'une belle terrasse donnant sur un jardin tropical taillé par *Edward aux mains d'argent.* Chambres chaleureuses, tapissées de nattes. Si on ajoute une superbe piscine et une plage non moins belle, avec vue sur Ko Pha Ngan, ça donne un excellent rapport qualité-prix. L'embarcadère tout proche n'est finalement pas un handicap. Resto pas génial sur place (voir plutôt *John's Garden* plus loin).

Où manger ? Où prendre le petit déj ?

Bon marché (moins de 150 Bts – 3 €)

|●| *Seaview Restaurant* – ร้านอาหารซี วิวู์ *(plan, 12)* : *au cœur du village, sur le front de mer.* ☎ 425-206. Malgré son nom maritime, des montagnes barrent l'horizon de ce petit resto. Celles de Ko Pha Ngan, au large. Pieds dans le sable, clapotis du ressac font encore plus apprécier le souriant service et la cuisine thaïe de bon goût à prix très abordable. Seul bémol, un cours d'eaux usées à côté.

|●| *John's Garden* – จอนส์ การ์เค้น *(plan, 18)* : *2 km à l'ouest, sur la route menant à la jetée vers Ko Pha Ngan.* 081-016-93-66. Petit chalet helvético-thaï autour duquel se love un jardin tropical. Les tables s'y partagent une bonne petite cuisine aux saveurs locales et des desserts aux accents européens. Bon accueil, ambiance paisible sur fond de chants d'oiseaux.

🍵 *About Café* – อะเบ้าท์กาเฟ *(plan, 12)* : *dans le village à gauche.* 081-984-48-87. *Tlj 7h-18h.* Une minisalle et une miniterrasse, bordées de plantes, pleines de couleurs et d'accessoires rigolos. Pour boire un thé, un bon expresso ou prendre le petit déj. Bon et à petits prix.

🍵 *Angela's Bakery and Café* – อันเจล่าเบเกอรีแอนด์กาเฟ *(plan, 32)* : *sur la route, avt le pont à droite en venant du centre.* ☎ 427-396. Le site n'a rien d'extra, en bord de route, mais bons gâteaux, variés et pas chers, bravo ! *Bagels, lemon cake, strudel, cheesecake...*

BO PHUT BEACH – หาดบ่อผุด

Une jolie plage, même si ce n'est pas la plus belle (fond un peu vaseux...) et qu'il faut s'éloigner du village vers l'ouest pour la retrouver plus propice à la baignade, intime et calme. Surtout, un coin qui profite à fond du village de loin le plus sympathique et charmant de l'île. Chouette ambiance, très zen, un peu bobo, pas mal d'expats français. L'activité touristique se concentre dans *Fisherman's Village,* sur la rue du front de mer (depuis la route, tourner au feu en direction de la mer, c'est au bout).

Où dormir ?

De prix moyens à plus chic (de 600 à 1 800 Bts – 12 à 36 €)

🛏 *Free House Bungalows* – ฟรีเฮ้าส์บังกะโล *(plan, 16) :* à l'ouest du village. ● *freehousesamui.com* ● Tenu par une famille modeste et gentille comme tout. Attachants bungalows en maçonnerie blanche et au toit de paille, de bon rapport qualité-prix, quel que soit leur type : petits avec eau froide et ventilo pour les moins chers ; les grands avec eau chaude et AC sont deux fois plus chers. Quelques survivants en bois. Déco nette et épurée au max. Plage et petit resto soigné.

🛏 *Cactus* – แคคตัส *(plan, 16) :* voisin du Free House. ☎ *245-565.* ● *cactusbung@ hotmail.com* ● 2 rangées de bungalows de couleur ocre orangé, perpendiculaires à la mer. Style « arty » et « pampa », les cactus sont bien là, dans un charmant jardin protégeant l'intimité des hôtes. Cailloux intégrés dans la chape, lits sur plate-forme maçonnée, grande salle de bains. Eau froide et ventilo, eau chaude, AC et même la TV, faites votre choix ! Plaisant resto-bar devant la plage. C'est un très bon plan, dans un registre plus original que le *Free House.*

Plus chic (de 1 800 à 2 300 Bts – 36 à 46 €)

Dans cette catégorie, on trouve des gammes de tarifs très larges.

🛏 *The Lodge* – เดอะลอดจ์ *(plan, 5) :* extrémité ouest du village. ☎ *425-337.* ● *lodgesamui.com* ● Cette charmante demeure de style « néocolonial asiatique » compte une dizaine de chambres confortables (AC, moustiquaire, minibar...), décorées avec un goût sûr pour le beau mobilier. Le bois exotique, de rigueur partout, crée une atmosphère vraiment chaleureuse. Les chambres donnent sur la mer, et notre préférée, au 1er étage, surplombe un joli cocotier.

🛏 *The Red House* – เดอะเรดเฮ้าส์ *(plan, 5) :* en plein milieu du village. ☎ *425-686.* ● *design-visio.com* ● *Résa plus que conseillée.* Bo Phut était chinois autrefois, alors un architecte a décidé de célébrer cet héritage en concevant ce petit hôtel-café-boutique de 4 chambres. Assez contemporain, très mignon, avec lit à baldaquin, meubles « antiques », douche paysagée. Bel ouvrage de déco design.

🛏 *L'Hacienda* – ลาเซียนดา *(plan, 17) :* extrémité est du village. ☎ *245-943.* ● *samui-hacienda.com* ● Hacienda bien pensée par un Français, qui héberge 8 chambres assez petites, à dominante blanche immaculée, face à la mer ou côté rue (moins chère), avec télé, minibar, AC. Cerise sur le gâteau, une petite piscine sur le toit. Cher tout de même.

Où manger ?

Bon marché (moins de 150 Bts – 3 €)

☛ *Boulangerie* – บูรองเชอรีย์ *(plan, 17)* : à 100 m sur la droite depuis le feu *(vers la mer)*. ☎ 430-408. Un vrai boulanger français pour d'authentiques et goûteux petits pains, croissants et pâtisseries.

|●| *Tid Restaurant* – ร้านอาหารทิด *(plan, 5)* : à côté du débarcadère, au centre du village. ☎ 425-129. Tlj 8h30-22h30. Un resto très couleur locale, simple, où l'on mange le poisson pêché par le patron. Spécialités de crabe, gambas, calamar et requin. Les fauchés trouveront aussi d'excellentes nouilles sautées. Juste une poignée de tables, dont certaines sont installées sur une petite terrasse qui donne sur la mer. Bon accueil.

De bon marché à prix moyens (de 150 à 350 Bts – 3 à 7 €)

|●| *Starfish and Coffee Restaurant* – ร้านอาหารสตาร์ฟิชแอนด์คอฟฟี่ *(plan, 5)* : au cœur du village. ☎ 427-201. Si Aladin devait inviter Jasmine, c'est ici qu'il le ferait ! Des serveurs affables œuvrent dans ce joli décor de palais arabo-andalou, tout de rouge vêtu, et romantique à souhait le soir. Le bon goût se poursuit jusqu'aux cuisines où sont mitonnés d'excellents plats thaïs à prix moyens. On a bien aimé le curry de fruits de mer, les poissons et autres fruits flambés. Agréable terrasse donnant sur la mer. Un grand bravo !

|●| *La Sirène* – ร้านอาหารลาซิแรน *(plan, 5)* : toujours dans la rue principale. ☎ 425-301. Pastis offert à nos lecteurs. Ce resto tout rose avec son agréable terrasse (vue sur Ko Pha Ngan) propose différents menus bien ficelés... Illustrés par une carte, photos à l'appui. Et quand on sait que le patron pêche lui-même, ça promet des poissons frais !

|●| *Eden Issan Restaurant* – ร้านอาหารอีเดน อีสาน *(plan, 5)* : à l'ouest du village. ☎ 427-645. Ouvre à 18h. Fermé dim. Tenu par un couple franco-thaï, sur fond d'habitués francophones (beaucoup d'expats), de plongeurs de retour des grands fonds et de billard. Ambiance un rien festive et cuisine du nord-est du pays. Y a bon !

Plus chic (autour de 500 Bts – 10 €)

|●| *56 (plan, 5)* : dans la rue principale. ☎ 425-277. Tlj sf dim 19h-23h. Intéressante formule entrée + plat ou plat + dessert. Cuisine fusion à l'image de Bo Phut, préparée par un ancien élève du *Martinez*. Par exemple, barracuda à l'aïoli ou magret de canard au four, superbement présentés et épicés. Cadre et mobilier arrangés avec élégance, dans un environnement où l'eau tient la vedette : en fontaines centrales ou murales. Service à la hauteur de sa catégorie avec des serviettes en soie, ça va de soi.

Où boire un verre ?

♟ *The Frog & Gecko Pub* – เมินเคอะฟ ร็อกแอนเกกโค *(plan, 5)* : au cœur du village. ☎ 425-248. Dans une ancienne maison de pêcheurs, tout en bois. Un bar vraiment agréable, tenu par un couple anglo-américano-allemand, Graham et Raphaella. Ambiance musicale essentiellement *sixties, seventies, eigh-*

ties. Il paraît que Mick Jagger y aurait fait un tour en avril 2003. Une info qui peut être utile pour répondre au fameux *quiz* de la maison, organisé le mercredi soir.

Y *Billabong Surf Club Bar & Grill* – บิลลาบอง เซิร์ฟ คลับ บาร์ แอนด์ กริ *(plan,*

5) : dans le centre de Bo Phut. Impossible de le manquer, car le soir, c'est un des endroits les plus animés du village. Pub australien, qui débite pas mal de bières. Plein de choses à grignoter pour aller avec.

Où se faire dorloter ?

■ *Spa Ban Sabai* – สปา บ้านสบาย *(plan, 50) : entre Bo Phut et Big Buddha Beach.* ☎ 245-175. ● *ban-sabai.com* ● Cadre enchanteur : quelques *salas* installés au bout d'un jardin tropical devant

la mer, et le bruit des vagues comme ambiance sonore. Les plus fanatiques pourront même s'offrir un « total Lotus Package » d'une demi-journée.

BIG BUDDHA BEACH – หาดพระใหญ่

Une plage mignonne exposée au soleil couchant, avec ses quelques barcasses de pêcheurs et très peu de touristes (les photographes seront ravis). Toutefois, on a du mal à s'y sentir isolé, car la route passe à proximité et c'est l'axe de l'aéroport, situé à moins de 2 km à vol de mouette (c'est assez insupportable !).

Où manger ? Où boire un verre ?

|●| **Y** *BBC Restaurant* – ร้านอาหาร บีบี ซี *(plan, 33) : entre l'embranchement qui mène à l'aéroport et Big Buddha.* ☎ 425-089. Happy hours *tlj 17h-20h* sur les bières et cocktails. Buffet-barbecue à volonté jeu et dim. Grande structure moderne, demi-

couverte, avec terrasse en bois donnant sur les flots. Beau coucher de soleil. Grand écran pour les aficionados d'événements sportifs. Les autres (au cas où) se contenteront du superbe coucher de soleil sur la baie.

À voir

X *Big Buddha* – พระใหญ่ *(plan, 40) : à droite de la plage du même nom. Entrée gratuite. Parking et boutiques.* Un gigantesque bouddha doré très kitsch, bâti en 1971 sur un promontoire rocheux. Des moines vivent dans le monastère à proximité. Pour la visite, shorts et épaules nues interdits. Pour les étourdis, location de petits hauts et de pantalons. Assez étonnant : dans la cour qui précède le temple, un curieux distributeur de riz pour offrandes. Chouette vue.

CHOENG MON BEACH – หาดเชิงมน

Au nord-est de l'île. Une petite plage paradisiaque, en forme de croissant de lune, bordée de sable blanc et de cocotiers. À droite, un petit îlot accessible à marée basse complète la carte postale. Ces dernières années, une petite agglomération s'est développée et les touristes y viennent en couple ou en famille. Choeng Mon est un bon choix de résidence sur un des plus beaux sites de Ko Samui.

Où dormir ? Où manger ?

De prix moyens à un peu plus chic (de 500 à 1 500 Bts – 10 à 30 €)

🏠 |●| Ô *Soleil Bungalow* – โอ่โซเลล์ บังกะโล *(plan, 37) : à l'extrémité nord de la plage.* ☎ *425-232.* ● *osoleil@loxinfo.co.th* ● *Large éventail de prix selon équipement (douche, ventilo ou AC...) et situation. Résa conseillée.* Dans une charmante cocoteraie ombragée, vous débusquerez des chambres dans des baraques de plain-pied ainsi qu'une vingtaine de bungalows en dur. Tenue générale et cadre irréprochables. Des lits à ressorts pas tout jeunes mais ça reste un bon point de chute. Resto agréable au fond devant la plage.

🏠 |●| *P.S. Villa* – พีเอสวิลล่า *(plan, 37) : à côté de Ô Soleil. Au bord de la plage.* ☎ *425-160.* Massives, voire éléphantesques maisons roses (ça ne s'invente pas) abritant sur 2 niveaux de clinquantes chambres climatisées dont certaines avec baignoire. Sur la gauche, de plus populaires bungalows ventilés ou avec AC. Le bon rapport qualité-prix retiendra votre suffrage. Resto.

|●| *Island View* – ไอส์แลนด์ วิวย์ *(plan, 37) : à l'est de Choeng Mon.* ☎ *245-031. Accès par la plage ou depuis la route en longeant l'*Imperial Boat House. Une des nombreuses gargotes de la plage, qui se distingue par sa vue sur l'îlot (à droite) et ses prix accessibles. L'accueil fluctue avec la marée, mais le niveau des plats thaïs est toujours à marée haute, en qualité comme en quantité.

À voir

▷ La petite plage de cailloux de **Thong Son Bay** *(plan, 41),* un peu au nord de Choeng Mon Beach, est plus isolée et moins fréquentée. Vue superbe. Quelques groupes de bungalows y ont été construits.

CHAWENG BEACH – หาดเฉวง

La plus célèbre plage de l'île étale ses 3 km de fin sable blanc en un arc de cercle très ouvert. Elle est devenue un ghetto à touristes. De jour, foule sur la plage, bruyants scooters des mers, eaux limpides avec passages de nappes un peu louches, rabatteurs en tout genre, dont des dealers. Le soir, l'animation bat son plein autour de la rue principale. Il y en a pour tous les âges, tous les goûts et tous les porte-monnaie. Les bars à filles ne sont pas si loin non plus. L'hébergement est d'un rapport qualité-prix plutôt mauvais. Et la restauration : internationale, chère et sans éclat. Ah ! on oubliait, Chaweng est dans l'axe du décollage des avions (l'aéroport est à 2 km) : pas si gênant après 20h, cela dit.

Topographie des lieux

Chaweng est traversée du nord au sud par une rue centrale encombrée par des dizaines de boutiques, autant de restos de tous les pays et d'échoppes en tout genre. Des ruelles perpendiculaires mènent aux hôtels et à la plage qui, de fait, se trouve éloignée de la route. Dans son ensemble, Chaweng est festif et bruyant.

KO SAMUI

Où dormir ?

Bon, on ne peut pas dire que la qualité des établissements nous ait ébahis et on est au regret de vous annoncer que les bungalows bon marché se sont éteints. Mais si vous voulez dormir ici, voici quelques adresses correctes, aux prix « limite raisonnables » vu la qualité et l'environnement.

Au nord de la plage

Plus chic (de 1 500 à 3 000 Bts – 30 à 60 €)

O.P. Bungalows – โอ.พี.บังกะโล *(plan, 19) : à l'entrée nord de la rue principale.* ☎ *422-424.* ● *op-bungalow. com* ● Ça commence par les chambres les moins chères, dans des baraquements avec ventilo au plafond, murs « blancs » et sans déco. La suite s'améliore avec 2 rangées de bungalows en épis et en enfilade jusqu'à la mer. Assez spacieux, certains avec AC, frigo et eau chaude. Le véritable plus ici, c'est l'espace devant la mer, ombragé par une miniforêt de grands arbres maritimes. Vue sur un îlot tout en longueur qui vient se refermer sur un petit cap. Étonnamment relax pour le coin !

The Chaweng Garden Beach – เดอะเฉวงการ์เด้นบีช *(plan, 19) :* 162/8 Chaweng Beach. ☎ *960-394.* ● *cha wenggardensamui.com* ● *Prix variant du simple au quadruple selon confort.* Le moins cher : des chambres sans fard dans un immeuble donnant sur la bruyante rue principale. Sinon, grands bungalows de bois sur pilotis, dispersés dans un beau jardin ombragé. Bien aménagés, sans déco particulière, avec ou sans AC, eau chaude... Ce secteur est très fréquenté (transats, jet-ski, massages tous les 10 m...). Pas le coin le plus tranquille donc.

Chaweng Villa Beach Resort – เฉวงวิลล่าบีชรีสอร์ท *(plan, 19) : entre* O.P. et Lucky Mother. ☎ *231-123.* ● *cha wengvillabeachresort.com* ● *Prix négociables si l'on reste quelques j. Petit déj inclus.* Une quarantaine de bungalows façon villas de Louisiane, confortables, avec AC. Déco un peu vieillotte dans certains. Ceux situés près de la plage sont nettement plus jolis que les autres, mais évitez d'être trop proche du bar et de sa musique techno. Piscine en bord de plage (pas super). Bon resto avec buffet sur la plage, le soir. Vue superbe sur un îlot caillouteux en face. Très gentil accueil.

Beaucoup plus chic (à partir de 6 000 Bts – 120 €)

Coral Bay Resort – โครอล เบย์ รีสอร์ท *(plan, 20) : tt au nord de la plage.* ☎ *422-223.* ● *coralbay.net* ● Un splendide et très chic village d'une cinquantaine de bungalows, isolé de la ville et protégé par un îlot. Vastes bungalows en bois sis au milieu d'un luxuriant jardin tropical comptant 292 cocotiers et beaucoup plus d'orchidées et autres fleurs raffinées. Superbe vue sur la mer depuis les terrasses et la très belle plage en bas. La déco des chambres est magnifique : beau mobilier (lit *king size* notamment), mosaïque au mur, etc. Très jolies salles de bains. Piscines, resto, massage, librairie et vidéos. Un très bel endroit !

Vers le milieu de la plage

De prix moyens à un peu plus chic (de 600 à 1 500 Bts – 12 à 30 €)

🛌 *Central Bay Resort* – เซ็นทรัล เบย์ รีสอร์ท *(plan, 21) : au centre de la baie ; entrée par une ruelle face au* Family Mart. ☎ *422-118. Fax : 422-119. Au centre de tout, baie, animation maritime, vie nocturne, sans en supporter les écarts sonores, voilà un petit hôtel* aux prix très abordables. Il aligne des bungalows bien espacés en bois ou bâtis, avec ventilo ou AC, terrasse, voire la télé (chouette, *Des chiffres et des lettres* en thaï !). Mobilier correct, sans plus, et accueil efficacement agréable.

Plus chic (de 1 500 à 2 500 Bts – 30 à 50 €)

🛌 *Long Beach Lodge* – ลอง บีช ลอดจ์ บังกะโล *(plan, 21) : prendre la rue pavée face au* MacDo *: réception sur la plage.* ☎ *422-162. Fax : 230-084. Grosse différence de prix selon équipement (douche froide et ventilo, ou plus spacieux et AC) et proximité de la mer. Grande cocoteraie qui débouche sur la* plage, avec de chaque côté d'un espace sablonneux sans grand intérêt, une rangée de bâtisses de plain-pied ou de bungalows. Resto en bord de plage. Ensemble assez impersonnel mais qui vaut par sa bonne tenue, ses prix et son calme.

Où manger ?

Les restos les plus intéressants sont ceux donnant sur la plage. Vue sur la mer de jour et ambiance romantique le soir (tables basses sur des nattes, chandelles). Ceux de la rue principale ouvrent surtout à partir de 18h. Ils sont plutôt chers et peu ou pas thaïs.

De bon marché à prix moyens (moins de 200 Bts – 4 €)

🍽 *Marché de Laem Din* – ตลาด แหลมดิน *(plan, 34) : au sud du lac ; un peu en retrait. Du centre de la plage, prendre plein ouest vers la route principale de l'île. Le soir slt.* Si la cuisine des restos – chère et ordinaire – vous insupporte, rendez-vous sur ce marché aux stands colorés et parfumés, où l'on peut se remplir la panse pour quelques bahts. Vous y débusquerez aussi quelques scènes authentiques de la vie locale, une aubaine, après le spectacle des tournedos grillés sur la plage.

🍽 *Ninja Restaurant* – ร้านอาหารนินจา *(plan, 21) : au sud de la rue principale.* 🖥 *081-892-28-41. Ouv 24h/24.* Petit resto de quartier, fier de son mobilier plastique, son toit de tôle ondulée et ses prix riquiqui. Menu de spécialités sino-thaïes à rallonge sur une carte façon roman-feuilleton. Un véritable cours de cuisine populaire, détaillant des pâtes à toutes les sauces. Font aussi des sandwichs et des petit déj. Clientèle d'habitués et de touristes qui ont su le dénicher.

🍽 *Sojeng Kitchen* – ร้านอาหารโสเจง *(plan, 21) : un chouia plus au sud que le précédent. Prix moyens.* Simple mais mignon, une petite cantine améliorée pour des classiques thaïs (sautés, poissons) et quelques plats occidentaux (spaghettis, steaks).

Plus chic (à partir de 300 Bts – 6 €)

|●| *Captain Kirk* – ร้านอาหารกับคันเคริก (*plan, 35*) : *sur la rue principale, en plein centre.* ☎ 081-270-53-76. Cuisine thaïe et occidentale (carrément plus chère). On se place soit en poste d'observation, soit au calme, au fond de la salle. Menu en français. De l'entrée au dessert, tout ce que nous y avons mangé s'est révélé excellent : tartare de thon et sa purée d'herbes fraîches, brochette de crevettes « tigre » au beurre blanc, etc. Également des viandes et des plats végétariens. Service excellent et rapide.

|●| *Chomtalay* – ร้านอาหารชมทะเล (*plan, 19*) : *au nord, sur la plage ; resto du* Chaweng Regent Beach. ☎ 422-389. Bon chic, bon genre, c'est une des bonnes références du coin. Et les prix n'y sont pas plus élevés qu'en ville pour une meilleure prestation. Des petits plats, façon gastronomique, sont aux bons soins d'un personnel affable. Fruits de mer, crabe pour lequel on en pince et viandes bien accommodées. Que ce soit sur la terrasse largement ouverte sur les flots bleus ou directement sur le sable (le soir) dans une ambiance très romantique, on passe un très agréable moment.

|●| *Samui Seafood* – ร้านอาหารสมุ ยซีฟู๊ด (*plan, 19*) : *au nord, sur la rue principale.* ☎ 413-221. Un gigantesque resto spécialisé dans les produits de la mer, mais qui se défend également pour les viandes. Dans un décor hollywoodien qui hésite entre James Bond et pirates des mers de Chine... particulièrement bluffant, un petit orchestre siamois traditionnel s'évertue à faire croire qu'on est bien en Thaïlande. Bon mais cher (attention, ajouter 17 % de taxes aux prix de la carte !). Et attente très longue.

|●| *Poppies* – ร้านอาหารป๊อปปี้ (*plan, 22*) : *au sud, sur la plage ; resto au fond de l'hôtel de luxe du même nom.* ☎ 422-419. *Moins cher à midi. Résa conseillée.* 2 chefs au piano : un Californien et un Thaï. Il en résulte une *fusion food* de bon aloi comme la ballottine de poulet au crabe. En dessert, n'oubliez pas la crème brûlée à la noix de coco. Salle face à la mer, au bord d'une superbe piscine. On l'atteint après avoir traversé le magnifique jardin du *resort*. Un vrai plaisir pour les yeux, comme pour les papilles. Ambiance coloniale guindée.

Où boire un verre ? Où danser ?

Ⴑ *The Islander* – บาร์ดิไอซ์แลนด์เดอร์ (*plan, 19*) : *au nord de la rue principale.* ☎ 230-836. Bar avec terrasse sur la rue mais, entre les discussions et la musique à fond, on n'entend presque pas les voitures ! Joyeuses tablées de jeunes (plutôt moins de 30 ans) qui vident des carafes de margharita, piña colada et autres bières... On peut aussi manger une cuisine réputée pour ses portions généreuses. Plus au nord, le *Solo* – โซโล où on ne boit jamais son *drink* vraiment seul tant il attire les foules endiablées.

Ⴑ ♪ ♫ *Soi Green Mango* – ซอยกรีนแมงโก (*plan, 19*) *et autres bars alen-*

tour : Chaweng ultracentre ! Green Mango est une méga boîte qui a depuis longtemps attiré une ribambelle de bars et clubs dans ses parages. Certains sont très stylés comme le *Mint* ou la *Pharmacy* – personnel féminin en uniforme, une petite fièvre ? Le *Sound* est parfait pour ses concerts de music live sous un hangar relooké. Bar presque anodin, le *Sweet Soul* fait pourtant le plein tous les soirs à se retrouver collé-serré.

Ⴑ ♫ *Reggae Pub* – เรกเก้ผับ (*plan, 34*) : *au sud du « lac ». Traverser le quartier chaud.* ☎ 422-331. Attention légende ! Face à cette usine mégalo à reggae,

Bob le révolutionnaire doit se trémousser dans sa terre jamaïcaine. Grande piste de danse avec podium pour les Travolta ou Musclor d'un soir, sous le *beat* de bons DJs, « sans femmes ni pleurs ». Soirées spéciales. Au 1er étage, vidéos et billards. Ambiance à la fois relax et chaude (après 22h). On peut aussi manger dans le resto du même nom : serveurs sans dreadlocks ni guitares, mais cuisine de bon aloi à prix un peu chic.

À voir. À faire

■ *Boxe thaïe (plan, 34) : au Chaweng Boxing Stadium, non loin du* Reggae Pub, *dans le coin des bars à filles, mar, ven, dim. Prix d'entrée élevé (800-1 500 Bts, soit 16-30 €). Également au Petchbuncha Stadium, à côté du marché Laem Din, plus cher (1 000 Bts et plus, soit 20 €). Matchs lun, mer, sam.* On est informé par de grandes affiches en ville. En général, combats vers 21h. Ça ne se termine pas avant 23h30. Et ça ne rigole pas !
■ *Samui Institute of Thai Culinary Arts (SITCA ; plan, 22) : Soi Colibri, au sud de Chaweng.* ☎ *413-172.* ● *sitca. net* ● *Compter env 1 900 Bts (36 €) le cours.* Une école réputée qui enseigne les secrets de la cuisine thaïe ainsi que l'art de la sculpture des fruits et légumes. Cours en anglais, le midi et en fin d'après-midi. On apprend à reconnaître les ingrédients et épices, et on prépare au moins 3 plats différents. Salle très bien équipée et cours ludiques. Ensuite, dégustation ! On peut inviter un ou deux potes pour partager le repas.
❀ Magasins de tout poil à Chaweng, dans la rue principale (souvenirs, habits, lunettes...). On trouve aussi un grand centre commercial *Tesco-Lotus* (plan, 4) ; sur la route vers Bo Phut. Dedans, vaste supermarché et commerces. *Big C,* pas loin, en face.

CORAL COVE ET THONG TA KHIAN – หาดโครอล โคฟและ ทองคะเคียน

Coral Cove et Thong Ta Khian sont deux séduisantes petites criques sablonneuses au sud de Chaweng. La première, ourlée de rochers façon Maldives, est pas mal pour faire un peu de *snorkelling* ou de la bronzette. La crique suivante, *Thong Ta Khian,* plus ample et soulignée de verdure, est propice à la baignade et abrite une poignée de *resorts.*

Où dormir ?

De prix moyens à plus chic (de 700 à 2 000 Bts – 14 à 40 €)

🏠 *Silver Beach Resort –* ซิลเวอร์ บีช รีสอร์ท *(plan, 23) : plage de Thong Ta Khian.* ☎ *422-478.* ● *go2silverbeach. com* ● *Prix qui font le grand écart selon situation et équipement (ventilo ou clim').* Chalets aux murs crépis. Sans grand charme et de mobilier standard. Assez spacieux. Éviter les nouveaux bungalows qui sont situés au-dessus de la route. Des efforts de jardinage seraient les bienvenus, mais ce *resort* est un bon choix si l'on veut se poser sur cette plage relax. Resto sur place. Accueil souriant dans un gentil désordre ambiant.

LAMAI BEACH – หาดละไม

Belle plage en croissant de lune avec une eau presque limpide. Un peu moins frénétique que Chaweng, on trouve ici plus d'occasions d'être au calme auprès de la grande bleue. Seul hic : les nymphes quittent les flots le soir pour animer les bars à gogos qui pullulent en plein centre. Assez glauque, il faut le dire.

Où dormir ?

Bon marché (de 150 à 400 Bts – 3 à 8 €)

Whitesands Bungalow – ไวท์แซนด์ บังกาโล *(plan, 24) :* tt au sud de la plage, après la poste, dans un imbroglio de chemins. ☎ 424-298. Fax : 424-556. Survivant d'une époque où eau chaude et AC étaient encore de la science-fiction et la petite hutte sommaire sans salle de bains avec matelas à même le sol étaient des standards. Oui, mais devant la plage ! Ne pas être exigeant. Certaines masures, plus grandes, disposent de sanitaires (eau froide). Il y a même des bungalows en dur. Un petit resto bien sympa accueille des routards plutôt heureux.

New Hut – นิวฮัท *(plan, 38) :* au nord de la plage. Accès par une passerelle, à gauche, 200 m au sud de Buddy Beach. ☎ 089-729-84-89. ● newhutlamai@yahoo.co.th ● Entre *khlong* et plage, un ensemble de cabanes minuscules, en forme de A majuscule. Du bois du sol au plafond pour toutes. Salle de bains privée pour les moins économiques, partagée pour les autres. Mais on partage surtout ici une ambiance routarde internationale et le sable blanc. Propre, bien tenu, un très bon plan. On y mange bien à pas cher.

Prix moyens (de 400 à 1 300 Bts – 8 à 26 €)

Lamai Coconut Resort – ละไมโกโก้นัททรีสอร์ท *(plan, 26) :* centre de Lamai. ☎ et fax : 232-169. À l'écart de la rue principale, réception en bord de plage. Bungalows en bois verni et brique, autour d'une allée centrale jardinée. Chambres avec AC spacieuses à la déco de bois presque cosy mais aux sanitaires vieillissants. Les moins chers, plus simples, sont bien serrés les uns contre les autres. Tous avec terrasses, et bien tenus. Éviter ceux trop proches du parking. Resto un peu froid et accueil itou.

De prix moyens à plus chic (de 800 à 1 800 Bts – 16 à 36 €)

Bill Resort – บิลรีสอร์ท *(plan, 24) :* au sud de la plage. ☎ 424-403. ● thebillresort.com ● *Plein de catégories de prix selon confort et situation, depuis le flanc de colline (assez reculé, chambres les moins chères) jusqu'au bord de piscine, face à la mer.* Bel ensemble très disparate de chambres et de bungalows noyés dans un jardin très fleuri. Tout est impeccable, et la prestation de belle tenue : minibar, AC, terrasse, petit déj pour toutes les chambres, même les moins chères. Ambiance et accueil agréables, les familles s'y sentent bien. Avec sa belle piscine, son coin de plage fort joli, c'est une bonne adresse.

Où manger ? Où boire un verre ?

Lamai traîne comme Chaweng son lot de restos allemands, italiens. Dur de trouver de bonnes adresses au cœur du bourg.

Bon marché (autour de 100 Bts – 2 €)

I●I Lamai Food Center – ศูนย์อาหารละมัย *(plan, 26)* : dans une ruelle perpendiculaire à la route, à côté de la station service PTT. On mange plutôt bien et pour trois fois rien dans cet ensemble de petits restos (thaïs, chinois et même indien) de plein air, juste à l'écart du tumulte. Sans doute le coin le plus sympa de tout le quartier.

I●I Ninja Crepes Restaurant – ร้านอาหารนินจา แครบส์ *(plan, 38)* : 200 m au sud de Buddy Beach *(voir ci-dessous)*. Tlj 24h/24. Bon marché et sans chiqué. Resto cantine thaï avec quelques plats occidentaux (dont des crêpes). Branche de la célèbre adresse de Chaweng, un peu trop en bordure de route.

Prix moyens (autour de 300 Bts – 6 €)

I●I � **Buddy Beach (Haad Buddy)** – หาดบัดดี้ *(plan, 38)* : au nord de Lamai. Si vous le ratez on vous offre des binocles ! ☎ 458-080. Tlj 12h-2h. Buddy Lamai Beach est un complexe assez tendance monté par le pionnier du célèbre ghetto pour routards de Khao San Road à Bangkok. Ici, le **Chom Lay,** resto de look colonial, s'habille de mobilier baroque, vieilles revues et affiches. Cuisine standard plutôt chère. De l'autre côté de la piscine, le **Shark Bar** se pare d'un décor marine avec 3 billards presque posés sur le sable tout proche. Et puis, de l'autre côté de la rue, un *shopping center* grandiloquent un peu tarte à la crème saumonée. Si le cœur vous en dit.

À voir et... où se faire dorloter ?

🐾🐾 Hin Ta & Hin Yai – หินตา หินยาย *(plan, 42)* : indiqué sur la gauche quand on vient du nord, mais attention, on voit assez mal le panneau. Parking payant à 100 m du site. Avant d'arriver, une litanie de boutiques donne accès à un site vraiment superbe. Une avancée de rochers plats avec, sur la droite, Grand Papa (Hin Ta) bien en forme : un rocher cylindrique long, dont la forme et les proportions ne laissent aucun doute sur ce que le Créateur a voulu figurer. Et, à côté, Grand Maman (Hin Yai) sous forme de faille étroite entre deux rochers. Les enfants n'y verront que... deux rochers. Belle vue sur la plage de Lamai, sur la gauche. Certains Thaïs y viennent le soir gratter la guitare.

■ Tamarind Springs – ธามะริน สปริงส์ *(plan, 51)* : en arrivant sur Lamai Beach. ☎ 230-571. ● tamarindsprings.com ● Dans une oasis de *zénitude*, à flanc de colline, au milieu des cocotiers. Lieu enchanteur pour se relaxer, et tout est fait pour vous y aider. Serviettes, sarongs et tongs fournis. Soins, aux noms évocateurs : *traditionnel* (un massage thaï de 3h), *véritable indulgence*, *extase du dos*, *divine décadence* (massage de relaxation, puis des pieds, puis soin du visage)... Choix cornélien ! Pas donné bien sûr, mais un grand souvenir.

KO SAMUI

HUA THANON – บ้านหัวถนน

Au sud de Lamai. Une belle plage de carte postale, tranquille et bordée de coco-tiers. La mer y est peu profonde et très peu propice à la baignade. Au nord de la plage, on trouve *Ban Hua Thanon,* un petit village atypique car habité par des pêcheurs musulmans. Ce sont des passionnés de tourterelles et ils organisent des concours de chant... Là où la route fait un angle, se garer et explorer l'unique ruelle du petit village : maisons en bois et vie de village. Marché aux poissons tous les matins, vraiment populaire et très bien approvisionné. Dépaysant après Chaweng et Lamai !

Où dormir ?

De prix moyens à un peu plus chic (de 500 à 1 200 Bts – 10 à 24 €)

🏠 *Wanna Samui Resort* – วันนา สมุย รีสอร์ท *(plan, 27) : Tambon Maret, au sud de Hua Thanon.* ☎ et fax : 232-130. ● *wanna@sawadee.com* ● Dans une grande cocoteraie égayée d'une jolie végétation, un alignement de bungalows jusqu'à la mer. Les chambres les plus simples ont ventilo, eau froide et miniterrasse. Les plus luxueuses coûtent le triple mais jouissent de la clim' et de l'eau chaude. Piscine. Grand calme (on aurait même tendance à s'ennuyer un peu !).

À voir

🍴 🏃 *Samui Aquarium* – สมุยอะควอเรียม *(plan, 27) : au bord de Ban Harn Beach, juste au sud de Hua Thanon ; bien indiqué.* ☎ 424-017. *Tlj 9h-18h. Entrée : 450 Bts (9 €) ; enfants 250 Bts (5 €). Pas donné.* Nombreux poissons du golfe de Thaïlande, de toutes les tailles, formes et couleurs (*cat fish,* Napoléon, *lion fish,* murène géante...). Mais ce n'est pas seulement un aquarium, c'est aussi une sorte de zoo spécialisé dans les tigres (notamment du Bengale : il en subsiste quelques-uns en Thaïlande). Ici, ils se donnent même en spectacle en début d'après-midi.

BANG KAO – บางเก่า

Plage superbe et presque déserte car peu propice à la baignade. Il faut aller très loin pour trouver de la profondeur... On l'aime bien quand même pour son intimité et sa bronzette paisible.

À voir

🍴 🏃 *Butterfly Garden* – สวนผีเสื้อสมุย *(plan, 43) : sur la route n° 4170 entre Ban Hua Thanon et Ban Bang Kao.* ☎ 424-020. *Tlj 8h30-17h30. Entrée : 170 Bts (3,40 €) ; enfant 110 Bts (2,20 €).* Un immense filet tendu sur un grand jardin tropical avec plus de 25 espèces différentes de superbes papillons provenant du monde entier. Présentation de l'évolution des cocons en haut, sur une terrasse de bois. Un peu plus haut dans le parc, la maison des abeilles, où l'on voit des essaims faire leur miel.

BAN THONG KRUT – บ้านท้องกรูด

À l'extrémité sud de l'île, petit village de quelques baraques de pêcheurs. Attention, pas vraiment de baignades possibles dans le coin. On peut venir y manger de délicieux poissons, ou prendre la mer pour une agréable excursion vers l'île de Ko Tan. À 2 km au nord, une étonnante pagode magnifiquement située en bord de mer. Le détail qui tue : elle est complètement recouverte de carreaux de salle de bains !

Où manger ? Où boire un verre ?

Bon marché (autour de 150 Bts – 3 €)

|●| *Gingpagarang Restaurant* – ร้านอาหารกิ่งปะการัง *(plan, 39) : sur la plage.* ☎ 423-215. *Tlj 11h-20h.* Un resto très pittoresque avec sa terrasse en bois sur pilotis, ouverte sur la petite plage étroite et ses bateaux de pêcheurs. Bon choix de fruits de mer ultrafrais, cuisinés le plus simplement du monde pour un goût exquis. On a bien aimé la salade de fruits de mer et les crevettes à la citronnelle.

|●| ♟ *La Java* – ร้านอาหารลา จาวา *(plan, 39) : à l'est de la plage.* 🖅 087-271-55-33. *Tlj 11h-21h.* Bâtisse ouverte aux vents, et tournée vers une baie paisible avec l'île de Ko Tan à l'horizon. Déco de bambou, osier, avec un petit bassin au centre. Là, Philippe le Strasbourgeois a posé sa vie après avoir abandonné les 4x4. Plats thaïs, sandwichs à petits prix ou des viandes (dont du tartare), déjà plus chères.

À voir. À faire

➢ *Excursion à Ko Tan* – ไปเที่ยวเกาะฑาน *:* une grande île vierge au sud immédiat de Ban Thong Krut. *Pour vous y conduire, ni ferry ni* express-boat, *mais une modeste barcasse de pêcheurs qui part de la plage tlj vers 9h30 et revient vers 13h. Pour un petit bateau privé, compter à partir de 1 000 Bts (20 €). S'arranger auprès des restos et commerces de la plage, comme Mr Sid Tour (petit resto-terrasse au bord de la grève).* Pas de location de motos ni de voitures. Le bout de la route. On y vient pour jouer les Robinson le temps d'une bronzette ou d'une séance de *snorkelling* dans les rochers alentour. Vraiment tranquille.

🐚 *Magic Alambic* – มาจิค อลามบิค *(plan, 3) : village de Ban Thale. En allant de Thong Krut à Hua Thanon, sur la droite (indiqué).* ☎ *et fax : 419-023.* ● rhumdistillerie.com ● Si vous passez dans le coin, profitez de l'occasion pour faire une petite visite ici. Pour vous faire raconter par Michel, le « distillateur », ou sa charmante épouse, Élisa, comment on peut bien passer de la taille de pierre aux pruneaux d'Agen puis à la distillerie de rhum « agricole » (depuis 2003). L'alambic venu spécialement du Gers s'y gourmande de canne à sucre cultivée dans le sud de la Thaïlande. Ça donne un bon nectar, décliné en plusieurs parfums exotiques et présenté dans de jolies bouteilles. Sur place, dégustation.

LAEM PHANG KA – แหลมพังกา

➢ *Pour s'y rendre :* précisément au cap sud-ouest de l'île. Quitter la route n° 4170 au carrefour pratiquement en face de la Snake Farm (attrape-touriste) pour emprunter l'une des 2 extrémités de la petite route qui décrit une boucle vers le promontoire. Si vous vous déplacez en transports en commun, sachez que la mer se trouve à environ 2 km de la route principale.

Ao Phang Ka, tournée vers l'ouest, est bordée d'une végétation luxuriante. Des chaloupes y dodelinent tranquillement et le paysage maritime vaut le coup d'œil avec ses îlots pointus au loin. En poursuivant la balade, on débouche sur *Thong Thanote,* au sud-est du cap, plus nue mais dotée d'une belle plage. Seul hic au moment de la baignade : il n'y a pas de fond.

Où dormir ? Où manger ?

De bon marché à prix moyens (de 300 à 1 000 Bts – 6 à 20 €)

🛏 |●| *Emerald Cove* – เอมเมอรัล โค้ฟ (plan, 29) : *Phang Ka Beach.* ☎ 334-100. ● wesinac@hotmail.com ● *Le long de la petite route en boucle décrite en intro.* De tous petits prix pour cette pension à l'accueil façon maman poule. Bungalows comme d'hab' : brasseurs d'air au plafond, meubles et sanitaires simples. Ensemble clean mais visitez avant, car la qualité est inégale (et pas proportionnelle au prix). Une bonne adresse au vert sous les cocotiers et au bleu face à la « baie carte postale ». Espérant que le pesant silence ne vous empêchera pas de dormir ! Cuisine familiale du terroir. Bonne et pas à casser la tirelire.

🛏 *Jinta Beach Bungalow* – จินตา บีช บังกาโล (plan, 28) : *Thong Thanote.* ☎ 420-630. ● *jintasamui.com* ● *Suivre les pancartes du* Coconut Villa Resort, *c'est juste avt.* Une succession aérée de maisonnettes récentes à prix moyens. Les plus chères avec AC et réfrigérateur sont vastes et à deux pas de la plage. Les autres, ventilées, sont tout aussi propres et claires. La proprio est agréablement débonnaire. Ça manque de verdure, mais si on a chaud, la piscine est là pour les jours où la mer fait la grimace. Pas de restauration sur place.

Où manger d'anciennes recettes thaïes ?

Plus chic (plus de 300 Bts – 6 €)

|●| *Ban Chantra* – ร้านอาหารบ้านจันทรา (plan, 31) : *à 10 km au nord de Phang Ka, en haut du promontoire de Ban Taling Ngam (accès final en voiture de golf !).* ☎ 423-019. Le nec plus ultra des restos chic de l'île. À la fin des vacances, après avoir couru les cantoches routardes, vous aurez peut-être envie de casser le petit cochon (!) et de vous installer à la jolie terrasse couverte et ventilée avec vue sur la mer, la belle piscine et le jardin tropical. On prépare ici d'anciennes recettes royales. C'est excellent, cher et vraiment raffiné. Service stylé. Atmosphère romantique, idéale pour un dîner en amoureux.

➤ *L'INTÉRIEUR DE L'ÎLE*

➤ *Belles virées dans les collines* – เดินเล่นบนโขดหิน *:* l'intérieur de l'île et son réseau de pistes escaladant les collines recouvertes de jungle offrent une bonne alternative à la bronzette. Atmosphère démente ; quelques points de vue aériens splendides et des rencontres de bestiaux pas toujours fréquentables (serpents...). Bref, un visage inédit de Ko Samui s'offre à tous ceux qui tentent cette gentille aventure. Pour jouer aux explorateurs, mieux vaut se faire accompagner (Island Safari, ☎ 230-709). Seuls les plus aguerris pourront louer véhicules ou motos tout-terrain.

➤ **Excursion dans un camp de dressage d'éléphants** – การท่องเที่ยวในศูนย์–
ฝึกช้าง : rens auprès des agences de voyages locales. Ceux qui viennent du Nord (et les autres !) pourront assister au spectacle assez sympa.

🐾🐾 **Le moine momifié** – ร่างพระ
ทีมรณะภาพแล้วศพไม่เน่าเปื่อย (plan, 45) : dans le temple Wat Khunaram, au sud-est de l'île. Un moine vénéré qui entra dans les ordres à 50 ans et fut très connu pour la qualité de ses méditations.

🐾🐾 **Les combats de buffles** – ชนควาย : demandez conseil aux autochtones, ils en connaissent

MOMIE STAR

On s'aperçut que le corps du moine, mort à 79 ans, ne se décomposait pas. On décida alors de le momifier dans la position d'un scribe, dans une attitude de méditation profonde. Aujourd'hui dans une vitrine, il a gardé la même posture et s'offre une vraie vie de star (visez les lunettes noires !).

un rayon. Ces combats font partie intégrante de la vie des Thaïs et sont particulièrement répandus dans les îles du Sud. Presque chaque village possède son « arène », certaines se résumant à un simple espace clos par une haie de bambous. On en compte sept, réparties un peu partout sur Ko Samui. Les paris y sont importants et, plus que le duel lui-même, c'est l'animation qui règne autour de l'arène qui fait l'intérêt du spectacle. Pour votre culture personnelle, sachez qu'un buffle commence vers 6 ou 7 ans et peut lutter une fois par mois, jusqu'à l'âge de 25 ans ! Il prend ensuite une retraite méritée jusqu'à sa mort (autour de 40 ans). Les Thaïs vous expliqueront que la force d'un buffle se trouve dans son cou. Le perdant est l'animal qui se détourne de son adversaire et refuse le combat.

🚶 **Hin Lad Waterfall** – น้ำตกหินลาด (plan, 46) : à 3 km au sud de Na Thon, prendre à gauche (pancarte) ; c'est à 2 km, sur un chemin qui grimpe dans la jungle. Buvette au départ de la promenade. Balade sympa, à effectuer un jour pluvieux, quand les chutes sont abondantes. Parfois (mais rarement), on peut rencontrer un varan en train de rôtir au soleil. Ceux-là sont inoffensifs.

🚶 **Na Muang Waterfall 1** – น้ำตกน้ำเมือง 1 (plan, 47) : à 10 km au sud de Na Thon. À 200 m à pied du parking. Petite cascade sympathique, accessible à moto. Pour les paresseux. Plus loin, en suivant le fléchage à partir du parking, après une bonne demi-heure de marche à travers les cocoteraies, **Na Muang Waterfall 2** – น้ำตกน้ำเมือง 2 : belles chutes d'eau de 18 m de haut. Impressionnantes à la saison des pluies. Pendant la saison sèche, on se contente des piscines naturelles pour piquer une tête.

KO PHA NGAN – เกาะพะงัน

IND. TÉL. : 077

Petite île de 170 km² de superficie à quelques milles au nord de Ko Samui, Ko Pha Ngan (prononcez « Pane Gane ») est bien plus sauvage que sa célèbre cousine. 70 % de sa surface est montagneuse et encore largement recouverte de jungle. Ici, pas de problème d'eau, même en pleine saison sèche ! Pour vous, grandes plages superbes et un littoral qui réserve plein de criques tourmentées. Le centre offre des possibilités de randonnées qui feront le bonheur de tout visiteur un peu aventureux.

On adore l'essentiel de la moitié nord de l'île, où les paysages sont souvent admirables. Évidemment, les plages les plus exploitables font l'objet d'un développement énorme. Pendant ce temps, les baies les plus reculées restent bien calmes et assez sauvages. Les bungalows qui les ont colonisées ressemblent parfois à des bancs de coquillages fixés aux rochers, ou, version sablonneuse, à des huttes de naufragés.

Ko Pha Ngan est une île très contrastée. Seule constante, accueil et sourire y sont toujours de mise.

Arriver – Quitter

La majorité des embarcations (bateaux express, ferries, catamarans, etc.) font la navette aller-retour entre le continent (Surat Thani, voire Chumphon) et l'île de Ko Tao, et desservent ainsi Ko Pha Ngan au passage.

Encore des horaires et prix assez fluctuants avec des compagnies qui vont et viennent...

🛥 *Les embarcadères : les principaux sont à **Thong Sala**, mais certains bateaux accostent à **Haad Rin**.*
■ *Les compagnies : Haad Rin Queen* (☎ 375-113), ***Lomprayah*** (☎ 238-412), ***Raja Ferries*** (☎ 377-452), ***Seatran*** (☎ 238-679) et ***Songserm*** (☎ 377-046).

➤ *Depuis/vers Surat Thani :*
– ***Depuis Ta Thong :*** *express-boats Seatran* et *Songserm* à 8h et 14h (retour à 7h et 12h). Trajet : 4h ; 430 Bts (8,60 €). Plus véloces qu'un ferry, mais leur escale à Ko Samui (Na Thon) rend le voyage plus long. Le prix inclut le bus jusqu'à Surat Thani.
– ***Depuis Donsak :*** avec *Raja Ferries,* 6 ferries/j. directs, 6h-18h. Compter 220 Bts (4,40 €). 1 seul de *Seatran* à 17h (retour à 6h), qui fait escale à Ko Samui. Trajet : 2h30.
– ***Depuis Ban Don :*** avec *Seatran-Discovery,* 2 *express-boats*/j. à 8h30 et 15h (dans l'autre sens à 7h30 et 14h). Trajet : 2h30 ; 320 Bts (6,40 €).
N'oublions pas **LE night-boat,** bien folklo (voir « Arriver – Quitter » de Ko Samui), qui part de Ban Don à 23h (arrivée vers 6h). Retour à 22h (arrivée vers 4h). Prix : env 300 Bts (6 €).

➤ *Depuis/vers Ko Samui :*
Attention, pas de ferry prenant des véhicules entre Ko Samui et Ko Pha Ngan.
– ***Vers Thong Sala :*** de Na Thon, voir les *express-boats Seatran* et *Songserm* (plus haut). Compter 150-200 Bts (3-4 €).
Deux fois plus rapides : 3 catamarans/j. avec *Lomprayah* (depuis Mae Nam) 8h, 12h30 et 17h (retour à 7h, 11h et 16h). 2 autres avec *Seatran Discovery* (depuis Big Buddha), à 8h et 13h (retour à 11h et 16h30). Trajet : 30 mn ; 250 Bts (5 €).
À noter : les soirs de *Full Moon Parties* à Ko Pha Ngan, *Lomprayah* propose une formule combinée bateau (à 21h30) avec transfert vers Haad Rin (où ça guinche) pour 200 Bts (4 €).
– ***Vers Haad Rin :*** 4 *express-boats* avec *Haad Rin Queen* (depuis Big Buddha), 9h30-17h30. Trajet : 1h ; 150 Bts (3 €). 1 bateau/j. quitte Ko Samui (Mae Nam) à 12h, dessert Haad Rin, puis toutes les plages de la côte est jusqu'à Thong Nai Pan. Trajet : 3h env ; compter 250 Bts (5 €). Dans l'autre sens, départ de Thong Nai Pan à 9h.

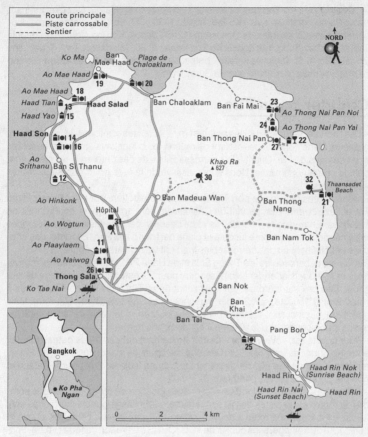

KO PHA NGAN

KO PHA NGAN

■ **Adresse utile**

31 Hôpital de Ko Pha Ngan

🏠 🍴 **Où dormir ? Où manger ?**

10 Siripun Bungalows, Tranquil
11 Cookies Bungalows, Sea Scene Resort
12 Chai Country
13 Haad Tian Bungalows
14 Over The Bay Bungalows
15 Dream Hill
16 Tantawan Bungalows
18 Coral Beach, Salad Beach Resort
19 Royal Orchid Resort, Wang Sai, Mae Haad Bay Resort, Island View Cabana
20 Wattana Resort
21 Mai Pen Rai Bungalows, Silver Cliff Bungalows
22 Dolphin Bar & Bungalows
23 Baan Tapan Noi, Thongtapan, Krua Tapan
24 Panviman Resort
25 Silvery Moon
26 Marché du village, Sae Mew
27 Gargote du village

🏹 **À voir. À faire**

30 Khao Ra et Phaeng Waterfall (parc national) et Khao Raa Retreat
31 Moine solitaire du Wat Khao Noy
32 Thaansadet Waterfall

➤ *Depuis/vers Ko Tao :* les catamarans *Lomprayah* et *Seatran Discovery* venant de Ko Samui continuent vers Ko Tao. Trajet : 1h30 ; 350 Bts (7 €). *Same-same* pour certains bateaux express de *Songserm* (12h30 depuis Ko Pha Ngan, 10h depuis Tao) et *Seatran* (8h30, 14h depuis Ko Pha Ngan ; 9h30, 15h depuis Tao). Trajet : env 2h ; 300 Bts (6 €). Tous ces bateaux poursuivent au-delà vers **Chumphon** : liaison plus rapide mais plus chère que via Surat Thani.

Circuler dans l'île

– Dès l'arrivée, récupérer un des gratuits (voir « Adresses et infos utiles ») qui offrent plusieurs plans corrects permettant de repérer les bungalows ainsi que les routes et les sentiers de l'île. Quant à la « carrossabilité » de ces dernières, les plans sont parfois un peu optimistes. Nous avons essayé de faire le point quant aux routes « principales » !

Passant toutes deux par le port Thong Sala, la route côtière ouest, celle vers Haad Rin et l'axe central descendant de Chaloaklam sont entièrement goudronnés ou bétonnés. En revanche, l'est de l'île reste desservi par une piste assez défoncée mais négociable qui monte jusqu'à la plage de Thong Nai Pan. En route, des chemins difficilement ou pas carrossables irradient vers diverses criques.

Depuis les débarcadères (de Thong Sala et de Haad Rin), des *songthaews,* motos-taxis et *taxi-boats* attendent les passagers pour les conduire vers la plage de leur choix. Des prix standard ont été fixés allant de 50 Bts, soit 1 € (de Thong Sala à Haad Rin), à 150 Bts, soit 3 € par personne (trajet jusqu'à Thong Nai Pan). Mais attention : ceux-ci sont valables pendant la journée, si le véhicule fait le plein (au moins 8 personnes) et si le chauffeur est de bonne humeur...

– Pour la côte est, voir « Arriver – Quitter » plus haut concernant le bateau régulier entre Ko Samui et Tong Nai Pan. Des *long-tail boats* se louent aussi à Haad Rin ou au nord-ouest de l'île afin de desservir les criques isolées. Prix pour le bateau et non par personne (soyez nombreux !).

– Si indépendance et exploration riment avec location de moto, sachez que nombre de routes et de pistes de l'île sont vraiment très casse-gueule (surtout à l'est). Mieux vaut louer une moto « neuve », et en tout cas vérifier l'état des pneus et l'efficacité du freinage, sans oublier de TOUJOURS mettre son casque ! Voir la rubrique « Transports » dans « Thaïlande utile » en début de guide. La circulation, elle, est encore assez zen.

– On peut aussi louer des 4x4. Là aussi, attention aux contrats de location sans assurance et se rappeler qu'il faut être un pilote averti, si ce n'est Peterhansel, pour négocier certaines pistes ! Ne pas se lancer aveuglément, consulter les plans et infos. Penser éventuellement à chartériser un taxi à la journée (avec chauffeur, donc) ; ça revient plus cher, mais ça évite de prendre des risques inutiles.

Adresses et infos utiles

– *Gratuits d'informations touristiques :* disponibles un peu partout (bars, pensions, agences, quais des bateaux), **Phangan Info** ● phanganinfo.com ●, très bien fait et assez complet (plusieurs plans précis, horaires des transports) et **Phangan Explorer** ● phanga

nexplorer.com ●, la même chose en légèrement moins bien. Également un site internet en français : ● phangan-guide.com ●

✉ **Post Office** – ไปรษณีย์ : *dans la rue qui longe la mer à Thong Sala. Env 500 m sur la droite du débarcadère* quand on arrive. Lun-ven 8h30-16h30 ; sam 9h-12h.

@ Internet et téléphone : plusieurs boutiques spécialisées et de nombreuses pensions proposent ces services à Thong Sala ainsi que sur les autres plages. Env 2 Bts/mn (0,04 €) pour Internet et env 30 Bts/mn (0,06 €) pour les appels internationaux.

■ **Banques & ATM :** les banques de Thong Sala se concentrent dans la rue qui prolonge le débarcadère des compagnies Raja et Songserm, au-delà du rond-point. Guichets de change ouv tlj. Distributeurs automatiques. Dans les autres villages touristiques, quelques guichets de change et distributeurs.

■ **Hôpital de Ko Pha Ngan** – โรงพยาบาลเกาะพะงัน (plan, **31**) : 2,5 km au nord de Thong Sala, proche du Wat Khao Noy.

■ **Police** – สถานีตำรวจ : à 2 km sur la route du nord. Tlj 24h/24. Urgences : ☎ 377-114. En allant vers Sairee.

■ **Location de motos et voitures :** plusieurs loueurs dans la rue en face du débarcadère. Motos également disponibles sur toutes les plages, en passant éventuellement par son hébergement.

– **Full Moon Parties :** info sur ● fullmoon.phangan.info ● et affichage ostentatoire partout sur l'île.

THONG SALA – ทองศาลา

Capitale sans charme de l'île et port principal des bateaux, Thong Sala concentre l'essentiel des boutiques et services.

Où manger ?

Bon marché (moins de 150 Bts – 3 €)

|●| **Marché du village** – ตลาดของหมู่บ้านอยู่ที่ถนนที่มีทางเดินเท้าด้านซ้าย (plan, **26**) : en remontant la rue qui prolonge le quai, sur la gauche, un peu après le 7/Eleven. L'occasion de se remplir la panse pour quelques bahts seulement. Le soir, un peu plus loin, au carrefour, quelques stands restent ouverts pratiquement toute la nuit.

|●| 🍽 **Sae Mew** – แซ่กิว (plan, **26**) : face au quai. Parmi les restos occidentalisés du port, ce petit estaminet avec terrasse mérite une mention. Cafés, shakes, petit déj, plats sur le pouce à pas cher. Bien pour se caler avant de tanguer sur le bateau.

➤ DE THONG SALA VERS LE NORD, EN SUIVANT LA CÔTE OUEST

Bordée d'innombrables cocoteraies, cette côte est ponctuée de maintes criques et plages de sable séparées par de petits caps rocheux. Dommage, la faible profondeur de la mer rend la baignade souvent difficile, selon les secteurs (surtout au sud) et les périodes.

LES PLAGES D'AO NAIWOG, AO PLAAYLAEM ET AO HINKONK – อ่าวนายวงศ์

C'est le coin le plus calme de l'île, mais attention, peu de fond, voire pas du tout en mai et juin !

KO PHA NGAN

Où dormir ? Où manger ?

De bon marché à prix moyens (de 250 à 1 200 Bts – 5 à 24 €)

Pour toutes les adresses citées ci-dessous, le choix de la clim' propulse ce qui est bon marché en catégorie « Prix moyens ».

🛏 *Siripun Bungalows* – ศิริพรรณบังกะโล *(plan, 10)* : Ao Naiwog, à env 2 km de Thong Sala, 1er de notre sélection en venant du quai. ☎ 377-140. Fax : 377-242. Bungalows de différentes générations, tous avec sanitaires qui ont des heures de navigation. Cocotiers, un peu de verdure et morceau de plage sympa. Bon marché, sauf pour les chalets climatisés. Cet établissement sans charme particulier héberge cependant un centre UCPA organisant des randos à VTT, des sorties en canoë, *Hobie-Cat* et du kitesurf. Possibilité de se joindre aux stagiaires encadrés ou de glaner quelques conseils.

🛏 *Tranquil* – ทรองกิล *(plan, 10)* : à côté du *Siripun*. ☎ 377-433. ● meestermickford@hotmail.com ● Pas de sport ici, « tranquille » hé ! 5 bungalows ventilés avec salle de bains (supplément pour l'eau chaude) sur une petite tranche de terrain jardinée menant à la plage, écrasée par ses voisins. 2 plus grands avec AC. Bar. Tenu par un pittoresque couple anglo-thaï, Mick et Oui (eh oui ! Oui, c'est le prénom de madame). Un classique fiable du coin.

🛏 |●| *Cookies Bungalows* – คุ้กกี้บังกะโล *(plan, 11)* : Ao Plaaylaem, 1 km env au-delà de *Tranquil*. ☎ 377-499. ● coo

kies_bungalow@hotmail.com ● De gros rochers à gauche, à droite, derrière, et devant... le sable et la mer. Bungalows de bois et bambou vernis, dispersés entre colline et plage (ventilo, hamac et moustiquaire), dont un familial avec 2 grands lits, restant bon marché. Accueil souriant et nonchalant à souhait, à l'origine d'une bonne ambiance. Resto charmant : ambiance cool et prix qui laissent baba par leur modestie. La cuisine est pleine d'originalité dans le concert bien rodé des plats thaïs. Un morceau d'anthologie pas siamois : des crêpes au chocolat et noix de coco.

🛏 |●| *Sea Scene Resort* – ซีซีนรีสอร์ท *(plan, 11)* : peu après le *Cookies*. ☎ 377-516. ● seascene.com ● Bungalows récents, impeccables et confortables, quelle que soit leur catégorie : petits *standard* ventilés, *sea view* avec ou sans AC et eau chaude, ou enfin *family* pour 3 personnes. Palmeraie, pelouse, tranquillité, coucher de soleil somptueux et plage étroite devant, agrémentée de petits rochers. Ajoutez un zest de gentillesse des 3 adorables hôtesses, quelques petits plats sino-thaïs de derrière les fagots et ça sent le bon plan.

LES PLAGES D'AO SRITHANU, HAAD SON, HAAD YAO ET HAAD TIAN – อ่าวศรีธนู หาดสนหาดยาวและหาดเทียน

Après une certaine platitude, voici le retour des reliefs découpant nombre de panoramas superbes. Le grignotage immobilier y progresse, mais ces plages restent bien agréables et propices à la baignade.

Où dormir ? Où manger ?

De bon marché à prix moyens (de 300 à 800 Bts – 6 à 16 €)

🛏 *Chai Country* – ชัย คันทรี *(plan, 12)* : Laem Srithanu, petit cap rocheux, au bout du chemin à droite. ☎ 349-024. ● chai_country@hotmail.com ● 9 bungalows « budget » arrangés à flanc de colline, parfois sur de hauts pilotis et tous avec vue sur la mer et ce coin de rocaille bien calme. Salle de bains (eau froide), ventilo, carrelage au sol, bons lits et hamacs. Propre. Tenu par une famille autochtone très cool qui peut organiser des balades en bateau. Trempette possible, mais pas de vraie plage.

🛏 |●| *Over The Bay Bungalows* – โอเวอร์เบย์บังกะโล *(plan, 14)* : Haad Yao, sur la droite de la route en venant du sud. ☎ 349-163. Jar et Nut tiennent une poignée de bungalows étagés sur la (raide !) colline. Mous du jarret, s'abste-

nir. Plus tout neufs mais clean et vraiment pas chers. La plage est certes à 5 mn à pied en contrebas, mais la qualité de l'accueil, les tarifs et les délicieux petits plats mitonnés par Nut compensent largement. Belle vue depuis le resto, surtout le soir.

🛏 *Dream Hill* – ดรีม ฮิลล์ *(plan, 15)* : pointe nord de Haad Yao. ☎ 349-138. ● dreamhillresort.com ● Accès par une piste pentue. Grappes de bungalows accrochés comme des moules au rocher. Architecture sans charme, sauf certains tout en bois, très mignons. La plage, colonisée par d'horribles bâtiments, est à une volée d'escaliers : sinon, petite piscine avec vue imprenable. Correctement entretenu mais pas le coup de foudre.

De prix moyens à un peu plus chic (de 500 à 1 800 Bts – 10 à 36 €)

🛏 |●| *Tantawan Bungalows* – ตันตะวันบังกะโล *(plan, 16)* : Haad Son. Sur la droite de la route en venant de Thong Sala (après les antennes TV). ☎ 349-108. ● tantawanbungalow.com ● À flanc de colline (attention, ça grimpe !). Dispose de chalets familiaux (double du prix des standard). Une dizaine de bungalows (ventilo, terrasse et eau chaude), une chouette salle de resto à la thaïe et une belle piscine, le tout surplombant la baie. Vue exceptionnelle. Au menu, large choix de spécialités thaïes et, surprise, de petits plats bien de chez nous à prix moyens, l'endroit étant tenu par Patrick et Yupa, un couple franco-thaï.

🛏 *Haad Tian Bungalows* – หาดเตียนบังกะโล *(plan, 13)* : mignonne crique au nord de Haad Yao. À 800 m de la route principale, accès par un interminable chemin de terre. ☎ 349-009. ● haadtian@hotmail.com ● Ensemble complet de bungalows et villas. Les moins chers sont d'agréables maisonnettes en dur avec salles de bains carrelées (eau froide). Certaines donnent directement sur la mer. On regrette l'entassement et le bétonnage, mais le croissant de plage est resté intact. Et la piscine vous tend aussi ses flots bleus. Très au calme. Resto *in situ*.

LA PLAGE DE HAAD SALAD – หาดสลัด

Une jolie anse bien pour la baignade, rejointe par une piste quittant la route 2 km avant Mae Haad. Cette mini-agglomération en plein boom s'est développée à vaul'eau, sans charme aucun. Mais passé ce premier abord pas jojo, la plage garde sa beauté. Très beaux coraux et poissons à 200 m du bord.

Où dormir ? Où manger ?

Bon marché (autour de 400 Bts – 8 €)

🛏 🍽 **Coral Beach** – คอรัล บีช (plan, 18) : par une piste latérale, glissant vers la lisière gauche de la baie. 🕾 084-844-45-23. Bungalows ventilés rudimentaires, en bois et bambou, avec salle de bains (eau froide), disposés en demi-cercle autour d'une pelouse. Il y en a 7 : réservez ! Resto sur place et bonne ambiance.

Plus chic (de 1 500 à 3 000 Bts – 30 à 60 €)

🛏 **Salad Beach Resort** – สลัด บีช รีสอร์ท (plan, 18) : au centre de la baie. 🕾 349-149. ● phangan-saladbeachresort.com ● D'abord il y a les chambres dans un bâtiment au-dessus de la réception ou (plus chères) dans un autre édifice plus proche de la mer : d'un bon rapport qualité-prix pour la prestation proposée (AC, TV, minibar). Sinon, de beaux bungalows décorés avec raffinement se partagent un jardin tropical joliment entretenu. Superbe piscine. Une bonne adresse.

LA PLAGE DE MAE HAAD – หาดแม่

En venant de Haad Salad, préférer le deuxième accès à la première piste indiquée, assez mauvaise. Une adorable plage en S, où du gazon et une frange de cocotiers caressent un front de sable blanc. L'eau bien claire est propice à la baignade. Magnifique site de *snorkelling* le long du banc de sable et autour de l'île de Ko Ma, juste en face (lire « À voir. À faire » plus loin). Un petit goût de bout du monde ; le paradis, c'est là ?

Où dormir ? Où manger ?

Mae Haad est une anse où la tenue des hébergements aurait tendance à se laisser aller.

De bon marché à un peu plus chic (de 300 à 1 200 Bts – 6 à 24 €)

🛏 **Royal Orchid Resort** – รอยัล ออร์คิด รีสอร์ท (plan, 19) : à l'est de la baie. 🕾 374-182. ● royalorchid@hotmail.com ● Aux premières loges de la croquignolette île de Ko Ma, c'est notre hôtel préféré de cette plage. Bien tenu par de sympathiques gens du cru, il propose de classiques bungalows qui ont l'originalité d'une taille très honorable et d'un bon niveau de confort. Idéal pour se dorer la pilule sur ce bout d'île.

🛏 🍽 **Wang Sai** – วังทราย (plan, 19) : à l'ouest de la plage dont il est séparé par une lagune. 🕾 374-238. Assortiment plus ou moins récent de huttes « budget » et de bungalows plus spacieux, certains avec clim' et eau chaude (prix plus chic). Quelques-uns sont posés sur le sol, les autres sont drôlement accrochés au relief de gros rochers. Beaucoup de verdure. Resto de l'autre côté de la passerelle.

KO PHA NGAN

|●| *Mae Haad Bay Resort* – แม่หาด เบย์ รีสอร์ท *(plan, 19)* : *voisin du* Royal Orchid. ☎ 682-740. Cuisine familiale servie sur une grande terrasse face à l'îlot de Ko Ma. Le poisson ne peut être plus frais : le proprio, Chumroan Chongchit, est pêcheur. Les filets sèchent d'ailleurs à deux pas des tables. Il peut même vous mener en bateau si ça vous chante. Fait aussi hôtel : prix mini, mais peu entretenu.

|●| *Island View Cabana* – ไอร์แลนด์ วิ วย์ คาบาน่า *(plan, 19)* : ☎ 374-172. Resto avec vue panoramique vraiment bath, sur la plage et la magnifique baie. Plats classiques et prix corrects. Le barbecue a beaucoup de succès. Les bungalows rustiques (ancienne bonne adresse de votre guide préféré) se sont dégradés et ne valent plus que par leur situation.

CHALOAKLAM PLAGE ET VILLAGE – โฉลกหลามบีช

Sur la côte nord de l'île. Un village de pêcheurs animé, posé au milieu d'une baie de carte postale. Sable clair, cocotiers, bateaux au loin, pontons, petit sentier qui suit une grève rongée par le ressac. Épiceries-bazars et artisans liés aux métiers de la mer sont rejoints par des restos, bars (dont un « branché », le *Sheesha*), distributeur de billets, café Internet et activités (tours en bateaux) destinés à capter la manne du tourisme. D'où une ambiance différente et attachante. Randos possibles vers le sommet de l'île et une chute d'eau (lire plus loin « À voir. À faire »).

Où dormir ? Où manger ?

De bon marché à prix moyens (de 350 à 800 Bts – 7 à 16 €)

🛏 |●| *Wattana Resort* – วัฒนารีสอร์ท *(plan, 20)* : *à l'extrémité gauche de la baie, avt le village en venant de l'ouest.* ☎ 374-022. Bungalows bien espacés dans une cocoteraie, avec moustiquaire, douche froide, ventilo, terrasse privée et hamac. Certains sont en bois. D'autres, plus vaotes, en brique. Propres et bien entretenus, dans un cadre fleuri. Resto-terrasse dans la maison principale devant la mer. Calme, accueil pittoresque et familial : on parle avec les mains.

➤ DE THONG SALA VERS L'EST

CÔTE SUD ET HAAD RIN BEACH – ฝั่งใต้และหาดริน

Rocailleuse, possédant peu de plages, la côte méridionale n'est pas jojo, à l'exception de Haad Rin, avec les limitations de rigueur qu'impose le célébrissime cirque des *Full Moon Parties*.
C'est par un ruban de béton à donner à la fois le vertige et le mal de mer (prudence !) qu'on débarque soudain sur Haad Rin. Mince et plat, brandi comme un leurre à

HURLE AVEC LES LOUPS !

Les fameuses Full Moon Parties *trouvent leur origine dans des fêtes débridées organisées par les premiers voyageurs aventureux qui venaient dans le coin pour se la couler douce. Institutionnalisées depuis, elles réunissent désormais des milliers de (très) jeunes débarquant du monde entier pour participer à cette folle nuit. Alcool, psychotropes et musiques répétitives forment un cocktail détonant. Attention, la police rôde, en uniforme ou pas... Certains imprudents finissent ici leurs vacances plus tôt que prévu...*

KO PHA NGAN

la pointe sud-est de l'île, ce promontoire est garni de deux plages s'étirant dos à dos. La plus belle, orientée nord-est, *Haad Rin Nok* ou *Sunrise Beach,* est décidément trop fréquentée. La seconde, *Haad Rin Nai* ou *Sunset Beach,* regardant vers le sud-ouest, est certes plus calme mais... bof, et puis la baignade y est difficile. Ceux désirant loger dans ce secteur de l'île gagneront à explorer les criques au nord de *Sunset Beach,* accessibles par un sentier ou par *taxi-boat.*

Au final, on ne vient pas ici pour séjourner mais s'éclater.

Où dormir ? Où manger ?

De bon marché à prix moyens (de 200 à 900 Bts – 4 à 18 €)

KO PHA NGAN

🛏 🍴 *Silvery Moon* – ชิลเวอรี่ มูน บังกาโล *(plan, 25) : 1 km après le village de Ban Kai, vers Haad Rin, petit chemin à droite qui dégringole sur 200 m vers la mer.* ☎ 238-563. Adresse pour ceux désirant faire une retraite à moindres frais plus que des vacances.

On est loin de tout, sauf de la mer qui se meurt au pied des bungalows et cabanettes en bambou. Ambiance coolissime. Resto agréable jusqu'à pas d'heure. Un regret : avant de nager, il faut marcher, marcher...

THAANSADET BEACH

➢ *Pour y aller :* un bateau régulier tous les matins (celui qui remonte jusqu'à Thong Nai Pan, voir « Arriver – Quitter »), taxi-boat ou 3 km de chemin difficile mais carrossable par un embranchement situé sur la piste traversant l'est de l'île. En chemin, accès à différents degrés de la cascade *Thaansadet* (lire plus loin « À voir. À faire »).

Fichée au milieu du littoral est, une plage vraiment top dans un secteur encore peu exploité, on ne s'en plaindra pas ! Bungalows pas chers, ambiance bohème. Un coin bien pour les amoureux de robinsonnades, qui ne s'attarderont pas sur la forêt excessive de constructions couvrant le petit cap nord.

Tout au bout de la plage, sur la droite, un bout de passerelle mène à une autre petite plage extra.

Où dormir ? Où manger ?

De bon marché à prix moyens (de 250 à 800 Bts – 5 à 16 €)

🛏 🍴 *Mai Pen Rai Bungalows* – ไม่เป็นไรบังกะโล *(plan, 21) : à droite en arrivant sur la crique.* ☎ 377-414. *Bungalows sur la plage (les plus chers) ou dans un coin chaotique (les « super budget »)* vers la crique suivante. Rudimentaires au niveau du confort et de la tenue (visiter avant d'emménager) mais pas du concept ! Plate-forme surélevée « plein air » avec tables, chaises ou hamac et salle de bains à l'air libre.

Comme dit le panneau, le resto donne dans la « *Fucking good food* » !
🛏 🍴 *Silver Cliff Bungalows* – ซิลเวอร์ คลิฟบังกะโล *(plan, 21) : sur le cap rocheux.* ☎ 445-087. Bungalows à étages (une spécialité locale !), juchés sur d'impressionnantes échasses de béton. Celles-ci ne cadrent pas très bien avec la beauté naturelle des rochers mais, égoïstement, pimentent le séjour des résidents, leur offrant la

paix d'un phare et une vue sensas sur la baie. Refaits récemment, propres. Ven-

tilo, salle de bains et terrasse. Resto sur la plage.

LES PLAGES D'AO THONG NAI PAN – หาดของอ่าวทองนา ยปาน

➢ **Accès :** en taxi-pick-up depuis Thong Sala ou Haad Rin. Prévoir 150 Bts/pers (3 €) ; 45 mn de trajet. Départs habituels vers 12h ; 10h dans le sens retour. Sinon, 800 Bts (16 €) pour le véhicule.

Alternativement, liaisons maritimes saisonnières ts les mat via Haad Rin et les plages de la côte est, par le taxi-boat qui vient de Ko Samui (Mae Nam). Compter 150 Bts (3 €) pour Haad Rin et 250 Bts (5 €) pour Ko Samui.

À l'extrême nord-est de l'île, la large baie de Thong Nai Pan, coupée en deux par un promontoire au franchissement sportif, abrite deux plages très sympas pour la baignade.

Thong Nai Pan se développe un peu plus d'année en année tout en restant plus relax et raisonnable que nombre de ses consœurs. Voilà pourquoi on aime bien ce coin tranquille qui restera relativement isolé tant que la piste d'accès ne sera pas complètement bitumée.

La plage de Thong Nai Pan Noi, à gauche en regardant la mer, plus petite, comme « noi » l'indique, et plus mimi, est bordée d'une piste de sable. Thong Nai Pan Yai, plus « yai » (grande), s'adosse au vrai village où se termine la route, avec son bureau de change (lun-ven 8h-18h) et une épicerie-poste. Sur chacune des plages, des dizaines de bungalows fleurissent avec leurs paillotes-restos-bars.

Où dormir ? Où manger ?

De bon marché à prix moyens (de 300 à 800 Bts – 6 à 16 €)

🛏 🍽 **Dolphin Bar & Bungalows** – โดลฟินบาร์และบังกะโล (plan, 22) : Thong Nai Pan Yai. Pas de téléphone. Au nord de la plage. Bon marché. Noyés dans la zénitude d'un superbe jardin luxuriant, beaux bungalows en bois, avec salles de bains (eau froide) et ventilos, assez spacieux et impeccables. Très cosy. Déco d'inspiration balinaise avec statues de pierre de divinités hindoues. Bar superbe donnant sur la plage, composé de salas garnis de coussins et tables basses. Beau et paisible, accueil à l'avenant. Si vous cherchez à connaître l'origine du nom, observez donc le biceps droit de l'adorable propriétaire des lieux !

🛏 🍽 **Baan Tapan Noi** – บ้านท่าปา นน้อย (plan, 23) : Thong Nai Pan Noi, à l'extrémité nord de la plage. ☎ 445-

145. Chalets basiques en bois, avec ou sans sanitaires, installés à flanc de colline, entre arbres et rochers. Les moins chers, avec salle de bains commune, laissent tout juste l'espace à un couple de routards avec leurs sacs à dos. Pas plus ! Resto-bar avec barbecue-parties très populaires. Bon accueil.

🍽 **Gargote du village** – การ์ก็อตท์ ดูย์ วิลลาจย์ (plan, 27) : Thong Nai Pan Yai, là où un panneau indique « Ban Thong Nai Pan School ». Ferme à 22h. C'est la cantine typique et sympa du coin. 6 tables sous un auvent attaché à une maison. Menu rassemblant quelques grands classiques (soupes, riz et nouilles sautées).

🍽 **Krua Tapan** – ครัวท่าปาน (plan, 23) : Thong Nai Pan Noi ; avant-dernier établissement en allant vers l'extrémité nord. *Bon marché, sf les plats occidentaux*. Terrasse couverte toute simple mais parfaite dans ce cadre, tout comme la cuisine. Monsieur en salle, madame aux fourneaux, c'est familial, pas cher et sympa.

De prix moyens à un peu plus chic (de 500 à 1 600 Bts – 10 à 32 €)

🛏 *Thongtapan* – ทองท่าปาน *(plan, 23)* : *Thong Nai Pan Noi, partie nord.* ☎ *455-067.* ● *thongtapan.com* ● *Prix variant selon proximité de la plage et taille.* De grands et sobres chalets de bois sur une colline envahie d'affleurements rocheux. Parfait équilibre entre le sauvage et le jardiné. Également quelques bungalows plus grands et sur la plage. Ceux avec AC sont excessifs. Intérieurs confortables.

Beaucoup plus chic (de 3 000 à 6 600 Bts – 60 à 132 €)

🛏 ▐●▌ *Panviman Resort* – ปานวิมานรี สอร์ท *(plan, 24)* : *Thong Nai Pan Noi.* ☎ *445-100.* ● *panviman.com* ● *Transfert depuis Ko Samui inclus dans le prix.* Panviman signifie « comme le paradis », ce qui n'est pas si présomptueux pour ce *resort* grand luxe exceptionnellement perché sur le promontoire entre les 2 plages. Les chambres et les *cottages* sont superbement équipés, dans une architecture très respectueuse de la nature. Le tout est dispersé à flanc de colline, dans un espace tropical généreux. Grande piscine à débordement qui surplombe les flots. Le resto *Pan Sea*, rotonde en bois, offre aux convives une vue majestueuse à 180°. En contrebas, le *Stone Beach* (grillades le soir) est parfait pour une soirée romantique. Cuisine copieuse et de bonne qualité. Accueil à la hauteur. Le *Panviman* reste l'hôtel « de luxe » très chouette de Ko Pha Ngan.

À voir. À faire

🎎 *Khao Ra et Phaeng Waterfall* (parc national ; *plan, 30)* : deux séduisantes randos, accessibles depuis la route qui traverse l'île entre Chaloklam et Thong Sala. Le Khao Ra, culminant à 627 m, est le sommet le plus élevé de l'île. Au village de Ban Madeva Wan (au croisement des routes), longer l'accès au temple et suivre cette petite route qui se transforme 500 m plus loin en parking sommaire. Être attentif, seul un petit panneau de bois indique le sentier.

– *Cours de yoga, taï-chi : Khao Raa Retreat* – การสอนโยคะ ไท่ชิ ที่เกาะรารีทรีช *(plan, 30)* : 📱 089-675-03-22. Propose des retraites, cours de yoga, de tai-chi sur une semaine à un mois. Les « retraités » peuvent loger en ce lieu magique, dans des chalets assez grands mais rustiques : ventilo, terrasse mais pas de salle de bains ni d'ailleurs de mobilier, à part les lits ! Vue sur un îlot de palmiers au milieu de la jungle. Resto.

🎎 *Le moine solitaire du Wat Khao Noy* – พระเดียวที่วัดเขาน้อย *(plan, 31)* : de Thong Sala, prendre la route de l'hôpital et tourner juste en face, dans un petit chemin qui monte.
Ce petit temple est veillé par un moine solitaire, Pra Somchai, qui vous recevra à bras ouverts avec son chat, lui aussi vêtu d'orange. Traditionnel déchaussage, avant de s'asseoir en tailleur au pied d'un bouddha, dans la salle de prières.

KO PHA NGAN

Après un brin de causette (il est bavard le bougre), quelques baguettes d'encens allumées et des incantations rituelles, le valeureux moine vous asperge d'eau et prononce la formule porte-bonheur si chère à nos cœurs de voyageurs : « *Good luck !* » Puis, vous repartez – majestueux et serein – vers d'autres aventures... N'oubliez pas de glisser une offrande dans le tronc : notre religieux, bien qu'attiré par les choses célestes, n'en reste pas moins un bon terrien qui ne néglige pas, loin de là, les petits billets. Dans la cour, une empreinte du pied de Bouddha et un joli stûpa ancien.

➢ **Balade à l'intérieur de l'île :** *compter une bonne trentaine de km au départ de Thong Sala.*

À moto, on vous conseille d'en louer une par personne. La piste est défoncée, pentue et dangereuse. Évitez d'y circuler la nuit.

Dans le sud-est de l'île, peu après Ban Tai, prendre à gauche. La piste, d'abord goudronnée, s'élève rapidement dans la montagne pour une grimpette ardue, notamment quand les dernières pluies torrentielles ont creusé ornières et ravines. Deux kilomètres après l'intersection, à droite, le doyen des arbres de l'île, considéré comme l'un des plus grands de Thaïlande dans sa catégorie. Il est reconnaissable aux écharpes votives colorées dont les autochtones entourent ses 14 m de circonférence.

Chemin faisant, quelques plantations d'hévéas et, peu à peu, une jungle très dense et une atmosphère très humide. Au sommet – ouf ! –, panorama exceptionnel sur une partie de l'île et la mer. Puis on redescend doucement vers Ban Thong Nai Pan.

🌿 ***Thaansadet Waterfall*** – น้ำตกธารเสด็จ *(plan, 32) :* cette cascade, qui descend jusqu'à la plage, tient plus du cours d'eau. Elle n'est pas du tout impressionnante mais dessine un lieu agréable entouré de rochers et de jungle. Les sentiers sont fléchés. Possibilité de faire trempette.

> ### DES ROIS EN CASCADE
> *Sur près de 2 km, des graffitis gravés en thaï recouvrent les rochers qui bordent l'eau de cette claire fontaine. Ce sont les autographes des rois qui, depuis 1888, se sont succédé à Thaansadet pour prendre un bain (Râma 4, 7, 9, n° complémentaire : le 12). On n'est pas parvenu à savoir pourquoi ils se sont entêtés de la couronne à se baigner ici. Si vous trouvez, écrivez-nous.*

➢ **Excursions et sports marins :** de Haad Rin à Chaloklam, toutes les pensions ou presque proposent divers tours de l'île en bateau. Compter à partir de 400 Bts (8 €) pour une demi-journée divertissante à base de baignade, de *snorkelling* (Haad Khom et Ko Ma), de glande ou même de pêche. Sur Ao Naiwog et Plaaylaem, abritées par une barre, planches à voile à louer, voire *Hobie-Cat* et cours de kitesurf.

🤿 **Plongée :** Ko Pha Ngan est moins courue que sa voisine pour la plongée. Il faut dire que les sites les plus intéressants sont à Ko Tao et que les prix y sont moins élevés. À noter, toutefois, les nombreux sites propices au *snorkelling*. Et, avec bouteilles, le site de Sail-Rock (voir description à Ko Tao), plus proche de Ko Pha Ngan que de Ko Tao. On vous donne donc les coordonnées d'un club de plongée sérieux :

■ ***The Dive Inn*** – เดอะ ไดว์ อินน์ *: à Ao Chaloklam.* ☎ *374-262.* ● *the-diveinn. com* ● *Compter 2 400 Bts (48 €) la journée avec 2 plongées (déj et boissons compris).* Centre anglophone qui organise des sorties vers tous les spots des environs (voir à Ko Tao « Nos meilleurs spots »). Évidemment, ça *speak English* : moins bath pour le briefing ou en cas de pépin.

KO PHA NGAN

✒ ☝ *Ko Ma :* le pourtour de cet îlot, au nord-ouest de l'île, compte parmi les sites de *snorkelling* les plus fabuleux des environs pour sa flore et sa faune marine. Sans difficulté, on se régale les yeux de superbes coraux (tabulaires, cerveaux, coussins de requins), d'anémones couronnées de mauve. Défilé façon piste aux étoiles de mer : poissons-clown, trompettes, cochers, anges, papillons... vos enfants en reviendront pleins de souvenirs pour la vie !

KO TAO – เกาะเต่า

Au nord de Ko Pha Ngan et à l'est de la ville de Chumphon, Ko Tao, île minuscule de 21 km^2 de superficie, est mondialement réputée pour ses coraux multicolores et sa faune aquatique exubérante. Il n'en fallait pas plus pour qu'elle devienne l'« île de la plongée » et se couvre de centaines de bungalows, aujourd'hui de tout standing. Manque d'eau douce, gestion de la pollution et de la fréquentation des spots de plongée, le succès s'accompagne toujours de soucis...

La grande majorité des plages et des hébergements de l'« île de la Tortue » *(tao)* se rassemblent le long de son ventre « blanc » (côte ouest). *Ban Mae Hat,* village où accostent les bateaux, est naturellement devenu la capitale de l'île. *Sairee* est également un village en plein développement. Les jointures des extrémités ainsi que la carapace de notre adorable reptile marin dévoilent de superbes criques. Là, partout où c'est possible, s'accrochent des bungalows dont certains distillent toujours cette ambiance « bout du monde » qu'on aime tant.

> ### KO TAO CHAOTIQUE
>
> *Les calanques de la côte est recèlent une multitude de blocs de granit posés sur le sable ou enchevêtrés en de formidables chaos. Dés jetés par quelque géant ? Tortues (tao, tiens !) échouées ? Dos de baleines qui se dorent au soleil ? L'imagination va bon train et de tels paysages valent bien de souffrir des innombrables cahots des pistes qui y mènent !*

Arriver – Quitter

En bateau

Attention : la météo peut retarder ou annuler certaines traversées.

➤ *Depuis/vers Chumphon :* une solution maligne pour s'économiser le voyage jusqu'à Surat Thani. Catamarans *Lomprayah* et *Seatran-discovery* à 7h et 13h (10h15, 14h45 et 16h depuis Ko Tao). Trajet : 2h30 ; 550 Bts (11 €). Un *express-boat Songserm* à 7h (14h30 depuis Ko Tao) ; trajet : 3h. Enfin, tlj 2 bateaux et 1 ferry (sf dim) de nuit entre 22h et 23h de Chumphon ou Ko Tao (arrivée vers 5h-6h) mais conditions de voyage très difficiles, on déconseille. Prévoir 200-600 Bts (4-12 €) la traversée, selon l'embarcation choisie.

➤ *Depuis/vers Ko Pha Ngan (Thong Sala) et Ko Samui :* tous les bateaux font la navette aller-retour entre les 3 îles. Les compagnies ont des horaires et prix très proches. Depuis Ko Samui, 4 catamarans/j. *Lomprayah* (à Maenam) 8h et 12h30 ou *Seatran-discovery* (à Big Buddha) à 8h et 13h30. Depuis Ko Tao, à 9h30 et 15h. De Ko Samui à Ko Tao : trajet : 2h15 ; 550 Bts (11 €). De Ko Pha Ngan à Ko Tao :

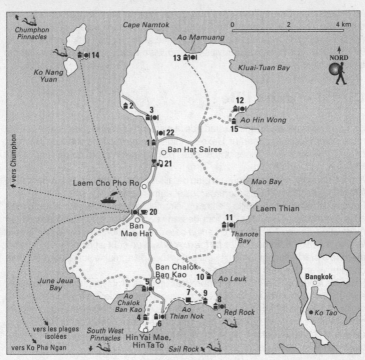

KO TAO

⌂ **Où dormir ?**	⦿♈♪ **Où manger ? Où boire un verre ? Où sortir ?**
1 Sea Shell Resort	**3** Sairee Beach
2 Sunlord Bungalows	**5** Ko Tao Resort
3 Ko Tao Cabana, Pranee's Bungalows	**6** New Heaven Resort, OK II Bungalows
4 Freedom Beach	**8** New Heaven Nature Huts
5 Ko Tao Resort	**11** Mountain Reef Resort
6 OK II Bungalows	**12** View Rock Resort
8 New Heaven Nature Huts	**13** Mango Bay Grand Resort
9 Coral View Resort	**14** Ko Nangyuan Dive Resort
10 Aow Leuk Bungalows 2	**20** Cappuccino, Café del Sol, Pook's Kitchen
11 Mountain Reef Resort	**21** Bars du sud de Sairee Beach
12 View Rock Resort	**22** Thong's Thai Food
13 Mango Bay Grand Resort	
14 Ko Nangyuan Dive Resort	■ **Massages et spa**
15 Hin Wong Bungalows	**7** Jamakhiri Spa and Resort

1h30 ; 350 Bts (7 €). Aussi, dans les 2 sens, départs occasionnels (se renseigner) de bateaux lents vers 9h30. Prévoir 5h.

À noter : les soirs de *Full Moon Parties* à Ko Pha Ngan, formule combinée **Lomprayah** : bateau (quitte Tao à 17h30) et transfert vers Haad Rin (où ça guinche), à 250 Bts (5 €).

➢ *Depuis/vers Surat Thani (Ta Thong) :* un *express-boat* **Songserm** à 8h (10h depuis Ko Tao) avec escale à Ko Samui et Ko Pha Ngan. Trajet : 6h30, 500 Bts (10 €). Aussi, quotidien dans les 2 sens, un bateau de nuit bien pittoresque. Trajet : 9h ; 350 Bts (7 €). En cas de mauvaise météo, les bateaux s'arrêtent généralement à Ko Pha Ngan.

Circuler dans l'île

Ko Tao est passée en dix ans du stade de la piste et des chars à bœufs à celui de la route et des véhicules à moteur. L'axe principal parcourt le flanc ouest de l'île. Il est bitumé, tout comme certaines portions des pistes desservant toutes les criques de l'île.

Avant de bouger, procurez-vous un plan détaillé de Ko Tao (comme ceux de *Ko Tao Info*) où figurent les sentiers, commerces et autres repères.

Pour se déplacer, on conseille : les *taxis,* circulant régulièrement sur la route mais aussi sur les pistes, en tout cas lors des arrivées et départs des bateaux ou sur réservation *(prévoir 100 Bts – 2 € – sur la côte ouest et 200-600 Bts – 4-12 € – pour les criques selon isolement)* ; les *bateaux-taxis,* d'un coût à peu près similaire ; la *marche à pied* – sachant que l'île est petite, balade agréable sur le chemin côtier ou sportive en direction des criques.

Reste les *locations de motos* (nombreuses) et leurs problématiques habituelles : en dehors de la route ouest, bitumée (trafic encore calme), les pistes, toutes plus ou moins casse-gueule, sont à réserver aux pilotes expérimentés et chevauchant des motos munies de pneus à crampons. Non, ça ne passe pas en petite mob à deux dessus et c'est pas marrant de se retrouver coincé (si ce n'est pire, malheureusement) au milieu d'une pente déjà difficile à franchir à pied !

BAN MAE HAT – บ้านแม่หาด

Village principal de l'île, débarcadère des bateaux. Sans grand charme, ce serait dommage d'y résider. Les deux rues principales, parallèles, montent depuis la mer rejoindre la route, direction que nous utilisons pour localiser quelques adresses.

Adresses et infos utiles

■ *Ko Tao Info :* gratuit disponible partout, plein d'infos et de plans utiles (*guesthouse,* restos, agences). En glisser une copie dans sa poche ou son sac à dos ! Le site associé ● *kohtaoonline. com* ● est tout aussi bien fait et permet de réserver son bungalow, voire son forfait de plongée.

■ *Banques :* plusieurs dans le centre. Lun-sam 9h-18h env. Distributeurs automatiques.

✉ *Poste* – ไปรษณีย์ *:* à l'intersection de la route et de la rue principale nord. Lun-ven 9h-17h, sam 9h-12h.

■ *Pharmacies et clinique* – คลีนิค *:* plusieurs officines sur la route de l'île, au niveau du village. En cas de pépin, rejoindre Ko Samui ou Chumphon.

■ *Police* – สถานีตำรวจ *:* ☎ 456-631. Prendre la route qui longe la plage vers le nord sur env. 500 m. En face de l'école.

@ *Internet et téléphone :* une flopée de boutiques spécialisées dans les rues principales et celles qui longent le port. Idem au village et le long de la plage de Sairee. Prix modiques.

■ *Location de motos :* plusieurs loueurs dans la rue principale.

Où manger ?

Bon marché (moins de 150 Bts – 3 €)

|●| Pook's Kitchen – ปู๊ก คิทเช่นฯ *(plan, 20)* : *rue principale nord, face au* Café del Sol. ☎ *456-685.* Bon petit resto thaï à prix mini, dans une rue colonisée par les restos franco-germano-italiens.

|●| ☛ Cappuccino – คาปูชิโน่ *(plan, 20)* : *sur la gauche dans la rue principale sud.* 🖥 *087-896-88-38. Pains et gâteaux à moitié prix 17h-18h !* LA boulangerie française du village, tenue d'une main de maître par Paul, plus de 20 ans de métier derrière lui. Excellentes viennoiseries et pâtisseries (tarte aux pommes, millefeuille) comme à la maison et au même prix. Bon choix de pains, sandwichs, salades, cafés et autres jus de fruits. Une halte qui fait du bien.

Prix moyens (de 150 à 300 Bts – 3 à 6 €)

|●| Café del Sol – กาเฟเดลโซล *(plan, 20)* : *dans la rue principale nord, proche de la mer.* ☎ *456-578.* Un redoutable quatuor qualité-quantité-prix-tenue : pizzas, pâtes, viandes et tout le reste reflètent l'essentiel des traditions occidentales.

LA PLAGE DE HAT SAIREE – หาดทรายรี

Même si l'on préfère nettement les criques, *Sairee Beach,* seule grande plage de l'île, juste au nord du port de Ban Mae Hat, est restée mignonne et sympa, malgré le nombre élevé de bungalows. On y trouve le centre noctambule de l'île. Bon point, l'aménagement d'un chemin côtier pavé, entre le village de Sairee et la plage (beaucoup de cyclos quand même !). Il

LES DIEUX DE LA PLONGE

Drôles de migrations sur Sairee Beach que celles de ces grenouilles, combi sur le dos et palmes à la main. Matinales pour traquer l'éveil du mérou. Vespérales pour vivre l'aventure d'une plongée nocturne. Une jeune population de garçons et de filles... comme si le mot était passé dans le vaste monde que Ko Tao est LE spot à ne pas rater.

se poursuit sous forme de piste jusqu'à Ban Mae Hat.
La plage sert de mouillage à une flottille de bateaux de pêche et d'excursion, mais l'eau est restée transparente. Manque de fond pour la baignade d'avril à juillet. Bureaux de change, téléphone, Internet sont à portée de main dans le village.

Où dormir ? Où manger ?

Voici quelques adresses pour coincer la bulle en rêvant de coraux. Et puis, comme la plongée, ça creuse... une brassée de restos d'influences cosmopolites, de l'Inde au Mexique, sont là pour colmater.

De bon marché à plus chic (de 500 à 1 850 Bts – 10 à 37 €)

🏠 Pranee's Bungalows – ปราณี บังกาโล *(plan, 3)* : *vers le nord de la* plage. Une brochette habituelle de bungalows dont certains donnent directe-

KO TAO

ment sur la plage. Les plus simples, verni de frais, possèdent salle de bains, moustiquaire, ventilo. Pour 4 fois plus cher, les cousins maçonnés aux toits bleus proposent de grands volumes et l'AC (bien pour les familles). Bonne tenue générale.

â **Sunlord Bungalows** – ซันลอร์ค บังก าโล (plan, **2**) : *au nord, 800 m au-delà de la plage.* ☎ *456-139. Prix selon présence de douches ou pas à l'intérieur et situation face à la mer ou non.* Comme ses voisins mais en mieux, série de chalets rustiques à flanc de rochers. Réception et resto au rez-de-chaussée de la maison familiale. Accueil chaleureux de la maisonnée mais, assez demandée, elle donne préférence à ceux qui résident plus d'une journée.

|●| **Sairee Beach** – ทรายรี บีช (plan, **3**) : *au nord, sur la plage, avt* Pranee's. ☎ *456-000.* Dans un secteur où d'autres établissements s'endorment sur leurs palmes, le resto du *Sairee Hut* se distingue non par la longueur de sa carte mais par l'efficacité de son ser-

vice. Très apprécié, y compris des autochtones, le soir, lorsque les tables gagnent sur le sable. Côté assiette, on recommande le *tom ka kai,* où le coco chatouille de subtiles saveurs citronnées.

|●| **Thong's Thai Food** – ทองไทยฟู้ด (plan, **22**) : *sur la droite de la route, en sortant de Sairee vers le nord.* ☎ *456-458.* Tables au rez-de-chaussée, coussins à la thaïe au 1er étage. Ne pas se laisser abuser par les velléités décoratives, la cuisine thaïe reste celle d'une vraie cantine, pas trop chère, mais quand même. Sympa.

â **Sea Shell Resort** – ซีเชลรีสอร์ท (plan, **1**) : *sur la promenade pavée, au centre de la plage.* ☎ *456-299.* ● *kohtaoseas hell.com* ● Une trentaine de bungalows en bois, de confort modeste (mais correct) à plutôt bon en catégorie supérieure. Terrasse, salle de bains. Jardin bien vert et cocotiers. Également quelques bungalows en dur près de la plage, avec AC. Bon centre de plongée attenant (voir plus bas).

De plus chic à beaucoup plus chic (de 2 000 à 3 800 Bts – 40 à 76 €)

â **Ko Tao Cabana** – เกาะเต่าคาบาน่า (plan, **3**) : *pointe nord de la plage.* ☎ *456-505.* ● *kohtaocabana.com* ● *Prix selon emplacement et confort (ventilo ou AC, eau chaude).* Dans le jardin, des maisonnettes circulaires en dur, spacieuses et confortables. À flanc

de colline, de très beaux chalets en bois, avec terrasse et vue sur la mer, décorés à la « Robinson-chic » : rideaux de coquillages, meubles en bois et bambou, coussins thaïs triangulaires, etc. Salles de bains à ciel ouvert.

Où boire un verre ? Où sortir ?

♪ **Bars et boîtes** (plan, **21**) : *au sud de Sairee Beach, gargotes et bistrots se mettent en scène au bord du sentier côtier, mais sans bar à filles (chouette !).* En vrac, faites votre marché. Au **Moov,** musique latino sous une grande *palapa* ouverte au vent du large. L'*In Touch* verse plutôt dans les *salas,* ces petites plates-formes avec tables basses pour siroter un cocktail

la tête pleine de vide. *Cave Bar* attire les Cro-Magnon en puissance dans sa fausse grotte avec stalactites. Enfin, le *AC Bar & Resto* est « AC mégalo » avec ses 2 étages à plafond haut, fontaine murale monumentale et même une boîte où il fait plus sombre que par 50 m de fond, avec des bancs de poissons fluos qui se trémoussent.

Où plonger ?

■ **Island Dive Club :** *au milieu de Sairee Beach.* ☎ *456-296.* ● *islanddiveclub. com* ● *Ouv à partir de 7h30. Compter à partir de 1 400 Bts (28 €) les 2 plongées. Réduc de 5 % sur présentation de ce guide.* Premières plongées à 7h45.

Plongée de nuit quand le temps le permet. Club hispano-français géré par Jean-Jacques. *Open Water* et *Advanced Open Water* possibles. Nuitées sur place dans le *resort* si besoin.

LA PLAGE D'AO CHALOK BAN KAO – หาดโฉลก กบ้านเก่า

Planquée au fond d'une large échancrure de la côte sud, cette plage, bien protégée de la mousson, est accessible par la route. Du coup, les bâtiments y ont poussé comme champignons au soleil.

Où dormir ?

Prix moyens (de 500 à 800 Bts – 10 à 16 €)

🏠 *Freedom Beach* – หาดฟรีดอร์ม *(plan, 4) :* en surplomb de la plage du même nom, séparée d'Ao Chalok par un promontoire.* ☎ *456-596. Du sable, des cocotiers, des barques au loin... Pas encore le paradis, mais tranquille et dépaysant. Bungalows avec salle de bains, construits à flanc de pente entre les gros rochers. Les prix varient selon l'ancienneté et la matière (bois ou brique). Quelques chalets climatisés, même si rien ne vaut la brise marine hachée par les pales d'un ventilo. Grand restoréception. Bon accueil. Fonds superbes.

D'un peu plus chic à plus chic (de 1 200 à 2 800 Bts – 24 à 56 €)

🏠 |●| *Ko Tao Resort* – เกาะเต่าคอนทททรีสอร์ท *(plan, 5) :* à l'extrême gauche de la plage quand on regarde la mer.* ☎ *456-133.* ● *kotaoresort.com* ● *Choix varié de chambres ou bungalows bien équipés (frigo, TV), confortables mais pas immenses, au niveau de la mer ou perchés haut sur la colline (vue superbe). Certaines s'alignent comme dans un motel de plage. Chouette resto en terrasse, surplombant piscine à débordement et plage à affleurement sur sable blanc. Une des meilleures tables de l'île.

LA PLAGE D'AO THIAN NOK – หาดอ่าวเทียนนอก

Croissant de sable photogénique ponctué d'arbustes maritimes et bordé de cocotiers posés au milieu d'une pelouse naturelle. Les coraux sont pratiquement à fleur d'eau à marée basse, ce qui rend la baignade malaisée.

Ceux qui souhaitent se baigner peuvent facilement faire la navette

LES AILERONS DE LA LIBERTÉ

À moins de 150 m du bord d'Ao Thian Nok, on côtoie des requins à pointe noire par moins de 3 m de fond. Des bébêtes inoffensives à la nage gracieuse qui rappliquent entre 15h et 17h. Pour le choco BN ? Va savoir... Rendez-vous à noter sur votre agenda de plage !

ou se loger à la plage de Hat Sai Daeng, que l'on peut rejoindre en bateau ou à pied (attention, ça monte !).

KO TAO

Où dormir ? Où manger ?

Voir aussi *Jamakhiri Spa and Resort* dans la rubrique « Massages et spas » plus loin ; catégorie « Beaucoup plus chic » !

Prix moyens (autour de 700 Bts – 14 €)

⌂ |●| *OK II Bungalows* – โอเค 2 บังกาโล (plan, 6) : sur la crête entre les plages de Chalok Ban Kao et de Thian Nok. ☎ 456-506. Dominant la jolie baie Thian Nok, une coulée de grands bungalows, ventilos au plafond, terrasses panoramiques (oui, madame), qui vont jusqu'au ras des flots turquoise où croisent les requins (oui, monsieur). Pour ne rien gâcher, la maison fait aussi dans la bonne restauration thaïe pas chère et dans l'accueil avenant.

|●| *New Heaven Resort* – นิวแฮฟเว่นรีสอร์ท (plan, 6) : sur la crête entre les plages de Chalok Ban Kao et de Thian Nok. ☎ 456-462. Ce resto propose de délicieux plats thaïs qu'on déguste assis en tailleur en embrassant le superbe panorama sur la baie. Bons poissons et large choix de cocktails (plus chers le soir). Propose aussi des bungalows qui se sont monté la caboche côté prix.

LA PLAGE DE HAT SAI DAENG – หาดทรายแดง

Une jolie crique bien sablonneuse (pas si courant !). Accès difficile (mais pas impossible en 4x4 !) par la piste (bifurcation vers l'est avant Ao Chalok) ou, mieux, en *taxi-boat*. On aime bien cette plage tranquille, nichée entre les rochers et la végétation, où l'on a un peu l'impression d'être seul à Ko Tao !

Où dormir ? Où manger ?

Prix moyens (de 500 à 600 Bts – 10 à 12 €)

⌂ |●| *New Heaven Nature Huts* – นิวแฮฟเว่นท์เนเชอร์ ฮัท (plan, 8) : tapi dans la verdure, à l'extrémité est de la plage. ☎ 457-042. 3 bateaux/j. dans les 2 sens depuis la maison mère (New Heaven Resort) sur Ao Thian Nok. 15 bungalows traditionnels en bois, simples mais équipés de sanitaires et de hamacs sur leurs petites terrasses. Situation au choix : face à la mer ou perchés sur les rocs, avec une mention spéciale au n° 8 pour sa double vue imprenable sur la plage et la baie de Leuk. Adorable paillote-resto en bord de mer. Coin lecture, tables basses et coussins. Tenu par une sympathique famille thaïe. La bonne adresse pour le farniente.

De prix moyens à un peu plus chic (de 700 à 1 200 Bts – 14 à 24 €)

⌂ *Coral View Resort* – คอรัล วิวท์ รีสอร์ท (plan, 9) : à l'ouest de la plage, entre cocotiers et sable doré. ☎ 456-482. ● coralview.net ● Si vous avez réservé, la patronne viendra vous chercher avec son 4x4. Sinon, c'est galère à atteindre. Huttes en bois, bungalows en dur ou chambres réparties dans une bâtisse d'un étage au bout d'une jolie combe. Intérieurs mimi, tapissés de nattes. Salles de bains, ventilos partout et certaines chambres avec frigo. Ensemble très propre et bien jardiné. Resto très agréable, en encorbellement au-dessus des flots : on y mange à la romaine.

LES PLAGES D'AO LEUK ET D'AO THANOTE – อ่า วลึก และอ่าวโฑนฅ

Deux calanques jolies et sauvages de la côte est, approchées par une piste difficile dont l'embranchement est indiqué au sud du village de Ban Mae Hat. En chemin, bifurcation vers Ao Leuk, toute petite, pour ceux qui veulent la paix. Au bout (5 km en tout), la crique de *Thanote Bay,* extra pour la baignade et le *snorkelling* au-dessus des coraux. Plus ample et développée, elle abrite déjà cinq pensions et deux clubs de plongée. Malgré la mégalomanie et l'inesthétisme chronique dont souffrent certains propriétaires, l'endroit conserve à la fois son charme et son calme.

Où dormir ? Où manger ?

Bon marché (autour de 450 Bts – 9 €)

🛏 *Aow Leuk Bungalows 2* – อ่าวลึกบัง งาโล *(plan, 10) :* pile au milieu de la crique d'Ao Leuk. ☎ 456-692. Chalets avec salle de bains, dans un espace gazonné, planté de cocotiers. 2 tailles de chambre, la plus grande avec 2 lits (2 fois plus cher, bien trop pour la prestation). Rustique, plancher de bois brut. Accueil « sauvageon ». Ça cadre bien avec le lieu. Pas génial, mais il y a peu de concurrence !

🛏 🍴 *Mountain Reef Resort* – เม้าเท่ นรีฟรีสอร์ท *(plan, 11) :* à l'extrême gauche d'Ao Thanote en regardant la mer. ☎ 456-697. Bungalows en dur avec sanitaires, dont deux juste devant les flots. Bien tenus par une charmante propriétaire d'origine chinoise, à ne pas prendre avec des baguettes. Resto surélevé jouissant d'une belle vue. Nourriture excellente, quelque peu accommodée à l'européenne ; fameux yaourts maison et bananes au lait de coco (un must !). Visiblement, les mille lampions en soirée, les cocktails et autres plaisirs gastronomiques à la belle étoile ravissent nos lecteurs. Attention quand même à ne pas voir sa note gonfler de façon astronomique. Bien vérifier.

LA PLAGE D'AO HIN WONG

Une crique où s'empilent d'impressionnants et « primitifs » amas de gros rochers, typiques de Ko Tao. Desservie par une piste ardue démarrant de l'intersection principale du village de Ban Hat Sairee. Y aller plutôt en bateau ou en pick-up qu'en moto (délicat) – les *resorts* organisent une ou deux navettes aller-retour par jour (payant), les appeler. Beaux fonds pour le *snorkelling* dans la crique du **Hin Wong Bungalows.**

Où dormir ? Où manger ?

De bon marché à prix moyens (de 300 à 800 Bts – 6 à 16 €)

🛏 🍴 *View Rock Resort* – วิวร์ ร็อค รีสอร์ท *(plan, 12) :* Ao Hin Wong, der- *rière le promontoire qui ferme le nord de la baie.* ☎ 456-548. Drôle d'établissement, déco un peu kitsch. Tout en descente, c'est bon pour les mollets. Plonge vers la mer, bordée par une amusante terrasse carrelée faisant resto-bar. Multiples choix, du riquiqui aux murs en tresses de bambou jusqu'au spacieux en brique. Partout ventilo, salle de bains et vue. Toujours propre mais plus ou moins ancien (visiter).

🛏 *Hin_Wong Bungalows* – หิน วง บังกาโล *(plan, 15) :* ☎ 456-006. Cabanes en bois verni gentiment espacées sur un terrain pentu et herbeux. Intérieurs simples mais bien tenus avec un lit, un ventilo et une salle de bains revêtue de carrelage. Coin de sable (rapporté) ou bronzette rocheuse. Accueil tout en douceur. Resto sur place.

LA PLAGE D'AO MAMUANG (Mango Bay)

Une crique du bout du monde, au joli chaos granitique (idéal pour les balades masquées), qu'on atteint en *taxi-boat* presque exclusivement. On peut s'y rendre à pied depuis la route grimpant vers *Hin Wong,* si on a des gènes de chasseur alpin. L'éprouvante balade vaut le coup pour découvrir quelques jolis points de vue sur *Sairee Bay,* une improbable buvette avec massages (au col) et une descente vertigineuse sur une arrogante piste gravillonneuse.

Où dormir ? Où manger ?

Chic (de 1 500 à 2 800 Bts – 30 à 56 €)

🛏 ✎ *Mango Bay Grand Resort* – แมงโกเบย์แกรนด์ รีสอร์ท *(plan, 13) :* à la pointe nord. ☎ 456-097. ● mango baykohtao.com ● *Transfert en bateau et petit déj inclus. Resort* arrangé en cascades successives de chalets jaune et brun jusqu'aux flots. Pas vraiment de plage, mais un ponton pour le *bronzing* et le *snorkelling* (top). Choix entre des ventilés ou des climatisés mais toujours eau chaude, mobilier recherché et surtout terrasse avec vue imprenable sur la mer. Tout est nickel, bien verni et équipé de chouettes salles de bains (parfois un morceau de rocher au milieu !). Dès le matin, ballet de teuf-teuf pleins de plongeurs. Mais, veinard, vous aurez pu mirer le poisson avant eux ! Le resto, bien relax, surplombe la mer et plombe un peu la note. Très bon accueil.

KO NANG YUAN – เกาะนางยวน

➢ *Pour s'y rendre :* de nombreux *taxi-boats* font la navette depuis le port de Mae Hat et la plage de Sairee. Compter à partir de 200 Bts (4 €) l'aller-retour par embarcation. Et les catamarans de Lomprayah y font escale (c'est le même proprio !).

Trois îlots paradisiaques et privés, reliés entre eux par des bancs de sable. Éminemment photogéniques, ils tiennent la vedette de toutes les cartes postales vendues dans le coin. Entre sable blanc, mer turquoise et végétation luxuriante, pas grand-chose à faire, sinon bronzer, plonger (fonds magnifiques), *snorkeller* et roucouler avec votre routard(e). *(Entrée payante : 100 Bts/pers soit 2 €.)* Il paraît que les sommes récoltées vont à la protection de l'endroit, effectivement menacé par la surfréquentation (bouteilles en plastique interdites).

Où dormir ? Où manger ?

De plus chic à beaucoup plus chic (de 1 500 à 7 700 Bts – 30 à 154 €)

🏠 |●| *Ko Nangyuan Dive Resort* – เกาะนางยวน ไดฟฟ์รีสอร์ท *(plan, 14) : réception dans l'îlot central.* ☎ 456-088. 🗎 081-958-17-66. ● *3paradiseislands.com* ● Village de bungalows répartis sur les 3 îlots. Niveaux de confort variés – avec ventilo ou AC, frigo et TV. Fait aussi resto. Centre de plongée sur place et accès immédiat aux spots depuis la plage saturée de plongeurs.

Plongée sous-marine à Ko Tao

« L'île de la Tortue » est entourée des plus beaux jardins de coraux du golfe de Thaïlande, où batifolent avec allégresse une grande variété de poissons. À quelques encablures seulement du rivage, nos routards palmipèdes apprécieront la bonne vingtaine de sites baignés d'eaux limpides et mondialement réputés. Les nombreux clubs de l'île les explorent tous les jours, rejoints par ceux de Ko Samui et Ko Pha Ngan. La fréquentation excessive compromet la survie de la faune et de la flore marines, même si certaines mesures de gestion ont été prises. Toutefois, il serait dommage de venir dans le coin sans jeter un petit coup d'œil sous la mer. Mais attention où vous palmez...

Où plonger ?

Beaucoup, beaucoup, beaucoup de clubs de plongée à Ko Tao. Certains sont de véritables usines, d'autres ont su rester à taille humaine. La politique d'alignement des prix permet d'orienter son choix non plus en fonction des tarifs, mais sur la base du matériel et des prestations. Plonger à Ko Tao demeure moins cher que dans le reste du royaume. *Prévoir env 1 000 Bts – 20 € – la plongée, dégressif si on en fait plusieurs. Et ts types de stages de certification à partir de 4 500 Bts – 90 €.*

■ *Sea Shell Dive Center* – ซีเชล ไดฟฟ์ เช็นเตอร์ *: village de Sairee. Fait partie du Sea Shell Resort (voir « Où dormir ? »).* ● *diveseashell.com* ● ☎ 456-299. Un petit club qui aime les petits groupes. Bon matériel, changé régulièrement et respect strict à souhait des règles de sécurité. On y parle le suisse avec Jeff (super pour les francophones !) et l'anglais avec Mike. Ils n'hésitent pas à vous conseiller des confrères pour des prestations qu'ils ne peuvent pas assurer eux-mêmes. Excellent état d'esprit.

■ *Apnea :* un poil au sud du Sea Shell Dive Center. 🗎 *087-813-23-21.* Serait la 1re école de plongée en apnée de Thaïlande. Cours de 2 ou 3 jours, à 15 ou 40 m. Le Grand Bleu... quoi !

Nos meilleurs spots

🐠 *Ko Nang Yuan* – เกาะนางยวน *: pour baptêmes et plongeurs de ts niveaux.* Quelques plongées « fastoches » dans des paysages sous-marins à l'image de ce petit archipel : pa-ra-di-sia-ques ! Entre 3 et 20 m, vous êtes fasciné par les rochers enrobés de coraux multicolores. À *Twins Pinnacles*, le couple de poissons-clowns le plus photographié au monde... Quelques poissons-perroquets jouent à cache-cache avec des langoustes farouches dans les jolies cavernes de *Green Rock*. À *White Rock,* une tortue évolue avec grâce sous l'œil imperturbable d'un barracuda solitaire à la recherche de sa « gamelle » quotidienne. Également des diodons rigolos qui se gonflent à la moindre émotion.

🤿 **Red Rock** – เร็ค ร๊อค : *plongée sans difficulté, au sud-est de l'île (entre 0 et 16 m). Pour plongeurs de ts niveaux.* Jardin corallien magnifique et survolé par des escadrilles de poissons-papillons, anges et perroquets. Avec un peu de chance, une tortue croisera votre regard ému par tant d'harmonie. Surprise du chef : un tunnel aux multiples rais lumineux.

🤿 **Sail Rock** – เซล ร๊อค : *un rocher en forme de champignon, entre Ko Tao et Ko Pha Ngan. Pour plongeurs de ts niveaux. Site exposé ; météo excellente nécessaire.* Entre 0 et 40 m, des bancs de poissons-chauves-souris se faufilent entre les failles, pendant que des barracudas costauds tournoient inlassablement ; la chasse est ouverte ! D'août à octobre, on peut apercevoir des requins-baleines particulièrement gloutons… en plancton. Également quelques raies mantas majestueuses. Et puis LA cheminée dans un pinacle, qu'on peut remonter sur 10 m : séquence émotion.

🤿 **South West Pinnacles** – เช้าท์เวสท์ พีนาเคิล : *au sud-ouest de l'île. Pour plongeurs confirmés. Site exposé ; météo excellente requise.* Grand brassage de couleurs vives dans ce somptueux jardin de coraux. C'est du « Ripolin Grand Art », ma bonne dame ! Entre 10 et 30 m, on contemple avec plaisir les parures chatoyantes des poissons-papillons, anges, clowns, trompettes et perroquets, qui tournicotent sans vergogne au nez des mérous tachetés, pagres et autres barracudas maousses. Également des gorgones *sea stars* flamboyantes. N'oubliez pas de remonter !

🤿 **Chumphon Pinnacles** – ชุมพร พีนาเคิล : *au nord-ouest de l'île. Pour plongeurs expérimentés. Assez exposé ; météo excellente requise.* C'est un caillou (de 16 à 40 m) très sauvage, qu'affectionnent particulièrement les gros bestiaux du large. En toute tranquillité, vous palmez parmi les barracudas, carrangues, raies pastenagues et, selon la saison, vous aurez peut-être la chance de croiser un géant des mers : sa majesté le requin-baleine avec sa cour de poissons-pilotes. Attention ! il y a tant de plongeurs que si, à la remontée, votre binôme parle une drôle de langue, c'est que vous vous êtes trompé de palanquée !

> **DORS MON P'TIT QUIN-QUIN**
>
> *Chumphon voit de nombreux ailerons de petits requins tournoyer dans ses eaux. D'aucuns disent que ce sont de simples « pointes noires » dont la taille n'excède pas 1,20 m. D'autres que ce sont des bébés de requins bulldogs pas super sympas, voire soupe au lait quand ils sont adultes. L'endroit serait une sorte de nurserie en somme ! Si vous tenez à faire du baby-sitting… maman et papa sortent dîner ce soir !*

🤿 **Snorkelling :** aucune excuse pour ne pas tremper la tête dans l'eau. Les merveilles aquatiques sont à portée pour ébahir tous les masques, et ce sans grand effort. Chaque plage recèle sa mine de poissons, gorgones, coraux. On vous conseille, entre autres, la **pointe nord de Sairee Beach** (petits mérous, poulpes, girelles, poissons-perroquets…), **Mango Bay** (des fonds remarquables au milieu d'un chaos granitique), **Thian Nok** (site en perdition côté coraux et poissons, sauf les patrouilles remarquées de requins à pointe noire en fin d'après-midi), **Ho Wai** (de gros rochers, comme un jeu de pétanque maritime, autour desquels s'organise la vie des hôtes de ces lieux : jaunes, verts, rayés, marbrés, tachetés…).

Balade en bateau autour de l'île, *snorkelling,* kayak, etc.

Plusieurs petites agences proposent des excursions incluant des arrêts baignade et *snorkelling* autour de l'île. *Résa par téléphone ou via votre pension. Prévoir env 500 Bts (10 €), matériel fourni et repas compris. Auprès de chaque* resort, *loc possible de matériel de* snorkelling *(env 100 Bts, soit 2 €/j.) et souvent de kayaks (300-400 Bts, soit 6-7 €/j.).*

Massages et spa

Véritable déferlante, la mode des spas et massages n'a pas épargné Ko Tao, après avoir complètement submergé Ko Samui. Pour ceux ou celles qui veulent s'initier à l'art du massage traditionnel thaï, des cours sont dispensés au *Sea Shell Resort* (voir « Où dormir ? » sur la plage de Sairee).

■ *Jamakhiri Spa and Resort* – จามาคีรีสปาและรีสอร์ท *(plan,* **7***) : au sommet d'un promontoire à l'est d'Ao Thian Nok.* ☎ *456-400.* ● *jamahkiri. com* ● *Tlj 10h-22h. Rien en dessous de 7 000 Bts (140 €). Service de pick-up.* Site paradisiaque en belvédère, commandant un panorama à la James Bond. La déco n'est pas en reste, cocktail glamour de palais des *Mille et Une Nuits* et d'influences balinaises. Proposés sous forme de *package,* le prix des soins (sauna, massages, *bodywrap,* etc.), dispensés par des thérapeutes professionnels, reste plutôt correct. Fait aussi bar-resto (cette plongée vers la salle !) et, depuis peu, résidence de charme. Les pavillons « grand luxe » avec vue à 180° bénéficient des dernières tendances en matière d'aménagement. Plage privée tout en bas.

À L'OUEST : DE PHUKET À HAT YAI

LA CÔTE DE LA MER D'ANDAMAN

Si la partie ouest de la péninsule qui s'insinue comme une trompe d'éléphant entre océan Indien et golfe de Siam appartient sur sa plus longue partie au Myanmar (Birmanie), le tronçon de Thaïlande qui se poursuit jusqu'à la frontière malaise connaît depuis 30 ans un succès incontestable auprès des amateurs de vacances tropicales. S'y côtoient depuis le meilleur et le pire.
Ce territoire est composé en majorité de plages paradisiaques qui attirent surtout les visiteurs qui souhaitent se reposer sous les cocotiers. La forêt tropicale y a pratiquement totalement disparu. Quelques espèces sauvages subsistent encore dans les collines verdoyantes.
Phuket est un excellent camp de base pour découvrir les archipels de l'intérieur de la mer d'Andaman (Ko Yao, Ko Phi Phi) et la baie de Phang Nga. Un peu plus au sud, dans la province de Krabi, où le monde bouddhique cohabite de plus en plus avec l'univers musulman, vous pourrez découvrir les massifs karstiques aux socles érodés par les vagues qui alternent avec les plages de

sable blanc sur fond de forêts impénétrables. Les coins tranquilles se raréfient, aussi ne faudra-t-il pas hésiter à embarquer vers le large et les îles au nom qui font rêver (Ko Lanta, Ko Libong, Ko Sukorn et on en oublie...).

Des sites de plongée fantastiques vous attendent dans les eaux limpides. Vous pourrez escalader des falaises comme à Krabi, randonner à dos d'éléphant, explorer des grottes sous-marines, profiter de la faune et la flore ou vous doucher sous des cascades naturelles et jouer au Robinson dans les petites cabanes illuminées par le soleil couchant. Autant de sites naturels qui laisseront des souvenirs impérissables

C'est cette partie du pays qui a été la plus touchée par le tsunami du 26 décembre 2004 : 5 600 morts et 2 800 disparus. Mais les Thaïs ont reconstruit immédiatement après le drame, et les infrastructures ont toutes été rouvertes dans les mois qui ont suivi. Au-delà, vers le sud, les zones qui bordent la Malaisie sont provisoirement à éviter (sauf pour les traverser sans s'arrêter) tant que les tensions entre le gouvernement thaïlandais et les autonomistes islamistes généreront un risque d'actions terroristes comme en 2006 et 2007. Il faut se rappeler que, sur cette côte ouest, le prix des hébergements varie considérablement selon la période de l'année. La haute saison court du 1er novembre au 1er mai et connaît son apogée lors de la « peak season », du 15 décembre au 15 janvier, théâtre des débordements tarifaires les plus fous...

Nous indiquons les tarifs de la haute saison. En basse saison, escompter jusqu'à 50 % de réduction.

PHUKET

PHUKET (prononcer « poukett ») – ภูเก็ต
325 000 hab.   IND. TÉL. : 076

C'est avant tout la variété qui caractérise Phuket. On la compare souvent à l'île de Singapour pour la superficie, avec 570 km^2. Elle s'étend sur 49 km à vol d'oiseau du nord au sud et 22 km d'est en ouest. Collines et vallons, parfois encore recouverts de jungle, occupent le centre de l'île, tandis que les plus belles plages sont regroupées sur la côte ouest. Phuket a connu un développement rapide, du fait de sa proximité avec la terre ferme. Deux ponts, construits côte à côte, chacun à sens unique, relient l'île au continent. La

HÉROÏQUES GUERRIÈRES

En 1785, les envahisseurs birmans menacent Phuket. Prévenue d'une attaque imminente par Sir Francis Light, un capitaine britannique passant près de l'île, la veuve du gouverneur convainc sa sœur et une grande partie de la population féminine de Phuket de se déguiser en militaires pour renforcer les maigres défenses de l'île. Stimulés par leur exemple, les défenseurs repoussent l'ennemi. Hommage leur est donc rendu à présent par une statue monumentale sur un rond-point au centre de l'île.

route n° 402 fait office d'axe central et deux ronds-points, celui du monument aux Héroïnes au nord de Phuket Town et celui de Chalong au sud, permettent d'accéder aux plages ainsi qu'à l'intérieur des terres. La capitale, Phuket Town, rassemble de nombreux commerces. Il n'est pas obligatoire d'y passer pour gagner sa plage d'élection (sauf si l'on arrive en bus, car le terminal s'y trouve).

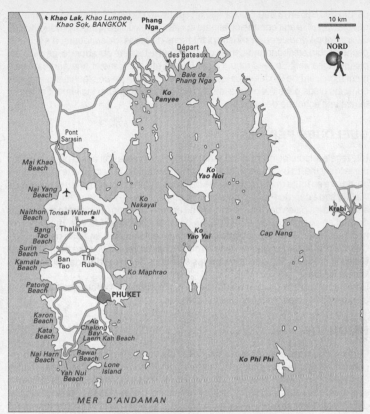

LA RÉGION DE PHUKET

CLIMAT

En gros, de fin mai à mi-novembre, c'est la mousson, avec son cortège de pluies, surtout en septembre et octobre. La saison dite sèche démarre vers la fin novembre et dure jusqu'à mi-mai, avec de fortes chaleurs en mars et avril. En résumé, l'hiver est donc la meilleure période pour découvrir la côte ouest de la Thaïlande. On rappelle qu'en été, c'est le golfe de Thaïlande (Ko Samui) qui bénéficie du beau temps. Les conditions climatiques sont inversées.

QUELQUES DONNÉES ÉCONOMIQUES

L'exploitation de mines d'étain fut une source de revenus importante pour l'île depuis le XVIᵉ s. Beaucoup d'ouvriers chinois ont été employés dans les mines et leur influence sur la culture de Phuket s'observe encore aujourd'hui. Avec la chute des prix de l'étain, l'exploitation a complètement cessé. On considère qu'en plus des résidents permanents, il y a presque autant de travailleurs temporaires, ce qui porte en haute saison la population à près de 600 000 habitants, ce qui n'est pas sans poser des problèmes d'environnement. Il faut dire qu'avec un salaire moyen de 190 000 Bts/an (3 800 €/an) à Phuket contre 40 000 Bts (800 €) dans les provinces pauvres, l'île agit comme un aimant sur les locaux. L'île est aussi productrice de caoutchouc, avec de nombreuses plantations d'hévéas, de cocotiers, d'ananas et pêche encore en abondance, mais c'est surtout le touriste qui abonde, ce qui n'est pas négligeable... En revanche, l'agriculture a été délaissée et une partie de l'alimentation vient de l'extérieur. Pas facile de se convaincre de s'échiner à repiquer du riz les pieds dans l'eau sous le cagnard alors qu'on gagne facilement sa vie en tenant une échoppe de babioles.

QUELQUES PÉPITES

L'île recèle encore de nombreux coins vraiment merveilleux et à peu près épargnés par le tourisme. Et c'est tant mieux pour le routard avide de découverte et de calme, qui pourra en toute quiétude mettre le cap sur les coins encore un peu sauvages de l'île. Le sud : cap de Panwa, baie de Chalong et baie de Nai Ham ; le nord-ouest, avec les jolies baies de Surin, Bang Tao ou encore Nai Yang (qui se bétonnent hélas de plus en plus). Ou bien Phuket Town, vivante « capitale » de l'île, qui conserve quelques bâtisses et monuments intéressants témoignant d'un riche passé.

Quant à nos amis plongeurs, ils ne tarderont pas à prendre le large pour une merveilleuse croisière-plongée dans les îles sauvages de la mer d'Andaman, mondialement réputées.

Côté budget, attention, peu d'adresses à prix routard et il ne faut pas s'attendre à de grosses remises, sauf hors saison bien sûr.

BAIGNADE

Certains **courants,** venus de l'océan Indien, peuvent se révéler **extrêmement dangereux,** notamment pendant la basse saison (mousson) et parfois pendant la haute. Chaque année, de nombreuses personnes sont victimes de noyade. Kata et Patong sont considérées comme les plages les moins dangereuses ; Karon, Surin et d'autres plus au nord sont celles qui le sont le plus. Il faut donc privilégier les plages surveillées et respecter les panneaux. Pour plus d'infos, se reporter aux paragraphes concernés.

Arriver – Quitter

En bus

L'office de tourisme *(TAT)* de Phuket Town distribue les horaires des bus et des minibus. Ces derniers sont aussi rapides que les bus AC 1re classe mais plus chers et souvent moins confortables. En règle générale, il faut garder à l'esprit que, s'ils sont bon marché, ces trajets de longue durée sont plutôt fatigants et que les voies à quatre bandes ne constituent en rien une partie de plaisir agrémentée de jolis paysages et de villages pittoresques.

Sauf mention contraire, les départs depuis Phuket Town s'effectuent du **Phuket Bus Terminal** (☎ 211-977 ; plan II, B2, **1**). On y trouve la très bonne Compagnie d'État 999 (☎ 211-480) et d'autres, privées. Possibilité également, avec une réservation préalable, de prendre ces bus sur la N 402 à l'arrêt avant le rond-point du monument des Héroïnes (petit bureau pour acheter ses billets à gauche en venant de Phuket Town) et aussi après Tha-

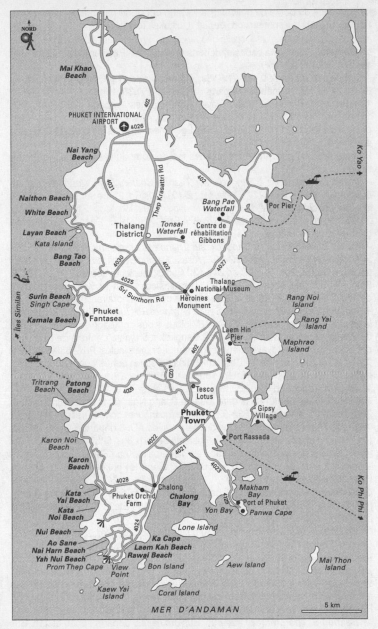

L'ÎLE DE PHUKET – PLAN I

lang (en face du poste de police). Pratique pour ceux qui sont au nord de l'île

et n'ont donc pas besoin de venir sur Phuket Town.

➤ **Bangkok :** depuis la capitale, départs du Southern Bus Terminal (Sai Tai Mai). ☎ 02-435-1199 ou 1200.

– *Compagnie d'État 999 :* ☎ 211-480. ● *transport.co.th* ● Ouv 7h-18h. Bus AC, 34 ou 24 sièges inclinables. Départs de Phuket à 7h30, 16h, 17h, 17h30, 18h et 19h. Prix : 970 Bts (19 €). Bus VIP avec AC, 32 sièges : départs de Phuket à 16h, 18h et 19h. Prix : 970 Bts (19 €). Bus VIP avec AC, 42 sièges et étage panoramique, plusieurs départs/j. Prix : 626 Bts (13 €). Également des bus 2de classe (42 sièges), env 490 Bts (9,80 €).

En plus des bus gouvernementaux, des tas de compagnies privées assurent la liaison.

– *Phuket Central Tour :* à Bangkok, sur Thanon Charan Sanit Wong, ☎ 02-885-8692/94 ou ☎ 02-894-6171 ; à Phuket : 2/10 Dibuk Rd, 2e rue sur la gauche après la poste principale à côté de la grande librairie Oldest Book, ☎ 213-615. Bus AC, 24-36 sièges, plusieurs départs/j. 626-974 Bts (12,50-19 €). Dans le sens inverse, mêmes horaires, mêmes tarifs.

– *Phuket Travel Service :* à Bangkok, sur Thanon Charan Sanit Wong, ☎ 02-435-5018 ou 5034 ; à Phuket : ☎ 222-107 ; résas : Patong Beach, ☎ 346-177. ● *thairoute.com* ● Ouv 8h-20h. Bus AC de 24 ou 32 sièges, plusieurs départs 17h30-18h30. Prix : 974 Bts (24 sièges ; 19 €) ou 626 Bts (32 sièges, soit 12,50 €), pour un trajet de 12h. Dans le sens inverse, même nombre de bus et horaires, mêmes tarifs.

– *Transport Prapon Phoingam (Ko Sew) : 12 Montri Rd, Tumbol Taladyai Muang (sur la gauche après la poste).* ☎ 356-149. Minibus + bus compagnie privée au départ de Phuket en début d'ap-m, arrivée à Bangkok à 5h, gare centrale de Hua Lumphong ou Khao San Rd, avec ramassage dans les hôtels inclus. Prix : 850-1 220 Bts (17-24,40 €). Bien donner sa destination finale. Plages autres que Patong, Karon, Kata et Phuket Town : supplément 150 Bts (3 €).

➤ **Phuket Airport :** départ env ttes les heures entre 7h et 17h30. Trajet 1h. Prix : 100 Bts (2 €). Au départ de la gare routière Phang Nga Rd, tlj 5h30-18h30 (6h30-20h30 dans l'autre sens). ☎ 232-371. ● *airportbusphuket.com* ● Tlj sf dim et j. fériés.

➤ **Surat Thani :** 5h de trajet. Bus ordinaires avec AC. 8 départs/j. Prix : 195 Bts (4 €). Bus 2de classe (AC et toilettes). Plusieurs départs 8h-15h30. Compter 207 Bts (4 €). Certains bus passent par Khao Lak, Takuapa et Khao Sok.

– *Compagnie privée Phantip :* 📱 081-569-3290. Départs Phuket ttes les 2h : 8h-14h. Prix : 207 Bts (4 €).

➤ **Ko Samui :** avec *Phantip,* guichet à la gare routière. Bus Phuket-Surat Thani + ferry Donsak-Samui. 1-2 départs/j. 8h-15h. Prix : 400 Bts (8 €) traversée en ferry comprise. 7h30 de trajet.

➤ **Ko Pha Ngan :** avec *Phantip* ; 2h30 de route. 1-2 bus/j. Prix : 520 Bts (10,50 €). Départs Phuket 8h-10h. Autre option, embarquer dans un bus à destination de Krabi et descendre en route.

– Également minibus compagnie privée *P. Transport, 12 Montri Rd (près de la poste).* ☎ 076-356-149. 📱 087-388-3991. Ramassage dans les hôtels ou *guesthouses* entre 12h45 et 13h30 puis bateau de nuit au départ de Surat Thani à 22h pour Ko Pha Ngan ou Ko Tao ; arrivée à 6h env. Prix : 1 100 Bts (22 €).

➤ **Nakhon Si Thammarat :** trajet 8h. *Bus ordinaires,* départs : 5h30 et 11h. Bus 2de classe, départs entre 6h et 16h30. Trajet : 7h. *Minibus compagnie privée* (départs Phang Nga Rd, parking sur la gauche après le feu rouge avant la gare routière). Plusieurs départs entre 8h50 et 16h. Trajet : 6h. Prix : 300 Bts (6 €).

➢ *Takua Pa :* 3h de trajet. Bus ordinaires AC départs Phuket entre 5h30 et 18h10 ; prix : 100 Bts (2 €). Bus 2de classe (AC et toilettes) départs Phuket 8h10 et 18h10 ; prix : 120 Bts (2,50 €).

➢ *Khao Sok via Takuapa :* 4h de trajet. Bus ordinaires, départs ttes les heures, 5h15-20h. Prix : 140 Bts (3 €). Bus 2de classe, départs Phuket : 8h10-18h10. Prix : 170 Bts (3,50 €).

➢ *Kuraburi :* 3h30 de trajet. Bus ordinaires, départs Phuket : 5h30-18h10. Prix : 160 Bts (3,20 €).

➢ *Ranong (pour le « visa run ») :* 5h de trajet. Bus 2de classe, 47 sièges. 4 départs/ j. : 8h10-18h10. Prix : 240 Bts (5 €).

➢ *Chumphon :* 7h de trajet. Bus 2de classe, départs 8h10-18h10. Prix : 345 Bts (7 €).

➢ *Phang Nga :* 2h30 de trajet. Bus ordinaires départs 5h15-18h30h. Prix : 95 Bts (1,90 €). Bus 2de classe, départs 7h30-15h. Prix : 147 Bts (3 €).

➢ *Krabi :* 3-4h de trajet. Bus 2de classe. Une vingtaine de départs 7h-18h30. Prix : 155 Bts (3 €).

➢ *Trang :* 5-6h de trajet. Bus 2de classe. Départs : 5h50-15h20. Prix : 200 Bts (4 €). Bus 1re classe. 5h de trajet. Départs : 7h-18h30. Prix : 257 Bts (5 €).

➢ *Hat Yai :* 7-8h de trajet. Bus ordinaire AC, départs Phuket 5h15-18h30 ; 95 Bts (19 €). Bus 1re classe AC, départs Phuket 7h30-21h30 ; 344 Bts (6,88 €). Bus 2de classe AC, départs Phuket 5h15-20h50 ; 267 Bts (5,34 €). Bus VIP AC, 24 siè- ges, départs Phuket 6h, 8h et 20h ; 556 Bts (11,10 €). Bus luxe AC de nuit, départ Phuket 21h45 ; 535 Bts (10,70 €). également une compagnie privée, *Micro-bus*, office en face du hall de la gare.

➢ *Satun :* 7h de trajet. Bus 2de classe. Départs 8h15, 10h15, 12h15, 20h15. Prix : 347 Bts (7 €).

➢ *Sungai-Kolo :* bus 2de classe. Départs Phuket 6h, 8h, 20h. Prix : 556 Bts (11,10 €).

➢ *Ko Lanta :* 2 départs/j. 7h30 et 15h30 en minibus d'une compagnie privée au départ de la gare routière, avec passage des 2 minibacs (15 mn) compris. ☎ 081- 958-43-47. 5h de trajet. Un peu long, mais un bon plan pour rejoindre Ko Lanta au plus vite (plus de bateau possible après 8h30 le mat).

En bateau

⛴ Tous les départs et arrivées se font de Port Rassada, au sud de Phuket Town.

➢ *Vers Ko Phi Phi :* 4 départs/j. à 8h30 avec *Jet Cruise, Phi Phi Cruiser, Sea Angel Cruise* (☎ 220-862), *PP Family Pachamon* ; à 11h avec *Lanta Concord* ; à 13h30 avec *Jet Cruise* ; à 14h30 avec le ferry *Pichamon* (parfait pour ceux qui arrivent à Phuket Airport avt 12h).

Prévoir 500-600 Bts (10-12 €) l'aller simple selon le bateau choisi, transfert hôtel compris, petit supplément (100-200 Bts, soit 2-4 €) pour les plages excentrées. Aller-retour 1 000-1100 Bts (20-22 €) max avec transfert hôtel. Entre 1h30 et 2h de traversée. On vous conseille de passer par l'intermédiaire des hôtels, *guesthouses* et agences de voyages, pour un transfert en minibus entre votre lieu d'héberge- ment et le port. Mais ces transferts sont aussi désormais assurés par des minibus de chaque compagnie de bateaux.

➢ *Retours de Ko Phi Phi :* à 9h (*Pachamon* 9h15 ; *Jet Cruise*), 13h30 (*Lanta Concord*, slt en hte saison), 14h30 (*Jet Cruise, Phi Phi Cruiser, Sea Angel Cruise, P.P. Family* et *Pachamon*). Pour un transfert vers Phuket Airport, bien tenir compte de l'heure d'arrivée au Rassada Pier et compter 1h de trajet plus le temps de passer à l'enregistrement au moins 45 mn avt le départ.

Pour ceux qui n'ont pas de transfert réservé vers les hôtels, la gare routière ou l'aéroport, s'adresser au comptoir sur le quai du port qui propose en général des prix fixes. Compter : aéroport 550 Bts (11 €), Patong 400 Bts (8 €), Karon-Kata 450 Bts (9 €) ou Phuket Town 50 Bts (1 €). Un tuyau : attendre que le bateau soit vidé de ses passagers et négocier une course en individuel ou en groupe.

➢ *Ko Lanta :* liaisons début nov-fin avr slt. On doit changer de bateau à Ko Phi Phi. Correspondance assurée si l'on part avec un des 1ers bateaux de la journée. Prévoir autour de 850 à 1100 Bts (17-22 €). Arrivée à Phi Phi entre 10h et 10h30 ; correspondance assurée par les ferries *Pichanom* ou *Petpailin*, départ de Phi Phi à 11h30 et arrivée à 12h45. Également 1 bateau en début d'ap-m. On peut aussi aller à Ko Lanta au départ de Phuket en passant par Krabi, bateau *Ao Nang Princess*, départ à 8h30 de Phuket, arrivée Nopparat Thara à 10h30, continuité sur le même bateau pour Ko Lanta (arrêt à Railay Beach), et arrivée à 12h45. De Lanta vers Phuket : début nov-fin avr, départs quotidiens à heures fixes. À 8h, départ du bateau *Pichanom* ou *Peitpalin* puis changement à Ko Phi Phi, et bateau *Jet Cruise,* départ 9h, arrivée Phuket Pier 11h (parfois retard 15-20 mn au départ de Phi Phi quand le bateau de Lanta a du retard).

➢ *Krabi :* nov-avr slt. Traversée vers Ao Nang Beach et Nopparat Thara, conti-nuité jusqu'à Railay Beach sur le ferry *Ao Nang Princess* de 8h30. Compter 490-550 Bts (9,80-11 €) et moins de 2h de navigation. Retour depuis Ao Nang et à des-tination de Phuket en milieu d'ap-m. Départ de Railay Beach à 14h30 et de Nopparat Thara Pier à 15h30, arrivée à Phuket à 17h30 env.

En *speed-boat*

➢ *Chalong, Marina Boat Lagoon ou Koh Sirey :* 50-60 mn de trajet. Au départ et au retour de ces embarcadères pour Ko Phi Phi, Krabi (50-60 mn), Raya Yai (30 mn), pour la plupart opérationnels slt de nov à fin avr. À déconseiller même en hte saison les jours de vent fort... ou de pluie ! Groupe de 25-35 pers, même prix que la visite à la journée avec repas et *snorkelling*. Beaucoup de compagnies. Prix aller-retour : 1 600-2 700 Bts (32-54 €) selon bateau.

Speed-boat privé pour Ko Phi Phi env 7 800-15 000 Bts (156-300 €) par trajet selon capacité du bateau, pour Raya 6 500-7 000 Bts (130-140 €). Nombreuses excur-sions à la journée en *speed-boat* dans les îles voisines de Phuket proposées dans les agences. Idéal pour visiter beaucoup d'îles en peu de temps mais plutôt cher ! Les mêmes endroits sont souvent fréquentés aux mêmes heures, vous ne serez pas seul !

En voilier

– *Location de voiliers privés avec skippers :* s'adresser au **Marina Boat Lagoon.** Sunsail (☎ 239-057, ● sunsail@phuket.loxinfo.co.th ●) ou *Thai Marine Leisure* (☎ 239-111, ● thaimarine.com ●). Un luxe pour privilégiés plutôt très cher ! Mais depuis peu les activités de nautisme se développent sur Phuket. Plusieurs marinas ont été construites : *Boat Lagoon,* la plus importante au nord de Phuket Town ; *Yacht Haven* au nord-est de l'île, une petite marina tranquille ; et Chalong, qui abrite plutôt des plaisanciers. Phuket, début décembre, accueille la King's Cup, régate très prisée (en commémoration de l'anniversaire du roi).

En avion

Phuket, destination phare, voit se dérouler une grosse bagarre entre les compa-gnies régulières et celles à prix réduits *(low-cost).* Voir « Thaïlande utile » en début de guide au sujet de ces dernières.

✈ **Aéroport international de Phuket** *(plan I) :* à env 30 km au nord de Phuket Town. ☎ 327-230 à 237 *(infos vols).* Si vous venez de Bangkok ou d'ailleurs en Thaïlande, suivez la direction « Domestic Arrivals » ou « International Arrivals ». ça dépend d'où vous venez, quoi !

■ **Phuket Tourist Association :** pour les réservations d'hôtels chic. Plusieurs comptoirs dans le hall des arrivées (pas vraiment le bon plan).

■ **Banques :** *plusieurs dans le hall d'arrivée de l'aéroport et ATM.*

■ **Consigne** *(left luggage) :* sur la droite du hall, côté « arrivées domestiques » ; tlj 6h-22h. Prévoir 80 Bts/j. *(1,60 €)* par bagage. Bien demander les horaires d'ouverture et de fermeture.

@ **Internet :** *à l'étage des départs.* Cher.

➢ **Bangkok** (1h20 de vol)
– *Thai Airways :* ☎ 02-628-20-00. Liaisons slt avec l'aéroport Suvarnabhumi. Entre 10 et 15 vols/j. Prix plein tarif (à titre indicatif) : 3 840 Bts (77 €). Certains billets selon période et en basse saison descendent jusqu'à 2 000 Bts (40 €).
– *Bangkok Airways (pour* Suvarnabhumi*) :* ☎ 02-254-29-03. 3-4vols/j., plein tarif 3 840 Bts (77 €).
– *Thai Air Asia :* ☎ 02-515-99-99. ● airasia.com ● 8 vols/j. Résas slt via Internet ou via leur bureau de Patong Beach. Possible aussi au 2e étage de l'aéroport de Phuket où sont installées les compagnies aériennes. Prix : 890-2 420 Bts (18-48 €), moins cher en cas de certaines réservations à l'avance. Bagages limités à 15 kg et 100 Bts (0,20 €) par bagage, slt 50 Bts (0,10 €) si vous donnez le nombre de bagages 4h avt le décollage.
– *Nok Air :* ☎ 13-18. ● nokair.co.th ● 5 vols/j. Départs/arrivées à Dong Muang Domestic Airport à Bangkok. Prix : 1 750-2 400 Bts (35-48 €) selon date et horaire du vol. Attention, limite poids de bagages : 15 kg.
➢ **Ko Samui** (en 50 mn) : 2 à 4 vols/j. avec *Bangkok Airways.* Prix : 2 830 Bts (57 €). Certains vols à prix spécial.
➢ **Pattaya :** 1 vol/j. avec *Bangkok Airways* (1h40 de trajet). Prix : 3 180 Bts (63 €).
➢ **Chiang Mai :** 1 vol direct/j. (2h de trajet) avec *Thai Airways.* Prix : 4 825-5 840 Bts (96-117 €) selon dates. Escale avec changement d'avion dans le sens Phuket-Chiang Mai.
➢ Liaisons directes avec **Paris** (XL Airlines)**, Kuala Lumpur** (Malaisie)**, Penang** : 1 vol/j., départ en soirée, 1h20 de trajet avec *Air Flyer.* Résa slt sur ● fireflyz. com ● ; **Singapour** et **Hong Kong** (vols quotidiens) ; **Shanghai,** 2 fois/sem (mar et sam), avec *China Eastern Airlines.* Et évidemment, avec le monde entier via Bangkok.

Quitter ou rejoindre l'aéroport

– **Les minibus collectifs :** même comptoir que les taxis limousines, avant les sorties (tarifs officiels affichés). Moyen le plus économique pour gagner sa destination. Compter 120-180 Bts (2,40-3,60 €) selon son point de chute. Un inconvénient quand même, la lenteur due aux multiples arrêts, dont ceux dans des offices de tourisme fantômes où l'on essaiera de vous proposer des excursions, de l'hébergement, voire un circuit shopping. L'approche se fait à la mode locale, avec grande gentillesse et un joli sourire... Inutile de s'énerver, se cantonner à sa réservation (réelle ou pas), jouer à l'habitué.

– **Les limousines :** deux kiosques spécialisés dans le hall d'arrivée. Prix : 450-800 Bts (9-16 €) en fonction de la distance. Départs à chaque arrivée d'avion. Elles ne devraient pas marquer d'arrêts en route pour vous obliger à réserver un hôtel, pourtant cela arrive... Soyez ferme et souriant.

– **Les taxi-meters** avec compteur. Au niveau des arrivées, prendre le trottoir « Taxi Meters » à 50 m à droite. Le prix inclut la prise en charge (50 Bts – 1 €) et le parking de l'aéroport. Normalement 7 Bts/km.

– **Les microbus climatisés** (Airport Bus) : généralement à la sortie de l'aéroport à gauche, au niveau des arrivées, grand bus climatisé couleur grise à bordures orange. Départs fréquents (terminus gare routière de Phuket Town, 1h de trajet). Quelques arrêts sur le trajet (Héroïnes Monument, Tesco Lotus). Ne dessert pas les plages ! Prix : 100 Bts (2 €).

➢ Transferts possibles pour **Krabi** (env 2h de route) en voiture avec chauffeur, ainsi que pour **Khao Lak** (1h30 de trajet).

➢ **Pour rejoindre l'aéroport :** ceux qui séjournent dans les grands hôtels (et même dans certaines guesthouses) bénéficient normalement d'un transfert pour l'aéroport compris dans leur séjour. Prévoir un laps de temps assez large, car trafic parfois abondant sur la route et contrôle de sécurité à l'aéroport assez long certaines heures de la journée, surtout quand il y a des départs internationaux : longue queue sur le trottoir, contrôle rayons X avant l'accès aux comptoirs d'enregistrement qui ferment 40-50 mn avant le départ du vol. Bref, pour un vol international, prévoir de partir minimum 3h avant.

Transports dans l'île

PHUKET

Un conseil : munissez-vous rapidement d'une des nombreuses cartes publicitaires de l'île. Gratuites (à l'aéroport, dans les agences de voyages ou chez certains commerçants), elles comprennent les plans des stations balnéaires.

Pour tous vos transports dans l'île et à l'exception des taxi-meters qui possèdent un compteur (vérifiez qu'ils le mettent en marche), il est impératif de fixer sa destination sans ambiguïté ainsi que de négocier le prix de la course avant d'embarquer. Et insister pour aller là où vous devez aller ! Il n'est pas rare que le chauffeur soit de mèche avec un autre resto, une autre guesthouse que la vôtre...

Dans Phuket Town

➢ **Les bus publics :** 2 lignes de microbus de 12-14 places (vert et jaune, avec AC). Relient les grands axes à un prix imbattable, entre autres le marché de Thanon Ranong, la gare routière et les centres commerciaux comme Bic G et Tesco Lotus. La plupart des panneaux indiquant les arrêts sont bilingues (anglais).

➢ Également des **motos-taxis** et **tuk-tuk** à petit prix, ainsi que des **taxi-meters.**

Vers les plages

➢ **Songthaews** grand modèle (carrosserie de bois sur un châssis de camionnette), qui partent du marché de Thanon Ranong (plan II, A2, 2) ttes les 30 mn entre 7h et 17h environ. Sont petit à petit remplacés par des bus plus récents et plus confortables. Ils desservent absolument toutes les plages (noms inscrits en anglais sur les côtés) et beaucoup de bourgades au nord et au sud de l'île. Très pratique et pas cher. Les tarifs officiels sont donnés au TAT. Entre 15 et 35 Bts (0,30-0,70 €) selon la destination. À titre d'exemple, Patong, 20 Bts (0,40 €) ; Karon et Kata, 25 Bts (0,50 €). Ces songthaews s'arrêtent à la demande près du centre commercial immense Central Festival (Big C tout près).

➢ *Motos-taxis ou tuk-tuk* se trouvent surtout à Phuket Town et à Patong. Leurs pilotes portent un blouson ou un plastron de couleur agrémenté d'un numéro. En journée, les prix restent raisonnables, même si, là encore, l'inflation commence à nous les gonfler (les prix). En soirée, l'affaire se complique pour les longues distances, même après négociation. Pour une courte distance en ville c'est pratique et rapide, mais pour une plus longue distance c'est presque le même prix qu'un taxi avec la clim' !

➢ *Taxi-meters :* n'acceptent toujours pas de prendre des touristes dans certains lieux, places protégées par le lobby des *tuk-tuk* ou des taxis privés qui se réservent principalement les plages. De 8h à 18h, service compétent et surtout à prix fixes (voir plus haut « Quitter ou rejoindre l'aéroport »). Ils peuvent être hélés ou appelés par téléphone au ☎ 232-192 (anglophones). Leur compteur est alors enclenché depuis le lieu de leur départ. Prise en charge : 50 Bts (1 €).

La location de véhicules

L'ensemble du réseau routier de l'île est de bonne qualité et entièrement bitumé. Faire quand même attention au trafic sur les quatre-voies du centre de l'île et sur les routes côtières sinueuses et vallonnées, les accotements sont rarement stabilisés. Prudence, vitesse raisonnable et sobriété seront les clés de belles balades sans incidents. Attention : lire notre rubrique « Moto » dans le chapitre « Transports » à « Thaïlande utile » en début de guide au sujet des assurances.

➢ *Motos :* économique. Les petites 110 à 125 cm^3 sont largement suffisantes. Les prix en haute saison atteignent 300 Bts (6 €) les 24h. Compter 50 % de réduction sinon. Pour quelques bahts de plus, préférer une moto automatique neuve, il y a maintenant des petits scooters japonais dernier modèle au même prix. Discounts pour longue durée. NE PAS OUBLIER SON PERMIS DE CONDUIRE INTERNATIONAL (DE PRÉFÉRENCE, OU NORMAL) EN ANGLAIS. Mettre le casque. Allumer le phare (sur les nouvelles *bécanes*, la lumière s'allume automatiquement). Contrôles de police fréquents et inattendus surtout sur Patong, Kathu, Chalong et Karon.

Amendes de 300-500 Bts (6-10 €) à aller payer au poste de police le plus proche, le policier garde la moto le temps d'aller régler ; des motos-taxis (payantes) sont à disposition pour vous emmener quand le poste de police est éloigné.

➢ *Voitures :* à partir de 1 000 Bts/j. (20 €) pour des mini-jeeps ou un robuste pick-up Toyota et 1 200 Bts (24 €) pour de petites japonaises. Cela suffit pour se promener dans le coin, mais bien vérifier l'état du véhicule. Pour un trajet plus long et de véritables assurances, passez par une agence de type *Avis* ou *Budget* (à l'aéroport ou à Patong-plage), qui disposent d'antennes dans les autres villes et d'un bon service d'assistance. Les compagnies de location sérieuses proposent une assurance multirisques avec franchise de 8 000 à 10 000 Bts (160-200 €) en cas de pépin ou alors un complément d'assurance sans franchise avec supplément à la journée : rien à payer en cas de problème (mais pas forcement intéressant pour une location du véhicule sur une longue durée).

PHUKET TOWN – เมืองภูเก็ต *(100 000 hab. ; ind. tél. : 076)*

La capitale de la province se situe dans le sud-est de l'île. Hormis quelques manifestations spectaculaires comme le *Vegetarian Festival,* le Nouvel An chinois *(Chinese Pimai)* ou le Nouvel An thaï *(Songkram),* il n'y a pas énormément de choses à voir ou à faire à Phuket Town.

Cela dit, cette bourgade a su conserver nombre de ses anciennes maisons de style colonial sino-portugais. Elles abritent des boutiques d'artisanat, des herboristes chinois mais aussi des cafés, des restaurants, dont de très bons, et quelques pensions. Cela confère à ces quelques bouts de rues un petit air rétro pas déplaisant. Les aficionados se fendront d'une visite à l'hôtel *On On*, décati et moisi, où furent tournées certaines scènes de *La Plage*.

Finalement, une visite de Phuket Town, c'est une activité qui en vaut bien une autre quand il s'agit d'espacer les séances « tournedos » sur le sable blanc, pour le plus grand bien de l'épiderme.

> **MÊME PAS MAL !**
>
> *Le* Vegetarian Festival *(9 jours en octobre) a des origines chinoises : un groupe d'opéra itinérant aurait instauré ces rites de purification pour invoquer les dieux après avoir attrapé la malaria sur l'île. Comme son nom l'indique, le festival consiste en un étalage de nourriture végétarienne excluant viandes et excitants comme le café et l'alcool. Ce qui est moins soft, c'est le spectacle des actes d'automutilation auxquels se livrent les participants, apparemment immunisés par les dieux taoïstes : ils se percent les joues d'instruments de torture divers (couteaux, broches, tiges métalliques, branches), marchent sur des braises ardentes... En bref, un conseil : âmes sensibles, s'abstenir !*

Adresses et infos utiles

Services

PHUKET

ℹ️ *TAT* – ท.ท.ท. *(office de tourisme ; plan II, B2)* : 191 Thalang Rd, Thalad Yai Muang, *entre les rues Montri et Thepkrasattri. Sur Montri Rd, 1ʳᵉ rue à gauche après la poste.* ☎ *212-213 ou 211-036.* ● *tourismthailand.org* ● *Tlj 8h30-16h30.* Liste complète des hôtels, bonne carte de l'île avec un plan de la ville (mentionnant les noms en thaï, toujours utile), tarifs des *tuk-tuk* et des *songthaews,* horaires exacts des bus et des bateaux, brochures diverses, etc. Personnel anglophone, compétent et souriant. Pour toutes les adresses possibles et imaginables, acheter *Gazette Guide* ou *Phuket Directory,* en librairie. Grande statue d'un dragon rouge sur la gauche vers la rivière.

✉️ *Poste* – ไปรษณีย์โทรเลข *(plan II, B2)* : à l'angle de Thanon Thalang et Montri. Lun-ven 8h30-16h30 ; sam 8h30-12h. Collection de vieux timbres dans l'ancienne poste, juste à côté.

■ *Télécommunications :* Phang Nga Rd *(plan II, B2). Ouv 8h30-20h.* Profiter des nombreux centres ISD pour appeler à l'international. Également des cabines à carte dans la rue principale. On peut acheter les cartes à la librairie *The Books* ou au *centre des télécoms (plan II, B2, 3).* Pour Internet, plusieurs boutiques de télécoms à tout faire.

■ *Change :* *beaucoup de banques à Phuket Town. On en a compté au moins 7 sur Thanon Phang Nga et Ratsada (plan II, A-B2). D'autres au carrefour de Chalong. Généralement lun-ven 8h30-15h30 ; certaines disposent d'un guichet sur la rue qui reste ouv en début de soirée et le w.-e.* Pratique aussi, *les agences des centres commerciaux* (Tesco Lotus, Big C, Central Festival), *ouv tlj jusqu'à 20h30.* Les adeptes de la carte de paiement trouveront de très nombreux distributeurs automatiques.

■ *Immigration Office* – สำนักงานตรวจคนเข้าเมือง *(hors plan II par B3) : Thanon Phuket, au sud de la ville, en direction du quartier de Saphan Hin.* ☎ *212-108. Lun-ven 8h30-12h30 et 13h-16h30 ; fermé sam et j. fériés.* Tout nouveau bâtiment, personnel bien

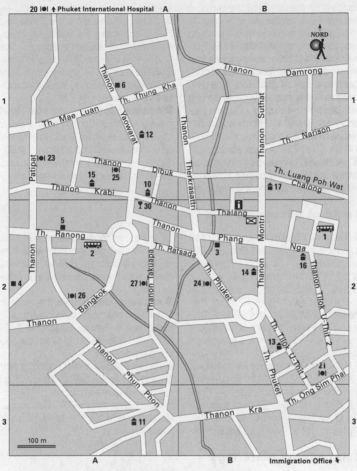

PHUKET TOWN – PLAN II

- **Adresses utiles**
  - **i** TAT (office de tourisme)
  - ✉ Poste
  - 🚌 1 Phuket Bus Terminal
  - 🚌 2 *Songthaews* vers les plages
  - 3 Centre des télécoms
  - 4 Alliance française
  - 5 Thai Airways
  - 6 Bangkok Airways

- **Où dormir ?**
  - 10 Talang Guesthouse
  - 11 Twin Inn
  - 12 Siri Hotel
  - 13 Phuket Crystal Inn
  - 14 Pearl Hotel

- 15 Old Town Hostel
- 16 Royal Phuket City Hotel
- 17 Hotel Sino House

- **|●| Où manger ?**
  - 20 Food Court du Tesco Lotus
  - 21 Marché de nuit
  - 23 Ko Tee
  - 24 Mae Boonma
  - 25 Dibuk
  - 26 Natural Restaurant
  - 27 Ka jok see

- **Y Où boire un verre ?**
  - 30 China Inn Cafe

équipé et compétent. *Un autre bureau à Patong.* Pour prolonger son visa de 10 ou 30 jours (selon le type, transit ou pas), moyennant 1 900 Bts (38 €). Formalité rapide (10 mn, s'il n'y a pas trop de monde), on peut faire photos et photocopies sur place. Toutefois, il y a souvent mieux à faire que de payer ce tarif prohibitif (voir ci-dessous « Où faire prolonger son visa ? »). Rappelons qu'un dépassement de visa (overstay) coûte 500 Bts/j. (10 €). Pour les plaisanciers et les marins, bureau de l'immigration marine en ville (préposés officiels en uniforme blanc, pour recevoir et aider les touristes en anglais).

■ *Consul honoraire de France :* 39/4-5 Koh Kaew, Plaza, Moo 2, Thepkasttri Rd (Marina Boat Lagoon), PO Box 4. Koh Keaw Tampon Muang Phuket. ☎ 089-866-24-80. ● agenceconsulaire phuket@yahoo.com ● *Bureau consulaire :* ouv mar-ven 9h-12h.

■ *Alliance française* – สมาคมฝรั่งเศส (plan II, A2, **4**) : 3 Thanon Pattana, Soi 1. ☎ 222-988. ● phuket@alliance-francai se.or.th ● Mar-ven 9h30-12h30, 14h30-18h ; lun ap-m et sam mat. Dans un coin tranquille. Livres et films en français.

Santé et sécurité

■ *Bangkok Phuket Hospital* – โรงพยาบาลกรุงเทพภูเก็ต : 2/1 Hongyok Utis Rd. ☎ 254-421 ou 429. Urgences : ☎ 10-60. 2 antennes médicales : à Laguna Phuket, Canal Village 9h-21h, et au Patong Beach Hotel 10h-22h. Permanence 24h/24 au ☎ 254-425. Dispose d'un interprète parlant le français, bravo pour l'initiative ! À demander à l'accueil.

■ *Phuket International Hospital* – โรงพยาบาลภูเก็ตอินเตอร์เนชั่นแนล(hors plan II par A1) : 44 Chalermprakiat Ror 9 Rd. Entre les centres commerciaux Big C et Tesco Lotus. ☎ 249-400. Urgences : ☎ 210-935. Là aussi, interprète francophone. Tarifs très élevés. Ne pas oublier de demander la facture en anglais pour un remboursement éventuel en France (possibilité de prise en charge).

■ *Accidents de plongée* (Hyperbaric Chamber) : chambre de recompression hyperbare à Patong Beach. ☎ 342-518. ☏ 081-895-93-90. Une équipe très compétente.

■ *Tourist Police* – ตำรวจท่องเที่ยว : sur Thanon Chalerm Prakiat (Bypass Rd), au nord-est de la ville et pas loin de l'hypermarché Lotus. ☎ 225-361. Mais en cas de besoin, faire plutôt le ☎ 11-55, c'est plus efficace.

Compagnies aériennes

■ *Thai Airways* – สายการบินไทย (plan II, A2, **5**) : 78 Thanon Ranong. ☎ 258-236. Billetterie : ☎ 258-237. Bureau ouv tlj 8h-16h.

■ *Bangkok Airways* – สายการบินบางกอกแอร์เวย์ (plan II, A1, **6**) : 158/2-3 Thanon Yaowarat. ☎ 225-033 ou 035. Fax : 212-341. ● bangkokair.com ● Côté rue à quelques mètres du carrefour avec l'hotel Merlin en arrière-plan. Tlj 8h-17h.

À l'aéroport, résa : ☎ 205-400.

■ *Malaysia Airlines* – สายการบินมาเลเซีย (plan II, A1) : 1/8-9 Thanon Thung Kha. ☎ 213-749. En face du Phuket Merlin Hotel.

■ *Silk Air* – สายการบินซิลค์แอร์ (plan II, A-B2) : 101/17 Moo 1, Tampol Kathu en face du Tesco Lotus, de l'autre côté de la route. ☎ 304-019. ● silkair.com ● Une filiale de Singapore Airlines.

Divers

■ *Bowling* – โบว์ลิ่ง (plan II, B2) : au dernier étage du centre commercial Big C, sur Bypass Rd. Ouv 10h-2h.

■ *Librairie The Books* – ร้านขายหนังสือ

ถนนภูเก็ต : *Thanon Phuket. Pour de l'occase (dont des ouvrages en français), aller sur Phang Nga Rd, pas loin de la* Kasikorn Bank.

■ *The Oldest Book (plan II, B1) :* immeuble situé au coin de la rue Dibuk et Montri. Très large éventail de papeterie, livres, journaux et magazines en anglais.

■ *Journaux français : au 1er étage du centre commercial* Tesco Lotus *; dans les grandes épiceries du centre et du bord de plage de Patong ; à Karon, au supermarché de la rue principale, et à Kata, dans le centre.* Sur demande, les grands hôtels reçoivent par Internet les journaux du jour imprimés grand format sur beau papier épais, pages agrafées avec quelques publicités locales jointes en dernières pages. Assez cher.

■ *Lee Travel Agent : 133/4, Moo 7, Soi Bang Wat Dam. Wichit Songkram Rd. Kathu.* ☎ *081-477-47-30 ou 081-606-90-95. Fax : 202-768.* ● *leetravel_phuket@yahoo.com* ● Avec de nombreuses années d'expérience sur Phuket, voici une excellente agence de voyages tenue par un Français (Arnaud) et par son épouse thaïe (Lee). Réservation d'hôtels des plus modestes aux plus chic, en fonction de vos désirs. Billets d'avion, de bateau, location de voitures et transferts. Arnaud, un gars super sympa tombé irrémédiablement amoureux de son île, est une véritable mine de conseils utiles. Vous pouvez (presque) tout leur demander.

■ *C.L.S. International Cie LTD* – บริษ ัทซีแอลเอสอินเตอร์เนชันแนลจำกัด *: 183/10 Phang Nga Rd.* ☎ *219-980 ou 982. Fax : 219-979.* ● *clstour@loxinfo.co.th* ● *En face du* City Hotel *et à 100 m de la station des bus. Lun-sam 8h30-18h.* Agence de voyages tenue par une famille thaïe. Personnel très compétent, très gentil, s'exprimant en anglais.

Où faire prolonger son visa ?

Pas besoin de pousser jusqu'en Malaisie, il suffit de rejoindre *Ranong* pour voguer vers le casino de l'*Andaman Club (*☎ *02-679-82-38, à Bangkok)* situé sur l'île birmane de *Thahtay Kyun* (thaï : *Ko Son*), attirant Thaïs et touristes étrangers 24h/24. Il n'est pas nécessaire d'être titulaire d'un visa pour le Myanmar (ex-Birmanie), ni d'y jouer pour jouir, une fois revenu en Thaïlande, d'un nouveau visa de transit d'un mois. Ne pas oublier son passeport... et en faire une photocopie.

Comment aller à Ranong ?

➢ *Par la route :* en transports publics, voir plus haut « Arriver – Quitter ». Cette solution implique de dormir une nuit à Ranong. Les pressés préfèrent faire appel à des compagnies privées qui arrangent un *visa run* (course au visa !) d'une journée. Prix (incluant bateau aller-retour et formalités) à peine plus cher qu'en indépendant : à partir de 1 000 Bts (20 €).

Avertissement : si l'on vous propose de renouveler votre visa sans que vous sortiez du pays, ne le faites pas. C'est trop risqué.

Sinon, également en Malaisie, poste frontalier 45 km après Hat Yai pour juste une ré-entrée de 30 j., ou Penang au consulat royal thaïlandais pour un renouvellement de visa.

Où dormir ?

Séjourner près de la plage est évidemment plus plaisant. Seuls une arrivée tardive ou un départ matinal vous obligeront à dormir ici. Restent de bons rapports qualité-prix et le charme particulier de cette paisible bourgade, nettement plus authentique que les plages, surtout en fin de journée et le week-end avec moins de circulation.

De plus, les hôtels affichent un rapport qualité-prix imbattable comparé aux établissements de la côte ! À noter que le dimanche, les boutiques sont fermées.

Bon marché (moins de 500 Bts – 10 €)

🏠 *Siri Hotel* – โรงแรมสิริ ภูเก็ต (*plan II, A1, 12*) : 231 Yaowarat Rd, en retrait de la rue. ☎ 211-307 et 215-816. Structure très au calme près d'une rue commerçante à 500 m du centre-ville, fréquentée principalement par les Thaïs. Réception avec personnel timide mais souriant, chambres pas très grandes mais nickel, carrelage, AC, frigo (supplément pour TV), sanitaires privés avec eau chaude. Tarifs affichés à la réception non négociables. Bon plan pour une nuit de transit.

🏠 *Old Town Hostel* (*plan II, A1, 15*) : 42 Krabi Rd. ☎ 258-272. 📱 081-569-25-18. Situé dans une rue tranquille, pas loin du centre-ville, dans la rue parallèle à Ranong Rd (marché local et arrêt des songthaews). *Internet.* Des chambres monacales, un peu plus grandes dans les étages. Salles de bains communes ou privées, ventilo ou AC. Breakfast inclus. Transferts aéroport et laverie.

🏠 *Talang Guesthouse* – ถลาง เกสท์เฮ้าส์ (*plan II, A1, 10*) : 37 Thanon Thalang. ☎ 214-225. ● *talangguesthouse.com* ● *Petit déj inclus. Internet.* Demeure sino-portugaise comme toutes ses voisines de la rue. Un établissement de caractère sinon de charme, très recherché par les routards. Chambres à 1, 2 ou 3 lits. Quelques petits soucis d'entretien, bien vérifier les lits ! Mais ça reste très bien, donc souvent plein. Blanchisserie, réservation de transports (pas cher).

Prix moyens (de 500 à 1 000 Bts – 10 à 20 €)

🏠 *Phuket Crystal Inn* – โรงแรม ภูเก็ต คริสตัล อินน์ (*plan II, B2, 13*) : 2/1-10 Soi Surin, Montree Rd. Taladyai, Muang. ☎ 256-789. ● *phuketcrystalinn.com* ● *Pas loin du centre commercial* Robinson. *Accès Internet en bas.* Service et confort vraiment de bon niveau pour le prix (AC, coffre, frigo, TV satellite). Chambres nickel et lumineuses, avec une déco contemporaine de bon goût (rarissime). Lobby agréable, jonque de faux jade et bassin de poissons rouges, accueil aimable, marbre au sol et courette sur l'arrière. Petit resto.

🏠 *Twin Inn* – ทวิน อินน์ (*plan II, A3, 11*) : Phoolphol Rd, dans un quartier un peu excentré, riche en bars-karaokés, petits restos et salons de massage. ☎ 246-541. ● *twininn.com* ● Un hôtel récent, offrant des chambres d'excellent confort (eau chaude, TV, frigo, clim') à prix corrects. Évidemment, ce n'est pas le charme qui l'étouffe et le quartier ne plaira pas à tout le monde. Petit resto au rez-de-chaussée, avec vue sur... le parking. Mais pour une nuit, c'est nickel, d'autant qu'il y a une petite piscine à l'arrière et que l'accueil souriant est un plaisir. Espérons que ce petit hôtel ne tournera pas à la maison de passe, comme tant d'autres...

Plus chic (de 1 500 à 3 000 Bts – 30 à 60 €)

🏠 *Royal Phuket City Hotel* – โรงแรม รอยัล ภูเก็ต ซิตี้ (*plan II, B2, 16*) : 154 Phang Nga Rd Muang. ☎ 233-333. ● *royalphuketcity.com* ● *À partir de 2 200 Bts (44 €).* L'hôtel le plus luxueux de Phuket Town ! Pour un transit obligatoire en attendant un bateau pour les îles ou un avion pour correspondance, le bel hôtel en centre-ville. Très beau hall de réception, chambres spacieuses. Bonnes pâtisseries dans le lobby. Le midi, un super buffet pas très cher pour les affamés, et un excellent resto chinois à l'étage.

🛏 *Hotel Sino House* – โรงแรมซิโนเฮ้าส์ *(plan II, B1, 17)* : 1, Montree Road, Talad Yai, Muang. ☎ 221-398 ou 232-494. ● *sinohousephuket.com* ● *Petit déj compris servi à l'étage.* Bâtiment quelconque mais chambres spacieuses de catégories différentes, meubles chinois et peintures murales au-dessus du ciel de lit, salle de bains originale, petit bureau, fleurs fraîches. Suites avec cuisine et baignoire à gradins. Spa indépendant très agréable sous un bamyan

et vrais massages. Une oasis de calme en pleine ville, dépaysant et bon rapport prix-qualité. Un resto y a été ajouté.

🛏 *Pearl Hotel* – โรงแรมเพิร์ล *(plan II, B2, 14)* : 42 Thanon Montri. ☎ 211-044. ● *pearlhotel.co.th* ● *Réduc consentie sans problème.* Accueil pro mais convenu dans ce grand hôtel impeccable, un peu hors d'âge, ancienne gloire de la ville, où les couloirs ressemblent à des coursives de bateau. Chambres de confort classique avec de grandes fenêtres en guise de hublots ! Piscine extérieure avec cascade artificielle.

Où manger ?

En plus des restos et gargotes, Phuket Town compte un grand nombre de pâtisseries-boulangeries qui se livrent une concurrence féroce.

Bon marché (moins de 100 Bts – 2 €)

🍴 *Marché de nuit* *(Night Market ; plan II, B2, 21)* : extrémité sud de Thanon Tilok-U-Thit près du centre commercial Robinson. *Ouv du crépuscule à l'aube.* Un max de cantines, un max de choix. Comme toujours, du pas cher et savoureux à la sauce locale. Ambiance animée, jusqu'à 22h où les marchands ambulants de produits alimentaires frais sont toujours installés dans les rues avoisinantes, fermées à la circulation à cet effet !

🍴 *Ko Tee* – โกตี๋ *(plan II, A1, 23)* : Thanon Patipat ; entre Thanon Krabi et Mae Luan. *Tlj 15h30-minuit.* Fondue coréenne (en thaï : « mukata ») à volonté pour 95 Bts/pers (1,90 €) sans boisson ! Très fréquenté par les locaux et pour cause, c'est bon et très copieux. Mais attention au gaspillage, taxe de 100 Bts

(2 €) d'amende si vous ne finissez pas votre assiette ! Un grand chapiteau vert et blanc sans pancarte en anglais. Buffet de salades en entrée, puis viandes à cuire soi-même dans un chaudron de bouillon chauffé au charbon de bois placé au milieu de la table. Large choix d'ingrédients renouvelés en permanence. N'oubliez pas de remplir d'eau les bords de la marmite, cela vous servira pour la soupe aux légumes et vermicelles. Fruits frais en dessert. Service super efficace.

🍴 *Mae Boonma* – แม่บุญมา *(plan II, B2, 24)* : 168 1/2a Thanon Phuket. ☎ 220-088. *Fermé à 18h.* Resto « routard ». M. New, l'accueillant patron thaï, propose de bons petits déj ainsi que des plats thaïs et occidentaux pas chers et sans mauvaise surprise.

Plus chic (à partir de 300 Bts – 6 €)

🍴 *Dibuk* – ดีบุก *(plan II, A1, 25)* : 69 Dibuk Rd. ☎ 258-148. *Tlj 11h-23h30.* Très beau resto tenu par Jean-Pierre et Nok, à l'abri de cette rue très passante. Décor plaisant et relaxant. Menu en français, cuisses de gre-

nouille, carré d'agneau provençal et bien d'autres gourmandises. Rendez-vous des expats de Phuket. Ne pas confondre avec le *Dibuk chez Papa,* à 50 m de là...

🍴 *Natural Restaurant* – ครัวธรรมชาติ

(plan II, A2, **26**) : 62/5 Soi Phutorn, près de Thanon Bangkok. ☎ 224-287. Tlj 10h30-23h30. Sorte de cabane dans les arbres avec une véranda couverte d'orchidées. Déco hyper originale : tables sur des vieilles machines à coudre, écrans de TV et d'ordinateur servant d'aquarium, petite cascade au centre. Cuisine traditionnelle variée : satays, nouilles accommodées de 1 001 façons, plats de fruits de mer et poissons (comme le mixed seafood plate), salades épicées yam nua (bœuf) ou yam pet (canard). Prix à la hausse depuis que les touristes ont remplacé les locaux.

|●| **Ka jok see** – กระจกสี (plan II, A2, **27**) : 26 Takuapa Rd. ☎ 217-903. Sur la droite en venant de Thanon Ratsada ; pas d'enseigne, juste un panneau marron marqué « Antique ». Slt le soir, 19h-22h30. Fermé lun. 2 formules de menu à prix très correct ; sinon, choix à la carte. Résa impérative. Des bambous grimpant jusqu'au 1er étage isolent la salle de la rue. Autre institution de la ville, attirant beaucoup d'habitués, surtout des expats. Cadre très soigné, à la fois original et intimiste. Déco style Rajahstan et photos de Paris et Venise. Un peu chic mais sans chichis. Service parfait.

Où manger dans les environs ?

|●| **Food Court du Tesco Lotus** – ศูนย์อาหารเทสโก้ โลตัส (hors plan II par A1, **20**) : dans la périphérie de Phuket Town, au carrefour de la Bypass Expressway (route n° 402) et de Sam Kong. Tlj 10h-22h. Succulent, pas cher et frais. Fontaine d'eau filtrée gratuite. Les Food Court, où l'on paie avec des coupons, une carte à recharger (attention à bien se faire rembourser le montant restant le jour même) ou en liquide, sont l'une des grandes régalades asiatiques. Faire son choix (ses choix...) parmi une vingtaine d'échoppes cuisinant sur le pouce tous types de nourriture asiatique. Un peu bruyant mais couleur locale garantie.

Où boire un verre ?

♟ **China Inn Cafe** – ไชน่า อินน์ (plan II, A2, **30**) : 20 Thanon Thalang. ☎ 356-239. Presque en face de Talang Guesthouse. Tlj sf dim 9h-18h (23h jeu-sam en hte saison), fermé à midi. Ne pas hésiter à entrer, même si la 1re salle ressemble plus à une galerie d'art qu'à un café. En profiter pour contempler les superbes clichés centenaires réalisés par Auguste François, qui fut consul à Kunming (Yunnan, Chine). Succession de maisons sino-portugaises se terminant par un patio. Restauré avec goût et délicatement meublé d'antiquités et de brocantes chinoises. Cafés, boissons, jus de fruits et petits plats, à un prix un poil gonflé, mais s'il s'agit de rentabiliser cette belle initiative... Pour un break séduisant dans cette rue si attachante. Les souverains de Suède y ont fait escale pour leurs 30 ans de mariage.

À voir. À faire dans les environs de Phuket Town

♥♥ **Gipsy Village** – หมู่บ้านยิปซี (plan I) : à l'est de Phuket Town, sur l'île de Ko Sirey (reliée à Phuket par un pont), prendre direction Leam Tuk Kae. Depuis la ville, prendre Thanon Sri Sutat Rd et faire env 3 km. Après un pont, sur la droite, dans la mangrove, quelques singes en liberté qui viennent souvent au bord de la route en fin d'ap-m attirés par les badauds qui les nourrissent. Poursuivre tt droit sur 1 petit km, tourner à droite et suivre la route jusqu'à ce village (cul-de-sac) de gitans de la mer. Animistes et originaires des îles Andaman, ils tentent de préserver leur village. Ils constituent une petite communauté bien typée, avec ses propres traditions. Certains hommes portent encore parfois une étoffe nouée autour de la taille, comme au Myanmar. Mais civilisation faisant loi, le jean et le T-shirt l'ont remplacée dans le cœur des jeunes. La plupart sont pêcheurs, d'autres plongeurs en apnée (ils peuvent rester plus de 3 mn sous l'eau !). Ils vivent dans des cabanes de béton et de tôle ondulée, dans des conditions plutôt misérables. Peu de touristes dans ce secteur, c'est pourquoi il convient d'avoir un comportement respectueux et discret. Devant les maisons, l'espace autour des vastes jarres recueillant l'eau de pluie sert de salle de bains. Le matin, la famille s'y lave. Pas de photos, évidemment. Villa entourée de grilles dorées un peu incongrue dans cet environnement.

|●| *Gypsea Beach Bungalow Restaurant* – ร้านอาหารจิปซีบีชบังกาโล : 71 Moo 4 Ko Sirey. ☎ 076-222-042. 🖵 081-631-87-21. Resto typique très sympa et bonne nourriture à bas prix servie gentiment par des Thaïs. Paillotes individuelles devant la mer, demander la carte en anglais. Un resto d'habitués locaux qui cherchent la tranquillité et l'authenticité avec une identité comme il y en a plus beaucoup à Phuket.

🍴 *Phuket Orchid Farm* – ภูเก็ตออร์คิดฟาร์ม (plan I) : 67 Soi Suksam 1, Thanon Viset, Rawai. ☎ 280-226. Prendre une petite route quittant la n° 4024 vers la droite en sortant de Chalong. Tlj 9h-17h. Entrée : 200 Bts (4 €). Anglais parlé à l'accueil. Grande ferme d'orchidées, où elles poussent à perte de vue sous les serres. Des spécimens assez incroyables. On peut en acheter. Plus cher que chez les pépiniéristes installés en bord de route.

🍴 *Crocodile & Tiger World* : 56/49 Ao Simpai Road. ☎ 217-408. Tlj 10h-16h. Entrée : 500 Bts (10 €) ; réduc. Spectacles à 11h, 14h et 16h. Un immense parc sur 8 ha. Des crocodiles par milliers, certains pas plus grands qu'un lézard, d'autres mesurant plus de 4 m ! Mais aussi une dizaine de tigres, des autruches et des singes, dans un cadre plutôt joli (lac avec embarcations à pédales). Pas trop touristique. Parfait pour changer un peu de la plage !

🍴 *Phuket Butterfly Garden & Insect World* – สวนผีเสื้อและแมลงจังหวัดภูเก็ต : Sam Kong. ☎ 215-616 et 210-861 ou 862. ● phuketbutterfly.com ● En partant du centre commercial Tesco Lotus sur Bypass Rd, prendre la direction centre-ville et tourner à gauche dans la 2e rue, Paniang Lane ; suivre les panneaux avec des dessins de papillons. Tlj 9h-17h. Entrée chère : 200 Bts (4 €) ; réduc. Le royaume des papillons, qui évoluent au-dessus de la tête des visiteurs à l'intérieur d'un superbe jardin couvert. Panneaux explicatifs sur la (courte) vie de ces merveilles ainsi que sur celle d'autres insectes en vitrine dans une salle. Cafétéria et boutique dans le hall d'entrée. C'est bien gentil mais franchement cher pour ce que c'est : un bel attrape-touriste !

🍴 *Panorama de Khao Rang* : au nord-ouest de la ville. Depuis Thanon Patipat, suivre les panneaux Khao Rang Hill amenant par une route en corniche d'env 2 km au sommet d'une colline qui domine la baie de Phuket. Belle promenade dans un parc ombragé, et un sympathique resto, le *Tung Ka Cafe* (☎ 211-500 ; ouv 11h-23h ; prix moyens), noyé dans la verdure, avec vue plongeante sur la city. Cuisine classique, mais pas donnée, en fait on paie pour la vue.

PHUKET

➤ LES PLAGES DE L'ÎLE DE PHUKET

Nous répertorions ici les plages de la côte ouest et de la pointe sud, en partant du nord dans le sens inverse des aiguilles d'une montre. Qui dit plage dit baignade. Soyez très prudent à cause des vagues, mais aussi des courants horizontaux et verticaux (eh oui, ça existe). Voir aussi la rubrique « Baignade » plus haut.

Pour le logement, outre la classique formule en hôtel ou *guesthouse,* il se développe un véritable marché des appartements à louer. À la semaine ou au mois, les prix sont très avantageux et l'on dispose d'une cuisine, d'un parking, etc. Suivre les panneaux « *For rent* » ou « *House for rent* », qui fleurissent çà et là devant les maisons.

SAI KAEW BEACH – หาดทรายแก้ว *(« sable cristal »)*

Bordure de mer sauvage épargnée des ruées de touristes, longue plage pas forcément recommandable pour la baignade (souvent trop de courants). Certains jours, l'eau est très claire et le sable blanc est bordé de végétation flamboyante. Superbe photo garantie quand on arrive sur Phuket du continent par le pont Sarasin, duquel, le plus souvent, des Thaïlandais pêchent à la ligne. Un village de pêcheurs authentique, au bord de la mer de Chatachak, avec ses étalages de poissons à sécher devant les maisons. Des petites paillotes avec toits de chaume pour casser une graine.

MAI KHAO BEACH – หาดไม้ขาว

Au nord de l'aéroport. C'est la plage de l'hôtel *Marriott,* le seul à avoir résisté à la vague quand les resto-paillotes, le camping et les bungalows furent balayés par le tsunami. Beaucoup de coquillages et tranquillité relative depuis la construction de complexes d'appartements. **Attention pour la baignade, dangereuse toute l'année.**

NAI YANG BEACH – หาดในยาง

À 6 km au sud de l'aéroport. Pas d'inquiétude, seuls quelques avions survolent ce superbe bout de côte. Côté nord de la plage, le *parc national Sirinat (entrée : 20 Bts, soit 0,40 €)* a protégé (partiellement) une partie du site de la gloutonnerie des promoteurs, lui assurant calme et ombrage, à l'abri sous une jolie forêt de pins. Suite au tsunami, le sable avait recouvert la verdure et l'eau avait renversé les installations du parc, aujourd'hui tout est nettoyé. Après la saison des pluies, vendeurs ambulants et tables de pique-nique font leur apparition. Faune et flore marines abondantes grâce à la barrière de corail. Baignade possible à l'extrémité sud de la plage, où se concentrent boutiques de batiks et petits restos les pieds dans le sable. Quelques barques de pêcheurs. Un coin charmant de Phuket pas trop pollué et fréquenté surtout par des Thaïs.

Où dormir ? Où manger ?

Plus chic (de 2 000 à 2 500 Bts – 40 à 50 €)

🏠 I●I *Airport Resort :* 80/15 Moo 1 T. Sakoo A Thalang. ☎ 327-697. ● phu │ ketairportresort.com ● Beaux bungalows confortables 2 000-2 500 Bts (40-

50 €), petit déj compris. Resto, piscine, mais le tout un peu serré en vis-à-vis. Intéressant pour une nuit obligatoire pas loin de l'aéroport avant un départ mati-nal. Transfert gratuit. Un autre avan-tage : on est à 3 mn de la plage. Et loin du monde agité...

À voir. À faire

☆ **Surinat National Park :** *entrée 20 Bts (0,40 €) à payer à l'une des deux guitou-nes pour l'accès du tronçon classé National Park au bord de la mer.* Pinèdes très agréables depuis le grillage qui clôt l'aéroport à l'extrême nord de la plage. Les jours fériés et le week-end, plein de petites cantines ambulantes installées sous les arbres où viennent pique-niquer les locaux. Depuis le tsunami, tout a été remis sur pied, logement possible dans ce parc national. Il y aura aussi la possibilité de louer des tentes pour camper au bord de la mer. Comme dans tous les parcs nationaux, réservations par Internet : ● *dnp.go.th/parkreserve* ● ou s'adresser directement à l'*Information Center.*

NAITHON BEACH – หาดในทอน

Cette plage, peu connue des touristes et peu fréquentée, est l'une des plus belles de l'île. C'est même notre préférée, bien que des immeubles commencent à y pous-ser ! Deux kilomètres de sable superbe avec, en bordure, une petite route ombra-gée qui passe devant quelques restos et hébergements. Baignade géniale en haute saison mais très dangereuse en basse.

Où dormir ? Où manger ?

D'un peu plus chic à plus chic (de 1 000 à 3 000 Bts – 20 à 60 €)

🛏 |●| **Naithon Beach Resort** – หน้าทอ นบีชรีสอร์ท : *séparé de la plage par une petite route.* ☎ 205-379. ● *naithon beachresort@yahoo.com* ● Une quin-zaine de coquets bungalows en bois et toit de tuiles vernissées, entourés de petits palmiers, avec un bout de ter-rasse. Intérieur simple, avec ventilo ou clim'. Malheureusement un peu les uns sur les autres et fort près de la route. Prix du simple au double en fonction de la taille. Piscinette. Agréable resto face à la plage.

🛏 |●| **Phuket Naithon Resort** – ภูเก็ตไ นทอนรีสอร์ท : ☎ 205-030. ● *phuketnai thonresort.com* ● *Un peu plus loin que* Naithon Beach Resort. *Resto ouv 7h-22h30. Internet.* Rien à redire. C'est propre et il y en a pour tous les goûts, du bungalow à la chambre d'hôtel avec vue sur la mer ou sur la montagne. Au resto, cuisine maison impeccable. Ser-vice excursion et spa pour des soins tout doux.

WHITE BEACH – หาดทรายขาว

Après la colline qui la sépare de Naithon. Le raz-de-marée a épargné cette plage isolée, propriété d'une vieille famille exploitant l'hévéa. La fille du clan y a cons-truit un complexe hôtelier de qualité. La plage n'est pas accessible aux non-résidents.

PHUKET

Où dormir ?

Très chic (à partir de 6 500 Bts – 130 €)

🛏 *Andaman White Beach Resort* – ถึ
นคามันไวท์บีชรีสอร์ท : ☎ *316-300.* ● *an
damanwhitebeach.com* ● Toutes les
chambres ont vue sur mer et, en quelques pas, on est dans l'eau. Déco raffinée, superbe plage privée, 3 restos, piscine, sauna, spa et salle de gym, mais

tout cela a son prix ! Les plus luxueuses
des chambres montent à 18 000 Bts
(360 €), mais les moins chères près de
la route sont aussi magnifiques. Celles
avec vue sur la mer et Jacuzzi privé plaisent beaucoup. Accueil stylé.

LAYAN BEACH – หาดระยัน

➢ Après White Beach, la route double un cap puis longe Layan Beach. Encore
vierge de développement, cet endroit magnifique a souffert du tsunami, mais il a
retrouvé une quiétude qui, hélas, a attiré les condominiums d'appartements qui
poussent comme des champignons après la pluie. Avant de rejoindre Bang Tao, les
dernières rizières de l'île et les grands prés, où quelques buffles se vautrent dans
leur trou d'eau, témoignent d'un temps bientôt révolu.

BANG TAO BEACH – หาดบางเทา

Longue plage de 7 km qui se divise en deux parties. Au nord, les seuls hôtels vraiment de luxe de Phuket avec le complexe *Laguna Phuket,* reliés les uns aux autres
par un magnifique lagon. Un genre de colonie de vacances de luxe ! On y trouve
golf, équitation et spa haut de gamme. En arrière-plan, le village de *Cherng Talay*
tout proche, animé et authentique, en bord de route : gargotes, échoppes, marché
sympa les mercredi et dimanche. Le vendredi, gros marché musulman près de la
mosquée sur la route qui mène à Surin Beach.
La partie sud de la plage, plus populaire, se construit à tout-va. Une très belle
plage, qui devient de moins en moins accessible de la route à cause des constructions en bordure de mer qui bloquent les passages ! De plus en plus de boutiques et restos à proximité mais l'endroit reste praticable.

Où dormir ? Où manger ?

De prix moyens à un peu plus chic
(de 900 à 6 000 Bts – 18 à 120 €)

🛏 *Bangtao Lagoon Bungalow* – บาง
เทาลากูนบังกาโล : *72/3 Moo 3, au sud
de la plage.* ☎ *324-260.* ● *phuket-bang
taolagoon.com* ● *La proximité de la mer,
la saison et différents niveaux de confort
(ventilo ou AC, eau froide ou chaude)
définissent les prix (sans petit déj bien
sûr).* Même si ce n'est pas si bon mar-

ché, l'une des rares adresses un peu
routardes dans le coin. Une ribambelle
de bungalows ombragés sous les pins
et les cocotiers d'un parc fleuri, un peu
alignés comme au camping. De nouveaux devraient se construire. Propre
mais sans charme et accueil un peu à la
chaîne. Multiples services dont un

PHUKET

resto-bunker qui surplombe la plage. La paillote d'à côté est préférable.

🛏 *Bangtao Village Resort* – บางเทาวิ ลเลจรีสอร์ท : *à 2 mn de la plage.* ☎ 270-474. • *bangtaovillageresort.com* • *Compter 3 500-4 200 Bts (70-84 €). Discount sur les prix des chambres en réservant par Internet.* Une trentaine de bungalows de style balinais, chacun avec son petit balcon, vraiment charmants mais un peu serrés. Préférez ceux du fond, loin de la piscine. Décoration soignée sans surcharge, équipement complet. Un rapport qualité-prix vraiment intéressant.

🛏 🍴 *Andaman Bangtao Bay Resort* – อันดามันบางเทาเบย์รีสอร์ท : *en bord de plage.* ☎ 325-230. • *andamanresort. com* • *Prix élevés, certes, à partir de 2 900 Bts (58 €) mais réduc négociable.* Adresse familiale, littéralement les pieds dans l'eau. Coin calme avec moult cocotiers. Une quinzaine de chambres

font face à la baie ainsi qu'un resto agréable et pas cher. Poisson et barbecue. Confort optimal (AC et ventilo, belle salle de bains, terrasse avec vue sur la mer), mais dans une structure plus modeste et tranquille que les mastodontes de luxe qui recouvrent le littoral « phuketien ».

🛏 🍴 *Bang Tao Beach Chalet* – บางเ ทาบีชชาเล่ย์ : *73/3 Moo 3, à côté du* Bangtao Lagoon Bungalow. ☎ 325-837. • *bangtaochalet-phuket.com* • *Résa indispensable longtemps à l'avance. à partir de 3 900 Bts (78 €).* L'un de nos préférés dans la catégorie dite de charme. Style balinais. Romantique en diable, noyé dans la végétation, il offre un grand confort avec un zeste de raffinement. Seulement 10 chambres en bungalow, donc intimité assurée. Resto, petite piscine. La plage se trouve juste de l'autre côté de la route.

Spécial folie

🛏 🍴 *The Chedi* – เดอะเจดีย์ : *à l'extrême sud de Bang Tao, à Pansea Beach.* ☎ 088-76-31-00 (n° gratuit) ou 324-017. • *ghmhotels.com* • *L'un des hôtels de charme les plus luxueux de Phuket : à partir de 7 000 Bts (140 €) en basse saison et pas moins de 18 000 Bts (360 €) en hte saison (nov-avr). Plusieurs family rooms avec 2 chambres pouvant recevoir jusqu'à 5 pers.* Bungalows évidemment tout confort, étagés à flanc de colline en dehors de toute nuisance. C'est magnifique et bien conçu. Presque rien à redire, sauf qu'il faut

s'enfiler une sacrée tripotée d'escaliers pour rejoindre sa chambre. Inaccessible donc aux personnes à mobilité réduite et fatigant pour les autres. Les cottages de plain-pied devant la plage sont évidemment les mieux, les plus chers aussi ! Les chambres les moins chères sont très haut perchées. Piscine hexagonale, et surtout une merveilleuse portion de plage. Resto délicieux et pas trop cher, avec vue imprenable sur la grande bleue. Excellent accueil et service haut de gamme, tout en restant naturel.

SURIN BEACH – หาดสุรินทร์

Mystère des fonds sous-marins, cette belle plage profitant d'un arrière-plan encore assez campagnard n'a absolument pas souffert du tsunami alors qu'elle n'est qu'à 500 m de Bang Tao ! Un seul hic ici, **la baignade, non surveillée, est dangereuse en toute saison.** Se contenter d'y rôtir, de s'assoupir ou d'y grignoter un morceau (plein de restos de plage assez typiques des deux côtés). Pagode élevée en 2007 pour les 80 ans du roi.

PHUKET

Où dormir ? Où manger ?

Aucun logement sur la plage, ils se trouvent un peu en retrait, le long de la route côtière.

D'un peu plus chic à plus chic (de 1 000 à 3 000 Bts – 20 à 60 €)

🛏 |●| *Surin Bay Inn* – สุรินทร์เบย์อินน์ : 106/11 Moo 3. ☎ 271-601. ● surinbayinn. com ● *Internet.* Très bonne adresse dans un petit immeuble de 3 étages, une douzaine de chambres avec vue sur mer (au-dessus de notre catégorie de prix) ou montagne. Confort et propreté irréprochables : TV, minibar, eau chaude, téléphone et coffres-forts. Très accueillant. Resto en bas et joli bar boisé.

LAEM SINGH – แหลมสิงห์

Depuis Surin, la route côtière rejoignant *Kamala* gravit une colline de plus. On croise le *cap Singh* – แหลมสิงห์ où se niche l'anse de Laem Singh, rejointe par deux sentiers assez raides avec des escaliers. Bordée de rochers, bien pour le *snorkelling* (partie nord), elle est très fréquentée en haute saison. Parking payant (20-40 Bts, soit 0,40-0,80 €) pour les motos et les voitures.

KAMALA BEACH – หาดกมลา

Au-delà du cap Singh, on découvre une plage que les promoteurs n'ont pas encore trop massacrée. Le tsunami s'en est chargé. Les travaux ont avancé un peu lentement. Il s'agirait d'un problème politique, cette petite municipalité étant à 99 % musulmane. Pas de *topless* sur la plage ! Toujours est-il que cette ville offre un visage extrêmement décousu et un plan urbain anarchique. Les commerces marchent visiblement très mal et l'animation ne vient que le soir, quand les filles écument les bars de la rue principale à la recherche de clients. Attention aux vagues et aux courants, **baignade très dangereuse en basse saison.** Pendant la bonne période, se diriger vers le nord de la plage ombragée, là où l'eau est la plus claire et la plus calme.

Où dormir ?

Outre ces adresses, il existe de nombreuses maisons et appartements à louer (à court, moyen... ou long terme !) à Kamala.

De prix moyens à un peu plus chic (de 500 à 1 500 Bts – 10 à 30 €)

🛏 *Benjamin Resort* – เบนจะมิน รีสอร์ท : 83 Moo 3, Rimhad Rd. ☎ 385-145. ● phuketdir.com/benjaminresort ● *Au sud de Kamala, à deux pas de la plage.* Petit déj sur la terrasse devant la plage. Construite en dur, cette *guesthouse* de 3 étages propose une trentaine de chambres spacieuses, modestes mais avec salle de bains, frigo, TV et AC pour ceux qui veulent. Les plus chères ont vue sur mer. *Laundry service* et motos à louer. Accueil touchant de naturel et de gentillesse. Excellent rapport qualité-prix.

🛏 *Grace Resort* – เกรซรีสอร์ท : *85/21 Moo 3.* ☎ *385-839.* 🖳 *089-724-13-35.* ● *grace_resort@yahoo.com* ● *Le 1er complexe à l'entrée de la petite route, côté mer, face au cimetière musulman (caché par un mur).* 14 chambres et bungalows (ventilo ou AC) avec vue sur mer. Confort simple par rapport à d'autres mais amplement suffisant. Accès direct à la plage par un court chemin bétonné. Pas de resto ni de petit déj. Transfert aéroport payant, possible sur demande avec le pick-up maison. Accueil très familial, gentil comme tout.

Où manger ?

🍴 Nombreuses tables sur la plage. Brochettes à déguster sous les parasols, dans ce cadre sympatoche.

🍴 Petits restos assez similaires dans la rue qui longe la plage. On retiendra le *Pavilion Beach Restaurant* – ร้านอาหาร พาวิลเลียนบีช, *à côté du* Benjamin Resort, *face à la mer.* Terrasse agréable où l'on prodigue une bonne cuisine locale à prix doux. Service attentionné.

À voir

🎭 *Phuket Fantasea* – ภูเก็ต แฟนตาซี *(plan I) : au nord de la plage de Kamala.* ☎ *385-111.* ● *phuket-fantasea.com* ● *Spectacle ts les soirs sf jeu, à 21h. Durée : 1h30 env.* Le complexe immense englobe le théâtre (3 000 places), le resto (4 000 places) et un parc à thème ouv 17h30-23h30. 2 formules : spectacle slt à 20h30, à partir de 1 500 Bts (30 €) ou, 1 900 Bts (38 €) avec buffet (moyen), à 18h30. Prévoir 300 Bts (6 €) de plus pour un transfert aller-retour de son hôtel au cabaret. Plusieurs tableaux illustrent la culture thaïe à la façon... d'Hollywood : reconstitution de la grande bataille de Phuket contre les Birmans, danses orientales, ballets aériens, effets pyrotechniques, poules et canards sur scène et quelques éléphants... c'est quasi le seul spectacle nocturne de Phuket, il faut aimer cela, mais ce n'est pas vraiment notre cas à contrario des groupes de Russes et d'Asiatiques.

PATONG BEACH – หาดป่าตอง

Le 26 décembre 2004, le tsunami a démantelé la plus célèbre des plages de Phuket. Le front de mer, une magistrale coulée de béton, la Grande-Motte plus un zeste de Palavas, fut transformé en un tas de gravats. Grâce à une débauche d'énergie et de courage, tout a été nettoyé et reconstruit – en pire ! – à une allure record.

Autant le dire, Patong est le royaume du pèlerin lubrique, la preuve par l'image que le sexe est un business indestructible. Quelques semaines après le tsunami, la clientèle « à filles » était déjà revenue à la chasse, et personne ici ne s'en est plaint, au contraire. Eh oui, le fric et la prostitution ont depuis longtemps remplacé la douceur de vivre et la tranquillité de ce qui fut un simple village. C'est ça Patong, le sexe et l'alcool y coulent à un flot qui prétend combattre les lois de la nature. Peu de sourires ici, tout se monnaye. Vous voilà prévenu... maintenant, c'est à vous de voir si vous êtes prêt à être plumé. On peut affirmer sans se tromper que Patong, c'est le cliché anti-Thaïlande.

Attention : comme sur plusieurs autres plages, **la baignade hors saison peut se révéler dangereuse.** On signale par ailleurs un nombre inacceptable d'accidents dus à la navigation de jet-skis tout près du bord. Et comme la mer est polluée, allez plutôt nager ailleurs.

Adresses utiles

✉ **Poste et fax :** au coin de Soi Bangla (Soi Post Office). Tlj jusqu'à 23h. Également tt au nord de la rue parallèle à la plage Rat-U-Thit. Lun-ven 8h30-16h30 ; sam 9h-12h.

■ **Immigration Office** – สำนักงานตร-วจคนเข้าเมือง : Thawiwong Rd (la rue qui longe la plage). Après Bangla Road, avant l'hôtel Imperiana Phuket Cabana.

■ **Patong Hospital** – โรงพยาบาลป่าตอง : Sai Nam Rd. ☎ 340-444. Refait à neuf, compétent pour les petits soins. On y parle l'anglais.

🚌 **Arrêt des bus locaux pour Phuket Town :** au sud de la plage, en face de l'hôtel Merlin. Départ ttes les 30 mn environ. Billet à payer à l'arrivée (20 Bts, soit 0,40 €), au marché de Ranong Road. Arrêt possible en route au carrefour des routes nos 4022 et 402 (centres commerciaux Central Festival et aussi Big C).

Où dormir ?

Comme il faut bien faire notre boulot, on s'exécute en traînant les pieds. Plusieurs adresses pas chères, mais il faut supporter l'ambiance... À force d'investigations, on a tout de même trouvé des points de chute pas mal. Les prix varient grandement en fonction du confort : demandez l'éventail des tarifs et tâchez de les visiter avant d'accepter. En basse saison, on peut les faire baisser jusqu'à 50 %.

De bon marché à prix moyens (de 300 à 1 500 Bts – 6 à 30 €)

🛏 **Star Orchid Guesthouse :** 80/13 Soi Dr Wattana. ☎ 292-717. ● starorchidguesthouse.com ● À gauche au fond d'un soi tranquille perpendiculaire à Taweewong Rd, à 50 m de la plage, une petite structure de 10 chambres simples (dont une triple) avec douches, AC et TV, mais de bonne taille sur 3 étages. Internet et wifi. Accueil belgo-thaï en français dans un joli lounge moderne avec bar doté de 4 ordis (Internet). Service laverie. Petit déj dans la rue. Idéal pour ceux qui veulent se retrouver au cœur de l'animation.

🛏 **Siam House** – สยามเฮ้าส์แอนกาเฟ่ : 169/22 Soi Sansabai (Patong centre). ☎ 341-874. ● siamhousephuket@hotmail.com ● Résa conseillée. Petite guesthouse de seulement 6 chambres, gérée par un jeune couple thaï très aimable. Bon confort à des prix très honnêtes. Eau chaude, TV, AC et frigo dans toutes les chambres. Petit bar avec 2 tables et un comptoir pour voir passer le monde. Petit déj au café d'en face.

🛏 **P.S.2 Bungalow** – พี เอส 2 บังกาโล : 21 Rath-U-Thit Rd au nord de la rue, presque au coin avec Bangla Rd. ☎ 342-207. ● ps2bungalow.com ● Petit déj inclus. Bungalows (AC ou ventilo) avec véranda qui datent un peu (mobilier passe-partout) mais très propres. Les meilleurs autour d'une grande pelouse et la piscine. Un logement pas trop cher, près du centre de Patong, c'est une bonne affaire !

🛏 **Baantonsai Garden Resort** – บ้านต้นไทร การ์เด้นรีสอร์ท : 186 Nanai Rd. ☎ 292-829. ● btonsai.com ● À l'entrée de Patong, côté sud. Au calme. Une centaine de chambres de plain-pied réparties dans 4 bâtiments moches : on dirait une caserne ! Confort basique mais suffisant avec miniterrasse. Choisissez les chambres au fond ou les nouveaux bungalows. Piscine et bar-resto. Accueil courtois.

PHUKET

📛 *Concentration de guesthouses :* *Rat-U-Thit Rd, section sud, dans le coin du* Montana Hotel. *Le* Lamai In, *l'*Orient Thai, W House, *le* Seasons Inn, Lek Pong GH, *l'*Andaman *et* Nanai Rd, la *3ᵉ rue parallèle à la plage, etc.* Coin assez nul : en dépannage, si l'on se retrouve coincé. Visiter plusieurs adresses avant de se fixer.

Plus chic (de 1 500 à 3 000 Bts – 30 à 60 €)

📛 *Eden Bungalow Resort –* อีเดนบังก าโลรีสอร์ท *: 1 Chaolem Phrakiat.* ☎ *340-944.* • *eden29.com* • *Tt au nord de la plage.* Bungalows individuels tout confort (AC, TV, minibar), chacun avec terrasse, plantés dans un superbe jardin de bougainvilliers. Et au moins, la clientèle est correcte, plutôt familiale et visiblement pas attirée par la bagatelle. Jolie piscine avec hérons en plastique et on est à quelques pas de la plage. Resto attenant.

Où manger ?

Parmi des centaines de restos moches et chers, proposant diverses cuisines indigentes, dans cet univers impitoyable créé de toutes pièces pour ponctionner le portefeuille, on a fini quand même par débusquer quelques petits restos gentillets et à prix doux.

De bon marché à prix moyens (jusqu'à 200 Bts – 4 €)

🍴 *Song Pee Nong Restaurant –* ร้านอ าหารสองพี่น้อง *: Soi Kopoub, 200 m à gauche en remontant vers Rat-U-Thit Rd depuis Patong Beach (passer par une petite galerie au sud du* KFC*).* 📱 *081-96-80-887. Tlj 11h30-23h.* Cantine familiale relativement authentique. Plats thaïs et européens corrects et assez copieux, servis avec le sourire. Certes, les prix ont grimpé tandis que la qualité a baissé, mais ne soyons pas trop difficiles à Patong.

🍴 *Cantines de rue : Rat-U-Thit Rd, section nord. Au nord de Hat Patong Rd.* À partir de la tombée de la nuit et jusqu'à 2h et parfois plus tard encore, une succession d'ambulants installent tables et chaises sur le trottoir et la contre-allée. Bien plus pittoresque que nombre de restos en dur, moins cher et souvent meilleur.

🍴 *Dubai Restaurant –* ดูไบเรสโตร– องค์ *: 206/13 Thanon Rat-U-Thit.* 📱 *081-486-98-66. Tlj 11h-1h. À l'angle du Soi Kepsub.* Patong et ses paradoxes... Voici un petit resto très propre et 100 % halal, tenu par des musulmans du sous-continent indien. Très bons *biryani, tandoori, naan* et *samosa.* On peut aussi y prendre un thé à la menthe en fumant la *chicha,* tout en suivant les nouvelles du monde diffusées sur l'écran en terrasse. Autres restos de la même enseigne au nord de Rat-U-Thit Road et au nord de la plage.

Prix moyens (de 200 à 300 Bts – 4 à 6 €)

🍴 *Le Cattleya –* เลอแคททารียา *: 111 Sainamyèn Rd.* ☎ *340-382. À l'entrée de la rue (côté droit).* Agréable petit resto climatisé et très propre, avec une poignée de tables habillées de nappes vichy. Tenu par un couple thaï et japonais très courtois. Nourriture excellente. Pas mal de fruits de mer à prix raisonnables : langoustes, crabes bleus et huîtres au menu. Salade de fruits offerte en dessert.

I●I *La Capannina* – ลากาปานิน่า : *33 Moo 4, Soi Nanai 2 (un peu avt le Peter Pan Resort).* ☎ *292-228.* Un resto italien comme on les aime, avec four à bois. Déco qui rappelle le pays d'origine de son propriétaire, Bruno, et de son chef. Spécialités de pâtes fraîches, lasagnes, gnocchis et pizzas géantes. Ils fabriquent leur propre mozzarella. Vins italiens importés. Minipiscine !

Plus chic (plus de 300 Bts – 6 €)

I●I *Baan Rim Pa* – บ้านริมผา : *223 Prabaramee Rd, Kalim Beach, Kathu District.* ☎ *340-789.* ●*baanrimpa.com* ● Au nord de Patong, direction Kamala, en face du *Novotel. Résa indispensable le soir. Menu 965 Bts (19,30 €).* Resto de luxe sur pilotis, dominant les rochers et la mer. Préférez les tables rondes en alcôve, face à la mer. Plancher en teck, déco traditionnelle. Soirées à la bougie. Cuisine thaïe raffinée avec légumes et fruits sculptés, service stylé. Goûter notamment au poulet dans des feuilles de bananier. Possibilité de prise en charge à l'hôtel.

Où sortir ? Où boire un verre ?

Ici, les soiffards n'ont que l'embarras du choix entre des centaines de bars, avec une concentration particulière autour de Soi Bangla. Souvent, pour ne pas dire tout le temps, des filles sont là, prêtes à susurrer à l'oreille d'innocents messieurs les dialectes des vieilles tribus de l'ouest de la Thaïlande : allemand, italien, anglais, suédois, français... Tout cela se monnaie, évidemment. Mais rien n'oblige à fréquenter les bars trop lourdingues et glauques.

♪ ♟ *Margarita Bar* – มาการิต้า บาร์ : à l'angle de Rat-U-Thit Rd et Soi Bangla. *Pas trop cher.* Ouvert sur la rue. Grand bar-comptoir et espace confortable garni de fauteuils et de tables en osier. Écran géant et groupes de qualités variables.

♪ ♟ *Tiger Entertainement* – ไทเกอร์ เอ็นเทอร์เธนเม้นท์ : *sur la gauche de Soi Bangla en venant de la plage, à 50 m de Rat-U-Thit Rd.* ☎ *345-112.* Gros complexe hyper kitsch placé sous le signe du Tigre. Au rez-de-chaussée, des bars à filles en plein air.

♪ ♟ *Tai Pan disco* – ไท ปัน ดิสโก้ : *165 Rat-U-Thit Rd ; là où débouche Soi Bangla.* ☎ *292-587.* Boîte très populaire complètement rénovée. Plusieurs bars sur le pourtour de la salle et, un plus : une scène fréquentée par de bons groupes. Staff sympa.

∞ *Phuket Simon Cabaret* – ภูเก็ตไซม่อนคาบาเร่ : *8 Sirirat Rd (au sud de Patong).* ☎ *342-011.* ●*phuket-simoncabaret.com* ● *Spectacles à 19h30 et 21h30.* Entrée assez chère : compter env 800 Bts (16 €) la place numérotée *(moins cher à l'arrière).* Prévoir 100-200 Bts (2-4 €) de plus pour le transfert depuis votre hôtel au cabaret, plus cher si vous résidez hors de Patong. Cabaret de travestis proposant un gentil spectacle en 12 tableaux, sorte de pastiche du *Lido* et du *Moulin-Rouge.* Préférez la 1re séance, les *beauties* sont plus fraîches et le public plus enthousiaste. Clientèle asiatique en majorité. Les mêmes « artistes » se produisent ensuite sur d'autres scènes du coin, mais là c'est beaucoup moins soft. Le *Sphinx* fait dans le même genre travesti-kitsch.

Dans les environs immédiats de Patong

Cristal Beach et Paradise Beach

À l'extrême sud de Patong, remonter le pont en surplomb du petit canal puis tourner à gauche en direction du *Merlin Beach Resort*. La côte est abrupte mais une route tranquille mène jusqu'à la petite crique paisible et ombragée de *Cristal Beach*, une petite anse ombragée, baignée par une eau limpide. Elle est équipée de transats (payants) et agrémentée de quelques balançoires. Petites paillotes individuelles installées devant le sable pour se restaurer quand le resto est ouvert.

En poursuivant sur 2,5 km – la petite route étroite est très raide par endroits – on arrive à une autre crique, *Paradise Beach,* une petite plage privée aménagée et prête à accueillir les visiteurs payants : parking, transats et parasols, massages à l'heure, location de masques et tubas pour le *snorkelling*. Un batelier offre ses services pour une balade en mer, resto avec terrasse... cette plage commence à être connue et est assez fréquentée dans la journée depuis la construction d'une route en ciment à travers la jungle.

Deux endroits pour se réconcilier avec Phuket, où l'on peut s'assoupir sur son transat et regarder Patong s'agiter de l'autre côté de la baie.

KARON BEACH – หาดกะรน

Peu ombragée, bordée par la route, la station est essentiellement fréquentée par les Scandinaves. Dès lors, son seul attrait est sa vie nocturne animée. Pour le reste, l'endroit n'est guère enthousiasmant ! Sauf pour le décor de lagon tout au nord de la longue plage de 2 km, au pied de la colline, là où le sable blanc et fin borde quelques coraux.

Attention : baignade particulièrement dangereuse en toute saison. En effet, ici, la haute saison est loin d'être sans danger. Courants puissants même quand il n'y a pas de vagues. Bien observer les drapeaux.

Où dormir ?

Il y a deux pôles à Karon : c'est dans la partie sud de la plage et sur les hauteurs de la station balnéaire que l'on trouve encore quelques hébergements pas trop chers. La partie nord de Karon (en fait, un prolongement de Patong) est une zone touristique qu'on pourrait qualifier de zone tout court. Condominiums affreux, bars à filles planqués dans les *soi* et restos de tous pays... la déprime, quoi.

Prix moyens (de 500 à 1 000 Bts – 10 à 20 €)

Deux excellents rapports qualité-prix, mais souvent complets en haute saison. Réservation conseillée.

🏠 *Happy Inn Guest House* – แฮ๊ปปี้ อินน์เกสท์เฮ้าส์ : *127 Moo 3 Bangla. Au fond d'un* soi *tranquille, à droite en venant de par la plage dans la rue où le* Sunset Restaurant *fait le coin.* ☎ 396-260. Une quinzaine de bungalows à flanc de pente, impecs et confortables, ventilo et eau froide ou AC, frigo et eau chaude. Pas mal de verdure et calme à peine entamé par le chant des oiseaux. Accueil familial.

🏠 *Prayoon Bungalows* – ประยูร บังกา

โล : *à 100 m de la plage (partie sud).* *Monter par l'allée desservant l'*Andaman Seaview Resort. ☎ *396-196.* 7 bungalows avec ventilo, salle de bains (eau froide), petite terrasse individuelle, répartis sur une butte gazonnée, à l'ombre d'une belle pinède. Cadre naturel et accueil charmant de Mme Prayoon.

Plus chic (de 1 500 à 3 000 Bts – 30 à 60 €)

🛏 *Garden Home* – การ์เด้น โฮมน์ ช : *5 Patak Rd. Patak Soi 10.* ☎ *330-100.* ● phuketgardenhome.com ● Dans un environnement calme et verdoyant, 2 bâtiments contigus, l'un à plusieurs étages où se trouvent les chambres les plus chères, modernes et bien équipées, l'autre avec un seul étage, à prix moyens. Architecture thaïe plaisante, toits pointus. Grande piscine accessible à tous. Un très bon rapport prix-qualité pour un séjour prolongé à 5 mn des plages. Pas de petit déj, mais le *Corner Café* juste à côté remplit très bien cette fonction.

🛏 *Baan Karon Hill* – บ้านกะรนฮิลล์ : *689 Moo 1 Patak Rd.* ☎ *286-233.* ● baankaronhillphuket.com ● *Entrée par la route qui mène à Patong. Petit déj compris.* Chambres mitoyennes et bungalows tout confort enfouis dans la végétation à flanc de colline, tout au nord de la plage. Évitez celles qui se trouvent en haut près de la route. Superbe panorama sur la baie de Karon à l'écart de l'agitation, avec les concerts des criquets qui n'arrêtent pas de pousser leurs airs d'opéra. Resto sans grand intérêt. Attention ! pente raide (nos mollets s'en souviennent encore !), à déconseiller aux personnes qui ont du mal à se déplacer, mais il suffit d'appeler la réception et un *tuk-tuk* vient vous chercher (surtout pour aller au petit déj). Piscine. Accès direct à la plage. Club de plongée en annexe.

🛏 *Kata Garden Resort* – กะกะการ์เด-นรีสอร์ท : *32 Karon Rd.* ☎ *330-627.* ● katagardenphuket.com ● *Entre Karon et Kata Beaches. Petit déj-buffet inclus.* Une soixantaine de bungalows de brique noyés dans la verdure et reliés entre eux par des passerelles de bois. 4 catégories de confort. Déco agréable, même si elle date un peu, l'ensemble aurait besoin d'un coup de peinture. Préférez les bungalows du fond, rapport au bruit de la route. Piscine.

Très chic (plus de 5 000 Bts – 100 €)

🛏 *Marina Phuket Resort* – มารีน่าภู ก็ศรีสอร์ท : *47 Karon Rd.* ☎ *330-625.* ● marinaphuket.com ● *Au sud de la plage. Internet.* Un sans-faute. Chalets de bois très classe, avec tout le confort qu'on peut attendre d'un hôtel qui pratique de tels tarifs... Jardin d'une délicate luxuriance, à la végétation soigneusement canalisée. Un chemin descend direct à la plage. Accueil pro et aimable. Resto à l'architecture pittoresque, cuisine de qualité avec une formule « all you can eat » et brunch le week-end, piscine de rêve, n'en jetez plus ! Une adresse de charme pour ceux qui peuvent se le permettre.

Où manger ?

Bon marché (moins de 100 Bts – 2 €)

|●| À l'extrémité nord de la plage entre mer et lagon, après le rond-point, toute la journée, des *food stalls* ambulants préparent *fried rice, noodles soup*... Pas cher et populaire. Vraiment sympa. Et puis, au sud de la plage (vers l'*Anda-*

man Sea View), plusieurs cabanes côte à côte, (en bord de route avant le terrain de foot) proposent de petits plats thaïs, poisson et fruits de mer, à prix doux. Service et clientèle relax. Parmi celles-ci, on a apprécié le Bounty.

I●I **Elephant Restaurant** – ร้านอาหารช้าง : Patak Rd. Resto local amélioré : cuisine thaïe à petits prix et quelques plats occidentaux au menu. La salle d'en bas baigne dans une lumière rose

un peu space, mais la terrasse à l'étage est plus sympa.

I●I **Kai Restaurant** – ร้านอาหารไก่ : à l'extrémité nord de la plage, au pied de la colline et au bord de la mer. Ouv midi slt, oct-fin mai. Plat 60 Bts (1,20 €). Tranquille avec banc de sable sur fond de flots bleus. Comme sur une carte postale ! Excellente cuisine pas trop chère. Transats et parasol gratuits pour les clients.

Prix moyens (de 100 à 300 Bts – 2 à 6 €)

I●I **Sunset Restaurant** – ร้านอาหารซันเซ็ท : 102/6 Moo 3, Luangh Poh Chuan Rd. ☎ 396-465. En venant de la mer, fait l'angle avec la 2e transversale. Tlj 8h-23h. Un resto tout en bambou verni (comme on n'en fait plus !) qui régale ses hôtes depuis 1978 d'une excellente cuisine thaïe. On a bien aimé le bœuf sweet & sour ; sinon, beaux plateaux de fruits de mer et, dans le registre occidental, pizzas, grillades, etc. Service agréable. Pas donné tout de même.

Propose un transport gratuit jusqu'à 5 km.

I●I **Karon Cafe** – ร้านอาหารกะรนกาเฟ่ : Patak Tawanok Rd. ☎ 396-217. Depuis le rond-point, tourner à gauche dans la ruelle animée, surmontée d'un portique. Resto tenu par un Américain. Spécialité de grillades. Délicieux spare ribs et excellent poulet Santa Fe. D'autres viandes et quelques plats japonais et thaïs. Formule buffet d'entrées froides et salades à volonté toute la journée.

KATA YAI – กะตะใหญ่ ET KATA NOI – กะตะน้อย

Ici, le raz-de-marée a emporté tout ce qui était sur la plage et dévasté les hôtels du front de mer. Mais 3 mois plus tard, plus grand-chose ne le laissait deviner. Encore moins maintenant... Certes embourgeoisée et bien bitumée, Kata Yai Beach n'en demeure pas moins une grande et belle anse, mais avec le nombre incessant de logements qui s'ouvrent sur Kata et les visiteurs à la journée, cette plage devient de plus en plus chargée, parasols, transats, sans parler de la circulation, motos en abondance et manque de trottoirs pour marcher. Au-delà d'un promontoire, 3 km plus loin (au carrefour, prendre la route qui monte sur la gauche), un cul-de-sac mène à Kata Noi, plus petite, comme son nom thaï l'indique. Atout indéniable, la baignade sur ces deux plages est facile, agréable et surveillée.

Où dormir ?

Notez que les hébergements cités sont tous séparés de la plage par une route assez large, très fréquentée. Ils n'offrent donc guère de vue sur la mer.

La plage nord (Kata Yai)

Le seul coin de Kata où l'on peut encore se loger à des prix raisonnables.

De bon marché à prix moyens (de 300 à 1 000 Bts – 6 à 20 €)

🛏 *Lucky Guesthouse* – ลักกี้เกสท์เฮ้าส์ : Taina Rd. ☎ 330-572. ● luckygues thousekata@hotmail.com ● Plutôt une adresse de dépannage, au cas où tout serait complet ailleurs. Chambres dans des maisonnettes blanches alignées comme à la parade ou dans un long bâtiment genre dispensaire. On ne peut plus dépouillé, sans déco aucune, propre en tout cas. Salle de bains, ventilo ou AC. Ambiance locale pas déplaisante, assez calme. Accueil indifférent.

Un peu plus chic (de 1 000 à 2 000 Bts – 20 à 40 €)

🛏 *Boomerang Village Cottages* – บูม เมอแลง วิลเลจ คอทเทจ : 110/59 Soi 7, Patak Rd. ☎ 284-480. ● phuketboome rang.com ● Juste derrière la Lucky Guesthouse. Ensemble de logements au fond d'un soi tranquille à souhait. Disposées en rang d'oignons, les chambres (ventilo ou clim') sont décorées avec soin et parfaitement tenues. Calme absolu et jardin assez sauvage. Accueil sympa assuré par des Italiens. Il existe une annexe aux prix « plus chic », sur la colline d'à côté.

🛏 *Dome Resort* – โดมรีสอร์ท : 98 Moo 4, Kata Rd. ☎ 330-620. ● dome bungalows.thcity.com ● Derrière le Club Med. Petit déj inclus. Chalets en dur avec de petites terrasses, proposés avec ventilo ou clim' – ces derniers étant mieux équipés (frigo et TV satellite) et disposés dans un jardin fleuri autour d'une rafraîchissante lagune. Les bungalows les moins chers sur la droite à l'arrière du restaurant sont plus attractifs : grandes chambres mitoyennes avec confort et terrasses, hyper propres. Dommage qu'une route passe à côté ! Adorables proprios thaïs. Bon resto (voir « Où manger ? »).

De plus chic à beaucoup plus chic (de 2 000 à 3 000 Bts – 40 à 60 €)

🛏 *Kata Country House* – กะตะคันทรี เฮ้าส์ : 82 Kata Rd. ☎ 333-210. ● kata countryhouse.com ● Une excellente adresse de charme qui a su conserver des prix abordables. Si les chambres les plus basiques n'ont pas grand-chose pour faire parler d'elles, en revanche les bungalows de bois genre « western » nous ont bien plu. Égale-ment 9 cottages de grand confort. Préférer les chambres au fond du parc devant le petit lagon fleuri de lotus. Belle piscine, ambiance agréable, service pro, mais pas de téléphone (sauf dans les chambres du nouveau bâtiment) ni d'accès à la plage. Resto en bord de route un peu bruyant.

La plage sud (Kata Noi)

De plus chic à beaucoup plus chic (de 2 000 à 3 000 Bts – 40 à 60 €)

🛏 *Katanoi Club Hotel* – โรงแรมกะตะ น้อย คลับ : 73 Moo 2. ☎ 284-025. ● ka tanoi_club@yahoo.com ● À l'extrémité sud de la plage, à l'écart de l'agitation, dans un cul-de-sac. Petit déj inclus. Des chambres et des bungalows de belle taille, avec ventilo ou AC, TV et terrasse. Eau chaude partout. Propre mais sans charme particulier, si ce n'est la vue sur la mer. Tenu par une famille thaïe

souriante, parlant correctement l'anglais. Accès direct à la plage.

Où manger ?

Bon marché (autour de 100 Bts – 2 €)

|●| *Dome Restaurant* – ร้านอาหาร–โคม : *voir « Où dormir ? ».* Resto en plein air jouxtant la réception. Un menu mais, surtout, de grandes casseroles où pointer ses choix. Ce genre de self à la mode locale et aux tout petits prix est extrêmement répandu dans le pays. Mais rarissime sur l'axe Kata-Patong ! En profiter d'autant que c'est très bon, rempli d'employés thaïs du coin et de la brochette habituelle de *farang* « au parfum ». Essayer aussi les desserts.

|●| *Larb Classic* – ร้านอาหารลาบคลาสสิค : *surplombe Patak Rd, direction Chalong. Assez loin à pied.* ☎ 330-751. *Ouv 15h-1h.* 3 pavillons de style thaï en enfilade. Les prix ont augmenté depuis quelque temps. C'est le rendez-vous de ceux qui ont une petite faim nocturne car l'endroit ne semble jamais fermé. Au menu, du *larb* bien sûr, *somtam, khao niaw*, les composants essentiels de leur diète régionale, mais aussi plein d'autres choses.

Prix moyens (de 100 à 300 Bts – 2 à 6 €)

|●| *Le Grand Prix* – เลอกรองด์ พรีซ์ : *114/58 Kata Center (Taina Rd).* ☎ 330-568. *À droite en venant des plages. Tlj 16h-22h.* Petite salle propre et coquette que Lionel, ancien cuisinier d'équipes de F1, a décorée d'affiches et de souvenirs évoquant l'univers des bolides. Il pilote avec sûreté et convivialité une adresse appréciée de tous, pour ses prix raisonnables en regard de la qualité de la cuisine. Terrines, salades, viandes et poissons alléchants, vin au verre ou à la bouteille, et même du pastis. Bravo Lionel, ici ta petite écurie fait toujours la pôle !

|●| *Kata Mama Seafood* – กะตะมามา ซีฟู้ด : *186/12 Kata Beach.* ☎ 081-797-

05-59. À l'extrême sud de la plage, après le 3 600e parasol violet sponsorisé par une banque locale, parasols qui tapissent la plage... Carte très complète convenant bien aux familles (snacks, petite restauration thaïe, etc.) et excellents fruits de mer. Problème : en saison, il y a cent fois trop de monde pour pouvoir y manger peinard. Les clients du *Club Med* et des hôtels du coin s'y retrouvent ! Tenu par le même clan familial qui possède pas mal de terres sur Kata. Possibilité d'accompagner les pêcheurs ou de faire des balades en bateau vers Karon ou longer la côte vers le sud vers Paradise Beach ou Nui Beach.

À faire

⌗ Entre Kata et Nai Harn Beaches, peu après le point de vue, une petite piste de 2 km bien raide descend vers **Nui Beach** (prononcer « nouille »). Descente plutôt folklo, praticable à moto (mais pas avec un gros cube) ou en 4x4.

NAI HARN BEACH ET AO SANE (OU SEN BAY) – หาดใน หานและอ่าวเสน

Nai Harn est une superbe plage, un des petits secrets de l'île. L'anse sablonneuse où mouillent quelques bateaux de plaisance n'est pas trop abîmée par le tourisme, même si transats et parasols en envahissent une partie pendant la haute saison. Clientèle plus décontractée et souriante que sur la côte ouest. C'est peu dire que l'atmosphère de ce site paradisiaque, parc protégé, n'a rien à voir avec Patong. Début décembre, pour célébrer l'anniversaire du roi, des régates de voiliers.

La baie d'Ao Sane se trouve sur la droite en regardant la mer.

Attention : il arrive que les **courants** soient dangereux l'hiver, mais pas plus qu'ailleurs. Se renseigner.

➤ *Pour s'y rendre :* Nai Harn est desservie par les *songthaews* de 6 h à 17h30 au départ de Phuket Town ou Chalong au rond-point.

Où dormir ? Où manger ?

Pour *Ao Sane Bungalow et Restaurant* et *Baan Krating Jungle Beach,* traverser le parking du *Royal Yacht Club.* Et même passer en dessous de la vaste terrasse du resto ! Bizarre, mais c'est comme ça... Et ça vaut plutôt le coup, à condition d'être motorisé.

Prix moyens (de 500 à 1 000 Bts – 10 à 20 €)

🛏 |●| *Ao Sane Bungalow et Restaurant* – อ่าวเส้นบังกาโลและร้านอาหาร : ☎ 288-306. 📱 081-124-46-87. Série de bungalows rudimentaires avec salle de bains (eau froide). Certains sont tout neufs et nettement moins spartiates que les plus anciens. Une adresse petit budget et les pieds dans l'eau, comme il n'en existe presque plus sur l'île. Accueil un peu nonchalant mais amical. Resto au bord de l'eau, qui sert une nourriture délicieuse et bon marché. À côté, petit centre nautique : plongée, location de planches à voile, etc. Attention, certains vols nous ont été signalés.

Plus chic (de 1 500 à 3 000 Bts – 30 à 60 €)

🛏 *Nai Harn Garden Resort* – นายหาญการ์เด้นทรีสอร์ท : 15/12 Moo 1, Viset Rd, Soi Saiyuan T. Rawai A. Muang. ☎ 288-319. ● naiharngardenresort.com ● Internet. À l'entrée, statue en pied de Rama, dieu du Commerce. Une vingtaine de bungalows confortables, déco sobre mais nickel, pas directement au bord de la mer mais en pleine nature, à 2 petits km de la belle plage de Nai Harn. Resto, piscine, spa *Herbal Sauna.*

Très chic (plus de 3 000 Bts – 60 €)

🛏 |●| *Baan Krating Jungle Beach* – โรงแรมบ้านกระทิงจังเกิ้ลบีช :*poursuivre au-delà d'*Ao Sane Bungalow, jusqu'au cul-de-sac.* ☎ 288-264 ou 02-314-54-64 (à Bangkok). ● baankrating.com ● Chambres spacieuses env 3 500-7 000 Bts (70-140 €) donnant sur la mer ; bungalows à flanc de colline et d'autres tout près de la mer 2 700-3 900 Bts (54-78 €). Aménagement bien intégré sur les flancs d'un cap pentu couvert de jungle et surplombant une petite plage privée. 2 catégories de bungalows, certains douillets, en bois et bien décorés, d'autres plus modernes. Piscine, beau resto avec terrasse sur pilotis. Service très gentil, dommage que le management néglige l'entretien qu'on peut attendre d'un établissement de cette catégorie. Navette gratuite 2-3 fois par jour pour la plage de Nai Harn (1 km).

PHUKET

YAH NUI BEACH – หาดย่านุ้ย

Entre Nai Harn et Cape Prom Cape. Le raz-de-marée de 2004 a anéanti cette petite plage bordée de rochers. L'armée a vaguement nettoyé, mais peu de bungalows ont été reconstruits. Peu de monde, pourtant les promoteurs doivent avoir repéré le coin. Cette petite crique est pas mal fréquentée par les touristes qui séjournent dans les stations animées durant

> **ROUGE DE HONTE...**
> *Le coucher du soleil depuis Prom Thep Cape est vendu comme l'excursion romantique par excellence. Conséquence : on se retrouve par paquets de 200 à la sortie des bus climatisés, pour aller bisouiller son (sa) promis(e) en attendant que le soleil, rouge de honte, finisse par succomber à cette mise en scène tartignolle.*

la nuit (mais qui en fuient les plages surpeuplées) et viennent dans ce coin tranquille passer la journée. En prime, on y trouve un resto ouvert de 8h à 21h avec quelques tables devant la mer pour déguster les plats locaux.

Où dormir ? Où manger ?

🏠 |●| Quelques *gargotes* au bord de l'eau, avec tables à l'ombre, face au rocher qui sépare la plage. Simple et pas cher. Service un peu long. On a une préférence pour celui de gauche, très bien pour le déj. À côté, de l'autre côté de la route, pour prolonger le bonheur, *Ya Nui Bungalows* propose quelques bungalows bien équipés, à prix routard. |●| *Prom Thep Cape Restaurant : Khun Sumalee Artornpinit 94/6 Moo.* ☎ *288-656.* Du parking où sont installés les marchands de souvenirs, prendre l'escalier qui mène au panorama et, à mi-chemin, aller sur la droite, par un petit passage au milieu des vendeurs de batiks. Grand jardin, et une allée d'orchidées mène aux tables séparées de petites haies avec vue imprenable sur la superbe baie et la plage de Nai Harn en contrebas. Bonne cuisine de poissons à prix raisonnables pour le décor. Idéal pour un cocktail et un dîner romantique à la belle étoile.

À voir. À faire

🏃 *View Point* – จุดชมวิว *(plan I)* au *Prom Thep Cape* – แหลมพรหมเทพ, autrement dit « cap de la pureté divine ». Entre Yah Nui et Rawai, c'est l'extrême pointe sud de l'île. Panorama superbe. Visite du « phare » sans intérêt.

RAWAI BEACH – หาดราไวย์

À 17 km au sud de Phuket Town, sur la côte est. De ce côté de l'île, la mer est peu profonde. Vaseuse et rocailleuse, elle se retire de presque 300 m à marée basse. Un joli coin typique de Phuket qui a pour l'instant gardé encore un peu de son identité : magnifique bord de mer ombragé d'une rangée d'arbres tropicaux, relief touffu sur les îlets qui émergent de l'océan à l'horizon, et quelques *speed-boats* et *long-tail boats* à l'ancrage au premier plan. Rawai, seulement touchée par quelques reflux, a peu pâti du tsunami, d'autant qu'on venait de demander aux restos mobiles de la plage d'aller s'installer de l'autre côté de la route. C'est un endroit de choix pour venir déguster du poisson grillé sans se faire matraquer.

PHUKET

Où manger ? Où boire un verre ?

I●I Tout le long de la rue qui borde la route, des *cantines ambulantes* s'installent dans la journée et proposent des grillades jusqu'à la tombée de la nuit. Ambiance extra et prix défiant toute concurrence. Cuisses de poulet, fruits de mer ou poisson entier et frais, salades de papaye et riz gluant sucré dans des feuilles de bananier. Au nord de la plage, des restos sédentaires où on racole gentiment, Sont exposés des poissons, crabes, fruits de mer et demi-poulets cuits au barbecue toujours assez appétissants (bien regarder quand même qu'ils ne soient pas cuits de la veille !).

I●I *Baan Haad Rawai* – บ้านหาดราไว : *sur la plage, extrémité sud, légèrement en retrait face à la mer, 57/5 Moo 6, Viset Rd.* ☎ *383-838. Tlj 10h-23h.* Fréquenté par les touristes comme par les Thaïs. Resto de poisson en bord de mer, avec grande terrasse en plein air. Cuisine délicate, harmonie des saveurs et des odeurs. Pourtant, prix très sages, et on s'y sent bien. Une excellente adresse.

I●I ♟ *Nikita* – นิกิต้า : *vers l'extrémité gauche de la plage, en regardant la mer.* ☎ *288-703. Ferme vers minuit. Pas cher.* Pas mal d'habitués. À notre avis, plus sympa en journée. Mignon et accueillant, même si l'on est coincé entre la route et la mer. Paillote ou terrasse pour boire un coup et parcourir un éventail classique de plats thaïs, et beaucoup de poissons, comme il se doit.

À voir. À faire

🏃 *Gipsy Village* – หมู่บ้านยิปซี : *à l'extrémité nord-est de la plage, là où la route de Chalong fait un angle droit avec celle de Rawai. Bien aller par le sentier sur la gauche qui longe le bord de mer jusqu'au cul-de-sac pour voir quelque chose !* Contrairement à celui de Ko Sirey (voir « Phuket Town »), il ne reste plus grand-chose à voir ici, sauf quelques étals de poisson, de plus en plus remplacés par des marchandes de coquillages, et des enfants qui barbotent entre les barques. Le soir, les maisons très rustiques aux toits de tôle ondulée disparaissent, complètement noyées par de nouveaux restos aux néons plus ou moins agressifs qui ouvrent en bord de route.

Les amateurs de coquillages de collection dénicheront le magasin spécialisé qui peut, si nécessaire, organiser les envois vers l'étranger.

🏃 *Balades en bateau vers les îles aux alentours : prix par embarcation (max 6 pers) env 1 600 Bts (32 €) pour 4h et 400 Bts (8 €) pour 1h.* Négocier ferme, les clients sont rares ! Concentrés plutôt du centre jusqu'au sud de la plage, des barques « longue-queue » et des *speed-boats* (plus chers) attendent les quelques touristes venus se perdre ici pour faire le tour des îles environnantes. Au menu de l'excursion, Ko Bon (très touristique), Ko Hai (*Coral Island,* luxuriante, 15 mn de bateau), Ko Racha Yai (bon *snorkelling,* 1h30 de navigation ; voir aussi « Plongée ») ; Ko Racha Noi, etc. Un ponton en ciment construit au nord de la plage avant le *Gipsy Village* s'avance dans la mer en gâchant un peu le paysage ; il doit accueillir bientôt les bateaux pour les départs dans les îles (un peu comme à *Chalong Bay* 5 km plus loin).

LAEM KAH BEACH ET KA CAPE – แหลมกาและหาดแหลมกา

Ravissante crique de sable et rochers d'accès libre. Bien ombragée. De plus, c'est pratiquement le seul coin baignable de la côte est. Pour y accéder : parcourir environ 400 m en direction de Chalong depuis la sortie nord de Rawai Beach avant de s'engager pendant 1 km sur la petite route, en face du porche coloré qui marque l'entrée du temple. Très fréquenté le week-end par les familles thaïes qui viennent pique-niquer. Au large, quatre petites îles, dont Coral Island.

CHALONG BAY – อ่าวฉลอง

Grande anse où viennent mouiller les voiliers qui naviguent sur les mers du Sud (Australie, Philippines...). Les routards de la mer, quoi ! Le coin se développe mais conserve son âme maritime. C'est aussi l'un des points de départ des bateaux privés, type *speed-boat*, pour des excursions vers les îles de la baie, Ko Phi Phi (hors de prix), Raya et Coral Island, le point d'ancrage des bateaux de plongée et de pêche au gros, et aussi – beaucoup moins enthousiasmant – des bateaux charters de 450 et 650 personnes pour les dîners-spectacles. Pour rejoindre la baie, s'engager dans la petite rue (panneaux) depuis le rond-point d'Ao Chalong.

Où dormir ?

C'est à Chalong, tout comme à Phuket Town, que l'on trouve les hébergements les moins chers de Phuket.

De bon marché à prix moyens (de 200 à 1 000 Bts – 4 à 20 €)

🏠 ๏ *Shanti Lodge* – บ้านพักสันติ : *Soi Bang Rae, Chaofa West Rd.* ☎ 280-233. ● *shantilodge.com/phuket* ● En venant du rond-point, faire 1,5 km sur la route n° 4021, puis tourner à la grande enseigne bleue. Large gamme de prix allant des lits en dortoir aux chambres avec ou sans sdb. Wifi. Ces dernières, au rez-de-chaussée, sont vraiment agréables avec leur petit espace privé extérieur. Les chambres sont convertibles en dortoir si nécessaire. On peut se contenter du ventilo ou enclencher la clim' moyennant un supplément. Coloré, confortable, étonnant et séduisant mélange de traditionnel et de moderne, ce *lodge* typiquement routard est la filiale d'une célèbre adresse de Bangkok. Petite piscine, jardin où sont parfois organisés des barbecues. Cuisine thaïe et occidentale. Très bon accueil. Endroit excentré, il est judicieux d'y louer une moto ou une voiture. Massages.

🏠 ๏ *Ao Chalong Inn* – อ่า วฉลอง อินน์ : *43 Vises Rd.* ☎ 281-389. Sur la rue qui mène à la baie, à droite. Petit déj en sus. Petit hôtel d'apparence modeste, mais ses 8 chambres sont coquettes et tout à fait confortables (eau chaude, TV...). Accueil vraiment adorable.

De plus chic à très chic (de 1 500 à plus de 3 000 Bts – 30 à 60 €)

🏠 ๏ *Aochalong Villa* – อ่า วฉลอง วิ ลล่า : *Soi Porn Chalong, East Chaofa Rd (branche est de la route n° 4021).* ☎ 381-691. ● *aochalongvilla.com* ● En bord de mer, au nord du port. À slt 800 m du rond-point, de la route n° 4021, grande pancarte au coin, prendre sur la droite le petit chemin en terre. Pas de baignade ici, mais une petite dizaine de bungalows à la déco raffinée disposés de part et d'autre de la piscine, dans un jardin idyllique. Également des chambres moins chères, dans la petite bâtisse au 1er étage sur la gauche en entrant, chambres pas très grandes, vue sur le parking, mais hyper propres et confortables. L'accueil tout sourire fera un peu digérer les tarifs de haute saison, car ce n'est tout de même pas donné. Parfait pour un séjour familial de longue durée. Possibilité de baby-sitting. Location de motos et voitures – bien utiles dans ce coin ! Restaurant.

Où manger ? Où boire un verre à Chalong Bay et dans les environs ?

De bon marché à plus chic (de 100 à 300 Bts – 2 à 6 €)

|●| *Kan Eang Seafood I et II* – กันเอ็งซีฟู้ด 1 และ 2 : *9/3 Chaofa Rd. Ouv midi et soir.* ☎ *381-212 et 381-323.* 2 adresses à peu de distance l'une de l'autre et connues de longue date pour la qualité de leur cuisine. Y venir en taxi ou en *tuk-tuk.* La première, à droite du *pier*, propose un cadre plaisant et vaste avec des bâtiments couverts de chaume et de grandes tables surplombant un bord de mer fréquenté par les hérons. Sur la carte, les plats épicés sont annoncés avec un petit piment. Le *Hok mok* est une mousse de fruits de mer au curry absolument divine. Idéal pour une soirée entre amis sous les étoiles. L'autre à 1 km au nord (accès au départ du rond-point de Chalong direction Phuket Town, après 600 m prendre la petite route sur la droite, grand panneau indicateur au coin, 400 m pour arriver au resto), plus moderne, est organisée en petites paillotes individuelles espacées entre des parterres de plantes tropicales. Service agréable, cuisine traditionnelle et spécialité de fruits de mer, un poil moins cher que le précédent. On peut y apporter son vin.

|●| *Parlai Seafood* – ปาไล่ ซีฟู้ด : à Parlai Bay, au nord d'Ao Chalong. ☎ *283-038. Depuis Phuket Town, prendre vers le sud la route n° 4021, puis tourner à gauche vers le zoo (nul) ; poursuivre jusqu'à la mer, vaseuse à marée basse. Résa conseillée le soir.* Le moins cher et le plus authentique des restos-terrasses du coin. Détruit par le tsunami, il fut reconstruit à une vitesse record. Les Thaïs y viennent en masse le soir, mais nous, on préfère la journée, pour la vue. Fruits de mer et poissons (à choisir en vivier) sont les grandes spécialités de la maison. Une adresse précieuse, même si le service est souvent flottant.

|●| 🍷 *Tamarind Bar & Restaurant* – ธัมมะรินด์ บาร์และร้านอาหาร : *Lakkana Chanaphat 44/2 Moo 9 Chaofa Rd, Chalong Bay.* ☎ *657-13-19.* Remis à neuf, du carrelage au plafond. Large choix d'alcools et petite cuisine délivrant d'honnêtes et copieux plats thaïs et européens à prix débonnaires. Fréquenté entre autres par les plaisanciers.

À voir. À faire encore dans le coin

🗡 *La marina de Chalong Bay* – มารีน่าของอ่าวฉลอง : ambiance authentique, particulièrement après 10h et à partir de 17h soit après le départ ou le retour des bateaux des îles sous la baleine-girouette du phare. La vie y redevient paisible et vous réconcilie avec Phuket. De même, le bord de mer qui abrite quelques voiliers et catamarans en escale, bateaux à l'ancre, est bien agréable avec les îlots recouverts de végétation qui émergent de l'océan à l'arrière-plan. Les habitués ne s'y trompent pas et s'y donnent rendez-vous pour communier dans la félicité de la tombée du jour.

🕷🕷 *Panwa Cape* – แหลมพันวา : *depuis Chalong, en allant vers Phuket Town, une très jolie route en corniche mène au cap – prendre à droite au 3e feu rouge au départ du rond-point de Chalong (au carrefour avec panneaux) pour ne pas se retrouver sur la nationale.* Le cap Panwa, en forme de talon, ferme l'extrémité est de la baie de Chalong. C'est le véritable Phuket, vivant encore à son rythme, dans un paysage encore pas mal préservé. N'hésitez pas à louer une moto pour en faire le tour. Sur son flanc est s'ouvre la baie de Makham, flanquée du port de Rassada et de celui en eau profonde. En chemin, une belle zone de mangroves où l'on peut louer des canoës et manger un morceau dans un environnement touché par la grâce (voir plus bas). Possibilité aussi d'un massage thérapeutique à Panwa Garden (voir plus loin la rubrique « À faire (encore !) sur l'île »).

🕷 🕷 *Aquarium de Phuket : tt au bout (pointe est du cap). Tlj 8h30-16h. Entrée : 100 Bts (2 €) ; réduc.* Quelques requins et raies batifolent autour d'un « tunnel » tandis que les anguilles électriques et les « Nemo » (nom désormais utilisé par les maîtres-plongeurs du coin pour désigner certains poissons-clowns !) vous font de l'œil. Une visite amusante, mais ne vous attendez pas à l'aquarium de Monaco...

🍽 *Chai-Yo Seafood* – ร้านอาหารไชโยซีฟู้ด : *sur la route de la corniche, 500 m après le village.* ☎ 393-142. Beau resto local bâti juste au bord des mangroves, agrémenté d'une salle au milieu d'un jardin à l'antique et mobilier en teck de toute beauté. Préférez une table au bord de la rivière bordée de végétation tropicale épaisse, c'est plus agréable et dépaysant. Les poissons et crustacés sont sortis de l'eau devant vous, avant de passer à la casserole. Choix en fonction de l'arrivage. Propose également deux très beaux bungalows au fond du jardin en bordure de l'eau, avec grand Jacuzzi intérieur.

🍽 *Sawasdee Restaurant* – ร้านอาหารสวัสดี : *100 m avt l'aquarium.* Petit resto avec cuisine thaïe de poisson tout à fait recommandable.

➤ *L'INTÉRIEUR ET LE NORD-EST DE L'ÎLE*

Si vous en avez le temps, voici quelques visites ou balades à faire au nord de Phuket Town en empruntant la N 402 puis la N 4027.

🕷 *Laem Hin* – แหลมหิน *(plan I) : en venant du nord, guetter le panneau (Maphrao Island, Rang Yai) qui indique la route d'accès, en légère descente (1,8 km). Depuis Phuket Town, on est obligé de faire demi-tour.* Joli coin, belle vue sur plusieurs îles. Vraiment un endroit exceptionnel pour manger sur l'eau.

🍽 *Laem Hin Seafood* – แหลมหินซีฟู้ด : *sur la gauche de l'embarcadère.* ☎ 239-357. Tlj 10h-22h. Resto typique sur pilotis qui sert poisson, fruits de mer (au poids) et plats thaïs à prix locaux. Délicieux et service efficace.

🍽 Plus pittoresque mais plus coûteux, le resto flottant *Bund ID Seafood N° 2* – บังอิทซีฟู้ด : 📱 089-726-54-35. De 11h à 20h, vous trouverez sans difficulté un batelier pour vous y conduire (des pirogues attendent là, l'embarcadère est sur la droite du parking du resto Leam Hin) ; 5 mn de traversée, prix inclus (pas énorme) dans votre addition ou gratuit, selon le montant. Il y a 4 restaurants du même style et de qualité équivalente. Petites terrasses fleuries avec mobilier de rotin gentiment installées sur pilotis au milieu des casiers à crustacés et cultures d'huîtres perlières. Carte en anglais avec prix (au poids) à réclamer.

En général, un accueil gentil, un dépaysement garanti.

➤ Côté excursion, l'île de *Maphrao* ne présente guère d'intérêt. Préférer ***Rang Yai,*** petite île au-delà et sa plage de rêve. Compter au moins 900-1 200 Bts (18-24 €) pour en faire le tour en *long-tail* avec un arrêt baignade. Sur l'île, le ***Rang Yai Restaurant*** possède une bonne réputation. Assez cher mais paradisiaque... on paie le décor !

🍴 ***Thalang National Museum*** – พิพิธภัณฑสถานแห่งชาติถลาง (plan I) : *en venant de Phuket Town par la N 402, au monument des Héroïnes prendre sur la droite direction N 4027 et 150 m tt de suite sur la droite, l'entrée.* ☎ 311-426. *Entrée : 100 Bts (2 €). Tlj 9h-16h.* Panneaux, reconstitution et objets retracent l'histoire, les vagues de peuplement, les coutumes et l'économie de l'île, sans oublier sa topographie et sa géologie. On apprend ainsi que Phuket s'appela longtemps June Ceylon, probablement une défor-

Le Siam, seul pays d'Asie du Sud-Est à n'avoir jamais été colonisé par une puissance européenne, a inspiré les routards. Simon de La Loubère, Toulousain d'origine, participa à la deuxième expédition (en 1687, après une première fournée en 1684) envoyée au Siam par Louis XIV dans l'espoir de convertir le roi de Siam à la religion catholique. Comme son contemporain l'abbé de Choisy, il en rapporta un récit de voyage, Du royaume de Siam, *mine d'informations sur la culture et la civilisation thaïes.*

mation de *Silang,* l'ancien nom des gitans de la mer, autrefois maîtres incontestés de l'île – voir la carte faite par Simon de La Loubère, navigateur français qui visita le royaume d'Ayutthaya en 1687, quand Thaïs et Français s'échangèrent des ambassadeurs.

🍴 ***Tonsai Waterfall*** – น้ำตกต้นไทร ***et le centre de réhabilitation des gibbons*** – โครงการคืนชะนีสู่ป่า (plan I) : *dans le nord-est de l'île, à 22 km de Phuket Town.* Deux cascades situées pas loin l'une de l'autre, avec des routes différentes pour y accéder.

– ***La cascade de Bang Pae*** – น้ำตกบางเพ : *depuis l'*Heroines Monument, *emprunter la route n° 4027 ; après 9 km, prendre la route à gauche où se trouve un petit camp d'éléphants. À 20 m sur la gauche dans le champ d'hévéas, jusqu'après l'embranchement, 3 km de route bordée de végétation jusqu'au cul-de-sac qui mène à la cascade. Tlj 6h-18h. Entrée : 200 Bts/pers soit 4 € (guitoune du gardien sur la gauche à l'entrée) ; réduc.* Bien réclamer le ticket qui peut servir éventuellement pour la visite de l'autre cascade, Tonsai, à condition que ce soit dans la même journée. Véritable « forêt primaire », jamais perturbée par l'homme, les arbres y sont tellement hauts que le soleil ne pénètre jamais dans certains endroits.
Tout de suite à l'entrée, sur la droite après les restos locaux, légèrement à flanc de colline, avant les chutes de Bang Pae qui, elles, se trouvent à 25 mn de marche par le petit chemin qui longe la rivière, le ***centre de réhabilitation des gibbons*** héberge environ 60 singes en processus de réadaptation à la vie en forêt. Brochures gratuites explicatives en français disponibles à la réception.
– ***La cascade de Tonsai :*** *depuis l'*Heroines Monument, *emprunter la route n° 402, tt droit jusqu'au feu rouge de Thalang, prendre la route à droite, Tonsai Rd, agréable route sauvage bordée de plantations d'hévéas jusqu'à la cascade à 3 km dans le cul-de-sac.* Rien d'extraordinaire, c'est vrai ! Elle se tarit pendant la saison sèche, mais est accessible plus facilement que l'autre cascade (Bang Pae) pour les per-

sonnes qui ont du mal à se déplacer. Environ 10 mn de chemin tranquille. Plaisante balade dans la jungle possible (30 mn), accompagnée d'un guide local qui se propose à l'entrée mais réalisable soi-même. Se munir de bonnes chaussures et de crème antimoustique.

🍴 *Yao Pier Bangrong* – ท่าเรือเกาะยาว บางรง : *continuer la route n° 4027 sur 3 km au-delà de l'embranchement du centre de réhabilitation, tourner à droite (panneau) ; longer le bras de mer sur encore 400 m. Guitoune sur la gauche avt l'arrivée au port, parking payant (à partir de 10 Bts soit 0,20 € selon durée).* Arrivée dans un coin de mangroves où des singes viennent parfois, comme vous, juger de l'animation sur la route. Sur la droite, l'embarcadère desservant les îles Yao (voir plus loin) ; sur la gauche, une passerelle de bois tutoie la forêt maritime en menant à un resto traditionnel sur pilotis. Pour un petit plat en attendant son bateau ou juste pour l'occasion. Possible de faire du canoë le long du bras de mer, à travers casiers à moules et huîtres perlières.

Plongée sous-marine à Phuket

Tous les centres de plongée de la région ont été très affectés par le tsunami. Beaucoup ont perdu leurs bateaux, et certains leur vie... Mais le business est reparti comme avant, et la Thaïlande a de nombreux arguments pour séduire les plongeurs. Même si les avis divergent, les fonds marins n'ont apparemment pas été abîmés par le raz-de-marée. Chose curieuse, l'eau serait plus claire qu'avant, comme après un lessivage.

Phuket est une destination très chouchoutée des plongeurs. Les spots alentour ont acquis une réputation mondiale avec, en vedette, les *îles Similan et Surin* (excursions de 2 à 10 jours), véritables sanctuaires de la vie marine... Mais attention : la « perle de l'océan Indien » repose sur un écrin très fragile et certains sites trop fréquentés sont déjà détruits. Ne touchez à rien. Et gare aux caprices de l'océan Indien : courants fréquents.

PHUKET

Où plonger ?

Ici, l'exploration sous-marine est une activité bien rodée qui se pratique depuis plus de 20 ans.

En raison de l'éloignement des sites, les sorties ont généralement lieu à la journée *(one day trip),* elles comprennent 2 ou 3 plongées selon le site et le casse-croûte. Ko Phi Phi figure aussi parmi les spots phares (un peu trop à notre goût, d'ailleurs...). Raya Yai et Raya Noi au sud de Phuket, comme Ko Phi Phi, restent explorés toute l'année. Également d'inoubliables croisières-plongées de 2 à 10 jours *(liveaboard dive safari)* dans les archipels Similan et Surin, sauvages et luxuriants (un régal !), ouverts seulement en haute saison, de novembre jusqu'à fin avril.

Une idée des prix

Grosse concurrence sur Phuket, mais les tarifs sont comparables d'un centre à un autre. Si vous disposez de 4 jours et de 10 000-12 000 Bts (200-240 €), c'est peut-être le moment de passer votre brevet *PADI,* qui vous permettra par la suite de plonger partout dans le monde. Compter 3 500-4 400 Bts (70-88 €) pour une journée d'initiation à la plongée, ne délivrant pas de diplôme, et autour de 2 700-3 100 Bts (54-62 €) pour une journée comportant 2-3 plongées en bateau et les casse-croûte. Et 500 Bts (10 €) à ajouter pour l'équipement. Le spot le moins cher et le plus courant visité toute l'année est Raya Yai. La journée *snorkelling* pour non-plongeurs avec équipement masque et tuba revient à 1 200 Bts (24 €).

■ *Sea World Dive Team* – ซีเวิร์ลไดว์ทีม : *Soi San Sabai, un soi de Patong qui donne sur Soi Bangla.* ☎ et fax : 341-595. ● *seaworld-phuket.com* ● Centre *PADI* 5 étoiles où l'on parle le français. Les instructeurs brevetés assurent formations, explorations et initiations à la plongée. Magnifiques bateaux de luxe pour une sortie à la journée ou une croisière au long cours de 2 ou plusieurs jours (compresseurs à bord) en direction des sites locaux comme le *Mergui Archipelago,* une véritable splendeur. Ambiance amicale, sympa et super pro.

■ *Andaman Scuba* – อันดามันสกูบ้า : *224/10 Patak Rd à Karon, près de la* route qui longe la plage, après le rond-point en direction de Kata Beach, sur la gauche dans le petit square de l'entrée de la grande tour Water Front à côté de l'hôtel Andaman Inn. ☎ et fax : 398-331. ● *andamanscuba.com* ● Club tenu par Dominique, un Français. Licence *PADI* et *CMAS.* Dispose de 2 bateaux pour plonger à la journée et d'un bateau de croisière. Toutes prestations et tous niveaux, super sérieux.

■ *Marina Divers* – มารีน่าไดเวอร์ส : à l'hôtel Marina Phuket Resort, *sur Karon Beach.* ☎ 330-272. ● *marinadivers. com* ● Centre 5 étoiles, donc très sérieux là encore. Excellent matériel et accueil sympa.

Nos meilleurs spots

☟ *Les îles Similan* – หมู่เกาะสิมิลัน : *parc national composé de 9 îles magnifiques (plages de sable blanc et forêt tropicale), accessibles par navire de croisière (6 à 8h de traversée, selon l'état de la mer), à 100 km au nord-ouest de Phuket. Ouv de mi-nov à mi-avr. Droit d'entrée : 400 Bts/pers (8 €). On ne peut dormir que sur 2 des îles, la n° 4 (Ko Miang) où l'on trouve tentes et bungalows et la n° 9, uniquement pour les tentes. Résa auprès des offices des parcs nationaux à partir de 2 mois avt la date souhaitée :* ☎ 595-045 ou ☎ 02-562-07-60 (Bangkok). ● *reserve@dnp.go. th* ● *dnp.go.th* ●

La plupart des bateaux partent du *Tap Lamu Pier* – ท่าเรือทับละมุ, à l'entrée de Khao Lak. Avec réservation, la plupart des compagnies de plongée assurent la liaison en minibus ou *songtheaw,* prise en charge dans les hôtels sur Phuket (ou Khao Lak) jusqu'au port de Taplamu. Départ de Phuket tôt le matin, 6h30 environ (toutes plages) ; ramassage en minibus jusqu'à Tap Lamu, 1h30 de trajet environ, puis *speed-boat* jusqu'aux îles Similan, 1h15 de traversée environ. Ramassage également en pick-up au départ de Khao Lak. Retour 19h-19h30 selon la situation de l'hôtel. Pour une croisière-plongée sur plusieurs jours, on loge sur un bateau de plongée avec couchettes à bord.

Classé dans le top 10 mondial des meilleurs spots de plongée, cet ensemble de récifs, canyons et fabuleux jardins coralliens en eaux cristallines est particulièrement poissonneux (de 6 à 40 m de fond). Aux spots de *Chrismas Point* et *Elephant Head,* merveilleusement colorés, on croise fréquemment des raies mantas solitaires, quelques requins « pointes-noires » et, avec un peu plus de chance, le fameux requin-baleine, aussi débonnaire qu'inoffensif. Une croisière pour plongeurs débutants (après un Open Water théorie et pratique) et confirmés.

Noter que l'on peut visiter ces îles en solo.

– *Ko Miang* est très visitée à la journée depuis Phuket ou Khao Lak, et encore plus pendant les week-ends et vacances scolaires ; beaucoup de scouts viennent y faire du camping. Il y a des tentes et des bungalows avec ventilos ou clim'.

⚮ 🏠 *Ko Miang* – เกาะเมียง : *résa*
☎ *595-045.* 📱 *082-579-57-34. Prévoir
1 000-2 000 Bts (20-40 €) pour 2 pers
selon vue et confort. Également possible de camper : compter 200 Bts/pers
(4 €) avec la loc. Cette île est la plus ani-* mée ; elle compte une cinquantaine de bungalows, certains climatisés pour les plus chers, électricité 24h/24h sauf aléas météo, de quoi se restaurer aussi et boire un verre. Basique mais propre, avec salle de bains (eau froide).

⚮ *Les îles Surin* – หมู่เกาะสุรินทร์ : *à 80 km au nord des îles Similan. Départs de Kuraburi Pier, 62 km après Takuapa en direction de Ranong.* Possibilité de faire la visite des îles Surin dans la journée, ou de dormir sur place en tente de camping ou dans un des 16 bungalows de l'île. De merveilleuses richesses sous-marines pour plongeurs confirmés, situées entre 6 et 40 m de profondeur, vous attendent dans ce parc national très sauvage et moins fréquenté. Les spots de *Ko Bon, Ko Tachai* et *Richelieu Rock* y sont réputés pour leurs rencontres avec le gentil requin-ba-leine, dont la taille énorme n'a d'équivalent que son appétit vorace... en plancton ! En virevoltant au-dessus des gorgones flamboyantes, les tortues seront « médu-sées » par votre palmage nonchalant. Le simple *snorkelling* se pratique aussi.

⚮ *Ko Racha Yai (Raya Yai)* – เกาะราชาใหญ่ : *à 27 km au sud de Phuket. Accessi-ble au départ de Chalong en 1h20 (bateau normal) ou en 30 mn* (speed-boat). Entre 6 et 25 m, cette plongée fastoche en eaux claires livre un site corallien de toute beauté (on touche avec les yeux !). Vie sous-marine très intense. Quant à l'île elle-même, elle pourra flatter votre côté Robinson, si vous prenez le temps de vous éloigner de la plage de Batok. Un hôtel de luxe y a remplacé les paillotes et le bruit des moteurs celui des oiseaux. Mais il existe aussi des bungalows à prix plus routards.

⚮ *Ko Racha Noi (Raya Noi)* – เกาะราชาน้อย : *une petite île déserte entourée de falaises, à quelques km au sud-ouest du spot de Ko Racha Yai. Pour plongeurs confirmés.* Plongée entre 10 et 40 m dans une eau cristalline et brassée par de forts courants. Nombreux crustacés embusqués dans les failles de ce magnifique jardin de coraux, que survolent majestueusement daurades, barracudas et poissons-trompettes.

À faire (encore !) sur l'île

Une multitude d'activités sont proposées aux touristes. Il serait trop long d'en faire une liste exhaustive ; soyez à l'affût des brochures et des dépliants, programmes, prospectus gratuits de la ville.

Sports et loisirs

➢ *Balades à VTT :* notamment avec **Action Holidays.** ☎ *263-575. Compter env 2 000 Bts/j. (40 €), vélo, guide, snack, eau et transport pour l'hôtel inclus.* Décou-verte de Phuket à vélo sur des parcours remarquables. Une bonne manière de sor-tir des sentiers battus.

– *Équitation :* 2 clubs équestres sur la côte. Signalons le ***Phuket Bang Tao Riding Club,*** *à Bang Tao.* ☎ *324-199.* ● *phuket-bangtao-horseriding.com* ● Balades à che-val de 1h à 2h30, et même des virées à dos d'éléphant (même si Phuket n'est pas à proprement parler le royaume du pachyderme !).

– **Pêche au gros :** au départ de Chalong, pêche autour des îles de Raya Yai et Raya Noi, une mer bien poissonneuse. *Rens : Aloha Tours, à Chalong.* ☎ *381-220.* ● *thai-boat.com* ● Compter 2 500-3 500 Bts (50-70 €) pour une journée avec transferts hôtel aller-retour, petit lunch sur le bateau et matériel fourni.

– **Cuisine :** une initiation à la cuisine thaïlandaise par un professionnel à la **Phuket Thaï Cooking School,** *39/4 Thepatan Rd.* ☎ *252-35-45.* ● *info@phuket-thaicookeryschool.com* ● *phuket-thaicookeryschool.com* ●

Boxe thaïe

■ **Thai Boxing** (cours de boxe) : Tiger Muay Thai & MMA Training Camp. 7/6 Moo 5, Soi Tad-led Ao Chalong. ☎ 367-071. ● tigermuaythai.com ● Ouv tlj sf dim 7h-10h30 et 13h30-18h30. Centre d'initiation à la boxe thaïe toutes catégories tenu par Will, un Américain. Pro-pose également des bungalows de bon confort pour ceux qui peuvent résider ailleurs que sur une plage. On peut se contenter de venir voir les entraînements des boxeurs (et boxeuses !) en s'accomodant d'un verre au bar.

Massages (des vrais !)

Effet de mode oblige, tous les hôtels de catégorie supérieure se sont dotés d'un spa et/ou d'un sauna. Remise en forme de 3h incluant un bain bouillonnant et divers traitements cosmétiques. Les mêmes établissements proposent aussi des massages traditionnels – tout ce qu'il y a de plus sérieux.

■ **Panwa Garden** – พันวา การ์เด้นฯ : 39/3 Moo 6, Sakdidej Rd, Bor-Rae District. ☎ 200-484. ● panwagarden-spa.com ● Sur la route côtière qui longe le cap de Panwa. Tlj 9h-22h. Massage, spa, sauna et aromathérapie dispensés dans un vrai paradis terrestre : végétation abondante, oiseaux qui chantent, zen maximal. Accueil chaleureux et prestations de qualité à prix étudiés.

LES ÎLES YAO – หมู่เกาะยา ว, KO YAO NOI – เกาะยา วน้อย ET KO YAO YAI – เกาะยา วใหญ่

Ces deux îles, parties prenante du parc maritime d'Ao Phang Nga (140 km^2 mises bout à bout), émergent des flots au large de la baie du même nom, à mi-chemin entre Krabi et Phuket (d'où l'accès est le plus facile). Peuplées en majorité de musulmans qui vivent de pêche, de riz, de noix de cajou et de coco, ce sont des îles encore peu touchées par le tourisme. Leur sols sont couverts de forêts primaires profondes ou de plantations d'hévéas. Depuis les plages propices au farniente ou au *kayaking* (spécialement sur Yao Noi) et entourées de promontoires rocheux aux multiples grottes, l'horizon se pare du spectacle féerique des massifs karstiques de la baie. Ceux qui cherchent la tranquillité et la nature seront comblés. Les eaux en bord de plage entre deux mangroves sont la plupart du temps vaseuses à marée basse.

Arriver – Quitter

➤ **Depuis Phuket :** bus local du marché, sur Ranong Rd, 1h de trajet jusqu'à l'embarcadère Bang Rong Pier. Quelques départs slt.

➤ **Depuis Yao Pier Bangrong** (voir plus haut « L'intérieur et le nord-est de l'île ») : entre 5 et 11 bateaux/j. selon saison, 7h30-17h. *Speed-boat* à 9h40. Traversée 100 Bts (2 €) ; trajet env. 1h. Arrivée au débarcadère de Manoh, au sud de Koh Yao Noi (côte ouest), prendre un *tuk-tuk* (env 200 Bts, soit 4 €) pour se rendre sur la côte est, là où sont les plages et quelques hébergements. Autant de bateaux au retour, 7h-16h30. Le seul ferry quotidien part de Chaiwanich Pier.

➤ **Depuis Krabi :** départ de Tha Len Pier (port situé à 45 mn à l'ouest de Krabi-Ville). 2 bateaux/j., à 11h et 13h. 1h de trajet, 100 Bts (2 €).

Comment se déplacer ?

Seule *Ko Yao Noi* (« petite longue île »), la plus habitée, s'est ouverte au tourisme. ● *kohyaotourism.com* ● Les plages de la côte est ont la réputation d'être tranquilles et proposent de jolis bungalows. On trouve des vélos et des motos à louer, mais pour la partie nord où seules des pistes serpentent entre les plantations d'hévéas, un 4x4 est nécessaire.

Les amateurs d'exploration apprendront qu'il est aussi possible de rejoindre Ko Yao Yai en *long-tail boat* (30 Bts/pers, soit 0,60 € ; 150 Bts, soit 3 €, pour une moto) en franchissant l'étroit bras de mer qui la sépare de sa cadette. Possible ensuite de traverser cette île couverte de jungle et d'hévéas en *songthaew* (prévoir 300-400 Bts, soit 6-8 €) avant de reprendre un bateau pour Phuket depuis Roh Jaak Pier au sud-ouest de l'île.

Où dormir ? Où manger ?

Très bon marché

|●| Pas beaucoup de restaurants à part le boui-boui nommé **Drop In** en face du *7/Eleven* et le **Sunset Seafood,** à l'ouest de l'île à côté du Tha Ton Do Pier, beaucoup prennent leurs repas aux tables des hôtels. Ni porc ni alcool dans les restos locaux.

De bon marché à plus chic (de 500 à 3 000 Bts – 10 à 60 €)

🛏 *Lom'Lae Beach Resort* – ลมเล บีช รีสอร์ท : *sur la petite plage de Pasai au sud de l'île à 600 m de la route.* 📱 081-958-05-66. ● *lomlae.com* ● *Ouv oct-mai. Bungalows 1 500-2 500 Bts (30-50 €). Résa par Internet conseillée. Internet.* Un havre de paix dirigé par un couple thaï-canadien, qui propose 9 bungalows de bois rustiques avec ventilos et moustiquaires, et une maison familiale pour 6 personnes, disséminés en quinconce sous les cocotiers. Boutique avec produits de première nécessité. Petit déj en sus. Location de vélos, motos et kayaks, centre de plongée à côté. Idéal avec des enfants. Notre coup de cœur dans sa catégorie.

🛏 |●| *Sabai Corner Bungalows & Restaurant* – สบายคอนเนอร์บังกาโลและร้านอาหาร : *au sud de Klong Jark Beach.* ☎ 597-497. ● *sabaicornerbungalows. com* ● *Ouv tte l'année. 10 bungalows en hauteur au milieu des arbres, dont 3 familiaux avec ventilo, 800-2 800 Bts (16-56 €) selon saison. Petit déj en plus.* Constructions de bois, plus ou moins bien entretenues, terrasse avec hamac, baldaquin. Bar et cuisine italienne basique ; pâtes et lasagnes. Accueil affable.

Beaucoup plus chic

🏠 *Koyao Island Resort* – เกาะยาว ไอส์แลนด์รีสอร์ท : *24/2 Moo 5, au nord de Klong Jark Beach.* ☎ 597-474. ● *koyao.com* ● *Compter 4 700-8 700 Bts (94-174 €) pour une chambre de charme double (enfant en plus possible) selon la saison et 50 % de plus pour les villas « de luxe ». Petit déj compris ; tarifs de pens complète possibles.* Les habitations aux toits de chaume décorées dans le style thaï raffiné sont largement ouvertes sur le large. Salle de bains extérieure à la balinaise. Piscine au ras de la pelouse comme intégrée à l'horizon où les cocotiers font à la parade. Resto de cuisine thaïe ou occidentale. Un bel endroit pour ceux qui peuvent y mettre le prix. Possibilité d'un transfert direct depuis Phuket.

🏠 *Paradise Koh Yao* – พาราไดซ์ เกาะยาว : *24 Moo 4.* ☎ 892-48-78. ● *thepa radise.biz* ● *Tt au nord-est de l'île, se faire conduire en* tuk-tuk, *jusqu'au* Khao Pier *où sont amarrés quelques* long-tail boats *pour rejoindre le nord, peu accessible par la route ; comptez facilement 500 Bts (10 €). Petit déj américain compris.* Luxe, calme et volupté dans ce petit paradis isolé face aux îles de la mer d'Andaman. Plage de 400 m de large, sable blanc. Villas de 80 m² superbement aménagées en bord de plage *(17 000 Bts – 340 €)* ; studios avec Jacuzzi privé à l'arrière *(7 800-12 000 Bts soit 156-240 € selon saison).* Les moins chers sont en hauteur avec grandes baies vitrées *(5 700-8 500 Bts, soit 114-170 €),* salle de bains semi-extérieure. La décoration allie tradition et confort raffiné. Excellent resto les pieds dans le sable, bar de plage pour se bercer du ressac en sirotant un cocktail. Location de motos et de petites Jeep, kayak, *snorkelling* sur le récif de corail, escalade. Personnel aux petits soins. Un cadre de lune de miel en somme !

Que faire une fois qu'on est là ?

Rien ou à peu près. Mais c'est déjà un vaste programme à combler. Lire, se reposer, barboter dans l'eau, faire un tour au large en *long-tail,* et se mettre au rythme de la douceur des jours qui passent. En tout cas se laisser bercer par un environnement encore préservé. Les moins paresseux loueront une moto ou un VTT (attention pistes pas commodes par temps de pluie) pour se balader au milieu des hévéas. Certains glisseront en kayak au travers de la mangrove ou iront chatouiller les poissons derrières les ouïes. On nous a même parlé de dauphins peu farouches. Un trek un peu sportif sur l'île voisine est même envisageable. C'est dire.

PHANG NGA – พังงา

IND. TÉL. : 076

À environ 90 km au nord de Phuket Town. La baie de Phang Nga (prononcer « Pon Ga ») est plantée d'une multitude de pitons calcaires recouverts de végétation. La base de ces totems de la mer a été rongée par l'eau, qui a creusé des grottes naturelles impressionnantes. Ce site absolument unique au monde n'a pas souffert du raz-de-marée. Ambiance architouristique, sauf si l'on y va à des horaires décalés. Le matin très tôt (7h) ou en fin d'après-midi.

Quand réaliser l'excursion ?

Il faut savoir que toutes les agences viennent sur le site le matin, mais vers 10h seulement (sauf deux agences qui proposent le tour l'après-midi). La lumière n'est pas à son mieux et la foule compacte empêche sérieusement de rêver. Préférez donc arriver la veille pour être « sur le pont » à 6h... Alors, c'est le pied ! Lumière rasante et atmosphère unique rien que pour vous. Pour une excursion à la journée, essayez de prendre un bus qui arrive là-bas vers 14h, faites la balade dans l'après-midi et essayez de repartir dans la foulée (calculez bien vos horaires). Un peu speed quand même.

Comment réaliser l'excursion par soi-même ?

Le coût

En général, ça tourne autour de 400 Bts (8 €) par personne, mais tout dépend de l'affluence. Possibilité de négocier un bateau 600-850 Bts (12-17 €) en solo ou partager avec d'autres passagers.

Rappelons que passer par une agence, c'est plus simple mais pas du tout bon marché et très ringard. Bien voir en plus si le tarif d'entrée du parc est inclus dans le prix du billet.

En bus

Depuis Phuket, embarquer en direction de Phang Nga ou Krabi. Vous pouvez soit descendre à la pancarte « Phang Nga Bay Resort », puis rejoindre à pied l'un des embarcadères (voir ci-dessous), soit descendre au terminal de bus 3 km plus loin à Phang Nga et trouver un *songthaew*. Mais attention aux rabatteurs ! Ils peuvent vous emmener sur des bateaux où vous vous retrouverez à 50 (bien vérifier le type d'embarcation). D'autres proposent une découverte de la baie en 2 jours, avec nuit dans le *Gipsy Village*. Évitez cette pseudo-nuit ethnique complètement bidon ! Au retour, bus toutes les 30 mn entre 6h30 et 20h30. Trajet en 2h30 environ ; bon marché.

🚌 Départ de la ***Phang Nga Bus Station,*** *sur la droite en entrant dans la ville.* ☎ *412-014.*

➢ Pour *Krabi* : plus de 12 bus (AC ou non), 6h30-20h. Trajet : 1h30-2h. Prix inférieur à 100 Bts (2 €).

➢ Pour *Surat Thani* : 4 bus AC et autant sans AC 6h30-17h. Trajet en 3h. Bus AC à 130 Bts (2,60 €).

Location de motos ou de voitures

Le meilleur moyen de faire l'excursion si vous êtes en fonds ou à plusieurs. Compter 1h30-2h de route depuis Phuket Town. Attention, les petites motos sont en général interdites de sortie de l'île, et la route rapide qui relie Phuket à Phang Nga peut être dangereuse. En arrivant sur le secteur de Phang Nga, ne pas se laisser abuser par les innombrables pancartes sauvages signalant Phang Nga Bay. Poursuivre jusqu'à la grande bifurcation où un large panneau vert (officiel) indique *Phang Nga Bay Resort.*

En bateau

⛴ ***Les embarcadères*** se situent tous dans l'enceinte du parc national. *Droit d'entrée : 400 Bts (8 €).*

➤ Un des principaux, à 7 km du bourg de Phang Nga, se trouve au niveau du *Phang Nga Bay Resort* – พังงาเบย์รีสอร์ท (voir « Où dormir ? » plus bas). Ambiance un peu lourdingue, beaucoup de monde et donc de rabatteurs. On y trouve quand même des *long-tails* qui proposent le même tour que les agences, avec l'avantage de n'être que quelques-uns à bord. C'est cent fois mieux qu'en espèce de bateau-mouche (bonjour l'ambiance...).

➤ Un petit embarcadère au *Phang Nga National Park Bungalow & Restaurant* : 500 m sur la gauche avant d'arriver. Descendre au bord du bras de mer à droite du resto, demander à la réception. Permet d'embarquer loin des foules. Un poil plus cher toutefois.

➤ Le 3ᵉ embarcadère, Phang Nga Bali Hai, est beaucoup moins fréquenté ; 2,8 km avant d'arriver au *Resort,* repérer sur la droite le grand panneau « James Bond Island ». S'engager là sur une petite route de 1,5 km qui débouche sur un embarcadère.

– Le 4ᵉ embarcadère, Kason, est accessible de la grande N A4, en venant de Phuket, 8 km avant l'embranchement qui mène au *Phang Nga Bay Resort,* au feu rouge, prendre sur la droite direction Takua Thung, vers « Kason ». Traversée d'une bourgade locale sur 1,2 km, dans le virage au centre du village, prendre la petite route sur la droite (indiqué petit écriteau « Phang Nga Bay ») 500 m pour arriver à l'immense parking.

Pas vraiment de guichet officiel pour tickets ; plusieurs commerces, boutiques ou restos ont leur petit comptoir personnel pour accommoder la visite. Tous au même tarif.

Où dormir à Phang Nga-village ?

Autant éviter de dormir à Phang Nga, village sans charme s'étirant le long de la route et n'offrant qu'une hôtellerie médiocre. Voici néanmoins la meilleure adresse.

Bon marché (moins de 500 Bts – 10 €)

🛏 *Thawisuk Hotel* – โรงแรมทวีสุ : *dans le centre, sur la droite en arrivant de Phuket ; à côté du supermarché* Stars Wars. ☎ *412-100. L'entrée se trouve carrément dans un garage.* Un hôtel modeste dans une demeure sino-portugaise. Une dizaine de chambres à l'étage, avec douche froide et ventilo. Plutôt propre. Tenu par une gentille petite dame chinoise. De bon rapport qualité-prix, c'est le rendez-vous des routards.

Où dormir ? Où manger sur le site même ?

Prix moyens (de 500 à 1 000 Bts – 10 à 20 €)

🛏 🍴 *Phang Nga National Park Bungalow* – อุทยาน แห่งชาติถ้ำ วพังงา บังกาโล : *500 m avt le* resort *précédent.* ☎ *412-188 ou 02-561-29-18 (central de résa de Bangkok). Prix intéressants si l'on voyage à plusieurs, car il faut payer le prix global (voir la rubrique « Hébergement » dans « Thaïlande utile » en début de guide).* Répartis dans le parc (mangrove, végétation luxuriante) qui borde un bras de mer, 8 bungalows assez simples mais propres, avec salle de bains (eau froide) et ventilo. En version 2, 4 ou 8 lits. Dans le parc, une passerelle en bois surplombe la mangrove. En bordure de mer, un restaurant typique, clientèle locale, grande terrasse, mobilier tout en bois de teck, joliment décoré de reproductions accrochées aux murs. Bonne cuisine pas chère. En descendant depuis ce resto, embarcadère pour les excursions (voir ci-dessus).

Un peu plus chic

🏠 *Phang Nga Bay Resort Hotel* – พัง งาเบย์รีสอร์ท โฮเต็ล : *à 100 m de l'embarcadère.* ☎ 481-157 et 481-168. *Fax : 412-070. Petit déj inclus.* Hôtel entièrement rénové récemment. Chambres étroites mais confortables avec chacune une terrasse privée donnant sur le delta. AC, salle de bains (eau chaude). Piscine (quand il y a de l'eau dedans). C'est propre. Resto avec terrasse extérieure surplombant l'eau, mais nourriture spécialisée dans les buffets pour groupes.

La visite

Elle dure 3h.

🍴 La pirogue à moteur commence par longer une épaisse *forêt de mangrove.* Naguère, l'endroit était infesté de gavials (les plus grands crocodiles du monde). Une ambiance assez *Crocodile Dundee.* On aurait aimé y entrer, mais pas moyen de décider le chauffeur !

🍴🍴 En arrivant dans la baie, on peut voir des petites *peintures rupestres* (une sorte de dauphin, des personnages) qui recouvrent les parois d'une concrétion calcaire. Pas de datation précise, mais notre homme de barre a son idée !

🍴🍴🍴 Ensuite, on pénètre dans la *baie de Phang Nga* – อ่าวพังงา. Un paysage unique au monde. À perte de vue, de gigantesques formations calcaires qui n'en finissent pas de tomber à pic dans la mer. De toutes les tailles, de toutes les formes. Plus loin, la *grotte de Tam Lod* – ถ้ำลอด et son arche marine, sous laquelle on passe en pirogue à marée basse...

🍴 Enfin, les *îles de Ko Ping Gan et de Ko Tapoo* – หมู่เกาะเขาพิงกันและเกาะตะปู. *Kao Tapoo* est surnommée « James Bond Island » depuis qu'on y a tourné certains extérieurs de *L'Homme au pistolet d'or* (1974), avec Roger Moore, notamment devant ce haut et fin bloc monolithe couvert de verdure. Le méchant Scaramanga s'y cachait avec son arme secrète dissimulée dans le piton rocheux de Kao Tapoo. Mais ne rêvez pas trop ! Sur cette île minuscule, on se marche littéralement sur les pieds... Contentez-vous d'en faire le tour en bateau sans y débarquer.

🍴 Au retour, c'est l'arrêt obligatoire au village lacustre de *Ko Panyee* – เกาะปันหยี ou le *Gipsy Village.* Vraiment trop de monde : se débrouiller pour y faire halte tôt le matin ou en fin d'après-midi. Constitué de maisons en bois sur pilotis (de plus en plus remplacées par du béton) et peuplé de musulmans, sortes de « gitans de la mer ». Les groupes du matin viennent y faire leur pause-déjeuner sur de vastes restos-pontons construits à cet effet et qui ne font aucunement partie du village proprement dit. Puis l'après-midi, quartier libre... Tu parles d'une chance ! On se croirait au Mont-Saint-Michel.

Si le village en lui-même est chouette, l'ambiance dans laquelle on peut le visiter nous gêne vraiment. Un exemple, les touristes n'hésitent pas à pénétrer dans l'école afin de prendre les élèves en photo... pendant la classe. Bravo ! Les villageois, eux,

DE PHUKET À HAT YAI

semblent accepter cela avec beaucoup d'indifférence puisque le tourisme leur apporte une manne financière inespérée. Les tournages sont aussi les bienvenus : on y a vu dernièrement Bridget Jones dans le second volet de ses tribulations sentimentales, *L'Âge de raison*.

À voir encore aux alentours de Phang Nga

🐾 ***Suan Somdet Phra Sinikharin Park*** – สวนสมเด็จ พระศรีนครินทร์ *: à l'entrée de la ville.* Montagne de calcaire recouverte de jungle, parcourue par un sentier aménagé, qui contourne sa base où s'ouvrent de nombreuses grottes. La plus grande, Tham Reusi, abrite la statue très vénérée de Reu-Sii, un sage hindou. Rivière souterraine, chauves-souris, singes.

🐾 ***Tham Phung Chang*** – ถ้ำพุงช้าง *: pas loin du parc précédent, en continuant vers la ville. Possible balade « spéléo » dépaysante de 1h30 pour 500 Bts (10 €), incluant canoë, radeau et marche.* La « belle grotte de l'éléphant », imposante, doit son nom à la forme de la montagne qui l'abrite. À nouveau, rivière souterraine, effigies bouddhiques.

🐾 ***Wat Tham Suwankhuha*** – วัดถ้ำสุวรรณคูหา *: à 5 km du village de Takua Thung, situé à env 10 km de Phang Nga sur la route de Phuket. Grand panneau indicateur. Entrée : 20 Bts (0,40 €).* La géologie et le sacré font vraiment bon ménage dans la région. Creusant une haute falaise, une grotte impressionnante abrite un bouddha couché de 15 m de long tandis qu'une autre, que l'on atteint par un grand escalier, recèle de belles et étranges formations.

KHAO LAK – เขาหลัก

Khao Lak se situe à environ 55 km à l'ouest de Phang Nga et à 73 km de l'aéroport de Phuket. Ici, c'est une vague de 16 m de haut qui est venue balayer la côte où aucun relief ne permettait d'échappatoire. Tout a été emporté, la végétation et la topographie ont été profondément affectées, jusqu'à 1 km à l'intérieur des terres. Le navire de la Marine nationale, qui fut projeté sur la côte, sera symboliquement transformé en mémorial.
Plusieurs hôtels ont déjà rouvert.

➢ ***Depuis Phuket :*** prendre le bus pour Takua Pa et descendre en route. Bon marché.

⛴ ***L'embarcadère de Tap Lamu :*** point de départ pour les plongées aux îles Similan, il se trouve à l'entrée de la station balnéaire (voir « Où plonger ? Nos meilleurs spots à Phuket »). Compter 1h30 de trajet.

KHAO SOK – อุทยานแห่งชาติเขาสก   IND. TÉL. : 077

Ce parc national, qui s'étire sur 740 km², est couvert d'une forêt tropicale primaire peuplée d'une faune pour le moins exotique : gibbons, calaos, pythons, tigres et autres léopards. Si l'on ajoute les parcs adjacents de Sri Phang Nga au nord-ouest (rien à voir avec la baie), Khlong Phanom au sud ainsi que deux zones labellisées « Sanctuaires de la vie sauvage » *(Wildlife Sanctuary)*, voici rien moins que 4 400 km^2 de zones protégées ! Khao Sok a la particularité d'être la zone la plus humide du pays, recevant à la fois les moussons de la mer d'Andaman et du golfe de Thaïlande.

HISTOIRE ET CHALLENGES FUTURS

Que cette forêt, vieille de 160 millions d'années, ait survécu semble tenir du miracle. Elle le doit cependant à des événements bien précis.

En 1944, une terrible épidémie mit un coup d'arrêt à une première déforestation engagée par une colonie de pionniers. En 1961, quand la route allant de Takua Pa à Surat Thani fut construite, beaucoup d'ouvriers choisirent de s'établir ici tandis que de nombreuses concessions d'exploitation forestière et minière furent accordées. La nature fut cette fois-ci sauvée par la politique, ou plutôt par ses effets secondaires. En 1976, suite à de violentes répressions, un noyau dur d'étudiants de tendance communiste choisit les impénétrables jungles et montagnes de Khao Sok pour se retrancher. Leur présence obstinée empêcha toute pénétration excessive des compagnies et sauva une seconde fois Khao Sok d'une destruction quasi certaine. Pendant ce temps, à la fois les parcs nationaux et la compagnie nationale d'électricité menèrent des études sur la région. En 1980, le parc national fut créé et toute exploitation de ses ressources naturelles dut cesser. Coup fourré à ces belles résolutions, le barrage de Rachabrapah Dam, présenté comme une nécessité économique, fut inauguré seulement deux ans plus tard. Noyant 170 km^2 de la réserve, la compagnie d'électricité prit cependant soin de financer la plus grande opération de sauvetage de faune jamais vue en Thaïlande.

Aujourd'hui, bien que protégé, le parc n'est pas définitivement à l'abri des dangers. Parcourant le lac artificiel, les braconniers accèdent plus facilement à ses entrailles qu'autrefois. Plus placides mais bien plus nombreux, les touristes commencent à affluer. Et nous savons que nous allons vous inciter à en faire de même... Il est impératif de respecter avec la plus grande rigueur les règlements du parc. Mais ne nous flagellons pas, l'écotourisme bien géré, ça existe. Ceux qui lisent l'anglais devraient absolument acheter *Waterfalls & Gibbons Call*. Consacré à Khao Sok, c'est un ouvrage à la fois pratique, pédagogique et distrayant.

TREKS, CANOË OU HAMAC ?

Khao Sok est un paradis pour les randonneurs. Le parc compte une dizaine de sentiers balisés cheminant à travers les roches calcaires, rencontrant cascades et grottes. Il existe d'innombrables autres possibilités d'excursion dans les environs. Très populaire aussi, le canoë sur le fleuve Sok et les balades à dos d'éléphant. Mais n'allez pas penser que le coin ne s'adresse qu'aux fadas de la rando et autres « activistes ». Le petit village-rue qui s'est développé dégage une atmosphère particulièrement zen. Pas d'immeubles ici pour gâcher les arrière-plans de pitons et falaises karstiques précédées de riches vergers.

Les autochtones sont dans leur grande majorité restés à l'aune de leur cadre de vie. Calmes et parfois un peu lents, même du sourire. Laissez-leur le temps, pas d'urgence dans ce cadre immémorial...

Arriver – Quitter

Comment y aller ?

L'embranchement menant au parc se trouve à 58 km à l'est de la petite ville de Takua Pa, sur la route (n° 401) de Surat Thani. Précisez au chauffeur votre destination afin qu'il vous dépose au croisement, d'où il ne reste que 1,5 km jusqu'à la guérite (le village-rue démarre timidement au carrefour, puis se densifie en allant vers l'entrée du parc). Attention, de Krabi, Ko Phi Phi, Ko Lanta, vous trouverez parfois des offres de minibus directs pour Khao Sok. Des problèmes ont été signalés. Retard volontaire sur la route, arrivée tardive et plus ou moins forcée dans une *guesthouse* amie. Cuisinez les vendeurs et soyez ferme en cas de problème. Également des minibus au départ de Khao Sok.

➤ *Depuis Phuket :* rejoindre d'abord Takua Pa le matin (une dizaine de bus directs de 6h20 à 18h, 3h de trajet), puis embarquer dans un bus à destination de Surat Thani (le dernier vers 17h, 45 mn de trajet).

➤ *Depuis Krabi, Phang Nga :* même principe que ci-dessus.

➤ *Depuis Surat Thani :* une dizaine de bus quotidiens. Compter 3h de trajet.

Quitter Khao Sok

Choix entre des minibus ou les bus réguliers. Les départs des minibus (prix et horaires affichés dans les petites agences et *guesthouses*) dépendent en fait du nombre de voyageurs. Il est impératif de se renseigner la veille. Plus rapides mais aussi plus chers : compter 200 Bts (4 €) pour Krabi.

Pour les bus réguliers, marcher ou prendre un *songthaew* (on peut demander à sa *guesthouse*) jusqu'à l'arrêt des bus, pile à l'intersection avec la route n° 401. Pas vraiment d'abri, juste quelques chaises et bancs des deux côtés de la route. Choisissez le vôtre en fonction de votre destination.

➤ *Pour Krabi, Phuket (via Takua Pa) :* jusqu'à Takua Pa, un passage de bus toutes les heures env 8h30-17h30. Dernière correspondance pour Krabi vers 14h30 (3h de trajet). Pour Phuket, bus plus nombreux jusque tard dans la journée.

➤ *Pour Surat Thani :* à peu près les mêmes fréquences que dans le sens inverse.

Pour localiser nos adresses, nous démarrons de l'embranchement entre la nationale et la petite route qui part plein sud vers l'entrée du parc national.

Khao Sok pratique

L'essentiel des services utiles au voyageur sont présents dans le village bordant la rue qui mène au parc.

Plusieurs petites agences proposent l'accès Internet et le téléphone international. Elles vendent aussi des billets pour les minivans privés. Quelques motos à louer (notamment auprès de *Bamboo House 2*). Le parc de motos n'étant pas suffisant, il est judicieux de réserver. Enfin, plusieurs salons de massage bienvenus après les crapahutages, ainsi que 3 supermarchés correctement approvisionnés.

Agence de trekking

Tous les hébergements proposent une foultitude de formules. Tous sous-traitent des itinéraires standard. En voici une parmi tant d'autres :

■ *Nature House Resort* – เนเชอร์เฮ้า ส์ รีสอร์ท : voir « Où dormir ? ». Compter 1 000 Bts/j. (200 €) sur une base de 4 pers pour un trek de 5 j. avec porteur et tentes ; à négocier. Pour trekkeurs confirmés. Trek partant plein nord pour déboucher dans la province de Ranong. Paraît particulièrement séduisant, même si nous n'avons pu le tester ni recueillir des témoignages à ce sujet.

Où dormir ?

– La grande spécialité, ici, ce sont les *tree houses,* perchées dans les arbres. Romantiques, ludiques d'accès et de séjour (observation de la nature). Plein de bungalows aussi, dont certains sont superbes, mais un peu chers.
– Quand les hébergements sont enfoncés dans la nature, ne pas oublier sa lampe de poche. Ne pas laisser traîner de nourriture à l'air libre dans sa chambre, sous peine d'attirer des visiteurs indésirables.
– À Khao Sok, la haute saison court de novembre à mars. Attention, ça peut être chaud pour loger à l'adresse de son choix, bien qu'il existe une cinquantaine de pensions autour du parc. On vous conseille de réserver.
– Pour trouver nos adresses (dur de les louper de toute façon...), partir de l'embranchement avec la nationale.
– On peut aussi dormir au lac de Chiao Lan (lire « À voir »).

Bon marché (moins de 500 Bts – 10 €)

🛏 *Smiley House* – สไมล์เลย์ เฮ้าส์ : *resto-réception au bord de la route, 200 m avt le pont, sur la droite.* Bungalows sur pilotis, tous avec salle de bains et petite terrasse avec vue sur de la verdure en contrebas. Les plus chers sont assez coquets (brique et bois), les intermédiaires ont les terrasses les plus sympas, tandis que les premiers prix sont limites en tenue (voire en rigidité !). Toujours ultrasimples, le strict nécessaire. Famille sympa et serviable.

🛏 🍴 *Jungle Huts* – จังเกิล ฮัทส์ : *peu après Smiley, emprunter le chemin qui part vers la droite.* Huttes et bungalows dans un verger un peu fouillis. Accueil familial. Petit resto typique (voir « Où manger ? »). Bien aussi dans sa catégorie.

Prix moyens (de 500 à 1 000 Bts – 10 à 20 €)

🛏 *Our Jungle House* – เฮาย์ จังเกิล เฮ้าส์ : *passer le pont, puis tourner à droite sur une piste (suivre les panneaux).* ☎ 395-160. ● *ourjunglehouse2005@yahoo.de* ● Le long de la rivière Sok, en plein dans la jungle et la forêt primaire. Simples mais essentielles constructions de bois et bambou dénommées *River Cottage, Tree House* ou *Mango House* (sur pilotis). Disséminés sur un terrain très étendu, certains hébergements sont relativement isolés. Se munir d'une lampe de poche, pas tant pour éviter les rencontres indésirables que pour repérer les racines et autres inégalités de terrain. Aux dires de Gunther, le proprio allemand, les fractures d'orteil sont le plus commun des accidents !

🛏 🍴 *Morning Mist Resort* – มอร์นิ่ง มิสท์รีสอร์ท : *sur la droite avt le pont, en retrait de la route.* ☎ 089-971-87-94. ● *morningmistresort.com* ● Choix entre des constructions de bois et de bambou sur pilotis (les *Mountain View*) et des chalets en dur (les *River View*) au bord de la rivière, plus grands et confortables mais moins charmants. Salles de bains avec eau chaude partout. Aménagement standard, propre. Plein d'espace dans un joli et reposant jardinverger. L'occasion de s'instruire – demandez à Nid, la patronne, de vous faire l'inventaire de ses arbres à Salak, caféiers, anacardiers (cajou), fleurs et divers légumes. Super resto (voir « Où manger ? »).

🛏 🍴 *Nature House Resort* – เนเชอร์ รัล เฮ้าส์ รีสอร์ท : *suivre la nationale sur env 3 km en direction de Surat Thani, puis emprunter la piste qui part sur la gauche.* 📱☎ 086-120-05-88 ou 086-276-98-05. Le rêve ! Falaises calcaires, arbres géants, jardin, rivière où l'on peut se baigner, des singes pas loin qui font de même. Profondément au calme, hébergements très espacés, il y a tout ici pour décrocher de sa routine. Choix entre 7 *tree houses* aux aménagements personnalisés comme *Backpacker, Tarzan and Jane, Jungle Family* (familiale,

comme son nom l'indique, jusqu'à 4 personnes). Également un bungalow. Aménagement composant avec la nature sans sacrifier le confort (salle de bains, bonne literie). Accueil ultra-sympa et humble de Tee, le jeune boss thaï. À noter qu'en plus de l'offre habituelle d'activités, il propose un trek exclusif de 5 jours (voir plus haut « Agences de trekking »). Resto.

De prix moyens à un peu plus chic (de 500 à 1 500 Bts – 10 à 30 €)

🛏 |●| *Khao Sok Rainforest Resort* – ขาสกเรนน์ฟอร์เรสท์รีสอร์ท : *sur la gauche après le petit pont qui enjambe la rivière Sok, non loin de l'entrée du parc.* ☎ *et fax :* 214-572. C'est la maison de Nit et de son fils You. Les bungalows avec terrasse et salle de bains sont construits à l'arrière de la réception-resto, dans la jungle proche de la rivière

ou en surplomb. Quelques cabanes dans les arbres. Ambiance toujours bon enfant malgré le succès. Bémol sur la propreté. Eau chaude capricieuse. Menu amusant évoquant l'environnement sauvage : tigre affamé, coq de jungle, etc. Plats assez simples mais bien copieux.

Où manger ?

Les adresses ci-dessous proposent une flopée de plats bon marché (moins de 100 Bts, soit 2 €). L'addition grimpe vers les prix moyens si vous commandez du poisson (recommandé, délicieux !).
Tous les *resorts* disposent d'un resto. Nourriture de qualité variable mais jamais chère.

De bon marché à prix moyens (de 100 à 300 Bts – 2 à 6 €)

|●| *Thai Herb Restaurant* – ร้านอาหาร ไทย เฮิร์ป : *200 m avt le pont, sur la droite.* Juste avt Morning Mist Supermarket. Une passerelle mène à cette jolie terrasse couverte. Déco artisanale, des plantes partout. Large choix complet de plats thaïs : nouilles et riz sautés, currys, salades épicées (essayer la *Basil leaves spicy salad*), etc. Ingrédients très frais, dont certaines spécialités locales comme ces délicieuses fougères *(fern)*. Essayer les *herb juices*, dont les vertus thérapeutiques sont expliquées sur la carte.

|●| *Morning Mist Restaurant* – ร้านอาหาร มอร์นิ่ง มิสท์ : *dans l'enceinte du resort (voir « Où dormir ? »).* Grande construction sur pilotis sous toit de paille. Aéré et confortable. La patronne (même famille que *Thai Herb*) est un véritable cordon bleu. L'essentiel de la cuisine thaïe, dont plusieurs préparations de poisson très conseillées. Effort de déco, style « nature et tradition ». Au calme, belles vues sur les montagnes et le jardin. Accueil doux et poli. En plus, les prix sont un chouia moins élevés que sur la rue.

|●| *Jungle Huts* – ร้านอาหาร จังเกิล ฮัทส์ : *voir « Où dormir ? »*. Resto familial perché sur de hauts pilotis. On y mange des petits plats très économiques mais goûteux en regardant bercer bébé, accompagné de musique locale ou distrait par un fond télévisuel.

Randonnées et autres activités

Trekking

Trek par-ci et trek par-là, mais qu'est-ce que ça vaut tout ça ? Ici, pas d'ethnies mais une quantité de forêt primaire incroyable, ainsi qu'une particularité : des reliefs karstiques fournissent leur lot habituel de pinacles et falaises-gruyères qu'on aime tant. Concernant l'offre, il convient de faire la distinction entre des journées mixtes incluant randonnée, éléphant, canoë, nage, et de moyennes et grosses randos dont certaines peuvent être vraiment difficiles. Le rayon d'action est très étendu, d'autant que certaines agences commencent à explorer les autres parcs de la région. S'y ajoutent les randos nocturnes riches en rencontres. À part les quelques itinéraires assez courts et balisés à l'intérieur du parc (se munir d'un plan, d'eau et de choses à grignoter), toute randonnée **doit** se faire accompagnée d'un guide. Toutes les *guesthouses* proposent des treks. Essayez de discuter avec des trekkeurs de retour et de rencontrer votre guide avant de réserver.

➤ *Quelques formules et prix par personne : rando de 8h, à partir de 400 Bts (8 €) ; avec nuit dans la jungle, dès 1 200 Bts (24 €) ; « Night Safari », 3h de marche avec lampe frontale pour augmenter ses chances de voir de la faune, à partir de 300 Bts (6 €) ; « Survival Training », à partir de 9 000 Bts (180 €) pour 3 j. d'apprentissage « survie », etc.*

Autres activités

Un tour à dos d'éléphant au bord de la rivière *(2 à 3h, env 700 Bts soit 14 €)*, du canoë sur la rivière Sok *(2 à 3h, autour de 600 Bts soit 12 €)*, flotter sur une chambre à air *(tubing, 2h, 200 Bts soit 4 €)*.

À voir

🐾🐾 *Le parc national de Khao Sok* – อุทยานแห่งชาติเขาสก : *entrée avec guérite à l'extrémité nord du village, après le pont.* ☎ 211-480. Site officiel du parc très bien fait : ● khaosok.com ● Tlj 8h-18h. Le droit d'accès (400 Bts, soit 8 €) est valable pdt 24h et permet de franchir à son gré les limites du parc pdt ce laps de temps. Exemple : si vous entrez le 1er jour à 10h du matin, vous pourrez y retourner le lendemain si vous vous présentez au *checkpoint* avant 10h. Intéressant pour planifier ses randos sans grever son budget. Sur place, location de tentes pour le camping. Tout de suite après le *checkpoint,* passer d'abord par le *Visitor Center.* Photos et planches explicatives intéressantes. Y récupérer la brochure photocopiée qui décrit simplement mais utilement l'essentiel des sites en précisant les distances et les difficultés. Grosso modo, il faut savoir que de larges chemins aménagés mènent aux sites les plus proches (*Wing Hin* et *Bang Leap Nam Waterfall*), tandis que de véritables sentiers mènent aux plus belles cascades (*Ton Gloy* et *Sip-et Chan Waterfall*) moyennant des traversées de rivières. Tout ça peut devenir extrêmement glissant en saison des pluies. Demander conseil au *Visitor Center.*

DE PHUKET À HAT YAI

🏃🏃 *Le lac de Chiao Lan :* à 65 km de Khao Sok. ☎ 311-522 ou 02-436-32-72 *(Bangkok)*.

Chiao Lan (ou *Chiew Larn*) est le lac de retenue formé par le barrage de Ratchapra-pha. Voir l'introduction pour plus de détails. L'action de l'homme a créé un paysage étonnant, une sorte de Phang Nga terrestre. Le matin, des milliers de pinacles et de cimes d'arbres engloutis émergent comme autant de fantômes dans la brume.

Comment y aller ?

La visite du lac est proposée sous forme de tour par les pensions de Khao Sok (voir plus haut). Cependant, l'excursion est tout à fait faisable en solo. En bus, embarquer dans un véhicule à destination de Surat Thani et descendre à Ta Khun. De là, poursuivre en *songthaew* sur les 12 derniers kilomètres *(compter 100 Bts, soit 2 €)*. L'idéal reste de louer une moto. La route est très belle et relativement peu fréquentée. Quelques attractions en chemin pour les flâneurs : cascades, un village typique (Tam Phung) et une source chaude.

La visite

Passez une guérite où l'on vous remettra un ticket (rien à payer, mais conservez-le, il est demandé à la sortie). Prendre à droite sur environ 1,5 km en direction du *View Point*. Cantoches, petit office touristique, panorama sur une partie du lac et sur le barrage. Faire 1 km supplémentaire pour trouver l'embarcadère et son bureau officiel où il faudra payer les 200 Bts (4 €) de droit d'entrée. Sachez qu'un billet acheté pour le parc de Khao Sok est aussi valable ici si vous l'utilisez le même jour.

Après avoir payé l'entrée, se diriger vers le quai pour les négociations. Choix entre une excursion de 2h *(env 1 200 Bts, soit 24 €, l'embarcation)* ou d'une journée avec un certain nombre d'arrêts *(prévoir 1 500 Bts, soit 30 €, par pers ; 20 % de réduc au-dessus de 4 pers)*. Réservées depuis Khao Sok, les excursions tt compris coûtent autour de 1 000 Bts (20 €) la journée, 1 800 Bts (36 €) avec une nuit en tente et 2 200 Bts (44 €) pour un hébergement sur le lac. Elles incluent du canoë et de la rando (plusieurs grottes sur les berges).

🛏 Ici, la fièvre des *raft houses* (maisons-radeaux) remplace celle des *tree houses* de Khao Sok. Confort très rudimentaire. *Résa conseillée. Prévoir 500 Bts (10 €) la nuitée par pers, repas inclus.* **Plern Prai** (☎ 299-318) est le plus sympa. Plus loin, **Sai Choi Tour** (☎ 346-013) est assez sommaire. Rappelons que loger ici sous-entend de payer 1 200 Bts (24 €) l'embarcation pour le trajet aller-retour (leur préciser quand vous voulez revenir).

🛏 *Hôtel Ban Dalha :* pour ceux qui préfèrent la terre ferme, continuer tt droit après la guérite d'entrée (dépasser le golf). Grande bâtisse aux chambres confortables avec AC sur 2 étages ; double à partir de 1 000 Bts (20 €). Réservation également de chambres situées dans des bâtiments en dur, dispersées dans le parc par petits ensembles de 5 à 8 chambres de plain-pied, avec petit salon, AC, TV et frigo à partir de 500 Bts (10 €). Pas de resto. Y'a un petit marché tout près où on peut se restaurer pour pas cher, ou aller au restaurant du golf *Club House*.

KO PHI PHI (KO PEE PEE) – เกาะพีพี

Ko Phi Phi est le nom générique donné aux îles de *Phi Phi Don* et *Phi Phi Lee,* mondialement réputées pour leurs magnifiques plages de sable blanc, leurs falaises plongeant dans la mer, l'intense bleu turquoise des eaux et la richesse des fonds marins.

L'ensemble fait partie d'un parc national créé en 1983, mais seule **Phi Phi Lee**, inhabitée, fait l'objet d'une vraie protection. Ce genre de paradoxe est chose commune en Thaïlande, où la préservation de l'environnement ne fait pas le poids contre les intérêts financiers du développement touristique. On dit d'ailleurs que les *rangers* du parc n'osent pas débarquer sur Phi Phi Don...

En règle générale, les logements – sauf à Tonsai ! – sont bâtis dans un style plutôt discret, relativement bien intégré dans la nature, avec souvent des bungalows de bois posés sur la plage ou un peu cachés dans la jungle. Problème : du fait du manque de place, beaucoup de propriétaires ont choisi d'améliorer le confort plutôt que de s'étendre. Conséquence, leurs prix sont devenus excessifs pour la qualité proposée.

Et puis, le 26 décembre 2004, au pire moment, alors que l'île était pleine comme un œuf, vint le tsunami... Avec Khao Lak et Phuket, Phi Phi fut le site le plus touché. La péninsule de Tonsai, un étroit isthme de sable flanqué de 2 plages dos à dos et planté de centaines de bungalows, fut littéralement balayée par deux vagues, une de 5 m puis une autre de 3 m venant par le côté opposé, tandis que toutes les autres plages souffrirent à des degrés divers. Le bilan a été effrayant : on parle de 1 800 victimes. Chaque famille thaïe y a perdu quelqu'un. Aujourd'hui, Phi Phi a achevé sa cicatrisation. La reconstruction a fait s'étendre encore le « village » de Tonsai qui n'en finit plus de se densifier... Suivant l'endroit où vous séjournerez, ce pourra être le paradis ou l'enfer... Pour résumer, la baie de Tonsai se rapproche pas mal des ténèbres (foule grouillante, bruit infernal), tandis que les plages et criques de la côte est ressemblent à des portions préservées du jardin d'Éden.

UN PEU D'HISTOIRE

Ko Phi Phi, « l'île aux Esprits », fut de tout temps la citadelle imprenable des gitans de la mer, grands pirates de la mer d'Andaman. Ses hautes falaises calcaires cachent un labyrinthe de cavernes, où d'antiques dessins de voiliers et des structures de bambou attestent cette culture plusieurs fois centenaire.

KO PHI PHI

➤ *PHI PHI DON* – เกาะพีพีดอน

Parmi les plus belles eaux du monde !

Le grand plus de Ko Phi Phi, c'est la richesse et la variété de sa faune sous-marine (encore bien vivace !) et la limpidité de ses eaux. La présence d'un courant marin froid qui remonte vers l'île depuis l'océan Indien a favorisé l'explosion de la vie dans les eaux azur et turquoise. Sur le plan animal, la grande vedette est le requin-léopard, juste devant le requin pointe-noire, plus classique. D'un naturel pacifique, il n'a jamais fait de mal à personne. À Ko Phi Phi, avec un masque et un tuba, vous êtes le roi !

L'île a la forme d'un H dont la barre de gauche serait un peu tronquée. Les verticales sont des montagnes recouvertes de forêt vierge. Le trait horizontal, une bande de terre d'à peine 100 m de large en son point le plus étroit, voit s'opposer *Tonsai* et *Loh Dalum,* deux plages en croissant de lune. Un petit mais très dense village s'y est développé au fil des années, avant que la vague le réduise quasi à néant. Les bateaux débarquent à *Tonsai Bay,* où des taxis « longue-queue », à peu de choses près l'unique moyen de transport sur l'île, attendent les clients. En plus des 2 plages principales, l'île possède son chapelet de langues de sable doré... Au nord-est, plusieurs hôtels de luxe, composés de bungalows sous les cocotiers, ont squatté ces lieux privilégiés, tout en respectant au mieux l'environnement.

Arriver – Quitter

➤ **Phuket :** les principaux bateaux partent entre 8h30 et 14h30 de Port Rassada (voir « Arriver – Quitter » à Phuket). Prix : env 500-600 Bts (10-12 €). Compter 1h30-2h de traversée. Attention, n'oubliez pas de réserver à l'avance en hte saison ! Les bateaux d'*Andaman Wave Master* desservent aussi le nord de Phi Phi, pratique si vous restez dans un hôtel de la côte est. Pour le trajet Phi Phi-Phuket, 2 départs/j., vers 8h30 et 13h30.

➤ **Krabi :** 2 départs/j. depuis Krabi *passenger port*, à 9h et 13h30. Prix : 400-450 Bts (8-9 €). Durée : 1h30. Depuis Phi Phi, *express* vers 10h30 et 15h30 tlj, tte l'année. Mêmes tarifs.

➤ **Ao Nang (Krabi) :** nov-mai, 1 départ/j. à 9h (2h de traversée) avec *Ao Nang Princess,* départ Nopharat Thara Pier (Ao Nang). Dessert Railay Beach au passage 9h15. Prix : 490-550 Bts (9,80-11 €). Prise en charge depuis les hôtels comprise. Depuis Phi Phi, départ à 15h30, slt en hte saison. Dessert les 2 plages.

➤ **Ko Lanta Yai :** fin oct-fin avr, 2 départs/j. de Ban Saladan à 8h et 13h pour Tonsai (1h15 env de navigation). Prix : 350-450 Bts (7-9 €). Durée : 1h. Dans le sens Phi Phi-Lanta, départs à 11h30 et 15h en hte saison.

Dans tous les cas et pour toutes les destinations, **si la mer est mauvaise, la traversée est annulée.** Question de sécurité.

Transports dans l'île

Pas de routes, donc pas de voitures ! Un seul chemin escarpé et peu fréquenté permet de traverser l'île du sud au nord en passant par un extraordinaire point de vue. Par la plage, on peut aller de Tonsai à Long Beach en franchissant une butte, puis en se faufilant parmi les rochers. Quand on promène ses bagages, il faut employer les *long-tail boats,* nombreux près du débarcadère de Tonsai et Laemthong Beach mais plus rares sur les autres plages (réserver via son hôtel).

KO PHI PHI

■ **Adresse utile**

  1 Police *(zoom Tonsai)*

🛏 **Où dormir ?**

  10 Gipsy Village
  12 Harmony House et P.P. Dream
  13 Phi Phi Island Cabana Hotel *(zoom Tonsai)*
  14 Up Hill Cottage
  15 Phi Phi Bay View / Arayaburi Resort
  16 Phi Phi View Point Resort
  19 Phi Phi Long Beach Bungalow
  20 Phi Phi Paradise Pearl Bungalow
  21 The Beach Resort
  23 Relax Beach Resort
  24 Phi Phi Island Village
  25 Phi Phi Natural Resort

🍴 **Où manger ?**

  30 Stands brochettes et grillades *(zoom Tonsai)*
  31 Garlic 1992 *(zoom Tonsai)*
  32 Don Chukit Restaurant
  33 Pee Pee Bakery 1 *(zoom Tonsai)*
  34 Hippies Bar & Restaurant
  35 Jasmin Restaurant et Sawasdee Restaurant
  36 Pum Restaurant *(zoom Tonsai)*
  37 Tonsai Seafood *(zoom Tonsai)*
  38 Le Grand Bleu *(zoom Tonsai)*

🍸 🎵 **Où boire un verre ?**
Où danser ?

  40 Reggae Bar *(zoom Tonsai)*
  41 Carlito's et Apache Bar *(zoom Tonsai)*

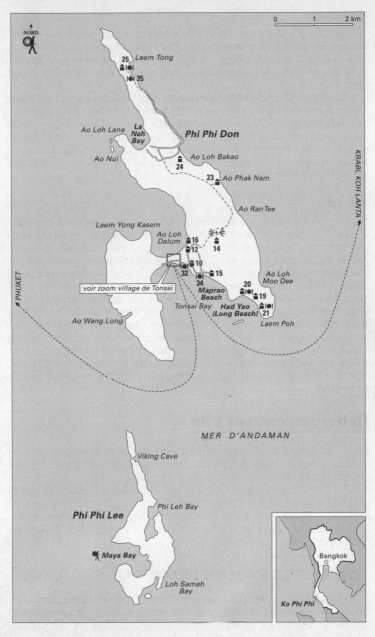

KO PHI PHI (PHI PHI DON ET PHI PHI LEE)

En bateau

Attention, les prix sont plutôt élevés. Même pour ceux qui sont « fixés » par personne, il faut que le bateau se remplisse suffisamment aux yeux de ses pilotes. Si vous vous retrouvez seul, la négociation devient difficile. Attention aussi aux très chers retours nocturnes. Essayer de se renseigner au sujet du dernier départ prévu.

– *Tarifs (indicatifs) des courses « aller simple » depuis Tonsai : pour Long Beach (10 mn de trajet en long-tail), compter 50 Bts/pers (1 €) à condition d'être plusieurs ; pour Ran Tee Beach : 300 Bts (6 €) l'embarcation ; pour la pointe nord-est de l'île Laemthong Beach : 650 Bts (13 €) le bateau. Pour faire le tour des 2 îles de Phi Phi et découvrir plein de recoins cachés, vous pouvez aussi louer un bateau à la journée auprès des pêcheurs : à négocier aux alentours de 1 000 à 1 500 Bts (20-30 €) pour 6h de balade, la liberté en prime !*

À pied

Les jours de mauvais temps, les déplacements en bateau jusqu'aux autres criques sont aléatoires. En revanche, on peut rallier quasiment toutes les plages de l'île à pied, en utilisant de petits sentiers de jungle parfois escarpés. N'écoutez pas les employés des hôtels quand ils prétendent que le seul moyen de sortir de l'établissement est de louer l'un de leurs bateaux. Trajets possibles à pied : entre *Tonsai* et *Ao Ran Tee* (ça grimpe ! et chemin bien indiqué que jusqu'au *view point*, après, assez périlleux quand même...), entre *Ran Tee* et *Phak Nam* (pas facile), entre *Phak Nam* et *Loh Bakao,* puis jusqu'à *Laem Tong* ou *La Nah Bay* (chemin plat et dallé). Préférer des chaussures fermées aux tongs. Les sentiers sont bien marqués. À marée basse, on peut également longer le rivage en crapahutant sur les cailloux (un peu casse-cou). Éventuellement, et c'est recommandé, au bout de son chemin, négocier une pirogue pour retour par la mer à son lieu d'attache, et surtout tenir compte que le soleil se couche vers 18h20 (c'est précis !) et être rentré avant la nuit.

Hébergement sur l'île

Les reconstructions d'après-tsunami ont souvent été l'occasion de passer en catégorie supérieure. Il ne reste plus beaucoup de bungalows simples et bon marché, à part dans Tonsai. Encore faut-il pouvoir y fermer l'œil...

À Phi Phi, la *peak season* (super haute saison) démarre avec la régate de voiliers *King's Cup* (entre le 1er et le 5 décembre) et se termine vers la mi-janvier. Les tarifs sont alors multipliés par 2. Attention, beaucoup de *resorts* pas trop chers ne prennent plus de réservations par téléphone, vu l'ampleur de la demande. Si possible, évitez cette période un peu prise de tête.

TONSAI ET LOH DALUM BEACH – ต้นไทรและหาดโละดาลัม

Le « village » de Tonsai se situe à l'arrivée du débarcadère et s'étend jusqu'à Loh Dalum. Son axe central, cimenté, consiste en une succession de commerces en tout genre : restos, bars, massage des pieds, fringues, tatouages, distributeurs, Internet... Et des milliers de pèlerins torse nu.

Le but de départ semble le suivant : caser un maximum de gens en un minimum d'espace ! Pari tenu. Et ce n'est pas fini, car les hôtels poussent sans cesse, de

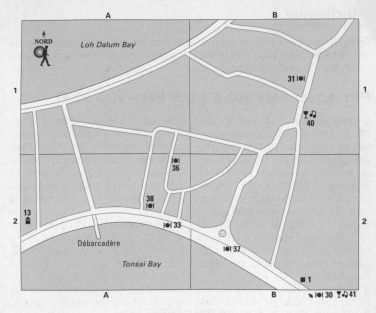

TONSAI (KO PHI PHI)

nouvelles boutiques émergent au hasard selon un plan totalement anarchique. La nuit, le village se transforme en une gigantesque party, rassemblant jeunes touristes et instructeurs des clubs de plongée pour des fiestas jusqu'à 3h du mat. La clientèle à filles a trouvé à Tonsai un nouveau terrain de jeu, et les salons de massage louches prospèrent comme il se doit. Pour couronner le tout, l'eau de la baie est polluée par le fuel des *long-tail boats,* sans parler du boucan qu'ils font.

On se demandait ce que deviendrait Tonsai après avoir été lessivée par le tsunami. Nous avons maintenant la réponse : un mélange d'Ibiza et de Patong ! Heureusement que Phi Phi ne se résume pas à sa mercantile « capitale » !

Adresses utiles à Tonsai

■ **Poste de police** *(zoom Tonsai B2, 1) :* *à gauche après la bifurcation qui mène au* View Point *et à* Loh Dalum. ☎ *191 pour les urgences.*

■ **Tonsai Hospital :** 081-979-52-24.

@ **Internet :** disponible partout. Prix pas très amicaux. La plupart des hôtels possèdent un accès. Possible de passer des *overseas calls.*

■ **Argent :** plusieurs bureaux de change privés le long de la « voie appienne ». Également des dizaines de **distribu-**

teurs et les agences des principales **banques.** Aucun souci pour retirer de l'argent.

■ **Agences de voyages :** de petites officines à la pelle. Billets de bus, de bateau, etc.

■ **Clubs de plongée :** plusieurs dizaines de centres sur Tonsai et Long Beach. Les grands hôtels de la côte est disposent de leur propre club, en général plus cher.

KO PHI PHI

ù dormir ?

On se répète : à moins d'être des fêtards de première, évitez tout simplement de résider au centre de Tonsai. Très bruyant (musique jusqu'à 3-4h du matin, bateaux, générateurs...), moche et surpeuplé.

Prix moyens (de 500 à 1 000 Bts – 10 à 20 €)

🏠 *Gipsy Village* – หมู่บ้านยิปซี *(plan, 10)* : à 15 mn du débarcadère en direction de Long Beach ; bifurquer à gauche avt le Hippie's Bar. *Un peu plus loin sur le chemin qui remonte vers le* Gipsy Village 2. ☎ 075-60-10-45. Série de 25 bungalows identiques avec ventilo et douche froide, disposés en U autour d'une pelouse cramée où l'on joue au foot. Offre l'avantage d'être préservé du boucan des « longues-queues ». Et l'inconvénient d'être entretenu assez moyennement.

🏠 *Harmony House* – ฮาโมนีเฮ้าส์เ ส์เฮ้าส์ *(plan, 12)* : *sur le chemin du* View Point. ☎ 075-60-10-35. 📱 081-895-92-70. Chambres simplissimes, réparties dans plusieurs maisonnettes vert d'eau tout au long de la rue. Grand lit ou lits jumeaux avec ventilo, w-c et eau froide. Plutôt bien tenu et résolument familial. Une option sympa, mais le coin peut être trop animé pour les sommeils légers. Connexion Internet et agence de voyages.

🏠 *P.P. Dream* – พีพี ครีม *(plan, 12)* : à droite sur le chemin du View Point. 📱 081-764-26-30. ● ndundee@hotmail. com ● Internet. Quelques chambres à l'étage dans un long bâtiment de style traditionnel. Salle de bains, avec eau chaude à l'intérieur, ensemble propre. Épicerie en face (où on parle le français).

De prix moyens à plus chic (de 1 000 à 1 500 Bts – 20 à 30 €)

🏠 *Up Hill Cottage* – อัพฮิลค็อตเท็จ *(plan, 14)* : *au bout du chemin qui mène au* View Point, *encore plus loin que la bifurcation à gauche avec les escaliers.* ☎ 075-60-11-24. 📱 081-894-26-68. ● uphilljunglep.p.room@hotmail.com ● Dans une construction en dur mais parfaitement intégrée au paysage, des chambres spacieuses, confortables et bien équipées. Terrasse.

De plus chic à très chic (de 1 500 à plus de 3 000 Bts – 30 à 60 €)

🏠 *Phi Phi Bay View / Arayaburi Resort* – พีพีเบย์วิวและอารายาบุรีรีสอร์ท *(plan, 15)* : Laem Hin, un promontoire et une petite plage à 20 mn de marche de Tonsai Bay. Accessible à pied ou en taxi-boat *si nécessaire*. ☎ 076-28-13-60. ● phiphibayview.com ● Prix *(petit déj compris) selon vue et bungalow à partir de 2 800-3 600 Bts (56-72 €) ; les tarifs passent en catégorie « Très chic » lors de la « peak season ». Bungalows très nombreux (plus de 100 !), mais suffisamment espacés et de bon confort, perchés sur cette colline boisée dominant l'azur. Si vous êtes tout en haut, bonjour la grimpette ! Le bruit ronflant des taxi-boats est un peu atténué par la hauteur. Grand pavillon-resto sur la plage, cuisine internationale, un peu l'usine. Piscine et bar.

🏠 *Phi Phi View Point Resort* – พีพี วิวพ้อยท์รีสอร์ท *(plan, 16)* : à l'extrémité droite de Loh Dalum, en regardant la mer, après le mémorial au tsunami.

KO PHI PHI

☎ 075-622-351. ● phiphiviewpoint.com ● Vous rêviez de calme et d'intimité ? Ici, on trouve exactement le contraire. Beaucoup de groupes. Choix entre des bungalows avec ventilo ou AC, proches de la plage ou plus dans les hauteurs. Toute petite piscine face à la mer et resto tout à côté. Superbe vue pourtant, vraiment dommage qu'on soit tant les uns sur les autres.

⛺ *Phi Phi Island Cabana Hotel* – โรงแรมพีพีไอส์แลนด์คาบานา่ *(zoom Tonsai A2, 13)* : à l'extrémité gauche de Tonsai, face à l'embarcadère. Résa depuis Bangkok ☎ (02) 275-59-65 et depuis Phuket ☎ (076) 214-941. ● phiphi-cabana.com ● Chambres 5 100-7 800 Bts (102-156 €), et jusqu'à 17 000 Bts pour les suites (340 €) ! Le complexe de luxe a été très abîmé par le tsunami. Le cocotiers n'ont pas encore repoussé. Néanmoins, il a été complètement rénové avec une architecture bien intégrée au décor. Avec plus de 160 chambres donnant toutes sur l'océan du côté de Dalum Bay, c'est la capacité d'hébergement la plus importante de l'île. Vous n'y serez donc pas tout seul. Une bâtisse principale et 5 autres petits bâtiments de 1 ou 2 étages avec chambres modernes de tout confort, certaines avec Jacuzzi pour les plus chères sur la terrasse et disposées autour d'une vaste piscine où cabriolent des dauphins... de pierre. Petit déj-buffet qui permet de se caler pour la journée. 2 restaurants, un bar, spa et massages.

Où manger ?

Plusieurs restos ont très vite réapparu sur le front de mer, préparant tout et n'importe quoi. Qualité globalement assez moyenne.

Bon marché (moins de 100 Bts – 2 €)

🍴 *Stands de rue :* dans la rue principale. Pancakes aux fruits, *shakes* divers, gâteaux, sandwichs et autres petites choses à grignoter. Le soir, en continuant à marcher vers l'est, un étal *(hors zoom Tonsai par B2, 30)* fait un véritable tabac avec ses brochettes et grillades de légumes, viandes, charcuteries et poissons. À emporter ou à dévorer sur place, attablé directement sur la promenade.

🍴 *Garlic 1992* – การ์ลิค 1992 *(zoom Tonsai B1, 31)* : proche du Reggae Bar. *My god !* une gargote locale ! C'est rarissime à Tonsai. Les prix n'excèdent pas 80 Bts (1,60 €). Bonnes nouilles sautées, petits déj.

Prix moyens (de 100 à 300 Bts – 2 à 6 €)

🍴 *Pum Restaurant* – ร้านอาหารปุ๋ม *(zoom Tonsai A2, 36)* : minuscule adresse (à peine 5 tables) au cœur du dédale de boutiques de Tonsai. Petite carte de plats ne dépassant pas 130 Bts (2,60 €) mais une jolie surprise tant la simplicité et la finesse des plats se marient à merveille. En dessert, essayez le plateau de fruits à tremper dans une coupelle sucre-piment, un régal. Le lieu sert aussi d'école de cuisine thaïe, et ceci explique cela.

🍴 *Don Chukit Restaurant* – ร้านอาหารคอนชูกิต *(plan, 32)* : sur le petit promontoire qui ferme à l'est la baie de Tonsai. Pas le grand charme, ni la grande cuisine, en fait un peu toutes les cuisines mais cette terrasse jouit d'une belle situation, un peu à l'écart de la foule. Cuisine thaïe (currys, *lap, yam, fried rice and noodles*), à peine correcte, à prix raisonnables. On peut aussi

...en se contenter d'y boire un verre.

|●| *Pee Pee Bakery 1* – พีพีเบเกอรี่ 1 *(zoom Tonsai A2, 33) :* ce grand classique de Tonsai produit de bons petits pains, croissants et cookies, ainsi que des petits déj, sandwichs et quelques plats tels que des spaghettis et pizzas. Internet. Cadre lumineux et plaisant, sourire en prime.

|●| *Hippies Bar & Restaurant* – ร้านอาหารและบาร์ฮิปปี้ *(plan, 34) :* extrémité est de Tonsai Beach. ☎ 081-970-54-83. Le complexe *Hippies* (cher- *hippies laundry, hippies diving,* etc.) semble plutôt fréquenté par de jeunes bobos que par de vrais rebelles. Grande terrasse semi-couverte, mini-scène et chaises longues à louer sur la plage. Plats thaïs et européens, dont quelques méditerranéens, brochettes de poisson. Petit déj. Pas trop cher, service et nourriture corrects. *Fire-show* tous les soirs à 23h. Musique qui se veut cool (*live music* 2h-4h). Le complexe voisin *Carpe Diem* obéit grosso modo au même principe.

De prix moyens à chic (plus de 300 Bts – 6 €)

|●| *Tonsai Seafood* – ร้านอาหารต้นทรายซีฟู้ด *(zoom Tonsai B2, 37) :* à droite sur la rue principale. Adresse qu'on ne peut louper en front de mer. Les créatures de la mer sont disposées dans des grands bacs de glace à la convoitise des passants. Large terrasse, ballet des serveurs. Tous les choix possibles de la cuisine thaïe et internationale. Résultat plutôt satisfaisant, l'affluence garantit la fraîcheur des produits, même la viande est succulente. Évitez les vins, ils plombent l'addition. Ne venez pas trop tard, les meilleurs poissons partent très vite.

|●| *Le Grand Bleu* – ร้านอาหาร เลอ กรองด์ เบลอ *(zoom Tonsai A2, 38) :* ☎ 081-979-9739. *Sur la gauche à l'entrée de la rue principale à 100 m du débarcadère devant le* Phi Phi Hotel. *Ouv tlj, midi et soir, service 11h-14h et 18h30-22h. Résa conseillée.* Resto tout en longueur, déco d'inspiration traditionnelle assez réussie, meubles en teck. Cuisine franco-thaïe qui ravit les touristes locaux n'ayant pas l'habitude des subtilités des recettes de l'Hexagone mais qui laisse un peu sur leur faim les amateurs de bons plats thaïs. Sinon, belle carte des vins (on s'en doutait). Prix raisonnables et service souriant, mais un peu flottant côté personnel local. Patron français très attentif à la satisfaction de ses clients.

Où boire un verre ? Où danser ?

Des dizaines de bars dans les ruelles du village, fréquentés par une clientèle plutôt jeune – 18 à 25 ans – et forcément à l'aise côté porte-monnaie (vu les prix !). À vous de voir quelle ambiance vous préférez. On y vend de la bière et du *mekong* (whisky local)-coca au seau (avec des pailles), ça en dit long sur la finesse du coin.

♟ ♫ *Reggae Bar* – เรกเก้ บาร์ *(zoom Tonsai B1, 40) :* bar-disco-billard-show de boxe thaïe. *Ouv jusqu'à 2h.* Franchement, c'est tout et n'importe quoi. Construit en dur sur plusieurs étages, peint en rouge vif, cet endroit plutôt moche n'a pas bougé. Ratisse une large clientèle dont beaucoup se réveillent avec un gros mal de tête.

♟ ♫ *Carlito's* – การ์ลิโต้ส์บาร์ *(hors zoom Tonsai par B2, 41) :* un classique de Tonsai. Baraque avec un bar sous pavillon et une petite scène attenante. De l'autre côté du chemin, chaises et tables basses à même le sable. À notre avis, l'un des rades les plus sympas du coin. Bonne musique, ambiance décontractée. Le soir, on procède à un lâcher de mini-montgolfières qui s'élèvent dans le ciel nocturne. Féerique.

KO PHI PHI

♩ *Apache Bar* – อาปาเช่บาร์ *(hors zoom Tonsai par B2, 41)* : happy hours larges, 16h-22h. Installé dans la ruelle perpendiculaire à la mer vers le P.P. Casita Bungalows. *Même atmosphère de plain-pied sans les gradins.* Aména-gement rustique. On y célèbr... ment le culte du *Sangsom Set* (... de « whisky » thaïe). Les initiés le ... rent servi mélangé avec ses *mixer* directement dans un seau, pour u... bagarre de pailles entre convives.

MAPRAO BEACH – หาดมะพร้าว

Minuscule crique à l'est de Tonsai, accessible par le chemin côtier qui longe la plage. Le problème de cette plage, située entre Tonsai et Long Beach, c'est le bruit pétaradant et incessant des *long-tail boats*. À quoi ça sert d'être sur une plage paradisiaque si on ne s'entend même plus bronzer ?

LONG BEACH – ลองบีช

Comme son nom l'indique, une longue plage, à 20 mn à pied du débarcadère (après Maprao Beach). Un peu de grimpette, aidé par des cordes, bienvenues quand il a plu. Pour ceux qui sont chargés, service régulier de bateaux-taxis depuis Tonsai. Jolie vue sur Phi Phi Lee, qui s'élève au-dessus des flots comme un immense mono-lithe. Bon spot de *snorkelling* à l'extrémité est de la plage. Séduisante, Long Beach est un bon choix de résidence pour profiter du sable bien blanc et des eaux trans-parentes de l'île. En haute saison, il faudra cependant faire abstraction du ballet incessant des bateaux « longue-queue » et de tous ceux qui ont eu la même idée que vous.

Où dormir ? Où manger ?

Toutes ces adresses disposent d'un restaurant.

De bon marché à prix moyens (de 500 à 1 000 Bts – 10 à 20 €)

🏠 *Phi Phi Long Beach Bungalow* – พีพี ลอง บีชบังกาโล *(plan, 19)* : presque au bout de la plage. 📱 089-973-64-25. L'adresse la moins chère de Long Beach. Bungalows rudimentaires (paillasses, salles de bains minables) et vraiment entassés les uns sur les autres. Mais ça reste acceptable (qui a dit pas très propre ?) si on n'est pas trop regardant, et avec moustiquaire en plus. Atmosphère jeune et agréable. Laverie.

D'un peu plus chic à beaucoup plus chic (de 1 000 à plus de 6 800 Bts – 20 à 136 €)

🏠 |♦| *The Beach Resort* – เดอะบีชรี สอร์ท *(plan, 21)* : à l'extrémité est de la plage. ☎ et fax : 076-221-693 (bureau à Phuket) ou 075-618-267 (à Phi Phi). ● phiphithebeachresort.com ● Très chic. Des chalets tout neufs aux toits en pyramide avec terrasse, entièrement en bois et bien équipés (TV, frigo, eau chaude). Répartis à flanc de colline, tous avec vue sur la mer, ils surplom-bent un joli bout de plage où bar et pis-cines sont bien intégrés. Excellent resto ange assis à la thaï. Élégant restant très décontracté. eil ne détonne pas, tout en gen sse. Jolie cascade à côté de la ge.

● |●| **Phi Phi Paradise Pearl Bunga low** – พีพีพาราไดซ์เพิร์ลบังกาโล *(plan, 20)* : *extrême gauche de la plage en venant de la mer. À ne pas confondre avec le* Paradise Resort *d'à côté.* ☎ 075-618-050. ● *phiphiparadisepearl. com* ● *Compter 2 500-6 800 Bts (50 136 €), petit dej compris.* L'établisse ment a subi une profonde rénovation, de nouveaux bungalows plus spacieux ont vu le jour... et les tarifs ont grimpé en conséquence ! 25 bungalows tout confort et nickel de différentes catégo ries, terrasse privée, TV satellite, frigo, eau chaude, certains sur 2 niveaux, du double au bungalow familial pour 4 per sonnes. Le charme est discutable mais la plage est impeccable, pas de marée. Un resto en plein air agréable, bonne nourriture et pas cher, tables étalées le long de la mer. Transfert Tonsai Village en 5 mn en *speed boat* ou en 10 mn en *long-tail boat* (payant, seulement gra tuit pour les arrivées et départs des fer ries Phuket, Lanta et Krabi embarca dère de Tonsai Pier).

LES PLAGES DE LA CÔTE EST ET DU NORD DE L'ÎLE

Ces belles plages dorées seront appréciées par ceux qui recherchent le calme et des petits coins de nature encore préservés. C'est l'anti-Tonsai !

◮ La plage sauvage d'**Ao Ran Tee** – อ่าวรันตี est accessible à pied (voir « Trans ports dans l'île » plus haut) ou par bateau-taxi (moins fatigant mais payant). Beaux coraux à quelques mètres du rivage. Baignade géniale mais qui risque d'être remise en cause lorsque le consortium qui a racheté les terrains aura bâti son nouveau complexe de luxe.

◮ **Ao Phak Nam** – อ่าวปากน้ำ : crique isolée entre Ran Tee et Loh Bakao. Superbe bout de plage, où la baignade est extra. On peut déjà faire du *snorkelling* à 100 m de la plage.

Où dormir à Ao Phak Nam ?

De prix moyens à un peu plus chic (de 1 000 à 2 000 Bts – 20 à 40 €)

🛏 **Relax Beach Resort** – รีแลกซ์บีชรี สอร์ท *(plan, 23)* : ▯ 081-083-01-94. ● *phi phirelaxbeach.com* ● *Navette gratuite en* long-tail boat *2 fois/j.* Une adresse totalement isolée, que l'on peut sans trop exagérer qualifier de « robinsones que », face à une plage magnifique. Cabanes rudimentaires mais propres, en bois et feuilles, équipées d'un ventilo et d'une moustiquaire. Les plus chères ont une salle de bains (eau froide), les autres partagent les sanitaires avec leurs petits camarades. Le charmant patron n'est pas avare de sourires. Matelas pour se livrer au farniente sur la plage. Bon petits plats pas trop chers.

◮ **Ao Loh Bakao** – อ่าวและหาดล่อบาเกา : *plage située au milieu de la côte est de l'île.* Très jolie, mais, à marée basse, c'est plutôt trempette que baignade (barrière de corail). Ralliée à **Ran Tee** par un sentier accidenté et à **Laem Tong** et **Nah Bay** par une piste plus facile. Prendre le pont suspendu flambant neuf à l'extrémité de la plage, puis à gauche pour Nah Bay et à droite pour Laem Tong. La voie est partiel lement dallée.

KO PHI PHI

Où dormir à Ao Loh Bakao ?

Très chic (de 5 000 à plus de 10 000 Bts – 100 à 200 €)

🛏 *Phi Phi Island Village* – พีพีไอส์แลนด์วิลเลจ *(plan, 24) :* ☎ 076-222-784 (Phuket) ou 02-541-5722 (Bangkok). ● ppisland.com ● Petit déj inclus. Longue plage isolée et romantique. Vastes bungalows de style traditionnel, le confort en plus. Climatisés avec de grandes terrasses, ils sont plantés dans une somptueuse cocoteraie. Spa et tennis. Très bonne cuisine thaïe et occidentale finalement pas si chère. Baignade impossible à marée basse (vase, corail et rocaille), mais la superbe piscine permettra de patienter. Au prix d'un 3-étoiles en France, voici une adresse « lune de miel ». Bon accueil et service impeccable.

⬧ *Tong Cape* – แหลมทอง et sa longue plage *Laem Tong* – หาดแหลมทอง : *juste avt l'excroissance du cap. Accessible à pied depuis Ao Loh Bakao, et depuis Tonsai pour les marcheurs invétérés. Si vous venez de Phuket, prenez plutôt la compagnie* Andaman Wave Master *(voir « Arriver – Quitter ») qui dessert le nord de l'île.* Il existe encore un *Gipsy Village* très vivant au milieu de la plage. C'est d'ailleurs le gros « plus » de Laem Tong. Le soir, les gamins rentrés de l'école jouent sur la plage, les locaux font et écoutent de la musique, et là on échappe enfin à l'atmosphère figée des hôtels.

C'est le point de départ pour se rendre sur les îles *Mosquito* et *Bamboo,* 2 spots de plongée et de *snorkelling* situés juste en face. Bamboo Island abrite un *parc national (entrée : 200 Bts, soit 4 €)* et une jolie plagette idéale pour passer une journée de détente. *Traversée en 20 mn. Bien négocier le prix de la traversée avec les pêcheurs propriétaires des long-tails et fixer l'heure du retour. C'est moins cher que les bateaux des hôtels. Compter 1 300-2 200 Bts (26-44 €) pour une journée (en général, 10h-16h), selon distance et nombre de pers, ce qui permet aussi de visiter Maya Bay et Phi Phi Lee.*

Où dormir ? Où manger à Laem Tong ?

Côté hébergement, rien de bon marché.

De prix moyens à beaucoup plus chic (de 1 000 à plus de 6 800 Bts)

🛏 🍴 *Phi Phi Natural Resort* – พีพีเนเชอรัลรีสอร์ท *(plan, 25) : sur la pointe nord de la baie.* ☎ 075-613-010 ou 02-591-65-68 (à Bangkok). ● phiphinatural.com ● *Bungalows 2 790 - 5 800 Bts (56-116 €).* Ce *resort* consiste en un grand complexe de bungalows assez espacés et noyés dans la verdure, ceinturant l'école du village... (que le roi, en visite dans le coin a fait construire de sa propre initiative). Les tarifs de ces beaux chalets de bois munis de grandes terrasses vont du simple au triple : dans les plus chers, face à la mer, chambre à l'étage et petit séjour au rez-de-chaussée. Autres bungalows individuels au milieu du parc et 12 *standard* mitoyens pour les moins chers au fond légèrement à flanc de colline. Également *cottage* multi-lits pouvant accueillir de 4 à 6 personnes. L'établissement s'est agrandi dernièrement de 5 bâtisses de chacune 2 bungalows grand confort avec piscine au milieu et vé, d'autres doivent voir le propre et calme. Petite piscine ...mbant la mer, resto et bar. Ser... ...attentionné.

Jasmin Restaurant – ร้านอาหารจั มนิน์ (plan, 35) : au milieu de la plage, au cœur du village gitan. Prix imbattables et bonne qualité. Typiquement local : seafood et plats thaïs. Succulentes nouilles sautées aux fruits de mer. Jus de fruits frais, noix de coco à siroter sous de petites paillotes, les petons dans le sable ou calé dans un hamac. Parfait pour profiter de l'ambiance animée du village.

|●| Sawasdee Restaurant – ร้านอาหา รสวัสดี (plan, 35) : au centre de la plage. ☎ 075-627-500. Tlj 7h-22h30. Internet (cher). Cuisine de bonne facture tournée vers le poisson et les fruits de mer – pêchés dans la journée. Au barbecue, c'est pas vraiment donné. En revanche, nombreux plats thaïs pas chers et préparés avec soin. Intérieur un peu austère, mais terrasse plus sympa à même la plage. Musique live tous les soirs et bonne ambiance entretenue par un personnel charmant.

La Nah Bay and Beach – อ่าวและหาดลานำ : au nord-ouest de l'île, entre les 2 doigts formés par Tong Cape et La Nah Cape. On peut y aller directement depuis Tonsai (prévoir 500 Bts, soit 10 €, l'embarcation) ou à pied d'Ao Loh Bakao ou de Laem Tong. La Nah est une baie photogénique aux eaux turquoise où l'on peut mieux nager qu'à Loh Bakao.

➤ PHI PHI LEE – พีพีเล

C'est la plus petite île. Inhabitée, elle est célèbre pour ses coraux, Maya Bay, et pour sa gigantesque grotte, Viking Cave, surnommée ainsi à cause de modestes peintures rupestres. Les gitans de la mer vont y ramasser les nids d'hirondelles (de février à mai) au péril de leur vie.

Les Chinois en sont très friands pour leur pouvoir prétendument aphrodisiaque. Opération délicate, sur de fragiles échasses. D'ailleurs, au milieu de la grotte, un autel est là pour implorer la protection des dieux. Sachez que l'hirondelle construit son nid avec sa salive. Quand on lui retire ce nid, elle en construit un 2e. Si cela arrive une 3e fois, elle n'a plus assez de salive pour se remettre à l'ouvrage et les petits meurent...

Pratiquement toutes les agences de Phuket prévoyaient cette visite dans leurs excursions à la journée sur Phi Phi Lee, avant que Viking Cave ne soit fermée en 2003.

Maya Bay – อ่าวมายา : admirable baie située sur la côte ouest de Phi Phi Lee. Des dizaines de tours y font halte chaque jour. Entre 10h30 et 14h, c'est l'embouteillage. Ceux qui voudraient l'éviter devront louer une embarcation privée. Cela leur permettra en outre de s'arrêter où ils veulent, et pas forcément sur la plage principale, qui est d'accès payant. D'ailleurs, on trouve ça ridicule de devoir verser 200 Bts (4 €) pour accéder à ce soi-disant parc national... Accès via un tunnel

LÉOOOOOO !

Comme vous, tout le monde veut voir Maya Bay depuis que la plupart des scènes du film La Plage y furent tournées, avec Leonardo di Caprio et notre sirène nationale Virginie Ledoyen. Et c'est vrai qu'elle a de la gueule, même si la baie fermée sur elle-même n'est que le fruit de l'imagination du metteur en scène. Quant au trou par lequel les gens de la plage s'engouffrent sous l'eau pour en sortir, idem. Parti prévenu de la surexploitation touristique, vous ne pourrez rien regretter.

équipé de cordes et à demi-submergé depuis Loh Samah Bay.

KO PHI PHI

Plongée sous-marine

🐾🐾🐾 C'est la destination des plongeurs par excellence. L'endroit est tellem.
réputé que tous les centres de plongée de Phuket, Krabi et Ko Lanta s'y render.
quotidiennement. Sur Phi Phi elle-même, nombreux centres du côté de Tonsai, un
autre à Long Beach, auxquels il faut ajouter les clubs des grands hôtels de la côte
est, qui ont tous le leur (souvent plus cher). La fréquentation excessive, qui compromet la survie des espèces vivant sur les spots, sera fatalement de nouveau à
l'ordre du jour... Toutefois, on le dit tout net, il serait regrettable d'aller à Ko Phi Phi
sans découvrir ses beautés sous-marines légendaires. Un baptême de plongée au
milieu de ces eaux d'une couleur et d'une limpidité extraordinaires restera à jamais
gravé dans votre mémoire. La meilleure période (clarté des eaux maximale) se situe
de début février à fin mai.

Où plonger ?

Dans le minuscule village de Tonsai, une bonne vingtaine de clubs se partagent le
gâteau. La plupart des instructeurs sont européens (allemands, français, italiens,
nordiques) et quelques-uns américains, australiens ou thaïs. Ceux-ci viennent
spontanément proposer leurs services dès votre arrivée car ils ne sont payés qu'à
la commission (environ 10 % du prix) ! Leur intérêt est de vous offrir d'excellentes
prestations pour que vous reveniez le lendemain. C'est généralement ce qu'ils font,
car la concurrence est de plus en plus rude et il faut se démarquer. Malheureusement, on peut parfois tomber sur quelqu'un qui ne connaît pas son affaire et ferait
mieux d'aller vendre des saucisses plutôt que de jouer avec la vie de ses clients !
Mais c'est vraiment de plus en plus rare. De manière générale, le matériel est bon et
les instructeurs qualifiés. Le seul petit problème, c'est qu'ils ne restent souvent
qu'une saison. Il est donc difficile de recommander un club plutôt qu'un autre.
– **Conseils :** pour faire un choix, passez une soirée à faire le tour de quelques structures et marchez au feeling. Bon à savoir : les prix sont sensiblement identiques
partout. Ce n'est donc qu'une question de confort, de compétence et du nombre
de plongeurs sur le bateau (sorties intimes de 4 personnes ou usines à plongée).
Avant de chausser les palmes, discutez gentiment (en anglais et parfois en français) avec les instructeurs. Écoutez le langage qu'ils vous tiennent quant à la vie
marine (ses espèces, ses dangers) et voyez s'ils ne jouent pas les gros bras en
causant des requins (un critère éliminatoire !). Choisir enfin le moniteur qui parle de
son métier avec une « passion tranquille ».
– **Le coût :** une plongée en local (à titre indicatif) = 1 600 Bts (32 €), 2 plongées = 2 200 Bts (44 €) et 3 plongées = 2 600 Bts (52 €). Sortie à la journée incluant
3 plongées à The Wreck, Shark Point Phuket ainsi que Anemone Reef = 3 200 Bts
(64 €). Côté initiation et formation, l'Intro Dive et le PADI (3 j.) sont respectivement
proposés autour de 2 200 et 11 000 Bts (44 et 220 €). Et les prix augmentent...
(hausse de l'essence et des formalités obligent !).

Nos meilleurs spots

La plupart des plongées sont praticables par tout le monde. Les plus belles sont
autour de Phi Phi Lee.

🐾 **Autour de Ko Phi Phi :** le parc national est réputé pour ses tombants vertigi-
neux, ses cavernes sous-marines très accessibles, ses roches et coraux étincel-
lants. Visibilité de 8 à 30 m (en haute saison). Les traditionnels poissons-fantômes,

ns-anges, poissons-trompettes, poissons-clowns, hippocampes et bancs
jans sont de toutes les plongées (profondeur max : 26 m). Tortues peu farou-
s dans les eaux de *Ko Bida*, où vous ne pourrez éviter une confrontation directe
ec les requins-léopards et les « pointes-noires » (gentils comme tout !), ainsi que
des calamars. *Bamboo Island* est le rendez-vous des raies pastenagues, barracudas et poissons-sergents. Extra pour la plongée sans bouteille ou le *snorkelling*.

Bida Nai et Bida Nok : *au sud de Ko Phi Phi.* Entre 6 et 30 m. Murs de corail
mou, une des meilleures plongées pour voir de gros barracudas, requins-léopards,
et naturellement le requin-baleine quand il est de passage en février-mars. Rassurez-vous à nouveau, sans aucun danger.

Coral Garden (ou Palong Bay) : *sur la côte ouest de Phi Phi Lee.* Entre 5 et
18 m. Une énorme roche penchée, recouverte de corail mou très coloré. On y voit
des tortues (le meilleur site pour les observer), poulpes et hippocampes
(éventuellement).

Caran Hang : *à l'est de Phi Phi Lee.* Entre 5 et 18 m. Très peu fréquenté. Un
pinacle sous-marin à la base duquel on trouve des rochers où se cache une vie
incroyable : *bamboo sharks,* énormes poissons-scorpions, poissons-lions et
chouettes *sepia* (sorte de calamars).

À noter encore le *Pileh Wall* *(à l'est de Phi Phi Lee),* pour son fantastique mur de
corail mou entre 3 et 20 m, puis ***Phi Phi Shark Point*** pour ses requins-léopards qui
dorment sur le fond et ses serpents de mer (pas agressifs pour un baht). Pour finir,
Him Dot, *autour de Phi Phi Don.* Quatre pinacles de tailles différentes, entre 5 et
28 m, autour desquels on tourne sympathiquement (poissons pélagiques, corail
mou...).

Voici trois plongées Niveau 1 qu'il est possible d'effectuer en une même journée.
Départ en général à 8h et retour vers 16-17h :

Phuket Shark Point – ภูเก็ตชาร์คพอยท์ : *à 20 km au nord-ouest de Ko Phi Phi.*
Un ensemble de trois récifs calcaires, de 0 à 22 m de profondeur, fameux repaire de
requins-léopards aussi curieux qu'inoffensifs. Frénésie de poissons-lions, poissons-papillons, anémones... Très coloré. Jolis coraux.

Anemone Reef – อานีโมนีรีฟ : *situé à moins de 2 km au nord-ouest du spot
précédent.* Un magnifique récif isolé, entièrement recouvert d'anémones d'espèces différentes, entre 6 et 23 m de fond. Si le ballet délirant des poissons-clowns
entre les tentacules des anémones vous inspire, évitez à tout prix de les imiter ! Ils
sont les seuls à pouvoir s'y frotter sans crainte : protection contre nettoyage, tel est
l'enjeu de ce contrat naturel. Beaucoup de murènes et quelques barracudas.

Epave King Cruiser – อีเพฟคิงส์ครุยเซอร์ : luxueux navire coulé entre 16 et 36 m
de profondeur en 1997, à quelques encablures d'*Anemone Reef*. Cachette préférée des poissons de récifs, des poissons-lions (venimeux mais pas agressifs), des
barracudas et des mollusques. Se munir d'une lampe. Grandes ouvertures dans
les entrailles du navire pour retrouver facilement le chemin de la surface, mais attention quand même aux rencontres inopportunes et n'entrez pas dans l'épave si vous
n'êtes pas un plongeur confirmé...

À voir. À faire

🏊🏊🏊 **Palmes, masque et tuba (snorkelling) :** hautement recommandée, cette
activité s'adresse à tous (ceux qui ne nagent pas très bien pourront mettre un gilet

de sauvetage). S'équiper en bouteilles d'eau et enfiler éventuellement un vie
T-shirt car, attention, tandis que le nez se tourne vers les profondeurs, le dos
tendance à rôtir grave. En vente absolument partout, le forfait tout compris (bateau,
équipement, déjeuner), environ 600-650 Bts (12-13 €) par personne, représente un
choix budget intéressant mais sous-entend d'accepter la compagnie de dizaines
d'autres palmipèdes à bord. Essayer de choisir une embarcation de taille modeste
(moins de 50 passagers) plutôt qu'un paquebot de 150 personnes. L'excursion
comporte en général la visite de Maya Bay + 3 stops *snorkelling* : Phi Phi Lee, Bamboo Island et le cap à l'est de Tonsai. Départ vers 9h, retour à 16h. Aussi sortie en fin
d'après-midi pour le coucher de soleil sur Phi Phi Lee, retour vers 19h.

Pour bien plus d'intimité et de flexibilité, essayer de constituer un petit groupe afin
de louer à l'heure, à la demi-journée ou à la journée un *long-tail boat* ou un *speed-
boat*. Bien fixer l'itinéraire, la durée et le tarif. Finalement, le coût de l'indépendance
peut s'avérer assez modeste. Pour un *long-tail boat,* compter 1 000-1 500 Bts (20-
30 €) la journée (6h). Pour un *speed-boat,* prévoir environ 4 500 Bts (90 €) pour 4h.
À noter encore, la possibilité d'accompagner une sortie plongée en tant que simple
nageur pour 500 Bts environ (10 €), avec repas et équipement.

🏃🏃 *View Point :* une alternative sympa au tout farniente. 30 bonnes minutes de
grimpette à faire de préférence le matin pour pouvoir prendre de bonnes photos
des 2 anses de l'île, que l'on embrasse ici d'un seul coup d'œil. Le chemin bien
fléché part de Loh Dalum Beach, à l'est de la plage. Être correctement chaussé et
emporter de l'eau. Bar à l'arrivée. En redescendant de l'autre côté, à travers la
jungle, on rejoint Ran Tee Beach, plage isolée de la côte est d'où l'on peut prolonger vers la pointe nord de l'île.

– *Escalade : Cat's Climbing Shop,* à Tonsai, dans la rue principale. 📱 *081-787-51-
01.* ● *catsclimbingshop.com* ● Managé par Cathy et un collectif de pros de l'escalade. Ils ont rééquipé des voies déjà tracées et en ont ouvert un paquet d'autres
(cotées 4 sup à 7b+ pour les pros !), dans les falaises situées au bout de la plage de
Tonsai. Suite au tsunami qui ne les a pas épargnés, ils se sont attachés à déplacer
des montagnes. Le nom de leur site parle de lui-même : ● *phiphi-releve-toi.com* ●

– *Sports nautiques :* sur Loh Dalum et à Tonsai, possible de louer des planches à
voile et des catas, des kayaks et des *paddle-boards*.

KRABI – กระบี่ 400 000 hab. (4,7 millions pour la province) IND. TÉL. : 075

Avec ses multiples atouts, la province de Krabi attire de plus en plus de visiteurs. La géologie karstique, aussi bien à l'intérieur des terres qu'au large,
garantit d'innombrables falaises, pitons et grottes à explorer en canoë. Des
centaines de plages, souvent d'accès pittoresque, bordent la côte ou le pourtour des nombreuses îles. À l'éclat et la finesse du sable blanc répond la den-
sité des forêts tropicales et les mangroves. Quatre parcs nationaux ont été
créés, englobant à la fois des parties de la péninsule et des îles. Dire qu'ils
garantissent une réelle protection serait bien exagéré.

Si les plages les plus connues souffrent d'une surpopulation en haute saison,
il n'est pas difficile de dénicher un coin plus au calme, souvent à quelques
encablures des endroits les plus animés, tout en garantissant tous les services nécessaires. La population est, à peu de chose près, moitié bouddhiste,

▬itié musulmane, et compte aussi l'habituelle minorité d'émigrés chinois, ▬ujours très active. Tout cela cohabite à peu près sans accrocs.
▬a légende raconte que le nom de Krabi proviendrait de la découverte d'un sabre très ancien, que le gouverneur aurait pris pour emblème.
Sachez que la région est très arrosée pendant la saison des pluies (de mai à septembre) et que tout le secteur est déserté à cette époque.

Arriver – Quitter

En bus gouvernemental (tous avec AC)

▭ *Ts les départs et arrivées se font au* **terminal des bus de Talat Kao** *(hors plan I par A1), situé à 5 km au nord de Krabi-ville. Pour s'y rendre, prendre une* camionnette-taxi (15 mn de trajet). Petite cantine dans la station de bus. Rens : ☎ 611-804 (Transport Co.) et 612-847 (Lignite).

➤ **Bangkok :** départ du *Southern Bus Terminal* de Bangkok. Env 8 bus dès 6h30 mais surtout entre 18h et 20h. Prévoir 11-12h de trajet pour boucler les 870 km ; 487-970 Bts (9,70-19,40 €). En partant le soir de Bangkok, la vision (dès 150 km avt l'arrivée) des pitons calcaires recouverts de végétation a quelque chose de magique en arrivant au petit matin. De Krabi, bus quasiment sans arrêt 5h-17h, avec concentration des départs à partir de 16h. À consulter : ● *transport.co.th* ●
➤ **Phuket :** plus d'une vingtaine de bus 2de classe 5h30-17h30 ; 3-4h de trajet, 185 km. Idem dans l'autre sens : départs fréquents. *Rens :* ☎ 076-211-480.
➤ **Phang Nga :** emprunter un bus desservant Phuket ou Ranong. Prévoir 2h de route.
➤ **Krabi/Ko Lanta :** une dizaine de minibus/j. avec AC au départ de Krabi-ville. Env 80 km ; 200 Bts, soit 4 €, jusqu'à l'embarcadère de Hua Hin où l'on prend le bac. Se renseigner sur les horaires et tarifs auprès des agences.
➤ **Surat Thani :** départs ttes les 45 mn jusqu'à env 16h ; 200 km, compter 2 à 3h de trajet.
➤ **Trang :** ttes les 30 mn, 6h-21h30. Trajet : 2h (160 km).
➤ **Hat Yai :** départ ttes les heures 9h20-22h ; 310 km et 4-5h de trajet. Bus 2de classe.
➤ **Takua Pa puis Khao Sok :** jusqu'à Takua Pa, 8 bus (directs ou ceux poussant jusqu'à Ranong) 5h30-14h30. Puis départs env ttes les heures jusqu'à 17h ; 3h de route en tout.
➤ **Ranong :** 4 bus 8h30-12h30 ; 5h de route.

En bus privé

– Les agences de voyages vendent des billets pour de nombreuses destinations, ou minibus AC. Deux fois plus chers – mais plus rapides – que les bus classiques. En général, on passe vous chercher à la *guesthouse*.
➤ **Surat Thani** (3 ou 4 fois/j.), **Ko Samui** (correspondance avec le ferry), **Hat Yai** (2 fois/j.), **Phuket** (2 fois/j.), **Bangkok** (1 fois/j.), **Penang, Langkawi, Kota Bahru** ou **Kuala Lumpur** (Malaisie).

En bateau

➤ **Phuket :** seul le ferry *Ao Nang Princess,* desservant les plages d'Ao Nang et Noppharat, assure la liaison maritime directe Phuket-Krabi (uniquement en hte saison). Départ de Port Rassada (Phuket) à 8h30. Depuis Ao Nang, départ à 15h30. Traversée en 2h. Tarif : 500 Bts (10 €). Les autres compagnies transitent par Ko Phi Phi. Au final, c'est beaucoup plus pratique de faire ce trajet en bus !

➤ *Ko Phi Phi :* 2 liaisons/j. à 10h30 et 15h30 entre Tonsai (Ko Phi Phi) et Jilad Pier. Dans l'autre sens, départs à 9h et 14h. Durée : 1h30. Compter 450-500 Bts (9-10 €).

➤ *Ko Lanta :* 2 bateaux/j. en hte saison, à 8h et 13h depuis Ban Saladan Pier (Ko Lanta), à 10h et 14h30 depuis Krabi. Traversée en 1h30. Tarif : 450 Bts (9 €). Également un bateau *Ao Nang Princess,* départ Nopparat Pier, Ao Nang (Krabi) 10h30 (dessert Railay) – en sens inverse, départ Ko Lanta 13h30 ; 490 Bts (9,80 €).

En avion

✈ *Krabi Airport* (hors plan par A1) : à 13 km du centre et 32 km d'Ao Nang. ☎ 636-541 (infos). Compter env 100 Bts (2 €) le trajet en minibus entre la ville et l'aéroport et 400 Bts (8 €) en taxi. Pour les plages, taxi privé 400-600 Bts (8-12 €).

➤ *Bangkok :* Thai Airways (☎ 622-439) assure la liaison. Jusqu'à 3 vols/j. en hte saison et 2 en basse (durée : 1h20). *Air Asia* (• airasia.com •) assure la liaison (3 vols/j.).

Arrivée au port

⛴ Le nouveau port de *Jilad Pier,* Passenger Port, (hors plan par A2 ; ☎ 620-052) est situé à 5 km à l'ouest de Krabi-ville. Pour aller au centre, choix entre des *songthaews,* des minibus ou le taxi ; tarifs affichés dans le hall du port. On y trouve distributeurs, bureau de change et petits commerces.

➤ *Pour Tonsai, Railay* et *Sunrise Beach* (plages accessibles slt par la mer, voir plus loin) : bateaux-taxis au départ du débarcadère ; env 6 départs/j. 9h-18h, traversée en 45 mn. Prix affichés là aussi. Accès également depuis l'ancien port, Chaofa Pier, au centre de Krabi-ville *(plan I, B2)*.

KRABI-VILLE (KRABI TOWN)

S'étendant le long de la rivière du même nom, la ville de Krabi n'est située qu'à une cinquantaine de kilomètres de Phuket Town à vol d'oiseau (et au-dessus des flots), mais à environ 190 km par la route. Les touristes n'y restent pas, préférant se diriger immédiatement vers les plages.

Krabi Town n'est même plus vraiment un lieu de transit depuis que les bateaux pour Ko Phi Phi et Ko Lanta partent du nouveau Passenger Port. Ce dernier ne fait pas le bonheur de tout le monde, en particulier des commerçants des alentours de l'ancien embarcadère (Chaofa Pier), d'où ne partent plus qu'une poignée de bateaux desservant les plages. Les voyageurs terrestres peuvent assurer toutes leurs correspondances directement depuis la gare routière, sans entrer dans la ville. Résultat : Krabi Town perd peu à peu son caractère et les touristes se voient débarqués au milieu de nulle part.

Pourtant, cette bourgade à moitié assoupie n'est pas à dédaigner. Le visiteur y trouvera tous les services et magasins que peut recéler un chef-lieu et, s'il le souhaite, de sympathiques *guesthouses,* bars et restaurants. La promenade le long de la rivière, avec les mangroves sur l'autre rive, vaut largement les plages des environs : à notre avis, il serait vraiment dommage de bouder Krabi Town.

➤ Pour se déplacer, passage régulier de *songthaews* qui patrouillent dans les rues principales avant de rejoindre *Ao Nang*, le Passenger Port ou la station de bus. Tâchez d'en attraper un au vol. Il y a aussi des *tuk-tuk*, mais il faut négocier ferme.

Adresses utiles

ℹ️ *TAT* – ท.ท.ท. *(office de tourisme ; plan I, A1)* : Thanon Uttarakit. ☎ 622-163. À l'entrée de la ville quand on vient du terminal de bus. Tlj 8h30-16h30. Cartes gratuites de la région, liste des hébergements, horaires des bateaux et des bus. Documentation sur les provinces voisines. Accueil sympa, très compétent et en bon anglais.

@ *Internet :* nombreux accès dans de petites boutiques et dans toutes les *guesthouses*. Prix avantageux par rapport à Ao Nang. Certaines proposent en sus des appels internationaux à prix réduit.

■ *Bangkok Bank* et *Siam Commercial Bank (plan I, B2, 1)* : Thanon Uttarakit. Change et *ATM*. Autant faire ici ou à Ao Nang le plein de bahts avant d'embarquer pour les plages, où les petits guichets de change offrent un taux moins intéressant.

■ *Police touristique* – ตำรวจท่องเทีียว : ☎ 11-55 ou 637-208.

■ *Krabi Hospital :* ☎ 631-769.

■ *Billets de bus, de bateau :* plein d'agences un peu partout. De plus, la plupart des *guesthouses* proposent excursions, billets de bus, location de motos et réservation de bateaux pour les îles voisines. Pratique et parfois moins cher, comparez.

■ *Location de motos et voitures :* nombreux loueurs à Krabi Town et Ao Nang. à partir de 200 Bts/j. (4 €) la moto et 1 000 Bts/j. (20 €) la voiture.

Où dormir ?

Bon marché (moins de 600 Bts – 12 €)

Les adresses suivantes, bien routardes, sont toutes doublées d'une agence de voyages (billets de bateau, bus...), téléphone, service d'e-mail... Prix à partir de 100 Bts (2 €) pour les chambres de base !

🛏️ *Chan-Cha-Lay* – ชานชาเลเกสท์เฮ้าส์ *(plan I, B2, 12)* : 55 Thanon Uttarakit, la rue principale. ☎ 620-952. ● *chanchalay-krabi.com* ● Une vingtaine de chambres propres avec ou sans salle de bains, ventilo ou AC, dans un petit immeuble moderne. Éviter celles sans salle de bains qui donnent sur le couloir : très sombres. Parfois, le bar qui donne sur les chambres du fond peut s'avérer un peu bruyant pour les sommeils légers... *Chan-Cha-Lay* veut dire « maison de mer », d'où la déco entièrement bleu et blanc. Propreté impeccable ! À l'heure de la sieste, dans le petit jardin, on pourra se demander si on n'a pas été téléporté sur une île grecque. Resto marin tout mignon avec tables décorées à la main.

🛏️ *Generation Travel* – เจเนอเรชั่น ทราเวล *(plan I, B2, 10)* : 53/1 Uttarakit Rd. ☎ 630-272. 📱 081-693-03-18. ● *generationkrabi@hotmail.com* ● 4 chambres à l'étage, propres, simples, blanches et avec ventilo. Prix basiques. Sanitaires nickel, sur le palier. Au rez-de-chaussée, agence de voyages. Accueil adorable.

🛏️ *Cha Guesthouse* – ชาเกสท์เฮ้าส์ *(plan I, B2, 11)* : 45 Uttarakit Rd. ☎ 611-

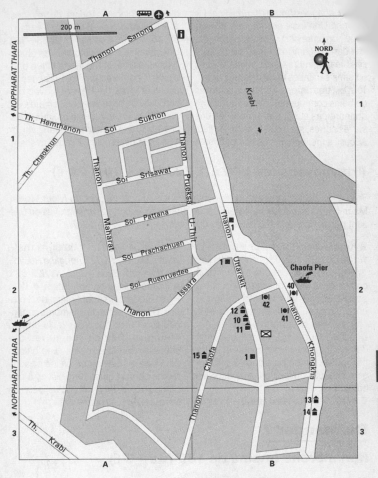

KRABI-VILLE (PLAN I)

KRABI

■ **Adresses utiles**

- ✈ Aéroport
- 🚌 Terminal des bus de Talat Kao
- ℹ TAT
- ✉ Poste
- 1 Banques

🏠 **Où dormir ?**

- 10 Generation Travel
- 11 Cha Guesthouse
- 12 Chan-Cha-Lay
- 13 Krabi River Hotel
- 14 Krabi City Seaview Hotel
- 15 P Guesthouse

🍽 **Où manger ?**

- 40 Night Market
- 41 Kotung
- 42 I-Oon Tour

● chaguesthouse@hotmail.com ● ...net. Une vraie guesthouse à l'asia...e : on entre par un joyeux bazar pour ...ir dans la gentille cour où sont disposées les chambres avec ventilos. Avec ou sans sanitaires et de diverses tailles. Tout est très propre, y compris les salles de bains communes. Très calme, car ne donnant pas sur la rue. Un peu les uns sur les autres, mais c'est l'esprit du lieu. Accueil super aimable des propriétaires

d'origine chinoise. Agence de voyages.

🏠 **P Guesthouse** – พี เกสท์เฮ้าส์ (plan I, B2, 15) : 34-36 Chaofa Rd. ☎ 630-382. Une adresse d'une vingtaine de chambres au calme à l'arrière de la rue principale. Chambres pas très grandes de couleurs vives (faut aimer !) avec balcon, salle de bains avec eau chaude, AC ou ventilo. En voir plusieurs, quelques-unes ont une fenêtre donnant sur un mur. Petit déj en plus. Accueil avenant.

Prix moyens (de 500 à 1 200 Bts – 10 à 24 €)

Voici deux belles adresses en bordure de rivière, au calme près du Night Market. Magnifique au coucher du soleil pour se promener le long des mangroves en passant par le marché de nuit et le parc de Thara.

🏠 **Krabi River Hotel** – โรงแรมแม่น้ำกระบี่ (plan I, B3, 13) : 73/1 Khongkha Rd. ☎ 612-321. ● krabiriver@hotmail. com ● Résa indispensable. Chambres spacieuses et tout confort dans cet hôtel pimpant, à prix sages. Les plus chères avec balcon face à la rivière. Douche chaude, AC, TV, minibar. Petit déj en plus. Accueil tout sourire et situation idéale. Un rapport qualité-prix largement plus convaincant que dans les hôtels des plages !

🏠 **Krabi City Seaview Hotel** – โรงแรม

กระบีซิตีศีวิววิวหรือโรงแรมเคียงทะเล (plan I, B3, 14) : 77/1 Khongkha Rd, voisin du Krabi River Hotel. ☎ 622-885. ● krabicityseaviewhotel.com ● Wifi. Hôtel moderne et fonctionnel de 3 étages. Une trentaine de chambres impeccables et bien décorées mais un peu étriquées. Pas de vue au rez-de-chaussée, préférez celles avec balcon côté rivière (réserver en pleine saison). Même confort qu'au Krabi River, à prix comparables. Petit déj (inclus) servi en terrasse. Accueil prévenant.

Où manger ?

Bon marché (moins de 150 Bts – 3 €)

|●| **Night Market** – ตลาดกลางคืน (marché de nuit, tlj après 18h ; plan I, B2, 40) : juste devant l'ancien débarcadère. Nourriture extra à prix mini. Une profusion de petits stands, tout aussi appétissants les uns que les autres : brochettes, nouilles sautées, soupes en tout genre et excellents gâteaux. Atmosphère authentique et bonnes rencontres, même s'il y a moins d'ambiance, faute d'activité dans le port.

|●| **Kotung** – ร้านอาหารโกตุง (plan I, B2, 41) : 36 Thanon Khongkha. Tlj sf dim 11h-21h. Face au Night Market. Prix très modiques. Un des restos cultes de

Krabi. Cuisine populaire servie dans un cadre simple et authentique. Carte longue comme le bras : tous les fried, les sweet and sour, les soupes... Poisson délicieusement préparé. On a un faible pour la mixed seafood et les nouilles sautées. Accueil souriant et familial, du grand-père à la petite-fille.

|●| Nombreux petits restos au coude-à-coude sur Thanon Chaofa, la petite rue qui descend vers le débarcadère. Tous possèdent une petite terrasse et une déco européanisante.

– On retiendra notamment le **I-Oon Tour** – ไออุ่น ทัวร์ (plan I, B2, 42) : prix

KRABI

imbattables. On peut y manger à peu près tout et n'importe quoi, du petit déj à la baguette garnie, du *burger* aux nouilles en passant par les fruits de m... À côté, le *Balcony Bar* est une vrai... copie de pub irlandais.

➤ *LES PLAGES*

À une vingtaine de kilomètres de Krabi Town, autour de la baie d'Ao Phra Nang, elles ont bien moins souffert du tsunami que leurs consœurs de Phuket et Phi Phi. Seules les installations situées à même la plage ont été endommagées. Le bord de mer a connu un développement anarchique. On ne peut pas dire que cette station séduise par son harmonie. Beaucoup d'hôtels, de boutiques, de gargotes et de commerces de toutes sortes en gâchent le paysage. Mais il suffit de leur tourner le dos et de porter son regard vers le large pour en mesurer la majesté.

D'est en ouest, depuis Krabi Town : *Ao Nam Mao,* le cap de *Laem Phra Nang* (ou *Railay*), flanqué des plages de *Sunrise, Phra Nang, Railay (ouest)* et *Tonsai, Ao Nang* (appelé Phranang sur certains panneaux, ne pas confondre), *Noppharat Thara* et *Klong Muang.* Autant savoir que les plages du cap (à l'exception de *Tonsai,* plus routarde) et d'*Ao Nang* se transforment en ghettos à touristes pendant la haute saison. La qualité générale de l'accueil et des prestations souffre alors du syndrome « phiphien ».

AO NANG BEACH

Longue plage de sable baignée d'une mer aux jolis tons verts, mais peu limpide à cause des remous. Fermée à chaque extrémité par des formations rocheuses impressionnantes où la mer a creusé des grottes. Face à la plage, au large, des pitons rocheux dressés vers le ciel contribuent à créer une atmosphère un peu fantastique.

Une grande route longe la plage, la séparant des très nombreux commerces aménagés le long de la promenade. L'ambiance un peu « Croisette » pourra plaire aux familles prévenues du caractère plus villégiature que traditionnel de l'endroit. En revanche, les routards en quête d'authenticité prendront la direction des plages voisines. La plupart des hébergements (assez chers) ne se situent pas en face de la mer mais vers l'est, sur la rue perpendiculaire venant de Krabi Town. Ce n'est pas notre coin préféré, d'autant que ça continue à bétonner allègrement. Toutefois, la concentration de services et la situation d'Ao Nang (facile de se rendre sur les autres plages) restent un atout.

➤ *Pour s'y rendre :* depuis le terminal des bus de Krabi (Talat Kao), *songthaews* ttes les 45 mn, de 6h à 17h. Nombreux taxis et *tuk-tuk.*

Adresses utiles

■ *Siam City Bank* et *Bank of Ayudhya :* sur la route qui vient de Krabi. Tlj 9h-20h. Change et distributeur. Également des bureaux de change sur le bord de mer.

■ *Pharmacies :* plusieurs le long de la promenade.

■ *Tourist Police :* petit kiosque à chaque extrémité de la plage. ☎ 11-55.

@ *Internet :* des centres un peu partout, et avec l'ADSL s'il vous plaît ! Plus cher qu'à Krabi Town.

■ *For Friends Travel and Tour* (plan I) : vers le milieu de la promenade. ☎ 695-526. ● forfriendstrv@hotmail.com ● Local tout petit, garder l'œil ouvert,

KRABI

pticien à côté est là pour ça ! Mme Da propose les mêmes excursions que ses voisins mais, en plus, elle parle le français. Accepte les cartes de paiement.

Où dormir ?

Les hébergements pas chers sont en voie d'extinction.

Plus chic (de 1 500 à 3 000 Bts – 30 à 60 €)

🏠 *Green Park Resort* – กรีนพาร์คบังก ะโล *(plan II, 15)* : à env 200 m de la plage, direction Krabi, par une allée qui grimpe sur la gauche. ☎ 637-300. 📱084-052-23-63. Bungalows tout neufs en dur avec AC et au calme, dans un jardin sauvage en retrait de la route. Très bien tenu par une famille musulmane. Petite terrasse. Le genre d'endroit que l'on ne s'attend pas à trouver à Ao Nang ! Accueil et ambiance relax.

🏠 ▮●▮ *Andaman Sunset Resort* – อั นดามัน ซันเซท รีสอร์ท et *Wanna's*

Place – วรรณาเพลสบังกะโล *(plan II, 16)* : sur le front de plage, à l'ouest. ☎ 637-484. ● wannasplace.com ● Bon rapport qualité-prix dans sa catégorie. Internet et wifi. Des bungalows au vert, impeccables, légèrement étagés à flanc de coteau, tenus par un couple helvetico-thaï. Ventilo ou AC et eau chaude. Les chambres qui donnent sur la route sont les plus chères (because vue sur mer !) mais pas les plus charmantes. Déco sans surprise. Grande piscine bien proprette. Resto sympa. Laverie.

Beaucoup plus chic (plus de 3 000 Bts – 60 €)

🏠 *Somkiet Buri Resort & Spa* – สมเกี ยรติ บุรี รีสอร์ทและสปา *(plan II, 30)* : à env 300 m de la plage, au bout d'une allée de bambous en face du McDo. ☎ 637-321. ● somkietburi.com ● Une bonne vingtaine de bungalows de brique et de bois noyés dans une nature luxuriante, tous avec balcon ou terrasse. S'est dernièrement agrandi d'une bâtisse proposant une vingtaine de chambres en plus, tout confort. Déco soignée dans le style traditionnel. Passerelles de bois qui mènent à une piscine comme un lagon intérieur. Spa à la balinaise, sauna. Resto au prix doux. Beaucoup de charme et un prix pas trop excessif pour le cadre et la qualité.

🏠 *Peace Laguna Resort* – พีซ ลากูน่า รีสอร์ท *(plan II, 17)* : même rue que les adresses bon marché mais 50 m au-

delà et côté opposé, derrière un rond-point. ☎ 637-344. ● peacelagunaresort. com ● Les magnifiques bungalows luxueux, dont le prix peut aller jusqu'à 9 000 Bts (180 €) en « peak season », sont disposés autour d'une petite lagune artificielle (moustiques !), avec en arrière-plan un massif rocheux assez impressionnant, et rappellent vaguement des coquillages stylisés. Équipements très modernes et rutilant de netteté, tous avec terrasse ou balcon. Dans les plus beaux, en plus d'un Jacuzzi, vous disposez d'une douche à ciel ouvert. Des chambres moins chères dans un long bâtiment tout blanc. 3 piscines et resto de cuisine internationale. Accueil à la fois pro et souriant. Piscine avec hippocampes.

Où manger ? Où boire un verre ?

À l'extrémité droite de la plage (quand on regarde la mer), là où la route fait un angle droit. S'engager sous les tonnelles pour déboucher sur une poignée de restos à

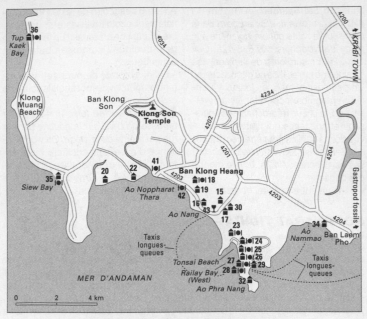

LA BAIE D'AO PHRA NANG (PLAN II)

🏠 **Où dormir ?**

15 Green Park Resort
16 Andaman Sunset Resort et Wanna's Place
17 Peace Laguna Resort
18 Laughing Gecko et Cashew Nut
19 Blue Bayou
20 P.A.N. Beach Bungalows
22 The Emerald Bungalow Resort
23 Viking Village 2
24 Banyan Tree Beach Resort
25 Dream Valley Resort
26 Railay Village Resort
27 Sand Sea Resort
28 Railay Bay Resort and Spa
29 Ya Ya Resort
30 Somkiet Buri Resort & Spa
32 Rayavadee Premier
34 Dawn of Happiness Beach Resort

35 Pine Bungalows
36 Tup Kaek Sunset Beach Resort

🍴🍷 **Où manger ? Où boire un verre ?**

18 Laughing Gecko et Cashew Nut
23 Viking Village 2
24 Banyan Tree Beach Resort
25 Dream Valley Resort
26 Railay Village Resort
27 Sand Sea Resort
28 Railay Bay Resort and Spa
35 Pine Bungalows
36 Tup Kaek Sunset Beach Resort
41 Krua Thara
42 Wang Sai Seafood
43 Dragon Coffee

KRABI

touche-touche. Ouverts seulement le soir. Leurs terrasses, les plus romantiques de la station, surplombent directement la plage. Le poisson et les crustacés y ont droit de cité. Frais et pas trop chers (prix au poids) : compter environ 250 Bts (5 €) pour un beau poisson avec accompagnement. On n'y va pas pour de la grande cuisine mais pour le cadre. Ils se valent globalement tous. Le problème sera de trouver de la place.

IOI **Wang Sai Seafood** – สวนอาหารวั งทรายซีฟู๊ด *(plan II, 42) : au bord de la plage sur la route côtière qui mène à la plage de Noppharat.* ☎ 638-128. Ouv 10h-22h. En surplomb de la plage, des dizaines de tables face au piton rocheux. Un peu l'usine, mais les locaux y viennent en nombre pour fêter les anniversaires. Fraîcheur irréprochable des poissons et crustacés qui n'attendent que vos doigts habiles pour être démantibulés. Service un peu rock'n'roll en chemises hawaïennes. À 22h, tout le monde plie bagage.

– Dans un autre registre, on trouvera à Ao Nang beaucoup de restos thaïs parfaitement occidentalisés et... un nombre effarant de pizzerias ! En fouinant un peu, quelques stands ambulants et bouis-bouis.

– Enfin, pas mal de pubs retransmettant les matchs de foot anglais sous des cascades de bière.

🍸 **Dragon Coffee** *(plan II, 43) : petite terrasse de bois, sur la gauche dans la rue qui monte de la plage.* On y confectionne d'excellents cocktails mais surtout d'onctueux *smoothies* et *fruitshakes.* Essayez le *Dragon beauty* à la fraise. Une splendeur !

NOPPHARAT THARA – หาดนพรัตน์ธารา

Cette très longue plage, coupée en deux parties par l'embouchure d'une rivière, est placée sous la protection des parcs nationaux. Depuis Ao Nang, suivre la route côtière vers l'est sur 4 km pour atteindre East Noppharat. Plage populaire sur laquelle les Thaïs aiment venir pique-niquer. Un peu sale parfois mais acceptable pour tous ceux qui aiment les coins authentiques. De l'autre côté de l'embouchure, West Noppharat est accessible par bateau – 5 mn de traversée (bon marché mais à négocier). Continuer jusqu'à l'extrémité de la route pour trouver l'embarcadère. Ceux qui recherchent la tranquillité totale, le sable clair et l'ombre des pins et cocotiers iront là. Attention, les adresses de cette plage ont tendance à fermer au plus fort de la basse saison ; appeler avant. Quelques bars apparus au nord de la plage perturbent à peine cette quiétude...

Où dormir ? Où manger ?

Pour manger, nombreuses cantines autour du parking, avant le Q.G. du parc. En outre, chaque établissement possède son petit resto.

East Noppharat

Nos deux premières adresses se trouvent à 150 m en retrait de la plage. Accès par la même route, repérer le panneau *Thai Boxing*. Elles conviendront, dans des registres différents, à ceux qui cherchent à se loger à petits prix.

De très bon marché à prix moyens (moins de 800 Bts – 16 €)

🛏 IOI **Laughing Gecko** *(plan II, 18) :* ☎ 661-152. 📱 081-270-50-28. ● laughing gecko99@hotmail.com ● *Choix entre un grand dortoir (200 Bts/pers, soit 4 €) et des chambres très bon marché, avec* sdb communes ou privées, dont des bungalows pour familles. Architecture traditionnelle, bambou tressé, toit de paille et sols de brique. Très rudimentaire, mais c'est voulu. Pas très propre non plus. Ambiance communautaire dans le restaurant-paillote où, pratiquement chaque soir, hôtes et voyageurs se fendent d'un petit « bœuf » acoustique tandis que les bons repas sont pris en commun sous forme de buffet. Tenu par Nui, un Thaï – excellent guitariste – marié à une chaleureuse Canadienne d'origine italienne.

De prix moyens à un peu plus chic (de 700 à 1 500 Bts – 14 à 30 €)

🏠 |●| *Cashew Nut* – คัสชิว นัท *(plan II, 18)* : voisin du Laughing Gecko. ☎ 637-560. 📱 *081-081-80-95.* Tenu par une famille musulmane accueillante. Bungalows au toit de tôle équipés de ventilos ou AC, meublés simplement, carrelés et propres. Certains sont de belle capacité. Ils sont disséminés au calme dans un jardin où poussent des anacardiers (arbres à cajou). La proprio vous en dira plus sur cette drôle de noix qui a décidé de pousser en dehors de son fruit. Les fruits de l'espèce verte peuvent se manger accompagnés de sucre et d'épices. Quant aux noix, la maison les grille artisanalement, vous en goûterez sûrement. Resto tout simple. Table de ping-pong.

🏠 *Blue Bayou* – บลู เบย *(plan II, 19)* : *en bord de route, face à la plage.* ☎ 637-558. *Internet.* Bungalows assez banals mais propres, avec salle de bains, ventilo ou AC, le tout dans un cadre plaisant et assez calme. Conviendra aux séjours longue durée à budget réduit. Bon accueil. Fait agence de voyages et resto-bar mais pas de petit déj.

|●| *Krua Thara* – ครัวธารา *(plan II, 41)* : *au milieu d'une ribambelle de cantines à l'entrée du parc, une adresse recommandée par les flics du coin (oui, oui !). Ouv 11h-21h.* Grand hangar de tôle, lustres en coquillages et photos du tsunami de 2004 au mur. Les Thaïs y viennent en famille se régaler d'une cuisine des produits de la mer toute fraîche. Carte longue comme le bras. Spécialité des *Venus clams,* un régal ! Prix très abordables

West Noppharat

Appeler au préalable l'adresse de votre choix, ils enverront un bateau. Sinon compter 60 Bts (1,20 €) pour traverser en *long-tail.* Passé l'*Andaman Inn* (le premier de la plage, pas terrible !), on trouve quelques adresses modestes et bien isolées. On peut aussi éventuellement les rejoindre en voiture, par l'arrière en prenant une mauvaise piste perpendiculaire à la route qui mène à Siew Bay. Attention, pas vraiment facile à trouver, tourner à gauche à la hauteur d'un panneau marqué « *private beach resort* » et prendre une petite route avant d'arriver au *Sheraton.*

De bon marché à prix moyens (de 500 à 1 000 Bts – 10 à 20 €)

🏠 *P.A.N. Beach Bungalows* – พีเอเอ็น บีช บังกาโล *(plan II, 20)* : *presque au bout de la plage.* 📱 *089-866-43-73.* ● *pan beachkrabi.com* ● Petite adresse familiale comme on les adore : une petite vingtaine de bungalows très bien tenus, modestes mais tout de même avec moustiquaire (indispensable ici !), douche froide et ventilo. Accueil adorable ; petit resto-bar. Idéal pour profiter de cette plage splendide sans être dérangé ! 2 bateaux disponibles pour une partie de *snorkelling.*

Beaucoup plus chic (de 1 500 à 3 000 Bts – 30 à 60 €)

🏠 *The Emerald Bungalow Resort* – ı คอะเอมเมอรอลด์ บังกะโลรีสอร์ท *(plan II, 22)* : un peu plus loin que l'Andaman. 📠 *081-956-25-66.* ● *der-workshop.de/ emerald/emeraldhomepage.html* ● Un ensemble de bungalows en dur avec terrasses, bien espacés autour d'une grande pelouse soignée plantée de hauts pins et de cocotiers, tous avec vue sur mer sauf la rangée des bungalows les plus simples en arrière. Jolis dans leur robe colorée, meublés un peu de bric et de broc mais impeccables. Ventilo et eau froide ou AC (sur demande) et eau chaude. S'est agrandi de quelques superbes bungalows spacieux tout confort. Accueil pro et chaleureux. Bar et resto.

PLUS À L'OUEST : LES PLAGES AUX ALENTOURS DE BAN KLONG MUANG

À 25 km de Krabi Town. Emprunter d'abord la route n° 4034, puis obliquer à gauche en direction de Ban Klong Muang. Depuis Ao Nang et Ao Noppharat, possibilité de passer par de petites routes. Dans tous les cas, suivre les panneaux indiquant *Klong Muang, Tup Kaek Beach* ou *Sheraton Krabi Resort.* Au-delà du village s'étend une longue bande côtière orientée plein ouest, tour à tour sablonneuse et rocailleuse.

Où dormir ? Où manger ?

De bon marché à prix moyens (de 500 à 1 500 Bts – 10 à 30 €)

🏠 |●| *Pine Bungalows* – ไพน์บังกะโล *(plan II, 35)* : partie sud de la plage. ☎ 644-332. 📠 089-587-53-67. Avt d'arriver à Klong Muang, prendre à gauche à la fourche et poursuivre à droite sur 1,5 km. Panneau un peu caché par la végétation. De tte façon, vous ne pourrez pas aller plus loin, il y a une résidence royale d'été au bout du cul-de-sac et elle est bien gardée ! C'est le seul hébergement de cette plage. Au milieu des poules, une grosse trentaine de bungalows en dur aux sols et terrasses carrelés, avec salle de bains, disséminés dans un vaste parc fleuri. Les plus chers donnent sur la plage. Resto délicieux et bon marché. Atmosphère vraiment reposante, hamacs bercés par le gazouillis des oiseaux, bord de mer encore bien sauvage, avec un village de pêcheurs à proximité. Le patron, Sompong, est un joyeux luron. Il peut venir vous chercher gratos à la gare routière de Krabi. Location de kayaks, vélos et motos. Petit déj en plus. Motos et canoës à louer. Paiement en cash exigé. Le genre d'adresse où l'on a envie de s'éterniser !

Beaucoup plus chic (plus de 3 000 Bts – 60 €)

🏠 |●| *Tup Kaek Sunset Beach Resort* – ทับแขก ซันเซท บีชรีสอร์ท *(plan II, 36)* : à l'extrémité nord, peu avt l'entrée d'un parc national, on passe d'abord par un décor de cimenteries et de dépôts de minerai d'étain prêts à être embarqué sur les minéraliers. ☎ 628-600. ● *tup kaeksunset.com* ● Complexe isolé et cher ; moitié prix en basse saison. Internet. Sorte de village vacances à l'atmosphère bien tranquille, loin du tumulte. Dans un immense jardin soi-

KRABI

gné planté de pins où les grillons font un raffut d'enfer en bordure de la plus belle plage du coin. Prix selon la situation, bord de mer, vue sur mer ou sur jardin. Couchers de soleil magnifiques. Chalets tout confort (AC, eau chaude, frigo, TV) à la déco élégante. Le petit déj est inclus, mais que les prix sont exagérés ! Grand calme, pas trop de monde, accueil spontané et très souriant. Piscine. Diverses activités.

LE CAP DE LAEM PHRA NANG (RAILAY) – TONSAI BEACH, WEST RAILAY, SUNRISE (EAST RAILAY) ET AO PHRA NANG

En haute saison, ces plages sont littéralement surpeuplées et troublées par les navettes incessantes des bateaux-taxis qui débarquent une foule de baigneurs. Il est alors difficile de trouver un hébergement. Essayer de visiter le coin en dehors du pic d'affluence, du 15 décembre au 15 janvier.

Atmosphère australo-balinaise comme à Ko Phi Phi ; la plongée en moins, l'escalade en plus. Un drôle de mélange rassemblant des routards parfois déçus et des touristes classe moyenne cherchant le chic à pas trop cher.

Démarrons la visite par l'ouest. La baie de *Tonsai,* moins fréquentée que les autres, est le dernier refuge des petits budgets. Elle vibre au son du reggae, c'est le repaire des grimpeurs, et l'ambiance y est résolument jeune. Séparée de *Tonsai* par un petit cap, **West Railay** est une superbe anse en demi-lune, ourlée d'une large bande de sable blond de plus de 1 km et encadrée de très belles falaises et de pitons couverts de végétation. La baignade y est moins sereine par la présence des envahissants *long-tail boats.* Adossée sur l'autre versant du cap, **Sunrise** (ou *East Railay,* comme la désignent les promoteurs afin d'en relever un peu le cachet) se révèle vaseuse, bordée de mangrove et donc pas baignable du tout. Beaucoup moins de monde, ce qui peut être intéressant pour s'isoler un peu. Les hébergements y sont un peu les uns sur les autres.

Enfin, **Ao Phra Nang,** posée sur le cap comme une cerise sur un gâteau, rassemble magiquement sables langoureux et palmiers poussant au pied de falaises abruptes. Pas d'hébergement ici, à part l'inabordable et luxueux *Rayadevee Premier* – ระยาวดี เพอร์มิเยร์, et quelques restos-cafés de plage.

Comment y aller ? Comment s'y déplacer ?

➤ **En bateau :** depuis Ao Nang à l'ouest, Nammao à l'est ou encore du vieux port de Chaofa (Krabi Town). Pas très cher. Entre les différentes plages, on aura le choix entre d'autres *taxi-boats,* des sentiers, voire un peu de « pataugeage » quand la marée le permet.

– **La marche** peut être facile (entre West Railay, Sunrise et Ao Phra Nang, pointe de la presqu'île). De Tonsai, prévoir un peu de grimpette pour rejoindre Railay ou Sunrise.

– Les prix des *taxi-boats* sont fixes et affichés à la cabane où sont vendus les billets.

Tonsai Beach – หาดต้นไทร

Cette mignonne petite plage est relativement au calme car peu de *long-tail boats* s'y arrêtent. Vous serez un peu isolé, même si Ao Nang n'est qu'à 10 mn en bateau et Railey à 15-20 mn à pied à travers la jungle, mais vous trouverez tous les services essentiels (agence de voyages, Internet, téléphone, change). Hébergements routards assez basiques. Des générateurs fournissent l'électricité, souvent coupée après minuit.

> **MIAM ! MIAM !**
>
> *On signale aux arachnophiles que les grosses araignées terrestres sont comestibles en Thaïlande comme au Cambodge. On les trouve cuites, frites et pimentées sur les marchés. Dans les petits villages, les gens ne font pas tant de chichis : ils se contentent de leur enlever leurs crochets à venin avant de les déguster vivantes. Ça vous tente ?*

Où dormir ?
Où manger ?

Assez bon marché (moins de 700 Bts – 14 €)

🛖 |●| *Viking Village 2* – ไวกิ้งวิลเลจฆ์บัวกะโล 2 *(plan II, 23) : à l'extrémité ouest de la plage.* 📱 *086-693-03-42. Tenue moyenne, mais prix acceptables. Internet.* Une quinzaine de huttes très rudimentaires, un peu de traviole, réparties sur 2 rangées perpendiculaires à la mer. Eau froide avec ou sans sanitaires, ventilos. Petit resto (cuisine honnête). Location de kayaks, masques et tubas, club d'escalade et agence de voyages. Accueil désinvolte.

Les deux adresses suivantes sont en retrait de la plage, dans la jungle.

🛖 |●| *Banyan Tree Beach Resort* – บันยัน ทรี บีชรีสอร์ท *(plan II, 24) :* 📱 *089-470-85-32.* Choix entre 3 types de constructions de bambou (les moins chères) et de style rustique dont la taille, le confort et l'ameublement vont en grandissant. Toutes disposent de salle de bains et sont ventilées. Les moins chères demeurent acceptables, tandis que les plus luxueuses sont de chouettes chalets. Grand resto et paillotes de bric et de broc pour se reposer. Pas de vue sur mer. Écoles de batik et d'escalade (sans rapport l'une avec l'autre). Bonne adresse toutefois.

Plus chic (de 1 000 à 4 000 Bts – 20 à 80 €)

🛖 |●| *Dream Valley Resort* – ดรีมวาเล่ย์รีสอร์ท *(plan II, 25) :* ☎ *660-72-78.* 📱 *089-589-22-30.* ● *dreamvalleyresort krabi.com* ● *Ouv tte l'année. Internet.* Pour ceux qui veulent un peu plus de confort, voici 80 bungalows bien tenus construits en bois et bambou (ventilos) ou en dur (AC). Épicerie, massages. Grand resto en plein air. Arbres et verdure un peu clairsemée. Bon rapport prix-qualité.

West Railay Beach – หาดไร่เลย์ค้านตะวันตก

Pas d'hébergement bon marché. Les bungalows d'autrefois ont été « liftés » et parfois pompeusement surclassés dans la catégorie *resort*. Supermarchés, agences de voyages, distributeur et accès Internet sur l'étroite bande de terre partagée avec Sunrise Beach *(ou East Railay)*. Ce n'est pas ici qu'il faut venir chercher le calme.

KRABI

D'un peu à beaucoup plus chic (de 1 000 à plus de 4 000 Bts – 20 à 80 €)

🛏 ❙●❙ *Sand Sea Resort* – แซนด์ซีรีสอร์ท *(plan II, 27)* : ☎ 622-574. ● krabisandsea. com ● et *Railay Bay Resort and Spa* – ไร่เลเบย์รีสอร์ทแอนด์สปาบังกะโล *(plan II, 28)* : ☎ 622-57-02. ● krabi-railaybay.com ● Situés à proximité l'un de l'autre. Au milieu de jardins fleuris, ils proposent des bungalows aux toits rouges (avec AC et eau chaude) à prix variable en fonction du confort et de la situation. Intérieurs à la déco classique.

Piscine. Restos servant une nourriture standardisée.

🛏 ❙●❙ *Railay Village Resort & Spa* – ไร่เลวิลเลจรีสอร์ท *(plan II, 26)* : ☎ 622-580. ● railayvillagekrabi.com ● Compter 4 000-10 500 Bts (80-210 €) selon saison, petit déj inclus. Récemment rénové, il est devenu plus luxueux et plus cher que ses voisins. Cottages de luxe, spa... le rêve !

Sunrise Beach (East Railay) – หาดซันไรส์ (ไร่เลย์ค้านตะวันออก)

Ambiance beaucoup plus cool qu'à West Railey, pourtant à seulement 5 mn de marche. Les hébergements se sont améliorés. La poésie du décor de Sunrise Beach, avec ses mangroves, sa jolie baie et ses pitons rocheux constellés de varappeurs, ne pourra vous laisser de marbre. Dommage que le peu de plage ne soit pas nettoyé et que les décharges d'ordures à ciel ouvert s'accumulent à l'arrière. En retrait de la plage, à 5 mn de marche (suivez le panneau *Rock Bar*), grottes à visiter et école d'escalade au pied de rochers impressionnants.

De prix moyens à plus chic (de 500 à 1 500 Bts – 10 à 30 €)

🛏 *Ya Ya Resort* – ญ แญารีสอร์ท*(plan II, 29)* : au centre de la plage. ☎ 622-593. ● yayaresortrailay.com ● Internet. Ensemble de constructions étranges de 3 étages tout en bois. Une sorte de HLM tropical avec balcons. Comme dans un pigeonnier, les chambres du haut offrent plus d'air que celles du bas, qui sont plus

sombres... Les chambres de gauche, anciennes, sont ventilées et à prix moyens. Celles de droite sont neuves, plus confortables (AC, frigo, TV) et à prix « Plus chic ». Assez bruyant le soir ; resto avec film sur écran géant et cabine pour appels internationaux. Accueil borné. Pas un coup de cœur, c'est certain.

Ao Phra Nang

Spécial coup de folie

🛏 *Rayavadee Premier* – ระยาวดีเพอร์มิเยร์ *(plan II, 32)* : au sud de la péninsule. Accès par la plage de Sunrise. ☎ 620-740. ● rayavadee.com ● Compter 17 000-74 000 Bts (340-1 480 €) en basse saison ; 27 000-115 000 Bts (540-2 300 €) en hte saison. Réduc sur Internet. L'un des complexes

les plus luxueux du pays. Prise en charge depuis l'aéroport. Spa, tennis, kayak, plongée, magnifique piscine, boutique, resto... On ne vous parlera pas des pavillons et villas disséminés dans la nature, car la direction ne nous a même pas laissés les visiter, mais leur site internet permet de se faire une idée.

À faire

De nombreuses agences proposent de partir à l'assaut des très nombreuses falaises environnantes. Mais attention où vous mettez les pieds ! Toutes ces petites écoles « super cool » ne sont pas compétentes. Il est impératif de bien se renseigner auprès des autres grimpeurs. *Wee's Climbing School,* ● geocities.com/wee_rocks ● située sur Tonsai, en face de *Banyan Tree,* bénéficie d'une très bonne réputation. Cours tous niveaux, même débutant. Pas d'escalade à la saison des pluies, bien sûr !

> **AU BONHEUR DES GRIMPEURS**
>
> *Pour ceux qui aiment, Krabi est la Mecque de l'escalade* (rock climbing), *« courue » par les plus grands rois de la varappe. Ses falaises en calcaire sont sculptées de reliefs complexes – colonnettes, stalactiques géantes, dalles bosselées et creusées, dévers à grosses prises – et se prêtent à une escalade variée, souvent athlétique. Et bien sûr, le plus, ici, c'est la géologie karstique conjuguée à la grande bleue : ah, le charme d'une ascension aérienne, en surplomb de la mer...*

– On peut se procurer sur place un topoguide sur les voies équipées dans le coin (*Climbing guidebook to Thailand,* pour 27 €).
À titre indicatif, prévoir 1 500 Bts (30 €) la journée. Il existe aussi des forfaits intéressants incluant l'hébergement et les repas sur plusieurs jours.

PLUS À L'EST : AO NAMMAO – อ่าวน้ำเมา

Pas loin du cap de Laem Phra Nang. Pas très fréquentée, certainement parce qu'elle ne présente qu'une étroite bande de sable bordée de cocotiers, et beaucoup de vase à marée basse. On l'a quand même bien appréciée pour son authenticité. Rappelons que des *taxi-boats* desservent Sunrise Beach, Phra Nang et Railay depuis Ao Nammao *(compter 60 Bts/pers soit 1,20 €).* également *long-tails* dans la journée *(100 Bts/pers soit 2 €)* à partir de 6h30 et jusqu'à 23h. Tous les prix sont affichés sous le porche à l'embarcadère ou au petit guichet sur la droite.
➢ Pour rejoindre cette plage par la route depuis Krabi (une vingtaine de km) ou Ao Nang (7 km), suivez le fléchage « Shell Fossil Beach » ou « Gastropod Fossils ». Il s'agit d'un site où l'on a retrouvé de petits fossiles. Le misérable *Visitor Center,* bâti pour l'occasion, fait peine à voir. En revanche, panorama bucolique. Une sortie pique-nique appréciée des locaux.

Où dormir ?

De prix moyens à plus chic (de 500 à 1 500 Bts – 10 à 30 €)

🏠 *Dawn of Happiness Beach Resort* – คอว์นออฟแฮปปิเนส บีชรีสอร์ท *(plan II, 34) :* depuis Nammao, continuer vers l'est (la gauche) sur 1 km. ☎ 695-157 (à Ao Nang). 📱 081-081-11-68. ● dawn-of-happiness@hotmail.com ● Une quinzaine de charmants petits bungalows avec salle de bains (eau froide) tout en bois et bambou vernissés. Dans un jardin luxuriant, multicolore et ombragé, où on accède par des passerelles. Tarifs variables en fonction de la proximité de la plage et de l'équipement (ventilo ou clim'). Nickel et déco plaisante. Accueil familial et souriant des gérants thaïs. Petit resto. Une adresse royale à prix tout doux, bénéficiant d'une plage quasiment privée : vous ne regretterez pas le déplacement !

☎ On nous a aussi dit beaucoup de bien d'*Arawan Krabi Beach Resort*. ☎ 638-109. 📱 089-477-41-60 et 089-588-34-72. Tout rénové, grand resto panoramique.

➤ À VOIR AUTOUR DE KRABI-VILLE

🍴 Toute la côte est creusée de nombreuses *grottes* – เช่าเรือไปชมถ้ำ, qu'il est possible d'aller explorer en louant un *taxi-boat,* face à l'hôtel *Phra Nang Inn* notamment (au coin du virage bord de mer) ; ou en s'adressant à n'importe quelle agence d'Ao Nang (voir « Adresses utiles »). *Prix affichés à l'embarcadère : compter 1 200 Bts (24 €) la demi-journée et 1 800 Bts (36 €) la journée complète.*

– Au menu, expéditions en canoë et découverte de la nature. Les îlots au large sont entourés de coraux. Possibilité d'y passer une matinée extra avec masque et tuba... *Poda Island* et *Chicken Island* sont parmi les plus ravissants.

🍴 *Wat Tham Sua* – วัดถ้ำเสือ *(hors plan II) : à l'intérieur des terres. De Krabi Town, prendre la direction de Talat Kao (5 km), puis la direction de Trang sur 2 km. Au panneau bleu indiquant le* wat, *prendre à gauche et se laisser guider.* Tenue décente de rigueur. Le « temple de la grotte du Tigre » est tapi au fond d'une vallée entourée de falaises karstiques, dans une forêt tropicale superbe. Plusieurs temples annexes sont en construction tout autour. Le temple principal (structure de béton devant la grotte) abrite de nombreuses statues de Bouddha et des photos de grands moines. Voir sur la droite le moine de cire dans sa vitrine, d'un exceptionnel réalisme, tout comme les nombreuses photos anatomiques et les squelettes destinés à rappeler la fragilité de la vie... À l'arrière, deux escaliers très raides gravissent la falaise. Le plus exigeant (plus de 1 000 marches) débouche sur un point de vue magnifique, tandis que l'autre décrit une boucle plus facile en passant par une combe où des dizaines de grottes naturelles, plus ou moins décorées, servent de cellules de méditation.

KO LANTA – เกาะลันตา

L'île principale, *Lanta Yai,* n'est pas aussi spectaculaire que Ko Phi Phi et ne dispose pas d'autant d'infrastructures et de services que Phuket ou Krabi. En revanche, encore assez paisible et bien nature, Ko Lanta est une destination vraiment plaisante convenant à tous les budgets.

Beaucoup sont tombés amoureux de cette longue bande de terre de 26 km de long sur 3 km de large en moyenne. Son épine dorsale, escarpée, est en partie couverte de forêt primaire.

Toutes les plages de l'île ont un peu souffert du tsunami, mais seule la pointe nord-ouest, *Kaw Kwang,* a été dévastée. Ailleurs, une vague d'une hauteur de 3 à

> **FAITES VOS JEUX !**
>
> *En France, le nom de Ko Lanta évoque le jeu télévisé de TF1, mais il fut en réalité tourné dans un îlot voisin, Ko Rok, à 1h de speed-boat. Plus sérieusement, il s'agit d'un archipel de quinze îles au sud de Krabi, dont une partie a été classée parc national en 1990 (les plongeurs vont être ravis).*

5 m a abîmé les installations les plus exposées, entraînant surtout des dégâts matériels.

Ban Saladan est le centre névralgique de Lanta Yai. C'est la première étape sur l'île, que l'on vienne du continent par bac ou de Krabi, Ko Phi Phi ou Phuket par bateau. Sur la côte est, où il n'y a pas de vraie plage, *Lanta Town* est une modeste capitale administrative endormie.

Tous les complexes de bungalows se situent sur la côte ouest. Les adresses ouvertes en basse saison, de mai à octobre, offrent jusqu'à 50 % de remise.

Ko Lanta est peuplée à presque 99 % de musulmans. Sorti des plages (où le monokini devrait se pratiquer discrètement), penser au T-shirt et au sarong pour ne pas choquer les habitants. Celui qui ne se couche pas avec le soleil trouvera des bars-restaurants animés sur la plage et quelques boîtes le long de la route. Et même si Ko Lanta n'est pas le spot le plus chaud des nuits du Sud, les *Full Moon Parties* de Khlong Nin Beach valent le coup.

Lanta Festival se déroule une fois par an et pendant 3 jours à Lanta Town, courant mars. Artisanat, spectacles et musique (dont celle des gitans de la mer).

Pendant la journée, il y a suffisamment de possibilités d'excursions sur et autour de l'île pour meubler agréablement de longues tranches de farniente.

Arriver – Quitter

En bateau

Les liaisons maritimes n'opèrent que de début novembre à fin avril.

➤ *Krabi :* en saison, 2 bateaux/j. Depuis Krabi (Jilad Pier), départs à 10h et 14h30. Depuis Ban Saladan, à 8h et 13h. À peine 2h de trajet, plus rapide que par la route. Compter 350-400 Bts (7-8 €). Également 1 bateau/j. le matin entre Ao Nang et Lanta (2h15 de trajet et 490 Bts, soit 9,80 €), transfert hôtel sur Ao Nang compris.

➤ *Phuket :* départ ferry de Rassada Pier le mat 8h30, arrivée Tonsai Pier Ko Phi Phi 10h-10h30, changement obligatoire à Ko Phi Phi, 11h30 départ bateau *Petpailin,* arrivée Ban Saladan Pier 12h45. En sens inverse, le bateau *Petpailin* assure une liaison Ko Lanta-Phi Phi à 8h au départ de Ban Saladan, avec correspondance assurée à Tonsai avec le ferry *Jet Cruise*. On arrive ainsi à Port Rassada (Phuket) vers 11h. Compter 950-1 100 Bts (19-22 €) pour l'ensemble du trajet.

■ **Adresses utiles**

    ✉ Poste et téléphone
    2 Siam City Bank et Siam
       Commercial Bank
    3 Ko Lanta Hospital

🛏 **Où dormir ?**

    10 Time for Lime Resort
    11 Golden Bay Cottage
    12 Lanta Villa
    13 Andaman Sun Flower Resort
    14 Sanctuary
    15 Moonlight Bay Resort
    16 Relax Bay
    17 Where Else
    18 Lanta River Sand Resort
    19 Baan Phu Lae
    20 Dream Team Resort
    21 Anda Lanta Resort

🍴 **Où manger ?**

    10 Time for Lime Resort
    11 Golden Bay Cottage
    15 Moonlight Bay Resort
    30 Catfish et Seaview
    31 Gong Grit Restaurant
    32 Faim de Loup
    33 Wee's Pizzeria et Funky Fish
    34 Kroua Lanta Yai
    35 Hill Viewpoint Restaurant
    36 Restaurants panoramiques
    37 Same, same but different

🍷 ♪ **Où boire un verre ?**
Où sortir ?

    33 Wee's Pizzeria et Funky Fish
    40 Opium
    42 Bars de Khlong Nin Beach

PLANS ET CARTES
EN COULEURS

SOMMAIRE

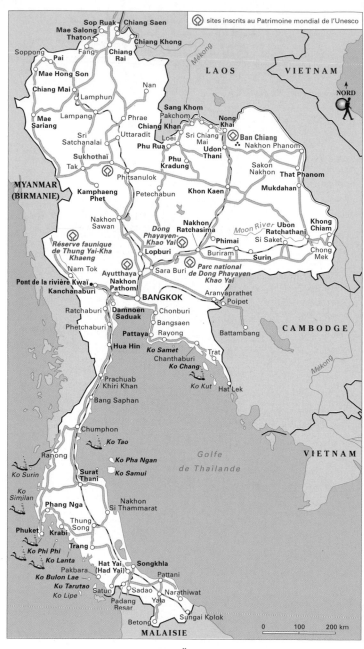

BANGKOK – REPORTS DES PLANS

BANGKOK – PLAN I

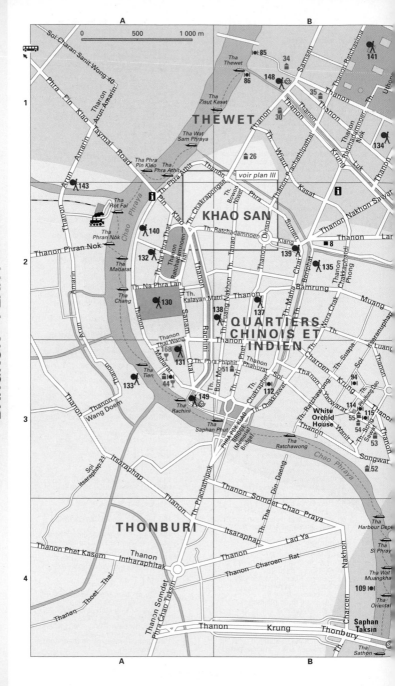

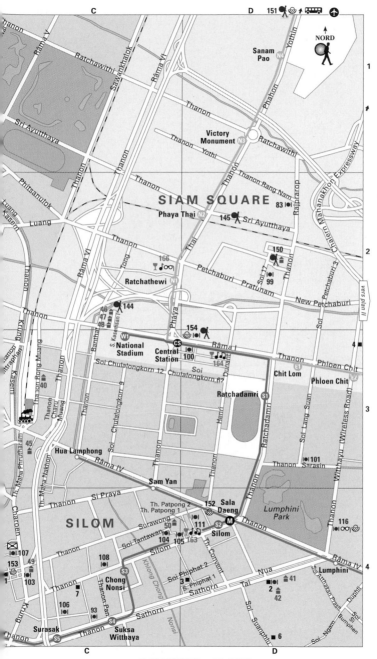

BANGKOK – PLAN I

BANGKOK – PLAN II

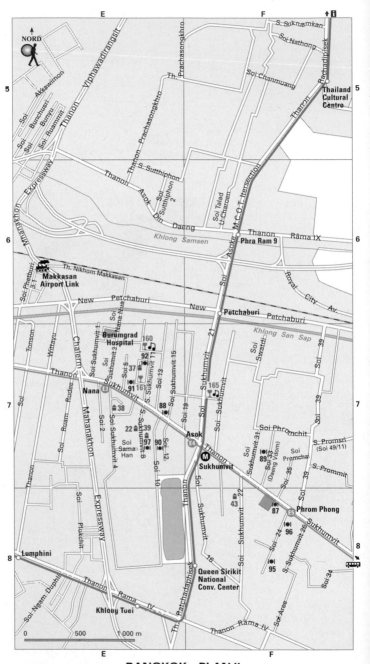

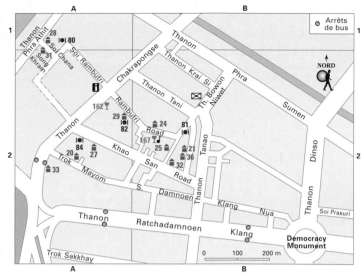

BANGKOK – PLAN III

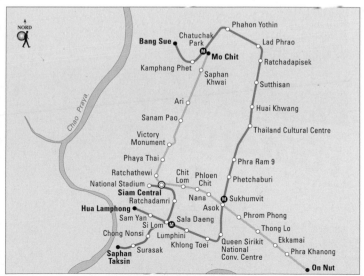

LE MÉTRO DE BANGKOK

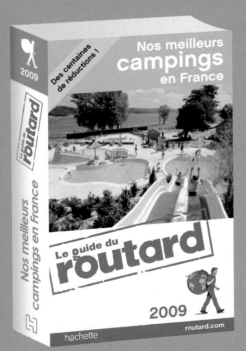

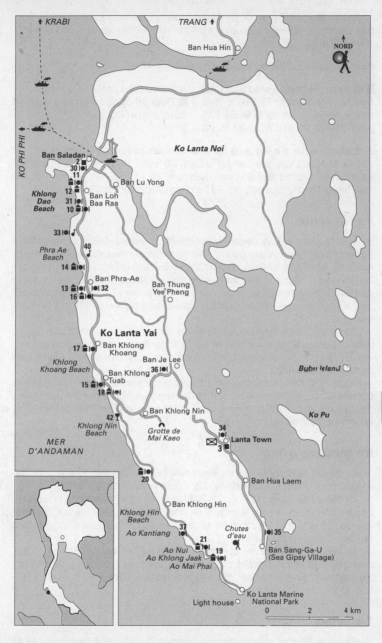

KO LANTA

KO LANTA

➤ **Ko Phi Phi :** fin oct-fin avr. De Tonsai, 2 départs à 11h30 et 15h. De Ban Saladan, prendre le bateau de 8h ou celui de 13h. Arrivée 1h plus tard. Compter 350-400 Bts (7-8 €).

Pour rejoindre les îles au sud de Ko Lanta Yai

■ **By Satun Pakbara Speed Boat Club Co., Ltd (Koh Lipe) :** 79 Moo 2, Paknam, La-Ngu Satun. ☎ 075-668-828. 🖥 081-959-20-94 ou 083-195-29-34. ● ta

rutaolipeisland.com ●
■ **Tiger Hi-Speed Ferry :** ● *tigerlinetravel.com* ●

➤ **Liaisons entre les îles dans les deux sens de novembre à avril :** Lanta, Ko Hai, Ko Muk, Hat Yao Pier (Trang), Pakbara, Ko Bulon, Ko Lipe, jusqu'à Langkawi en Malaisie : départs ferry Ko Lanta (Saladan Pier) 10h, Ko Hai, Ko Muk 11h, Hat Yao (Trang) 13h, Ko Lipe 16h, arrivée Langkawi (Malaisie) 17h30.

Par la route

➤ **À moto ou en voiture depuis le continent :** en venant de Krabi, prendre l'A 4 en direction de Trang, puis la route n° 4206 (suivre les panneaux *Lanta Marine National Park*). Ttes les 15 à 20 mn, de 6h à 22h, un bac rejoint *Lanta Noi* en 15 mn qu'il faut traverser (7 km de route goudronnée) pour embarquer dans le 2ᵉ ferry desservant *Lanta Yai* également en 15 mn. À la guérite, préciser « *Lanta Yai* » pour obtenir les 2 billets ensemble. Compter 120 Bts (2,40 €) pour la voiture + 13 Bts (0,30 €) par passager.

➤ **Bangkok :** nombreuses offres de billets combinés bus ou train plus bac ou bateau. Comparer les prix et bien se faire préciser les horaires de départ et d'arrivée. De 18 à 20h de voyage au total. On peut aussi voler vers Krabi ou Trang avant de rejoindre Ko Lanta.

➤ **Trang et Krabi :** par minibus via les 2 bacs qui relient Ko Lanta Yai au continent. Départs le mat, renseignez-vous auprès de votre *guesthouse* ou dans une agence de voyages ; 2h de trajet pour Trang, 2h30 pour Krabi. Compter 200-250 Bts (4-5 €). Réservation conseillée.

En minibus privé

➤ **Au départ de Krabi Airport ou Krabi-ville :** avec *Kanokwan Tour* (☎ 075-684-419) ou *South Travel* (☎ 075-684-57-12). Compter 200 Bts/pers (4 €).

➤ **Au départ de Trang :** 127 km ; 2h-2h30 de trajet + les 2 bacs de 15 mn chacun. Départs en face de la gare ferroviaire de Trang Terminus ; 300 Bts (6 €). En sens inverse : départs des minibus privés au départ de Ko Lanta Yai pour Trang, départs réguliers près du port Saladan.

➤ **Au départ de Phuket :** en hte saison, départ du Terminal Bus Station Phuket, Phang Nga Rd, env 5h de trajet, passage des 2 petits bacs compris, prévoir 15 mn. 2 départs/j. 7h30 et 15h30. Minibus + bacs compris 185 Bts (3,70 €) *Rens :* 🖥 081-958-43-47.

En avion

➤ **Bangkok :** 2 vols/j. relient la capitale (aéroport Don Muang) à Trang avec *Nok Air* notamment ; 1h30 de trajet. également 3 vols/j. assurés par la *Thai Airways* et 3 vols/j. avec *Air Asia,* avec liaisons vers le nouvel aéroport Suvarnabhumi.

Comment se déplacer ?

Une route goudronnée parcourt la côte ouest de l'île jusqu'à la plage d'Ao Nui. Au-delà et jusqu'à la pointe sud, il faut se contenter d'une piste de terre très accidentée mais qui va bientôt être prolongée. Si vous êtes *à moto,* munissez-vous d'un foulard et de lunettes et soyez prudent. Une autre route asphaltée rejoint la côte est et descend jusqu'au *Gipsy Village.* Bref, le réseau routier s'est amélioré en peu de temps.

Pour profiter un maximum de l'île, la plupart des voyageurs louent une moto (à partir de 200-250 Bts/j., soit 4-5 €) ou un petit 4x4.

Sinon, de nombreux *side-car-taxis* sillonnent la route principale. Parqués à la station de taxis de Ban Saladan, située juste avant la route qui mène au débarcadère. Ils desservent l'île jusqu'à l'intersection de Ban Khlong Nin. Bon marché. Fixer le montant de la course avant de partir. Également quelques voitures, mais le service est assez cher. Beaucoup de *resorts* et hôtels un peu chic offrent des transferts gratuits à horaires fixes vers Ban Saladan (avec une réservation, presque tous les hébergements assurent les transferts gratuits aux horaires des bateaux aller-retour (sauf quelques hôtels de luxe où les transferts sont payants et... chers).

BAN SALADAN - บ้านศาลาแดง

Ce petit port pas désagréable concentre tous les services dont on peut avoir besoin, même si l'on trouve désormais des banques, des minimarchés et des agences de voyages un peu partout sur l'île. Pas de grands immeubles et encore bon nombre de maisons de bois prolongées de terrasses sur pilotis. Beaucoup d'entre elles ont été transformées en restos.

Adresses utiles

✉ *Poste et téléphone :* la poste principale de l'île se trouve à Lanta Town, mais de nombreux commerces de Ban Saladan proposent un service postal. Pour appeler l'international, il existe les centres Internet et quelques cabines publiques (judicieux de se munir d'une carte de téléphonie Internet ; voir « Thaïlande utile » en début de guide).

@ *Internet :* plein d'ordinateurs connectés à la toile, dans des centres dédiés, les hôtels ou certains commerces. Vous en trouverez aussi à proximité des principales plages. Prévoir 60 Bts/h (1,20 €). Qualité de connexion inégale selon les lieux.

■ *Siam Commercial Bank* – ธนาคารไทยพาณิชย์ *(plan, 2) : sur la rue principale rejoignant les plages. Ouv 9h-16h sf w-e.* Distributeur automatique. D'autres distributeurs en ville, à côté du *Lanta Mart* ainsi que sur certaines plages et le long de la route.

■ *Siam City Bank* – ธนาคารนครหลวงไทย *(plan, 2) : en face de la précédente. Tlj 9h-15h30.* Change l'argent liquide et les chèques de voyage. Mêmes services que *Siam Commercial Bank.*

■ *Santé : il existe un Health Center* – ศูนย์สุขภาพบ้านศาลาด่าน *dans la rue principale, à gauche quand on vient du débarcadère des ferries. Également un hôpital à Lanta Town, Ko Lanta Hospital* – โรงพยาบาลเมืองลันตาด่านฝั่งตะวันออก *(plan, 3), sur la côte est de l'île.* ☎ 611-212. Lun-sam 8h-15h, dim 8h-12h.

■ *Police touristique :* ☎ 11-55. *Police Box sur le port de Ban Saladan.* ☎ 684-657.

■ *Agences de voyages :* des dizaines

autour du port. Excursions sur les îles, horaires et réservation de transport (bus, bateaux, avions).

■ *Laveries :* nombreuses et nettement moins chères que si vous donnez votre linge à l'hôtel.

Où manger ?

De bon marché à prix moyens (de moins de 100 à 300 Bts – 2 à 6 €)

De charmants restos sur pilotis face au port. Également de nombreuses boulangeries.

|●| *Catfish* – แคชฟิช *(plan, 30) : tt au bout du quai à droite en venant de la rue principale.* Tenu par Noyna et ses chats. On passe par une petite librairie (cartes postales, quelques ouvrages en français, mais pas les meilleurs !). Plats thaïs, mais aussi sandwichs et même *falafels* cuisinés avec délicatesse. Quelques pâtisseries (croissants et *scones)* aussi et des lassis onctueux.

|●| *Seaview* – ชีวิววิ *(plan, 30) : sur le quai aussi, presque en face de la rue principale.* ☎ 684-053. *Ferme à 22h.* Un bon resto, terrasse sur pilotis comme ses voisins. Parmi d'excellents et copieux plats thaïs, on a bien aimé la soupe de nouilles aux encornets, le *tom kra* (sorte de *tom yam* en plus doux), avant d'engloutir les bananes au lait de coco chaud. Accueil charmant.

➤ *LES PLAGES*

La côte ouest déroule du nord au sud une succession de jolies plages, propices à la baignade. Comme pour les autres îles thaïlandaises, les agences du continent et des rabatteurs présents sur les bateaux ou à l'arrivée vous proposeront des hébergements. En haute saison, il peut être judicieux de recourir à leurs services, de se laisser acheminer gratuitement dans un pick-up, puis d'aller se balader le lendemain, histoire de voir si l'on trouve pas mieux ailleurs. Sachez également que la plupart des adresses se modernisent et augmentent leurs tarifs en conséquence.

KHLONG DAO BEACH - หาดคลองดาว

La plage la plus au nord est aussi la plus exploitée. Beaucoup de *resorts* et plus tellement de plans petit budget. D'ici, on peut rejoindre à pied Ban Saladan et profiter de son ambiance.

Où dormir ?

De prix moyens à un peu plus chic (de 500 à 1 300 Bts – 10 à 30 €)

🏠 *Time for Lime Resort* – ทามย์ฟอ ร์ลามย์ธีสอร์ท *(plan, 10) : à l'extrémité sud de la plage, proche de l'hôtel Holi-day Villa.* ☎ 684-590. 📱 089-967-50-17. ● *timeforlime.net* ● *Ouv nov-juin.*

Cette école de cuisine réputée, mana-gée par l'Américano-Norvégienne Junie, dispose de 10 bungalows, à l'écart de la plage, dans un paisible jar-din, histoire de joindre l'utile à l'agréable. Ameublement nordico-thaï, simple, pas super propre (amenez vos draps !) mais confortable. Ventilos et salles de bains (eau froide). Hamac sur la terrasse. La rangée de chalets débouche sur une grande cuisine-atelier en plein air, puis un bar. Resto ouvert à tous (voir « Où manger ? »). Le soir, lampions, transats et musique d'ambiance à même le sable. Par contre, le matin, le va-et-vient des moteurs des bateaux de pêche peut gêner les sommeils légers...

D'un peu plus chic à plus chic (de 1 000 à 3 000 Bts – 20 à 60 €)

🛏 |●| *Golden Bay Cottage* – โกลเด้นบย์คอทเทจ *(plan, 11)* : *22 Moo 3, une des 1ʳᵉˢ adresses dans le nord-ouest de l'île, avt Lanta Villa.* ☎ *684-161.* ●*golden baycottagelanta.com* ● *Prix variant du simple au double selon situation. Internet.* Une trentaine de petits bungalows en dur. 3 types de tarifs selon taille et confort. Petite terrasse, AC, eau chaude et TV pour toutes les chambres. Pas de charme particulier mais bien entretenu et relativement aéré dans un coin où les concurrents entassent leurs chalets comme des briques de Lego. Accueil plaisant et bon resto. Pas de piscine.

Transferts vers le *pier* et la ville 2 fois par jour.

🛏 *Lanta Villa* – ลันตาวิลล่า *(plan, 12)* : *14 Moo 3, à 2 km de Ban Saladan en direction du sud.* ☎ *684-129.* ● *lantavil laresort.com* ● *Wifi.* Ne pas confondre avec *Lanta Village,* qui le précède dans l'allée. Une soixantaine de confortables et spacieux chalets donnant sur la plage ou le jardin. AC et eau chaude, TV et minibar. Les *sea view* (vue sur mer) sont deux fois plus chers que les autres. Un peu trop les uns sur les autres, mais déco recherchée et piscine de belle taille. Resto. Personnel très amical.

Où manger ?

Prix moyens (de 100 à 300 Bts – 2 à 6 €)

|●| *Gong Grit Restaurant* – ก้องกฤษณ์ บาร์ และร้านอาหาร *(plan, 31)* : *176 Moo, sur la plage, 100 m au nord de* Time for Lime Resort. 📱 *089-592-58-44. Ferme à 22h.* Carte extrêmement variée : petits plats thaïs (nouilles, riz sautés, currys), poisson. Également des plats à l'occidentale, des pizzas et des petits déj. Pas le moins cher de la plage

mais sans doute le plus mignon.

|●| *Time for Lime Resort* – ทามย์ฟอร์ลามย์รีสอร์ท *(plan, 10)* : *voir « Où dormir ? ».* Pour les cours de cuisine, résa quelques j. avt. Intéressants et copieux menus changeant tous les jours. Proposent l'éventail complet des goûts et ingrédients du pays sous de belles présentations.

PHRA AE BEACH (LONG BEACH) – หาดเอ๋ (หาดยาว)

Cette magnifique plage, facilement accessible depuis Ban Saladan (6 km seulement), reste moins fréquentée et plus bohème que Khlong Dao Beach. De plus, les nombreux commerces et services (distributeur, Internet, etc.) qui bordent la route principale vous permettront d'éviter des allers-retours incessants vers le port. Nos adresses dans cette portion de l'île sont d'excellent rapport qualité-prix.

KO LANTA

Où dormir ?

De bon marché à prix moyens (de 250 à 1 000 Bts – 5 à 20 €)

🏠 ▮●▮ *Sanctuary* – ชังค์ชูรี *(plan, 14)* : au niveau du 7/Eleven, *prendre le petit chemin en direction de la mer, l'adresse se trouve à droite du parking.* ☏ 081-981-30-55. ● *sanctuary_93@yahoo.com* ● Une excellente adresse, très relax, ambiance artistique. Bungalows de bois et bambou tressé qui se font face. Architecture indonésienne traditionnelle. Plutôt minimalistes mais propres, avec salles de bains (eau froide) et w-c privé, ainsi qu'une moustiquaire et un ventilo sur pied. Terrasse avec hamac intégré. Les plus proches de la mer, 50 % plus chers, sont plus grands et des panneaux mobiles permettent d'ouvrir la chambre tout grand sur l'extérieur. Bar-resto sur la plage. Accueil bien aimable et clientèle décontractée.

De prix moyens à beaucoup plus chic (de 700 à plus de 3 000 Bts – 14 à 60 €)

🏠 ▮●▮ *Relax Bay* – รีแลกซ์เบย์ *(plan, 16)* : 111 Moo 2, entre les plages de Phra-Ae et Khlong Khoang. ☎ 684-194. ● *relaxbay.com* ● Ouv tte l'année. Une trentaine de bungalows, depuis le spartiate avec ventilo et douche froide à 1 000 Bts (20 €) jusqu'aux chambres VIP/AC à plus de 4 000 Bts (80 €) en « peak season », *nombreux niveaux de prix, petit déj inclus. Résa conseillée en hte saison.* Charmant complexe de bungalows sur pilotis, noyés dans une végétation soignée et s'étageant sur une colline ou sur une petite plage paisible, presque privée. Parfait pour se la jouer un poil chic sans perdre en atmosphère, comme sur ces belles et spacieuses terrasses privées, idéales pour l'apéro ! Management français. Yoga. Bar sur la plage. Cuisine de qualité servie sous une paillote.

🏠 ▮●▮ *Andaman Sun Flower Resort* – อันดามัน ซันเฟลาวเวอร์รีสอร์ท *(plan, 13)* : 174 Moo 2 ; le plus au sud de Long Beach. ☎ 684-668. ☏ 085-222-10-27. ● *andaman-sunflower.com* ● Un village de bungalows d'architecture originale tout en bois et bambou, bien répartis autour d'une verte pelouse entourée d'une haie de cocotiers. Habitations coquettes, très propres et calmes, uniquement ventilées. Conçu pour « robinsonner » à bon compte. Spa, yoga, volley et barbecue.

Où manger ? Où boire un verre ? Où sortir ?

De bon marché à prix moyens (de 100 à 400 Bts – 2 à 8 €)

▮●▮ *Faim de Loup* – แฟง เดอ ลูฟ *(plan, 32)* : 250 Moo 2. Sur la gauche en venant de Ban Saladan. ☎ 684-525. Ouv 7h30-17h. Fermé juil-août. Wifi. Côté opposé à la plage, maison un peu en retrait de la route, avec une sympathique terrasse couverte. Tenu par Serge, un jeune pâtissier bordelais, et sa femme Pat. Délicieuses viennoiseries, sandwichs (à emporter), quiches, tartes salées ou sucrées, jus de fruits... Idéal pour le petit déj ou des goûters de qualité !

▮●▮ ♪ *Wee's Pizzeria et Funky Fish* – วีพิทช่าเรียเอ ฟังกี้ฟิช *(plan, 33)* : installés sur le sable, à l'ombre des arbres, ces deux établissements travaillent

KO LANTA

main dans la main : à *Wee's* la nourriture, à *Funky* les boissons. Pizzas et pasta pas trop chères et étonnamment bonnes. Également des plats thaïs et occidentaux, comme d'habitude. Glaces, jus de fruits frais. Cocktails sympas. Bonne programmation musicale. Plates-formes où l'on mange et boit à la romaine, canapés de simili-cuir posés sur la plage. Bien cool tout ça, sans compter les beaux couchers de soleil...

♪ *Opium* – โอเปียม *(plan, 40) :* en plein milieu du village. Une maison blanche au-dessus de la route, à laquelle on aurait enlevé portes et fenêtres. Esthétiquement réussi, un peu branché, sans ostentation. Un rendez-vous des fêtards de l'île. House, soul et reggae.

LES PLAGES DU SUD

Plus l'on va vers le sud, plus les plages sont sauvages et calmes. C'est d'ailleurs dans cette partie de l'île que se trouvent les hôtels les plus chic. Si la route est bitumée jusqu'à l'hôtel *Pimalai,* une piste rude joue les prolongations au-delà de Ao Nui, transformant les motards en Peaux-Rouges en moins de 5 mn. Elle devrait sous peu être goudronnée.

Dans le village de **Khlong Nin** (au niveau de l'intersection avec la route menant à Lanta Town), on trouve des agences de voyages, loueurs de motos, connexions Internet, distributeurs, des petits bouis-bouis et des épiceries dont un *7/Eleven* ouvert 24h/24.

▼ Sur la plage du même nom, plusieurs **bars-terrasses** *(plan, 42),* donnant sur la mer, militent côté reggae, rap, trance ou tout en même temps. Une *Full Moon Party* vient faire vibrer cette plage une fois par mois.

OBJECTIF LUNE

La Full Moon Party *est une sorte de* rave *sur les plages, chaque nuit de pleine lune, qui réunit les DJs les plus célèbres et des milliers d'adeptes... en fait essentiellement des* farang *(nom donné aux étrangers par les Thaïs). Et certains apportent avec eux leurs mauvaises habitudes occidentales : donc attention aux excès d'alcool et à la circulation de drogues...*

Où dormir ? Où manger ?

Toutes les adresses citées disposent d'un resto. Pour varier les plaisirs, se mélanger aux habitants, faire un tour dans les petites agglomérations et s'attabler à une gargote. Soupes de nouilles, poulet grillé aux épices, beignets de bananes. Petits prix mais maxi-goût !

Prix moyens (de 500 à 1 000 Bts – 10 à 20 €)

🏠 ❙●❙ *Where Else* – แวร์เอ็ลส์ *(plan, 17) :* sur Khlong Khoang Beach. ☎ 081-536-48-70. Ouv tte l'année. Cabanons de bambou ventilés avec salle de bains à l'air libre. Les prix varient du simple au double selon la taille, la finition et la situation. Ceux de l'arrière sont carrément démantibulés ! Accueil discret et gentil. Bar-resto, cuisine thaïe et indienne. Ambiance roots.

🏠 ❙●❙ *Lanta River Sand Resort* – ลันตาริเวอร์แชนด์รีสอร์ท *(plan, 18) :* 99 Moo 8, à l'extrémité sud de la plage de Khlong Khoang. ☎ 662-660. 🖂 081-476-01-65. ● lantariversand ● *Prix des chambres peut-être surestimé*. Une trentaine de huttes d'aspect primitif, mais coquettement aménagées et tournées vers la mer. Petite plage avec rochers. Douche froide, w-c, ventilo et moustiquaire. Resto sous la paillote avec de bonnes spécialités thaïes et un délicieux curry. Excellent accueil. Location de vélos.

🏠 |●| *Baan Phu Lae* – บ้านภูเลย์ *(plan, 19)* : à Mai Phai Bay ; la dernière plage avt le cap sud. ☎ 201-17-40. 🖥 081-201-17-04. ● *baanphulae.net* ● On aime bien cette adresse où, donnant directement sur la plage, une dizaine de bun-

galows ventilés avec salle de bains sont bien intégrés au paysage rocailleux. Parois de bambou tressé, lits en grosse section du même végétal et tresses au sol. Sobre élégance. Quelques chambres climatisées de l'autre côté de la piste, beaucoup moins charmantes et à prix « Un peu plus chic ». Bar-resto sur la plage. Bonne cuisine, large choix. Plates-formes garnies de coussins, hamac et musique adéquate. Accueil cool des jeunes patrons.

De prix moyens à plus chic (de 700 à 1 500 Bts – 14 à 30 €)

🏠 |●| *Dream Team Resort* – ดรีมทีมรี สอร์ท *(plan, 20)* : entre Khlong Nin Beach et Kantiang Bay. ☎ 662-554. ● *dreamteamresort.com* ● Ouv tte l'année. Petit déj inclus. Internet. Certes, on préfère les bungalows d'architecture traditionnelle à ces constructions tout en dur alignées dans une nature régentée. Pourtant, propreté parfaite, murs couverts de pierre et d'ardoise, piscine avec pataugeoire, jardin, bon resto (pas cher) et accueil familial sans défaut sont les nombreux

atouts de cette adresse qui conviendra, par exemple, aux familles cherchant un confort standard. Les enfants de moins de 12 ans ne paient pas le lit supplémentaire. Choix entre ventilo et clim' (+ TV et frigo). Eau chaude et terrasses partout. Pas de baignade ici (rochers), mais une navette gratuite vers la magnifique baie d'Ao Kantiang ou la crique d'Ao Nui ainsi que vers Ban Saladan. Minimarché et location de véhicules figurent sur la longue liste des services disponibles.

Plus chic (de 1 500 à 3 000 Bts – 30 à 60 €)

🏠 |●| *Anda Lanta Resort* – แอนด้าลั นต้ารีสอร์ท *(plan, 21)* : situé sur la Khlong Jaak Bay. ☎ 607-555. ● *andalan ta.com* ● Prix négociables. Le patron, M. Pornsmith, est non seulement pro mais aussi très commerçant. Bungalows de différents styles au milieu des cocotiers et des bougainvillées. De la hutte améliorée (certaines ont même une chambre sous les combles pour les enfants) au bungalow en dur luxueux avec douche chaude et AC, tout est tenu avec beaucoup de rigueur et de soin. Piscine, resto et bar. À 1,5 km des chutes d'eau... et sur une plage magnifique !

🏠 |●| *Moonlight Bay Resort* – มูนไลท์ เบย์รีสอร์ท *(plan 15)* : 69 Moo 8, Klongtob. ☎ 662-590. ● *moonlight-resort.*

com ● Ensemble de bungalows disséminés dans la nature, à l'estuaire d'une petite rivière et devant une petite plage bordée de rochers. 3 catégories de prix selon l'emplacement : le bord de la rivière, le flanc de colline vue jardin ou face à la mer. Architecture traditionnelle et bon confort sans être luxueux pour les moins chers, un peu plus de raffinement pour les autres. Grande piscine, matériel de *snorkelling*. Resto, idéal pour une belle salade au déjeuner. Arrangements spéciaux pour lune de miel.

|●| *Same, same but different* – เซม เซม บัต ดิฟเฟอเรนท์ *(plan 37)* : à Kantiang Beach. ☎ 787-86-70. Resto de plage juste après l'hôtel de luxe *Pimalai* dont il draine une partie de la clientèle

en quête d'un peu de pittoresque. Déco tout en bois, tables les pieds dans le sable et lampions. Poissons fraîchement pêchés, curry de bœuf ou de poulet bien épicé, nouilles aux crevettes et autres recettes pleines de saveurs... à prix assez relevés tout de même. L'adresse est très populaire auprès des touristes. Vous risquez une longue attente si vous n'avez pas réservé. Service souvent débordé. Le nom du lieu est repris d'une expression courante en Asie du Sud-Est lorsque vous dites à un vendeur de souvenirs : j'ai déjà vu cela. Il vous répond à coup sûr : « *yes, the same but different* ».

➤ *LANTA TOWN* (เมืองลันตา) *ET LA CÔTE EST*

Bordée de mangroves et d'une mer peu profonde, la côte orientale de Ko Lanta, quasi vierge de développement touristique, ne permet pas la baignade. Le voyageur curieux, soucieux de varier les plaisirs, y découvrira une charmante bourgade genre *Far-West* et, à sa pointe sud, de très beaux panoramas.
Lanta Town, un cocktail sino-musulman bien pacifique, déroule une belle rangée de maisons de bois dans sa rue principale, qui démarre depuis le rond-point faisant face à la jetée.

Où manger ?

Iᴏi *Kroua Lanta Yai* – ร้านอาหาร ครัวลันตาใหญ่ *(plan, 34) : à l'extrémité gauche de la bourgade quand on regarde la mer.* ☎ 697-062. *Ouv tte l'année. Prix local. Au 1ᵉʳ plan, une coquette cabane et une terrasse déjà bien sympa. Mais le patron vous dirigera sûrement vers une plate-forme sur* pilotis rejointe par une passerelle. Là, à l'intérieur d'une mangrove aérée, entouré d'indigènes, le voyageur est gagné par le dépaysement. Cuisine simple et délicieuse. Attention, le lavabo qu'on aperçoit en chemin n'est pas destiné aux poids lourds.

Où manger dans les environs de Lanta Town ?

De bon marché à prix moyens (de 100 à 300 Bts – 2 à 6 €)

Iᴏi *Hill Viewpoint Restaurant* – ร้านอาหารฮิลล์วิวพ้อยท์ *(plan, 35) : 1 km avt d'arriver au village des gitans de la mer. Côté mer, cette terrasse rustique offre un superbe point de vue sur les basses terres et mangroves, la mer et les îles de Ko Kluang et Ko Bubu. Petits plats et boissons.*

Iᴏi Sur la route transversale de l'île, avant de descendre sur Lanta Town, plusieurs petits *restos panoramiques (plan, 36)* accrochés à la pente. Plats thaïs à prix veloutés, boissons fraîches, etc. Le rendez-vous des esthètes. En revanche, pas de coucher de soleil : ça se passe de l'autre côté !

À voir. À faire sur l'île

🏹 *Ko Lanta Marine National Park* – อุทยานแห่ง ชาติทางทะเลหมู่เกาะลันตา : ☎ 629-018. *Entrée : 400 Bts (8 €). Le Q.G. du parc, un sentier d'exploration et des* tentes pour l'hébergement (300 Bts, soit 6 €, pour 6 pers max) se situent à la pointe méridionale de l'île, proche d'un phare très photogénique et de plages rocailleuses. On vient ici pour explorer ce qui subsiste de la forêt primaire qui recouvrait autrefois toute l'épine dorsale de Ko Lanta. De ce parc établi en 1990, 81 % des 132 km² sont en fait maritimes, protégeant les fonds autour de nombreux îlots.

🍴 *La cascade de Khlong Jaak* – น้ำตกคลองจาก *: l'une des excursions les plus courues (à pied, donc !) part de *Ao Khlong Jaak* à travers la jungle, pour rejoindre une petite chute d'eau. En tout, 2h de trek sans effort.

🍴 *La grotte de Mai Kaeo* – ถ้ำไหมแก้ว ใกล้หมู่บ้านคลองนิน *: suivre sur 1,5 km la route fléchée partant vers la droite quand on vient de Khlong Nin. Entrée : 200 Bts (4 €). Balade à travers la jungle avant d'entrer dans la grotte. Attention, pas d'habits du dimanche, vous reviendriez tout crotté ! La visite tourne rapidement à la spéléo lorsqu'il faut ramper dans des conduits de 1 m de diamètre. Possible de combiner avec un parcours à dos d'éléphant ou de faire une balade guidée dans la jungle, avec un cours de survie en milieu hostile à la clé. Déconseillé aux personnes claustrophobes.

🍴 *Excursion vers la pointe sud (depuis Lanta Town) :* un ruban de bitume s'y tord dans tous les sens en dépassant de petits hameaux. Parfois, des panoramas époustouflants où palmiers et cocotiers se dissolvent lentement dans les mangroves, en contrepoint d'îles tachant une mer bleu turquoise. Un peu avant le cul-de-sac, *Ban Sang-Ga-U* – หมู่บ้านชาวเล (ชาวเล), village de gitans de la mer *(Chao'Le)*, n'a rien de touristique ni de spectaculaire.

> **CONTRE VENTS ET DÉCRETS, LES IRRÉDUCTIBLES**
>
> *Suite au tsunami, le gouvernement a ordonné aux habitants de quitter les lieux. Ces déménagements forcés, sous couvert de protéger les populations, cachent souvent des manœuvres d'expropriation pilotées en sous-main par des promoteurs immobiliers. Ici peut-être pas, mais, en tout cas, comme dans les autres villages gitans concernés par ces mesures, personne n'a bougé.*

Juste une rue étroite, parallèle à la mer et bordée de cabanes. Y aller avec réserve et respect pour les habitants, membres d'une ethnie fascinante qui n'a pas livré tous ses mystères.

D'autres îles...

➢ *Bubu Island* – บูบูไอส์แลนด์ *: à quelques encablures de la côte est de Ko Lanta.* Presque un îlot, on fait le tour de Bubu Island en 15 mn ! Accessible depuis Lanta Town par bateau *(200 Bts, soit 4 €, l'embarcation).*

➢ *Ko Jum* – เกาะจำ *: île pratiquement inhabitée, au nord de Lanta Yai.* Parfois appelée *Ko Pu*. Les ferries voguant entre Krabi et Lanta font escale à Ko Jum. En fait, arrêt en pleine mer et transfert en *long-tail boat* jusqu'à l'île. Si vous avez déjà réservé votre bungalow, la traversée est gratuite.

Depuis Krabi, on peut aussi rejoindre le port de Laem Kruad via Nua Khlong en *songthaew* (38 km en tout, 50 Bts, soit 1 €), puis embarquer dans un bateau longue-queue (départs à 13h et 15h ; 40 Bts, soit 0,80 €). Longue plage de sable blanc sur la côte ouest, où se concentrent les bungalows. À l'embarcadère de Laem Kruad, la sympathique responsable de *Laem Kruad First Tour* pourra vous renseigner et faire une réservation sur l'île dont elle est originaire.

Plongée sous-marine, masques et tubas

Les moniteurs vous le diront : rien à voir autour de Ko Lanta ! Il faut donc mettre le cap sur les îles vierges du Sud – riches et peu fréquentées – ou bien cingler vers Ko Phi Phi pour se rincer l'œil.

Masques et tubas

➤ Une journée complète d'excursion s'impose pour découvrir, en bateau, petites îles et îlots environnants : ***Ko Rok, Ko Muk, Ko Hai, Ko Kradan.*** *Snorkelling* au-dessus du corail, visite des grottes et mangroves, sans oublier une plage de rêve pour se remettre de ses émotions. Repas du midi inclus. Tous les bungalows effectuent des réservations pour ces excursions déclinées en 2 produits types : un cocktail de 4 îles à visiter en bateau « longue-queue », incluant toujours Ko Muk pour sa grotte d'émeraude (Morakot) et souvent Ko Hai (ou Ko Ngai) pour un excellent *snorkelling* et Ko Kradan pour la beauté de sa plage (Kradan où chaque année, le jour de la Saint-Valentin, des Asiatiques vont s'unir sous l'eau en scaphandrier) ; ou un aller-retour en *speed-boat* vers une île plus éloignée comme Ko Rok, deux fois plus cher. Enfin, il est possible de faire des excursions à la journée pour Ko Phi Phi.

Plongée

La plupart des clubs sont regroupés à Ban Saladan et proposent du matériel bien entretenu et des prestations correctes à prix justes, formations *PADI, CMAS* ou belles explorations encadrées. Les sorties ont généralement lieu à la journée de 8h à 15h30 (à cause de l'éloignement des sites) et comprennent 2 plongées et le casse-croûte (petit déj et collation de midi). Compter dans ce cas-là entre 2 600 et 3 000 Bts (50-60 €). Également des croisières-plongées de 2 ou 3 jours.

■ ***Blue Planet Divers*** – ศูนย์ดำน้ำบลูพลาแน็ท : *tourner à gauche dans la rue du port en venant de la route principale.* ☎ *et fax : 684-165.* ▯ *081-370-13-03.* ● *blueplanetdivers.net* ● Dirigé par Laurent, un Français. Certifié *PADI* 5 étoiles. 2 salles de classe dans des locaux immaculés, accès aux piscines des *resorts,* matériel dernier cri. Nouveauté, des cours d'apnée ; c'est une exclusivité en mer d'Andaman. On vient cher-cher les plongeurs à leur hôtel.

■ ***Ko Lanta Diving Center*** – ศูนย์ดำน้ำเกาะลันตา : *à côté du health center sur la rue principale.* ☎ *684-065.* ▯ *086-983-61-18.* ● *kolantadivingcenter.com* ● Ce centre, là aussi nanti de 5 étoiles, est le seul de l'île à proposer la formation *CMAS* en plus du *PADI.* Super accueil. Instructeurs allemands (parlant l'anglais et pour certains le français) et organisation rigoureuse.

Nos meilleurs spots

🐠 ***Hin Daeng et Hin Muang*** – หินแดงและหินเมือง : *deux sites très sauvages perdus au sud-ouest de Ko Lanta (4h de traversée) et classés dans le « top 10 » des meilleures plongées au monde.* Il s'agit de deux « cailloux » situés à quelques enca-blures l'un de l'autre et que l'on explore gentiment à une profondeur de 25 à 30 m. Attention, les courants y sont souvent forts ; aussi, seuls les routards-plongeurs confirmés pourront admirer le spectacle, et quel spectacle ! Les rochers sont litté-ralement recouverts de coraux mous et durs, gorgones, éponges, anémones et oursins monstrueux ; un véritable jardin de couleurs (visibilité de 10 à 30 m) où batifolent de mignons poissons-clowns sous l'œil vif d'une murène tachetée style panthère. Éblouissement total !

◝ *Ko Rok* – เกาะรอก *: deux îlots vierges au sud de Ko Lanta (2-3h de trajet).* Plongée délicieuse pour plongeurs de tous niveaux (20 m maximum), dans une eau souvent limpide mais fréquenté plus généralement par les adeptes du *snorkelling*. Dès l'immersion, on observe les couleurs flamboyantes des poissons de récif qui louvoient entre de beaux coraux durs. Parfois, une tortue inattendue survole gracieusement ce tableau idyllique !

◝ *Ko Ha* – เกาะห้า *: minuscule archipel de 5 îles vierges au sud-ouest de Ko Lanta (2h de traversée).* Le spot (de 10 à 30 m maximum) est réputé pour ses grottes amusantes à explorer (lampe-torche obligatoire). Les plongeurs novices trouveront leur bonheur – à l'extérieur – parmi les coraux et poissons de récifs multicolores. Parfois une tortue ou un requin-léopard parachèvent l'enchantement. Pour plongeurs de tous niveaux. *Snorkelling* possible.

◝ *À Ko Bida :* site connu pour héberger des requins-léopards qui se tiennent d'ordinaire sur un fond sablonneux. Profondeur entre 5 et 25 m. Au choix : un tombant ou un récif longeant l'île. Nombreux poissons de récif : poissons-anges, poissons-coffres, poissons-trompettes et raies pastenagues sans oublier les tortues.

TRANG – ตรัง

IND. TÉL. : 075

Hormis ses *tuk-tuk* rétros rigolos et une ribambelle de cafés, la ville – très vivante – ne présente pas grand intérêt. Cette capitale de la province du même nom constitue seulement l'étape obligatoire pour ceux qui se rendent dans les petites îles plantées à l'ouest de la côte (certaines appartiennent au parc national de *Had Chao Mai*). Quasi vierges jusqu'il y a peu, ces îles sont désormais en plein essor : elles remportent un franc succès auprès des routards amateurs de calme, de beauté et d'authenticité.

Arriver – Quitter

En bus

🚌 *Gare routière de Trang :* ☎ *210-455 et 218-718.*

➤ *Krabi :* ttes les heures jusqu'en fin d'ap-m. Trajet : 2h (130 km).

➤ *Phuket :* ttes les heures 7h-18h. Trajet : 4-5h (310 km). Bus aussi pour Phang Nga.

➤ *Hat Yai :* ttes les 45 mn en bus ordinaires 6h-16h30 env. Trajet : 3-4h (150 km).

➤ *Bangkok (à 870 km) :* 5 liaisons/j. en bus AC et VIP. Les bus les moins chers partent à 16h30 et 17h30. Au moins 15h de route. Prix : 640-990 Bts (12,80-19,80 €).

En train

🚆 *Gare ferroviaire de Trang :* ☎ *218-012.*

➤ *Bangkok :* 2 trains/j. De Bangkok, départs à 17h05 et 18h20, arrivée en matinée. Depuis Trang, il y a le rapide de 13h25 et l'*Express* de 17h20. Ils mettent env 15h au total et desservent notamment les gares de Surat Thani (Ko Samui), Chumphon, Hua Hin et Nakhon Pathom. Prix : 285-820 Bts (5,60-16,40 €), sans ou avec couchette.

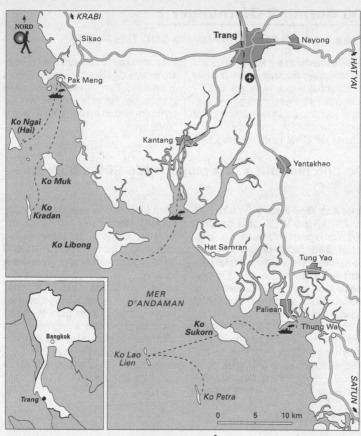

TRANG ET LES ÎLES

En avion

✈ *Aéroport de Trang :* ☎ 218-224 *(infos)*.
➢ *Bangkok : Nok Air* assure 1 vol/j. (durée : 1h30) vers Bangkok-Don Muang.

Adresses utiles

🛈 Le *TAT* (office de tourisme) dispose d'un bureau en ville *(Thanon Ruenrom, à 200 m, sur la gauche en montant depuis la tour de l'horloge,* ☎ *211-999)* qui ne vous sera d'aucune utilité : peu de documentation, pas d'horaires sûrs *(lun-ven, 8h30-16h30, en principe)*, anglais ignoré... Pour organiser un voyage vers les îles, mieux vaut s'adresser à l'une des agences de voyages groupées devant la gare ferroviaire (tout comme la poste, les banques, etc.). Ceux qui lisent l'anglais pourront consulter le site • *trangonline. com* • qui fait le plein d'informations utiles.

✉ *La poste se trouve à 200 m à gauche en face de la gare.*

Où dormir ? Où manger ?

Très bon marché (moins de 200 Bts – 4 €)

⌂ *PJ Guesthouse* – พีเจ เกสท์เฮ้าท์ : *25/12 Sathani Rd, faire 100 m à droite en sortant de la gare ferroviaire.* ☎ 217-500. *Internet.* Hébergement typiquement routard. Chambres étriquées et parfois sans fenêtre, avec salle de bains à partager. C'est modeste mais tenu avec soin par la patronne. Non seulement cette dernière parle bien l'anglais (c'est rare à Trang !), mais elle organise la visite des îles et le transfert vers Ko Lanta en minibus ainsi que bien d'autres prestations.

De bon marché à prix moyens (de 200 à 650 Bts – 4 à 7 €)

⌂ |●| *Koh Teng Hotel* – โรงแรมโกเต็ง : *77-79 Râma VI Rd sur la gauche à 400 m de la gare sur l'avenue principale.* Un repaire de *backpackers* bien rénové. Chambres basiques avec ventilos donnant sur de grands couloirs. On peut même avoir une TV et l'AC. Resto sino-thaï au rez-de-chaussée, excellentes nouilles. Bon accueil.

⌂ *Thumrin Hotel* – โรงแรมธรรมรินทร์ : *Sathanee Rd, à deux pas de la gare, dans une grande tour moderne.* ☎ 211-011. ● *thumrin.co.th* ● Si vous devez passer une nuit à Trang, ce grand hôtel tout à fait impersonnel fera l'affaire.

Chambres propres avec salle de bains, AC et TV. Rien de plus à dire.

|●| Multitude de *petits marchés* aux abords de la gare – ตลาดเล็กๆริมสถานีรถไฟ : nourriture simple et bonne à prix locaux.

|●| *Le Night Bazaar* – ไนท์บาร์ซาร์ : *derrière la Clock Tower.* Un régal pour les yeux comme pour les papilles. Grand choix de brochettes à grignoter en se promenant et plats cuisinés à déguster sur les tables derrière les stands. Goûtez notamment la salade épicée de calamars, un délice !

➤ *LES ÎLES*

Le plus simple, pour rejoindre les îles, est de passer par l'une des nombreuses agences de voyages de Trang. La plupart se trouvent en face de la gare des trains. Leurs services et tarifs sont équivalents, minibus jusqu'au port inclus. Accès aux îles facile au départ du port de Chao Mai ou de l'embarcadère de Pak Mueng au nord de Trang ou encore du port de Kuang Tungku par des bateaux de traversées régulières avec souvent un arrêt obligatoire à l'île de Koh Muk. Également départ du nouveau jetty de Trang *Thung Klong Son* à Sikao District ; 1h de trajet

De novembre à avril, possibilité de rejoindre les îles de Ko Ngai, Ko Muk et Ko Kradan en bateau au départ de Lanta Yai pour env 500 Bts (10 €) le trajet, prise en charge depuis les hôtels comprise. Départ de Saladan Pier à 8h30 (bateau *Petpailin* ; arrivée 1h après à Ko Ngai et vers 13h30 à Ko Muk, après être passé par Ko Kradan).

Au retour, départ entre 13h30 et 14h30 selon l'île, arrivée vers 16h30 à Saladan Pier.

KO NGAI (OU KO HAI) – เกาะไหง

🍴🚶 C'est l'île que l'on atteint le plus facilement à partir du port de *Pak Meng*, 35 km à l'ouest de Trang en *songthaew* ou en bus (environ 1h de bateau au départ de

Lanta Yai). Nombre important de liaisons maritimes. Le trajet dure moins de 1h. Petite jungle intérieure, plages de rêve à l'est et récif corallien au large ; voilà pour la carte postale ! A subi les tourments du tsunami, mais tout a été réparé.

Où dormir ? Où manger ?

⚐ Camping possible : se renseigner auprès des *rangers*.

🏠 |●| *Ko Hai Villa* – เกาะไหงวิลล่า : *au nord de la plage.* ☎ 210-496. ● *krabidir. com/kohngaivilla* ● *Compter 500-1 000 Bts (10-20 €).* Le moins cher de l'île. Huttes en bambou, chambres *sea view* et bungalows en dur. Tenu par une famille de pêcheurs locaux. Ambiance sympathique, mais on nous signale des problèmes d'hygiène. Bon resto.

🏠 *Ko Hai Resort* – เกาะไหงรีสอร์ท : *le plus au sud ; accessible depuis la plage précédente par un sentier rocailleux ou des navettes de bateaux.* ☎ 206-924 ou 518. ● *kohngairesort.com* ● *Prix : 1 800-5 000 Bts (36-100 €).* Bien plus chic que le *Ko Hai Villa,* d'autant qu'il venait d'être rénové quand la vague a frappé. Décor de carte postale en prime. Fait aussi club de plongée.

KO MUK – เกาะมุก

Embarquement à *Pak Meng* (traversées assez fréquentes, 40 mn de navigation) pour ce petit bout de paradis, réputé pour ses coraux intacts et somptueux (que les *snorkellers* se réjouissent !). Plages ravissantes sur la côte ouest, d'où l'on voit Ko Kradan. La principale attraction est une sorte de tunnel nommé *Tham Morakhot* – ถ้ำมรกต (grotte d'émeraude) qui s'ouvre à l'ouest et à marée basse, pour conduire à une grande piscine de couleur bleu émeraude (évidemment !). Le village et le port se trouvent à l'est de l'île, où les plages ne sont pas idéales pour la baignade.

Où dormir ?

Bon marché (moins de 500 Bts – 10 €)

⚐ 🏠 *Farang's Beach Resort* – ฝรั่งบีชรีสอร์ท : *surplombe la superbe plage de Had Farang, sur la côte ouest.* Offre les hébergements les moins chers ; on peut même y planter sa tente au milieu des cocotiers.

🏠 *Ko Muk Resort* – เกาะมุกรีสอร์ท : *sur la côte est.* ☎ 212-613. *Compter 250-400 Bts (5-8 €) la nuit.* Bien tenu et populaire, mais à 3 km des belles plages que l'on doit rejoindre à pied ou à moto-taxi.

KO KRADAN – เกาะกระดาน

🏖🏖🏖 Traversée avec escale à *Ko Muk* pour atteindre cette jolie petite île allongée. Au départ de Ko Lanta (Yai Saladan Pier), le bateau *Petpailin* assure la liaison de novembre à avril avec l'excursion à la journée pour environ 500 Bts (10 €). Ou prendre un *long-tail boat* de Ko Ngai ou Ko Muk pour y aller en solo – que du bonheur !

COMME DES POISSONS DANS L'EAU

Chaque année, à la Saint-Valentin, des couples d'Asiatiques viennent s'y marier sous l'eau, par 10 m de fond, en costume de plongeurs ! Avec plus de 30 couples depuis 1996, les mariages sous-marins de la province de Trang sont inscrits au Guinness Book des records.

Cocotiers et hévéas sur la terre ferme et magnifiques coraux sous la mer. Une bonne occasion de chausser les palmes ou de lézarder sur les plages de sable blanc (souvent très sales, hélas).

🛏 Pour y séjourner, peu de choix : le **Ko Kradan Beach Resort** – เกาะกระดาน บีช รีสอร์ท : ☎ (075) 211-391 ou (075) 590-270. ▤ 081-495-96-21. ● *kradanbea chresort.com* ● *Compter 950-1 200 Bts (19-24 €) la nuit*. Environnement paradi-siaque, huttes en matériaux traditionnels avec AC ou non, confort basique, petit resto. Bien retapé. Les moins chères à l'arrière avec ventilo, petit déj compris. Accueil correct.

KO LIBONG – เกาะลิบง

🏝🏝🏝 Embarquement au port de *Kantang* (au sud de Trang ; accès en train, bus ou *songthaew*), pour la plus vaste des îles du coin. Elle abrite des espèces d'oiseaux spectaculaires et possède de très beaux coraux, où les gentils et respectueux amateurs de *snorkelling* s'en donneront à cœur joie. Quelques tortues vertes signalées de temps en temps et, plus rarement encore, des lamantins *(dugong)* débonnaires attirés par les champs d'algues alentour. Les légendes locales attribuent à leurs larmes le pouvoir de rendre amoureux. Venir impérativement avec son (sa) routard(e).

🛏 Nuits (très chaudes, donc !) au **Libong Beach Resort** – ลิบง บีช รีสอร์ท : ☎ 225-205. ● *libongbeach@hotmail. com* ● *Compter 350-1 200 Bts env* (7-24 €). Ou encore au **Libong Nature Beach Resort** – ลิบงเนเชอบีชรีสอร์ท : ☎ 219-585. *Compter 400-1 800 Bts* (8-36 €).

KO SUKORN – เกาะสุกร

🏝🏝 Embarquement au port de *Paliean* (à 50 km au sud de Trang, en bus ou en *songthaew*) pour cette île aux allures de carte postale. Tranquille mais plages pas terribles.

➢ Excursions quotidiennes pour les îles **Ko Petra** – เกาะเภตรา et **Ko Lao Lien** – เกาะเหลาเหลียง, à quelques encablures au sud-ouest. Accès au départ du port Palien au sud de Trang, du port de Kradang ou de Koh Sukorn.

🛏 **Sukorn Beach Bungalow** – สุกร บีช บังกาโล : *résa à Trang, au 22 Sathani Rd, à proximité de la gare*. ☎ *et fax :* 211-457 ou 207-707. ● *sukorn-island-trang.com* ● *De 850 Bts (17 €) avec ven-tilo à 2 200 Bts (44 €), petit déj compris*. Plusieurs types de bungalows nichés dans une plantation de cocotiers au bord de la mer.

HAT YAI (HAD YAI) – หาดใหญ่   IND. TÉL. : 074

Ville moderne et cosmopolite, la troisième du pays par sa population, Hat Yai est une étape extrêmement vivante sur la route de Malaisie. Elle dégage une atmosphère typiquement asiatique, avec sa circulation grouillante. Pour l'anecdote, Hat Yai est pompeusement surnommée dans les revues publicitaires « le petit Paris du sud de la Thaïlande » (faut tout de même pas exagérer !). Nous, ça nous fait plutôt penser à un immense bazar où l'on vend et achète de tout. Une ville calquée sur le modèle chinois : moderne, bien rangée, essentiellement commerçante et gagnée tout entière par la fièvre du shopping !

Très musulmane dans l'âme, elle se distingue aussi par une importante communauté de Chinois aux affaires pas toujours claires... C'est ici que les Malais et Singapouriens viennent « s'encanailler ». Pas mal de grandes surfaces à l'occidentale, de bars plus ou moins louches et des salons de massage à chaque coin de rue ! Il ne faut pas manquer de vous rendre aux superbes chutes d'eau de *Ton Nga Chang* (« défenses d'éléphant »). À l'ouest de Hat Yai, on peut aussi embarquer depuis Pakbara pour le parc maritime de Ko Tarutao : ensemble de cinq îles magiques et encore peu fréquentées (voir le chapitre suivant).

UN SUD EN ÉBULLITION

AVERTISSEMENT : ne pas confondre ce que nous appellerons « l'extrême sud-est » (Pattani, Yala, Narathiwat...) avec la région de Hat Yai.

Cela dit, depuis quelques années, la région de Hat Yai est frappée par de nombreux attentats directement liés aux troubles d'origines religieuse et ethnique qui affectent le sud de la Thaïlande. Jusqu'à présent, ceux-ci se concentraient dans les trois provinces de l'extrême sud : Yala, Pattani et Narathiwat. Ce Sud profond, peuplé à 90 % de musulmans sunnites, est ethniquement plus malais que thaï. Les habitants y parlent un dialecte spécifique, et Pattani fut longtemps le siège d'un sultanat transfrontalier, avant que la Malaisie ne devienne anglaise au début du XXe s. Les mouvements autonomistes musulmans ont engagé un bras de fer avec le gouvernement de Bangkok, qui s'est manifesté en 2007 par des jets de bombes artisanales dans des hôtels et restaurants, visant particulièrement les lieux touristiques.

Pour cette raison, nous vous déconseillons provisoirement de faire étape à Hat Yai ou de séjourner à Songkhla (où d'ailleurs beaucoup de *guesthouses* ferment, faute de clients). Comme on tient à nos lecteurs, on vous recommande de rejoindre directement la frontière malaise ou les îles du parc maritime de Ko Tarutao, où vous ne courez aucun danger.

Arriver – Quitter

En train

🚂 *Gare ferroviaire –* สถานีรถไฟ *:* ☎ *238-005 et 234-978 (infos).* Très active.

➤ *De et pour Bangkok :* 5 départs/j. dans l'ap-m. Durée du trajet : 14-17h selon les trains. Prix : 450-1 400 Bts (9-28 €) ; les plus chers étant avec AC et couchettes. Ces trains desservent *Surat Thani, Chumphon, Prachuap Khiri Khan, Hua Hin* et *Nakhon Pathom.*

➤ *De et pour Sungai Kolok (vers la côte est de la Malaisie) :* 1 express et 1 rapide à l'aube. Trajet : 4h.

➤ *De et pour Butterworth (côte ouest de la Malaisie ; correspondance pour Penang) :* 1 express/j. tôt le mat ; 5h de trajet. Le passage de la frontière se fait sans problème.

➤ *De et pour Kuala Lumpur (sud-ouest de la Malaisie) :* 1 express/j. à 14h50. S'arrête à Butterworth. Trajet : 14h.

En bus

🚌 Pour les mêmes destinations, les bus se prennent soit au **terminal des bus** *(City Bus Terminal),* soit à la station située près du marché sur Phetkasem Rd, non loin de la *Clock Tower.* Tous les bus démarrent du terminal principal et marquent ensuite un arrêt à l'autre station. *Infos :* ☎ *232-404.*

➤ **De et pour Bangkok :** 9 départs/j. (bus n°s 992 et 982), 7h-20h, dont 2 bus plus confortables (VIP) dans l'ap-m. Durée : 14-16h de trajet. Prix : 550-830 Bts (11-16,60 €).

➤ **De et pour Phuket :** ttes les 30 mn env, 7h30-13h, puis un dernier à 21h30.

➤ **De et pour Ko Samui :** 2 bus à 8h et 10h40 (bus n° 729). Durée : 7h de trajet avec passage en ferry. Également 10 départs/j., jusqu'à 16h30, pour *Surat Thani* (bus n° 490).

➤ **De et pour Krabi :** 1 bus avec AC (n° 443) en fin de matinée. Les bus pour Phuket peuvent aussi s'y arrêter ; se renseigner. Trajet : 5h.

➤ **De et pour Trang :** bus ordinaires orange (n°s 450 et 495) ttes les 45 mn env, 5h-16h45. Durée : 3-4h de trajet.

➤ **De et pour la Malaisie :** seules les compagnies privées assurent la liaison. Renseignez-vous sur les horaires et réservez au moins la veille auprès d'une agence de voyages.

➤ **De et pour Butterworth et Penang :** au moins 3 départs/j., en car ou minibus AC. Trajet : env 3h30.

➤ **De et pour Singapour :** au moins 1 départ/j. en bus AC. Trajet : 13h.

➤ **De et pour Kuala Lumpur :** au moins 1 départ/j. en bus AC. Trajet : 9h.

En avion

✈ **Hat Yai Airport :** ☎ *251-008.* Pour s'y rendre, les *songthaews* sont lents (environ 1h30 à cause des arrêts) mais restent les moins chers. *Thai Airways* propose un service de minibus au départ de leurs bureaux en ville, un peu plus chers mais plus rapides. Jusqu'à 7 transferts/j. ☎ *238-452.* Sinon, taxi.

➤ *Thai Airways* assure 4 liaisons/j. de et pour **Bangkok (Suvarnabhumi),** plus une rotation avec **Singapour** *(pas direct, transit par Bangkok, pas le bon plan).* Air Asia assure 5 vols/j. avec **Bangkok (Suvarnabhumi).**

➤ *Nok Air* (compagnie *low-cost*) affrète plusieurs rotations avec **Bangkok (Don Muang).**

LE PARC MARITIME DE KO TARUTAO – อุทธยา
น แห่ง ชาติาะรูเคา   IND. TÉL. : 074

Cet archipel de 51 îles égrenées dans la mer d'Andaman à la frontière avec la Malaisie est une destination touristique en plein développement. Les routards en quête de plénitude, de nature et d'eaux azurées commencent à investir les lieux, en particulier l'île de Ko Lipe. Comme on les comprend ! C'est l'une des étapes les plus belles et les plus reposantes de toute la côte sud ! Patrimoine mondial de l'Unesco, l'archipel a su, jusqu'à ce jour, préserver sa beauté sauvage et les nombreuses espèces animales résidentes contre les tentatives de développement anarchique. Évidemment, ni banque ni petits commerces à l'intérieur de l'archipel (ou si peu). Penser à prendre de l'argent liquide et éventuellement quelques provisions avant d'embarquer au port de Pakbara (140 km à l'ouest de Hat Yai), où l'on peut aussi louer et acheter du matériel de camping – idéal pour bivouaquer sur Ko Tarutao, par exemple. Un gros coup de cœur pour cet endroit qui, espérons-le, saura encore longtemps passer au travers des gouttes... de béton.

Arriver – Quitter

Rejoindre Pakbara...

➢ *À partir de Hat Yai :* prendre les minibus privés climatisés, en face de la gare ferroviaire. Départs ttes les heures 6h-16h30 ; durée du trajet : presque 2h. Très pratique. Le bateau attend en principe l'arrivée du bus de 9h. Calculer en conséquence votre arrivée à Hat Yai (train ou bus de nuit).

Autre moyen : le bus ordinaire (et pittoresque !) n° 732 au départ de la *Clock Tower,* ttes les heures env, 7h-16h (3h de trajet, bon marché). Lors de votre retour à Pakbara, vous n'aurez aucun mal à trouver un minibus, pick-up, taxi ou autre pour retourner à Hat Yai ou ailleurs.

➢ *À partir de Trang :* bus et *songthaews* au départ pour Langu. De là, des *songthaews* continuent jusqu'à Pakbara. Liaison directe grâce aux minibus des agences de voyages.

➢ *à partir des îles au sud de Ko Lanta, (Ko Muk, Ko Ngai, etc.) :* en hte saison, des bateaux assurent les liaisons régulières avec Ko Bulon, Ko Lipe, tels *Tiger on Line* ou *Satun Pakbara Speed Boat* (plus chers mais rapides). Pour rejoindre *Tarutao,* passage par Pakbara obligatoire.

... et puis larguer les amarres !

Plusieurs liaisons par jour entre novembre et mai. Tous les bateaux partent de *Pakbara Pier,* sauf ceux à destination de Langkawi (en Malaisie), qui larguent les amarres de *Tammalang Pier.* Pour rallier les îles, vous aurez le choix entre le bateau ordinaire avec *Adang Sea Tour* (☎ 783-338) et le *speed-boat* avec *Satun Travel* (☎ 730-511). Pour quelques bahts de plus, l'agence *Andrew Tour* (☎ 783-459 ou 📱 081-897-84-82) organise le transfert en minibus entre les principaux hôtels de Hat Yai et l'embarcadère principal.

Attention : les bateaux sont rarement ponctuels : la faute aux aléas météo et aussi, il faut l'avouer, à de fréquents retards à l'allumage. Toujours prévoir une bonne heure de battement par rapport aux horaires que nous indiquons. Les horaires et tarifs changent souvent sans préavis : se renseigner.

➢ *Ko Tarutao :* compter 1h-1h30 de trajet en bateau ordinaire et 30 mn en *speed-boat.* Pour le premier, un bateau quotidien à 11h, puis un autre à 13h30 qui continue sur Ko Lipe. Retours vers 11h et 12h30. Le *speed-boat* part quant à lui à 11h30 ; retour vers 10h30 ou 11h. Dans les deux cas, on paie autour de 250 Bts (5 €) l'aller simple et 400 Bts (8 €) l'aller-retour.

➢ *Ko Adang et Ko Lipe* – เกาะอาดังและเกาะหลีเป๊ะ *:* env 3h de navigation. Des bateaux se rendent tlj à 10h30 (via Ko Bulon) et 13h30 (via Ko Tarutao) sur ces 2 îles. Ils n'accostent ni à Lipe ni à Adang : le transfert s'effectue en *long-tail boat.* Retours depuis Lipe à 9h (via Tarutao) et 14h (via Bulon). À partir de 500 Bts (10 €) le trajet simple, 900 Bts (18 €) l'aller-retour.

➢ *Ko Bulon Lae* – เกาะบุหลนเลย์ *:* lire plus bas le chapitre consacré à cette île.

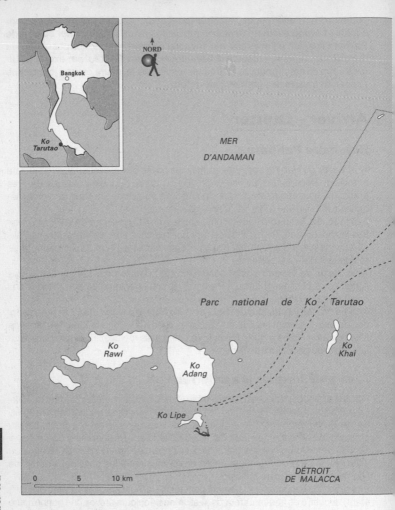

➢ *Entre les îles :* il est possible de profiter des liaisons avec escales pour relier Lipe à Bulon (bateau à 14h) ou Tarutao à Lipe (bateau vers 12h et 14h30). En revanche, impossible de faire Tarutao-Bulon sans repasser par Pakbara ou par Ko Lipe.

– Pour débarquer et embarquer sur ces îles, il faut utiliser les *long-tail boats* : vous aurez à vous délester de quelques billets verts. Le prix va de 20 Bts (0,40 €) pour Tarutao à 40 Bts (0,80 €) pour Lipe. Tout ça pour quelques malheureux mètres !

➢ *Vers Langkawi (Malaisie) :* départs du port de Tammalang à 9h, 13h et 16h. Retours vers la Thaïlande à 8h30, 12h30 et 15h30. Env 250 Bts (5 €) l'aller simple.

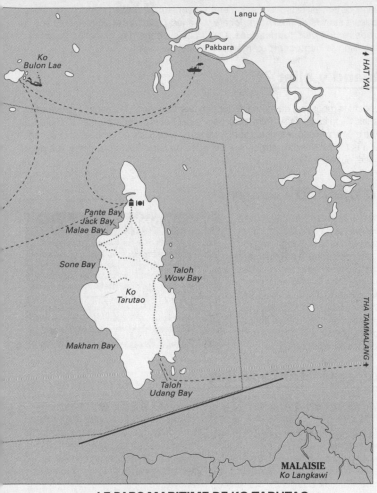

LE PARC MARITIME DE KO TARUTAO

Si vous avez raté le bateau

🏠 |◉| Pas de panique ! Il existe plusieurs bungalows et *guesthouses* pas loin de l'embarcadère. On signale notamment le ***Diamond Beach Resort*** – ไดมอนด์บีชรีสอร์ท, qui loue des bungalows en bois propres et assez confortables, plutôt bon marché. Ils font aussi resto et ont installé quelques tables sur une terrasse couverte qui donne sur la mer. Accueil familial et chaleureux. Si vous êtes un peu juste pour aller prendre le bateau, le patron vous y conduira sûrement en *side-car* ! Plages, hélas, très polluées.

|◉| Sinon, sur la route qui mène au quai, pas mal de petites *épiceries* où l'on conseille de faire quelques courses avant de cingler vers Ko Tarutao ou Ko

Adang, où tout est plus cher. Également plusieurs **stands de nourriture locale et des restos plus touristiques.** On aime bien la cantoche des marins-pêcheurs, à droite près du quai. Plats variés, pas chers et simplement bons, à choisir dans des gamelles impeccables.

Quand y aller ?

Pendant la mousson, de mi-mai à début novembre, aucune liaison régulière avec les îles. Du fait des orages fréquents, peu de pêcheurs prennent la mer. D'ailleurs, à cette même période, les restos sont tous fermés. Le reste de l'année, pour échapper à la foule, éviter si possible les périodes de fêtes (toutefois, rien à voir avec Phuket ou Ko Phi Phi).

KO TARUTAO – เกาะตะรุเตา

Une mer bleu azur, du sable clair à perte de vue, une exubérante forêt vierge et ses bestioles sauvages ; et puis personne, personne sauf vous et une poignée d'autres curieux... Une illusion, nous direz-vous ! Pas tout à fait. Avec ses 26 km de long sur 11 km de large, Tarutao vous offre encore l'occasion de goûter à la grisante solitude des paradis perdus.

L'ÎLE DU DIABLE

De tout temps refuge des pirates de la mer d'Andaman (qui sait s'il n'en reste pas un caché au détour d'un mauvais rêve ?), l'île de Tarutao servit de prison pour les grands criminels thaïlandais et de bagne pour les opposants politiques jusqu'en 1945. Aujourd'hui, protégée de l'appétit des promoteurs, elle semble avoir l'éternité devant elle pour digérer ce lourd passé.

Adresse et info utiles

■ **Administration Office :** ☎ 02-562-07-60 (Bangkok) ou 783-485. Fax : 074-783-597. ● *dnp.go.th* ● Pour l'hébergement dans les parcs nationaux, voir la rubrique « Hébergement » dans « Thaïlande utile » en début de guide. En cas d'urgence sur place, contacter la police de « sauvetage des touristes » (sic !) au ☎ 711-194.

– **Droit d'entrée :** 400 Bts (8 €), à payer à l'entrée du parc ; valable durant tt votre séjour sur les îles de l'archipel, – à condition de ne pas sortir de l'enceinte des zones National Park, sinon il faut repayer.
– Possibilité de louer des vélos.

Où dormir ? Où manger ?

⚔ 🛏 **Les infrastructures d'accueil,** gérées par les fonctionnaires du parc, sont regroupées autour de Pante Bay, au nord-ouest de l'île. Ça va du camping (150 Bts, soit 3 €, pour 2 pers) au bungalow avec ventilo et sdb (800 Bts, soit 16 €, la chambre double) en passant par la formule long house en bambou (500 Bts, soit 10 €, la chambre). La long house est une série de petits dortoirs à 4 lits, avec ventilo et salle de bains à l'extérieur. Tout est très propre et bien entretenu, mais le confort reste basique et les lits sont durs comme du bois. Eau froide, électricité de 18h à minuit. Il est conseillé d'apporter sa propre tente (mais vous pouvez aussi en louer une, soit au Head Quarter à Pante

Bay, soit sur la plage de Sone Bay), car ça vous offre l'opportunité unique de bivouaquer sur les plages les plus isolées de l'île (dans ce cas-là, prévoyez vos vivres depuis le continent, si possible avant Pakbara, le choix y étant limité). Certains vont jusqu'à bricoler une cabane de fortune ou dorment dans un hamac... C'est le retour à l'état sauvage !

I●I Café de Tarutao – คาเฟ่เคาะตะรูเตา : tlj 7h-14h, 17h-21h. Tt à moins de 100 Bts (2 €). Vous n'aurez pas l'embarras du choix, un seul resto en tout et pour tout à proximité des bungalows. Cuisine plus que correcte et staff sympa. Fruits de mer, riz sauté, soupes à prix très raisonnables. Petit déj pas mauvais.

Les plages

△ **Pante Bay** – อ่าวปันเต (1,5 km) : à partir du port, elle s'étale vers le sud, bordée à l'est par le village de bungalows et des feuillus de toutes sortes. C'est la plage la plus fréquentée de l'île, mais tout est relatif : en pleine saison, à peine quelques serviettes qui fleurissent ici et là.

△ **Jack Bay** – อ่าวแจ๊ค (0,8 km) : au sud de Pante Bay, dont elle n'est détachée qu'à marée haute. À marée basse, on accède à cette plage par un passage de 150 m à gué. Quand la marée monte, l'accès n'est possible qu'à la nage ou en escaladant les rochers gréseux séparant les deux baies. Solitude presque assurée.

△ **Malae Bay** – อ่าวมาเล (0,6 km) : à l'extrême sud de Jack Bay, suivre le ruisseau qui s'engage vers la gauche à travers la mangrove ; le traverser. À l'horizon apparaît déjà Malae Bay après quelque 200 m, avec ses plantations de cocotiers. On peut y planter sa tente.

△ **Sone Bay** – อ่าวสน (3 km) : suivre le chemin longeant Malae Bay sur la gauche. Rapidement, ça grimpe à travers la forêt vierge pour redescendre en fin de parcours. Le chemin est bien balisé tout du long. Au total, 4 km de marche depuis Malae ; 7,5 km depuis le départ, soit grosso modo 2h de marche. Juste avant destination, le sentier traverse deux petits ruisseaux alimentés toute l'année, puis le chemin part sur la droite pour rejoindre le seul bungalow de Sone Bay (Ranger Station). C'est là que réside le garde-forestier avec sa petite famille à l'extrême nord de la plage. Ici, on peut aussi louer une tente, grignoter et se désaltérer. Vers le sud, du sable blanc à perte de vue et personne à l'horizon : dépaysement garanti. De décembre à février, c'est ici que les tortues de mer viennent pondre leurs œufs. La chance ne nous a malheureusement pas souri. Tant pis, vous nous raconterez...

➤ Il y a aussi une belle petite **rando** à faire vers une cascade à 3,5 km de la plage. La balade est bien balisée, mais attention, malgré la courte distance, l'aller-retour nécessite au moins 3h de marche et de grimpette dans les rochers.
Côté pratique, si vous voulez passer la nuit (c'est l'idéal, le coucher de soleil y est sublime), négociez, avec le garde, un riz fait maison pour le dîner et n'hésitez pas à apporter de la nourriture.

△ **Makham Bay** – อ่าวมะขาม (1 km) et **Taloh Udang Bay** – อ่าวตะโละอุดัง (2 km) : tout au sud de l'île, ces deux plages sont inaccessibles à pied. Seule solution : louer les services d'un long-tail boat à partir du port. Taloh Udang restera célèbre à jamais pour avoir reçu, entre 1939 et 1945, bon nombre d'opposants au régime nationaliste de Phibun. Lors de notre passage, nous y avons vu batifoler des dauphins rigolards ! À l'horizon, les gratte-ciel de Ko Langkawi ; sans commentaire...

⚠ **Taloh Wow Bay** – ถ้ำวาตะโละวาว **:** l'accès y est facile pour les bons marcheurs via la seule route de l'île, mais le parcours en plein soleil est assez éprouvant (10 km aller à partir de Pante Bay). Unique plage (rocheuse) orientée sur le côté est de l'île, elle servit longtemps de geôle aux plus dangereux prisonniers thaïlandais.

À voir. À faire

🍴 **Le musée-diaporama :** *avt le resto, sur la gauche.* Modeste expo sur la géographie et l'histoire de Tarutao, carte en relief à grande échelle, photographies, description des espèces sauvages locales... Séance-diaporama du lundi au mercredi vers 20h, dans un bâtiment voisin. Assez intéressant. Quelques commentaires en anglais.

🚶🚶 **Toh-Boo :** *à partir des bureaux administratifs du parc, un sentier grimpe au sommet de la colline Toh-Boo, à 114 m. Env 15 mn de marche dans la forêt.* L'occasion de sympathiser avec la faune de l'île (notamment les singes et les écureuils volants). De là-haut, superbe panorama sur la côte ouest. Par temps clair, on aperçoit Ko Adang et Ko Lipe (tout à gauche) à quelque 40 km et Ko Bulon Lae (tout à droite).

🚶🚶 **La grotte des Crocodiles** – ถ้ำจระเข้ **:** du port, on aperçoit sur la droite un canal naturel *(Malaka Canal)* qui s'engouffre à l'intérieur des terres à travers une épaisse mangrove. Celui-ci conduit, après un peu plus de 1 km, à une caverne qui tenait jadis sa réputation de ses féroces crocodiles (brr !). Néanmoins, ceux-ci semblent avoir disparu de l'île depuis 1974, date à laquelle remonte leur dernière observation. Balade très intéressante ; prévoir une torche pour la grotte. *Le bateau en entier revient à env 400 Bts (8 €) ; se grouper avec d'autres. Rens auprès des* rangers.

KO LIPE – เกาะหลีเป๊ะ

Entourée de belles plages de sable blanc et d'un récif magnifique, cette petite île plate comme une crêpe est devenue essentiellement touristique et mercantile. Mais elle nous plaît quand même, c'est dire si elle est belle ! Ko Lipe tient avant tout son originalité de sa communauté de pêcheurs, les *Moken* ou *Chao Lay* en thaï, des « gitans de la mer » dont les origines sont mal connues encore aujourd'hui.

DESTINÉE HOULEUSE

Forts, les cheveux raides légèrement rougeâtres, les yeux d'un bronze intense, les Chao Lay ont leur propre langue et sont liés à la mer corps et âme, comme en témoigne leur rituel de la « Loy-Rua ». Celui-ci consiste à offrir à la mer un bateau chargé symboliquement des péchés des villageois. Si par malheur l'océan vient à le rejeter vers la côte, le pire est à craindre pour ces marins, soudain pris sous le joug de la fatalité (mauvaises récoltes, accidents en mer...).

Infos utiles

➤ **Accès :** voir « Arriver – Quitter » plus haut. Pas de port. Ko Lipe est entourée de récifs de coraux, les eaux alentour sont d'ailleurs très peu profondes. Les passagers sont débarqués à l'aide de *long-tail boats* à fond plat dont les proprios sont de fieffés filous. De nov à avr, un bateau local assure la liaison directe au départ de Ko Muk jusqu'à Ko Lipe : départ Ko Muk *(Charlie Beach Resort)* à 14h30 ; env 2h30 de trajet pour 1 250 Bts (25 €). Retour au départ de Ko Lipe pour Ko Muk à 9h. Possibilité au retour de prolonger sur Ko Lanta pour 1 950 Bts (38 €).

– **Internet** et le **téléphone international** sont disponibles sur l'île mais à des tarifs franchement prohibitifs. Pas de banque, mais les hôtels sont habitués à faire le **change.**

Où dormir ? Où manger ?

Il y a désormais une quinzaine de *resorts* en tout genre sur tout le pourtour de l'île. Sur Lipe, une chambre double n'excède pas 1 500 Bts (30 €), à part pour les 2 *resorts* de bonne catégorie qui ont déjà vu le jour sur Pattaya Beach : **Bundhaya Resort** (● bundhayaresort.com ●) jusqu'à 3 900 Bts (78 €) et l'hotel **Sita Beach Resort & Spa** (● sitabeachresort.com ●) allant jusqu'à plus de 5 000 Bts (100 €). La longue plage de Pattaya, au sud, concentre la plupart des restos et des bars, d'où pas mal de monde et une certaine promiscuité.

De bon marché à prix moyens (de 250 à 1 000 Bts – 5 à 20 €)

Sur la côte nord et nord-est

ጰ 👙 ⑩ **Porn Resort** – พร รีสอร์ท : au nord-ouest de l'île. Pas de téléphone. Bungalows bon marché en bois et bambou tressé, et également possibilité de louer une tente (avec matelas !) que l'on plantera pilo poil devant l'océan ! Chambres et sanitaires assez propres. Calme, joli paysage alentour. La table est bonne, pour ne pas dire excellente ! Une bonne adresse routarde.

👙 ⑩ **Andaman Resort** – อันดามันรีสอร์ท : juste à côté du village, au nord-est de l'île. ☎ 728-017. 🕿 081-898-43-35. Sur la plus belle et la plus tranquille des plages, entre une cocoteraie et une minipinède, voici un assez gros village de bungalows en bois. Il y en a pour tous les goûts et pour toutes les bourses, de la cabane spartiate et étriquée au chalet climatisé avec terrasse et vue sur le large. Totalement calme, avec un « plus » : la proximité du village, qui rend l'endroit vivant et authentique. Au resto, des plats thaïs plutôt bons. Bonne ambiance populaire. Seul bémol : l'accueil un brin commercial.

👙 ⑩ **Mountain Resort** – เม้าเทนนรีสอร์ท : au nord-est, à côté d'Andaman Resort. ☎ 728-131. 🕿 089-738-45-80. ● mt-resort.com ● 3 catégories de bungalows, ventilé (bambou et toit de tôle verte), avec AC ou « VIP » (ça nous fera toujours rire, comme expression, surtout pour un chalet en bois !). Le charme de cette adresse réside dans sa situation, en surplomb de la mer et les yeux dans les yeux avec l'île d'Adang. Belle vue depuis le resto. Calme, avec un joli bout de plage en contrebas. Dispose de ses propres bateaux pour les excursions.

Plage de Pattaya – côte sud

👙 ⑩ **Pattaya 2 Resort** – พัทยา 2 รีสอร์ท : à l'extrémité ouest de la plage, à flanc de roche. ☎ 728-034. 🕿 089-464-83-37. Bungalows de styles très variés, posés sur pilotis et s'intégrant de leur mieux dans le paysage rocailleux. Les plus chers (à prix moyens) font face à la mer ; les autres, plus rustiques mais propres néanmoins, possèdent une douche froide et des w-c à la turque. Calme, un peu au-dessus de la mêlée. Resto et bar. Quant à la plage, elle est bien jolie mais peu propice à la baignade : très peu de fond, nombreux bateaux à moteur et en plus, des oursins avec des piquants longs comme ça !

– Évitez les bungalows de *Lee-Pae Resort,* le plus cher et le plus en vue de Pattaya, où les *long-tail boats* débarquent souvent en premier. C'est vrai-

ment très sale et cher pour pas grand-chose.

|●| *Family restaurant* – ร้านอาหารแฟ มิลี่ : *au milieu de Pattaya Beach. Repas moins de 100 Bts (2 €).* Consiste en une simple terrasse couverte posée sur la plage. On y mange à très bon compte une cuisine locale savoureuse.

– Le soir, ça vire à la **barbecue-party** sur toute la plage ! Presque tous les restos s'y mettent. Poisson, brochettes, etc. Extra.

Où boire un verre ? Où sortir ?

🍸 ♪ *Jack's Jungle Bar* – แจ๊คส์ จังเกิ้ล บาร์ : *au beau milieu de l'île, en pleine jungle ! Accès fléché depuis le* Porn Resort *ou le village* chao lay. *Ouv en soirée ; fermeture... à l'aube, s'il le faut !* À notre avis le meilleur endroit de l'île

pour descendre une mousse, papoter avec les habitués ou jouer au billard. Tenu par des moniteurs de plongée occidentaux, il est fréquenté par tous les gens *aware* de Ko Lipe. Excellente musique et ambiance conviviale.

À voir. À faire dans les environs

➤ Balades sympas d'une plage à l'autre. Plusieurs sentiers traversent l'île de part en part. Sinon, quel bonheur de nager dans l'eau transparente ! Également quelques récifs coralliens au large de la plage de *Se Pattaya* et au large du *Porn Resort.*

🤿 *Plongée en apnée :* les plus beaux récifs coralliens sont situés autour de *Ko Kra* (facilement reconnaissable à son palmier solitaire), à 500 m au large de Ko Lipe, côté est, *Ko Jabang* (5 km en direction de Ko Rawi) et surtout *Ko Yang* (3 km supplémentaires vers Ko Rawi). L'idéal est de se regrouper pour louer un bateau à la journée ou à la demi-journée. Location de masques et de tubas. *Snorkelling* facile et riche en rencontres colorées. Certainement l'un des derniers sanctuaires de vie marine encore appréciables en Thaïlande et ne souffrant pas trop, pour l'instant, des affres de la fréquentation touristique. Surtout, ne touchez à rien ; vous pourriez casser le corail, déranger la faune et le regretter douloureusement !

🤿 Pour vous lancer dans la plongée avec bouteilles, Ko Lipe est un endroit rêvé. Attention, parmi la demi-douzaine de centres de plongée de l'île, tous ne sont pas recommandables. Nous vous conseillons en particulier :

■ *Sabye Sports* – สบาย สปอร์ต : *juste à côté du* Porn Resort. ☎ 728-026. ▢ 089-464-58-84. ● sabye-sports. com ● Un centre très sérieux, fonction-

nant avec des instructeurs européens. Formation *PADI* de qualité. Jetez un œil sur leurs promotions du moment.

➤ À proximité de Ko Jabang, faire un petit détour de 1 km par **Ko Hin Ngam** – เกาะหินงาม (littéralement « l'île aux belles pierres ») pour observer ses plages couvertes de galets au poli incomparable. En revanche, résistez au plaisir d'en rapporter en souvenir, tout le monde vous dira que ça porte malheur.

KO ADANG – เกาะอาดัง

Jadis réputée pour la beauté de ses fonds coralliens, elle n'offre plus aujourd'hui aux plongeurs que quelques récifs dégradés. Naturellement, on pense à la pêche à la dynamite et aux traces indélébiles qu'elle laisse derrière elle. Mais il semblerait que le vent soit aussi à l'origine de ces dégradations (par les transports sableux dont il est la cause). Toutefois, Ko Adang a encore beaucoup à offrir avec son relief montagneux (points de vue plongeants sur les îles voisines de l'archipel), ses épaisses forêts vierges et ses cascades, où les pirates du coin venaient se ravitailler (*Pirats Waterfall*). Également quelques villages de pêcheurs *chao lay* (la plupart ont toutefois émigré vers Ko Lipe). Réservé aux voyageurs déterminés et avides d'horizons sauvages.

Enfin, si vous n'y faites qu'un rapide passage, l'excursion jusqu'au sommet vaut le détour : vue magnifique sur les îles environnantes, notamment Ko Lipe, entourée d'un halo d'eau turquoise.

Infos utiles

➢ *Accès :* voir « Arriver – Quitter » au début du chapitre sur le parc maritime de Tarutao. On débarque au sud de l'île, au niveau du quartier général (Laem Son). En outre, possibilité de passer de Ko Lipe à Ko Adang à tout moment (moins de 2 km les séparent) en *long-tail boat.* Pas trop cher.

– *Hébergement et nourriture :* se reporter à la rubrique « Où dormir ? Où manger ? » à Ko Tarutao, plus haut. Camping et bungalows sur le même modèle, aux mêmes prix.

KO BULON LAE – เกาะบุโหลนเล

Située au sein du parc maritime de Mu Ko Phetra, à une quinzaine de kilomètres au nord de Tarutao, la petite île de Bulon Lae vous offre la perspective de vacances paisibles dans un environnement enchanteur (sable fin, coraux et forêt luxuriante). Une île très prisée par les familles et les gens tranquilles. Meilleur moment pour s'y rendre : de janvier à avril. Le reste de l'année, les liaisons maritimes sont beaucoup moins fréquentes.

Arriver – Quitter

➢ Au départ de *Pakbara* (port d'embarquement principal pour les îles, voir plus haut). De mi-nov à mi-mai, bateau tlj à 10h30 et 15h à destination de Ko Bulon Lae. Compter 250 Bts (5 €) pour 1h30 de trajet. Retour vers Pakbara à 10h et 16h. Liaison avec *Ko Lipe* par le ferry Pakbara-Bulon-Lipe, qui dessert Bulon à la mi-journée ; 2h de bateau, 350 Bts (7 €) le billet. Également, possibilité de départ de Ko Lanta, en *speed-boat* (compagnie *Satun Pakbara Speed Boat*) ; départ Saladan Pier 13h, arrivée vers 16h à Ko Bulon Lae après passage à Ko Muk (compter 900 Bts/pers soit 18 €).

Où dormir ? Où manger ?

De bon marché à prix moyens (de 250 à 1 000 Bts – 5 à 20 €)

🛏🍴 *Koh Bulon School* – โรงเรียนบ้านเกาะบูโหลน (เล) : 089-976-45-21. C'est l'école de l'île. Une poignée de bungalows simples, propres et très bon marché, tenus par l'institutrice du village. À l'intérieur, ventilo, douche froide, moustiquaire. Attention, le soleil tape fort sur les toits de tôle : mais vous n'êtes probablement pas venu ici pour rester enfermé toute la journée ! Excellent esprit. En plus, la maîtresse est d'une gentillesse débordante !

🛏🍴 *Marina Resort* – มารีน่ารีสอร์ท : face au débarcadère, derrière l'école. ☎ 728-032. ● marina-kobulon.com ● Bon marché. Beaux chalets tout en bois, avec douche froide, ventilo et moustiquaire, rustiques dans le bon sens du terme. C'est « Ma cabane au Canada » version tropicale ! Vraiment un bon deal. Accueil sympa. Au resto, cuisine thaïe pas chère.

🛏🍴 *Bulon Resort* – บูโหลนรีสอร์ท : à l'extrémité nord de Bulon Beach, après l'école. 081-897-90-84. Les bungalows les moins chers sont plus que rudimentaires, puisqu'il n'y a dedans qu'un lit surmonté d'une moustiquaire. Les plus chers (prix moyens) sont flambant neufs, spacieux, avec douche froide et ventilateur. Accueil et ambiance très positifs. Resto pas terrible, en revanche.

🛏 *Panka Resort* – ปันการีสอร์ท : plus loin vers l'ouest, après le dernier village de pêcheurs. 081-990-22-37. Quelques bungalows équipés de douches et w-c sommaires, loués par les habitants traditionnels de l'île, le long de Panka Yai Bay. Une saveur de bout du monde face à cette plage atypique mais ô combien belle ! Idéal pour partager la vie du village et mieux comprendre la culture *chao lay.*

🍴 Autour du village *chao lay,* plusieurs restos locaux pour manger sain et pas cher.

Un peu plus chic (de 1 000 à 2 000 Bts – 20 à 40 €)

🛏🍴 *Pansand Resort* – พันแซนด์รีสอร์ท : 200 m à gauche du débarcadère. ☎ 075-218-035. 081-397-08-02. Fax : 075-211-010. Résa obligée pdt les fêtes locales. Un village de bungalows très organisé, proposant un confort correct, bien que les prix soient nettement surévalués. Salle de bains (eau froide) et ventilo. Attention, les bungalows ne sont pas équipés de moustiquaires ! Attitude typique des hôtels un peu chers, qui semblent croire que le prix élevé des chambres éloigne les moustiques. Signalons malgré tout le resto, bon et pas si cher que ça, et enfin l'accueil souriant et le jardin soigné en bord de plage.

Les plages

🏖 *Bulon Beach* – หาดบูโหลน : à l'ouest de Ko Bulon Lae. La plus grande et la plus belle. Eau limpide, coraux et poissons multicolores, sable jaune crème. Magnifiques couchers de soleil.

🏖 *Mango Bay* – หาดมังโก : au sud de l'île, accès via les villages de pêcheurs près de Panka Noi Bay, par un sentier sur la gauche. Pas plus de 15 mn de marche. Petite plage de sable fin (pas toujours très propre) bordée d'un village de pêcheurs fort accueillant. Comme précédemment, eau claire et coraux à faible distance de la côte. Essayez de convaincre les pêcheurs de vous emmener jusqu'à *Bat Cave,* la « grotte aux chauves-souris », un peu à l'ouest de la plage.

△ *Panka Noi Bay et Panka Yai Bay* – หาดปันกาน้อยและหาดปันกาใหญ่ *:* au nord de l'île. Coin à visiter pour ses villages *chao lay* (ne pas manquer la pause-fumerie en milieu d'après-midi, vous verrez ces costauds s'époumoner avec une pipe de bambou) et ses deux plages de granite, grès et latérite réunis. Végétation de mangrove, socle aux découpes originales. Attention toutefois à la chute, on en a personnellement fait les frais en voulant visiter *Nose Cave* (roche glissante et très tranchante par endroits).

Où plonger ?

Autour de Ko Bulon Lae : le long de la grande plage et de Mango Bay. Bancs de coraux souples, accessibles aux bons nageurs. Location de matériel au *Pansand Resort.*

White Rock : au sud de Ko Bulon Lae. Pas de prix fixe, ça dépend surtout de la pêche du matin. Pour ceux qui souhaitent plonger parmi les récifs coralliens, une excursion en bateau s'impose vers White Rock. Possibilité de passer par un des *resorts,* quoique la meilleure solution (et la moins onéreuse) consiste à aller directement au-devant des pêcheurs.

routard
ASSURANCE
L'ASSURANCE VOYAGE
MONDE ENTIER

VOTRE ASSISTANCE « MONDE ENTIER » LA PLUS ETENDUE

RAPATRIEMENT MEDICAL **ILLIMITÉ**
(au besoin par avion sanitaire)
VOS DEPENSES : MEDECINE, CHIRURGIE, (env. 1.960.000 FF) **300.000 €**
   HOPITAL, GARANTIES A 100% SANS FRANCHISE
   HOSPITALISE : RIEN A PAYER ! … (ou entièrement remboursé)
BILLET GRATUIT DE RETOUR DANS VOTRE PAYS : **BILLET GRATUIT**
   En cas de décès (ou état de santé alarmant) **(de retour)**
   d'un proche parent, père, mère, conjoint, enfant(s)
*BILLET DE VISITE POUR UNE PERSONNE DE VOTRE CHOIX **BILLET GRATUIT**
   si vous êtes hospitalisé plus de 5 jours **(aller - retour)**
   Rapatriement du corps – Frais réels **Sans limitation**

RESPONSABILITE CIVILE «VIE PRIVEE» A L'ETRANGER

Dommages CORPORELS (garantie à 100%) ....(env. 4.900.000 FF) **750.000 €**
Y compris Assistance Juridique (accidents)
Dommages MATERIELS (garantie à 100%) ....(env. 2.900.000 FF) **450.000 €**
(dommages causés aux tiers) **(AUCUNE FRANCHISE)**
Y compris Assistance Juridique (accidents)
EXCLUSION RESPONSABILITE CIVILE AUTO : ne sont pas assurés les dommages
causés ou subis par votre véhicule à moteur : ils doivent être couverts par un contrat
spécial : ASSURANCE AUTO OU MOTO.
CAUTION PENALE .... (env. 49.000 FF) **7.500 €**
AVANCE DE FONDS en cas de perte ou de vol d'argent ..(env. 6.500 FF) **1.000 €**

VOTRE ASSURANCE PERSONNELLE «ACCIDENTS» A L'ETRANGER

Infirmité totale et définitive (env. 490.000 FF) **75.000 €**
Infirmité partielle – (SANS FRANCHISE) **de 150 € à 74.000 €**
   (env. 900 FF à 485.000 FF)
Préjudice moral : dommage esthétique (env. 98.000 FF) **15.000 €**
Capital DECES (env. 98.000 FF) **15.000 €**

VOS BAGAGES ET BIENS PERSONNELS A L'ETRANGER

Vêtements, objets personnels pendant toute la durée de votre voyage à l'étranger :
vols, perte, accidents, incendie, (env. 13.000 FF) **2.000 €**
Dont APPAREILS PHOTO et objets de valeurs (env. 1.900 FF) **300 €**

routard
ASSURANCE
L'ASSURANCE VOYAGE
MONDE ENTIER

BULLETIN D'INSCRIPTION

NOM : M. Mme Melle |___|___|___|___|___|___|___|___|___|___|___|___|

PRENOM : |___|___|___|___|___|___|___|___|___|___|___|___|___|

DATE DE NAISSANCE : |___|___|___|___|___|___|___|___|

ADRESSE PERSONNELLE : |___|___|___|___|___|___|___|___|___|___|

|___|___|___|___|___|___|___|___|___|___|___|___|___|___|___|___|

|___|___|___|___|___|___|___|___|___|___|___|___|___|___|___|___|

CODE POSTAL : |___|___|___|___|___| TEL. |___|___|___|___|___|___|___|___|

VILLE : |___|___|___|___|___|___|___|___|___|___|___|___|___|___|

E-MAIL : ....

DESTINATION PRINCIPALE...

Calculer exactement votre tarif en SEMAINES selon la durée de votre voyage :
7 JOURS DU CALENDRIER = 1 SEMAINE

> Pour un Long Voyage (2 mois…), demandez le **PLAN MARCO POLO**
> Nouveauté contrat Spécial Famille - Nous contacter

COTISATION FORFAITAIRE 2009-2010

VOYAGE DU |___|___|___|___|___| AU |___|___|___|___|___| = |___|___|
SEMAINES

Prix spécial (3 à 50 ans) : **22 € x** |___|___| = |___|___|___| **€**

De 51 à 60 ans (et – de 3 ans) : **33 € x** |___|___| = |___|___|___| **€**

De 61 à 65 ans : **44 € x** |___|___| = |___|___|___| **€**

Tarif "**SPECIAL FAMILLES**" 4 personnes et plus : **Nous consulter au 01 44 63 51 00**
Souscription en ligne : www.avi-international.com

Chèque à l'ordre de ROUTARD ASSURANCE – *A.V.I. International*
28, rue de Mogador – 75009 PARIS – FRANCE - Tél. 01 44 63 51 00
Métro : Trinité – Chaussée d'Antin / RER : Auber – Fax : 01 42 80 41 57

ou Carte bancaire : Visa ☐ Mastercard ☐ Amex ☐

N° de carte : |___|___|___|___|___|___|___|___|___|___|___|___|___|___|___|___|___|___|

Date d'expiration : |___|___| |___|___| Signature

Cryptogramme : |___|___|___| Notez les 3 derniers chiffres du numéro à
7 chiffres au verso de votre carte

Je déclare être en bonne santé, et savoir que les maladies
ou accidents antérieurs à mon inscription ne sont pas assurés.

Signature :

Faites des copies de cette page pour assurer vos compagnons de voyage.

"Qui **sauve un enfant,** sauve le **monde**"

Espace offert par le Guide du Routard

INDEX GÉNÉRAL

A

B

C

D-E

H-I

K

L

M

N

O-P

Y

OÙ TROUVER LES CARTES ET LES PLANS ?

INDEX GÉNÉRAL

Les **Routards** parlent aux **Routards**

Faites-nous part de vos expériences, de vos découvertes, de vos tuyaux.
Indiquez-nous les renseignements périmés. Aidez-nous à remettre l'ouvrage à jour.
Faites profiter les autres de vos adresses nouvelles, combines géniales... On adresse
un exemplaire gratuit de la prochaine édition à ceux qui nous envoient les lettres les
meilleures, pour la qualité et la pertinence des informations. Quelques conseils cependant :
– Envoyez-nous votre courrier le plus tôt possible afin que l'on puisse insérer vos
tuyaux sur la prochaine édition.
– N'oubliez pas de préciser l'ouvrage que vous désirez recevoir.
– Vérifiez que vos remarques concernent l'édition en cours et notez les pages du
guide concernées par vos observations.
– Quand vous indiquez des hôtels ou des restaurants, pensez à signaler leur adresse
précise et, pour les grandes villes, les moyens de transport pour y aller. Si vous le
pouvez, joignez la carte de visite de l'hôtel ou du resto décrit.
– N'écrivez si possible que d'un côté de la lettre (et non recto verso).
– Bien sûr, on s'arrache moins les yeux sur les lettres dactylographiées ou correctement écrites !
En tout état de cause, merci pour vos nombreuses lettres.

Les Routards parlent aux Routards :
122, rue du Moulin-des-Prés, 75013 Paris

e-mail : guide@routard.com
Internet : routard.com

Le Trophée du voyage humanitaire ROUTARD.COM
s'associe à VOYAGES-SNCF.COM

Ils ont aidé à la création d'un poste de santé autonome au Sénégal, à la reconstruction
d'un orphelinat à Madagascar... Et vous ?
Envie de soutenir un projet qui favorise la solidarité entre les hommes ? Le Trophée du
Voyage Humanitaire Routard.com est là pour vous ! Que votre projet concerne le
domaine culturel, artisanal, écologique, pédagogique, en France ou à l'étranger, le
Guide du routard et Voyages-sncf.com soutiennent vos initiatives et vous aident à les
réaliser ! Si vous aussi vous voulez faire avancer le monde, inscrivez-vous sur
● *routard.com/trophee* ● ou sur ● *tropheesdutourismeresponsable.com* ●

Routard Assurance 2010

Routard Assurance et Routard Assurance Famille, c'est l'Assurance Voyage Intégrale.
Dépenses de santé et frais d'hôpital pris en charge directement sans franchise jusqu'à
300 000 € + caution + défense pénale + responsabilité civile + tous risques bagages et
photos. Assurance personnelle accidents : 75 000 €. Très complet ! Tarif à la semaine
pour plus de souplesse. Tableau des garanties et bulletin d'inscription à la fin de chaque *Guide du routard* étranger. Pour les départs en famille (4 à 7 personnes), demandez le bulletin d'inscription famille. Pour les longs séjours, contrat *Plan Marco Polo*
« spécial famille » à partir de 4 personnes. Pour un voyage « éclair » de 3 à 8 jours
dans une ville d'Europe, bulletin d'inscription adapté dans les guides villes avec des
garanties allégées et un tarif « light ». Également un nouveau contrat *Seniors* pour les
courts et longs séjours. Si votre départ est très proche, vous pouvez vous assurer par
fax : 01-42-80-41-57, en indiquant le numéro de votre carte de paiement. Pour en
savoir plus : ☎ 01-44-63-51-00 ou ● *avi-international.com* ●

Photocomposé par MCP - Groupe Jouve
Imprimé en France par Aubin
Dépôt légal : octobre 2009
Collection n° 13 - Édition n° 01
24/4827/2
I.S.B.N. 978-2-01-244827-8